2nd Edition

Child·Adolescence Health Nursing

아동청소년 간호학 II

UNIT **3** 아동의 건강회복

강경아 · 김신정 · 김현옥 · 이명남 외 공저

군자출판사

아동청소년간호학 [제2판]

Child · Adolescence Health Nursing

첫째판 1쇄 발행 2013년 3월 4일
첫째판 2쇄 발행 2013년 8월 26일
첫째판 3쇄 발행 2014년 1월 10일
둘째판 1쇄 발행 2019년 2월 8일
둘째판 2쇄 발행 2020년 2월 10일
둘째판 3쇄 발행 2020년 9월 14일
둘째판 4쇄 발행 2023년 8월 30일

지 은 이   강경아 · 김신정 · 김현옥 · 이명남 · 구정아 · 김경남 · 김선영 · 김성희 · 김여진 · 김은주 · 김재현 · 박선정 · 박성주
　　　　　박지영 · 석정원 · 이상미 · 이용화 · 임소연 · 임수진 · 정용선 · 조숙희 · 조해련 · 주가을 · 채명옥
발　　행   장주연
편　　집   박문성
표지디자인   최윤경
내지디자인   최윤경
발 행 처   군자출판사(주)
　　　　　등록 제4-139호(1991.6.24.)
　　　　　(10881) 파주출판단지 경기도 파주시 회동길 338(서패동 474-1)
　　　　　Tel. (031) 943-1888 Fax. (031) 955-9545
　　　　　www.koonja.co.kr

ISBN 979-11-5955-403-2 (93510)
정 가 80,000원

Child·Adolescence Health Nursing

아동청소년 간호학 II

UNIT 3 아동의 건강회복

대표저자

강 경 아	삼육대학교
김 신 정	한림대학교
김 현 옥	전북대학교
이 명 남	강원대학교

집 필 진

구 정 아	백석문화대학교
김 경 남	부산여자대학교
김 선 영	부천대학교
김 성 희	중앙대학교
김 여 진	원광보건대학교
김 은 주	전북과학대학교
김 재 현	전주비전대학교
박 선 정	여주대학교
박 성 주	남부대학교
박 지 영	인제대학교
석 정 원	삼육보건대학교
이 상 미	동양대학교
이 용 화	군산간호대학교
임 소 연	백석대학교
임 수 진	인천가톨릭대학교
정 용 선	동신대학교
조 숙 희	국립목포대학교
조 해 련	원광대학교
주 가 을	수원대학교
채 명 옥	청주대학교

머리말

　최근 출산율의 급격한 감소와 더불어 아동양육과 건강에 대한 문제가 빠르게 변하고 있어, 아동간호의 대상인 아동과 청소년, 가족을 위한 간호의 개념은 대상자의 요구 중심적 접근이 되어야 한다고 봅니다. 이에 따라 아동간호학 영역에서도 인간의 성장발달에 대한 이해를 바탕으로 신생아에서부터 청소년까지의 아동과 그 가족의 건강유지, 증진 및 건강회복을 위하여 아동과 그 가족에게 보다 실제적인 간호를 제공하는 것이 중요하다고 생각됩니다.

　본 교재는 2017년 개정된 3차 아동간호학 학습목표에 근거하여, 이론적 지식뿐 아니라 임상에 적용되고 있는 최신 실무 내용을 반영하여 아동간호 임상현장에서 유용하게 활용할 수 있도록 하는 것을 목표로 출간하게 되었습니다. 이 책의 구성은 I권은 UNIT 1. 아동간호학의 개념, UNIT 2. 성장발달과 건강증진으로 구성되어 있으며 II권은 UNIT 3. 아동의 건강회복으로 구성되어 있습니다. 이 책은 총 25장으로 구성되었고 각 장에는 그 장에서 포함되는 주요 용어를 제시하였습니다. 각 장마다 확인문제를 통해 자가 학습에 도움을 주도록 하였으며, 매 장 마지막에 확인문제에 대한 정답과 요점을 제시하여 학습효과를 높이도록 하였습니다. 또한 간호과정도 대한간호협회 진단목록에 따라 통일하였습니다.

　대학에서 효과적으로 학습성과를 달성하기 위해 교육과 연구에 분주한 상황에서도 학생들에게 도움이 되는 교재 저술을 위해 열심히 협조하여 주신 저자 교수님들과 자축의 기쁨을 함께 나누고 싶습니다. 앞으로 미비하거나 계속적으로 변화되는 임상상황과 내용에 대해서는 계속적인 관심을 가지고 수정해 나가도록 하겠습니다. 본 교재가 아동간호학을 공부하는 학생은 물론, 임상과 연구부분뿐만 아니라 아동과 관련된 전문영역에서 활동하는 전문인들에게 유용한 도서로 사용되기를 바랍니다.

　끝으로 이 책이 출간되기까지 여러모로 후원해주신 군자출판사 장주연 사장님과 직원 여러분께 진심으로 감사드립니다.

2020년 1월
저자 일동

UNIT 03
아동의 건강회복

CHAPTER 11

고위험 신생아와 가족의 간호

주요용어

Rh 부적합증(Rh incompatibility)
갈색지방(brown fat)
고빌리루빈혈증(hyperbilirubinemia)
고혈당증(hyperglycemia)
과숙아(post term infant)
광선요법(phototherapy)
괴사성 장염(necrotizing enterocolitis)
교환수혈(exchange transfusion)
극소저출생체중아(very-low-birth-weight infant)
뇌실 내 출혈(intraventricular hemorrhage)
따라 잡기(catch-up)
만삭아(full term infant)
무호흡(apnea)
미숙아(preterm infant)
미숙아 망막증(retinopathy of prematurity)
방사성 가온기(radiant heat warmers)
보육기(incubator)
부당경량아(large for gestational age)
부당중량아(small for gestational age)
신생아 금단 증후군(neonatal abstinence syndrome)
신생아 출혈성 질환(hemorrhagic disease of the newborn)
신생아 호흡곤란증후군(respiratory distress syndrome)
신생아 집중치료실(neonatal intensive care unit, NICU)
용혈성질환(hemolytic disease)
저출생체중아(low-birth-weight infant)
저칼슘혈증(hypocalcemia)
저혈당증(hypoglycemia)
중성온도환경(neutral temperature environment)
체외막산소화요법(extracorporeal membrane oxygenation, ECMO)
초극소저출생체중아(extremely very-low-birth-weight infant)
캥거루식 돌보기(Kangaroo care)
태아수종(hydrops fetalis)
핵황달(kernicterus)

학습목표

01 고위험 신생아의 생리적 기능과 특성을 설명한다.
02 고위험 신생아의 신체 각 기관을 사정한다.
03 고위험 신생아의 체온유지 간호를 수행한다.
04 고위험 신생아의 호흡유지 간호를 수행한다.
05 고위험 신생아의 영양유지 간호(비경구영양, 경관영양 등)를 수행한다.
06 고위험 신생아의 피부간호를 수행한다.
07 고위험 신생아의 특수간호(통증조절, 광선요법, 교환수혈 등)를 수행한다.
08 신생아 집중치료실 환경관리를 수행한다.
09 고위험 신생아의 부모에게 부모역할 증진 교육을 수행한다.
10 미숙아와 과숙아의 특성을 설명한다.
11 출생 시 손상(두부손상, 골절, 마비) 신생아에게 간호과정을 적용한다.
12 용혈성질환 신생아에게 간호과정을 적용한다.
13 저혈당증 신생아에게 간호과정을 적용한다.
14 패혈증 신생아에게 간호과정을 적용한다.
15 호흡기계 관련 장애가 있는 고위험 신생아에게 간호과정을 적용한다.(호흡곤란증후군, 무호흡, 태변흡인, 기관지폐형성이상, 미숙아망막병)
16 대사장애(갑상선저하증, 페닐케톤뇨, 갈락토오스혈증, 부신생식기증후군) 신생아에게 간호과정을 적용한다.
17 신경계 장애가 있는 고위험 신생아에게 간호과정을 적용한다.(뇌실 내 출혈, 경련, 이분척추, 수두증)
18 근골격계 장애가 있는 고위험 신생아에게 간호과정을 적용한다.(발달성 고관절 이형성증, 만곡족, 사경)
19 소화기계 장애가 있는 고위험 신생아에게 간호과정을 적용한다.(구순/구개열, 기관식도루, 항문직장기형, 선천성유문협착증, 선천거대결장, 담도폐쇄, 복벽손상, 탈장, 괴사소장대장염)
20 고위험(당뇨병, 중독, 모체요인과 관련된 감염) 산모의 신생아에게 간호과정을 적용한다.
21 유전질환(다운 증후군, 18번상염체증, 터너 증후군 등) 아동에게 간호과정을 적용한다.

고위험 신생아(high risk infant)란 재태기간이나 출생 시 체중에 관계없이, 출생과 관련된 상황이나 자궁 외 생활의 적응과 관련된 것으로 고위험 상태나 환경으로 인해 이환율과 사망률이 평균보다 높은 신생아를 말한다. 출생 시 체중이나 재태연령, 병태 생리학적 문제에 따라 다음과 같이 분류된다[표 11-1].

I 생리적 기능과 특성

01 / 재태연령의 평가와 체중에 따른 분류

WHO에 의하면 미숙아(premature infant) 또는 조산아(preterm infant)는 출생체중에 관계없이 재태기간 37주 미만에 출생한 신생아를 말한다.

출생체중에 따라 저출생체중아(low birth weight infant, 2,500g 미만 : LBW), 극소저출생체중아(very low birth weight infant : VLBW, 1,500g 미만), 초극소저출생체중아(extremely low birth weight infant : ELBW, 1,000g 미만)와 과체중아로(overweight infant, macrosomia, 4,000g 이상)분류한다.

재태기간에 대한 체중이 자궁 내 성장 곡선상 10~90 백분위에 해당하는 경우 적정체중아(appropriate for gestational age : AGA), 90백분위수 이상인 경우 부당중량아(large for gestational age : LGA), 10백분위수 미만인 경우 부당경량아(small for gestational age : SGA)로 분류한다. 출생체중이 2,500g 미만인 저출생체중아의 약 2/3는 미숙아이고, 나머지 1/3은 부당경량아(SGA infant)이다[표 11-1][그림 11-1].

02 / 발생빈도 및 원인

1) 발생빈도

우리나라의 신생아 출생률은 해마다 감소하는 추세를 나타내고 있으나 미숙아 출생률은 상승하는 경향을 나타내고 있다. 통계청이 발표한 2017년 출생 통계 자료에 의하면 재태기간 37주 미만 출생아비는 7.59%로 2006년 4.6%, 2011년 6.0%, 2016년 7.2%와 비교하여 증가하고 있으며, 1,500g 미만의 극소저출생체중아를 포함하여 2,400g 미만의 저출생체중아의 출생아비도 6.13%로 2006년 4.36%, 2011년 5.22%, 2016년 5.86%와 비교하여 계속 증가하고 있다. 미숙아 사망률은 생후 1년 내의 영아 사망률의 80~90%를 차지하고 있다. 그러므로 모든 미숙아는 사망률과 합병증 발생을 낮추기

표 11-1 고위험 신생아의 분류

대분류	수행항목	이론적 근거
재태연령에 따른 분류 (출생 체중과 관계없이)	미숙아 또는 조산아(premature or preterm infant)	재태기간 37주 미만(36주 6일까지)
	만삭아(full-term infant)	재태기간 37주에서 42주(37주 0일부터 41주 6일까지)
	과숙아(postmature, postterm infant)	재태기간 42주 이후(42주 0일부터)
출생 시 체중에 따른 분류 (재태기간과 관계없이)	정상체중아	출생 체중 2,500g~4,000g 사이
	저출생체중아(low birth weight infant : LBW)	출생 체중 2,500g 미만
	극소저출생체중아(very low birth weight infant : VLBW)	출생 체중 1,500g 미만
	초극소저출생체중아(extremely low birth weight infant : ELBW)	출생 체중 1,000g 미만
	과체중아(overweight infant, macrosomia)	출생 체중 4,000g 이상
출생 시 체중과 재태연령에 따른 분류	부당경량아(small for gestational age : SGA) 또는 자궁 내 성장지연(intrauterine growth retardation : IUGR)	출생체중이 자궁 내 성장 곡선 상 10 백분위수 미만
	적정체중아(appropriate for gestational age infant : AGA)	출생체중이 자궁 내 성장 곡선상 10~90 백분위수 사이
	부당중량아(large for gestational age infant : LGA)	재태연령에 대한 출생체중이 자궁 내 성장 곡선상 90 백분위수 이상

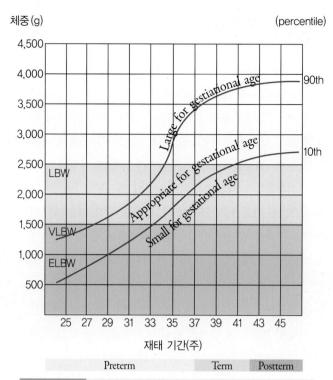

체중(g)　　　　　　　　　　　　　　(percentile)

그림 11-1　출생 시 체중-재태기간에 따른 신생아 분류

위해 출생 순간부터 집중관리가 요구된다.

2) 원인

미숙아 출생의 정확한 원인은 잘 알려져 있지 않지만, 다음의 원인으로 구분하고 있다.

① 태아 이상 : 다태임신, 태아적아구증, 비면역성 태아 수종, 선천성 기형 등
② 태반 이상 : 태반기능부전, 전치태반, 태반조기박리, 양막 파열 등
③ 모체측 요인 : 자궁경관무력증, 자궁 기형, 임신중독증, 청색증 심장병, 신장병, 감염증 등의 중증 질환, 약물남용 등
④ 사회 경제적 요인: 나쁜 영양상태, 부적절한 산전간호, 스트레스 과다 등

03 / 고위험 신생아의 생리적 기능과 특성

1) 체온조절

신생아의 체온조절은 신생아의 건강에 매우 중요하다. 특히 미숙아는 만삭아보다 체중에 비해 체표면적이 상대적으로 넓어 체온유지에 어려움이 있다. 더욱이 신체를 굴곡하지 못하고 이완시킨 체위이기 때문에 증발에 의한 체온저하가 더 쉽게 일어난다. 또한 열전도로 인한 체온 손실을 막기 위해 절연 작용을 하는 피하지방의 양이 적고, 근육발달이 적어 체온 생성을 위해 활발히 활동하지 못하고, 중성지방을 지방산으로 산화시켜 산소를 소모하면서 열을 발생하는 역할을 하는 갈색지방(brown fat)의 양도 적다. 또한 미숙아는 체온을 증가시키는 효과적인 기전인 오한(shiver)도 일으킬 수 없고, 중추신경계와 시상하부의 통제가 미성숙하기 때문에 발한으로 체온을 낮추는 것 또한 불가능하다. 그 결과 주위 환경온도에 민감하여 저체온과 고체온에 빠지기 쉽다. 이러한 체온조절의 어려움은 정상체온을 유지하기 위한 칼로리 소모를 증가시켜 체중 증가 속도를 늦추는 결과를 초래하기도 한다.

2) 호흡기계

태아 시기의 폐발달은 재태연령 16~26주경에 가스 교환을 위한 호흡단위인 가스 교환 세엽세포가 형성되고 계면활성물질 저장을 위한 공간을 생성한다. 이후 재태연령 26주경부터 폐포낭이 형성되지만 계면활성제의 분비가 충분하지는 않다. 재태연령 32주경부터는 폐포기로 폐포의 증식과 발달이 활발하게 진행되며 호흡을 위한 계면활성제가 분비된다. 그러나 미숙아는 폐모세혈관이 미숙하고, 계면활성제가 부족하여 매 호흡 시마다 폐포가 확장되기 위해 최대의 힘이 필요하므로 호흡개시에 어려움이 있고 효과적인 호흡을 개시할 수 없기 때문에 비가역성 산혈증이 되기 쉽다. 이를 예방하기 위해 신생아는 출생 후 2분 내에 소생술이 필요하며, 체온 유지를 위한 대사율 증가로 인한 추가 에너지 소모를 막기 위해 보온을 한다.

미숙아는 소생술 후에도 지속적인 산소공급이 필요할 수 있다. 이는 신생아의 호흡을 위한 보조근육이 발달되지 않아 호흡을 위한 근육이 피곤해졌을 때 사용할 대체근육이 없으므로, 부드러운 늑골 연골이 흡기 시 허탈 되어 호흡문제가 발생하기 때문이다. 미숙아에게 앙와위 보다 복위를 취해주면 산소포화도가 높아지는 것으로 알려져 있는데, 이는 폐의 효율성을 증가시켜 무호흡 빈도를 줄이는데 도움이 되기 때문이다. 그러나 복위가 신생아의 무호흡증이나 돌연

사증후군을 유발시킬 가능성이 있어 주의가 필요하다. 또한 최근에는 복위가 무호흡, 서맥, 산소포화도 유지 등에 영향을 미치지 않는다는 연구도 있는데 위식도 역류질환이나 기도질환 등으로 인해 기도유지기전이 손상된 경우가 아니라면 복위를 취할 수 있으나 주의가 필요할 것이다.

특히 32주 미만 미숙아인 경우 매우 불규칙한 호흡양상을 보이는데 몇 차례 빠르게 호흡한 후, 5~10초간 호흡이 없다가 다시 빠르게 호흡하는 것을 반복한다. 이런 양상은 만삭아에서도 볼 수 있지만, 미숙아의 경우 부조화적인 호흡 노력에 의해 더 심화된다고 보인다. 이때 서맥은 보이지 않는데 이는 진성 무호흡과 다른 것으로 진성 무호흡은 호흡이 20초 이상 멈추고 서맥이 동반된다.

3) 심혈관계

출생 후 호흡의 시작으로 폐가 확장되면 흡입된 산소가 폐동맥을 이완시켜 폐혈관 저항을 감소시키고 결과적으로 폐혈류량을 증가시킨다. 폐로 혈액이 유입되면 우심방, 우심실과 폐동맥의 압력이 감소된다. 이와 동시에 제대결찰로 인해 태반을 통한 혈액량이 증가하므로 폐순환의 혈관저항이 점차 커지게 되어 좌심방압이 증가된다. 그 결과 혈류는 압력이 높은 곳에서 낮은 곳으로 흐르게 되어 태아기 단락을 통해 혈액순환이 역전되게 된다. 미숙아는 만삭아에 비해 동맥관이 늦게 닫히는데, 계면활성제의 활성화를 통한 유리질막병의 증상이 호전될 때 동맥관을 통한 좌우단락이 발생하여 심부전이 발생하고 이로 인한 폐부종이 초래될 수 있다.

대부분의 고위험 신생아에서 호흡유지가 중요한 우선순위이지만 이와 함께 호흡기능의 회복 지연으로 인한 심기능 결손은 매우 중요한 문제이다. 만약 심음을 청진할 수 없거나 심박동 수가 80회/분 이하 일 경우 심장 마사지를 시작한다. 손가락 두 개로 흉골을 누르거나, 손가락으로 등을 받치고 엄지손가락으로 흉골을 누른다. 흉골을 약 4~5cm 정도 깊이로 1분에 100회 속도로 눌러준다. 호흡기능과 심장 효율성을 평가하기 위해 경피산소나 맥박산소측정기(pulse oximeter)로 관찰을 계속한다. 만약 마사지의 압력과 횟수가 적절하다면 대퇴동맥 촉진이 가능해야 한다. 양압 환기와 심장 압박을 같이 했을 때 30초 후에도 심박동이 80회/분 이상 되지 않으면, 에피네프린(epinephrine) 0.1~0.3mL(1:10,000)을 기관 내 튜브로 주입해 심장기능을 촉진시킨다.

4) 위장관계

위장관계는 재태기간 20주경에 만삭아의 위장 관계와 비슷해진다. 그러나 유당 분해효소는 임신 32~34주경에 활발해지고, 이당류 분해효소는 재태기간 27~28주경에 기능하게 된다. 지방분해효소는 재태기간 26주에 나타나고 위장의 연동운동은 재태기간 30~32주에 향상된다. 미숙아는 재태기간에 비해 위의 크기가 작고, 공복이 장기화되고, 위장관계 근육층 발달이 미성숙하여 과팽창이 쉽게 발생하여 복부팽만이나 대변횟수 감소 등이 나타난다. 빨기반사와 삼킴반사의 조화가 완전하지 않아 재태기간 34주 미만의 미숙아는 위관영양을 실시하는 것이 안전하다. 하부식도괄약근의 발달이 미숙하여 위식도 역류가 자주 일어나고 32주 미만의 미숙아의 경우 괴사성 장염의 발병률이 높다.

5) 간

간기능이 미성숙하여 고빌리루빈혈증의 발생률이 높으며 뇌혈관장벽이 미숙하여 낮은 빌리루빈혈증에서도 핵황달이 발생할 수 있으므로 빌리루빈 상승을 억제하기 위한 치료를 조기에 실시하는 것이 좋다.

6) 비뇨기계

태아기에는 신장의 기능을 태반이 담당하다가 재태기간 34주경 부터 사구체여과기능이 발달하게 되고, 32~35주경에 근위세뇨관의 성장이 빠르게 일어나게 되는데 미숙아는 사구체나 세뇨관의 기능이 완전하지 않은 상태에서 출생하여 소변농축능력이 매우 낮은 상태이다. 이로 인해 탈수에 빠지기 쉬우며 H^+를 잘 배설하지 못해 대사성 산증의 발생률이 높다. 또한 아미노산, 인, 포도당 등의 재흡수율도 낮다.

7) 면역계

면역글로부린G는 임신 3기에 태반을 통해 태아에게 공급되는데 미숙아의 경우 조기출산으로 인해 이를 공급받지 못하고 태어나게 되어 면역력이 낮고, 치료과정에서 발생하는 잦은 침습적 절차로 인해 감염위험성이 높다.

8) 기타

만삭아에 비해 솜털이 많고, 두위와 흉위의 차이가 크고, 생리적 체중감소가 심하며 회복도 느리다.

04 / 부당경량아

부당경량아(small for gestational age, SGA infant)는 체중이 자궁 내 성장곡선에서 10% 이하에 속하는 신생아로서 자궁 내 성장지연 즉, 자궁내에서 기대되는 비율로 성장하는데 실패한 신생아이다.

1) 원인

자궁 내 성장지연에 영향을 미치는 요인은 산모의 영양부족인 경우가 많다. 특히 청소년이 분만한 신생아 중 발생률이 높은데 이는 청소년 자신의 영양과 성장요구가 임신에 따른 영양요구와 겹치기 때문이다. 그러나 가장 흔한 자궁 내 성장지연의 원인은 태반이상으로 자궁동맥에서 충분한 영양을 받지 못했거나, 태아에게 영양을 전달하는 것이 비효율적이기 때문이다. 태반으로 가는 혈액이 감소되는 질병이 있는 산모나 흡연, 마약(narcotic)을 사용하는 산모 또한 저출생체중아 출산율이 높다. 자궁의 영양공급은 적절하나 신생아가 영양을 사용할 수 없는 경우인 풍진이나 독소플라즈마병(toxoplasmosis), 염색체 이상이 있는 신생아도 부당경량아가 될 수 있다.

2) 외모

태아 성장에서 주로 체세포 수의 증가가 일어나는 임신 초기에 영양결핍을 겪은 신생아는 체중, 신장, 두위가 평균 이하로 전체적으로 쇠약한 외모를 보인다. 이런 신생아는 간이 작아서 포도당, 단백질, 빌리루빈 수치를 조절하는데 어려움이 있다. 피부통합성이 약하고, 몸통이 작아서 머리가 더 커 보이기도 한다. 머리카락은 윤기가 없으며, 제대는 대개 건조하고 노랗게 착색 되어 있을 수 있다. 체중에 비해 재태연령이 더 많기 때문에 반사, 발금, 귀의 연골이 더 발달되어 있다. 두개골은 더 단단할 수 있으며, 신생아는 체중에 비해 현저하게 더 각성상태이고, 더 활발해 보일 수 있다. 자궁 내에서의 불량한 영양상태에 따른 선천성

이상의 가능성이 있으므로 세심하게 살펴볼 필요가 있다.

3) 다혈구증

출생 후 혈액검사 시 대개 헤마토크리트(Hct)가 높고 다혈구증이 나타나는데 이는 자궁 내 체액부족으로 인해, 혈장량 보다 적혈구 분포가 많기 때문이다. 신생아는 이 끈적한 혈액을 효과적으로 순환시키기가 힘들기 때문에 말단청색증이 지속될 수 있다. 만약 다혈구증이 심하다면 혈관이 막히고 혈전이 발생할 수도 있다.

4) 저혈당증

글리코겐 저장량이 적기 때문에 저혈당증(40mg/dL 이하)이 흔히 발생하는 문제 중 하나이다. 이런 신생아는 경구수유로 충분히 섭취를 할 수 있을 때까지 혈당을 유지할 수 있도록 정맥 내 포도당 주입이 필요할 수 있다.

05 / 부당중량아

부당중량아는 주로 자궁 내 성장호르몬의 과다생성에 기인한다. 당뇨병이 있는 산모, 경산모 등에서 발생하는 경향이 있으며 대혈관 전위나 제류와 같은 선천성 이상이 있을 수 있다.

1) 외모

출생 시 부당중량아는 크기에 비해서 미성숙한 반사를 나타내며 재태연령 검사에서 낮은 점수를 보일 수 있다. 머리가 크기 때문에 출생 시 보통의 압력 이상을 겪고, 현저한 산류, 두혈종이나 molding을 보일 수 있다.

> **간호진단 및 목표**
>
> 간호진단 : 부당중량아의 고위험 상태와 관련된 부모역할 장애
> 간호목표 : 부모는 아동의 아동의 식이, 목욕, 옷입기 등과 추후관리 내용을 설명할 수 있다.
> 예상되는 결과 : 부모는 아동과 접촉하고 아동의 일상생활을 수행할 수 있으며 추후관리를 계획하고 수행할 수 있다.

부당중량아는 미숙아에게 적용되는 주의사항에 따라 간호가 수행되어야 한다. 부모는 아기가 크고 건강해 보이기 때문

에 신생아로서의 요구를 과소평가하기도 하고, 반대로 신생아의 실제 상태보다 더 심각하게 받아들일 수 있는데, 이는 부모에게 이야기해 주지 않은 어떤 질병을 앓고 있음에 틀림없다고 생각하기 때문이다. 이로 인해 부모-자녀 애착 형성이 방해를 받을 수 있다. 부당중량아는 모든 다른 신생아가 요구하는 것과 같은 발달 간호가 필요하다. 노래를 불러주거나 이야기하기, 등 쓰다듬어주기, 아기를 안고 흔들어주기 등의 접촉과 돌봄이 모두 필요하다. 신생아 단계를 지난 "큰 아기"가 아닌 돌봄이 필요한 연약한 신생아로서 아기를 다루도록 부모를 격려한다. 또한 신생아의 체중이 추후 성인이 되었을 때의 체중과는 상관이 없음을 부모에게 알려준다. 부모는 신생아가 정상 성인보다 더 크게 자랄까봐 걱정할 수 있기 때문이다.

2) 심혈관계 기능장애

부당중량아의 심박동수는 세밀히 관찰해야 한다. 청색증은 심각한 질병인 대혈관 전위의 증상일 수도 있다. 만일 다혈구증이 있다면, 이는 모든 신체조직에 산소를 충분히 공급하기 위해 신생아의 신체체계에 의해 야기된 것이다. 또한 고빌리루빈혈증의 증상이 있는지 세밀히 관찰한다. 이는 멍과 다혈구증으로 인해 발생한 혈액을 흡수하면서 야기된다.

3) 저혈당증

부당중량아는 저혈당이 발생하는지 세밀히 관찰해야 하는데, 이는 신생아가 체중을 유지하기 위해서 저장된 영양분을 즉시 써버리기 때문이다. 만약 산모가 당뇨병이 있고 혈당조절을 잘하지 못했다면, 신생아는 자궁 내에서 혈당수치가 상승되어 있어 과량의 인슐린을 생성하게 된다. 출생후 증가된 인슐린 수치는 생후 24시간까지 유지되고 다시 저혈당증이 발생할 가능성이 있다. 대개 부당중량아는 저혈당증 예방을 위해 즉시 모유수유를 할 필요가 있다. 신생아는 재태연령보다 더 큰 신체크기 때문에 수분과 포도당을 충분히 공급받기 위해 생후 며칠 간 모유수유 외에도 추가의 인공수유가 필요할 수 있다. 또한 출생 시 신생아의 수유능력을 과대평가하지 않는 것이 중요하다. 아기가 크기 때문에 빨기 반사가 좋을 것으로 생각되지만, 적절한 양을 섭취하기에는 비효과적일 수 있다.

06 / 과숙아

과숙아는 출생 시 체중과 관계없이 재태기간 42주 이상에 출생한 신생아를 말하며, 태반부전 상태에서 자궁 내에 태아가 계속 남아있게 되면 과숙아 증후군으로 발전하거나 사망할 수도 있다.

1) 원인

잘 알려져 있지 않으나, 어느 한쪽 부모의 체격이 크거나, 경산모, 당뇨병 산모일 경우 발생빈도가 높다. 만삭아에 비해 사망률이 높으며 분만 예정일보다 3주 이상 출산이 지연되면 사망률이 3배 정도이다. 그러나 최근에는 산전 진찰을 통해 분만 예정일을 확인하여 유도분만과 제왕절개 등으로 출산을 유도하므로 과숙아 출산률은 현저하게 낮아지고 있다.

2) 외모

과숙아의 외모는 야위고 키가 크며 눈을 뜬 상태이고 기민한 모습을 보인다. 수분 부족으로 인해 피부는 건조하고 갈라져 있으며 태지는 거의 없다. 손톱은 손가락 끝보다 더 길게 자라있고 보통 신생아보다 생후 2주된 아기 정도의 각성상태를 보이기도 한다. 과숙아는 축적된 영양분을 미리 사용하여 저혈당증에 빠지기 쉬우므로 조기 수유를 통해 적절한 영양 공급을 하는 한편, 선천성 기형이나 태변 흡인, 지속적 폐동맥 고혈압증, 저혈당증, 저칼슘혈증, 적혈구과다증 등의 합병증 여부에 대해 확인하고 치료한다.

확인문제

1. 미숙아의 체온조절이 어려운 이유는 무엇인가?

2. 미숙아의 심폐소생술 시 가슴압박 방법은 무엇인가?

3. 부당경량아와 부당중량아에서 저혈당증이 발생하는 이유는 각각 무엇인가?

Ⅱ 신체사정

미숙아는 전반적인 외형과 사지가 늘어진 자세 등을 통해 작고 발달이 미숙한 것을 알 수 있다. 머리는 비대칭적으로 크며, 호흡은 얕고 빠르며 불규칙하다. 피부는 얇고 투명하며 피하조직이 적다. 등과 얼굴에 솜털(lanugo)이 많고, 손·발바닥에 주름이 적으며, 전신부종이 나타나기도 한다. 여아는 음핵이 돌출되고, 남아는 고환 하강이 안 된 상태로 음낭 발달이 미약하다. 잡는 반사, 빠는 반사, 연하반사 등이 약하거나 나타나지 않을 수 있다. 사지가 이완된 자세로 누워 있으며 관절이 이완되고 쉽게 조작될 수 있어 팔꿈치가 반대편 어깨까지 당겨지는 스카프 징후(scarf sign)나, 발뒤꿈치를 같은 쪽 귀까지 올릴 수 있다(heel-to-ear maneuver). 신체검진과 반사검사로 만삭아와 미숙아를 구별할 수 있다[그림 11-2].

확인문제

4. 만삭아와 미숙아의 스카프징후를 비교하시오.

5. 만삭아와 미숙아의 남아 생식기를 비교하시오

Ⅲ 체온 유지 간호

고위험 신생아는 정상체온을 유지하기가 힘들 수 있다. 질병이나 미성숙으로 인한 스트레스 외에도 소생술이나 혈액 추출 같은 처치동안 몸이 노출되기 쉽기 때문이다. 신생아가 추위에 떨게 되면 대사율을 증가시키기 위해서 산소요구량이 증가한다. 이때 산소를 효과적으로 이용할 수 없을 경우 세포는 저산소증에 빠지게 되고 기본적인 신체기능을 유지하기 위해 산소를 비축해야 하므로 혈관이 수축된다. 이 과정이 지속된다면 폐혈관이 영향을 받아서 폐내 관류가 감소하게 될 것이다. 신생아는 너무 덥지도 춥지도 않은 중

성온도 환경이 필요하다. 중성 온도 환경은 효과적인 신체기능을 위해 필요한 최소 대사율만 요구하기 때문이다. 출생 후 신생아가 추위를 겪는 것을 방지하기 위해, 신생아를 닦아서 말려주고 모자를 씌워주기도 하고[그림 11-3]. 분만실 온도 올리기, 출생 직후 신생아의 몸을 마른 수건으로 닦아주기, 엄마의 피부와 접촉하기, 폴리에틸렌 플라스틱 랩이나 주머니의 사용 등의 간호술을 사용하고 있다.

1) 분만실 온도

분만실의 온도와 신생아의 피부 온도의 차이가 열손실을 초래하는 것을 예방하기 위해 분만실의 온도는 25~26℃ 이상을 유지하도록 하며, 29주 이하의 미숙아의 경우 최소 26~27℃ 이상 온도가 유지되도록 한다.

2) 폴리에틸렌 플라스틱 랩이나 주머니의 사용

29주 이하의 미숙아의 경우 양수 증발로 인한 열손실과 복사를 통한 가온기로부터 열을 얻을 수 있도록 폴리에틸렌 플라스틱 랩이나 주머니의 사용하여 목에서 발까지 감싸도록 한다[그림 11-4].

3) 신생아실의 중성 온도 환경 유지

효과적인 신체기능을 유지하기 위해 필요한 최소 대사율 유지에 적합한 신생아실의 중성 온도 환경은 온도는 23~27℃, 습도는 40~60%를 유지하도록 한다.

4) 방사성 가온기

방사성 가온기(radiant heat warmers)는 침상 위에 방사성 열원이 달린 개방침대이다[그림 11-5]. 방사성 가온기에는 신생아의 체온을 계속적으로 관찰하기 위해 감지기가 설치되어 있고 이 감지기를 통해 측정한 복부피부 체온은 36~36.5℃를 유지하도록 설정되어 그 이하로 체온이 떨어지면 알람이 울리도록 되어 있다. 제대와 검상돌기사이의 복부 위에 감지기를 테이프로 붙인다. 감지기 부착 시 신생아의 몸 아래쪽에 붙이게 되면 고온으로 잘못 판독(false-high reading)할 수 있다. 또한 증가된 대사 때문에 고온으로 잘못 판독할 수 있으므로 간 부위에도 붙이지 않는다. 신생아 위로 몸을 숙이거나 간호를 할 때 간호사의 머리가 침

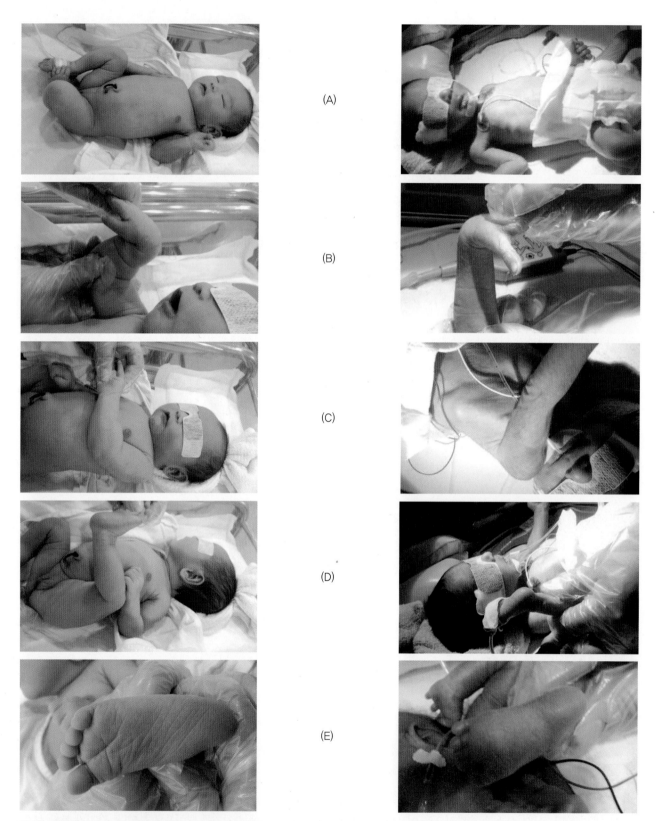

그림 11-2 재태연령을 확인하기 위해 신생아 신체검진

(A) 휴식자세(미숙아는 사지의 굴곡이 미숙하며 만삭아는 사지가 완전 굴곡되어 있다.), (B) 손목굴곡(손목을 전박에 닿을 정도로 최대한 굽혀지 도록 압력을 가하여 검사하며, 미숙아는 90° 정도 굴곡되고, 만삭아는 팔에 닿을 정도로 굴곡된다.), (C) Scarf sign(앙와위에서 손을 잡고 반대편 어깨쪽으로 멀리 가져가면서 검사하며, 미숙아는 손목이 신체중앙선에 근접하거나 가로지른다. 만삭아는 팔꿈치가 신체중앙선에 닿지 않는다.) (D) Heel to toe(앙와위에서 신생아의 발을 귀 근처로 당기면서 검사하며, 미숙아는 저항없이 귀까지 당겨지면서 무릎 관절이 펴지고, 만삭아는 당겨지지 않고 무릎 관절이 펴지지 않는다.), (E) 발바닥 주름(미숙아는 발금이 매우 적거나 없고, 만삭아는 발꿈치까지 발금이 있다.)

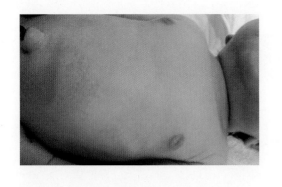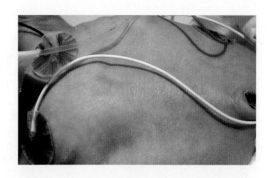

(F)

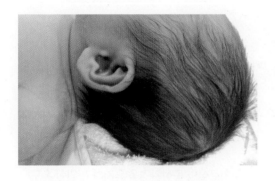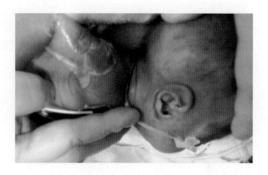

(G)

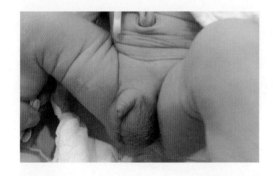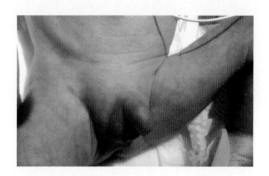

(H)

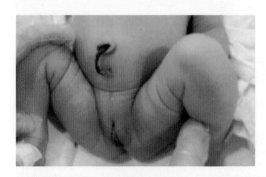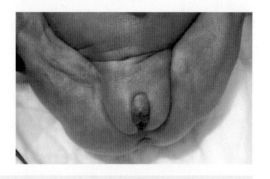

(I)

그림 11-2 **재태연령을 확인하기 위해 신생아 신체검진**

(F) 유방멍울(미숙아는 유륜과 유두가 거의 보이지 않으며 만삭아는 유륜과 유두가 형성된 유방 조직을 보인다.), (G) 귀(미숙아는 귓바퀴가 편평하고 귀의 형태가 완전하지 않으며, 만삭아는 귓바퀴와 귀의 모양이 잘 형성되어 있다.), (H) 남아 생식기(미숙아는 고환이 완전히 내려오지 않았고 음낭에 주름이 거의 없으며 만삭아는 고환이 음낭으로 내려와 있고 주름이 발달되어 있다.), (I) 영아 생식기(미숙아는 음핵이 돌출되어 있고 소음순이 대음순 밖으로 나와 있으며, 만삭아는 소음순과 음핵이 대음순으로 덮여 있다.)

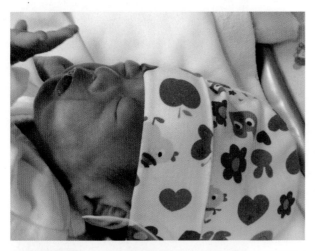

그림 11-3   체온유지를 위해 모자 씌워주기

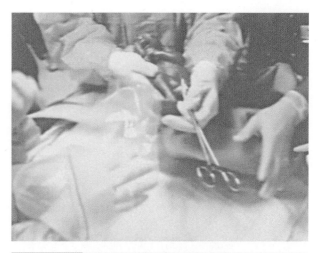

그림 11-4   열손실 방지를 위한 폴리에틸렌 주머니의 사용

상위의 열원을 막아서 아기에게 열이 미치지 않을 수 있으므로 주의하도록 한다.

5) 보육기(인큐베이터:incubator)

초기의 소생술 시도 후에 신생아는 보육기 간호를 받을 수 있다[그림 11-6]. 온도는 손 개구부를 열어놓은 총 시간과 보육기가 놓인 장소의 온도에 따라 다양하다. 보육기 내에 이중 아크릴 벽을 설치하면 간호를 위해 개구부를 열었을 때 방사성 열손실과 대류성 열손실을 예방하는 데 도움이 된다. 일부 보육기는 방사성 가온기처럼 신생아의 체온을 측정해서 자동으로 보육기 온도를 바꿔주는 장치가 있다. 온도를 일정하게 유지하기 위해서 손개구부는 닫아두도록 한다. 신생아의 상태가 호전됨에 따라 보육기에서 나올 필요가 있을 때 아기 침대에 있는 신생아처럼 옷을 입힌 뒤 보육기 온도를 신생아 체온보다 약 1.2℃ 낮춘다. 30분 후에 신생아의 체온 유지가 잘되면 보육기 온도를 1.2℃ 더 낮추고, 실내온도에 도달할 때까지 반복한다. 보육기 온도를 낮춤에 따라 신생아가 체온을 유지하지 못한다면, 신생아가 실내 온도에 대한 준비를 아직 못한 것이므로 신생아가 더 성숙하거나 체온조절 능력이 증진될 때까지 보육기 밖으로 나오는 것을 연기한다. 보육기 내의 습도 유지는 대부분 미생물을 죽일 수 있는 온도까지 물을 가열하여 공급되도록 하고 있으며 가습기의 세척과 물교환은 보육기 제조사의 지침을 따른다.

확인문제

6. 신생아 집중치료실의 중성환경을 유지하기 위한 온도와 습도는 무엇인가?

7. 방사성 가온기의 온도조절을 위해 미숙아에게 감지기를 부착할 때 몸 아래쪽에 부착하지 않는 이유는 무엇인가?

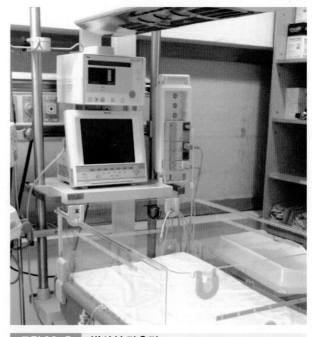

그림 11-5   방사선 가온기

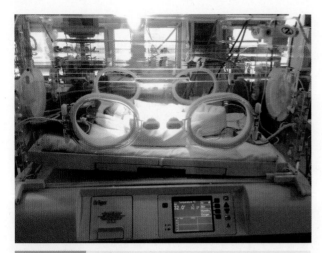

 그림 11-6 보육기

Ⅳ 호흡 유지 간호

01 / 호흡개시와 유지

고위험 신생아의 경과는 생후 첫 순간에 어떤 간호를 받았는지에 달려있다. 출생 후 48시간 이내에 발생하는 대부분의 사망은 적절한 호흡을 개시하지 못하거나 유지하지 못해서 발생한다. 생후 몇 시간 내에 효과적인 호흡 행위를 하지 못한 신생아는 뇌의 저산소증으로 인해 신경계 기능장애를 겪을 수 있다. 즉각적이고 완전한 간호는 효과적인 중재를 위해 필수적이다. 대부분의 신생아는 출생 후 어느 정도의 호흡성 산혈증이 있는데, 이는 자발적인 호흡개시 후 바로 교정된다. 만약 호흡활동이 즉시 일어나지 않는다면 호흡성 산혈증은 심해지고, 혈액의 pH와 중탄산 완충시스템이 저하된다. 신생아의 방어기전은 이 과정을 되돌리기는 부적절하다. 그러므로 호흡 개시 노력은 출생 후 바로 이루어져야 한다. 자궁 내에서 어느 정도의 무산소증을 경험한 신생아(제대 압박, 산모의 마취, 전치태반, 태반조기 박리 등)는 이미 출생 시에 산혈증 상태일 수 있어, 출생 후 첫 2분이 되기 전에 어려움을 겪을 수도 있다.

표 11-2 생후 초기에 신생아의 호흡곤란을 유발시키는 요소

- 저출생체중아(low birth weight)
- 산모 당뇨병, barbiturate나 narcotics을 사용한 과거력
- 태변 흡인
- 진통 중 불규칙적인 태아심박동
- 제대 탈출
- 1분과 5분의 낮은 APGAR 점수
- 과숙아
- 부당경량아(SGA)
- 둔위 분만
- 다태아

간호진단 및 목표

간호진단 : 출생 시 미숙한 신체체계와 관련된 비효율적 호흡양상
간호목표 : 호흡수ABGA 수준이 정상범위 내에 있다
예상되는 결과 : 분당 호흡수 〈25회/분, 〉60회/분으로 유지되고 호흡성 산증과 알칼리증이 발생하지 않는다.

02 / 소생술

신생아의 호흡곤란증을 흔히 유발시켜 소생술을 요하게 만드는 요소는 [표 11-2]와 같다. 만약 호흡이 비효율적이라면 순환계의 단락(shunt), 특히 동맥관이 폐쇄되지 않는다. 좌심의 압력이 우심보다 강하기 때문에, 동맥관 개존 부위를 지나는 혈액순환이 좌에서 우로 지나거나 대동맥에서 폐동맥으로 흐르게 되면서 심장에서 비효율적인 박동을 야기시킨다. 호흡과 혈액순환을 위한 노력으로 인해 신생아는 이용 가능한 혈당이 급격히 소모되어 저혈당증을 야기하여 문제가 더 심각해질 수 있다. 이런 이유로 인해 첫 호흡이 어렵거나 적절한 호흡운동 유지 장애를 보이는 신생아에게 소생술은 매우 중요하다.

소생술은 3가지 과정으로 이루어진다 ① 기도를 확보하고 유지한다. ② 폐를 확장시킨다. ③ 효과적인 환기를 시작하고 유지한다. 호흡 저하로 인한 심정지 시 심장마사지도 실시한다.

1) 기도 유지

신생아가 첫 호흡을 자연스럽게 하지 못한다면, 신생아의 코와 입을 부드러운 흡인기로 흡인하고, 피부자극으로

호흡을 유도하기 위해 등을 문질러준다. 이때 소생을 위한 골든 타임을 놓치지 않도록 주의한다. 또한 신생아의 머리와 얼굴 및 몸을 말려주고 오한을 예방해준다. 신생아가 체온을 올리려는 노력은 산소 요구도를 증가시키는데 아직 호흡이 시작되지 않아서 산소 공급이 이루어지지 않으므로 안면 마스크나 양압으로 따뜻한 공기를 제공한다. 만약 더 깊이까지 흡인이 요구되면 신생아를 눕혀서 접은 수건이나 패드를 어깨 아래에 받쳐서 약간 높여줌으로써 머리가 중간을 유지하도록 한다. 신생아의 혀를 지나 목뒤로 카테터를 밀어넣는다. 신생아의 폐에서 과다하게 공기를 제거하지 않도록 한번에 10초 이상 흡인하지 않는다. 흡인 시 압력을 낮게 유지해야 하는데 심한 흡인 시 미주신경자극으로 서맥이나 심부정맥이 발생할 수 있으므로 주의해야 한다. 신생아가 여전히 자발적인 호흡노력을 보이지 않으면 기도 개방을 위해 후두경을 이용한다. 후두경 삽입은 신생아의 기도와 인두 후방의 크기가 다양하고 항상 응급상황이므로 삽입을 어려울 수 있다. 후두경은 다양한 크기의 다른 도구와 함께 사용할 수 있다. 신생아에게 사용되는 크기는 0이나 1이다. 기관 내관은 후두경의 크기와 맞아야 한다[그림 11-7]. 1,000g 이하의 신생아는 2.5㎜의 기관 내 튜브를 사용하고 3,000g 이상 신생아는 4.0㎜가 필요하다[그림 11-8]. 미숙아는 모세혈관이 약해서 출혈이 되기 쉬우므로, 삽입 중에 특별한 간호가 필수적이다. 일단 후두경을 삽입하면 흡인이 시행될 수 있다. 깊숙이 흡인한 후에 기관 내 튜브를 삽입하고, 양압백과 마스크로 1분에 40~60회의 호흡수로 100%산소를 제공한다.

생후 몇 초 동안 이렇게 심각하게 억압된 신생아는 몇 차례의 약한 호흡을 한 후 거의 즉시 호흡을 멈추고 심박동이 낮아진다. 호흡이 정지된 동안을 원발성 무호흡이라고 부른다. 1~2분의 무호흡 뒤에, 신생아는 몇 번 헐떡거리면서 호흡을 다시 시작하려고 노력한다. 그러나 신생아는 4~5분 이상 이런 노력을 계속 유지하지 못한다. 그 후 호흡노력은 다시 약해지고 신생아가 헐떡거리는 노력마저도 멈추면 심박동은 더 떨어지게 된다. 신생아는 이차성 무호흡 단계에 들어가는 것이다. 첫 번째 헐떡거리는 시기 동안의 소생술은 대개 성공적이다. 그러나 2차 무호흡기에 들어가면 소생술은 더 어려워지며 비효과적이 될 수 있다. 관찰만으로는 이 두 시기를 구분하는 것이 불가능하므로 두 번째 무호흡이 발생했다는 전제하에 소생술을 시행해야 한다.

2) 폐 확장

기도를 확보하면 신생아의 폐가 확장되어야 한다. 건강한 신생아는 첫 호흡에 폐가 확장된다. 신생아의 울음은 공기가 성대앞을 지나가는 것으로 폐가 잘 확장되었다는 증거이다. 자발적호흡은 했으나 효과적인 호흡을 유지하지 못하는 신생아는 폐 확장을 위해 백과 마스크로 공기를 주입할 필요가 있다. 마스크가 효과적이기 위해서는 입과 코를 모두 덮을 수 있어야 한다. 또한 눈을 가리지 않도록 주의해야 하는데 마스크로 인한 물리적 손상이나 산소 공급에 따른 각막의 건조로 인한 눈 손상을 야기할 수 있기 때문

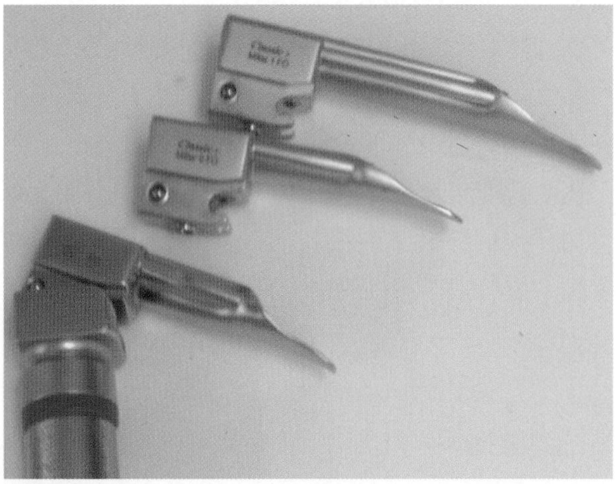

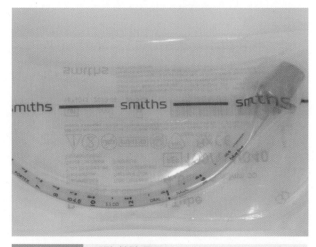

그림 11-7 다양한 크기의 후두경

그림 11-8 기관 삽관 튜브

신생아는 4.0㎜의 삽관 튜브를 사용한다.

이다. 안면 마스크와 압력백으로 1분에 40~60회의 속도로 100% 공기를 주입한다. 체온 저하를 예방하기 위해, 산소는 보온 가습하여 주입한다(32~34℃, 60~80% 사이). 처음으로 폐포를 열 때에 필요한 압력은 40㎝H_2O이고, 그 후에는 15~20㎝H_2O의 압이면 폐포 확장유지에 충분하다. 필요 이상의 압을 가하지 않도록 하는 것이 중요한데, 과다한 압력은 폐포를 터뜨릴 수 있기 때문이다. 반대로 적절한 통기가 이루어지지 않으면 신생아는 살아남을 기회가 거의 없게 된다. 산소가 폐에 도달하는지 확인하기 위해서 산소 주입과 동시에 폐를 청진한다. 대부분의 신생아는 이 정도의 소생술이면 호흡 반응과 강한 심박동을 일으키게 된다. 피부색, 근육반응, 반사도 증진될 것이다.

신생아에게 삽관을 하자마자 산소를 주입한다. 양쪽 폐에 환기가 되는지 확인하기 위해 양측 폐를 청진한다. 한쪽 폐에서만 공기 소리가 들리거나 소리가 비대칭적이라면, 기관 내 튜브가 분지에서 주요 기관지관 중 하나를 막은 것이다. 튜브를 0.5㎝ 정도 뒤로 빼면 대개 막힌 것이 뚫리면서 양쪽 폐로 공기가 들어가게 된다. 산소를 신생아에게 주었을 때 위장관이 공기로 인해 빨리 팽창된다. 만약 압력을 가한 소생술이 2분 이상 지속되면, 위관을 삽입하고 끝을 열어놓는다. 이것은 위의 감압을 돕고 위장 내용물의 구토와 흡인 가능성은 감소될 것이다.

만약 양수가 태변으로 착색되었다면, 신생아를 문질러주어서 호흡을 유발시키도록 한다. 그렇지 않고 호흡유발을 위해 산소나 공기를 압력을 이용해 주입하면, 태변이 신생아의 기도로 더 깊이 들어가게 되므로 호흡이 더욱 힘들어진다. 압력을 가하지 말고 마스크만으로 산소를 주고 압력을 가해서 산소를 주기 전에 후두경을 삽입해 깊숙한 부분까지 흡인을 한다.

3) 효과적인 환기 유지

신생아가 심혈관계 변화에 적응하고 유지하기 위해서, 효과적인 환기(지속적인 호흡)가 유지되어야 한다. 건강한 신생아는 스스로 환기를 유지할 수 있다. 모든 신생아, 특히 출생 시 호흡 형성이 어려웠던 신생아는 호흡을 유지하도록 확인하기 위해 몇 시간 동안 주의 깊게 관찰해야 한다. 신생아의 호흡수가 증가한다는 것은 폐쇄나 보상성 호흡의 첫째 증상일 수 있으므로 신생아의 옷을 벗기고 견축이 있는지 가슴을 관찰한다. 견축이 있는 것은 공기를 들이마시는 것에 어려움이 있다는 뜻이다(폐가 팽창되기 위한 끌어당김이 너무 심해서 가슴 전방부 근육이 끌려들어 간다).

호흡이 어려운 신생아는 보온침대에 눕혀놓고 옷을 벗긴다. 앙와위로 눕히고 머리 쪽 매트리스를 약 15° 상승시켜서 복강 내용물이 횡격막에서 떨어져서 최적의 호흡을 위한 공간을 제공하도록 한다. 신생아는 체온을 유지하는 것이 중요하다. 만약 점액이 호흡기관에 쌓이면 흡인을 하도록 한다. 삽관된 상태라면 기관 내 튜브로 흡인한다. 흡인 전 1분 동안 신생아를 "bagging" 하는 것은 PaO_2수치를 증가시켜서 흡인하는 동안 저산소혈증에 빠지는 것을 예방한다. 맥박산소측정기나 경피산소포화도 모니터링 모두 산소수치를 관찰하기

그림 11-9 맥박 산소 측정기(Pulse oximetry)

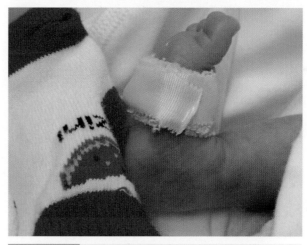
그림 11-10 산소포화도 측정을 위한 감지기 부착

위한 기구이다[그림 11-9][그림 11-10]. 호흡곤란을 교정하기 위해 원인을 확인해서 적절한 중재를 제공한다.

4) 약물 치료

신생아의 소생술에서는 대부분 약물을 사용하지 않지만 필요하다면 제대 정맥을 통해 약물을 투여한다.

- 에피네프린 : 심장의 수축력과 심박동수를 증가시키고 말초혈관을 수축하여 관상동맥과 뇌로 가는 혈류량을 증가시킨다.
- 수액요법 : 순환하는 혈류량을 증가시켜 조직의 관류를 촉진하기 위해 사용한다.

확인문제

8. 미숙아 흡인 시(suction) 한 번에 10초 이상 하지 않도록 하는 이유는 무엇인가?
9. 양수가 태변으로 착색되었을 경우 산소 주입 시 주의사항은 무엇인가?

Ⅴ 영양 유지 간호

미숙아는 신체가 빠른 속도로 성장하려고하기 때문에 정상 신생아보다 더 많은 영양이 필요하다. 만약 이런 요구가 충족되지 못한다면 저칼슘혈증이나 저단백혈증이 발생하게 된다. 미숙아는 상태에 따라 다르기는 하지만 대부분 수유에 필요한 반사나 근육이 미성숙한 상태이기 때문에 수유가 지연되게 되고 그로 인해 장관의 운동성이 떨어진다. 이는 연하반사나 빨기반사와 같은 미성숙한 반사에 의해 심화되며 더욱이 작은 위 용적도 영양문제에 영향을 미치게 되는데 위가 확장 되면서 호흡곤란을 야기하기 때문이다. 비효율적인 빨기(sucking)로 인한 활동량 증가는 대사율과 산소요구량을 증가시키게 되는데 이는 열량요구량을 더욱 증가시키는 원인이 된다. 또한 미성숙한 위 분문 괄약근으로 인해 역류가 쉽게 발생되며 기침 반사의 미성숙으로 역류한 위내용물이 흡인될 수도 있다.

01 / 수액요법

수분을 공급하고 저혈당증을 예방하기 위해 포도당과 함께 비경구영양을(total parenteral nutrition : TPN) 제공하게

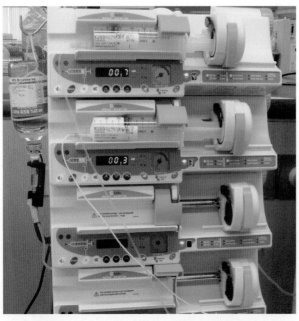
(A)

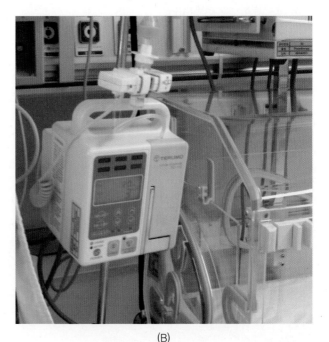
(B)

그림 11-11 수액펌프(Syringe pump, Infusion pump)
(A) Syringe pump, (B) Infusion pump 일정한 정맥투입 속도의 유지와 과량의 수액주입 사고를 예방하기 위해 사용한다.

표 11-3	생후 첫 주 동안의 수액 유지량		
출생 시 체중 (g)	Dextrose (g/100 mL)	1~2일 (mL/kg/day)	3~7일 (mL/kg/day)
750 이하	5~10	100~200	120~200
750~1,000	10	80~150	100~150
1,001~1,500	10	60~100	80~150
1,500 이상	10	60~80	100~150

되며 일반적으로 정맥 내 주입이 시작된다. 정맥 내 주입 시 지속적인 주입속도를 유지하고 과량의 수액주입 사고를 예방하기 위해서 수액 펌프를 사용한다[그림 11-11]. 미숙아는 피하지방이 부족하여 조직을 손상시키는 침윤의 위험성이 있기 때문에 정맥주입 부위를 유의하여 확인해야 한다. 체중, 요비중 및 소변량과 혈중 전해질 수치를 관찰해서 적절한 수액 공급을 유지하도록 한다. 요구량 보다 적은 수액은 탈수와 기아, 산혈증과 체중 감소를 유발시킬 수 있고, 과량의 수액은 비영양적인 체중 증가, 폐부종과 심부전을 야기할 수 있다.

수액 주입을 위해 제대동맥관과 제대정맥관을 사용한다. 제대정맥관을 7~14일 정도 사용한 후에는 말초중심정맥관 (percutaneous inserted central venous catheters, PICC)을 확보한다. 수액 주입량을 결정하기 위해 체중, 혈압, 소변량, 전해질 수치를 모니터링하며, 수액의 필요 용량은 환아의 임상적 상태에 따라 결정하도록 하며 기본 유지 방법은 [표 11-3] 같다. 초기 수액은 혈당을 45~50mg/dL 이상 유지할 수 있도록 5% 또는 7.5% 포도당 용액을 사용하며, 출생과 함께 단백질 손실과 질소 균형이 깨지므로 아미노산을 적용한 총비경구영양을 시작한다. 총비경구영양 적용은 체중에 따라 용량을 결정하는데 1일 kg당 120~140칼로리가 필요

하며(만삭아 100~110칼로리/kg), 단백질은 kg당 3~3.5g(만삭아 2.0~3.5g/kg)이 필요하다. 수액요법의 합병증으로 정확한 원인은 알려져 있지 않지만 담즙정체가 있으며, 정맥주입 선과 관련된 합병증이 있다.

간호진단 및 목표

간호진단 : 신경발달 지연과 관련된 비효율적 수유
간호목표 : 탈수증상 없이 생후 1주일부터 113~198g/주 씩 체중이 증가한다.
예상되는 결과 : 탈수증상이 나타나지 않으며 체중이 지속적을 증가한다.

02 / 위관영양

태아가 32주가 될 때까지는 구역반사가 완전하지 않다. 빨기 반사가 더 먼저 나타나기는 하지만 빨기와 연하를 조화시키는 능력은 약 34주까지는 불완전하므로 재태연령 32~34주의 미숙아는 대개 위관영양부터 시작한다[그림 11-12]. 위관영양은 몇 시 간마다 간헐적으로 혹은 지속적으로 제공할 수 있다. 지속적인 점적수유는 약 1mL/hr의 속도로 공급한다. 이것은 인공호흡기를 사용하는 미숙아나 신체 접촉 시 산소포화도가 떨어지는 미숙아에게 유용하다. 위관영

그림 11-12　미숙아 위관 영양 bag

미숙아 위관 영양을 위해 젖병으로 만든 feeding bag

그림 11-13　미숙아용 분유병

미숙아는 젖꼭지 부분이 부드러워 흡철에 용이한 전용 분유병을 사용한다.

양을 할 때는 수유 전에 위 분비물을 흡인하고 흡인된 양을 측정한 후 다시 넣어준다. 2mL 이상의 위 내용물이 흡입된다면 이는 소화할 수 있는 양보다 더 많이 공급된 것을 의미하므로 공급하는 우유의 양을 조절해야 한다.

03 / 젖꼭지 수유

젖병이나 모유수유는 미숙아의 성숙 정도에 따라 실시하도록 한다. 미숙아가 지치지 않도록 일반 젖꼭지보다 더 부드러운 미숙아용 젖꼭지를 사용한다[그림 11-13]. 또한 경구 만족감을 주고 젖병 수유를 준비시키며, 흡철반사 를 강화시키기 위해서 노리개 젖꼭지를 제공하는 것이 도움이 된다. 이러한 비영양 빨기는 빠는 방법을 기억하고 유지하는데 도움이 된다.

04 / 미숙아용 분유

만삭아 분유의 열량은 약 13칼로리/20mL인데 비해, 미숙아 분유는 대개 16칼로리/20mL로 미숙아용 분유가 열량이 더 높다. 시스틴과 타우린이 강화된 단백질과 전해질, 비타민, 미네랄, 칼슘과 인이 강화되어 있으며, 지방산은 중쇄지방산 형태로 첨가되어 있는데 중쇄지방산은 담즙산 없이 리파아제에 의해 쉽게 가수분해 되기 때문에 미숙아가 지방을 쉽게 흡수할 수 있게 돕는다. 철분은 용혈성 질환 예방을 위한 비타민 E의 흡수를 방해하므로 미숙아가 평균 출생체중이 될 때까지 분유에 추가하지 않다가 만삭아 성숙도에 도달하면 철분 저장량 부족으로(신생아는 임신 말기에 모체로부터

철분을 공급받게 되는데 미숙아는 이러한 공급이 없거나 부족하기 때문에)인한 철분 결핍성 빈혈이 주요 건강문제가 될 수 있으므로 3개월 이후에 철분을 공급해야 한다.

05 / 모유수유

미숙아는 조제분유의 열량이 높아서 분유만으로 잘 성장하지만 미숙아를 위한 최적의 영양 공급원은 모유라는 연구결과가 계속 나오고 있다. 특히 모유의 면역성분이 미숙아에게 흔히 발생하는 괴사성 장염의 예방에 효과적임이 증명되었다. 미숙아의 상태에 따라 경구 영양을 할 수 있을 때까지 모유를 짜서([그림 11-14] 위관 영양으로 공급할 수도 있고, 미숙아의 상태가 좋아지면 저장된 모유보다는 직접 어머니 젖을 먹이는 것이 좋은데 미숙아의 체액 정체를 위해 필요한 Na이 더 많기 때문이다.

모유가 영양학적으로 매우 우수하지만 모유만으로 미숙아에게 필요한 영양분을 공급하기에 부족하므로 모유강화제를[그림 11-15] 사용한다. 태아는 임신 말기에 체내에 영양분을 축적하게 되는데 미숙아의 경우 이 기간보다 먼저 출생하는 경우가 많아 철, 칼슘, 인, 비타민 등이 부족한 상태로 출생하게 되고 모유만으로는 단백질, 나트륨, 인, 칼슘 등이 부족하기 때문이다.

확인문제

10. 미숙아에게 수액으로 영양공급 시 과수화의 징후는 무엇인가?

11. 미숙아의 일일 필요 열량은 얼마인가?

그림 11-14 미숙아를 위한 모유보관
미숙아의 모유수유가 가능할 때 수유하기 위해 모유를 냉동 보관한다

그림 11-15 모유강화제

VI 피부간호

미숙아의 재태기간은 표피와 진피의 결합능력과 각질층 형성 등의 표피 장벽의 기능과 밀접한 관계가 있는데 초극소저출생체중아의 표피 장벽은 온도 조절이나 수분 불균형과 연관되며, 미숙아의 표피 장벽은 손상되기 쉽고 세균 감염에 취약하다. 이러한 위험 요인 때문에 피부의 통합성 유지는 초극소저출생체중아의 치료 및 간호에 매우 중요한 영역이 된다. 접착제 사용에 세심한 주의가 필요한데 특히 정맥주입, 안대 적용, 인공호흡기 부착, 위관영양 등의 치료 과정에서 사용하는 반창고 테이프의 사용 시 주의가 필요하며 알러지 발생률이 적고, 멸균투명필름드레싱이나 하이드로콜로이드 재질의 반창고 등 피부 손상을 최소화할 수 있는 제품을 사용하도록 한다. 또는 피부에 직접 닿는 부분에는 거즈 등을 덮고 그 위에 반창고를 붙여 신생아 피부에 직접 반창고를 도포하지 않도록 한다[그림 11-16]. 또한 잦은 체위 변경과 부드러운 재질의 물침대 등을 사용하고 최소 4시간 마다 자세를 변경하고 피부 표면을 주의 깊게 관찰한다. 이를 위해 머리에서 발끝까지 세심하고 정기적인 사정을 해야 한다.

VII 특수간호

01 / 통증관리

1979년 국제 통증연구학회(International Association for the Study of Pain : IASP)는 통증을 '실제 또는 잠재적 조직 손상과 관련된 불쾌한 감각, 감정적 경험 또는 이러한 손상의 관점에서 설명되는 것'으로 정의하였고, 통증의 의미가 언어적으로 표현되며 경험을 통해 학습되는 것이라는 맥락에서 이해됨으로써 신생아가 통증을 경험하지 않는다고 생각하게 하였다. 또한 신생아의 신경통로가 통증정보를 전달할 수 있을 만큼 수초화되지 않아 통증에 예민하지 않다고 여겨왔다. 그러나 미숙아를 포함한 모든 신생아가 통증을 충분히 느낄 수 있을뿐 아니라 생리적, 행동적 지표를 통해 통증의 존재를 나타내고 있다. 그런데 미숙아를 포함한 고위험 신생아는 다양한 침습적 비침습적 치료에 노출되게 된다. 이러한 과정에서 격게되는 반복적인 통증의 경험은 단기적으로는 산소포화도와 심박동수를 증가시키는 등의 심혈관계에 영향을 미치게 하며 두개내압을 상승시켜 뇌실 내 출혈 위험을 높일 수 있다. 또한 통증과 스트레스로 인해 면역체계의 대응능력이 낮아져 감염 위험성이 높아지고 생후 초기의 통증 경험이 두뇌 발달에 영향을 미치고 향후 통증 반응을 변화시킬 수 있다고 하였다. 그러므로 고위험 신생아의 통증 조절을 위한 적극적인 중재가 필요하다.

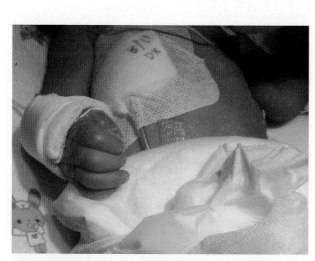

그림 11-16 미숙아의 피부보호를 위한 반창고 도포

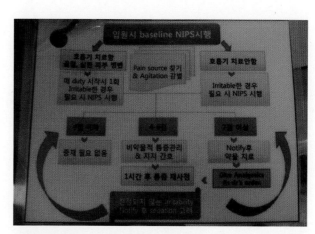

그림 11-17 일병원 신생아집중치료실의 신생아 통증사정 지침

1) 통증사정

통증의 사정은 '다섯 번째 활력 징후'로 지지받고 있다. 미숙아의 울음소리는 음색과 주파수 울음의 지속 시간과 강도 등이 다른 상황에서 발생하는 울음과 차이를 나타낸다. 그러나 임상현장에서 울음소리를 통해 신생아의 통증정도를 사정하기는 어렵다. 또한 많은 경우에 통증을 유발될만한 자극에 대해 신생아가 반응하지 않는 경우도 있다. 이는 반응을 나타내는 능력이 부족한 것이지 통증지각이 없는 것이 아니므로 주의해야 한다.

통증 사정을 위한 평가 도구로는 '수술 후 통증 측정 도구(CRIES)', '신생아 통증척도(NIPS)', '미숙아 통증 평가도구(FLACC)', '미숙아 통증척도(PIPP)' 등이 사용되고 있다. 병원마다 통증사정을 위한 지침을 구축하여 즉각적으로 사정하고 효율적인 중재를 할 수 있도록 하고 있다[그림 11-17]

(1) 수술 후 통증 측정 도구(CRIES)

5가지 행동,생리적 지표인 crying, requires oxygen to maintain staturation at greater than 95%, increased vital signs, expression, sleeplessness의 약어로 재태기간 32주 이후에 태어난 미숙아에게 사용하며 0~10까지 점수화되며 점수가 높을수록 통증 정도가 심한 것을 나타낸다. 4점 이상일 경우 통증을 의미하며 진통제 사용을 고려할 수 있다. 진통제 사용 등의 중재 후에는 15~30분 후 재평가를 통해 통증 완화 정도를 사정한다. 원래 수술 후 통증 정도를 사정하기 위해 고안된 도구이나 침습적 시술 후 등의 통증 평가에도 사용하고 있다[표 11-4].

(2) 신생아 통증척도(newborn infant pain scale, NIPS)

통증에 대한 행동반응인 호흡패턴, 얼굴 표정의 변화, 울음, 팔과 다리의 위치, 각성 상태를 관찰하여 객관적으로 점수화한 것이며 점수가 높을수록 통증 정도가 심한 것을 나타낸다[표 11-5].

(3) 미숙아 통증 평가도구(face legs activity cry consolability, FLACC)

재태연령과 통증에 대한 행동반응인 얼굴표정, 생리적변화, 행동상태를 관찰하여 객관적으로 점수화한 것이며 점수가 높을수록 통증 정도가 심한 것을 나타낸다[표 11-6].

(4) 미숙아 통증척도(premature infant pain profile, PIPP)

심박동수, 산소포화도, 이마돌출, 눈찡그리기, 코 입술고랑과 재태기간 및 기본 행동상태를 종합적으로 평가하는 도구로 7~12점은 가벼운 통증, 12점 이상은 중증 통증을 나타낸다[표 11-7].

2) 통증 조절

(1) 비약물적 중재

- 고통스러운 치료적 중재의 총 횟수를 줄이도록 노력한다.
- 고통스러운 치료적 중재 전에 환아를 만지는 것은 통각 경로를 활성화시켜 통증 반응을 강하게 하므로 삼가도록 한다.
- 조명과 소음 수준을 낮춘다.
- 고통스러운 치료적 중재가 수행되는 동안 환아를 감싸주도록 한다.
- 비영양흡철기(노리개 젖꼭지)를 제공한다.
- 비영향흡철과 함께 자당, 포도당 등을 제공한다.
- 부드럽고 조용한 음악을 들려준다.

(2) 약물적 중재

- 약물적 중재를 사용할 때는 약물의 긍정적인 반응과 부정적인 반응을 평가하여 환아에게 유리한 선택을 하도록 한다.
- 약물 투여 후에는 반드시 약물의 효과를 평가하도록 한다.
- 마약성 진통제 : 모르핀(morphine), 펜타닐(fentanyl) 등
- 비마약성 진통제 : 아세타미노펜(acetaminophen)

02 / 광선요법

광선요법은 피부의 빌리루빈에 빛에너지(파장 420~

표 11-4   신생아 수술 후 통증평가 도구(CRIES)

분류	0	1	2
울음(crying)	무	고음의 울음	지속적인 울음
산소포화도>95% 유지를 위한 노력 (required oxygen)	무	<30%	>30%
활력징후 증가 (increased vital signs)	심박수와 혈압이 수술 전 상태와 같거나 적음	심박수와 혈압이 수술 전 상태보다 20% 미만으로 상승	심박수와 혈압이 수술 전 상태의 20% 이상 상승
표정(expression)	무	찡그림	찡그림/끙끙거림
수면부족(sleeplessness)	무	자주 잠에서 깨어남	계속적으로 깨어 있음

표 11-5   신생아 통증척도(NIPS)

분류	0	1	2	Score
얼굴 표정	이완됨	찡그림		0~1
울음	울음 없음	흐느낌	크고, 지속적인 울음	0~2
호흡패턴	이완됨	호흡 변화 있음		0~1
팔	이완되거나 억제됨	굴곡/신전됨 (긴장, 뻣뻣함, 빠른 신전)		0~1
다리	이완되거나 억제됨	굴곡/신전됨 (긴장, 뻣뻣함, 빠른 신전)		0~1
각성 수준	안정된 수면이나 깨어있음, 조용함	기민하고, 불안해하고 몸부림 침		0~1
			총 점수	–

표 11-6   미숙아 통증평가 도구(FLACC)

분류	점수		
	0	1	2
얼굴(face)	특이소견 없음/무표정 또는 미소	찡그림/찌푸림/위축	이를 악물거나 아래턱이 떨리며 계속 찡그림
다리(legs)	편안한 정상 체위	어색한 체위, 편하지 않음, 긴장	발차거나 다리 들어 올림
활동성(activity)	편하거나 정상 자세로 누움	긴장하거나 몸부림침	몸을 활처럼 휨
울음(cry)	울지 않음(자거나 깨있을 때)	끙끙거리거나 신음소리를 냄	계속 울며, 비명소시를 내거나 흐느낌
진정(consolability)	이완 및 진정 상태	만지거나 안아주고 말을 걸어야 진정됨	진정이나 안위가 어려움

470nm, 청색빛)를 흡수하여 신경독성이 있는 비결합 빌리루빈을 이성화(isomerization) 시켜 결합 형태로 전환하여 담즙 또는 소변을 통해 배설하게 하는 것이다.

1) 적응증

저출생체중아의 광선요법 적용은 재태기간, 체중, 총혈청빌리루빈 수치 등에 따라 결정한다[표 11-8].

2) 방법

광선요법 시 불빛은 신생아 몸에서 40~70㎝ 위에 오도록 설치한다[그림 11-18]. 광섬유성 담요와 같은 특별한 광선 치료기구도 있다. 신생아의 눈과 생식기를 가려주고 가능한 피부표면이 빛에 많이 노출되도록 한다.

표 11-7	미숙아 통증 평가 도구(PIPP)				
지표 점수					
신상아 지표	0	+1	+2	+3	신생아 지표 점수
맥박수에서의 변화(bpm) 기준선 :	0~4	5~14	15~24	>24	
산소포화도에서의 감소(%) 기준선 :	0~2	3~5	6~8	>8 또는 O_2 증가	
이마 돌출(초)	없음 (<3)	초소의 (3~10)	보통의 (11~20)	최대의 (>20)	
눈 짜기(초)	없음 (<3)	초소의 (3~10)	보통의 (11~20)	최대의 (>20)	
코-입술 고랑(초)	없음 (<3)	초소의 (3~10)	보통의 (11~20)	최대의 (>20)	
			소계 점수 :		
재태기간 (Wks+Days)	>36주	32주~35주, 6일	28주~31주, 6일	<28주	
기본 행동상태	활동적이고 깨어있는	조용하고 깨어 있는	활동적이고 잠이 든	조용하고 잠이 든	
				총점 :	

점수 설명

1단계 : **움직이지 않은 상태에서 15초** 동안 신생아를 관찰하고 활력 징후 지표[더 높은 맥박수(HR)와 더 낮은 산소포화도(O_2 SAT)] 및 행동 상태를 평가한다.

2단계 : **시행 후 30초** 동안 신생아를 관찰하고 활력징후 지표의 **변화**를 평가한다(최대의 HR, 더 낮아진 O_2 SAT 그리고 관찰되어진 안면 움직임의 지속시간). 만일 신생아가 시행 전이나 중 어느 시점에서 산소의 증가가 요구된다면, O_2 SAT 지표에 대해서 3의 점수를 받는다.

3단계 : 소계 점수가 >0 이라면 정확한 재태기간(GA)과 행동상태(BS)에 대한 점수를 매긴다.

4단계 : 소계 점수+BS 점수를 추가하여 총점을 계산한다.

그림 11-18 광선요법
생식기와 눈을 가려주도록 한다.

3) 치료효과

치료효과는 빛에너지의 파장, 광원과 환아 사이의 거리, 노출된 표면적 등과 용혈속도나 빌리루빈의 대사 및 배설에 따라 달라지지만 피부색의 차이는 없다. 광선요법의 적절한 적용은 교환수혈의 필요성을 감소시킨다. 간접빌리루빈 최고치의 50~70%에서 광선요법을 시작하는데 빌리루빈 최고치의 농도보다 높거나 광선요법으로 빌리루빈이 감소하지 않거나 핵황달의 증거가 보이면 교환수혈을 해야한다.

4) 합병증

묽은 변, 홍반발진, 열, 탈수, 노출로 인한 체온저하, 안대를 하지 않은 경우 안구 손상 위험, 복부팽만, 청동색아기증후군(bronze baby syndrome) 등이 발생할 수 있다.

03 / 교환수혈

1) 적응증

교환수혈(exchange transfusion)은 집중적인 광선치료가 총혈청빌리루빈 수치를 낮추지 못했거나 총혈청빌리루빈 수치와 관계없이 핵황달의 징후가 있을 경우에 적용한다. 용혈성 질환에 의한 신경학적 후유증을 일으킬 수 있

표 11-8 저출생체중아의 혈청빌리루빈 중재

총혈청빌리루빈 수치(mg/dL)				
	건강한		아픈	
재태기간	광선치료	교환수혈	광선치료	교환수혈
미숙아				
〈 1,000 g	5~7	Variable	4~6	Variable
1,001~1,500 g	7~10	Variable	6~8	Variable
1,501~2,000 g	10~12	Variable	8~10	Variable
2,001~2,500 g	12~15	Variable	10~12	Variable

는 고빌리루빈혈증의 교정과 예방을 위해 또는 심각한 빈혈, 파종성 혈관 내 응고증후군(disseminated intravascular coagulation syndrome, DIC)과 독소 제거, 신생아의 용혈성 질환을 개선하기 위한 목적으로 시행한다. 미숙아의 경우 훨씬 더 낮은 농도에서 핵황달이 나타날 수 있다. 그러므로 생후 1~2일에 빌리루빈이 기준치보다 증가한 경우, 광선요법에도 불구하고 혈청빌리루빈 농도가 시간 당 1mg/dL 이상 상승된 경우 교환수혈의 적응증이 된다. 그러나 미숙아의 경우 약 생후 7일 즈음에 점차 간기능이 활성화되어 빌리루빈치가 감소할 수 있으므로 교환수혈을 보류할 수 있다.

2) 방법

교환수혈은 항체가 부착되어 있는 적혈구를 부분적으로 제거하고, 그 항체를 항원에 민감성이 없는 공혈자의 적혈구로 교체한다. 수혈 후 혈관 외 빌리루빈은 빠르게 평형을 유지하며, 교환된 혈액 속의 알부민과 결합하게 된다. 교환 후 30분 이내에 교환수혈 전 수치의 대략 50~60% 정도로 빌리루빈 수치를 낮춘다.

Double volume 교환수혈을 하게 되며, 수혈할 혈액은 채혈된 지 3~5일의 혈액을 사용하며 항응혈성 구연산 인산 포도당(citrate phosphate dextrose, CPD)으로 처리된 전혈을 사용한다. 신생아의 혈액량은 80~90mL/kg로 2kg의 아기의 경우 혈액량은 160~180mL이므로 교환수혈 시 약 320~360mL 전혈을 준비해야 한다. 혈액은 Rh 부적합증일 경우 Rh 음성의 O형 또는 신생아와 동일한 혈액형을 사용하고 ABO 부적합증일 경우 신생아와 같은 Rh형의 O형 혈액을 선택한다. 제대 카테터를 제대정맥을 통해 하대정맥까지 삽입한 후 신생아의 혈액을 한번에 5~10% 정도인 5~20mL씩 제거하고 동량의 적합한 혈액을 교환한다. 교환 혈액량은 신생아 혈액량의 2배인 160~180mL/kg로 신생아 혈액의 약 85%가 교환될 수 있다. 교환수혈을 실시하기 전에 신생아를 금식시키고 제대가 건조 및 오염되지 않도록 보호하며, 가족에게 설명 후 동의를 받고 교환수혈세트 등 사용물품을 준비한다. 수혈하는 혈액은 혈액을 보온하는 기구를 이용하여 체온과 같은 온도로 유지하여 저체온증이 되지 않도록 한다. 교환수혈 후에는 무균적 드레싱 교환과 제대부위의 출혈 및 감염증상, 저체온 또는 발열증상, 저혈당증, 산염기불균형 등의 부작용을 주의 깊게 관찰한다. 복사온열기 침대에서 산소, 흡인, 소생장비를 즉시 사용할 수 있도록 확보한 상태에서 실시하며 심폐기능과 활력징후를 지속적으로 모니터링 한다. 교환수혈 후에도 광선요법은 지속하며, 빌리루빈 농도는 4시간마다 측정한다.

3) 합병증

(1) 저칼슘혈증과 저마그네슘혈증

항응혈성 구연산 인산 포도당 처리 혈액 속에 있는 구연산이 칼슘과 마그네슘과 결합하여 저칼슘혈증과 저마그네슘혈증을 초래할 수 있다. 저칼슘혈증의 증상은 과민(보챔), 빈맥, 지연된 QT간격이다. 글루콘산칼슘을 사용하여 교정한다.

(2) 저혈당

항응혈성 구연산 인산 포도당 처리 혈액 내용물에 있는 당 성분은 인슐린의 과다 분비를 자극하여, 교환수혈이 이루어진 1~2시간 후에 저혈당을 일으킨다. 혈당은 교환수혈 후 수 시간 동안 감시하고, 포도당이 함유된 정맥주사를 투여한다.

(3) 산-염기 불균형

항응혈성 구연산 인산 포도당 처리 혈액 속에 있는 구연산은 건강한 간에 의해서 대사되어 알칼리로 바뀌고, 서서히 대사성 알칼리증을 일으킬 수도 있다. 환아가 매우 아프고 구연산을 대사 할 수 없다면 구연산이 심각한 산증을 일으킬 수도 있다.

이 밖에 고칼륨혈증, 혈관 천공, 공기색전, 부정맥, 혈량 과부하, 출혈, 감염, 용혈, 이식대숙주병, 사망, 저체온 등이 가능하다.

확인문제

12. 신생아의 통증사정도구로 통증에 대한 행동반응인 호흡패턴, 얼굴 표정의 변화, 울음, 팔과 다리의 위치, 각성 상태를 관찰하여 객관적으로 점수화 한 것은 무엇인가?

13. 광선요법 시 신생아의 몸과 발광원의 거리는 얼마인가?

14. ABO 부적합증으로 인한 핵황달로 교환수혈을 할 때 적합한 혈액형은?

Ⅷ 신생아 집중치료실의 환경관리

01 / 신생아 집중치료실의 온도와 습도

중성온도환경(neutral temperature environment)은 산소 소모와 에너지 대사를 최소화한 최적의 온도환경으로, 열생성은 최소로 하되 심부체온(액와체 온 36.5~37.5℃)은 정상 범위로 유지할 수 있도록 하는 환경 온도를 말한다. 피부가 얇고 피하지방이 거의 없는 극소저출생체중아와 초극소저출생체중아는 큰 영아보다 열소실이 3~5배 더 증가한다. 따라서 중성온도환경을 유지하는 것은 고위험신생아에게 특히 중요하다. 중성온도환경을 유지하기 위해서는 신생아 집중치료실의 실내 온도는 24~27℃, 습도는 50~60%를 유지하도록 한다.

02 / 감염관리

감염관리는 모든 고위험 신생아를 포함한 모든 신생아에게 중요한 영역으로 신생아 패혈증은 신생아 1,000명당 1~5명이며, 치사율은 5~10% 정도로 초기의 패혈증 발병률이 만삭아에 비해 더 높다. 인공호흡기 사용, 위관영양, 중심정맥관 삽입 등이 주요 위험 요인이며 그룹B연쇄상구균(Group B streptococcus, GBS)과 그람음성균에 의한 감염일 경우 사망률이 높다. 감염 위험을 줄이는 가장 기본적인 행위는 손 씻기이다. 환아를 만지기 전후 항상 손을 씻어야 하며, 모든 신생아의 침대 옆에 손소독제를 비치하여야 한다. 감염성 질병이 있는 사람은 다른 사람에게 그 병을 전파하지 않을 때까지 병동 출입을 금하거나, 오염 가능성을 줄이기 위해 마스크와 장갑과 같은 적절한 차폐물을 착용하여야 한다. 신생아 중환자실에 들어가기 전에 깨끗한 무균복을 입고 오염될 때마다 갈아입는다. 신생아 중환자실 밖으로 나갈 때는 덧가운을 입어 무균복을 보호한다. 잠시 동안이라도 신생아 중환자실 안으로 들어오는 사람은 간호에 직접적인 개입과 관계 없이 철저하게 손을 씻어야 하고, 적절한 옷으로 갈아입거나 덧가운을 입어야 한다. 인공호흡기 사용기간을 최소화하고, 비경구영양 공급 시 필터를 사용한다. 검사를 포함한 침습적 절차를 최소화하여 피부 손상을 줄이고, 한꺼번에 모아서 실시하도록 한다. 환아를 자주 만지거나 보육기의 문을 열지 말고 미숙아는 식균세포의 불충분한 생성으로 인해 IgM 항체가 결핍되어 있으므로 사용하는 모든 린넨과 기구는 깨끗한 것을 사용하도록 한다. 신생아 중환자실에서 사용하는 기구는 병원의 표준과 제조사의 권고에 따라 정기적으로 청결을 유지하고 소독을 실시한다. 보육기, 방사보온기, 인공호흡기, 호흡기계의 모니터, 말초산소맥박측정기 등 기구를 사용하기 전후에 반드시 매뉴얼에 따른다. 감염예방을 위해 주기적으로 역학조사를 실시하여 신생아 집중치료실에서의 감염 발생률과 유형을 평가한다.

03 / 발달 간호

1) 발달 자극

신생아 집중치료실의 환경은 발달 중에 있는 고위험 신생아의 뇌와 신체에 영향을 미쳐 만삭아에 비해 신경발달적 문제가 높은 빈도로 나타날 수 있으므로 최적의 인지, 신체, 정서적 잠재력에 도달하기 위해 발달적 지지가 필요하다. 모든 신생아와 마찬가지로 미숙아도 자신의 감각에 적절한 자극(시각, 청각, 촉각)에 최적의 반응을 보인다. 사진이나 그림 같은 것이 짧은 기간 동안 적절하게 사용될 수 있다. 그러나 보육기 안에서 보는 시각은 아크릴로 된 둥근 천장에 의해 어그러져 보일 수 있다. 대부분의 사람들이 측면에서 보육기안의 아기를 쳐다보게 된다. 그러므로 아기의 얼굴은 어른의 시선과 일직선상에 있지 않다. 사람의 얼굴을 통해 즐거운 감각 자극을 주려면 아기와 일직선상에서 똑바로 쳐다보는 노력이 필요하다. 아기가 성장함에 따라 흑백으로 된 모빌이나 밝은 색의 물건을 시야 안에 걸어주는 것이 좋은데 아기의 체위를 변경할 때는 모빌이 시야에 들어오도록 모빌의 위치도 변경 해 준다[그림 11-19]. 보육기 안에 누워있는 아기는 보육기의 모터 소리 외에는 아무것도 듣지 못할 수도 있다. 아기는 사람들이 자신을 바라보고 무언가 말하는 것을 볼 수는 있지만 모터에서 지속적으로 나는 소음으로 인해 목소리는 듣지 못하게 된다. 일상적인 접촉을 제공하기 위해서 간호사는 미숙아에게 부드럽지만 아기에게 분명히 전달되도록 이야기 시간을 갖도록 한

다. 보육기에서 나올 수 없는 아기라도 자극이 부족해서는 안 된다. 아기의 등을 부드럽게 쓰다듬어 주거나 머리 뒷부분을 만져 주도록 한다. 특히 흡인이나 혈액채취와 같은 통증이 있는 처치를 수행한 다음 상호작용 시간을 통해 긍정적인 감각을 제공하도록 한다.

2) 소리 환경

신생아 집중치료실의 시끄러운 환경은 소음 경험에 따른 청각로의 비전형적 발달 가능성이 있고 환아의 휴식을 방해할 수 있고, 뇌발달 및 조직을 저해할 수 있다. 지속적으로 소음 수준을 감시하고 모든 의료진은 소음 발생을 최소화하기 위해 노력해야 한다. 의료진이 사용하는 휴대폰이나 호출기 등은 무음이나 진동으로 변경하고, 원내 방송의 크기를 조절하고 신생아 집중치료실의 문을 열고 닫는 행위, 보육기의 문을 열고 닫는 행위 혹은 기구를 옮기는 행위 등을 할 때 소음이 발생하지 않도록 매우 주의를 기울여야 한다[그림 11-20].

3) 조명

갑작스런 빛의 증가는 고위험 신생아에게 스트레스가 되어 생리적 안정성을 떨어뜨릴 수 있다. 더구나 치료적 중재술을 위해 사용하는 랜턴이나 조명기구 등은 일반적인 조명보다 더 강한 빛을 발산하게 되어 아동의 시각에 손상을 줄 수 있다. 이러한 시술을 수행할 경우 환아에게 안대와 같은 보호장비를 제공하고, 허용된다면 밤동안 보육기를 두꺼운 천으로 가려주도록 한다[그림 11-21]. 실내 조명은 10~600lux 사이로 조정하고 개별 조명을 통해 다른 환아의 치료 시 영향을 받지 않도록 한다.

04 / 체위변경

체위변경을 통한 체위간호는 자세를 유지하기 어려운 미숙아의 후천적 변형을 예방하는데 매우 중요하다. 보통 체위 유지 장치(돌돌말아 만든 담요, 상용화된 자세유지 도구(바운더리, boundary 등)를 사용하는데 이러한 체위 유지 장치는 신생아가 바운더리를 밀 수 있도록 충분한 공간을 확보하면서 골격과 신경근의 발달을 돕는 것이어야 한다.

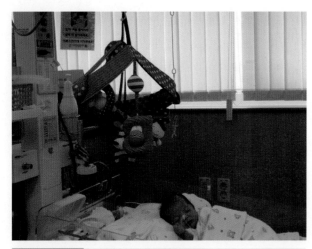

그림 11-19 고위험 신생아 발달자극

그림 11-20 신생아 집중치료실 환경 관리

또한 모든 체위 조정 후에는 신생아의 안위가 확보되어야 하며 환아의 개별적 요구에 따라 간격과 횟수를 조절한다. 신생아가 자주 꼼지락거리고 보채고 찡그리고 있다면 현재 유지하고 있는 체위가 불편한 것에 대한 신호가 될 수 있다. 또한 미숙아는 의료진의 접촉과 치료적 중재를 위한 이동 등에 대해 스트레스를 받을 수 있으므로 이동 시 복위를 유지하는 것이 좋으며, 기저귀 교환 시 신생아의 다리를 머리 위로 치켜 들지 않도록 주의한다.

Ⅸ 부모의 역할 증진

고위험 신생아의 분만이 예상될 때, 부모에게 신생아 집중치료실을 둘러볼 수 있는 기회를 제공해서 신생아가 집중치료실에 입원했을 때 고도의 기술적 환경에서 좀 더 편안함을 느끼도록 해준다. 고위험 신생아의 부모는 진행 상태에 대해 알아야 하고, 부모가 원하는 만큼 아기가 입원하게 될 특수병동을 방문할 수 있어야 하며, 신생아를 씻기고 입히고 안고 만져볼 수 있어야 한다. 그러면 아기를 좀 더 현실적으로 느낄 수 있다. 또한 아기가 질병을 이겨내지 못할 경우, 이런 상호작용을 통해 죽음을 더 현실적으로 느낄 수 있게 된다. 출생과 죽음이 모두 현실로 보일 때 부모는 자신의 감정을 다루고 이런 사건을 받아들일 수 있게 된다. 부모는 신생아가 호전됨에 따라 신생아 집중치료실에서 시간을

보낼 필요가 있다. 집에서 자신감 있게 아기를 돌보는 것을 돕기 위해서 퇴원 후에도 건강관리 요원과 연락을 취할 필요가 있다.

01 / 부모-자녀 상호관계 형성

미숙아는 출생 직후부터 신생아 집중치료실에 입원하게 되고 소생술 등의 치료적 중재를 수행하고 인공호흡기 등의 치료기구를 부착하는 등의 의료적 처치로 인해 부모와 미숙아의 조기 상호작용 기회가 상실되는 문제점이 있다. 미숙아에게 잦은 신체 접촉을 하는 것이 미숙아의 에너지를 보존하는데 방해가 될 수 있지만, 최근에는 사랑이 담긴 따뜻한 접촉을 하는 것이 더 필요하다고 인지되고 있다. 즉, 안고 흔들어주기, 노래 불러주고 말 걸어주기, 부드럽게 안아주기를 통해 사람과의 신뢰감을 발달시키도록 해준다. 최근에는 캥거루식 돌보기 방식으로 아기를 안아주는 것이 결속을 증진시키는 또 다른 방법으로 소개되고 있다[그림 11-22]. 부모는 아기와의 애착 형성 보다 실망감과 죄책감을 먼저 경험하게 되므로 이를 받아 들일 시간이 필요하게 된다. 간호사는 부모가 이런 감정을 표현하고, 미숙아에 대한 좀 더 긍정적인 태도를 발전시키도록 도와주어야 한다. 만약 아기가 보육기에서 나올 수 없다면 보육기나 방사성 가온기에 눕혀둔 채 쓰다듬어주도록 한다. 미숙아의 상태가 나빠 직접 젖을 물릴 수 없다면 엄마에게 젖을 짜오도록 격려하고 위관영양 전후에 아기를 안아보도록 하거나 젖꼭지

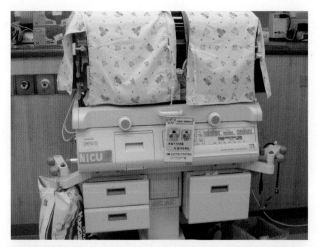

그림 11-21 **천으로 덮은 보육기**

미숙아에게 밝은 빛에 의한 자극을 줄여주기 위해 보육기를 두꺼운 천으로 감싸 놓는다.

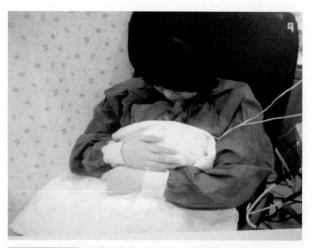

그림 11-22 **캥거루식 돌보기**

부모가 캥거루 돌보기에 참여하도록 격려한다.

수유 시 직접 수유를 하도록 격려한다. 이렇게 수유에 참여하는 것을 통해 부모와 가족은 애착과 결속력을 강화할 수 있다. 부모가 방문할 수 없는 날에는 아기의 상태에 대해 부모와 전화 통화를 하거나 문자를 제공하는 것도 도움이 된다. 또한 신생아 중환자실 간호사가 육아일기를 써서 제공한다면 부모들이 자신의 자녀를 직접 양육하지 못하는 상실감을 완화하고 슬픔을 지지하는데 도움이 될 것이다. 또한 부모는 아기 만져보기를 간절히 원하지만 만졌다가 아기를 손상시키거나 알람이 울리기라도 할까봐 걱정되어 뒤로 물러서 있게 된다. 인공호흡기와 모니터, 기타 중환아실 여러 의료 장비들이 간호사에게는 익숙한 기구이지만, 부모에게는 낯설고 두려운 기구이다. 그러므로 간호사는 아기를 손상시키지 않는 범위에서 아기와 접촉할 수 있으며, 알람이 울리더라도 간호사가 곁에 있으므로 신속한 조치를 취하게 될 것이므로 염려하지 않아도 됨을 설명하고 지지하도록 한다. 미숙아는 오랫동안 입원해 있기 때문에 부모는 매 방문 시 각기 다른 사람 혹은 여러 건강관리 요원에게서 정보를 받게 되므로 혼란스러워질 수 있다. 지속적으로 부모와 의사소통을 할 수 있는 간호사를 배치하고 그 간호사를 통해 아기의 상태와 변화 그리고 간호요구에 대해 논의 하도록 한다.

간호진단 및 목표

간호진단 : 미숙아의 건강유지 요구와 관련된 부모 역할 향상가능성

간호목표 : 부모 역할에 대한 만족감과 자신감을 표현한다.

예상되는 결과 : 가정에서의 미숙아의 돌봄 시 부모 역할에 대한 자신감으로 가지고 안전하고 기능적인 가정환경을 유지한다.

1) 가정에서의 고위험 신생아 추후관리

신생아 중환자실에서의 퇴원은 아기뿐만 아니라 부모에게도 중요한 변화이다. 그러므로 미숙아의 부모는 퇴원 전에 신생아에게 필요한 특별한 관리방법과 성장 발달을 최적화하기 위한 중재를 배우고 익힐 필요가 있다. 예를 들면 기관협착 등의 문제로 기관절개를 유지한 상태로 퇴원이 계획된다면 가정용 흡인 기구 등을 구입하고 사용하는 방법 등을 설명하는 것이다[그림 11-23]. 일부 부모는 미숙아를 과잉보호하는 경향이 있다. 예를 들어 방문객을 제한하거나 신생아와 함께 외출하지 않는 것이다. 이러한 과잉 보호가 필요하지 않음을 부모에게 설명한다. 미숙아의 지속적인 건강관리는 일반적인 영아의 양육 방법에 따르도록 한다. 기본적인 예방접종은 아기의 실제 연령(chronologic)에 따라 수행하도록 한다.

부모가 병원을 방문할 때마다 아동의 상태와 발달 정도에 관해 부모의 지식수준을 사정하는 것은 중요하다. 가정 간호를 의뢰하고 철저한 교육을 통해 신생아가 퇴원했을 때

요구되는 간호수준을 지속하도록 부모를 돕는 것이 필수적이다. 퇴원 전에 아기를 집에서 간호하기 위해 집안의 안전을 평가할 필요가 있다. 또한 퇴원 시 매우 작은 신생아는 신생아용 차량 내 안전장비가 맞지 않으므로, 미숙아를 이송할 때에는 특별한 간호가 필요하다.

대부분의 고위험 신생아는 한번 안정을 찾게 되면 "따라잡기(catch-up)"성장을 보인다. 신생아가 퇴원하기 전과 퇴원한 후에 부모는 지금 할 수 있는 모든 일들이 가능한 것을 확인하고, 그들 자신을 살펴보기 위해서 부모에게 지지가 필요하다. 가정 간호사의 방문은 부모가 고위험 신생아를 집에서 돌보는 스트레스에 적응하도록 하는데 도움이 된다.

2) 신생아의 죽음을 다루기

고위험 신생아에게 생명을 유지할 수 없는 심각한 상황이 발생되었다면 환아의 치료에 대한 의사결정에 부모를 참여시키고 정직하고 개방적인 의사소통을 통해 부모에게 정확한 정보를 제공해야 한다.

신생아가 사망하면 부모는 대개 신생아 보기를 원한다. 부모는 기구가 부착되지 않은 상태의 신생아를 본 적이 없을 수도 있다. 폐기능 혹은 다른 장애를 제외하고는 신생아의 다른 부분은 다 정상이라고 스스로에게 재확신을 시켜줄 시간이 필요할 수도 있다. 부모가 사별의 과정을 경험하는 과정에서 사별한 아기에 대한 추억을 남길 수 있는 것(사진, 탈락된 제대, 손톱, 핸드조형물 등)을 제공하는 것이 도움이 될 수 있다. 이런 과정을 통해 다른 아기에 대한 계획이나 혹은 심한 스트레스 경험 후에 자신의 삶을 지속하기 위한 확신을 갖게 될 수도 있다.

확인문제

15. 미숙아에게 따뜻한 접촉을 통해 부모-자녀간의 애착을 증진시키는 방법으로 부모가 미숙아를 안아주는 방법의 돌봄을 무엇이라고 하는가?

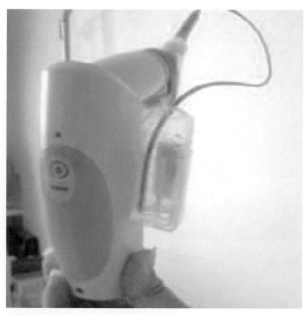

그림 11-23 **가정용(휴대용) 흡인기구**

Ⓧ 출생 시 손상

01 / 두부손상

출생 시 발생할 수 있는 두개손상에는 산류, 두혈종, 모상건막하 출혈이 있으며, 발생부위, 원인, 치료 및 예후는 다음과 같다.

1) 산류

산류(caput succedanuem)는 분만 중 두부 선진부위에 가해진 압박으로 생긴 두피 연조직 부종으로 분만 지연 시 많이 발생한다. 부종은 경계가 불명확하고 봉합선을 넘어 있으며 안면에 부종, 변색과 변형이 있을 수 있다. 치료 없이 출생 후 48~72시간 내에 소실되고 전신 혹은 국소적으로 점상출혈이나 반상출혈이 동반될 수 있다[그림 11-24].

2) 두혈종

두혈종(cephalohematoma)은 분만 중 두부손상에 따른 혈관의 파열로 골막과 두개골 사이에 혈액이 축적된 골막하 출혈이며, 신생아의 약 0.2~2.5% 정도 발생한다. 피하출혈로

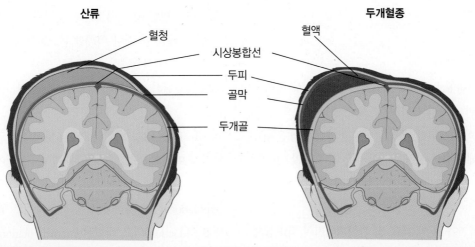

산류	두개혈종
혈청	혈액

시상봉합선
두피
골막
두개골

그림 11-24 산류와 두혈종의 비교

인한 피부색 변화는 없고 출혈이 서서히 진행되어 생후 수 시간 후에 종창이 나타나서 경계가 뚜렷하며 봉합선은 넘지 않는 특징이 있다. 전체 두혈종의 25%에서 선상두개골절을 동반하며 혈종은 대부분 치료 없이 자연 흡수되어 소실된다. 합병증이 없을 경우는 치료할 필요는 없으나 두혈종이 심한 경우 황달, 뇌막염, 골수염, 두개내 출혈, 빈혈, 저혈압이 발생할 수 있어 광선요법 등의 치료가 필요하다. 간호사는 부모에게 대부분의 경우 수 주 혹은 수개월이 지나 자연흡수되어 정상적인 모습이 될 것임을 설명한다.

3) 모상건막하 출혈

모상건막(galea aponeuritica) 아래와 골막 외부 사이에 출혈이 있는 경우 모상건막하 출혈(subgaleal hemorrhage)이라 한다. 출혈의 원인은 분만 시의 압박, 혈우병 등의 응고이상으로 발생할 수 있으며 치료로는 보존치료로 하며 현저한 빈혈, 용혈로 인한 고빌리루빈혈증이 초래될 수도 있으며 흡인은 실시하지 않는다.

02 / 골절

1) 쇄골 골절

쇄골은 분만 시 골절이 가장 잘 일어나는 부위로 증상으로는 골절된 쪽 팔을 움직이지 못하고 모로반사(moro reflex)가 나타나지 않는다. 쇄골이 부러진 부위에서 종종 부종이 생기며, 신체검진 시에도 부러진 느낌을 알 수 있다.

골절부위에 통증이 있으며 마찰음(crepitus)이 흔히 들리고, X-선 촬영으로 골절된 부위를 확인할 수 있다. 치료는 골절된 팔의 팔꿈치를 90° 이상 굴곡시켜 가슴에서 팔이 교차되도록 하여 골절된 부위를 고정(8자 붕대)시킨다. 간호는 적절한 신체 선열을 유지하고 옷을 입히고 벗길 때, 이동할 때 골절된 부분을 지지해 준다.

확인문제

16. 출생 시 신생아에게 흔히 나타나는 골절은 무엇인가?

2) 두개골 골절

두개골 골절은 난산이나 겸자 분만 시 발생하고 대부분 선상 골절로 치료하지 않아도 된다. 신생아의 두개골은 나이든 아동에 비해 광화작용이 덜 되어 있고 신축성이 좋아 두개골 골절은 드물다.

함몰 골절은 겸자 분만의 합병증으로 나타나며 압박으로 인한 뇌피질의 손상을 막기 위해 증상이 없더라도 수술로 교정을 한다. 후두 골절은 둔위 분만 시 신생아 척추를 과도하게 신장시켜 발생된다.

03 / 마비

1) 안면 신경 마비

안면 신경 마비(facial nerve palsy)는 주로 말초성 마비로 분만 시에 제7번 뇌신경인 안면신경을 감자나 산모의 천골에 의해 압박되어 발생된다. 증상은 마비된 안면 쪽의 운동이 소실되며 이마에 주름이 잡히지 않고 눈은 감기지 않으며 입은 잘 벌려지지 않고 마비되지 않은 쪽으로 당겨져 있다[그림 11-25].

이 증상은 아기가 울 때 더욱 잘 관찰되어지며 비대칭적인 얼굴이 두드러지며 수유 시에 젖을 흘리기도 하는데 이는 일시적 문제이다. 분만 시 손상으로 발생된 안면 신경 마비는 대부분 수일 내에 회복되며 마비된 쪽의 눈이 잘 감기지 않아 발생될 수 있는 각막 손상을 예방하기 위해 인공누액을 사용한다.

2) 상완신경 마비

상완신경 마비(brachial palsy)는 상완 신경총(brachial plexus) 중 제5~8 경추 신경(cervical nerve, C5~8)과 제1흉추신경(thoracic nerve, T1)의 손상으로 상완 전체 또는 일부 마비가 발생된다. 이것은 둔위 분만 시 신생아의 팔을 머리 위로 신전시키거나 어깨를 과도하게 견인할 때 혹은 두정위 분만 시 신생아의 앞 어깨를 만출시키기 위해 목을 옆으로 과신전시켜 당기는 경우에 발생한다[그림 11-26][그림 11-27].

Erb-Duchenne 마비는 C5~6의 손상으로 발생되는 상완신경 마비의 90% 이상을 차지한다. 신생아는 어깨의 외전(abduction), 외회전(external rotation)과 상박을 회외(supination)하지 못하여 특징적인 자세로 팔이 몸 가까이 내전(adduction)되고 내회전(internal rotation)되어 있고 팔꿈치가 신전(extension)되어 있고 전박은 손목과 손가락이 굴록된 채로 회내(pronation)되어 움직이지 않는다. 마비된 쪽 팔은 모로반사, 이두근 반사가 소실되고 전박과 손의 힘은 남아 있어 파악반사는 나타난다.

Klumpke 마비는 상완신경 마비의 10에 해당되면 C7~8, T1의 손상으로 손과 손목의 마비되어 주먹을 쥐지 못하고 파악반사가 나타나지 않는다.

상완신경 마비의 치료는 신경총이 회복되는 기간 동안 마비로 인한 근 수축을 예방하고 동반된 손상이 없으며 손상된 쪽의 수동 관절범위 운동을 조기에 실시한다. 대부분 상완신경 마비는 수개월 내에 회복되며 마비가 3개월 이상 지속되면 수술을 고려한다.

3) 횡격막 신경 마비

횡격막 신경 마비(paralysis of phrenic nerve)는 제3~4 경추신경(C3~4)의 손상으로 횡격막이 마비된 것으로 대부분 일측성이고 같은 쪽에 상완신경 마비가 동반된다. 임상증상은 폐확장이 비효율적이기 때문에 불규칙한 호흡, 청색증 등 호흡곤란 증상을 보이고 손상 부위에서 호흡음이 감소한다. 호흡할 때 양측 횡격막의 비대칭적 상하운동(seesaw)을 볼 수 있다. 침범되지 않은 쪽의 폐가 최대한 확장되도록 마비된 쪽으로 눕히고 필요시 산소공급을 한다.

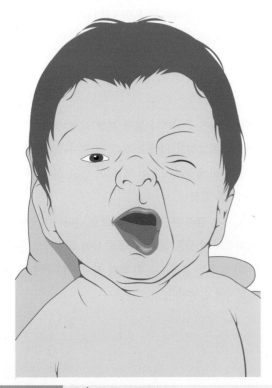

그림 11-25 우측 안면신경 마비

XI 용혈성질환

용혈(hemolytic)은 적혈구 파괴라는 뜻의 라틴어에서 유래되었다. 신생아가 출생 후 4주 사이에 모체의 동종면역 때문에 적혈구가 파괴되어서 나타나는 빈혈과 황달을 주요 증세로 하는 질환을 통틀어 신생아 용혈성 질환(hemolytic disease of the newborn)이라고 한다. 말초혈액 속에 적아구의 증가를 볼 수 있기 때문에 태아적아구증(erythroblastosis fetalis)이라고도 한다. 과거에는 Rh 부적합에 의한 신생아의 용혈성 질환이 가장 흔했다. 그러나 Rh 항체형성을 방지하는 것이 가능해졌기 때문에 최근에는 ABO 부적합에 의해 가장 흔히 발생한다. 2가지 경우 모두 어머니가 신생아의 적혈구에 대한 항체를 형성하기 때문에 적혈구 용혈이 일어나는 것이다. 적혈구 파괴는 심한 빈혈과 고빌리루빈혈증을 야기시킨다.

01 / Rh 부적합

Rh 음성인 어머니와 Rh 양성인 아버지 사이에서 Rh 양성인 아기를 임신하면 아기의 Rh 양성 항원이 모체의 Rh 음성 혈액에 노출되어 Rh 부적합(Rh incompatibility)을 일으켜 아기에게 태아적아구증이 발생하는 것이다. 첫 번째 임신에서는 발생빈도가 1~5% 정도로 낮지만, 다음 임신부

터는 횟수에 비례하여 각각 8~15%씩 발생 빈도가 증가하게 된다.

1) 발생기전

임신기간 중 태반의 융모가 파괴될 때 적은 양의 태아 혈액이 모체의 혈액으로 들어가거나 분만 시 태반을 통한 출혈이 생길 때 태아와 임부 사이에 혈액이 교환되어 모체에서 Rh 양성인자인 D인자에 대한 항체가 생기게 되고, 이것이 태반을 통해 태아의 혈액 속으로 들어가 태아 적혈구를 파괴하게 되고 용혈을 일으킨다. 태아는 용혈에 대한 보상으로 적혈구 생산을 가속화시키게 되고, 그 결과 미성숙한 적혈구가 태아순환에 나타나게 되어 태아적아구증이 발생되게 된다.

2) 증상 및 예방

신생아 황달(고빌리루빈혈증)과 빈혈 등이 나타나고, 심한 경우는 간비대, 태아수종(hydrops fetalis)등이 초래된다.

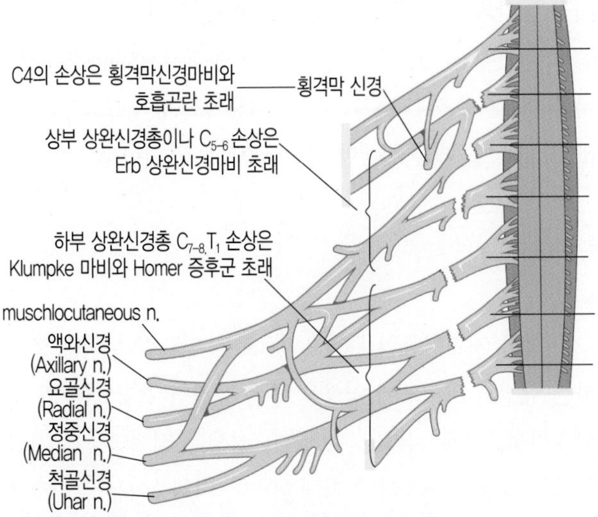

C4의 손상은 횡격막신경마비와 호흡곤란 초래 — 횡격막 신경

상부 상완신경총이나 C$_{5-6}$ 손상은 Erb 상완신경마비 초래

하부 상완신경총 C$_{7-8}$, T$_1$ 손상은 Klumpke 마비와 Homer 증후군 초래

muschlocutaneous n.
액와신경 (Axillary n.)
요골신경 (Radial n.)
정중신경 (Median n.)
척골신경 (Uhar n.)

그림 11-26 상완신경 마비와 경수 신경 손상

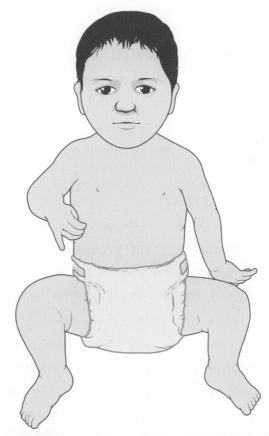

그림 11-27 우측 상완신경 마비(Erb-Duchenne 마비)

출생 시에는 대부분 황달이 없으나, 생후 24시간 이내에 혈청 간접빌리루빈 수치가 급격히 증가하여 조기 황달(early jaundice)이 나타난다.

신생아와 산모에게 쿰스 검사(Coombs test)를 실시하면 신생아의 직접 쿰스 검사 결과는 양성이고, 산모의 직접 쿰스 검사 결과는 음성, 간접 쿰스 검사 결과는 양성이다. 또한 혈액검사 시 망상적혈구(reticulocyte) 수치가 증가한다. 분만 전 Rh 부적합증의 진단은 양수천자를 통해 양수의 빌리루빈 수치를 검사하거나, 모체의 간접 쿰스 검사를 통해 모체 순환 내 항Rh 항체 역가의 증가로 진단할 수 있다.

Rh 동종면역을 예방하기 위해서는 분만 후나 유산한 후 72시간 이내에 아직 감작되지 않은 Rh 음성 산모에게 RhoGAM(Rho-immune globulin)을 투여한다. RhoGAM은 첫 분만 과정에서 발생한 모체의 Rh에 대한 항원 항체 반응의 기억을 말소시켜 두 번째 출산 시 첫 번째 출산에서와 같이 발생빈도를 낮추는 데 목적이 있다. 두 번째 분만뿐만 아니라 이후의 분만 후에도 RhoGAM을 반복 투여한다.

3) 치료 및 간호

모체 순환이 대신 빌리루빈을 제거해주기 때문에 간은 자궁 내에서 빌리루빈 대사에 거의 관여하지 않는다. 출생 후 빛에 노출되면 간이 기능을 하도록 유도되고 추가로 빛을 더 비춰주면 간의 잠재적인 전환기능을 촉진시켜 준다. 광선요법을 즉시 시행하고 총 빌리루빈 검사 결과가 20mg/dL 이상인 경우 교환수혈을 실시한다

02 / ABO 부적합

대부분의 ABO 부적합(ABO incompatibility)의 경우는 어머니의 혈액형이 O형이고, 아기가 A형 또는 B형인 경우에 발생할 수 있다. 이는 O형의 동종항체인 anti-A와 anti-B는 대부분 IgG로 형성되어 태반을 통과하는 반면, A형과 B형의 항체인 anti-A와 anti-B는 분자량이 IgM으로 형성되어 크기가 커서 태반을 통과할 수 없기 때문이다. 통과된 O형인 어머니 혈액 항체와 태아의 A형 또는 B형 항원이 결합하여 용혈이 일어나게 되는 것이다. 또한 적혈구 파괴로 인해 빌리루빈이 생성되어 신생아 황달을 일으키게 되어 신생아는 경한 용혈성 빈혈과 초기에 고빌리루빈혈증이 나타난다. 전체 O형 임신부에서 ABO 부적합증이 발생할 확률은 20~25% 정도이다. 직접 쿰스 검사를 실시하면 첫날에만 약한 양성반응을 나타내고 보통 음성으로 나타나지만, 간접 쿰스 검사에서는 양성 반응을 나타낸다. 말초혈액 도말표본 검사에서 다수의 구상적혈구가 출현하게 된다.

확인문제

17. ABO 부적합과 가장 밀접하게 관련된 어머니의 혈액형과 신생아의 혈액형은 무엇인가?

18. 신생아의 용혈성 질환 치료를 위한 첫 번째 방법은 무엇인가?

XII 저혈당증

신생아 저혈당증(neonatal hypoglycemia)은 혈액 내 포도당 수치가 비정상적으로 낮아진 것을 말하여 이는 혈액에서 포도당이 과다하게 소모되는 것과 혈액으로 포도당 분비가 감소한 결과로 나타난다. 증상이 없는 영아가 출생 직후 24시간 동안의 혈중 포도당 농도가 40mg/dL 보다 낮을 때와 증상이 나타난 영아의 혈중 포도당 농도가 45mg/dL 보다 낮을 때, 출생 직후 24시간 후에 혈중 포도당 농도가 50mg/dL 보다 낮을 때를 신생아 저혈당증으로 정의한다.

01 / 원인

신생아 저혈당증의 위험요인으로는 인슐린 분비를 조절하는 췌장의 β 세포에 영향을 주는 유전적 결함 상태인 고인슐린혈증으로 나타날 수 있다. 신생아 저혈당증에 가장 취약한 경우는 미숙아나 저체중아다. 저체중아는 글리코겐 저장부족, 근육 단백질 감소, 신체지방 감소 등으로 위험성

이 가장 높다.

02 / 발생빈도

일반적으로 출생아 1,000명 중 1.3~3명에서 발생하며, 저출생체중아의 경우 빈도가 더 높다.

03 / 증상

대부분 특별한 증상은 없지만 신경과민, 수유량 저하, 기면상태, 경련, 무호흡, 근 긴장도 저하, 날카로운 울음소리, 서맥, 청색증, 체온 불안정 등이 나타날 수 있다.

04 / 진단검사 및 치료

신생아의 발뒤꿈치에서 혈액을 채취하여 검사한다.

증상이 없는 저혈당증 신생아는 5% 포도당액이나 처방된 분유, 모유 수유가 가능하다. 기면상태로 모유수유가 어려운 경우는 위관영양으로 공급하여 혈당이 20~25mg/dL 미만이면 정맥으로 처음에 10% 포도당을 2.5mg/dL로 1회 공급하고 이후 지속적으로 점적한다. 혈당수치가 45 mg/dL 이상 유지시키는 것을 목표로 한다.

05 / 간호

저혈당증 사정은 출생 시 시작하며 산모의 당뇨병, 패혈증 쇼크, 주산기 질식 같은 위험요인에 주의하여 신생아를 확인해야 한다. 신생아가 증상이 나타나지 않을 수도 있으며 저혈당증 위험 가능성이 있는 산모의 고혈압, 당뇨병, 태아곤란증, 자궁 내 성장지연, 주산기 질식 등을 포함한 주산기 건강력을 조사해야 한다. 또한 미숙아, 저체중아, 과체중아 등은 신생아 저혈당증 위험성이 높으므로 재태기간과 성장의 적절성 여부를 알아보기 위해 신생아의 체중, 신장, 두위 등을 성장곡선 상에서 확인해야 한다.

XIII 패혈증

패혈증(sepsis, septicemia)은 혈류의 박테리아 감염으로 전신 증상을 나타내는 질병이다. 임상증상과 혈액 배양 검사에서 원인균이 규명되면 확진된다. 신생아기는 면역기능이 미숙하여 감염에 취약하며 패혈증의 초기 증상이 불분명하고 급속히 진행되므로 예후가 나빠질 수 있으므로 임상증상이나 백혈구 수 등의 검사 소견만으로도 항생제 치료를 시작할 수 있다.

패혈증으로 인한 사망률은 감소하였으나 이환율은 여전히 높다. 고위험 신생아의 경우 정상 신생아보다 이환율이 4배 이상 높고, 남아가 여아보다 2배 이상 감염 빈도가 높고 사망률도 높다. 패혈증의 빈도는 출생아 1,000명당 1~5명이며 감염 요인으로는 미숙아, 정맥주사나 기관 내 삽관 같은 침습적 절차, 만성 폐질환에서 스테로이드의 장기적인 사용으로 인한 감염의 은폐, 신생아 집중치료실에서의 교차 감염 환경 등이 있다.

01 / 원인과 병태생리

신생아 패혈증은 출생 전이나 출생 시 감염된 양수를 마시거나 흡인한 경우, 모체 혈류가 태반을 통해 유입된 경우, 산도를 통과할 때 모체 조직에 직접 접촉되어 발생된다. 박테리아는 제대의 절단면, 피부, 눈, 코, 귀 점막, 호흡기계, 신경계, 요로계, 위장관계 등의 내부 장기로 침투한다.

산후 감염은 다른 신생아, 외부인, 환경 내 물체나 침습적인 절차에 의한 교차 감염으로 일어난다. 신생아 패혈증의 가장 흔한 경우는 특히 조산이나 난산으로 인해 다양한 미생물로 유발되며 원인균으로는 연쇄상 구균(group-A-β-hemolytic streptococcus), 대장균(E-coli), 포도상 구균(Staphylococcus)이 가장 흔하다. 그 외에도 임균, 칸디다균, 단순포진 바이러스 등도 원인균으로 밝혀졌다.

02 / 임상증상

첫 증상으로는 무호흡, 흉부함몰, 빠른 호흡, 빈맥 등이 나타나지만 감염된 신생아 대부분은 심각한 증상이 나타나지 않는다. 패혈증에서 관찰되는 증상은 일반적인 증상으로 불안정한 체온, 식용부진, 부종, 위장관계는 복부 팽만, 식욕부진, 담즙 섞인 구토, 설사, 간 비대, 장 마비로 인한 대변 배출 장애, 대변의 잠혈, 호흡기계는 무호흡, 불규칙호흡, 빈맥, 흉벽 함몰, 신음, 비익호흡, 청색증, 신장계는 소변감소, 순환기계에서는 창백, 청색증, 피부반점, 차고 끈적끈적한 피부, 저혈압, 부종, 맥박이상(서맥, 빈맥, 부정맥), 중추신경계 증상으로는 기면, 반사 저하, 의식수준의 저하로 활동 감소, 진전, 경련, 보챔과 같은 활동 증가, 증가된 혹은 저하된 긴장도, 안구 운동 이상, 대천문 팽창, 혈액계는 황달, 비장 종대, 출혈반, 출혈 등이 나타날 수 있다. 일반 증상으로는 증상 자체가 미비하고 애매하며, 비특이적으로 특징적인 국소 염증 반응은 거의 나타나지 않는다. 체온 조절이 불안정하여 열이 날 수도 있고 오히려 체온이 저하될 수 있다.

03 / 진단

신생아의 패혈증 증상은 매우 미비하고 애매하며, 비특이적이고 신체적 증상을 거의 지각하지 못하는 것이 특징이다. 또한 다른 질병과 혼동되기 쉬우므로 임상검사와 방사선 검사로 확진해야 한다. 반복적인 혈액 배양과 제대, 비강인두, 외이도, 피부 병변, 뇌척수액, 대소변 등을 분석하여 미생물이 검출되면 확진한다.

혈액 검사상 빈혈, 백혈구 증가증(25,000/mm^3 이상) 또는 백혈구 감소증(4,000/mm^3 이하) 등이 나타날 수 있다. 미성숙한 중성구 수 증가, 중성구 형태의 변화와 중성구 총량의 증가 등은 신생아의 감염이 진행되고 있음을 나타낸다.

04 / 치료와 간호

패혈증의 치료는 원인균에 대한 항생제 치료와 보존요법으로 나누어 고려할 수 있다. 패혈증이 의심되면 적절한 배양검사를 실시한 후 즉시 항생제를 투여한다. 균 배양 검사 결과가 나올 때 까지 우선 ampicillin, aminoglycoside 또는 3세대 cephalosporin을 병합 투여한다. 원인균이 밝혀지면 원인균에 맞는 항생제를 선택한다. 항생제 치료는 증상이 사라진 후 10~14일 혹은 5~7일 정도 계속 지속한다.

신생아 패혈증의 예후는 다양하여 출생 후 3일 이내의 초극소 저출생 체중아나 극소 저출생 체중아에게 생긴 경우 신경계 혹은 호흡기계에 심각한 후유증이 나타날 수 있다.

간호는 감염을 조기에 발견하는 것이 매우 중요하다. 신생아를 자주 관찰하고 사정하여 '뭔가 이상하다'는 것을 먼저 인식하게 된 경우 병원균의 전파경로를 알고 있으면 패혈증으로 발전할 위험이 있는 신생아를 보다 빨리 발견할 수 있다.

정맥으로 약물을 투여할 때 소량의 차이에도 신생아에게 치명적인 위험을 미칠 수 있으므로 항생제는 정확한 용량을 주입한다. 장기간의 항생제 투여는 장내에서 비타민K의 합성을 막거나 칸디다균 감염을 일으킬 수 있다. 항생제의 부작용 발생여부를 면밀히 관찰해야 한다.

감염이 다른 신생아에게 전파되지 않도록 하는 것이 중요하다. 손 씻기와 주사기, 수유기구, 카테터 등의 일회용품 사용, 구토물이나 대변 등의 체액 분비물 관리, 깨끗한 환경 유지 등이 필수적이다.

신생아가 에너지를 보전하여 감염을 극복하도록 생리적, 환경적 스트레스가 가중되지 않도록 한다. 온도 조절이 적절하게 잘되는 환경을 제공하고, 탈수, 저산소증 같은 잠재적 문제를 예방하며 패혈증의 심한 합병증인 뇌막염의 징후를 관찰한다. 또한 신생아 패혈증으로 발생될 수 있는 범발성 혈액 내 응고 장애를 확인하기 위해 혈소판 수, 혈색소, 프로트롬빈 시간, 부분 프로트롬빈 시간 결과를 주의 깊게 관찰한다.

호흡기계 관련 장애

01 /호흡곤란증후군

신생아 호흡곤란증후군(respiratory distress syndrome, RDS, 유리질막증(hyaline membrane disease))은 미숙아, 당뇨병 산모의 신생아, 제왕절개로 출생한 신생아, 폐의 혈액

관류가 감소된 신생아에게 흔하게 발생한다.

RDS의 병태생리적 양상은 기관지 말단, 폐포관, 폐포에 신생아의 혈액 삼출물에서 형성된 산물이 얇은 막과 같은 유리질막(섬유질 fibrous)을 형성하는 것으로 폐포 표면의 표면장력이 깨지지 못해 폐포확장이 되지 않고 이 때문에 폐-모세혈관막에서의 산소와 이산화탄소의 교환을 방해하는 것으로 폐포를 정상적으로 팽창시켜주는 인지질인 계면활성제가 적거나 없어서 발생한다. 전체 미숙아의 10~15%에서 발생하며, 재태연령 28주 이하에서 약 50%, 32~36주에서 15~20%, 37주 이상에서 5% 정도 발생한다. 사망률은 10~20% 정도로 높다.

1) 병태생리

발생요인은 폐의 구조적 미성숙으로 인한 계면활성제의 생성 부족과 신생아가사로 인한 기능 억제이다. 계면활성제(surfactant)는 폐의 공기-액체 경계면의 표면장력을 감소시켜 호기 말기에 폐포가 쭈그러지는 것을 방지하여 폐포 팽창을 돕는 물질이다.

발병기전은 폐포 내 계면활성제의 부족으로 폐포가 쭈그러져서 표면장력을 증가시킴에 따라 무기폐가 나타나고, 이로 인해 환기-관류의 불균형을 일으켜 호흡성 산증을 유발한다. 이로 인해 계면활성제를 생산하는 폐포의 손상과 폐혈관 저항의 증가로 폐모세혈관의 혈액성분이 폐포 내로 유출되게 되어 폐포 내피에 유리질막을 형성하게 되고, 폐포-혈관 사이에 가스 교환장애가 발생하는 것이다. 유리질막이 있는 폐는 쭈그러지고 굳어져 폐팽창이 감소한다.

미숙아 외에도 호흡곤란증후군의 빈도를 증가시키는 요인으로는 남아, 당뇨병 산모, 제왕절개술로 출생한 경우, 쌍생아 중 둘째, 주산기 가사(asphyxia), 저체온증, 저혈당증, 심장질환 등이 있다.

반대로 산전 모체의 스테로이드 투여나 습관성 약물 중독, 임신성 또는 만성 고혈압, 조기파수, 태반조기박리 등의 경우에서는 폐 성숙이 촉진되어 호흡곤란 증후군의 발생이 감소된다.

2) 증상 및 진단검사

(1) 증상

출생초기부터 빠른 호흡과 호기성 신음소리, 흉부 함몰, 비익확장, 청색증 등의 호흡곤란 증세를 보이며 잦은 무호흡증, 심한 흡기부족, 호흡성 산혈증, 대사성 산혈증 등의 증상이 심해진다[표 11-9]. 중증인 경우에는 서맥, 생후 수 시간 내에 사망할 수 있다. 대개 생후 2~3일 후 증세가 약화되고 생후 5~7일에 호전되기 시작하여 생후 10~14일경에 회복되는데 극소 저체중아에서는 좀 더 지연된다.

(2) 진단검사

동맥혈 가스 검사를 통해 혈액 내 산소포화도와 이산화탄소 포화도 등을 측정하여 저산소증, 고탄산혈증, 산증, 전해질 불균형 등을 확인한다.

X-선 촬영을 통해 폐의 음영을 확인하는데 폐포의 쭈그러짐(collaps)정도와 기관지엽의 비정상적인 확장 등을 확인한다.

출생 전후 인지질의 종류인 레시틴(lecithin)과 스핑고마이엘린(sphingomyelin)의 비율(L/S ratio)을 확인하는데 레시틴은 임신 30~34주에 양수에서 증가하기 시작하여 임신 말기에 현저하게 증가하며, 스핑고마이엘린은 임신 말기에도 크게 변화하지 않기 때문에 제태기간 36주 이상에서는 L/S비율이 2.0 이상을 나타내므로 L/S비율은 폐성숙도를 확인하는데 중요한 지표가 된다.

또한 최근에는 호흡부전이 나타날 것으로 예측되는 고위험 신생아를 대상으로 stable microbubble rating 검사법을

표 11-9	신생아에서의 일반적인 호흡부전의 정의
분류	기준의 근거
생리적 기준	분당 70회 이상의 빈호흡 심한 흉부함몰 호기 시 신음 40% 산소치료에서의 청색증 심한 흡기 부족 지속적인 무호흡증
임상적 기준	ABGA 상 PaO2 < 60mmHg in 60% O2 PaCO2 > 50mmHg pH <7.25

이용하여 호흡부전 신생아의 조기 발견에 이용하고 있다.

3) 치료적 관리

(1) 계면활성제 보충요법

예방적 수단으로서 출생 시 합성 계면활성제를 기관 내 튜브 내로 카테터나 주사기를 이용해 폐에 분무한다. 이때 폐 확장이 급속히 개선될 수 있기 때문에 계면활성제를 투여 받으면서 인공호흡기 치료를 받는 신생아는 주의 깊은 관찰이 필요하다.

(2) 산소 투여

산소 투여는 정확한 PaO_2와 pH 수치를 유지하기 위해서 필요하다. 지속적 양압호흡(CPAP)이나 호기말 양압 호흡(PEEP)으로 보조적 환기를 적용하면 호기 말에 폐포에 압력을 넣어서 폐포가 허탈되는 것을 방지하여 산소 교환을 향상시킨다.

산소 투여 시 발생 가능한 합병증은 미숙아 망막증이다. 저산소증의 교정을 위해 PaO_2가 60~80mmHg로 유지되도록 산소 후드(hood)나 지속성 기도양압(CPAP)을 적용하여 산소를 공급한다. 100% 산소를 공급해도 $PaCO_2$가 50mmHg 이상 지속되거나 무호흡이 자주 나타날 경우 기계적 환기요법을 적용한다. 중증으로 기계적 환기가 잘 이뤄지지 않으면 고빈도 인공호흡기를 적용한다.

- 수액요법을 실시하며 산증의 교정을 위해 중탄산나트륨 등으로 전해질 균형을 유지한다.
- 감염이 의심되면 항생제를 투여한다.
- 빈호흡이 심할 경우 경구수유를 금하고 위관 영양 혹은 비경구적 영양을 시행한다.

(3) 인공호흡기 적용

인공호흡기에서 흡기가 호기보다 더 짧다[그림 11-28]. 즉 흡기/호기 비율은 1 : 2이다. 그러나 기흉이 발생할지 걱정될 정도의 센 압력과 빠른 속도로 폐에 공기를 밀어 넣지 않으면 이런 비율에서는 폐에 충분한 양의 산소를 공급하는 것이 어렵다. 그러므로 신생아의 인공환기는 역전된 I/E 비

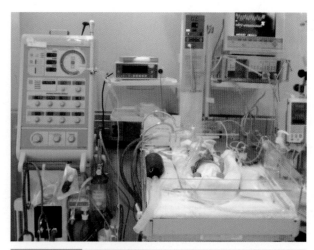

그림 11-28 인공호흡기

미숙아의 호흡상태, 자발적인 호흡능력, 동맥혈 가스, 호흡량 등을 분석하고 기록하며 상황에 맞게 조절해 주어야 한다.

율(2 : 1)도 가능하다. 이것은 압력 주기로서 공기가 전달되는 힘을 통제하는 것으로 아기의 부드럽지 않은 폐에 산소를 넣어주는 또 다른 방법이다.

인공호흡의 부작용으로는 두개내압 상승, 정맥압 상승 및 기흉, 폐 압력으로 인해 폐동맥으로 흐르는 혈류 감소로 인한 심박출량 감소와 같은 출혈의 위험도 있다.

(4) 기타 치료법

동맥관 개존증을 폐쇄시켜 인공호흡을 더 효과적으로 만들기 위해 인도메타신(indomethacin), 이부프로펜(ibuprofen)을 사용할 수 있다. 폐의 혈액 흐름을 증가시키는 또 다른 방법은 근 이완제 [팬크로늄(pancuronium (pavulon)]를 사용하는 것이다.

① 체외막산소공급기

[Extracorporeal Membrane Oxygenation(ECMO)]

적절한 산소공급을 위해 ECMO를 사용할 수 있다. ECMO는 심장수술동안 혈액에 산소를 공급하기 위한 수단으로 처음 발명되었다. 현재는 태변흡입, 호흡곤란증후군, 폐렴, 횡격막 탈장과 같은 질병이 있는 신생아의 만성 중증 저산소증의 치료에 사용되며 중증의 폐 감염 신생아에게 사용하기도 한다. 이 시술을 위해 정맥 카테터를 우심방으로 삽입한 후 중력에 의해 혈액을 제거한다. 카테터에서 ECMO 기

계로 혈액이 순환되면서 산소가 포화되고, 다시 보온 되어 경동맥 카테터를 통해 대동맥궁으로 돌아간다. ECMO는 대개 4~7일동안 사용하며 주요 합병증은 혈전을 예방하기 위한 항응고 치료에 따른 두개 내 출혈 위험성이다.

4) 합병증 및 예방

호흡곤란증후군 치료의 합병증으로는 산소요법에 의한 부작용인 미숙아 망막증과 기관지 폐 이형성증 등이다.

호흡곤란증후군 발생의 예방법은 미숙아 분만과 선택적인 조기분만, 선택적인 제왕절개분만을 하지 않도록 하는 것이다.

확인문제

19. 호흡곤란증후군을 야기시키는 기본적인 원인은 무엇인가?

20. 인공호흡기 치료를 받는 신생아에게 pancuronium 을 주는 근거는 무엇인가?

---

02 / 미숙아 무호흡

미숙아 무호흡(apnea of prematurity, AOP)은 미숙아에게는 흔히 발생되며 재태연령이 낮을수록 발생빈도가 높다. 무호흡은 20초 이상 호흡을 하지 않는 것으로 서맥이 동반되고 청색증도 나타날 수 있다. 많은 미숙아들이 호흡기전 미숙이나 호흡기 피로로 인해 무호흡을 보일 수 있다. 감염, 고빌리루빈혈증, 저혈당, 저체온 같은 이차성 스트레스가 있는 신생아들도 발생률이 높다.

1) 원인 및 증상

발생원인은 호흡중추의 기능이 미숙하거나, 호흡근육의 미발달 혹은 신경발달의 미숙으로 조화를 이루지 못하기 때문이다. 또한 저체온증이나 폐쇄성 기도병변, 저혈당증, 저혈압, 고혈압, 패혈증, 괴사성 장염, 뇌실내 출혈 등의 원인

이 있다.

2) 증상

무호흡 발작(anotic spell)이 지속적으로 나타나는 것으로 무호흡 발작이란 PaO_2 80%이하, 청색증, 심박동수 100회/분 이하의 서맥을 동반하는 15~20초 이상의 호흡정지 상태를 말한다.

3) 치료 및 간호

모든 미숙아는 생후 1주 동안은 무호흡 및 서맥에 대해 주의 깊은 관찰이 필요하다. 무호흡이 나타나는 경우 자발적 호흡을 하도록 가벼운 자극을 하거나 체위를 변경해준다. 무호흡 발작이 나타날 때는 산소후드나 비강을 통한 지속성 기도양압장치(Nasal CPAP)로 산소를 공급한다. 무호흡 감시장치(apnea monitor)와 맥박산소측정기(pulse oximeter)를 이용하여 무호흡을 관찰하며, 무호흡의 원인이나 유발요인을 찾아 제거하기 위한 검사와 치료를 한다. 처방에 따라 아미노필린(aminophylline), 항생제 등의 약물요법을 시행한다. 흡인 시 무호흡 자극이 유발되지 않도록 부드럽게 흡인하고, 경구 영양을 금지한다. 또한 환경온도를 중성온도의 허용범위 내에서 낮은 온도를 유지한다.

03 / 태변흡입 증후군

신생아가 자궁 내에서 혹은 출생 후 첫 호흡을 하면서 태변을 흡입할 수 있다. 태변은 3가지 방법으로 심각한 호흡곤란증후군을 야기 시킬 수 있다.

- 이물질이기 때문에 세기관지에 염증을 발생시킬 수 있다.
- 기계적 막힘(mechanichal plugging)으로 인해 작은 세기관지들이 폐쇄될 수 있다.
- 폐 세포 손상으로 계면활성제 생성을 감소시킬 수 있다.

저산소증, 이산화탄소 정체, 폐내·외의 우회로가 발생할 수 있으며 손상된 조직의 2차 감염이 폐렴을 유도할 수 있다. 이는 재태연령 34주 미만에서는 드물고 주로 만삭아와 과숙

아에서 발생한다. 양수 내 태변착색이 되는 경우는 전체 분만의 약 8~20%에서 발생되며, 이 중 약 5%에서 태변흡입증후군으로 진행된다. 이로 인한 사망률은 5~10% 정도이다. 태변흡입증후군의 위험요인은 모체의 임신중독증, 고혈압, 과도한 흡연, 만성폐질환 및 심혈관 질환, 그리고 분만예정일이 지나 출생한 과숙아, 자궁 내 성장지연 등이다.

1) 증상

대개 아프가점수가 낮고 빈호흡, 흉부 견축, 청색증이 나타난다. 양수가 태변으로 착색되었다면 태변흡입을 예방하기 위해서 어깨 만출 전에 부드러운 주사기나 카테터로 흡인하는 것이 좋다. 신생아가 태어나자마자 기관 내 삽관을 통해 기관과 기관지 흡인을 해야 한다. 호흡을 개시한 후에 빈호흡이 나타날 수 있고, 기관지 염증으로 인해 폐포 내에 공기를 잡아두기 쉬우므로 흉부 견축을 보이며 이는 흉곽의 전후 직경을 확장시킬 수 있다. 혈액 가스는 PaO_2 감소와 $PaCO_2$ 증가로 가스교환 장애가 나타낼 수 있다. 흉부 X-선 영상에 과다 환기된 부분으로 양측성 침윤이 나타나고 횡격막은 아래쪽으로 하강되어 있다.

2) 치료 및 간호

기관지 흡인 후에 산소와 보조 환기를 제공한다. 이차적 문제인 폐렴 발생을 예방하기 위해서 예방적 항생제를 투여한다. 폐조직은 태변흡입 후에 확실히 유연성이 감소하며 기흉이나 폐전이 발생된다. 아기에게 폐포 내에 공기 흐름이 원활하지 못한 증상이 있는지 세밀히 관찰해야 하는데 이는 폐포가 계속 팽창되다가 결국 파열되어 공기를 늑막강으로 보내기 때문이다.

폐고혈압과 저산소증이 심한 경우 체순환에 변화를 주지 않으면서 폐혈관을 확장시키는 질소가스흡입요법 (inhaled nitric oxide, INO)과 체외순환을 통한 산소화 방법인 체외막산소화요법(extracorporeal membrane oxygenation, ECMO), 계면활성제 대체방법과 같은 액체 환기요법(liquid ventilation, LV) 등의 새로운 치료법이 시도되고 있다.

04 / 기관폐 이형성부전증, 기관폐이형성증

1) 빈도
생후 첫 1주일간 호흡기 치료를 받은 호흡곤란증후군 미숙아에 호발한다.

2) 원인
- 호흡기 치료 시 고농도 산소 및 양압에 의한 기도점막과 폐포의 손상(산소 독성, 기계적 손상, 과다 수액)
- 기타 산소부족에 의한 저환기상태(폐고혈압증, 동맥관개존에 의한 폐부종)

3) 증상
- 폐포의 비후 및 폐간질 섬유화증(심한 호흡곤란, 견축, 폐기종)
- 통모양의 가슴(barrel chest)
- 폐쇄성 모세기관지염, 폐포괴사와 허탈로 인한 폐기종, 폐부전

4) 치료와 예방
- 가능한 인공 호흡기를 단기간 사용하도록 한다.
- 산소투여 시 적절한 동맥분압(PaO_2 50~70mmHg)을 유지한다.
- 기관지확장제를 투여한다
- 손상된 폐조직 재생과 성장지연의 예방을 위해 충분한 영양을 공급한다.

5) 예후
생후 2세경에 회복된다.

05 / 미숙아 망막증

미숙아 망막증(retinopathy of prematurity, ROP)은 망막의 혈관생성과정에 장애가 발생하여 비정상적으로 발달하는 혈관증식성 망막질환으로 섬유화가 되기 이전에는 가역적이다. 미숙아 망막증은 출생 체중이 1,250g 이하에서는

약 65%, 1,000g 이하에서는 약 80% 정도의 발생빈도를 보이며 재태연령이 짧고 출생 체중이 적을수록 발생빈도가 높다.

1) 원인

미숙아 망막증은 주로 망막혈관이 완전히 발달하기 전에 고농도의 산소치료를 받은 미숙아에게서 발견되기 시작하였으나 산소치료를 전혀 받지 않은 미숙아에서도 발생하고 있으며, 그 정확한 기전은 아직 밝혀지지 않았다.

미숙아 망막증의 위험요인은 짧은 재태연령 및 저출생체중 외에 인공호흡기 및 산소요법의 치료기간과 비타민 E 결핍, 밝은 빛의 노출, 저이산화탄소증, 알칼리증 및 산증, 뇌실 내 출혈, 기관지폐이형성증, 패혈증, 호흡곤란 증후군, 동맥관개존증, 스테로이드 투여 등이다.

2) 병태생리

망막혈관은 재태연령 16주경부터 발달이 시작하여 36~40주에 성장이 끝난다. 망막혈관의 발달과정 중 어떤 시기에 고산소증이나 저산소증, 저혈압 등에 의한 손상이 있게 되면 발달 중인 망막의 혈관 수축과 혈류 감소 등을 일으켜 혈관의 성장이 멈추게 된다. 이때 신생혈관증식(neovascularization)이 일어나게 되는데, 이 새로운 혈관은 투과성이 높고 출혈과 부종이 잘 발생하여 망막 박리와 망막기능 이상을 초래한다.

3) 진단검사 및 치료

미숙아 망막증의 위험이 증가할 것으로 생각되는 불안정한 임상경과를 보이는 미숙아의 첫 검사는 대개 출생 후 4~6주에 검진을 시작하며, 추후검사는 첫 검사의 결과에 따라 결정되나 보통 매 2~4주마다 안과검진을 받도록 한다.

미숙아 망막증이 있는 경우 비타민 E를 투여하기도 하며, 너무 밝은 조명을 피하여 주위환경을 어둡게 해준다. 심한 경우 망막 박리까지 진행될 수 있는데, 이런 위험이 있을 때는 냉동교정술(cryopexy)과 레이저 광응고(photocoagulation) 등의 수술요법을 시행할 수 있다. 대부분 레이저 치료가 일차적으로 이용된다. 치료 장비가 휴대 가능하여 신생아중환자실에서 시행할 수 있는 장점이 있다.

냉동요법은 전신마취 하에서 시행하며 혈관이 형성된 망막에는 적용되지 않는다. 망막 재접합 치료는 기능적 성공이 약 20% 정도인데 빛에 대한 지각 또는 시력저하 등의 기능적 시력이 유지되는 것 외에는 실명할 수도 있다.

06 / 신생아 일과성 빈호흡

신생아 일과성 빈호흡(Transients Tachypnea of Newborn, TTN)은 일시적인 빠른 호흡이 주증상인 질환으로 80~120회/분 정도로 빠르게 호흡하는 현상을 말한다.

1) 원인 및 빈도

출생 시 폐포 내에 있던 양수의 제거와 흡수가 정상보다 늦어져 발생하는 것으로 성숙한 계면활성제의 생성이 감소했음을 의미하며 폐포내에 남아있던 양수의 흡수가 느리게 진행되어 산소교환에 유용한 폐포표면의 면적을 제한하게 되면서 발생한다.

일시적 빈호흡은 제왕절개 출생아, 분만 중 수액주입이 과다했던 산모의 신생아와 미숙아에서 많이 발생 한다. 제왕절개 출생아는 이런 형태의 호흡곤란이 더 생기기 쉬운데 흉강이 질식 분만 시 압력으로 눌리지 않기 때문에 폐포내에 남아있던 양수가 배출되지 않기 때문이다.

2) 증상

출생 시 일과성 빈호흡과 경한 호흡곤란을 보이나 저농도 산소 치료로 수일 내 호전된다. 빈호흡, 흉부견축, 비익호흡 및 경한 청색증 등이다.

3) 치료 및 간호

산소공급과 지지적 간호를 통해 쉽게 조절되는 질환이다. 심각한 경우 지속성 양압호흡(CAPA)을 실시한다. 신생아의 일과성 빈호흡은 예후가 좋고 사망률은 낮다.

XV 선천성 대사장애

유전성 대사질환은 생화학적 대사가 태어날 때부터 결함이 있는 질환으로, 대부분은 한 개의 효소가 유전적으로 기능장애가 있는 것으로 어느 효소에 이상이 있으면 그 효소에 의해 대사되어야 할 물질이 그대로 신체에 축적되고, 축적물이 독성이 있을 경우 인체의 기능장애가 나타난다. 특히 뇌가 영향을 받기 쉬우므로 유전성 대사이상의 많은 질환에서 심한 지능장애가 자주 나타나며 신경학적 장애뿐만 아니라 간이나 신장장애 문제를 일으키는 경우도 있고 신경학적 장애, 기타 장기의 장애가 중복되는 경우도 있다. 또한 생화학대사의 이상에 따라 여러 가지 물질이 체내에 남아 있을뿐만 아니라 생성에도 문제가 되며 이 물질의 결핍으로 여러 가지 장애를 초래하게 된다.

이와 같이 대사 이상에 의하여 장애가 발생하는 원인은 유해한 물질이 축적되는 경우와 생체에 중요한 물질이 형성되지 못하는 2가지 경우가 있으므로 장애의 발생 원인에 따라 치료방법, 질병의 증상, 중증도 및 예후는 매우 다양하다.

01 / 선천성 갑상선기능저하증

선천성 갑상선기능저하증(congenital hypothyroidism, cretinism)은 갑상선호르몬인 T_4와 T_3의 생성 저하로 인해 기인된다. 생후 초기에는 모체의 갑상선호르몬이 출생 시까지는 태아에게 공급 되었던 호르몬의 농도가 적정수준으로 유지되기 때문에 증상이 파악되지 못할 수 있다. 그러므로 인공수유 영아의 경우는 생후 첫 3개월 경, 그리고 모유수유 영아의 경우는 약 6개월경에 증상이 분명해진다. 발생률은 출생아 4,000명 당 약 1명의 비율이며, 여아가 남아보다 약 2배 정도 많이 발생한다. 선천성 갑상선기능저하증은 점진적인 신체적, 인지적 손상의 원인이 되기 때문에 조기진단이 매우 중요하다.

1) 사정

(1) 원인

선천성 갑상선기능저하는 약 85%가 갑상선 발생장애(무형성, 형성 저하증)이며, 상염색체 열성 유전으로 인한 갑상선호르몬 합성장애가 약 10~15%를 차지한다.

(2) 증상

대부분 출생 시 체중과 신장은 정상이며, 태어날 때 임상증상을 보이는 경우는 5%에 불과하다. 부모는 자녀가 너무 많이 잠을 잔다고 보고할 수 있다. 혀는 비대 되어있고, 이로 인해 호흡 곤란과 시끄러운 호흡 또는 폐색이 나타나기도 한다. 영아는 질식으로 인해 수유에 어려움이 있을 수 있다. 사지의 피부는 차고, 전체적인 체온은 대사율 저하로 인해 저체온이다. 낮은 대사율은 서맥과 호흡률 저하에도 영향을 미친다. 간기능의 미성숙으로 인해 빌리루빈의 결합력이 저하되어 황달현상이 오래 지속될 수 있다. 빈혈은 아동의 무기력과 피로의 원인이 되며 심잡음과 심비대가 있다. 영아의 목은 짧고 두꺼워진다. 얼굴 표정은 인지기능손상으로 인해 둔하며, 비대된 혀로 인해 영아는 숨쉬기가 곤란하고 입은 항상 열려 있다. 사지는 짧고 살쪄있으며, 근력저하로 인해 축 처져 있다. 심부건반사는 정상보다 느리다. 전반적으로 비만하며 머리카락은 건조하고 부서지기 쉽다. 생치는 지연되며, 이가 났을 때 결함이 있을 수 있다. 근력저하는 소화관에도 영향을 미치기 때문에 영아는 만성변비를 호소하며, 복부 또한 약한 근력으로 인해 비대되어 있다. 많은 영아에게서 제대탈장이 있으며, 전반적으로 피부는 건조하고 땀을 거의 흘리지 않는다.

영아기 이후에는 성장 발달의 지연이 뚜렷해진다. 골의 발육이 늦어 작은 키, 짧은 사지와 목, 두꺼운 손과 짧은 손가락과 대천문이 크게 열려 있다. 상체와 하체의 비율이 영아기에 머물러 있으며, 나이가 들면 지능저하, 행동 및 언어장애, 떨림 등의 신경학적 증상이 나타난다. 갑상선호르몬 합성장애가 있는 경우에는 갑상선 비대가 흔하게 나타나며, 증상이 심하지 않고 늦게 나타난다.

(3) 임상검사

원인을 발견하기 위해서는 병력을 조사하는 것이 중요하다. 특징적 증상이 있는 경우에는 쉽게 진단할 수 있으며, 갑상선 기능검사로 확진할 수 있다.

신생아 갑상선 집단 선별검사 : 선천성 갑상선기능저하증을 조기에 발견하여 정신지연과 같은 비가역적인 신경학적 합병증을 예방하기 위해 출생 시 선별검사가 수행된다.

다른 선천성 대사이상질환(예: 페닐케톤뇨증 검사)과 함께 검사한다. 검사 시기는 생후 5~7일에 시행하는 것이 좋지만, 현실적으로 생후 48시간 이후에 시행하는 경우가 많다. TSH 또는 T_4 단독으로 또는 TSH와 T_4를 동시에 측정하는 세 가지 방법이 있다. 일차 검사에서 의심되는 결과(TSH 20IU/mL이상, 총 T_4 6.5 g/dL가 나올 때는 반드시 생후 2~6주에 정밀검사를 통해 확진하여 조기치료를 시작하도록 한다. 정밀검사에는 T_4, TSH, 유리 T_4 농도, 갑상선 스캔 등이 있다.

갑상선 기능을 확인하기 위한 임상검사는 다음과 같다.

① 혈중 T_4, T_3, 유리 T_4, TSH 농도

정상치보다 T_4, T_3, 유리 T_4(free T_4)가 낮고, TSH가 상승되어 있다(50IU/mL이상).

② 갑상선 스캔

아동에게는 technetium(99mTc) 스캔이 반감기가 짧고, 해상력이 우수하여 현재 주로 사용되지만, 갑상선호르몬 합성장애의 경우, 섭취는 되나 유기화되지 않는 단점이 있어서 감별에 이용될 수 없다.

③ 방사성요오드 섭취검사

아동에게 방사성요오드(123 I)가 함유된 용액을 구강 섭취하게 한다. 갑상선에 요오드가 흡수되어 24시간 후에는 최대치에 이르게 되는데, 정상에서는 24시간에 투여량의 10~40%가 갑상선에서 흡수된다. 갑상선기능저하증인 경우에는 낮은 방사성 요오드 섭취율(123 I uptake)을 보이는데 보통 검사용량의 10% 이하의 섭취율을 보인다.

이 검사를 하기 위해서는 아동이 용액을 모두 마시는 것

이 매우 중요하다. 영아의 경우, 일반적으로 복용량을 정확하게 하기 위해서 위관영양으로 투여한다. 아동이 이 검사 용액을 섭취한 후에 구토를 한다면 바로 기록하고 검사실에 연락한다. 이 경우 정확한 양이 섭취되지 않았기 때문에 낮은 흡수량을 보인다. 또한 아동이 검사시간 동안 어떤 형태로든지 다른 요오드 또는 갑상선 제제를 복용하거나 섭취하지 않도록 주의해야 한다(요오드 함유 음식의 섭취를 제한한다). 방사성요오드 흡수량 측정에 대한 정확한 결과가 나오지 않기 때문이다.

그 외 혈중 콜레스테롤 수치는 증가되어 있고 방사선검사에서는 지연된 골성장을 보이는데, 출생 시 60%에서 화골핵의 출현이 늦어진다. 갑상선의 모양과 크기를 진단하기 위해 갑상선 초음파나 컴퓨터단층촬영을 실시할 수 있다.

2) 치료적 관리

갑상선기능저하증의 치료법은 갑상선호르몬 제제인 sodium L-thyroxine(sodium levothyroxine)을 구강 복용하는 것이다. 투여량은 신생아 10~15g/kg, 소아 4g/kg, 성인 2g/kg이다. 처음에는 소량 투여하고 점차적으로 치료적 수준까지 양을 늘린다. 아동은 이 약을 평생 복용해야 한다.

비타민 D 보조제는 빠른 골성장이 시작될 때, 갑상선호르몬 복용으로 구루병이 생기는 것을 예방하기 위해서 투여한다. 두유나 철분제제는 티록신의 흡수를 억제하므로 같이 투여하지 않는다.

인지손상은 가능한 한 빨리 치료를 시작함으로써 예방할 수 있지만 이미 진행된 손상은 회복될 수 없다.

부모가 아동에게 약물을 꾸준히 복용시키도록 돕는 것은 간호사의 중요한 역할이다. 부모가 장기투약의 원칙을 알도록 한다. 주기적으로 T_4와 T_3, TSH 수치와 체중을 측정하는 것은 적절한 투여량을 조절하기 위해 필요하다. 만약, 갑상선호르몬의 양이 충분하지 않다면, T_4 수치가 내려가고 임상증상이 거의 호전되지 않는다. 과량투여로 인해 T_4 수치가 올라가면 아동은 불면증과 흥분, 열감, 발한, 빈맥, 구토, 설사, 체중 감소 등의 갑상선기능항진증의 증상을 보인다.

02 / 페닐케톤뇨증

페닐케톤뇨증(phenylketonuria, PKU)은 페닐알라닌(phenylalanine)을 티로신(tyrosine)으로 전환시키는 효소인 페닐알라닌 수산화 효소(phenylalanihe nydroxylase)의 활성이 저하되어 페닐알라닌과 그 대사산물이 축적되는 상염색체 열성 유전질환이다. 발생빈도는 약 50,000명에 1명이다.

1) 원인

간에서 페닐알라닌을 티로신(멜라닌 색소 생성에 관여)으로 전환하는 것을 활성화시키는 페닐알라닌 전환 활성 효소 (phenylalanine hydroxylase)라는 효소가 결핍되어 페닐알라닌이 혈류와 조직 내에 축적되게되는데 특히 뇌에 축적되어 영구적인 뇌손상을 초래하고 과잉된 페닐알라닌이 소변으로 배설되는 것이다. 티로신(tyroxine)의 합성저하로 기초대사량의 저하, 성장지연이 있고 멜라닌(melanin)색소형성 저하로 백색 피부, 금발이 나타난다. 도파민(dopamine) 합성저하로 중추신경계의 장애가 있고, 부신피질 호르몬(epinephrine, norepinephrine) 합성저하가 있으며, 세로토닌(serotonin) 합성저하로 인한 혈관수축장애가 나타난다.

2) 증상

페닐케톤뇨증 아동의 경우 모유나 우유로 단백질을 섭취하고 적어도 24~48시간이 지나야 혈청 내 페닐알라닌의 수치가 증가된다. 따라서 생후 48시간이 지난 후 수유를 충분히 하고 검사를 실시해야 한다.

증상은 구토, 습진, 담갈색 머리카락, 피부와 눈동자의 색소가 감소되고 정신 발달과 운동발달이 지연된다. 정신분열증과 같은 이상한 행동(머리를 바닥이나 벽에 부딪히거나, 자극에 반응하지 않고 소리를 지르며 긴장성 자세를 취하는 등)을 나타내고 아동의 땀과 오줌에서 곰팡이 냄새(쥐오줌 냄새)가 난다. 성장발달지연 특히, 정신발달이 지연되는데 이것은 뇌조직에 축적된 페닐알라닌의 독성 때문이다.

3) 진단검사

검사는 혈중 페닐알라닌을 측정하기 위한 선별검사로 Guthrie 검사를 한다. PKU 검사는 검사 전에 단백질 급원을 섭취한 다음에 하는 것이 더 신뢰도가 높으므로 채혈은 수유를 실시한 이후에 한다. 검사결과 혈중 페닐알라닌이 Classic PKU는 20mg/dL 이상, atypical PKU는 12~20mg/dL, mild persistent hyperphenylalaninemia은 2~20mg/dL로 구분된다.

4) 치료 및 간호

신생아기에 선별검사를 하여 혈중 페닐알라닌 수치가 10mg/dL 이상이면 저페닐알라닌 특수분유(매일 PKU1 formula, Ketonil, Lofenalacl 등)를 공급하고 혈중 페닐알라닌 수치를 2~6mg/dL로 유지한다. 관리목표는 식이요법을 통하여 뇌손상을 최소화하는 것이다. 그러나 페닐알라닌 섭취량이 필요량보다 지나치게 적으면 성장장애, 빈혈, 저단백혈증이 나타날 수 있으므로 주의한다. 대개 채소와 과일, 곡류에는 페닐알라닌 함유 수치가 낮고 치즈, 계란, 생선, 땅콩, 육류 등에는 5% 정도의 페닐알라닌을 함유하고 있으므로 이런 음식물 섭취를 제한 한다. 뇌손상이 발생하기 전에 진단 되어 성장기 동안 저페닐알라닌 식이가 이루어지면 정신적으로나 신체적으로 정상적 성장발달이 가능하다.

03 / 갈락토오스혈증

갈락토오스는 우유에 많은 락토오스(lactose)의 구성성분으로서 glucose-1-phosphate에 의해 글루코스로 전환되어 에너지 대사에 이용되거나 세포막의 주요 구성성분으로 이용되는 중요물질이다. 갈락토오스혈증(galactosemia)은 혈중 갈락토오스가 상승하는 질환을 모두 포함하여 부르는 이름이다.

1) 원인

가장 흔한 원인은 galactose-1-phosphate urydyl transferase가 간에서 결핍되기 때문이다. 상염색체 열성으로 유전되며 발병빈도는 60,000당 1명으로 보고되고 있다. 유제품에 있는 락토오스가 장내에서 가수분해되면 글루코스와 갈락토오스로 분해되고, 이 갈락토오스는 간에서 분비되는 galactose-1-phosphate urydyl transferase에 의해 단당류의 형태인 글로코스로 분해되어야 하는데, galactose-1-

phosphate urydyl transferase의 분비가 이루어지지 않아 갈락토오스가 분해되지 못하고 혈류와 조직 내에 축적되어 영구적인 뇌손상을 초래하고 과잉된 갈락토오스가 소변으로 배설되는 것이다.

2) 증상
유당을 함유한 우유나 모유를 먹기 시작한 후 1~2주에 이내 나타난다. 구토, 설사, 체중 감소, 저혈당, 경련, 늘어짐, 보챔, 수유 곤란이 있고, 체중이 잘 늘지 않으며 신세뇨관 손상으로 갈락토오스뇨증(galactosuria)뿐 아니라 아미노산뇨증이 나타난다. 갈락토오스가 간과 비장에 축적되면 문맥 고혈압, 간경변, 간비대, 황달, 복수, 비장 비대가 나타난다. 갈락토오스가 뇌에 침착하거나 저혈당 때문에 뇌손상이 오고 지능발육부전, 백내장이 오며 대장균에 의한 패혈증이 잘 동반된다.

3) 진단검사
결손효소를 측정하는 Beulter법으로 선별검사를 하고 적혈구를 이용한다.

Galactose-1-phosphate urydyl transferase를 측정한다. 모유나 우유를 먹인 후 혈액 내 과량의 갈락토오스나 정상 소변에 검출되지 않는 갈락토오스가 나타나면 진단한다.

4) 치료 및 간호
조기 진단이 중요하다. 치료는 뇌와 간의 비가역적 손상이 일어나기 이전에 식품에서 갈락토오스를 제거하여 먹이도록 하는데 특수 분유(매일 베이비 웰 HA, Nutramigen, pregestimil, Alimentum)나 콩우유를 먹인다. 갈락토오스 제거 식이를 하면 성장장애, 신장장애, 간기능장애 등이 좋아진다. 그러나 장기적으로 추적 관찰 시 발달장애와 학습장애 등이 있고 여성의 경우 난소기능부전이 있다.

04 / 선천성 부신과다형성증

선천성 부신과다형성증(congenital adrenal hyperplasia, CAH)은 상염색체 열성 유전질환이며, 부신성기증후군(adrenogenital syndrome)이라고도 한다. 주된 결함은 전구물질로부터 코티솔(cortisol) 합성에 장애가 온 것이다. 부신에서 코티솔(cortisol) 생성이 불가능하게 됨으로 부신의 기능증진을 자극하는 뇌하수체 부신 자극호르몬의 양은 증가한다. 부신과형성(hyperplasia)으로 인해 하이드로코티손(hydrocortisone)을 생성할 수 없으며 안드로젠(androgen)이 과다생성되기 시작한다.

1) 사정
과다한 안드로젠(androgen) 생성은 여아를 남성화시키며, 남아의 경우 생식기의 크기가 커진다. 이 과정은 태아기 때부터 시작하므로 여아의 경우, 태어날 때 음핵이 비대되어 음경과 같이 보인다. 음순은 매우 발달되어 마치 여아가 잠복고환이나 요도 하열(hypospadias)을 가진 남아와 같이 보인다. 내부 여성생식기계는 일반적으로 정상이며, 요도와 질 사이에 비정상적인 누(sinus)가 있을 수 있다. 출생 시에 발견되지 않고 아동기까지 치료되지 않는다면, 생식기와 액와 부위의 체모와 여드름이 사춘기 이전에 일찍 나타나며 굵은 목소리가 된다. 사춘기에는 유방의 성장과 월경이 없다.

남아의 경우 출생 시는 정상으로 보이나 약 6개월 경부터 이차성징의 조기발현이 있다. 3, 4세 경에 치골 부위에 체모가 나고 음경, 음낭, 전립선이 커지며 여드름이 나고 목소리가 굵어진다. 고환은 정상 크기이지만 상대적으로 음낭에 비해 작아 보이고 정자형성은 이루어 지지 않아 불임이 된다.

선천성 부신과다형성증 아동에게서 혈중 테스토스테론(testosterone) 수치가 증가하는 것은 진단에 매우 중요한 지표가 된다. 다른 부신 효소수치를 확인함으로써 코티솔(cortisol) 생성과 관련된 정확한 대사 결함정도를 측정할 수 있다. 골연령은 정상연령보다 앞서 있는데 장골의 골단선 융합이 조기에 이루어지기 때문이다. 조기발견 및 치료가 이루어지지 않을 경우 아동은 작은 키에 머물게 된다.

2) 치료적 관리

자연적으로 생성되지 못한 코티솔(cortisol)을 보충하기 위하여 구강으로 하이드로코티손(hydrocortisone)을 투여한다. 이런 방법으로 콜티코스테로이드(corticosteroid)를 아동에게 투여할 때 안드로젠(androgen)생성은 정상 범위로 돌아오며 더 이상 남성화 경향은 보이지 않게 된다.

콜티코스테로이드(corticosteroid) 치료는 평생 계속되어야 한다. 아동은 치료 효과를 확인하기 위해서 성장 측정과 주기적인 혈청검사가 필요하다. 선천성 부신과다형성증을 가진 태아는 임신 6~8주 경에 융모막 융모 채취검사를 통해서 조기진단이 가능하다. 임부를 덱사메타손[Dexamethasone(corticosteroid)]으로 치료하면 콜티코스테로이드(corticosteroid)가 태반을 통해 태아에게 전달되므로 여아 태아의 남성화를 예방할 수 있다.

간호진단 및 목표

간호진단 : 같은 성과 다른 성기 형성과 관련된 자긍심 저하
간호목표 : 아동은 발달과정 동안 적절한 자긍심을 표현할 것이다.
예상되는 결과 : 아동은 자신에 대해서 긍정적인 성향을 보이며, 또래 친구들과 잘 어울려서 논다; 만족스러운 성 정체감을 표현한다.

선천성 부신과다형성증이 있는 아동은 출생 시 주의 깊게 관찰하지 않으면 여성 염색체를 가졌을 지라도 남아로 잘못 보여질 수도 있다. 여아의 비대된 음핵은 어릴 때 성형수술로 크기를 줄일 수 있다. 그러나 이 수술은 음핵의 감각을 감소시킬 수 있는 단점을 가지고 있다. 다행히 새로운 성형수술법의 개발로 인해 최근 이 문제가 점점 최소화되고 있다.

선천성 부신과다형성증 여아 부모들은 자녀의 출생 초에 그들의 자녀가 성기결함을 가진 것에 대해서 매우 당황해하고, 주의 깊게 관찰하지 못해 남아로 오인했던 경우 성별이 바뀌었다고 생각하게 되어 당황하게 되므로 세심한 정서적인 지지가 필요하다. 부모는 아동의 질병의 원인에 대한 정보를 제공받아야 한다.

간호진단 및 목표

간호진단 : 적절한 성장·발달 유지를 위해 필요한 장기치료에 대한 지식결핍과 관련된 건강추구행위
간호목표 : 부모들은 아동의 전 성장기간 동안 처방된 투약이행의 중요성을 이해할 것이다.
예상되는 결과 : 부모들은 매일 계획적으로 그리고 다른 경우에도(여행과 같은)철저한 약물투여 계획을 세울 것이다.

아동이 성장함에 따라 부모와 아동은 처방된 약물을 계속해서 복용해야 하는 중요성을 이해하는 것이 중요하다. 처음 선천성 부신과다형성증을 진단받았을 때 투약하는 것을 기억하는 것은 쉽다. 그러나 시간이 흐를수록 아동의 치료적 섭생을 계속 유지한다는 것이 점점 어렵게 된다. 특히 아동이 성장하여 여름 캠프 등 집을 떠나 활동하는 시기에 이르면 더욱 그러하다. 이때는 특히 규칙적인 투약을 위해서 특별한 주의가 요구 된다(투약 알람 등을 사용하도록 격려한다).

코티솔(cortisol)은 포도당과 단백질 대사를 위해 필요하다. 그리고 신체적·정서적 스트레스에 반응하기 위해 적절한 수준의 포도당과 단백질을 필요로 한다. 수술 또는 감염과 같은 스트레스가 가중된 기간 동안에는 약물의 용량을 증가시킬 필요가 있다. 만일 그들의 신체상(body image)이 출생 시부터 왜곡되어 있었다면 계속적으로 이를 극복하기 위한 정서적인 지지가 요구된다.

05 / 선천성 대사이상 질환의 선별검사

1) 방법

생후 48시간이 지난 3~7일경에 신생아의 발뒤꿈치를 천자하여 혈액을 채취하고 채혈용 용지에 묻힌 후 건조시켜서 검사를 시행한다. 조산아나 경구 음식섭취가 제한된 아동의 경우는 생후 7~14일에 검사한다[그림 11-29].

2) 대상 질환

선별검사(screening test)의 대상이 되는 질환의 조건으로는 첫째, 비교적 발생 빈도가 높고 둘째, 임상증상만으로는 조기진단이 불가능하며 셋째, 방치하면 비가역적 뇌손상으로 정신지체를 유발하나 조기에 발견 치료하면 장애를 예방

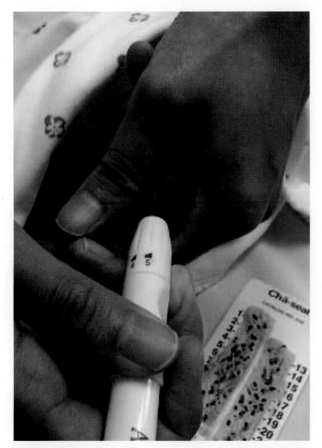

그림 11-29 선천성 대사이상 검사를 위한 발뒤꿈치 채혈

할 수 있으며 넷째, 경제적인 선별검사법이 있는 질환이다. 대상 질환들은 민족이나 지역마다 다르나 대체로 공통적으로 시행되는 질환들은 페닐케톤뇨증, 갈락토오스혈증, 선천성 갑상선기능저하증, 단풍당뇨증, 호모시스틴뇨증 등이 포함된다.

신경계 장애

01 / 뇌실 내 출혈

신생아의 출혈성 질환은 프로트롬빈 형성에 중요한 비타민 K 결핍으로 발생한다. 비타민 K 결핍은 프로트롬빈 기능감소와 혈액응고장애를 야기한다.

비타민 K는 장에서 박테리아 활동에 의해 형성되는데 신생아의 장관은 출생 시 균이 없기 때문에 약 생후 24시간은 장관 내에 균이 형성될 때까지 최소량의 비타민 K를 형성한다. 그러므로 출생 즉시 모든 신생아에게 비타민 K를 근육주사하여 신생아의 출혈성 질환을 예방할 수 있다.

비타민 K 결핍증이 있는 신생아는 피부 표면의 출혈인 점상출혈을 보이고, 결막, 점막, 망막에서도 출혈을 보일 수 있다. 피를 토하거나 위장관 출혈로 인해 검고 타르 같은 변을 보기도 한다. 출혈은 일반적으로 생후 2~5일에 발생하는데 이용 가능한 프로트롬빈 수치가 최저이기 때문이다. 프로트롬빈 시간(PT)이 연장되고, 응고시간은 정상이거나 혹은 연장된다.

신생아가 출혈성 질환을 보이면 정맥 내 혹은 근육주사로 비타민 K를 주입하여 치료한다. 출혈이 심하다면 신선한 전혈을 수혈해서 즉시 신생아의 프로트롬빈 수치를 증가시킬 필요가 있다. 이런 질병이 있는 신생아는 더 이상 출혈이 발생하지 않도록 부드럽게 다루어야 하는데 강한 압력에 의해 쉽게 멍이 들기 때문이다.

뇌실 내 출혈(intraventicular hemorrhage, IVH)은 미숙아에게 흔히 나타나는 출혈성 질환으로 뇌실 내 일정 부분의 혈관 발달이 미숙하여 혈관이 미약한 상태에서 이 혈관을 통과하는 혈액의 압력과 용량의 변화에 의해 혈관이 파열되어 출혈이 발생한다. 뇌실 내 출혈은 재태연령 35주 이전 신생아의 약 25~40%에서 발생하며, 생후 3~4일이 위험하다.

1) 원인

뇌실 내 출혈은 혈관 내, 혈관, 혈관 외 요인이 원인이다.

혈관 내 요인은 뇌혈류의 변동이 있는 환기요법을 하는 호흡곤란증후군, 뇌혈류가 증가되는 전신적 고혈압, 급속한 용적의 팽창, 과탄소혈증, Hct 감소, 혈당 감소 등 중심 정맥압이 증가되는 진통 및 질식분만, 호흡곤란, 뇌혈류의 감소 등이다. 혈소판 및 응고 장애는 모세혈관 통합성이 약한 혈관요인과 혈관 지지가 부족한 혈관 외 요인이 있다.

2) 병태생리

신경단위와 신경교세포를 생산하는 중요한 부위인 배아기질부(germinal matrix)는 혈관이 많이 분포하여 출혈이 일어나기 쉬운 곳이다. 미숙아 뇌실 내 출혈의 정확한 발생기전은 아직 밝혀지지 않았으나, 미숙아의 경우 두개 내 혈관은 많으나, 혈관을 받쳐주는 조직이 미숙하고 혈관벽이 얇아, 자주 발생되는 가사동안 뇌내의 자가조절이 불충분하여 뇌내 혈액순환이 감소되었다가 신생아를 소생시켰을 때 급격히 혈액순환이 증가하여 혈관이 파열됨에 따라 출혈이 발생하는 것으로 추측된다.

3) 증상

일반적인 뇌출혈 증상이 없거나 아주 미세할 수 있으며, 무호흡과 서맥 등이 나타날 수 있다. 갑자기 창백해지거나 빈혈이 발생하여 수혈을 했는데도 Hct가 오르지 않는 경우 뇌실 내 출혈을 의심하게 된다. 다량의 출혈이 있는 경우 호흡이 불규칙해지며 호흡곤란과 함께 의식수준 및 움직임의 둔화, 비정상적인 안구의 위치, 사지가 늘어지는 등의 신경학적 변화를 보이며 경련이 나타날 수 있다.

4) 진단검사

출생 체중이 1,500g 이하이거나 재태연령이 34주 이하인 미숙아와 고위험 신생아에 대해 임상증상을 잘 관찰하며, 두부 초음파검사를 시행하며, 컴퓨터단층촬영(CT)은 출혈 유무 확인 시 유용하다.

5) 치료 및 간호

신생아의 증상에 따라 환기요법, 순환기능 유지, 온도 유지, 대사상태 유지 등의 보존적 치료와 간호를 시행하며 주기적인 두부 초음파검사를 시행하여 출혈유무를 확인한다. 뇌내압의 증가 없이 뇌실 크기가 서서히 증가될 때는 4주 정도 관찰하다가 계속 증가되는 경우 요추천자를 통해 뇌척수액을 감소시켜주고, 뇌척수액 형성을 감소시키는 탄산탈수효소억제제(acetazolamide, furosemide)와 삼투압제(isosorbide, glycerol 등) 약물요법을 고려한다. 뇌실 크기가 빠르게 증가(2cm/주 이상 두위 증가)되고 뇌내압이 증가하는 경우는 일시적 치료방법으로 요추천자, 뇌실 배액을 시행하거나, 뇌실 우회로술을 시행한다. 다시 뇌실 크기가 증가될 수도 있으므로 약 1년간 추후 관찰한다.

6) 예후

뇌실 내 출혈의 합병증으로 출혈이 생긴 후 혈액응고가

발생하여 국소 허혈이 일어나고 이로 인한 경색을 초래할 수 있다. 또한 출혈 후에 뇌수종이 흔히 발생할 수 있다. 경한 출혈의 경우에는 혈액이 체내로 흡수되어 대부분 정상 발달을 하게 된다. 아주 심한 출혈이 있었던 경우에는 발달 장애나 근력장애를 초래하게 된다.

02 / 경련

1) 정의 및 빈도

신생아 경련(neonatal seizure)은 대부분 중증 질환과 연관되어 나타나며 이차적으로 비가역적인 뇌손상을 유발할 수 있어 응급처치가 필요하다. 치료하지 않으면 상당 기간 동안 경련이 지속될 수 있어 영양법이나 다른 처치에도 영향을 미칠 수 있다. 신생아 경련은 신생아의 약 0.5~1%에서 발생한다. 큰 아동과 달리 전신성 경련발작은 드물고, 주로 구강 주변의 증상과 시선 고정과 같은 증상이 나타나며 무호흡 등의 자율신경계 이상으로 나타나기도 한다.

2) 원인

- 저산소성–허혈성 뇌증 : 주로 주산기 가사에서 이차적으로 발생하며, 신생아 경련의 가장 흔한 원인으로 특징적으로 경련이 생후 24시간 이내에 발생한다.
- 두개강 내 출혈
- 두개강 내 감염 : 두개강 내 세균성 및 바이러스성 등의 감염은 모두 경련을 일으킬 수 있으며, 신생아 경련의 흔한 원인이다.
- 발달장애 : 중추신경계의 발달이상에 의한 대뇌피질 형성 이상 등의 기형이 있을 경우 경련을 보일 수 있다.
- 대사성 장애 : 저혈당증, 저칼슘혈증, 저나트륨혈증, 고나트륨혈증, 아미노산 대사장애(단풍당뇨증, 페닐케톤뇨증 등), 고암모니아혈증, 피리독신(비타민 B6) 결핍 등의 대사성 질환 시 경련이 발생할 수 있다.
- 약물 중단 : 항경련제, 진정제(barbiturate) 등의 약물 중단 및 중독 시 경련이 발생한다.
- 가족력 : 특별한 원인 없이 가족성 증후군에 의해 발생할 수 있다.
- 5일 발작(fifth-day fits) : 특징적으로 건강한 신생아

에서 생후 5일째 가장 많이 발생하며 경련양상은 다발성 간대 발작이며 뇌척수액의 아연이 감소되어 있어 아연 결핍 증후군의 가능성이 추측되고 있다.

3) 증상

- 비정형적 발작(subtle seizure)으로 임상적 양상이 흔히 간과되기 쉽다. 증상은 안구의 수평적 편위, 안구 고정, 반복적인 눈 깜빠임 등의 안구증상과 침 흘림, 빠는 동작 등의 구강 움직임, 노 젓기나 수영하는 듯한 상지의 움직임, 자전거 페달을 밟는 것과 같은 하지 동작, 무호흡 중에서 1가지 이상의 발작 형태를 보인다.
- 전신적 강직발작(generalized tonic seizure)으로 대개 전신적으로 모든 사지의 강직성 신전을 특징으로 하며 대부분 미숙아에서 관찰된다. 증상은 사지를 뻗거나 상지는 굴곡하고, 하지는 신전하며 무호흡이 나타날 수 있고 지속시간은 1분 이내이다.
- 다발성 간대발작(multifocal clonic seizure)은 한 개 이상의 사지에서 간대성 운동이 시작하여 무질서하게 신체의 여러 곳에서 이동성 발작양상을 보인다. 진전은 안구운동을 동반하지 않고 사지를 잡거나 굽히면 떨림을 멈추게 되어 경련과 구별된다.

4) 진단검사

임신 중 모체의 약물복용 유무와 과거력, 저혈당증과 세균성 뇌수막염은 우선 고려되어야 하고, 분만력, 신생아 병력, 가족력, 혈당 및 전해질 검사, 혈중 칼슘·인·마그네슘 농도검사, 혈액가스분석, 세균배양검사, 뇌척수액 검사, 방사선 검사, 뇌파 검사가 필요하다. 뇌파검사는 신생아가 비정형적 발작 양상을 보이는 경우나 마비 상태인 경우 경련의 유무 확인 시 유용하다.

5) 치료 및 간호

치료는 대뇌 손상의 예방을 주목적으로 하며 전해질과 대사장애 교정, 중추신경계 질환에 대한 원인별 치료를 하며 호흡 및 경련 치료를 포함한다.

- 적절한 호흡 및 심박출량, 혈압의 유지, 전해질 균형 및 산-염기 균형 유지
- 기저질환의 치료
- 정맥혈관통로 확보
- 진단검사 결과에 따른 포도당, 피리독신, 칼슘, 마그네슘의 투여
- 항경련제(phenobarbital, phenytoin, diazepam, lorazepam, midazolam 등) 투여 등이다.

신생아 경련 간호 시 중요한 점은 신생아의 비정형적인 발작증상을 즉시 발견하고 알리며, 즉각적인 치료처방의 수행 및 치료에 대한 반응과 경련 증상을 관찰하는 것이다. 또한 부모에게 신생아의 상태 및 행동에 대해 설명해주고 불안과 공포에 대한 지지간호를 한다.

6) 예후

신생아 경련의 예후는 저산소성-허혈성 뇌증과 조기 저칼슘혈증, 저혈당증, 세균성 뇌수막염의 경우 약 50%에서 정상 발달을 하지만 중추신경계의 이상은 정상발달이 어렵다.

03 / 이분척추

이분척추(spina bifida)는 추골궁(vertebra arch)이 완전히 닫히지 못한 기형으로 결손은 대부분 척추의 후면에 있으며 허리 아래 부위와 천골부에서 흔히 볼 수 있다. 수막과 척수의 이상에 따라 잠재성 이분척추(spina bifida occulta)와 수막류(meningocele), 척수 수막류(myelomeningocele)로 분류할 수 있다.

1) 잠재성 이분척추

잠재성 이분척추(spina bifida occulta)는 척추 후방판(posterior laminae)이 융합을 잘 하지 못했을 때 발생하는 흔한 기형이다.

5번 요추(L_5) 또는 1번 천골(S_1)에서 가장 많이 발생하지만 척수관(spinal canal)을 따라 모든 부위에서 발생할 수 있다. 정상 척수[그림 11-30(A)]와는 달리 결함은 지방종이나 피부변색으로 나타나거나 융합 결핍 부위가 옴폭 들어

간 형태(dermal sinus)를 띨 수 있으며 비정상적인 모발 뭉치가 있을 수도 있다[그림 11-30(B)]. 방사선 촬영상 추골궁(vertebra arch)과 척추판의 결손을 발견할 수 있다.

보통 대상자에게 보이는 임상증상이 없고 신경학적 이상 소견이 관찰되지 않는다. 대부분 우연히 발견되며 특별한 치료는 필요 없다.

2) 수막류

수막류(Meningocele)는 뒤쪽 추골궁(Posterior vertebra arch)의 결손된 부위로 수막이 탈출하여 발생하며 일반적으로 척수는 척주관(spinal canal) 내 정상적으로 위치한다. 대부분 요추 부위에서 발생하지만 척수관을 따라 모든 부위에서 발생 가능하다. 허리 중간에 돌출된 덩어리가 관찰된다[그림 11-30(C)]. 종양은 조명이 투과되는 낭성 덩어리로 대부분 정상 피부 또는 맑은 경막(dura mater)으로 잘 덮여 있다. 간혹 천골의 결손 부위를 따라 앞쪽으로 수막이 탈출할 경우 변비나 방광기능 부전 증상이 나타날 수 있다.

3) 척수 수막류

척수 수막류(myelomeningocele)는 척수와 수막이 척추결함을 관통하여 돌출된 형태로 대개 척수가 결함이 있는 부위에서 끝난다[그림 11-30(D)]. 상피화된 막으로 덮인 낭종이 관찰되며 막 아래 신경 조직의 일부가 보이거나 막이 터져 뇌척수액이 새어 나오기도 한다. 발생 부위는 척주관을 따라 어느 부위에서도 나타날 수 있으나 요·천골 부위에서 호발한다. 척수가 주로 결함 부위에서 끝나 그 부위 아래로는 다양한 정도의 운동신경 기능 손상과 하지의 감각결핍, 장과 방광의 조절기능 상실이 따라 올 수 있다. 대체로 결손 부위가 높을수록 신경학적 증상이 심하게 나타난다. 영아의 경우 다리가 이완되어 있는 것을 볼 수 있으며 아동은 다리를 움직일 수 없다. 괄약근의 조절기능이 결핍되어 소변과 대변을 계속적으로 조금씩 자주 본다. 또한 만곡족이나 부전탈구 고관절과 같은 동반된 결함이 자주 관찰된다. 뿐만 아니라 척수 수막류가 있는 영아의 80%에서 Chiari 기형이 동반된 뇌수종이 나타난다.

4) 사정

잠재성 이분척추를 제외한 신경계 결함은 출생과 동시에 관찰이 가능하다. 태아기 동안 초음파 검사, 산모 혈청 및 양수천자를 통한 태아단백(alphafetoprotein, AFP) 검사를 통해서도 발견될 수 있다. 태아가 수막류 또는 척수수막류를 가지고 있을 때 척수에 가해지는 압력과 외상을 예방하기 위해 제왕절개술을 통해 분만을 유도한다.

척수수막류가 있는 신생아는 다리에 자발적인 움직임이 있는지를 관찰하고 배뇨 및 배변의 양상들을 사정하여 기록한다. 괄약근 조절을 하지 못하는 신생아는 계속적으로 배뇨를 하고 대변에서도 동일한 양상이 나타난다. 이러한 특징은 수막류와 척수 수막류 사이에서 차이가 확연하게 나타난다.

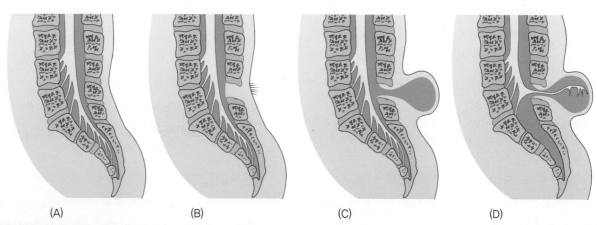

그림 11-30 척추 이상의 분류

(A) 정상척수 (B) 잠재성 이분척추 (C) 수막류 (D) 척수수막류

5) 치료적 관리

잠재성 이분척추의 경우에는 보통 응급으로 외과적 교정술을 하거나 특별한 치료를 할 필요가 없다. 일부에서 척주(vertebral column)의 불균형에 따른 척추악화(vertebral deterioration)를 예방하기 위해서 수술을 선택하기도 한다.

수막류와 척수수막류의 치료는 탈출된 조직을 척추관 내로 복귀시키는 것이다. 감염 예방을 위해 피부의 결함을 덮는 수술을 하고 척수수막류의 경우에는 출생 직후 예방적 항생제 투여를 선택할 수 있다. 수두증이 동반된 척수수막류 아동의 경우 뇌실-복강 단락술을 시행한다. 출생 시 하지마비 및 장과 방광 괄약근의 완전 마비가 있고 수두증과 같은 다른 기형을 동반하는 경우 신경학적 예후가 매우 불량하며 기능의 상실이 계속될 것이다.

6) 간호

(1) 수술 전 간호

신경관 낭(neural tube sac)이 파열되어 감염이 발생하지 않도록 관리해야 한다. 낭(sac)이 건조해지면 갈라져서 뇌척수액이 배출되고 손상된 부위로 미생물이 침투할 수 있다. 이를 위하여 멸균된 생리식염수나 항생제로 적신 거즈를 상처부위에 덮어주면 낭을 촉촉하게 유지시켜 줄 수 있다. 거즈를 제거할 때에는 낭이 손상되는 것을 막기 위해 수분을 더 적신 뒤 조심스럽게 떼어내도록 한다.

낭 부위에 압력을 가하면 낭으로부터 나온 척수를 척주(spinal column)로 밀어 넣기 때문에 두개내압을 상승시킬 수 있다. 뿐만 아니라 압력으로 인해 낭이 파열을 일으켜 뇌척수액이 급속도로 유출되고 수막염이 발생할 수 있다. 따라서 결함 부위에 어떠한 압력도 가해지지 않도록 보호하도록 한다.

결함이 있는 부위에서 맑은 액체가 흘러나오면 뇌척수액의 누출 가능성을 염두에 두고 즉시 보고해야 한다. Tape test를 통해 누출된 액체에 포도당이 함유되어 있는지 확인한다. 소변이나 점액과는 달리 뇌척수액의 경우 포도당이 검출된다.

수술 전에 신생아의 체위는 척추 결함 부위에 압력이 가지 않도록 조심스럽게 복와나 옆으로 눕는 체위를 취하도록 지지해준다. 복와위를 눕힐 경우 접은 수건을 아동의 배 아래에 제공하면 고관절을 굴곡시켜 다리를 편안하게 하고, 낭에 압력을 덜 가게 하는데 도움이 된다. 영아가 옆으로 눕게 될 경우 양쪽 다리의 피부표면이 닿아 마찰이 생기는 것을 막기 위해 양쪽 다리 사이에 기저귀를 접어서 넣어 준다. 하지에 마비가 생겨 아동이 다리를 움직일 수 없는지 주의 깊게 관찰한다.

복와위로 눕게 하는 것은 대소변이 흘러내려 결함 부위에 닿지 않도록 하는 이점이 있다. 플라스틱 덮개를 수막류 아래에 앞치마처럼 대주어 분변으로 인해 오염되는 것을 예방할 수도 있다.

개방된 상처 부위를 통해 체온 손실이 크므로 아동을 따뜻하게 해 주는 것이 중요하다. 돌출된 낭이 있는 경우 신체표면이 더 넓어지기 때문에 체온손실이 더 증가할 수 있다. 겉이불을 덮어 보온해 주어야 하며 이때 척추의 결함 부위로 압력이 가해지지 않도록 주의한다. 필요시 아동을 인큐베이터에 넣고 복사열기구를 적용할 때에는 열로 인해 낭이 건조되지 않도록 주의해서 사용해야 한다.

뇌척수액의 흡수부전으로 인해 뇌수종이 동반될 경우 하루에 한 번 이상 두위를 측정해야 한다. 지워지지 않는 펜으로 이마의 눈썹 윗부분과 가장 많이 돌출한 후두부에 표시를 해 두면 모든 사람이 똑같은 부위를 측정하여 결과를 정확하게 비교할 수 있다.

간호진단 및 목표

간호진단 : 신경관 낭 손상과 관련된 감염 위험성
간호목표 : 외과적 교정술 이전에 아동의 신경관 낭은 잘 보호되어 감염이 되지 않을 것이다.
예상되는 결과 : 신경관 낭을 둘러싼 조직에 발적이나 분비물이 관찰되지 않고, 발열과 같은 감염의 징후가 없다.

---

(2) 수술 후 간호

수술 후 절개된 피부가 치료될 때까지 7~14일 동안 아동을 복와위로 눕히도록 한다. 이때 지속적인 복와위는 영아의 무릎과 팔꿈치에 압력을 주기 때문에 피부 통합성에 장애를 유발할 수 있다. 이를 예방하기 위해 합성 양가죽(synthetic sheepskin) 위에 눕히는 것이 도움이 될 수 있다. 드레싱을 교환할 때에도 피부 손상을 유발하지 않도록 반창고가 닿을 부위에 stockinette나 피부보호제인 stomahesive를 적용한다. 대소변으로 인해 수술 부위가 오염되지 않도록 주의하며 산성소변이 피부를 심하게 자극하는 것을 예방하기 위해 기저귀를 자주 교환해 준다.

간호진단 및 목표

간호진단 : 지속적인 피부 압력(복와위 유지)과 관련된 피부 손상 위험성
간호목표 : 아동의 피부는 손상없이 통합성을 유지할 것이다.
예상되는 결과 : 수술 이후 아동의 피부에 발적이나 손상이 없고 건강한 피부상태가 관찰된다.

뇌척수액이 지주막으로 흡수되지 못할 경우 수술 후에 뇌수종이 생길 수 있다. 아동에게 흥분이나 피로와 같은 행동변화는 물론 활력징후와 동공변화와 같은 두개내압 상승에 따른 신경계 징후가 있는 주의 깊게 사정하도록 한다. 천문이 돌출되거나 머리둘레가 증가되는지 자주 관찰하도록 한다.

수유 시 정상적인 체위를 유지하기가 어려워 신체 요구량보다 부족한 영양분을 섭취하지 않도록 한다. 가능한 한 정상적인 수유 체위로 영아를 안고 지지하는 팔이 수술 부위를 압박하지 않도록 주의한다. 트림을 시킬 때에도 결함이 있는 부위를 건드리지 않도록 조심한다. 아동을 일으켜 세우기가 힘들 경우에는 영아의 머리 밑에 기저귀를 접어 넣어서 약간 고개를 상승시킨 후에 수유를 한다. 수유하는 동안에는 머리와 팔, 허리 위 등을 쓰다듬어 주면서 촉각적 자극과 함께 이야기를 해주어 누군가가 사랑하고 있고 돌보고 있다는 것을 알게 한다. 영아의 빠는 즐거움을 위해 수유 후에 인공 젖꼭지를 제공하는 것이 도움이 될 수 있다. 만약 산모가 모유수유를 계획하고 있다면 수유를 통해 영아와의 긍정적인 상호작용을 이룰 수 있도록 지지해 준다. 수유 시 영아의 수술부위를 팔로 누르지 않도록 알려주고 특이한 체위로 수유를 해야 함에 따라 어려움을 가질 경우 조금 더 편안한 자세로 수유를 지속할 수 있도록 역할 모델이 되어준다.

방광을 비우기 위해서 간헐적인 청결도뇨를 부모에게 교육한다. 학령기에 이르면 방광에서 소변을 매 4시간마다 배출하도록 아동에게 청결 자가도뇨를 교육한다. 이때 고무(latex) 알레르기가 있는지를 확인하여 도뇨 카테터로 인해 잠재적인 위험이 발생하지 않도록 한다. 계속적으로 도뇨하

기 위해서 인공 방광 괄약근(artificial bladder spihincters)을 사용하는 것이 좋다. oxybutynin chloride(ditropan)와 같은 약을 복용할 경우 방광 용적량(bladder capacity)을 증가시키는데 도움이 될 수 있다. 일부에서는 기능부전의 방광을 우회하기 위해서 소변 저장기(urinary reservoir)나 요관 S상결장 단락술(ureterosigmoidostomy)을 시행하기도 한다. 배변조절을 위해 식이변형이나 규칙적인 배변습관, 변비 예방을 할 수 있도록 한다. 섬유소가 많은 음식을 제공하고 규칙적으로 배변이 이루어지도록 훈련하며 필요시 하제나 관장을 통해 배설을 돕는다.

결함으로 인해 운동기능 부전이 올 수 있으므로 아동에게 정상적인 자극과 활동을 제공해야 한다. 부모에게 자녀와 함께 할 수 있는 활동을 하도록 격려한다. 아동이 정상적인 생활을 스스로 하도록 하여 독립성을 증진시킬 수 있도록 돕는다. 하지 근위축을 예방하기 위해서 아동에게 수동적인 운동을 하도록 하고 필요시 교정기나 보조기를 사용하여 활동을 증진시킬 수 있도록 지지한다. 아동이 성장함에 따라 근수축 예방과 부적합한 골격의 정렬을 위해 건이식이나 골절제술을 고려할 수 있다. 이러한 아동은 하지에 감각이 없기 때문에 부모가 매일 아동의 하지와 둔부의 상태를 확인하고 감염의 가능성을 주의 깊게 관찰해야 한다.

위와 같은 질환의 예후는 결함의 범위에 따라 다르다. 아동의 신경학적 기능 장애는 많은 지지와 지속적인 의학적 관리가 요구된다. 부모가 아동의 상태에 가능한 빨리 대처할 수 있도록 간호에 참여시키고 가정 내에서 적절하게 돌봄을 제공할 수 있도록 교육이 제공되어야 한다. 아동이 성장 발달함에 따라 부모는 아동의 발달 과제를 성취하도록 격려하고 지역사회 내 지지집단에 의뢰하여 도움을 제공할 수 있도록 한다.

확인문제

21. 척수수막류가 있는 아동의 결함 부위에서 맑은 액체가 흘러나왔을 경우 확인해야 할 사항은 무엇인가?

04 / 뇌수종

뇌수종(hydrocephalus)은 뇌실(ventricles)과 뇌의 지주막하 공간(subarachnoid space)에 뇌척수액(cerebrospinal fluid, CSF)이 과다하게 축적된 상태를 말한다. 태아기 6주경에 맥락총(choroid plexus)의 상피 세포가 발달하여 뇌척수액의 분비를 시작하고 제4뇌실의 상벽(roof)이 개방되며 지주막하 공간이 형성된다. 태아기 15~17주에는 수도관(aqueduct)이 발달하는데 선천성 또는 후천성으로 뇌척수액이 과도하게 저류될 경우 뇌수종이 발생하게 된다. 뇌수종이 발생하면 뇌실계는 확장되고 뇌압이 올라간다. 영아의 경우 두개 봉합이 견고하게 결합되지 않았다면 두개의 증대가 유발된다. 출생아 1,000명 중 약 3~4명의 빈도로 발생한다.

1) 뇌수종의 분류

(1) 비교통 뇌수종

비교통 뇌수종(obstructive, non-communication hydrocephalus)이란 어떠한 원인에 의하여 뇌척수액의 흐름이 차단될 경우에 발생하며 뇌수종의 가장 흔한 원인이 된다. 수도관이 협착(aqueductal stenosis)되거나 아교세포가 증식(gliosis)된 경우에 뇌수종이 발생하기 쉽다. 영아의 수도관 길이는 약 3㎜, 직경은 약 2㎜ 정도로 협착이 쉽게 발생할 수 있다. 뇌간의 하부와 소뇌가 대공(foramen magnum) 속으로 들어가 뇌탈출(herniation)이 관찰되는 Chiari 기형의 경우에도 제4뇌실의 변위로 인해 뇌수종이 유발될 수 있다. Galen 정맥 기형의 경우 정맥이 수도관을 압박하고 가쪽 뇌실의 확장을 초래하여 뇌수종으로 이어질 수 있다. 그밖에 출혈이나 종양이 뇌척수액의 통로를 폐쇄할 수 있고 수막염(meningitis)이나 뇌염(encephalitis)과 같은 감염이 유착을 남겨 이후에 뇌척수액의 흐름을 차단할 수도 있다.

(2) 교통 뇌수종

교통 뇌수종(non-obstructive, communication hydrocephalus)은 뇌척수액의 흐름이 차단되기 보다는 지주막하 공간 내에서 뇌척수액의 흡수 장애로 발생하는 뇌수종을 말한다. 두개 내 출혈이나 세균성 수막염 등의 후유증으로 발생 가능하다.

(3) 뇌척수액의 과다 분비로 인한 뇌수종

드물게 맥락총(choroid plexus)에서 뇌척수액이 과잉생산되는 경우 뇌수종이 발생할 수 있다. 대개 맥락총 내 종양(choroid plexus papilloma)이 원인이 된다.

2) 사정

뇌척수액의 흐름이 차단되어 뇌수종이 발생한 경우에는 폐쇄의 범위에 따라서 뇌수종이 빠르거나 느리게 진행된다. 태아기일 때에도 간혹 초음파를 통해 뇌수종이 발견될 수 있으나 일반적으로는 임신기간 동안 혹은 출생 직후에도 분명하게 나타나지 않을 수 있다. 수두증에 따른 증상은 생후 수 주에서 수개월 내에 분명하게 나타난다.

영아의 천문이 넓어지고 팽팽해지며 두개 봉합선과 두개 직경이 넓어진다. 뇌척수액이 계속적으로 축적될 경우 두피가 반들거리고 두피 정맥이 점점 돌출한다. 눈썹이 불룩하게 융기되고, 눈은 움푹 들어가는 일몰증상(sunset eyes)이 보인다[그림 11-31].

아동의 맥박과 호흡이 감소하고 체온과 혈압은 증가하며 과잉반사, 사시(strabismus), 안구위축(optic atrophy)과 같은 두개내압 상승에 따른 증상을 나타낸다. 영아는 자주 울며 전형적으로 날카로운 목소리를 내면서 고음으로 울 수도 있다.

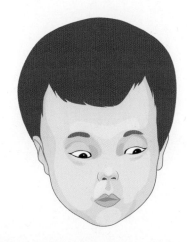

그림 11-31 **뇌수종 아동**
두개골 직경이 확장되고 눈이 움푹 들어가 있으며 눈동자가 아래로 향해 있는 모습을 보인다.

두개내압 상승이 점점 심해질 때 뇌조직은 비가역적 손상을 받게 되므로 뇌수종을 초기에 발견해야 치료의 효과가 있다. 모든 신생아는 분만 후 1시간 이내에 머리둘레를 측정해야 하며 퇴원하기 전에 다시 측정한다. 두개외상을 입은 아동은 사고가 일어났을 당시에 머리둘레를 측정해야 한다. 두개내압 상승 증상이 나타날 경우 머리둘레는 아동의 상태를 파악하는데 중요한 자료가 될 수 있다. 또한 간호사는 건강관리실에 방문한 2세 미만의 모든 아동의 머리둘레를 기록하고, 발달 단계에 따라 머리둘레가 정상범위 내에서 성장하고 있는지 확인해야 한다.

뇌수종은 초음파나 CT(컴퓨터 단층촬영), MRI(자기공명 영상기)를 통해 발견할 수 있다. 두개 X-ray 사진은 분리된 봉합과 두개골이 얇아지는 것을 나타낸다. 투시법을 통해 두개에 액체가 가득 차 있는 것을 확인하기도 한다. 뇌수종의 원인이 폐쇄로 인한 비교통성일 경우 염료를 대천문에서 뇌실로 주입 후 요추천자를 통해 뇌척수액을 검사했을 때 염료가 관찰되지 않을 것이다.

3) 치료적 관리

뇌수종의 발생 원인과 범위에 따라 치료 방법은 달라진다. 대부분 뇌수종은 폐쇄가 원인인 경우가 많으며 이때에는 뇌척수액의 유출경로를 개방시켜주는 치료를 시도한다. 레이저 수술을 하기도 하나 대부분은 폐쇄부분을 단락(shunting)하여 우회(bypass)하는 방법을 택한다. 뇌실-복막 단락술(ventricular peritoneal shunt)은 뇌실과 복막을 카테터를 사용하여 연결하는 것으로 뇌척수액을 뇌실에서 복막으로 보내 체내 재순환(Systemic circulation) 되도록 유도한다. 뇌실-심방 단락술(ventricular atrial shunt)은 뇌실에서 좌심방으로 카테터를 연결한 것이다[그림 11-32]. 아동이 성장할수록 단락은 점점 짧아지고 복막 주름에 둘러싸여 폐쇄될 수 있으므로 재수술을 시행해야 한다.

뇌척수액이 감염되었을 경우 배액을 촉진하기 위해서 외뇌실 단락(extra- ventricular shunt)을 시행할 수 있다. 항생제를 뇌실로 직접 주입하여 감염된 뇌척수액이 복강 내로 배출되지 않도록 한다. 뇌척수액의 과잉생산으로 인해 발생한 뇌수종의 경우에는 맥락막총 내 종양이 원인인 경우가 많으며 이때에는 종양을 외과적으로 제거하도록 한다. 수액의 생산을 감소시키기 위해서 이뇨제(acetazolamide)가 사용될 수도 있다.

뇌수종을 앓고 있는 영아의 예후는 수술 전에 발생한 뇌손상의 정도에 따라 다르나, 단락과 외과적 수술 방법의 발전으로 인해 점점 향상되고 있는 추세이다.

4) 간호

단락술을 시행한 후에는 영아의 머리를 약간 상승시켜 준다(약 30°). 머리를 과도하게 올리게 되면 뇌척수액이 복막으로 너무 빨리 유입되어 압력 감소에 따라 순식간에 뇌

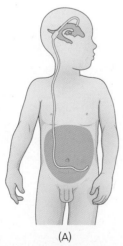
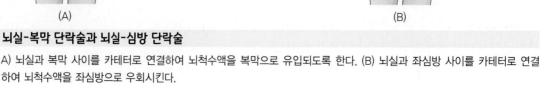

(A)　　　　　　　　　　　　　　　　　(B)

그림 11-32　뇌실-복막 단락술과 뇌실-심방 단락술

A) 뇌실과 복막 사이를 카테터로 연결하여 뇌척수액을 복막으로 유입되도록 한다. (B) 뇌실과 좌심방 사이를 카테터로 연결하여 뇌척수액을 좌심방으로 우회시킨다.

동맥 파열이 유발될 수 있다. 뇌척수액이 증가하여 축적될 경우 단락에 있는 판막이 열려 배액이 이루어진다. 판막에 압력을 가하면 판막이 열려 갑작스럽게 감압되기 때문에 보통 아동을 단락술을 한쪽으로 눕히지 말아야 한다.

수술 후 두개내압 상승에 따른 증상을 사정하는 것이 매우 중요하다. 천문 팽창과 머리둘레 증가, 두통, 의식감퇴나 기면상태, 흥분, 맥박 및 호흡수 감소, 구토, 혈압 상승과 고체온, 식욕부진 등의 증상을 관찰한다. 아동이 울면 두개내압이 더욱 상승하므로 아동을 안정시키고 적절한 통증관리를 해 주어야 한다.

간호진단 및 목표

간호진단 : 뇌수종으로 인한 두개내압 증가와 관련된 뇌조직관류 변화
간호목표 : 아동에게 두개내압 증가의 소견이 관찰되지 않을 것이다.
예상되는 결과 : 아동의 활력징후가 정상 범위 내로 유지되고 의식감퇴가 없다. 두위의 측정치가 정상 범주를 벗어나지 않는다.

단락술 시행 시 복부를 절개하기 때문에 수술하는 동안 아동에게 비위관을 삽입한다. 수술 후 금식을 유지하다가 장운동이 있을 때 비위관을 제거 후 물을 조금씩 섭취한다.

수유는 가능한 영아를 안고하며 움직일 때 머리를 잘 지지해 주어야 한다. 머리 한쪽에 강한 압력을 받게 되면 두개 모양이 변형되므로 손가락이 아닌 손바닥으로 머리를 지지한다. 수유 시 영아의 머리가 무거워서 안고 있기 힘들 수 있으므로 산모의 팔을 지지할 수 있는 팔걸이나 베개 등을 이용하도록 한다. 영아가 젖을 빠는 힘이 약하거나 잘 빨지 못하면 두개내압이 상승할 수 있음을 교육해 준다.

뇌수종이 있는 영아는 머리가 무거워 고개를 자유롭게 옮기기 어렵다. 두피가 얇아 압력을 받는 부분에 피부 파열이 쉽게 일어나므로 영아의 머리 방향을 매 2시간마다 바꾸어 한쪽 부위가 압박받지 않도록 한다. 볼록한 고무(foam rubber) 형태나 합성 양가죽(synthetic sheepskin)으로 된 담요, 공기 침대가 압박부위를 감소시키는데 도움이 될 수 있다.

간호진단 및 목표

간호진단 : 얇은 두피와 무거운 머리와 관련된 피부손상 위험성
간호목표 : 아동의 피부는 손상없이 건강하게 유지될 것이다.
예상되는 결과 : 아동은 피부의 발적이나 궤양과 같은 피부손상의 징후가 없이 깨끗하게 유지된다.

단락술 이후에도 머리 둘레는 커질 수 있지만 지적능력은 정상일 수 있다. 아동에게 적절한 발달적 자극을 주는 것이 중요하다. 아동에게 이야기하고, 웃어주며, 그림이나 놀이 기구를 보여주는 등의 감각적 자극을 제공하며 부모에게도 이러한 행위의 중요성에 대해서 설명해 준다.

단단한 변은 복강 내 단락을 압박하여 폐쇄시킬 수 있고 배변 시 긴장은 두개내압을 상승시킬 수 있으므로 아동이 변비에 걸리지 않도록 한다. 영아는 수유를 하거나 유동식을 섭취하므로 변비가 대체로 문제 되지 않는다. 그러나 아동이 나이가 든 경우에는 섬유질이 풍부한 음식과 충분한 수분섭취를 권장한다.

귀 뒤에 있는 펌프 부위에 부종이나 발적, 발열 등 감염의 징후가 있는지 매일 관찰한다. 또한 아동이 펌프에 관심이 집중되지 않도록 한다.

퇴원 후 건강관리를 위해 부모를 교육하는 일은 매우 중요하다. 부모는 뇌압상승의 증상을 알고 아동의 상태변화가 의심될 경우 즉시 병원에 방문해야 한다. 아동이 성장함에 따라 단락이 적절하게 기능하기 위해서는 단락을 교체해야 하며 이를 위해 정기적으로 외래를 방문할 것을 계획한다. 만약 아동이 고체온과 같은 감염의 증상이 나타나면 문합 부위가 감염되었을 가능성이 있으므로 즉시 병원을 찾도록 한다. 부모는 퇴원 후 자신의 역할과 책임에 대하여 두려워하고 자신이 없어할 수 있다. 간호사는 부모의 감정을 표현하도록 격려하고 건강관리 제공자들이 부모와 환아를 돕고 지지할 것이라는 확신을 주어야 한다.

간호진단 및 목표

간호진단 : 단락술 후 가정 내 건강관리와 관련된 부모의 지식 부족
간호목표 : 부모는 단락술과 관련된 아동의 치료과정에 대하여 구체적으로 표현하고, 자녀 간호에 적극적으로 참여할 것이다.
예상되는 결과 : 부모는 아동의 두개내압 징후, 감염 징후를 관찰하여 필요시 의료적 관리를 받을 수 있고 단락 간호를 자신있게 수행할 수 있다.

XVII 근골격계 장애

01 / 발달성 고관절 이형성증

1) 고관절 이형성증

고관절 이형성증(developmental dysplasia of the hip, DDH)은 골반의 비정상적인 발달과 관련된 장애로 관골구(acetabulum)의 형성부전, 아탈구(subluxation) 혹은 탈구(dislocation) 등 다양한 형태의 골반 기형을 포함한다[그림 11-33].

관골구의 형성부전은 관골구가 편평하여 대퇴골두(femur head)가 관골구 안에 들어가는 있으나 적절하게 회전을 하지 못하는 상태를 말한다. 아탈구는 평평한 관골구 때문에 대퇴골두가 올라가 부분적으로 탈구된 것이다. 탈구는 대퇴골두가 멀리 떨어져 있어 실제로 관골구와 겹쳐지지 않는다.

결함이 발생하는 원인은 확실하게 밝혀지지 않았지만, 다인자적 유전양상이 원인이 될 수 있다. 또한 자궁 내 태아 체위가 둔위일 경우 고관절을 지속적으로 내전 및 신전한 상태로 유지시켜 탈구가 발생할 수 있다. 발생 빈도에 있어서는 출생아 1,000명당 약 1~1.5명 정도이며 남아보다 여아에게서 6배나 더 많이 발생하는 것으로 보고되고 있다. 여아에게서 호발하는 이유는 치골 결합 부위를 이완시키는 relaxin 호르몬이 골반인대를 더 이완시키기 때문이다. 영아의 고관절을 신전 및 내전시키는 위치로 담요나 이불로 감싸주는 문화권이나 양다리를 벌린 형태로 아기를 업고 다니는 아시아 지역에서 발생 빈도가 높다고 알려져 있다.

(1) 사정

고관절이형성증(DDH)은 시간이 지날수록 발견 및 교정이 어렵기 때문에 신생아기에 발견하는 것이 중요하다. 일반적으로 결함이 있는 쪽 다리는 대퇴두부가 고관절 와에서 높게 겹쳐져 있어서 정상적인 다리보다 길이가 약간 짧다. 아동을 앙와위로 눕힌 상태에서 발목을 90°로 하고 대퇴를 복부 쪽으로 굴곡시켜 관찰할 수 있다. 이때 결함이 있는 쪽의 무릎이 정상적인 쪽보다 더 짧게 보일 것이다[그림 11-34(A)]. 또한 둔부 및 대퇴의 주름이 동일하지 않게 관찰된다[그림 11-34(B)]. 그러나, 대퇴 후방의 피부주름은 정상적인 고관절을 가지고 있는 일부 영아에게 있어서도 좌우가 대칭을 이루지 않을 수 있기 때문에 신뢰하지 못할 수 있다.

영아를 앙아위로 눕히고 무릎은 90°로 굴곡시켜 골반을 외전시키면서 딸깍하는 소리를 들리는지 확인한다. 소리가 나는 것은 Ortolani's sign 양성 반응으로 빠져있던 대퇴골두가 관골구로 다시 들어갈 때 발생한다. 이후 같은 체위에서

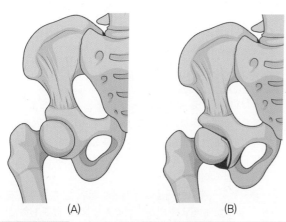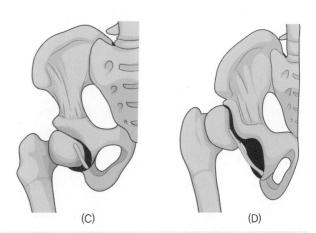

그림 11-33 고관절 이형성증(DDH)의 형태

(A) 정상 (B) 관골구의 형성부전 (C) 아탈구 (D) 탈구

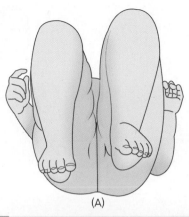 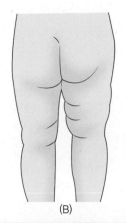

(A)   (B)

그림 11-34   발달성 고관절 이형성증(DDH)의 징후

(A) 무릎을 굴곡 시 높이의 차이를 보임(아동을 앙와위 자세로 취하게 하면 대퇴골두의 변위 때문에 아탈구(subluxation)가 있는 오른쪽 무릎이 왼쪽보다 더 짧게 보인다 (B) 둔부와 대퇴 주름의 비대칭

골반을 내전시켜보아 대퇴골두가 관골구에서 미끄러져 나오는 느낌이 있다면 Barlow's sign 양성으로 골반의 불안정성을 나타내는 징후라 할 수 있다[그림 11-35].

X-ray 사진이나 초음파 검사, 자기공명영상 촬영을 통해 얕은 관골구와 대퇴골두가 편위된 것을 확인할 수 있다.

(2) 치료적 관리

굴곡되거나 탈구된 고관절을 최대한으로 외전시켜 대퇴골두를 관골구 안으로 넣은 후에 다양한 형태의 부목이나 석고붕대로 교정을 실시한다[그림 11-36]. 만약 아동이 영아기가 지났으면 대퇴골두를 관골구 내로 잘 넣기 위해 견

인을 먼저 해야 한다. 드물게 고관절을 고정시키기 위한 핀(pin) 삽입술을 시행하기도 한다.

(3) 간호

신생아 사정 시 간호사는 비대칭적인 엉덩이 주름이나 진단적 임상 검사 등을 통해 고관절 이형성증(DDH)를 발견할 수 있어야 한다.

다양한 형태의 부목이나 석고 붕대를 적용했을 때 영아의 피부가 손상되지 않도록 주의한다. 교정 장치 속에는 내의를 입고 무릎 양말을 신긴다. 장치와 닿는 부분의 피부에 발적된 부분이 있는지 자주 사정하고 피부 순환을 도모하기

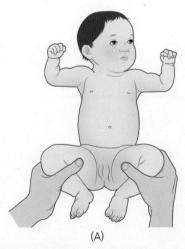 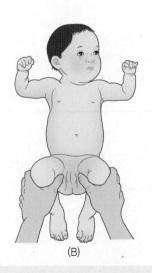

(A)   (B)

그림 11-35   Ortolani's sign과 Barlow's sign

(A) Ortolani's sign 앙아위에서 무릎을 90°굴곡 후 골반을 외전시킬 때 '딸깍' 소리가 난다면 양성반응이라 할 수 있다. 이는 대퇴골두가 관골구로 다시 들어가는 것을 의미한다. (B) Barlow's sign 앙와위에서 골반을 내전시킬 때 대퇴골두가 관골구에서 미끄러져 나오는 느낌이 있다면 양성반응이라 할 수 있다. 이는 골반의 불안정성을 나타내는 징후라 할 수 있다.

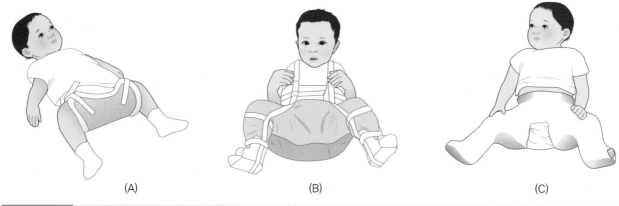

(A)   (B)   (C)

그림 11-36   발달성고관절이형성증의 치료

위해 부드럽게 마사지를 한다.

부목을 계속 착용하고 있으면 심한 기저귀 발진이 초래될 수 있으므로 기저귀를 자주 교환하고, 배뇨 또는 배변 후에 깨끗한 물로 닦아 주도록 한다. 필요시 보호용 연고를 발라줄 수 있다.

교정기(brace) 끝 부분에 부드러운 천이나 기저귀를 덧대주면 편안함을 더해주고 자극을 감소시킬 수 있다.

영아의 기저귀를 교환하거나 목욕을 할 때를 제외하고 항상 부목을 적용한 상태로 유지하고 Pavlik harness의 경우에는 목욕 시에도 제거하지 않는 것을 좋다.

간호진단 및 목표

간호진단 : 고관절 이형성증 아동의 교정과 관련된 부모의 지식 부족

간호목표 : 부모는 아동에게 적용한 부목이나 교정기의 필요성을 인식하고 부목 유지의 중요성과 교정기 적용 시 요구되는 간호에 대하여 설명할 수 있다.

예상되는 결과 : 아동에게 적용한 부목이나 교정기에 따른 간호를 적절하게 수행할 수 있다.

확인문제

23. 고관절 이형성증 아동을 사정할 수 있는 방법에는 무엇이 있는가?

02 / 만곡족

만곡족 기형(talipes deformities, congenital clubfoot)은 발목과 발에 나타나는 복합적인 형태의 결함이라 할 수 있다. 주로 나타나는 형태는 발이 발꿈치보다 낮게 있는 첨족(equinus), 발꿈치가 발보다 아래에 있거나 발의 앞부분이 다리 앞으로 굴곡되어 있는 종족(cancaneous), 발이 안으로 회전된 내반(varus), 발이 밖으로 회전된 외반(valgus)이다. 가장 흔한 유형은 내반첨족(talipes equinovarus)으로 만곡족의 약 95%를 차지한다[그림 11-37].

출생아 1,000명 중 약 1명 정도의 빈도를 보이며 여자보다 남자에게서 더 많이 발생한다. 만곡족은 대체로 일측성으로 발생하며 원인은 다인자적 양상으로서 유전되는 것이거나 소아마비, 이분척추와 같이 다른 문제와 관련되어 발생할 수도 있다. 일부 신생아들은 자궁내 체위로

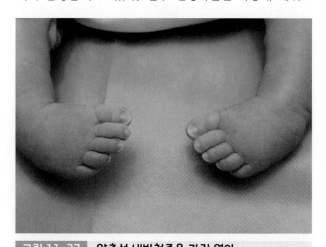

그림 11-37   양측성 내반첨족을 가진 영아

양측 발이 안으로 회전되어 발바닥이 안쪽으로 향하고 발가락끝이 발꿈치보다 낮은 형태를 보인다.

인해 가성 만곡족 기형을 보이는데 이러한 경우에는 조작(manipulation)을 통해 정상 형태로 돌아갈 수 있다.

최근에는 정형외과의 교정술이 잘 발달되어 교정 후 예후가 좋다.

1) 사정

선천성 만곡족은 출생 시 시진에 의해 진단이 가능하며 방사선 촬영에 의해 기형의 정도를 확인할 수 있다.

2) 치료적 관리

신생아기에 교정을 시작하면 효과적으로 교정이 이루어진다.

발을 똑바로 교정시킨 자세에서 석고붕대를 적용한다. 단단하게 교정을 하기 위해서 석고붕대를 영아의 무릎 위에까지 확대시킨다[그림 11-38].

3) 간호

대소변으로 젖은 기저귀가 석고붕대에 닿지 않도록 기저귀를 자주 교환 해주어야 한다. 석고붕대를 적용한 발의 혈액순환 상태를 사정하기 위해 발톱을 눌러 모세혈관 재충혈 시간을 확인하고 이 방법을 부모에게도 설명하여 자주 상태를 확인할 수 있도록 한다. 신생아는 통증을 울음 이외의 방법으로 표현하기 어려우므로 아동이 우는 것을 주의 깊게 관찰한다. 너무 꽉 끼이는 석고붕대 때문에 혈액순환에 압

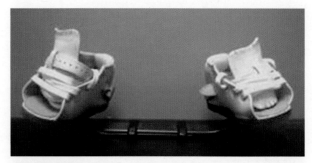

그림 11-39 **데니스 브라운 부목**

박을 받아 통증이 유발되어 올 수 있다는 것을 항상 염두에 두어야 한다.

영아의 성장 속도는 매우 빠르므로 석고붕대를 1~2주일마다 교환해야 한다. 이에 대하여 부모에게 교육하여 병원에 주기적으로 방문하도록 한다. 기형의 정도에 따라 치료 시기는 달라지지만 약 6주 정도가 지나면 석고붕대를 제거할 수 있다. 붕대를 제거한 후에는 부모가 영아의 발과 발목을 최대 운동범위로 밀어주는 수동적인 발 운동(passive foot exercise)을 수개월에 걸쳐서 시켜주어야 한다. 운동의 중요성에 대하여 부모가 인식하여 실천할 수 있도록 격려해 주어야 한다. 영아는 만 1세가 될 때까지 교정을 보조하기 위해 Denis Browne 부목과 같은 금속막대에 붙어 있는 신발 부목을 신고 자야한다[그림11-39]. 석고붕대로 교정이 되지 않는 경우 최종적으로 외과적 수술을 고려한다.

간호사는 선천적으로 결함을 가지고 태어난 아동의 부모가 겪는 절망감과 거부감, 수치심, 양육 부담감 등 심리적 갈등을 인정하고 부모의 반응과 방어기제에 대하여 수용할 수 있어야 한다. 부모가 아기와 정서적 애착을 형성할 수 있도록 가족의 의사소통 능력을 증진시키고 가족 구성원들이 긍정적인 상호작용이 이루어질 수 있도록 돕는다. 특히 특수한 돌봄 기술에 대하여 교육하는 것은 부모의 양육 불안을 감소시키고 아동에게 발생 가능한 건강문제를 예방하는 데 효과적이다.

03 / 사경

사경(wryneck, torticollis)은 흉쇄유돌근(sternocleido-mastoid muscle)의 손상을 말한다[그림 11-40]. 한쪽 부위에 생긴다. 생후 1~2주경에 흉쇄유돌근의 중간 부분에 덩어

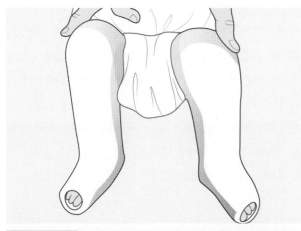

그림 11-38 **만곡족을 교정하기 위해 석고붕대를 적용한 모습**
만곡족의 형태에 따라 도수 정복 후 석고 붕대로 교정을 유지한다.

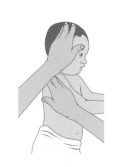

수축된 흉쇄유돌근

그림 11-40 오른쪽에 사경이 있는 아동의 스트레칭 방법

리가 만져지며, 수개월 후에 자연 소실된다. 머리는 침범된 근육 쪽으로 턱은 반대쪽으로 기울어지고 손상된 쪽으로 기울어져 있으며 운동제한이 있다. 치료는 흉쇄유돌근이 늘어나도록 똑바로 앞을 보게 한 위치에서 목을 건강한 쪽으로 기울이거나 턱은 침범된 근육의 어깨로 향하고 머리는 건강한 쪽으로 돌리는 운동을 시행한다. 또 신생아가 스스로 근육을 신장시키도록 장난감의 위치를 조절한다. 또한 이후에도 효과가 없으면 수술로 덩어리를 제거한다.

 소화기계 장애

01 / 구순, 구개열

구순(Cleft lip)은 태아기 5~8주 사이에 비강 내 상악과 중앙선의 융합 부전으로 인해 발생한다. 구순의 정도는 윗입술의 작은 절흔(notch)에서부터 입술 전체가 분리되는 것까지 다양한 범위에 이르며 이러한 분리는 일측성이 흔하지만 양측성일 수도 있다. 윗입술의 융합이 불완전하기 때문에 코가 옆으로 퍼지게 되고 비강은 대체로 평편하다[그림 11-41].

구순의 가장 흔한 발생 원인은 다요인적 유전으로 설명할 수 있으며 동양에서 발생빈도가 높다. 구순은 비타민 결핍증이나 바이러스 감염, 임신 초기 산모의 흡연이나 알코올 섭취로 인해 증가될 수 있다. 구순은 남아에게서 더 흔하며 출생아 75명당 약 1명씩 발생한다.

구개열(cleft palate)은 태아기 1~9주 사이 구개가 융합되지 못하고 개방된 상태를 말한다. 구개열은 보통 중앙선에서 발생하고 전방의 경구개나 후방의 연구개 혹은 경구개와 연구개 모두에 걸쳐 발생할 수 있다.

구개열은 다요인적 유전이나 산모의 흡연과 같은 환경적 영향의 결과로 발생되며 여아에게서 더 흔하다. 출생아의 약 2,500명 중 1명씩 발생하며 구순과 구개열이 모두 일어나는 경우는 출생아 약 1,000명당 1명으로 보고된다. 구개열이 있는 아동의 경우 다른 선천성 기형이나 지능장애가 동반되는 경우가 많다.

1) 사정

구순은 출생 시 외관상으로 쉽게 확인할 수 있다. 구개열은 설압자로 혀를 눌러 구개를 직접 시진함으로써 발생 유무 및 범위를 확인할 수 있다. 이때 구개를 잘 관찰하기 위해 펜라이트와 같은 등을 준비한다. 구순은 태아기 동안 초음파로 발견할 수 있으나 대부분의 아동에게 있어서 출생 시까지 발견되지 않는 경우가 많다. 구개열이 심한 경우에는 임신 14~16주에 정도에 초음파 검사를 통해 결함이 발견될 수도 있다. 구개열이 있는 아동의 경우에는 다른 선천성 기형의 발생 가능성을 염두에 두고 추가적인 선천성 결함 유무를 사정할 필요가 있다.

2) 치료적 관리

구순은 가급적 빠른 수술적 치료를 고려하는 것이 좋다. 자녀가 구순일 경우 부모는 아기의 얼굴을 보는데 어려움을 느낄 수 있고 주변의 시선을 의식하여 심리적으로 위축될 수 있다. 이는 부모-자녀간의 애착에도 부정적인 영향을 미친다. 또한 신생아의 입술이 분리되었을 경우 수유가 어려워지고 장시간 영양섭취가 불량할 경우 심각한 영양장애로까지 이어질 수 있다. 초기에 교정 수술을 받으면 정상적인 수유가 가능해진다. 따라서 전신적 건강상태 및 체중 증가가 양호할 경우 보통 생후 3개월 이내 외과적 수술로 구순을 교정한다.

구개열의 교정은 일반적으로 구개의 해부학적인 변화가 일어 나는 생후 1년이 될 때까지 연기된다. 해부학적인 결손 정도에 따라 치료 시기에 차이가 있을 수 있으나 보통 18개월에서 24개 월경이 적합한 시기이다. 3세 이후까지 외과적 교정이 이루어지지 못할 경우 조직의 결손으로 인해 발음 장애가 발생할 수 있으며 이는 정상적인 언어 발달에도 지장을 초래한다. 이러한 문제를 해결하기 위해서는 이비인후과, 치과, 성형외과 전문 치료가 병행이 되어야 한다. 수술이 성공적으로 이루어진 이후에도 언어 손상의 가능성을 염두에 두고 언어치료를 유지하도록 한다.

구순이 있는 일부 아동 가운데 비중격(nasal septum)이 분리된 경우에는 숨을 잘 쉴 수 있도록 교정술이 추가적으로 필요할 수 있다. 수술은 상부 치열궁(upper dental arch)을 좁히는 구개 교정(palate repair)으로 수술 후 치아가 나는 위턱(upper jaw) 공간이 좁아져 치아 배열에 이상이 초래 될 수 있다. 이러한 문제가 발생 시 아동의 성장 단계에 이상적인 발치나 치아교정을 의뢰해야 한다.

구개열이 있는 아동의 일부에서는 유스타키오관의 불충분한 기능으로 인해 중이염이 자주 발생할 수 있고 이로 인해 청력에 이상이 발생하기도 한다. 따라서 상기도 감염이 발생한 경우 즉시 적극적인 치료를 시작하고 만성중이염의 경우에는 삼출물의 배액을 돕기 위해 배액관 삽입을 고려한다.

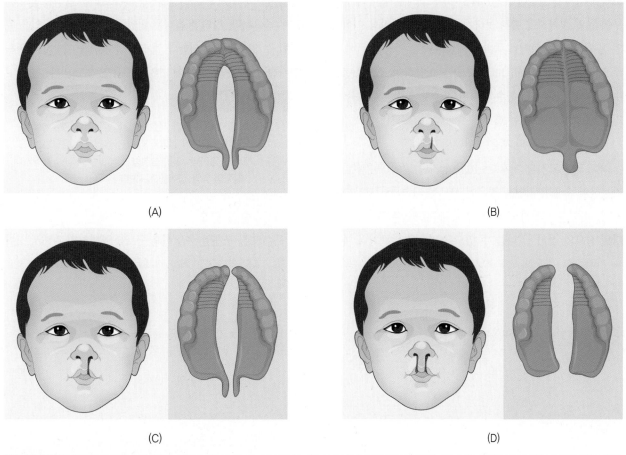

(A)

(B)

(C)

(D)

그림 11-41 **구순과 구개열의 유형**

(A) 구개열만 단독으로 있는 경우 (B) 입술의 절흔이 일측성으로 있는 경우 (C) 일측성 토순과 구개열 (D) 양측성 토순과 구개열

3) 간호

구순이나 구개열이 있는 아동의 간호는 수술 전후로 감염 방지와 영양 공급에 초점을 둔다. 이러한 영아는 수유의 어려움으로 인해 신체 요구량보다 섭취량이 적어 이와 관련된 영양부족이 발생하기 쉽다. 아동의 체중과 신장이 연령에 맞게 증가하기 위해 부모에게 효과적인 수유 방법을 교육하는 것은 중요한 간호중재라 할 수 있다. 또한 부모의 불안과 자녀와의 애착 증진을 위한 중재가 이루어져야 한다.

(1) 수술 전 간호

구순이나 구개열에 대한 외과적 교정술이 시행되기 전에는 영아가 빨기를 힘들어하기 때문에 수유가 쉽지 않다. 그러나 구순이 있는 경우에도 모유수유는 가능하다. 구강 뒤쪽으로 유두가 위치하도록 하고 영아의 혀 움직임을 통해 모유가 나오는 것을 촉진하도록 유도한다. 그러나 일부 의료진의 경우 수술적 치료 전에는 입술이나 구개의 갈라진 조직에 상처가 발생할 수 있다는 이유로 모유수유나 수유기구에 달린 젖꼭지를 빨지 못하게 하기도 한다. 가장 이상적인 수유방법은 영아를 똑바로 세워서 구순 아동을 위해 특수 제작된 젖꼭지(cleft lip nipple)을 이용하여 조심스럽게 수유를 하는 것이다. 특수 제작된 젖꼭지 제품은 수유를 빨리할 때 발생할 수 있는 흡인의 위험성을 감소시킨다. [그림 11-42]과 같은 종류의 제품이 판매되고 있다.

외과적인 교정술 이후 7~10일이 지난 뒤에 모유수유가 가능하며 수술이 지연될 경우에 산모는 계속해서 모유수유를 할 것인지 결정하도록 한다. 모유수유를 유지하기로 한다면 산모의 젖이 잘 나올 수 있도록 가슴을 누르거나 마사지 하는 방법에 대하여 교육해 주고 수유를 지속할 수 있도록 지지와 격려를 해주도록 한다.

구순을 가진 영아는 입으로 젖꼭지를 완전히 무는 힘이 없어 수유 중 공기를 더 많이 삼키기 때문에 수유 중간이나 후에 트림을 시켜주는 것이 필요하다.

입술에 발생한 절흔이 비공으로 연결되면 영아는 입으로 호흡하게 되고 이로 인해 점막과 입술이 점점 건조해지게 된다. 이때에는 점막을 촉촉하게 유지시키고 균열을 예방하기 위해 수유 중간에 소량의 물을 주는 것이 도움이 된다.

구개열이 있는 영아는 입천장에 닿는 젖꼭지에서 액체가 인두로 밀려들어가 흡인의 위험성이 높아지므로 젖을 잘 빨수가 없다. 이러한 경우 입천장을 막기 위해 특수하게 제작된 젖꼭지(cleft palate nipple)를 사용하는 것이 권장되며 이러한 젖꼭지는 고무로 된 가장 자리가 구개열을 막아주는 역할을 한다. 영아의 수유 양을 증가시키기 위해 쉽게 우유를 짤 수 있는 플라스틱 병과 특수 젖꼭지를 사용할 수 있다.

수술이 6개월 후로 지연될 경우 부드러운 음식을 먹이는 것이 중요하다. 딱딱한 음식은 비인두를 자극하여 흡인을 유발할 수 있으므로 주의한다. 음식물의 흡인을 예방하기 위해 특수한 보호장치를 구개에 끼워서 사용할 수도 있다.

간호진단 및 목표

간호진단 : 효과적인 수유가 제한되는 것과 관련한 영양 부족
간호목표 : 영아는 충분한 영양을 적절한 방법으로 공급받는다.
예상되는 결과 : 영아의 체중, 섭취량과 배설량을 매일 측정하여 최적의 영양 섭취를 유지한다.

(2) 수술 후 간호

구순 또는 구개열 수술 이후 구토를 예방하기 위해서 적어

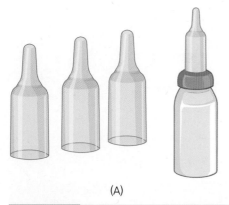

(A)

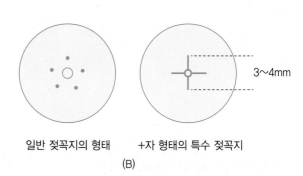

일반 젖꼭지의 형태   +자 형태의 특수 젖꼭지   3~4mm

(B)

그림 11-42 구순과 구개열을 가진 아동을 위한 특수한 형태의 수유 기구

도 4시간 동안은 금식을 유지하고 그 후에 물을 섭취하도록 한다. 수술 후 회복을 돕기 위해 아동이 선호하는 음료수를 제공하는 것도 좋다.

수술 부위 봉합선이 유지될 수 있도록 수술 부위에 압력이나 긴장을 주지 않도록 한다. 따라서 수술 직후에는 인공수유나 모유수유를 하지 않는다. 구개열 수술 후 3~4일 동안에는 유동식을 주고 이후에 연식을 준다. 음식을 먹을 때 숟가락이 수술 부위에 닿을 경우 봉합선이 손상될 수 있으므로 주의한다. 또한 봉합선에 압력이 가해지지 않도록 영아를 복위로 눕히지 말고 옆으로 눕는 자세를 취해준다. 깨어있을 때에는 앉아 있게 해줄 수 있다. 봉합선이 벌어지지 않도록 절개 부위에 bar를 부착하기도 한다. 아기가 울면 봉합선이 당겨지기 때문에 최대한 아동을 울리지 말고 편안함을 느낄 수 있도록 안아주거나 가볍게 흔들어 준다. 또한 봉합 부위에 날카롭거나 견고한 물체, 혹은 아동의 손이 닿지 않도록 필요시 아동의 팔을 억제한다. 혀를 이용하여 봉합 부위를 자극을 예방하기 위해 아동의 관심을 전환시킬 수 있는 놀이요법을 적용하는 것도 도움이 된다. 봉합선의 긴장을 막기 위해 음료수를 마실 때에는 빨대를 사용하지 않는다.

간호진단 및 목표

간호진단 : 절개 부위에 자극이나 압박으로 인한 수술 부위의 손상 위험성
간호목표 : 영아의 수술 부위는 감염이나 외상의 징후없이 회복될 것이다.
예상되는 결과 : 영아의 체온은 37° 이하이며 수술 부위에 발적이나 분비물이 없이 깨끗하다.

수술 부위에 부종이 발생하여 호흡을 방해하는지 주의 깊게 관찰하고 구강 내 점액이나 혈액과 같은 분비물이 있는 경우 부드럽게 흡인해 준다.

간호진단 및 목표

간호진단 : 수술 부위 부종 및 분비물과 관련된 기도개방 유지 불능 위험성
간호목표 : 영아의 기도를 개방된 상태로 유지한다.
예상되는 결과 : 아동은 호흡이 힘들지 않고 분당 20~30회로 호흡한다.

외과적 절개 부위의 감염을 예방하기 위해 음식을 먹은 뒤에는 물을 마시게 해 봉합선 부위를 깨끗이 헹구어 준다.

봉합선에 혈액이나 이물질이 묻어 있는 경우 생리식염수나 과산화수소수(H$_2$O$_2$)와 같은 소독수로 닦아주는 것도 도움이 된다.

(3) 부모를 대상으로 한 중재

구순이나 구개열이 있는 부모의 불안을 감소시키고 자녀와의 애착을 증진시키며 부모의 역할을 잘 수행할 수 있도록 지지하는 것은 매우 중요한 부분이라 할 수 있다. 최근에는 구순과 구개열의 외과적 교정에 따른 결과가 좋으므로 교정이 잘 된 다른 아동의 시각적 이미지를 부모에게 보여주어 자녀의 외형적 모습은 좋아질 것이라는 확신을 주고 부모의 불안을 감소시켜 주도록 한다.

부모와 아동이 지속적으로 상호작용하는 것이 중요한데 만일 부모가 수유 시 아동의 얼굴을 쳐다보지 못한다면 그들이 갖는 절망감, 분노, 우울 등의 감정이 정상이라는 것을 인정해 주어야 한다. 더불어 부모를 위한 지역사회 내지 단체나 집단에 의뢰하여 서로의 감정을 공유하고 지지받을 수 있도록 돕는다.

확인문제

24. 구순이나 구개열이 더 많이 발생하는 성별은 무엇인가?

25. 구순이나 구개열 교정술을 시행하기 전 효율적인 수유를 위한 방법에는 어떤 것이 있는가?

26. 구순과 구개열 교정술 이후 봉합 부위의 손상을 방지하기 위한 효과적인 방법은 무엇인가?

02 / 기관식도루

식도구경은 태아기 4~8주 사이에 후두기관의 홈(laryngotracheal groove)이 후두, 기관, 폐조직으로 성장하면서 형성된다. 이 시기에 어떤 기형발생인자에 의해 영향을 받게 된다면 식도와 기관이 정상적으로 분화되지 않아 다양

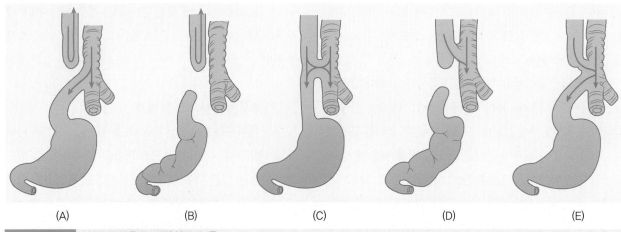

(A)   (B)   (C)   (D)   (E)

그림 11-43   **식도폐쇄증와 기관식도 누공**

(A) 맹낭으로 된 식도 말단(esophagus ends)은 식도폐쇄증의 가장 흔한 형태이다. 기관은 누공으로 하부 식도와 위에 연결된다(영아의 약 90%가 이러한 형태의 기형을 가지고 있다). (B) 상부와 하부의 분절 말단이 모두 맹낭으로 되어 있다(기형이 있는 영아의 5~8%가 이 형태이다). (C) 상부와 하부 분절 모두가 기관과 연결되어 있다(기형이 있는 영아의 2~3%가 이 형태이다). (D) 상부 분절 말단이 맹낭으로 되어 있고 누공으로 기관과 연결되어 있는 경우로 거의 없다. (E) 누공이 식도의 상부와 하부 모두 연결되어 있다.

한 형태의 기관식도 기형이 발생할 수 있게 된다. 식도폐쇄(esophageal atresia, EA)의 발생률은 출생아 4,000명당 약 1명 정도이며 이 중 1/3은 미숙아에서 발생한다. 선천성 식도폐쇄의 약 90% 정도에서는 식도누공(tracheoesophageal fistula, TEF)을 동반한다. 식도폐쇄와 누공의 일반적인 형태는 다음과 같다[그림 11-43]. 가장 흔한 유형은 상부 식도 말단(esophagus ends)이 맹관으로 된 형태로 하부 식도와 기관의 원위부 사이에 기관식도 누공이 있으며 전체 기형의 약 80% 이상을 차지한다[그림 11-43(A)]. 식도 상부와 하부 분절 말단이 맹관으로 되어 기관과 연결되어 있지는 않은 형태[그림 11-43(B)]와 식도 상부와 하부 분절이 기관과 연결된 형태로 누공이 정상적인 식도와 기관 사이에 있는 경우[그림 11-43(C)]도 있다. 식도 분절 말단이 맹관으로 되어 있고 누공으로 기관과 연결된 형태[그림 11-43(D)]는 매우 드물게 나타난다. 누공이 식도의 상부와 하부, 기관 사이에서 모두 연결[그림 11-43(E)]된 심한 기형의 경우에는 수유 시 액체가 막힌 식도에 가득 차 기관지로 흘러 들어가거나 누공을 통해 기관지로 유입되어 흡인이 된다.

1) 사정

기관식도 폐쇄는 양수 과다증인 산모에게서 태어난 신생아에서 나타난다. 정상 태아의 경우 자궁 내에서 양수를 삼키는데 식도기관 폐쇄를 가진 태아는 양수를 삼키지 못해 양수의 양이 비정상적으로 증가한다. 양수 과다증 태아는 대부분 예정 분만일 보다 빨리 태어나게 되어 미숙아로서의 문제점이 동반될 수도 있다. 또한 식도폐쇄와 기관식도 누공을 가진 신생아의 절반 정도에서는 기관식도와 비슷한 시점에서 분화되는 척추, 항문직장, 심장, 신장, 사지와 같은 기관에도 기형이 동반될 가능성이 있으므로 기형에 대한 추가적인 검사를 시행할 필요가 있다.

산모가 양수 과다증이거나 신생아의 입과 코 안에 많은 양의 거품과 분비물이 보인다면 기관식도 폐쇄 및 누공을 의심할 수 있다. 또한 수유와 동시에 기침이나 호흡곤란, 청색증이 유발될 경우에도 기관식도의 결함을 염두에 두어야 한다.

비위관을 통한 위 내용물의 흡인 유무를 통해 식도폐쇄를 진단할 수 있게 된다. 비위관이 신생아의 식도를 통과하여 위에 도달하지 못하면 위 내용물이 흡인되지 않으므로 식도폐쇄가 확인된다. 방사선 비투과성(radiopaque) 카테터가 사용할 경우, Xray 상 카테터가 위를 통과하지 못하고 식도 말단에서 구부려진 것을 확인할 수 있다. 대개 식도 누공으로 인해 기관지에서 나온 공기가 위로 들어갈 경우 복부 팽만이 있을 수 있으면 복부 Xray 사진에서 위가 팽창되어 있는 것을 확인할 수 있다. 식도 누공이 없이 식도가 폐쇄된 경우에는 신생아의 배가 들어가고 장내 공기를 볼 수 없게 된다. 그 외 바륨과 같은 조영제 섭취나 기관지 내시경 검사를 통해 맹관이 있는 식도와 누공을 확인할 수 있다. 기관지 내시경 검사 시 메틸렌블루를 뿌리고 나서 흡기 시에 식도에서 염색약이 관찰되면 진단이 가능하다.

맹관이 없이 식도 누공만 있는 경우에서는 진단이 수일에서 수개월간 늦어질 수 있는데 반복되는 기침과 흡인 폐렴이 주요 증상으로 나타나게 된다.

기관식도의 결함에 대한 진단이 늦어지면 구강 분비물과 수유 시 액체가 기관 내로 흡인되고 식도 누공을 통해 위액이 역류되어 심한 흡인성 폐렴이 발생하게 된다.

2) 치료적 관리

기관식도 폐쇄 및 누공을 가진 신생아에서는 위 분비물이 폐로 역류되어 발생한 흡인성 폐렴, 탈수 및 전해질 불균형이 발생할 수 있으므로 이를 예방하기 위해 응급수술이 필요하다. 기도 삽관은 복부 팽만을 심화시킬 수 있기 때문에 하지 않는 것이 좋다.

수술은 식도 누공 부위를 막고 식도 분절을 문합시켜주는 것이 이상적이나 다발 기형이 있거나 미숙아인 경우, 폐 합병증이 심할 경우에는 단계적으로 시행하도록 한다. 우선 식도 누공 부위를 막고 위루 형성술을 시행한 후에 식도 분절 문합술을 시도한다. 위루 형성술을 통해 위에 있는 분비물이 중력에 의해 배출되도록 하고, 폐로 역류되는 것을 막기 위해 관을 삽입한다. 합병증으로 문합술 부위의 봉합이 잘 되지 못했을 경우 수술 후 7~10일 사이에 누출이 발생할 수 있다. 액체와 공기가 흉강 내로 유입되면 기흉이 유발된다. 어떤 경우에는 문합 부위의 폐쇄 또는 협착이 발생할 수 있으므로 수술 중간에 식도 확장술이 고려될 수 있다. 흡인으로 인한 폐렴을 방지하기 위해 예방적 항생제가 투여될 수 있다.

기관식도 폐쇄 및 누공이 있는 신생아의 예후는 결함의 정도, 전반적 건강 상태, 동반된 장애 유무에 따라 달라진다. 가령 다른 심한 선천적 기형이 동반되었거나 저체중아인 경우, 수술 전에 폐렴에 걸린 경우에는 예후가 좋지 않다.

3) 간호

(1) 수술 전 간호

수술 전에는 흡인을 방지하기 위해 좌위나 오른쪽 측위로 눕히는 자세를 취해준다. 또한 구강 내 점액과 위 내용물이 폐로 유입되지 않도록 구강인두 및 식도 분절 내 분비물을 낮은 압력으로 자주 흡인해 주도록 한다. 고온 다습한 산소를 공급하여 아동의 체온을 유지하고 기관지 분비물을 묽게 해준다.

기관식도 폐쇄 및 누공이 있는 경우 수술로 교정을 하기 전에는 구강으로 영양분을 제공할 수 없으므로 정맥주사 요법(IV therapy)을 시행하고 기관지 식도 누공이 없는 경우에만 위관영양으로 필요한 수분과 열량을 공급한다. 영아를 이완시키고 빠는 즐거움을 충족시키기 위해 노리개 젖꼭지를 사용하는 것도 도움이 된다.

간호진단 및 목표

간호진단 : 구강섭취 제한과 관련된 영양부족
간호목표 : 아동은 충분한 영양분을 비경구적인 방법으로 제공받을 것이다.
예상되는 결과 : 아동의 성장곡선에 따른 적절한 체중을 유지한다.

(2) 수술 후 간호

수술 후 초기 며칠 동안에는 아동의 호흡 상태를 주의 깊게 관찰해야 한다. 수술 부위에서 배출된 분비물이 인두에 축적될 수 있으므로 자주 흡인을 실시한다. 카테터가 식도 봉합선을 자극하지 않도록 흡인 시 압력을 낮추고 부드럽게 시행한다. 기관지 분비물을 묽게 하기 위해서 가습이 필요하다. 수술 부위 부종으로 인해 영아의 기도가 폐쇄되는 것에 대비하여 영아용 후두경과 기관 삽관용 물품을 침상 옆에 둔다.

수술 후 5~7일 동안에는 위관영양을 실시하며 처방된 포도당 용액이나 유동식은 천천히, 중력에 의해서 공급하도록 한다. 주입 시 봉합선에 힘이 가해지지 않도록 압력을 가하지 않는다. 영양분을 제공한 후에는 관의 끝을 멸균된 거즈로 덮어 위로 향하게 하고 잠그지 않는다. 이는 주입 시 들어간 공기가 관으로 나올 수 있게 하여 식도 봉합선을 자극하지 않도록 하기 위함이다.

또한 아동이 토할 경우에 구토물이 봉합선을 감염시키지

않도록 위관을 통해 나올 수 있게 한다.

신생아의 빠는 욕구를 충족시키기 위해서 노리개 젖꼭지를 물려주는 것이 아동에게 도움이 된다. 만약 산모가 모유 수유를 원하면 모유를 위관을 통해 공급한다. 보통 수술 이후 봉합선이 치유될 때까지 7~10일 동안 금식을 해야 하지만, 구강으로 물을 조금씩 주어 문합으로 인한 식도 협착을 감소시키고 영아가 빠는 연습을 할 수 있도록 한다.

위 분비물이 위관 부위로부터 피부로 누출될 가능성이 있는데 위액은 산성으로 피부를 자극할 수 있어 연고나 피부 보호제를 사용하여 피부가 손상되지 않도록 보호한다.

간호진단 및 목표

간호진단 : 구강섭취 제한과 관련된 영양부족
간호목표 : 아동은 충분한 영양분을 비경구적인 방법으로 제공받을 것이다.
예상되는 결과 : 아동의 성장곡선에 따른 적절한 체중을 유지한다.

확인문제

27. 기관 식도 폐쇄 및 누공이 있는 아동에게 외과적인 교정술을 실시한 후 실시해야 하는 기도관리에는 어떤 것들이 있는가?

03 / 항문직장기형

항문 폐쇄(imperforate anus)는 선천적으로 항문이 비정상적으로 협착(stricture)된 상태를 말한다. 항문으로 분비물을 배출하지 못하는 경우 회음부나 비뇨생식기계로 누공을 만드는 여러 형태의 문제를 복합적으로 초래할 수 있다. 여아에서는 보통 질과 누공을 만들고 남아에서는 방광과 누공을 만든다. 발생률은 출생아 5,000명 중에 약 1명 정도이며 여아보다는 남아에게서 더 흔하다. 항문폐쇄는 항문의 외관과 척수가 같은 배아조직층(germ tissue layer)에서 발생하기 때문에 척수결함(spinal cord defects)과 같은 동반 기형을 초래할 수도 있다.

1) 사정

회음부 관찰을 통해 항문이 형성되지 않은 것을 발견할 수 있으나 단순 관찰을 통해 발견하지 못하는 경우도 있다. 간혹 검은 태변으로 차 있는 막이 항문에서 돌출된 것을 관찰할 수도 있다. 대변이 배출되지 않고 복부 팽만이 관찰되는 것은 항문폐쇄의 전형적인 증거가 된다. X-ray 또는 초음파를 이용하여 결함 유무와 함께 장기가 회음으로부터 떨어져 있는 간격을 평가한다.

항문폐쇄가 있는 신생아가 누공을 가지고 있는지 확인하기 위하여 소변 수집을 통해 태변 여부를 검사하도록 한다.

2) 치료적 관리

항문폐쇄의 범위에 따라 교정술의 수준이 달라진다. 직장 말단이 회음부에서 폐쇄되고 항문 괄약근 또한 형성되었다면 교정은 어렵지 않다. 그러나 직장 말단이 회음부에서 멀리 떨어져 있거나, 항문 괄약근 또한 완전하지 않다면 수술은 어려워진다. 더욱이 방광이나 요도에 누공이 있으면 교정술은 복잡해진다. 광범위한 교정술의 경우 일시적인 장루 설치술이 필요하며 보통 6~12개월에 최종적인 교정술을 시행한다.

3) 간호

(1) 수술 전 간호

수술 전에 아동에게 구강 수유를 제공해서는 안 된다. 체액과 전해질의 균형을 유지하기 위해서 정맥주사요법을 실시한다. 복부 팽만과 구토를 방지하고 주변의 장기나 횡격막을 압박하지 않도록 하기 위해 간헐적으로 비위관을 삽입한다.

(2) 수술 후 간호

장음이 돌아오면 비위관을 제거하고, 구강으로 약간의 포도당 물을 준 다음에 유동식 또는 모유 수유를 시작한다. 2차 단계의 교정술을 계획하고 있거나 장루를 가지고 있는 아동에게는 저잔류식이를 제공한다. 섬유소가 많은 정제되지 않은 쌀과 곡류, 야채, 껍질이 있는 과일 등 고잔류식이는 피해야 한다.

직장교정술 이후에 직장에 있는 봉합선을 깨끗하게 유지하도록 한다. 대변을 본 후에는 생리식염수로 세척하고 기저귀를 착용한 부위를 항상 청결하게 유지한다.

체온 측정 시 직장 부위는 피해야 하며 영아에게 관장이나 좌약을 적용해서는 안 된다. 대변이 단단해져서 봉합선에 상처를 입히지 않도록 대변 완화제를 투입한다. 신생아의 무릎을 끌어당기면 회음부에 긴장을 유발하므로 복위로 눕히지 않고 옆으로 눕히는 것이 좋다.

영아는 수술 후 몇 개월 동안 직장 괄약근의 개방성을 유지하기 위해서 하루에 한두 번 정도 직장 부위의 수기확장(manual dilation)이 필요할 수 있다. 손가락에 윤활유를 바른 마개를 끼고 직장에 넣는 방법으로 부모에게 시범을 보여 퇴원 후 아동에게 직접 수행할 수 있도록 교육한다.

항문폐쇄를 가지고 태어난 아동의 부모는 자녀의 상태를 받아들이기 어려워한다. 만약 일시적이거나 영구적으로 결장루를 설치해야 할 때 더욱 힘들어한다. 따라서 그들에게 많은 지지가 필요하며 최종적인 교정술이 성공적일 때 정상적인 장기능의 회복을 기대할 수 있다는 것을 설명해 준다.

04 / 선천성 유문협착증

유문괄약근은 위의 장으로의 배출 부위와 장이 시작되는 부위 사이를 개방시킨다. 유문비대 또는 괄약근 주위의 비후시 위를 비우기가 어렵다. 이런 상태를 비후성 유문협착증(hypertrophic pyloric stenosis)이라 한다[그림 11-44]. 이 상태에서, 태어난지 4~6주 정도의 영아는 먹을 때마다 곧바로 구토를 한다. 투사성 구토가 강해지는데 92~122㎝(3~4ft) 정도 투사 가능하다. 유문협착은 첫째, 백인 남아에게 자주 나타나며, 확률적으로 남아의 경우 1/150, 여아의 경우 1/750 정도이다. 원인은 정확하지 않지만, 다양한 유전력이 원인으로 제기되고 있다. 모유를 먹는 아동의 발생률이 우유를 먹는 아동보다 적게 나타난다. 인공수유 아동은 대략 4주째에 증세가 나타난다. 모유의 응유물이 보통 분유보다 적고, 이것이 좀 더 쉽게 비대된 근육을 통과하기 때문에 모유를 먹는 아동은 6주차 영아에서 증상이 나타난다. 구토는 시큼한 냄새가 나는데, 위에서 분출되는 위산과 결합되어 나오기 때문이다.

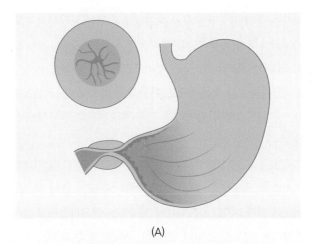

(A)

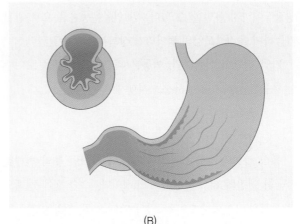

(B)

| 그림 11-44 | 비후성 유문협착증 |

(A) 길이가 늘어난 근육부위가 주위에 있는 유문통로를 거의 막았다. (B) 윤상근육을 외과적으로 세로로 박리하여 하부점막까지 충분한 통로를 만든다.

1) 사정

비후성 유문협착증의 진단은 병력에 의해 결정된다. 부모는 아동이 구토를 한 모든 정보를 모아야 한다는 것을 숙지해야 한다.

- 지속기간은 얼마인가?
- 빈도는?
- 구토의 상태는?
- 현재 다른 방법으로 아동이 아픈가?

아동을 처음 관찰했을 때 구토로 인한 탈수 증상이 보인다. 눈물의 부족, 마른 입, 함몰된 천문, 열, 소변량 감소, 거친 피부상태, 체중 감소는 일반적인 탈수 증세이다. 최종적인 진단은 영아의 수분흡수를 통해 이루어진다. 아동이 수분을 섭취하기 전에 유문부 신생물 유무를 확인하기 위해 복부의 1/4 위쪽을 만져본다. 만약 유문근종(pyloric mass)이 있다면, 딱딱하고 둥근 것이 느껴진다. 아동이 마시는 동안, 왼쪽에서 오른쪽으로 이동하는 장의 운동을 관찰한다. 올리브 모양의 덩어리가 점차 뚜렷해지고 투사성 구토를 한다.

구토는 사출성이며 진행적이다. 만약 위염까지 진행된 마지막 단계에서는 갈색 구토를 한다. 구토는 출생 후 3주 정도에 시작하지만 1주 이내에 시작하는 경우나 3개월 후에 발생하는 경우들도 있다. 이러한 구토는 탈수, 체중 감소, 성장장애까지 유발할 수 있다. 위 연동운동은 눈으로 관찰 가능하며 올리브모양의 덩어리가 상복부에서 촉진된다.

만약 진단이 어렵다면, 아동은 비후된 괄약근을 보여주는 초음파를 하거나 내시경을 시행해야 한다.

2) 치료적 관리 및 간호

음식 섭취의 부족으로 인한 구토나 저혈당 등의 전해질 불균형 이전의 치료는 외과적 교정이다. 수술 전에 정맥으로 등장성 용액이나 5% 포도당 용액에 의해, 전해질 불균형과 탈수 및 배고픔이 교정되어야 한다. 전해질 불균형의 예방을 위해 구강음식 섭취를 격려한다. 정맥 내 수액을 투여하는 영아는 인공젖꼭지로 편안하게 해준다. 경련이 있으면 정맥용 칼슘이 처방되어야 한다. 보통 아동은 추가된 칼륨이 필요하지만, 원칙적으로는 아동의 신장기능이 확인되기 전까지 처방하면 안된다.

반면, 칼륨의 보충은 심부정맥을 야기할 수 있다. 유문 협착증수술은 유문절개술이며, 내시경 검사에 의해 행해진다. 커다란 직경을 사용하면 유문은 분리된다. 비록 간단하게 보여도 기술적으로 어려우며 절개가 기저귀 채우는 부분에서 이루어지기 때문에 감염의 위험이 있으며, 이후 파열의 위험이 있다. 내시경 검사는 안전하며 수술시간과 수술 후 회복시간을 현저하게 줄여주는 성공적인 방법이다.

유문협착을 가진 아동의 예후는 수분 전해질 불균형이 발생되기 전에 사정되면 성공적이다.

(1) 수술 전 간호

체중은 탈수 측정을 위해 필수적이다. 소변 비중, 소변 빈도를 자주 주의 깊게 관찰하고 기록한다. 배고픔과 탈수를 사정하는데 도움을 줄 수 있는 대변 배설의 횟수를 확인한다.

영아는 금식을 해야 하고 정맥으로 당과 전해질이 주입한다. 섭취량과 배설량을 엄격하게 측정하고 요비중을 측정하는 것이 중요하다. 구토의 횟수와 배변의 양상을 정확히 기록해 두어야 한다. 수술 전 간호사는 활력증상—특히 수분 전해질 불균형을 나타내는—을 측정하여야 한다. 피부와 점막 상태 역시 확인해야 하며 매일 체중을 측정하여야 한다. 비위관 삽입을 통한 감압과 배출은 수술 전 간호 중 하나이다. 효과적으로 비위관을 유지 관리해야 하고 배액량을 정확히 기록한다. 탈수증을 가진 영아에게 일반적 위생관리는 중요하다. 감염으로부터 보호하는 방법은 손상된 영양상태를 복원시키는 것이 기본이며 건강한 아동보다 주의 깊게 간호하는 것이다.

부모들은 수술 전 간호에 대해 불안해하며 수술 시 안전에 대하여 걱정하므로 부모에게 전해질 균형 상태를 이룬 후 수술할 수 있다고 설명한다.

(2) 수술 후 간호

수술 후 정맥주사를 가지고 수술실로부터 돌아오게 될 것이다.

수술 후 구토는 특이한 증상이 아니다. 성공적인 수술 후 대부분의 아동들은 24~48시간 안에 구토를 보인다. 아동이 구강으로 적절한 양을 섭취할 수 있을 때까지 정맥 내 수액을 공급한다. 수술 후 일반적인 간호를 시행하고 특별히 아동의 통증과 수술에 대한 스트레스 반응을 관찰한다. 정확한 진통제는 통증이 지속되기 때문에 12시간 마다 투약한다.

수술 후에는 "DOWN 식이요법"으로 적은 양의 수분을 자주 먹는 방식을 기본으로 한다.

수술 후 아동은 최대 4~6시간 동안, 4회의 식이를 주는데 1시간 동안 5% 포도당 수액을 1 tsp씩 주도록 한다. 구토가 없다면, 그 양은 4회 이상의 식이에 1시간에 2 tsp씩으로 증가할 수 있다. 다음에는 1/2 fomula는 매 4시간마다 공급한다. 마지막으로 24시간에서 48시간까지 완전한 fomula식이나 모유수유를 한다. 48시간 후에는 대개 퇴원을 하게 된다.

28. 비후성 유문협착증과 관련된 구토의 유형은 무엇인가?

05 / 선천성 거대결장

선천성 거대결장(Congenital aganglionic megacolon, Hirschsprung disease)은 신경절 세포(ganglion cell)의 결여로 인하여 장 운동이 제한되고 이로 인해 기계적인 폐쇄가 발생하는 질환이다. 무신경절 세포가 있는 부분의 상부가 확장되는 형태를 띤다[그림 11-45]. 출생아 5,000명 당 약 1명 정도로 발생하며 남아가 여아에 비해 4배 정도 많이 발생한다. 흔히 동반되는 기형은 없으나 다운증후군 아동의 5~10% 정도가 이 질환과 연관되는 것으로 알려져 있다. 대부분의 경우 무신경절 부위는 직장, S상 결장에 국한되지만 드물게 결장 전체에 신경절이 없거나 소장까지 확대된 형태도 보고되고 있다.

1) 사정

대부분 생후 3개월 내 진단되나 무신경절 부위가 아주 짧은 경우 3세 이후에 진단될 수도 있다. 임상 증상은 [표 11-10]과 같이 아동의 연령에 따라 차이를 보이며 무신경절의 범위에 따라서도 다양하다.

표 11-10	선천성 거대결장의 증상
신생아	
출생 후 2일 이내 태변 배출이 없음 수유거부 담즙섞인 구토 호흡곤란을 초래하는 심한 복부 팽만 드물게 장천공	
영아기	
태변 배출은 정상이었으나 변비 증상 지속 복부 팽만 구토 식욕부진 성장장애 설사	
아동기	
심한 변비 리본같이 가는 변 복부 팽만 좌측 복부에서 대변 덩어리가 만져짐 영양 불량 빈혈	

2) 치료적 관리

폐색된 부위를 완화하고 장운동 기능을 회복하기 위해 무신경절 부위를 제거하는 외과적 수술을 시행한다. 일시적으로 장루(temporary ostomy)를 시행한 다음 생후 6~12개월에 교정술을 실시한다. 장루는 근치술 이후에 제거하는 것이 일반적이다.

아동의 수분 전해질 보충이 안정적이면 예후는 비교적 좋은 편이다. 수술 후 반복되는 장염, 협착, 항문주위농양, 직장 탈출, 실금이 발생할 수도 있다.

3) 간호

(1) 수술 전 간호

영양 상태를 호전시키기 위해 고열량, 고단백 식이가 필

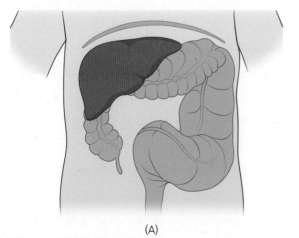

(A)

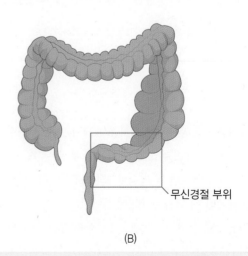

(B)

무신경절 부위

그림 11-45 선천성 거대결장

(A) 무신경절 상부가 확장되어 거대결장 형태를 띤다. (B) 흔히 S상 결장이나 직장 부위에 부교감 신경절이 결여되어 있다.

요하며 저섬유성 식이가 처방된다. 상태가 심한 경우 완전 비경구영양(total parenteral nutrition, TPN)을 적용한다. 수술 전 복부팽만이나 구토, 호흡곤란, 복부 통증, 장천공의 증상을 주의 깊게 관찰한다. 복부팽만 증상은 복부 둘레를 매일 측정함으로써 확인하도록 한다.

수술 전 장루가 적용되는데 이는 아동과 부모에게 큰 위기로 느껴질 수 있으므로 장루가 도움이 되는 부분을 설명하고 정서적 지지를 제공한다.

간호진단 및 목표

간호진단 : 복부팽만이나 구토와 관련된 체액 부족
간호목표 : 아동은 정상적인 순환 체액량을 유지할 것이다.
예상되는 결과 : 아동의 피부는 탄력성이 있고, 맥박이 분당 100~120회로 정상범위이다.

(2) 수술 후 간호

무신경절 부위를 제거하는 수술 이후에 결장루를 설치했을 경우 장루 간호는 중요한 부분을 차지한다. 영아의 경우 소변으로 인해 수술 부위가 오염되지 않도록 기저귀를 수술 부위 아래에 핀으로 고정시키도록 한다. 필요시 수술 직후 일시적으로 도뇨관을 삽입하기도 한다. 부모와 아동(유아기 이후)에게 장루 관리에 대한 교육을 하고 장루 전문 간호사나 지역사회 내 보건 간호사의 지속적인 관리를 제공할 수 있다.

확인문제

29. 선천성 거대결장이 발생하는 주요 원인은 무엇인가?

06 / 담관폐쇄

아동에게 담관폐쇄(obstruction of the bile ducts)는 보통 선천적인 패쇄증 또는 협착 및 담관의 부재로부터 발생된다. 또한 극히 드물지만 담관 분비물의 응고로부터 발생된다. 담관이 패쇄될 때 담즙은 소장에 들어갈 수 없게 되어 간에 축적된다. 담즙 분비물은 혈관으로 들어가 황달을 일으키고, 매일 수치가 증가한다.

1) 원인

담관폐쇄증의 정확한 원인은 알려져 있지 않다. 담관폐쇄증은 신생아성과 태아성의 2가지 형태가 있기 때문에, 서로 다른 병리기전이 제시되고 있다. 신생아성 담관폐쇄증은 전체의 65~90%에 해당되며, 감염이나 면역관리기전에 의한 것으로 고려된다. 피부나 공막에 노란색으로 착색되는 황달은 담관폐쇄증의 가장 흔한 초기증상이다. 담즙정체(cholestasis : 담관의 폐쇄나 폐색 때문에 분비될 수 없어 성분이 축적된 상태)를 나타내는 황달은 총 혈장빌리루빈 농도가 5.0mg/dL 이하에서도 나타날 수 있다. 총 빌리루빈이 5.0mg/dL 이하더라도, 직접빌리루빈이 1.0mg/dL보다 높으면 비정상이다. 또는 총빌리루빈이 5.0mg/dL 이상인 경우, 직접빌리루빈치가 총빌리루빈의 20% 이상이면 비정상이다. 생리적 황달이 없어진 후 직접 고빌리루빈혈증이 발생한다. 황달은 흔히 연한색의 대변과 짙은 소변과 관련 있다. 조직학적 연구는 담관의 잔류물과 진행성 염증과정을 보여준다.

태아성 형태는 10~35%에 해당되며 선천적으로 담관이 막혀 있고 정상 담관은 남아있지 않은 경우이다. 많은 영아가 선천성 기형과 관련되어 있다. 담즙정체의 정도는 다양하고, 자극물과 독소가 정체하게 된다. 담즙정체에 의해 초래되는 염증반응의 결과로 간 손상이 발생할 수 있다.

2) 사정

담관폐쇄가 선천적 질환이라도 주요 징후(황달)는 2주가 지나기 전에는 나타나지 않는다. 이러한 징후는 태어나서 3일째되는 신생아에게 일어나는데, 생리적 황달과 태어나서 24시간 내에 발생하는 RH 동종 면역성 황달과는 구별된다. 생리적 황달과 RH 동종면역성 황달은 간접 빌리루빈으로 야기되는 반면, 담관 폐쇄 황달은 직접 빌리루빈과 관련된다. 염기성 인산염 수치는 상승한다. AST(SGOT)는 초기에는 정상이나 점차 비정상적이 된다. 더욱이 담즙염이 장에 미치지 않기 때문에 지방의 흡수와 지방 용해 비타민이 부족하다. 비타민 D에 의존하는 칼슘 흡수도 감소된다. 간의 압력 증가는 간 세포 파괴와 간경화를 동반하여 급성으로 진행된다. 궁극적으로 간이식 없이는 간세포가 손상될 수 밖에 없다.

3) 치료적 관리 및 간호

치료가 시작되기 전, 적당한 혈관활동이나 국소마취 하에서의 생검이 간염을 치료하는 작용을 한다. 담즙을 조사하기 위해 내시경을 사용하여 십이지장 분비물을 추출한다. 영아는 radionuclide imaging을 통하여 담즙의 흐름을 관찰한다. Phenobarbital이 담즙 흐름을 증가 시키기 위해 동시에 투여된다. 담관의 점액전이 의심된다면, magnesium sulfate나 담즙의 흐름을 알기 위한 dehydrocholic acid가 투여된다. 이러한 시술과 같이 간과 장 사이의 누공 생성을 예방하기 위해 간 옆에 장의 고리를 봉합한다. 2개의 결장루설치술이 생성된다. 담즙은 근위 부의 관을 떠나 수집백으로 들어간다. 조임장치에 의해 장의 원위부 관으로 돌아간다. 6~12주 후에 결장루설치술은 담즙이 정상적으로 형성될 때 제거한다. 불행하게도 간이 너무 커져서 수술 부위에서 연동운동을 할 수 없으면 간이식이 필요하다.

간호진단 및 목표

간호진단 : 지방 소화 불량과 관련된 영양 부족 위험성
간호목표 : 수술이 끝날 때까지 충분한 영양을 보충할 것이다.
예상되는 결과 : 영아의 체중이 정상 상태를 유지한다.

(1) 수술 전 간호

담관의 패쇄 시 수술을 준비하는 영아는 저지방 고단백 식단을 제공한다. 비타민 수치를 향상시키기 위해 비타민 A, D, K를 제공한다. 또는 중쇄 트리글리세리드(medium0chain triglycerides)와 필수지방산이 함유된 영아용 조제유로 영양공급을 해준다. 지용성 비타민, 복합비타민과 철, 아연 및 셀레늄 등을 포함한 무기질 등을 보충해주어야 한다. 중등도 혹은 심한 성장장애 아동의 경우 지속적인 위관영양이나 TPN등의 적극적 영양공급이 이루어지도록 해야 한다. 영양액은 저염으로 제공해야 한다. Ursodeoxycholic acid는 소양증과 고콜레스테롤혈증을 치료하기 위해 사용된다.

K의 수치가 낮으면 출혈의 경향이 있으며, 수술의 위험도도 높아진다. 프로트롬빈(Prothrombin) 수치가 정상 수치에 오를 때까지 비타민 K가 처방된다. 비경구적인 수액으로 충분히 수분을 공급한다.

(2) 수술 후 간호

수술 후 비위관을 갖고 나오는데, 이 수술의 합병증인 소장의 마비가 일어날 수 있으므로 복부의 팽만을 사정하기 위해 세밀하게 관찰해야 한다. 장의 연동운동이 돌아올 때까지 비위관을 장착한다. 보통, 아동은 물을 마시며 곧 식사를 한다. 수술이 성공적으로 끝났다면, 아동의 대변이 노란색으로 변하거나 수술 후 갈색으로 변한다. 대변의 관찰은 수술 후 관찰에 중요한 요소이다. 담즙 배출이 수술 후에도 원활하지 않다면, 저지방 고단백 또는 비경구적 영양 섭취를 해야 한다.

확인문제

30. 담관폐쇄 환아는 어떤 물질의 흡수가 저해되는가?

07 / 복벽 손상

1) 제류

제류(congenital omphalocele)는 복벽의 중앙부가 결손되어 복강 내용물이 제대환(umbilical ring)을 통해 탈출된 것으로 반투명한 탈장낭과 낭의 상부에 제대가 붙어있는 기형을 말한다.

탈출된 장기는 대체로 얇은 복막으로 싸여 피부 조직 없이 복막으로만 덮여 있어 감염의 위험성이 높고 노출된 조직이 손상될 위험이 있다. 이러한 기형은 임신 중 초음파를 통해 발견될 수 있는데 태아의 복강용적이 제태기간 7~10주 정도의 크기 밖에 되지 않는다. 이는 태아기 6~8주에 복부 장기들이 제대 기저부로 밀려와 복부로 돌아가지 못했을 때 발생한다.

(1) 사정

제류의 발생률은 출생아 5,000명 중 약 1명 정도이다. 제류를 가지고 태어난 신생아는 기형발생인자의 영향으로 인해 다른 기관의 기형을 동반할 가능성이 있다. 대부분의 제류는 출생 전 초음파를 통해 진단되거나 출생 시 시진을 통해 명확히 발견된다.

제류의 일반적인 형태와 크기를 ㎝로 기록한다.

(2) 치료적 관리

장기를 제자리로 배치시키기 위한 수술을 시행하는 것이 일반적인 치료 방법이다. 만일 외과적인 교정 수술이 지연될 경우 탈출된 낭의 감염을 예방하기 위해서 silver sulfadiazine과 같은 항균 용액을 바른다. 신생아의 복부가 비정상적으로 작아 복부의 크기에 비해 크게 발달한 장기를 즉시 제자리로 넣는 것은 쉬운 일이 아니다. 무리해서 장기를 제자리로 넣을 경우 횡격막과 폐를 압박하여 호흡에 장애가 나타날 수도 있다. 이러한 문제를 방지하기 위해 실리콘 고무 재질의 silastic pouch로 장기를 덮고, 단계적으로 장기를 복부로 넣는 방법을 시도하도록 한다. 이 기간 동안에 영아에게는 비경구영양을 공급해야 한다.

(3) 간호

① 수술 전 간호

돌출된 장기를 싸고 있는 복막의 내층이 파열되거나 건조해져 찢어지지 않도록 관리하는 것이 중요하다. 수술 전까지 노출된 장기가 건조해지지 않도록 멸균된 생리식염수에 적신 거즈로 감싸주도록 한다. 이때 사용되는 생리식염수는 체온과 같은 온도로 따뜻하게 유지해야 한다. 장기의 표면이 넓기 때문에 차가운 생리식염수를 사용하면 체온을 떨어뜨릴 수 있다. 또한 장기가 공기에 노출되어 체온이 떨어질 수 있으므로 따뜻한 환경을 제공해야 한다. 그러나 보온을 위해 방사성 열기구를 사용하면 신생아의 돌출된 장기가 더욱 건조해 질 수 있으므로 열기구의 직접적인 사용은 피해야 한다.

간호진단 및 목표

간호진단 : 장기 노출과 관련한 감염 위험성
간호목표 : 외과적 교정술 이후 회복시 까지 감염의 징후가 관찰되지 않을 것이다.
예상되는 결과 : 아동의 체온은 정상범위로 액와부 측정 시 37° 이하이며 복부에 발적이나 감염성 분비물이 없이 깨끗하다.

외과적 교정술이 시행되기 전까지는 구강으로 수유를 하거나, 인공 젖꼭지를 빨지 않게 한다. 음식물이나 공기가 돌출된 장으로 들어와 부피가 팽창하면 다시 복부로 넣기

가 어렵고 일부에서는 장이 꼬여 폐쇄되는 장염전(inestinal volvulus)을 동반하기 때문이다. 장기의 팽창을 막기 위해서 비위관을 삽입하는 것이 도움이 될 수 있다.

② 수술 후 간호

수술 직후에는 완전 비경구영양을 공급하고 점차적으로 구강 내 수유를 실시할 수 있다. 영아가 음식을 섭취하기 시작하면 복부팽만이나 구토 등의 위장관 폐쇄의 징후를 주의 깊게 관찰하도록 한다.

단계적으로 제류를 교정하는 영아는 적어도 1~2개월은 입원생활을 하거나 퇴원 후 가정에서 의학적 관리를 받아야 한다. 이 기간 동안 부모들의 정신적 부담과 걱정을 위한 지지적 간호가 제공되어야 하며 영아가 다른 아동과 마찬가지로 해당 연령에 따른 발달적 자극이 필요하다는 것을 교육할 필요가 있다.

확인문제

31. 제류 아동의 돌출된 장기를 싸고 있는 복막의 손상을 막기 위한 방법에는 어떤 것들이 있는가?

2) 위벽파열

위벽파열(Gastroschisis)이란 복벽 결손을 통해 장기가 제대의 오른쪽으로 탈장된 경우로 보통 탈장낭이 없어 장기를 둘러 싼 막이 존재하지 않는다. 주로 탈장된 장기에 부종이 있으며 소장이 탈장되는 경우가 흔하다. 장 염전이나 폐쇄가 동반되기도 하나 다른 기형이 동반되는 경우는 거의 없다.

1차 봉합술을 통해 복벽 결손을 교정할 수 있으며 수술 전 관리는 제류와 유사하다. 멸균된 생리식염수에 적신 거즈로 노출된 장기를 덮고 복부는 플라스틱 용기로 감싸 보호한다. 예방적 항생제가 처방될 수 있고 복부 감압을 위해 비위관이 삽입된다.

체온 조절을 위해 따뜻한 환경을 제공하고 금식을 유지하면서 정맥요법을 통해 영양을 공급한다.

수술 후에는 기계적인 환기가 필요하다. 흡수 장애나 위

장관 운동에 장애가 있을 수 있어 금식을 유지한다. 정맥요법을 통해 영양을 공급하는데 비경구 영양이 길어질 경우 간부전의 위험성이 증가한다. 이외 감염이나 장폐색, 대정맥 압박 등의 합병증이 발생할 수 있다.

08 / 탈장

1) 제대 탈장

제대탈장(umbilical hernia)은 제대를 둘러싸고 있는 제대환(umbilical ring)과 근육, 근막(fascia)을 통해서 장의 일부분이 돌출된 것을 말한다. 아프리카계 미국인(African-American)에서 가장 흔하고 여아에서 더 많이 발생한다.

(1) 사정

제대탈장은 출생 직후에 발견되기 보다는 이후 건강관리를 위해 병원에 방문했을 때 진단되는 경우가 흔하다. 아동이 울거나 기침을 하는 경우 탈장이 생기지만 안정 시 저절로 들어간다.

(2) 치료적 관리

대부분 결손 부위가 2㎝ 이하이기 때문에 1세 이전에 자연히 막히는 경우가 많다. 크기가 2㎝보다 커질 경우나 장폐색 증상이 있는 경우 1~2세경에 외과적 수술을 시행한다.

(3) 간호

수술 후 압박 드레싱을 약 일주일 동안 유지한다. 외래에서 드레싱을 제거할 때까지는 부분 목욕이 필요하다는 것을 부모에게 교육한다.

2) 횡격막 탈장

횡격막 탈장(diaphragmatic hernia)은 흉강 내 횡격막의 결함으로 주변의 기관들이 비정상적으로 돌출된 상태를 말한다.

횡격막은 복잡한 과정에 의해서 형성되며 이 과정에서 다양한 형태의 결손이 발생할 수 있다. 태아기 약 8주 정도에 흉강과 복강이 나누어지고 횡격막도 형성되는데 이때 횡격막이 완전하게 만들어지지 않는다면, 복부 장기들이 개방

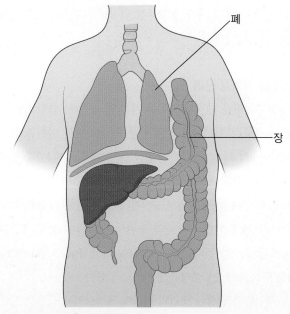

그림 11-46   횡격막 탈장
흉부에 있는 장 윤상부가 왼쪽에 있는 심장과 폐를 억압한다.

된 횡격막을 통과해서 흉강 안으로 탈장된다[그림 11-46]. 탈장의 80~90%는 왼쪽에서 발생하여 심장의 위치가 흉부의 오른쪽으로 이동하고 왼쪽 폐가 압박을 받아 발육 부전이나 허탈이 발생할 수 있다. 이는 높은 사망률의 원인이 된다.

횡격막 탈장의 발생률은 출생아 3,000명 중 약 1명 정도이며 남녀에서 빈도 차이는 없다.

(1) 사정

횡격막 탈장은 산전 초음파를 통해 일부 발견되는데 아직 실험 단계이기는 하나 태아경을 통해 태아의 흉강 내에서 장기를 제거하는 수술이 시행되기도 한다.

흉강 내 복부 장기의 침범 정도와 폐 발육 정도에 따라 증상 및 중증도에 차이가 있다. 횡격막 탈장이 광범위할 경우 폐가 완전하게 팽창하기 어려워 출생 시 호흡부전을 일으킬 수 있으며 청색증과 늑골 부위 함몰이 동반되기도 한다. 이환된 흉부에서는 호흡음이 들리지 않는다. 신생아의 폐 순환에도 영향을 미쳐 잠정적으로 폐고혈압이 발생하며 이는 개방된 상태로 남아있는 심장의 난원공이나 동맥관을 통해 좌우의 단락을 발생시킨다.

복부는 정상적인 신생아와 달리 대체로 움푹 들어간 모

양을 하고 있다. 흉부 X-ray상 위장관이 보이고 종격동의 위치가 이동한 것을 관찰할 수 있다.

(2) 치료적 관리

호흡곤란을 예방하기 위한 기관 내 삽관 등 즉각적인 호흡 보조를 시행하고 위장관 팽만을 막기 위해 비위관 삽입한다. 출생 시 높은 압력의 인공호흡기를 사용하는 것은 공기가 위장관에 유입되어 폐손상을 악화시킬 수 있으므로 금하도록 한다. 신생아의 산-염기 균형을 위한 세심한 관리가 폐고혈압의 발생과 태아 순환이 지속되는 것을 막는데 중요한 요소가 된다. PaO_2 40mmHg 이상, $PaCO_2$ 30~50mmHg 이하, pH 7.5 이상을 유지하도록 한다.

횡격막과 탈장된 장기의 외과적 교정술이 응급으로 시행된다. 일반적으로 흉부를 절개하여 탈장된 복부 장기를 정복시키고 결손 부위를 봉합해준다. 복부에 장기를 정복시킬 만큼 충분한 공간이 없으면 일시적으로 장기가 복부로 돌출되도록 개방된 상태를 유지한다.

수술 후 보조 환기요법과 산-염기 균형을 위해 지속적으로 모니터링하는 것이 매우 중요하다. 폐고혈압을 막기 위해 환아를 약알칼리 상태로 유지시키는 것이 필요한데 이는 중탄산나트륨의 주입과 과다 환기를 통해 이루어진다.

불행히도 폐형성 부전과 폐고혈압에 따른 호흡부전으로 횡격막 탈장을 가지고 태어난 신생아의 사망률은 80%가 넘는다고 보고되고 있다. 수술 이후에도 폐가 재팽창 되지 못하여 호흡곤란이 지속되는 경우가 흔하다.

(3) 간호

① 수술 전 간호

출생 시 생명을 위협하는 징후를 사정하는 것이 필수적이다. 호흡곤란이나 청색증, 늑골 부위 함몰, 종격동 변위 등이 관찰될 경우 환기 보조 및 혈액 가스 분석 등이 신속하게 이루어질 수 있도록 준비한다.

탈장된 장기가 복부로 내려가도록 신생아의 머리를 상승시켜주면 호흡을 더 잘 할 수 있게 된다. 또한 신생아를 탈장된 쪽으로 눕혀 건강한 폐를 최대한으로 확장할 수 있도록 돕는다. 복부팽만을 예방하기 위한 비위관을 신속히 삽입하고 흡인은 간헐적으로만 실시한다.

음식물이 장으로 유입되어 활발한 연동운동을 할 경우 폐기능이 악화될 수 있다. 탈장된 장이 꼬여 있거나 폐색된 경우에는 구토를 할 수 있으므로 금식을 유지시킨다.

② 수술 후 간호

호흡곤란이나 수분-전해질 불균형에 대한 세심한 관찰과 감염 증상을 모니터링 해야 한다. 복원된 복부 장기가 횡격막을 압박하지 않도록 영아를 반좌위로 눕힌다. 따뜻한 온도와 높은 습도를 제공하여 폐에 있는 수분을 배액 하는 데 도움이 되도록 한다. 필요시 폐 분비물이 정체되어 폐렴이 유발되는 것을 예방하기 위한 흉부 물리요법이 시행될 수 있다.

수술 후에 위장관에 음식물이 들어갈 경우 횡격막 봉합선에 압력을 가할 수 있으므로 수술 후 1~2주 동안은 금식을 유지하고 정맥주사요법이나 비경구영양을 공급하도록 한다. 구강으로 수유를 시작한 뒤에는 수유와 함께 삼킨 공기로 인한 장 팽만을 감소시키기 위해 꼭 트림을 시킨다.

09 / 괴사성 장염

괴사성 장염 (necrotizing enterocolitis, NEC)은 신생아 중환자실에 입원한 영아의 약 5% 정도에서 나타난다. 반점과 마비성 장폐색을 야기하는 소화 방해로 발전되며, 천공과 복막염이 따른다.

괴사는 국소빈혈과 장 혈관의 혈액 관류저하로 나타나는데, 전체 장을 포함하거나 부분적으로 나타난다. 또한 괴사성 장염 증상은 산소결핍이나 쇼크를 경험한 미숙아에게 더 높게 나타난다.

1) 사정

괴사성 장염의 발생은 모유수유 시보다 인공수유 시 자주 일어난다. 인공우유는 면역체(antibodies)가 부족하며, 모유수유는 질환을 예방한다. 괴사성 장염 증상은 보통 생후 첫 주에 나타난다. 장은 팽창하고 긴장된다. 장의 활동 저하로 다음 수유 때까지 위가 비지 않는다. 그래서 위에서 식사 전에 흡인 시 위 내용물 중 2ml가 넘는 소화되지 않은 우유가 배출된다. 대변의 상태는 양호하며, 무호흡(apnea)이 시작되거나 자주 나타난다. 장에서의 혈액누출로 혈압이 떨어지며, 체온이 잘 유지되지 않는다. 복부 X-ray 상 장에 공기가 차게 되어 복부의 둘레 측정 시 매 4~8시간마다 증가한다.

2) 치료적 관리 및 간호

증상이 나타나면 구강투여는 즉시 중단되어야 하고 장의 휴식을 위해 정맥수액 또는 완전 비경구 영양요법을 유지한다. 항생제 요법으로 감염을 조절한다. 복부간호는 천공의 가능성을 적게 한다.

영아는 일시적인 결장루 형성술이 필요하다. 괴사의 증상이 부분적일 때 장의 외과적 수술은 비교적 성공적이다. 많은 부분의 장이 제거되면, 장의 단절 현상(shortbowel)이 나타나거나 앞으로의 소화에 문제가 생긴다. 괴사성 장염은 영아에게 심한 통증을 일으키며, 장의 이상 증상 없이 수유할 수 있을 때는 예후가 비교적 양호하다.

확인문제

32. 주로 괴사성 장염이 나타나는 시기는?

 XIX 고위험 산모의 신생아

01 / TORCH complex

모체를 통해 아기에게 직접 전파되는 수직감염은 태반이나 분만 과정 및 모유수유를 통해 발생한다. 그러므로 출생 직후 감염증상이 있는 신생아를 대상으로 대개 TORCH 복합 검사분석, 즉 톡소포자충증(toxoplasmosis), 풍진(rubella), 매독(syphilis), 거대세포바이러스 (cytome-galovirus), 단순포진 바이러스 (herpes simplex) 병원균에 대한 항체가 있는지 선별검사를 하게 된다[표 11-11].

02 / 당뇨병

1) 원인

당뇨병 산모의 신생아(infant of diabetic mother, IDM) 임신 중 모체가 인슐린 조절이 되지 않아 정상 이상의 혈당치를 가지고 있을 때 혈액 중 당이 태반을 통해 태아에게 이동함으로써 발생한다.

2) 병태생리

당뇨병 산모의 고혈당이 순환되면 태반에 축적되게 되고 이는 태아의 췌장 세포에서 태아의 혈당 농도를 낮추기 위해 인슐린을 과다분비하게 된다. 이 인슐린은 태아의 성장을 촉진하게 되어 부당중량아로 출산하게 되고, 출생 직후 신생아는 인슐린 과다증 상태에서 저혈당의 위험도가 높아지게 된다. 저혈당은 생후 30분에서 4시간 이내에 나타나며, 갑작스러운 혈당 저하는 심각한 신경손상이나 사망에 이르는 원인이 될 수도 있다.

3) 증상

정상 신생아보다 크다(거대아). 이런 신생아의 대부분은 뚱뚱한 외모를 보이고 재태기간에 비해 큰 부당중량아(LGA)가 된다. 꼬리퇴행증후군(Caudal Regression Syndrome) 즉, 하지의 형성부전(hypoplasia)은 이런 신생아에서 흔히 나타나는 증후군이다. 고혈당증과 과인슐린혈증은 계면활성제합성을 방해하므로 호흡곤란 증후군이 동반될 수 있다.

4) 합병증

신생아가 거대아라면 출생 시 손상, 특히 어깨와 목의 손상위험성도 훨씬 커진다. 또한 출생 시 신생아가 고혈당이 되기 쉽다(어머니가 임신 중 경미한 고혈당이었기 때문에 과량의 포도당이 태반을 통과하므로, 태아 췌장의 섬세포가 비후되며, 그 결과 인슐린 수치가 높아진다). 그러나 출생 후 신생아의 혈당수치는 급격히 감소하게 되는데 어머니의 혈액순환이 더 이상 아기에게 전달되지 않기 때문이다. 반대로 고혈당 상태로 인한 인슐린 과다생성은 심한 저혈당증으로 발현되기도 한다.

표 11-11 TORCH complex

감염	모체의 영향	태아, 신생아 영향	상담, 예방과 관리
A형 간염 (전염성 감염)	자연유산, 전신 근육통	임신 1기 노출시 태아기형, 감염, 조기분만, 자궁 내 태아 사망	비말, 손접촉 감염, 경구감염 lobulin 투여(예방)
B형 간염 (혈청성 간염)	열, 관절통, 식욕부진, 소화불량, 허약, 황달, 압통, 간종대	임신 1기 감염빈도 10% 임신 3기 태아의 80~90%가 감염 분만 시, 산도를 통해 감염	성적 접촉, 오염된 바늘, 수혈, 모유로 전염 (body fluid exchange) 임신초기 노출 시 간염백신 투여(백신은 비교적 태아에 안전) 모체가 HBsAg 양성이면 Hepatitis B immune globulin 투여
거대세포 바이러스 감염 (Cytomegalovirus)= (CMV)	무증상 경부 분비물	태아, 신생아 사망 영아 아동기까지 진행 소두증, 대뇌 석회화, 맥락막염, 황달, 간비종대, 신경손상, 경련, 귀머거리	임신기간 내내 전염가능 소변, 침, 혈액을 통해 바이러스 배출 분만시 산도를 통해 전염가능
단순포진 (neonatal herpes simplex)	1형; 아동기, 구강주위 2형; 청소년기 생식기분 비물과의 접촉 무증상, 수포형성	피부병변, 패혈증 시 증상 유사 구강의 궤양성 병변 눈의 결막염 발열, 구토, 수유곤란, 경련 고빌리루빈혈증, 혼수	분만 시 감염가능 태반, 산도를 통해 감염
톡소플라즈마병 (Toxoplasmosis)	급성감염과 유사(감기)	유산, 사산, 조산 경련, 혼수(coma), 소두증, 뇌수종, 대뇌 석회화, 맥락막염 대부분 출생직후 사망, 시각장애, 청각장애, 발달 장애	생고기 섭취 금지 고양이와의 접촉을 금함 임신기간 내내 전염가능
풍진(Rubella)	발진, 열, 경한 증상	전염; 임신 1기(50~80%), 임신 2기 (10~20%) 눈 장애 ; 백내장, 소안증, 망막염, 녹내장 중추 신경계 징후 ; 수두증, 경련, 정신 박약 청각장애, 자궁 내 성장지연 고빌리루빈혈증, 혈소판 감소증, 간종대	비말감염 임신부는 풍진환자와의 접촉을 금함 미접종 가임여성에게 예방접종 실시 예방접종 후 3개월간은 피임 환아의 엄격한 격리

고빌리루빈혈증도 나타나는데, 빌리루빈을 신체 내에서 효과적으로 제거할 수 없기 때문이다. 저칼슘혈증도 자주 나타나는데 신장에서의 마그네슘 과량 소실로 인한 저마그네슘혈증으로 인해 부갑상선 호르몬이 적기 때문이다.

5) 치료

저혈당을 예방하기 위해 당뇨병 산모의 신생아(IDM)는 분유수유를 일찍 시작하거나 포도당을 주입한다. 저혈당이 치료되지 않으면 뇌손상이 초래될 수 있으므로 생후 첫 2일 동안은 저혈당 정도를 파악하기 위해 혈당검사를 자주하고 포도당(5%, 10%) 용액을 공급하고 조기수유를 실시 한다.

03 / 중독

임부의 약물 남용은 한 가지 혹은 여러 가지 약물이 복합적으로 발생하는데 유발 약물로는 니코틴, 코카인, 마리화나, 헤로인, 메타돈 등이 있다. 약물 의존 산모의 신생아는 재태기간에 비해 작다. 어머니가 약물 의존상태라면 신생아는 출생 후 일시적으로 금단증상을 보일 수 있다(신생아 금단 증후군).

1) 증상

불안정(irritability), 수면 양상 변화, 팔꿈치에 찰과상이

날 정도의 끊임없는 보챔, 진전, 잦은 재채기, 높고 날카로운 고음의 울음, 반사과다와 신경근육계 불안정, 경련, 알칼리혈증을 야기하는 심한 빈호흡, 구토와 설사로 인한 다량의 체액 소실과 2차적인 탈수 등이다. 마약 금단증상을 경험하는 신생아의 증상은 대개 생후 24~48시간에 시작된다. 일반적으로 증상은 약 2주간 계속된다.

2) 치료

Methadone과 코카인 중독 산모의 아기는 빠는 힘이 매우 약하며 위관영양을 하지 않으면 충분한 분유 섭취가 어려운 경우도 있다. 약물 의존성 산모의 신생아는 단단히 감싸주었을 때 가장 편안해한다. 크고 시끄러운 곳보다는 작고 고립되며 자극이 가해지지 않는 환경에서 신생아를 돌보도록 한다. 방을 어둡게 해주면 안정이 잘되기도 한다. 헤로인 중독산모의 신생아는 격렬하게 젖을 빨며, 노리개 젖꼭지를 물렸을 때 편안해하고 안정이 된다. 신생아를 위한 치료는 각각의 증상과 정도에 따라 다르다. 수분과 전해질 균형을 유지하는 것이 중요한데 만약 신생아가 구토나 설사를 한다면 수액을 정맥주입할 필요가 있다. 금단증상을 상쇄시키기 위해 사용하는 약물에는 진정제(paregoric), phenebarbital, chlorpromazine(thorazine), diazepam(valium) 등이 있다. 모유를 통한 약물중독을 방지하기 위해서 모유수유는 금지한다. 퇴원 전에 신생아가 양육될 환경이 약물 남용으로부터 안전한지 확인하고 신생아의 퇴원 계획을 세우도록 한다.

04 / 태아 알코올 증후군

임부 혈액 내의 알코올은 농도 그대로 태반을 통과한다. 태아 알코올 증후군(infant with fetal alcohol syndrome, FAS)은 1,000명당 2명에서 나타난다. 임신기간 동안의 안전한 알코올 농도는 알려져 있지 않기 때문에 태아에게 유해한 효과를 방지하기 위해서 알코올 섭취는 피하도록 한다. 태아 알코올 증후군은 태아의 성장지연과 함께 출생 후 진전, 근긴장도 증가, 불안정, 과도한 입술 움직임, 울음 등을 나타내며, 중추신경계의 문제와 발달 장애를 초래한다. 또한 뇌가 작고 눈이 작으며, 안검 길이가 짧고 윗입술은 얇으며, 인중과 하악골의 발달이 미숙한 특징적 얼굴 모습을 보인다.

05 / 모체의 흡연

임신 중 흡연은 태아의 산소와 영양분의 감소를 유발하여 태아의 질식과 세포파괴, 저출생 체중을 초래하며, 유산과 조산, 신생아 사망의 원인이 될 수 있다. 모체의 흡연 시 저출생 체중아의 발생빈도는 21~39%이며, 흡연량에 따라 만삭아인 경우에도 발육부전을 보일 수 있다. 또한 임신 중 흡연은 신생아기의 성장 및 지적, 정서적 발달과 행동발달에 유해한 영향을 미친다. 어머니의 흡연은 물론 가족의 흡연에 의한 수동적인 간접흡연도 영아 돌연사 증후군의 발생률을 증가시킨다. 흡연에 따른 위험은 담배의 니코틴(nicotine)과 코티닌(cotinine) 성분에 의한 것으로 이는 모유로도 분비된다.

> **확인문제**
>
> 33. 당뇨병 산모의 신생아를 조기에 수유시키는 이유는 무엇인가?
>
> 34. 마약 금단 증상을 경험하는 신생아의 증상이 발현되는 시기는 대개 언제인가?
>
> 35. 태아 알코올 증후군 신생아의 2가지 특징적인 얼굴 구조를 말하시오.

XX 유전질환 상담

자녀에게 질병이 유전될 가능성이 있는지 관심이 있는 사람은 질병의 유전에 관한 조언을 얻기 위해 유전 상담을 받을 필요가 있다. 유전 상담은 다음과 같은 기능을 한다.

- 자녀에게 어떤 질병이 유전되는 지에 대해 관심을 가지고 있는 부모에게 확실하고 정확한 정보를 제공한다.
- 유전질환을 가지고 있는 사람들이 자녀 출산에 관한 충분한 정보를 가진 상태에서 출산을 선택할 수 있도록 한다.
- 숙련된 건강간호 전문가가 유전 질병을 가진 사람들에게 필요한 지지를 제공한다.

유전 질환에 대한 선별검사에서 나타나는 정보는 비밀이 유지되어야 한다. 비밀유지의 필요성 때문에 간호사는 유전 문제에 대해 조사를 요구한 사람이 동의하지 않으면 다른 가족 구성원이 알지 못하도록 해야 한다. 어떤 경우에는 가족력을 조사할 때 입양아이거나 인공수정으로 출생했거나 아버지가 현재 남편이 아닌 것과 같은 새로운 정보가 확인될 수 있다. 유전 상담을 받으려고 하는 가족 구성원은 이러한 정보를 다른 가족 구성원에게도 알릴 것인지의 여부를 결정할 권리를 가지고 있다.

유전 상담의 시기는 중요하다. 이상적인 시기는 첫 임신 전이다. 부부들은 종종 질병을 가진 아이가 태어난 후에야 유전 상담의 필요성을 처음으로 깨닫는다. 질병을 가진 첫째 아이가 태어난 후에 유전 상담을 받으려고 하는 부부들은 두 번째 임신 이전에 상담을 받을 필요가 있다. 그러나 첫 아이가 질병을 가지고 태어난 충격과 슬픔으로부터 회복되기 전까지는 유전 상담을 받을 준비가 되지 않는다. 이런 과정을 다 거친 후에야 정보를 찾고 미래를 위한 결정을 내릴 준비가 된다. 유전에 관한 상담이나 절차에 관해 공통적으로 제기되는 질문에 대해 가족을 도울 수 있는 지침은 각 기관에 준비되어 있다. 부부가 더 이상 출산하지 않겠다고 결정했을 지라도, 그들이 유전 상담을 통해서 의사결정을 변경할 수 있는 점을 인지하는 것이 중요하다. 또한 아이가 생식 연령에 도달함에 따라 유전 상담을 통해 많은 도움을 얻을 수 있다고 깨닫는 것 역시 중요하다.

유전 상담을 통해서 도움을 얻을 수 있는 부부는 다음과 같은 경우이다.

- 선천성 기형이나 선천성 대사이상 질환을 가진 아기를 출산한 부부
- 가까운 친척 중에 선천성 기형이나 선천성 대사이상 질환을 가진 아이가 있는 부부
- 전위 이상(translocation abnormality)의 문제를 가진 개인
- 선천성 대사이상 질환이나 염색체 이상을 가진 개인
- 부부가 아주 가까운 친척일 경우
- 35세 이상의 여성과 45세 이상의 남성
- 특정 질병이 발생되는 것으로 알려진 인종적 배경을 가진 부부

유전 상담을 통해서 부부는 안도감을 얻거나 죄책감으로부터 벗어날 수 있을 것이다. 그러나 사람들은 이런 상황을 그들이 통제할 수 없다는 사실을 이해한 후에도 유전적인 이상을 초래할 만한 것을 자녀에게 전달했다는 사실 때문에 심한 죄책감과 자기 비난에 빠져들 수 있다. 만일 부부가 서로에게 적절한 지지를 제공하지 못한다면 결혼 관계의 위협이 있을 수 있다.

1) 간호사의 책임

간호사는 유전 질환을 사정하며, 유전 상담을 받고자 하는 개인에게 지지를 제공하고, 자녀출산과 관련하여 시행하는 유전검사 과정에서 도움을 제공하는 중요한 역할을 한다. 간호사는 다음과 같은 역할을 할 수 있다.

- 유전 검사의 종류와 방법에 대한 설명.
- 유전 검사의 시기와 특이사항에 대한 설명.
- 검사 결과를 기다리는 동안 부부 지지.
- 부부가 검사 결과의 가치를 분명히 알고, 계획을 세우며 의사결정을 내릴 수 있도록 조력.

삶에 영향을 미치는 끔찍한 유전문제에 직면해서 슬픔 속에 빠져있는 부부를 지지하는 데는 많은 시간이 필요할 것이다. 유전 상담팀에서 간호 요원으로 활동하거나 유전 상담가로서 활동할 때 두 개의 공통적인 원칙이 적용된다.

첫째, 상담을 받고 싶어하는 개인이나 부부는 제공되는 정보를 분명히 이해할 필요가 있다. 사람들은 이런 상황에

서 통계에 관한 정보를 듣고(당신의 아이가 이 질병에 걸린 가능성은 25%입니다) 잘못 해석할 수 있다. 그들은 25%라는 말을 "만일에 이 질병에 걸린 아이가 하나 있다면, 걱정 없이 정상적인 3명의 아이를 낳을 수 있다"고 해석한다. 이러한 원리(25%의 가능성)는 첫 임신에도 적용되지만, 나머지 미래에 갖게 될 아이에게도 적용되는 것이다.

둘째, 건강간호 전문가가 자신의 가치나 의견을 다른 사람에게 강요하는 것은 결코 적절하지 않다. 부부는 그들이 이용할 수 있는 모든 대안에 대해 인지하고, 대안에 대해 충분히 생각하고 스스로 결정을 내릴 필요가 있다. 부부는 자신들의 결정에 대해 판단할 사람은 아무도 없음을 이해해야 한다.

2) 유전 질병에 대한 사정

유전 상담은 가족 내에서 유전 패턴을 주의 깊게 사정하는 것으로부터 시작한다. 과거력, 가족 구성원에 대한 신체검진, 핵형분석과 같은 검사 등은 문제의 정도와 유전 가능성을 규명하기 위해 실시한다.

(1) 과거력

가족에 대한 자세한 과거력은 어떤 유전 질병이 가족 구성원에게 있는지를 알기 위해 필요하다. 어떤 질병은 연령에 따라 발생률이 증가하기 때문에 중요하다. 어떤 질병은 인종에 따라 발생률이 달라지기 때문에 인종적 배경 또한 중요하다. 만일 유전상담을 받기를 원하는 부부가 가족력에 대해 잘 모른다면, 면담을 위해 내원하기 전에 조부모, 숙모, 삼촌, 기타 친인척에 관해서 손위의 가족 구성원에게 물어 보도록 한다. 특히, 자연 유산이나 가족 내에 출생 시 죽은 아이가 있는지를 묻는다. 많은 경우에 이러한 아이들은 원인 불명의 염색체 이상으로 인해 죽거나, 생존이 불가능한 확인된 70개 또는 그 이상의 염색체 이상 중의 하나에 의해 자연 유산 된다. 어떤 질병에 노출된 사람에 대한 광범위한 산전 과거력은 환경적 요인이 이러한 질병에 책임이 있는지를 결정하기 위해 조사해야 한다. 가족에 대한 가계도를 작성하는 것은 유전의 경향을 진단하고, 어떤 특정 부부의 아이에게 염색체 이상 질환이 발생될 가능성을 확인하고, 유전상담을 통해 도움을 얻게 될 다른 가족 구성원을 규명하는 데 도움이 된다.

그러나 자세한 가족의 과거 사실에 대해 조사하는 것이 슬픔, 죄책감과 같은 불편한 감정을 불러일으킬 수 있기 때문에 유전적 가계도 결정을 위해 건강력에 대해 이야기하는 것은 어려운 일이기도 하다.

아이가 태어나자마자 죽었을 때, 부모에게 염색체 분석과 부검을 실시하도록 조언한다. 만일 추후에 그들이 유전 상담을 원한다면, 이러한 자료는 유전 문제에 대한 상담가들이 유용하게 사용할 수 있는 정확한 의료 정보가 된다.

(2) 신체검진

유전 질병은 표현되는 정도에 따라 다양한 차이를 가지고 발생하기 때문에, 장애를 가진 가족구성원, 아이의 형제, 유전상담을 받기 원하는 부부에 대한 신체검진이 필요하다. 유전질병이 외적으로 거의 표출되지 않은 사람인 경우 그 시점까지 진단되지 않을 수 있다. 검진하는 동안 두 눈 사이의 거리, 키, 귀의 윤곽과 모양, 손 발가락의 수, 익상경(webbed neck)의 존재와 같은 신체의 특정 부위에 주의를 기울여야 한다. 신생아에 대한 주의 깊은 검진은 염색체 이상의 잠재적 가능성을 가진 아이들을 확인하기에 충분하다. 많은 선천적 비정상을 가진 영아가 임신 35주 미만에 태어났고, 부모가 이전에 염색체 이상을 가진 아이를 출산했다면 아주 정밀한 사정을 할 필요가 있다.

3) 진단적 검사

효과적인 유전 상담을 위해서, 유전 질환의 정확한 형태에 대해 엄밀하게 규명해야만 한다. 가능한 질병에 관해 중요한 단서를 제공하는 많은 진단적 검사들이 시행되고 있다. 임신 전에 양쪽 부모와 이미 유전 장애를 가진 아이에 대한 핵형 분석은 그 사람의 유전 양상에 대한 패턴을 제공한다. 이러한 패턴은 미래에 태어날 아이에 대해 예측하는 데 사용할 수 있다. 일단 여성이 임신하면 유전 질환에 대한 산전 진단을 위해 여러 가지 검사를 시행한다. 이러한 검사로 alpha-fetoprotein 분석, 융모막 융모 검사(chorionic villi sampling, CVS), 양수천자, 경피 태아 제대 혈액 체취(percutaneous umbilical blood sampling, PUBS), 초음파, 태아 경에 의한 태아 직접 관찰법 등이 있다. 이러한 검사들은

표 11-12	유전 진단 검사	
검사	**설명**	**이익, 위험, 제한점**
초음파(sonogram, 초음파를 이용해 태아를 볼수 있음)	태아의 크기와 내부 장기들, 척추와 사지 등의 구조적 이상을 사정한다.	일부의 유전질환들은 선천적인 결함과 관련이 있기 때문에, 초음파가 유용하게 활용되고 있다. 양수천자를 시행할 때 초음파도 같이 시행하는데, 이는 초음파를 통해 태아와 양수를 천자하므로 태아를 위험으로부터 보호할 수 있기 때문이다.
알파페토단백분석(alpha-fetoprotein analysis, 태아의 간에 의해 생산 모성혈청 AFAFP이나 양수 내 MSAFP에서 볼 수 있는 당 단백으로 척수나 염색체 질환이 있는 경우 증가)	대게 임신 15주에 혈청검사를 하고 비정상이면 양수검사를 한다. 척수질환이 있는 경우 증가하고 21 삼성체 같은 유전질환인 경우 감소한다.	모성 혈청 내 알파-페토단백(MSAFP)은 수정일이 정확하지 않으면 위양성율이 30%에 달한다. 검사 결과에서 혈중농도가 증가된 것으로 나오면 초음파나 양수천자를 실시한다. 임신 중인 태아에 대해 아주 심상치 않은 결과에 직면한 부부를 돕기 위한 심리적 지지가 필요하다.
양수천자(amniocentesis, 복부를 통해 양수를 채취하여 뒤 분석)	보통 임신 14~16주에 시행하지만 12주 초반부터 가능: 초음파를 통해 양수의 위치를 확인한 후 복부를 통해 삽입한 바늘을 이용해 양수를 흡인한다. 양수 속에 있는 태아의 피부세포를 이용해서 염색체의 수와 구조에 관한 핵형을 분석한다. 알파-태아단백의 수준도 분석한다.	이 검사를 실시할 때 자연유산될 가능성은 0.5% 정도로 융모막 융모 생검보다 장점이 많다. 보통 양수천자는 임신 14~16주가 될 때까지 시행하지 않는데, 이 무렵 여성들은 임신 사실을 받아들이기 시작하고 태아와 유대를 형성하기 때문에 이 검사를 하기에는 어려운 시기이다. 또한 임신 2기동안 임신을 종료하는 것은 어려운 일일 수 있다. 조산이나 태아의 심박동수 이상을 야기할 위험이 있다. Rh 음성 혈액형을 가진 여성인 경우 양수천자 후 태아혈액을 거부하여 이에 대한 항체를 생성하는 산모의 Rh 감작이 일어나게 된다. 그러므로 Rh 음성인 산모의 경우 미리 양수천자 후 로감(Rhogam, Rh immune globulin)이라는 주사를 맞아야 태아가 산모의 몸에서 만들어진 항체에 의해 해를 입지 않게 된다.
융모막 융모 생검(chorionic villi sampling; CVS, 염색체 분석을 위해 융모막의 융모를 채취하여 분석)	주로 임신 8~10주에 시행하고, 임신 5주경에도 가능하다. 핵형분석이나 DNA분석을 위해 초음파를 이용해 융모세포의 위치를 확인하고, 질을 통해 삽입한 얇은 카테터 또는 복부나 질을 통해 삽입한 생검바늘을 통해 융모세포를 채취한다.	융모막 융모 생검은 임신을 종결시킬 수 있을 정도의 과량출혈, 사지 감소증후군(융모막 융모 생검후 어떤 아이들은 사지가 결손된 채로 태어나기도 한다), 감염, 절박유산(threatened abortion)의 위험이 있다. Rh 음성 혈액형을 가진 여성인 경우 양수천자 후 태아혈액을 거부하여 이에 대한 항체를 생성하는 Rh 감작이 일어나게 되므로 Rh 음성인 산모의 경우 미리 양수천자 후 로감(Rhogam, Rh immune globulin)이라는 주사를 투약한다. 융모막 융모 생검은 비정상 염색체, 비분리 이상, 유전자 위치이상, 특정 DNA 이상 등을 찾아낸다. 척수이상 수준은 나타나지 않는다. 융모막 융모 생검을 실시하는 결정은 매우 중요하다. 이는 검사 결과에 따라 부부가 임신에 대한 어떤 결정을 내리기 때문이다.
핵형분석(Karyotyping, 개인의 염색체 핵형을 보여줌)	말초혈액을 사용한다. 세포의 상태를 가장 잘 볼 수 있는 세포분열의 중기가 되게 한다; 이후 염색하여 현미경으로 관찰하고 사진을 찍는다; 형광혼합(FISH, fluorescence in situ hybridization)법을 사용하면 중기까지 기다리지 않고 바로 볼 수 있다.	과잉의 또는 결손된 비정상의 염색체를 볼 수 있다.
경피 제대천자술[percutaneous umbilical blood sampling (PUBS), 태아의 제대에서 혈액을 채취]	양수천자와 같은 기술을 이용하여 제대에서 혈액을 채취한다.	피부 세포를 이용해서 하는 것보다 빨리 핵형분석을 할 수 있다.
바 소체 결정(Barr body determination, 출생아의 외성기가 애매할 경우 아이가 2개의 X 염색체(여성)를 가졌는지를 조사하는 빠른 방법)	아이의 구강 상피세포를 긁어 모아 염색한 후 현미경으로 관찰한다; 이 비우성(非優性) X염색체는 핵의 가장 자리에 검은 점(바 소체)으로 나타나 유전학적으로 여성임을 확인한다.	아이의 완전한 유전형을 알기 위해 핵형분석을 포함한 염색체 검사가 필요하다. 세포의 염색이 잘 되었는지를 알아보기 위하여 다른 여성의 (대개는 엄마) 구강 상피세포 검사가 종종 행해진다.
태아경(fetoscopy, 전반적인 비정상을 확인하기 위해 태아경을 삽입)	임부 복부에 작은 절개부를 통해 태아경을 자궁 내로 삽입하여 태아를 검사한다.	태아경은 초음파 결과를 확증하고, DNA분석을 위해 태아의 피부세포를 채취하거나, 요도협착과 같은 선천적 결함을 수술하는 데 이용한다.

[표 11-12]에 요약되어 있다.

(1) 유전 선별 검사와 유전 상담의 법적, 윤리적 측면

간호사는 적절한 시기에 적절한 방법으로 유전 검사 결과가 이후 자녀 출산에 어떤 의미를 부여하는 것인지에 대해 알려야 한다. 유전 선별검사를 하거나 상담에 참여할 때 고려해야 할 몇가지 법적 책임에 대해 진술하면 다음과 같다.

- 유전 상담에 참여하는 것은 의무가 아니라 선택적인 것이어야 한다.
- 유전 선별 검사를 원하는 사람들은 절차에 관련해서 충분한 정보를 얻은 상태에서 동의서에 서명해야 한다.
- 결과를 정확하게 해석해서 가능한 빨리 개인에게 알려야 한다.
- 결과를 개인에게 알리지 않고 보류해서는 안되며 반드시 직접적으로 참여한 사람에게만 제공해야 한다.
- 유전 상담 후에, 대상자에게 유산이나 불임 시술과 같은 절차를 시행하도록 강요해서는 안 된다. 어떤 절차든 간에 자유롭게 개인적으로 결정해야만 한다.

유전 상담을 받고 자녀가 유전 질환을 가질 위험성이 있는 것으로 확인된 모든 부부에게 위험성에 대한 정보를 제공하고, 양수천자와 같은 적절한 진단적 절차를 제공해야 한다.

잘못된 출생과 관련한 소송은 부부가 사용할 수 있는 정보를 제공하지 않는 것으로 인해 야기된다. 유전 선별검사와 상담은 특히 융모막 융모 생검이나 양수 천자 검사에 근거해서 임신을 종결시켜야 하는 선택을 해야 할 때 부부에게 심각한 윤리적 갈등을 야기한다. 어떤 사람들은 아이가 정신적으로 또는 신체적으로 장애를 가질 것이라는 강한 가능성에 근거해서 유산시키는 결정을 내리는 것은 비윤리적이라고 주장한다. 쌍태아 임신을 했는데, 하나는 정상이고 하나는 질병에 영향을 받았다는 사실이 발견될 때 딜레마가 발생될 수 있다.

중요한 것은 이 모든 선택은 부부의 몫이지 상담자의 몫이 아니라는 것을 기억하는 것이다. 상담은 가치를 분명히 하고 부부가 자신들에게 가장 중요한 것이 무엇인지를 이해하는 것이다.

확인문제

확인문제

36. 유전 상담을 하기에 가장 적절할 때는 언제인가?

37. 모든 형태의 유전 상담시에 적용될 수 있는 두 가지 원칙은 무엇인가?

XXI 염색체 이상

염색체 이상은 대다수가 출생 시 신체검진을 통해서 발견된다. 이런 식으로 나타나는 가장 흔한 염색체 이상은 비분리증후군이다. 이 증후군은 신체발달과 인지발달 장애가 나타나게 된다. 임신 첫 3개월 동안 발생하는 자연유산의 약 50%는 염색체 이상을 갖고 있다. 염색체 이상의 분류는 [표 11-13]과 같다.

1) 파타우 증후군

파타우 증후군(Patau syndrome, Trisomy 13 syndrome)은 13번 염색체가 3개인 염색체 이상이다. 이러한 장애를 가지고 있는 아동은 광범위한 인지 장애를 동반한다. 발생률은 생존 출생아 1,000명당 약 0.45명으로 낮다.

신체의 정중선에 장애가 존재하고, 주로 이마와 전뇌에 이상을 동반한 소두증, 정상보다 작은 눈을 가진 소안구증, 입술과 구개의 파열[그림 11-47(A)], 낮은 변형 귀(lowerset ears), 심장기형(특히 심실중격결손), 비정상적인 생식기, 다지증이나 합지증 등이 흔히 나타난다[그림 11-47(B)]. 이 병에 걸린 신생아의 대부분은 6개월 이내에 사망에 이르고, 50% 정도가 1개월 이내에 사망하게 된다.

2) 에드워드 증후군

에드워드 증후군(Edwards syndrome, Trisomy 18 syndrome) 아동은 18번 염색체를 3개 가지고 있다. 심한 인지 장애를 동반하며, 발생률은 생존 출생아 1,000명당 약 0.23명이다. 이런 아동들은 출생 시 제태연령이 짧은 경향이 있다. 특

아동청소년간호학

아동청소년간호학

구분	염색체 유형	특징적 증상
파타우 증후군	13번 trisomy	인지장애, 소두증, 구개파열, 낮은 변형 귀, 심장기형, 조기사망
에드워드 증후군	18번 trisomy	인지장애, 짧은 재태기간, 낮은 변형 귀, 소악증, 심장기형, 조기사망
묘성 증후군	5번 염색체 일부 소실	고양이 울음소리, 소두증, 심한 인지장애
터너 증후군(여아형)	성 염색체 소실 (염색체45개 성염색체 XO)	단신, 단경, 대동맥 협착, 신장장애, 여성형 성기, 난소기능장애로 불임, 학습장애 및 적응장애
클라인펠터 증후군(남아형)	염색체 47개 번 성염색체 XXY	2차 성징 지연, 무정자증, 여성형 유방
다운 증후군	21번 trisomy	특이한 외형, 인지장애 있으나 교육 가능, 면역기능 저하, 심장기형, 백혈병

표 11-13   염색체 이상 분류

징적인 증상은 낮은 변형 귀, 소악증(small jaw), 선천성 심장기형, 손가락과 발가락의 기형(집게손가락이 가운데 손가락 위에 그리고 새끼손가락이 넷째 손가락 위에 덮인 손 모양, 짧고 뒤로 굴곡진 첫째 발가락). 대부분은 1년 이내에 사망한다.

3) 묘성 증후군

묘성 증후군(Cat cry syndrome, 5p-syndrome)은 5번 염색체의 일부분이 소실된 결과이다.

고양이 울음소리 같은 높고 비정상적인 울음, 소두증, 양안격리증, 양쪽 내안각 췌피(내안각 췌피는 눈 안쪽의 인대가 눈 안쪽 뼈에 부착하게 되는데 이때, 뼈에 붙는 위치가 너무 하방에 부착되면 눈 안쪽의 피부가 당겨져 지나치게 아랫 방향으로 잡아 당겨져 발생됨), 심한 인지장애 등을 동반한다.

4) 터너 증후군

터너 증후군(Turner's syndrome, 45XO)은 여아 2,500명

에서 3,500명 당 1명으로 발생하는 비교적 흔한 염색체이상 질환으로 성염색체 중 하나가 전부 또는 부분 소실된 것이다.

이러한 아동은 단신, 단경(短頸), 익상경(翼狀頸) 등이 나타난다. 신생아들은 감지할 수 있을 정도의 손과 발의 부종을 가지며, 가장 흔하게는 대동맥 협착, 신장 장애를 동반한다. 성기의 외형은 여성형이나 매우 작고 기능이 없고, 음모의 발육이 전혀 없거나 불량하며, 사춘기에 이차성징이 나타나지 않는다. 난소기능의 결손으로 임신하지 못한다. 터너 증후군을 가진 아이들은 심한 인지장애 및 학습장애를 보이며 사회 정서적 적응문제가 동반된다. 터너 증후군을 가진 아동에게 성장 호르몬을 투약하는 것은 키를 좀 더 키우게 하는 데 도움이 될 수 있다. 만일 에스트로겐 치료를 13세경에 시작한다면 2차 성징이 나타나지만 생식 능력은 없다.

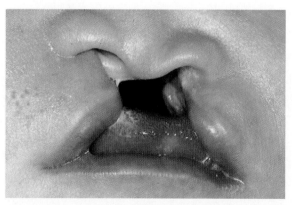
(A)

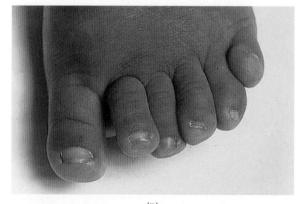
(B)

그림 11-47   Patau's 증후군
(A) 구순과 구개파열 (B) 다지증

5) 클라인펠터 증후군

클라인펠터 증후군(Klinefelter's syndrome, 47XXY)은 X 염색체가 하나 더 많은 성 염색체 이상으로 표현형은 남자이다. 이 증후군의 특징은 출생 시에는 알아내기가 어렵고, 사춘기에 이르러 2차 성징의 발현이 약하며 고환이 작고 정자 생산이 비효율적으로 이루어져 무정자증을 보인다. 여성형 유방으로 발달하는 경향을 보이며 발생률은 생존 출생아 1,000명당 약 1명이다. 핵형 분석으로 검사할 수 있다.

6) 다운 증후군

다운 증후군(Down syndrome, Trisomy 21 syndrome)은 가장 흔한 염색체 이상 질환이며 생존 출생아 800명당 약 1명이 발생한다. 35세 이상의 노령초산의 경우 발생률이 높다(발생률은 생존 출생아 1,000명당 1명 이상이다). 아버지의 연령(55세 이상)이 높은 연령 집단에서도 발생률이 증가한다.

아동의 신체적 특징은 아주 현저해서 초음파를 이용해 태아기에 진단이 가능하다. 코는 크고 납작하다. 눈꼬리가 위로 치켜올라가 있고 양쪽 눈 사이에 몽골 주름이 있다. 눈의 홍체에 회백색의 반점(Brushfield's spot)이 있다. 신생아일 때도 구강이 정상보다 작기 때문에 혀가 입에서 내밀어져 있다. 머리 뒤는 편평한데, 목은 짧고 귀의 위치가 낮으며, 근력이 저하되어 있다. 아이는 매우 늘어져 있어서 아이의 발가락을 이끌어 코에 가져다 댈 수 있을 정도이다. 손가락은 짧고 약하며, 새끼손가락은 안으로 굽어져 있다. 정상인 경우 손바닥에 3개의 선(주름)이 있는데 다운 증후군 아이의 경우 원숭이 손금, 즉 하나의 수평선이 있다[그림 11-48].

다운 증후군 아동들은 항상 어느 정도의 인지장애가 있지만, 손상의 정도는 교육이 가능한 수준(IQ 50~70)에서부터 심한 장애 수준(IQ 20 이하)까지 다양하다. 면역기능이 떨어져 있어서, 상기도 감염에 잘 이환되는 경향이 있다. 선천성 심장 질환(특히 방실 중격 결손)이 흔하고 십이지장 폐쇄, 사시, 백내장 등도 흔히 나타난다. 원인은 잘 알려져 있지 않지만 다운 증후군 아동은 정상 인구에 비해 임파구성 백혈병 발생률이 20배 이상 높다. 선천성 심장 질환과 같은 질병을 동반하지 않았다 하더라도 정상인보다 수명

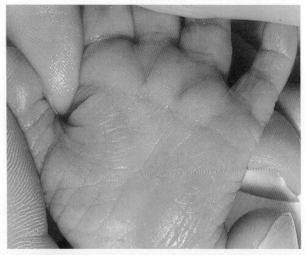

그림 11-48 **다운 증후군의 손바닥 단일선(simian line)**

이 짧아서 40~50세 정도이다.

확인문제

38. 터너 증후군에서 나타나는 유전자 이상은 무엇인가?

39. 다운 증후군을 가진 모든 아이들은 어떤 인지장애를 보이는가?

※ 고위험 신생아란 출생과정이나 자궁 외 생활의 적응과정에서 발생되는 고위험 상태나 환경으로 인해 이환율과 사망률이 평균보다 높은 신생아를 말한다.

※ 미숙아는 체중에 비해 체표면적이 넓고, 사지가 이완된 체위로 증발이 많고, 피하지방의 양이 적고, 근육발달이 적고, 갈색지방의 양이 적고, 오한을 발생할 수 없고, 중추신경계와 시상하부의 통제가 미성숙하여 체온조절이 미숙하다.

※ 미숙아는 계면활성제가 부족하여 폐포가 확장되기 위해 최대의 힘이 필요하므로 호흡개시에 어려움이 있고 비가역성 산혈증이 되기 쉽다.

※ 미숙아는 만삭아에 비해 동맥관이 늦게 닫히는데, 계면활성제의 활성화를 통한 유리질막병의 증상이 호전될 때 동맥관을 통한 좌우단락이 발생하여 심부전이 발생하고 이로 인한 폐부종이 초래되기 쉽다.

※ 부당경량아는 체중이 자궁 내 성장곡선에서 10백분위수 이하에 속하는 신생아로서 자궁 내 성장지연 즉, 자궁 내에서 기대되는 비율로 성장하는데 실패한 신생아이다.

※ 부당중량아는 체중이 자궁 내 성장곡선에서 90백분위수 이상에 속하는 신생아로서 자궁 내 성장호르몬의 과다생성에 기인한다.

※ 과숙아는 출생 시 체중과 관계없이 재태기간 42주 이상에 출생한 신생아를 말한다.

※ 신생아 집중치료실은 미숙아의 체온조절을 위해 효과적인 신체기능을 유지하기 위해 중성 온도 환경은 온도를 유지하도록 하며 적절한 중성환경은 온도 23~27℃, 습도는 40~60%이다.

※ 미숙아의 호흡개시와 유지를 위한 과정은 기도를 확보하고 유지하고, 폐를 확장시키며 효과적인 환기를 시작하고 유지하는 것이다.

※ 미숙아의 효과적인 체중증가를 위해 만삭아보다 많은 1일 kg당 120~140칼로리가 필요하며 단백질은 kg당 3~3.5g이 필요하다.

※ 미숙아의 질병상태나 치료과정에서 발생하는 통증은 단,장기적으로 위험요인을 높이므로 적절한 사정과 적극적인 중재가 필요하다.

※ 미숙아는 만삭아에 비해 낮은 총빌리루빈혈증과 간접빌리루빈혈증에도 핵황달이 초래될 수 있으므로 광선요법이나 교환수혈 등의 적절한 치료적 중재가 필요하다.

※ 신생아 집중치료실은 중성환경온도를 유지하고 철저한 감염관리를 통해 감염을 적극적으로 예방하도록 한다.

※ 신생아 집중치료실에 입원하고 있는 미숙아에게도 만삭아와 동일한 발달자극이 필요하다.

확인문제 정답

1. 체중에 비해 체표면적이 넓고, 사지가 이완된 체위로 증발이 많고, 피하지방의 양이 적고, 근육발달이 적고, 갈색지방의 양이 적고, 오한을 발생할 수 없고, 중추신경계와 시상하부의 통제가 미성숙하다.

2. 손가락 두 개로 흉골을 누르거나, 손가락으로 등을 받치고 엄지손가락으로 흉골을 누른다. 흉골을 약 4~5㎝ 정도 깊이로 1분에 100회 속도로 눌러준다.

3. 부당경량아는 보유하고 있는 혈당량이 적기 때문이고, 부당중량아는 체중을 유지하기 위해 저장된 영양분을 즉시 사용하기 때문이다.

4. 만삭아는 팔꿈치가 신체 중앙선에 닿지 않으나 미숙아는 손목이 신체중앙선에 근접하거나 가로지른다.

5. 만삭아는 고환이 음낭으로 내려와 있고 주름이 발달되어 있으나 미숙아는 고환이 완전히 내려오지 않았고 음낭에 주름이 거의 없다.

6. 온도는 23~27℃, 습도는 40~60%를 유지하도록 한다.

7. 실제 미숙아의 체온보다 높게 측정될 수 있기 때문이다.

8. 미주신경 자극으로 서맥이나 부정맥이 발생할 수 있다.

9. 태변이 기도로 더 깊이 들어가지 않도록 높은 압력을 가하지 않고 마스크만으로 산소를 주입하고 산소를 주기 전에 흡인을(suction) 실시한다.

10. 24시간에 체중이 30g 이상 증가하거나 눈 주위의 부종, 빈호흡, 빈맥, 폐 청진 시 습성악설음 등이다.

11. 1일 kg당 120~140 칼로리

12. NIPS, newborn infant pain scale

13. 40~70cm

14. 신생아와 같은 Rh형의 O형 혈액

15. 캥거루식 돌보기

16. 쇄골골절

17. 어머니의 혈핵형이 O형이고, 아기가 A형 또는 B혈인 경우

18. 광선요법

19. 계면활성물질의 부족

20. 근육을 이완시켜 낮은 압력에서도 기계적 환기가 이루어지도록 한다.

21. 뇌척수액 누출 가능성을 염두에 두고 즉시 보고한다. Tape test를 통해 누출된 액체에 포도당이 함유되어 있는지 확인한다.

22. 아동의 맥박과 호흡이 감소하고 체온과 혈압은 증가한다. 과잉반사, 사시, 안구위축이 나타나날 수 있다. 영아는 자주 울며 대부분의 아동이 잘 성장하지 못한다.

23. 고관절을 외전 및 내전시켜본다(Ortolani's sign과 Barlow's sign을 실시한다).

24. 구순은 남아에게서 더 흔하고 구개열은 여아에게서 더 흔히 발생한다.

25. 영아의 구강 뒤쪽으로 유두가 위치하도록 하여 혀 움직임을 통해 모유가 나오는 것을 촉진한다. 구순 아동을 위해 특수 제작된 젖꼭지(cleft lip nipple)를 이용하면 흡인의 위험성을 감소시킬 수 있고 구개열 아동은 입천장을 막기 위해 특수하게 제작된 젖꼭지(cleft palate nipple)를 사용하는 것이 권장된다. 보통 수유 중 공기를 많이 삼키게 되므로 수유 중간이나 후에 트림을 시켜주는 것이 필요하다.

26. 수술 부위에 압력이나 긴장을 주지 않도록 음식을 먹일 때 숟가락이 수술 부위에 닿지 않도록 주의한다. 영아를 복위로 눕히지 말고 옆으로 눕히고 봉합선이 벌어지지 않도록 절개 부위에 bar를 부착하기도 한다. 아동을 최대한 울리지 않도록 하고 수술 부위를 만지지 못하도록 필요시 아동의 팔을 억제한다. 혀를 이용하여 봉합 부위를 자극하지 않도록 아동의 관심을 전환시킬수 있는 놀이요법을 적용하는 것도 도움이 된다. 봉합선의 긴장을 막기 위해 음료수를 마실 때에는 빨대를 사용하지 않는다.

27. 수술 후 며칠 동안 아동의 호흡 상태를 주의 깊게 관찰해야 한다. 수술 부위에서 배출된 분비물이 인두에 축적되지 않도록 흡인을 실시한다. 이때 봉합선을 자극하지 않도록 낮은 압력으로 부드럽게 흡인한다. 기관지 분비물을 묽게 하기 위해 가습기를 적용하고 영아의 기도가 폐쇄되는 것에 대비하여 기관 삽관용 물품을 침상옆에 둔다.

28. 수유 후에 즉시 투사성 구토를 했을때는 유문 부위의 협착과 관련이 있다.

29. 선천성 거대결장은 신경절세포(ganglion cell)의 결여로 인하여 장 운동이 제한되고 이로 인해 기계적인 폐쇄가 발생하는 질환이다. 일반적으로 무신경절 세포가 있는 부분의 상부가 확장된다.

30. 담관폐쇄는 자방흡수나 지용성 비타민(Vitamin A, D, E, K)의 흡수 부족을 초래한다.

31. 복막의 내층이 파열되거나 건조해져 찢어지지 않도록 따뜻한 멸균 생리식염수에 적신 거즈로 감싸주도록 한다. 장기가 공기에 노출시 체온이 떨어질 수 있으므로 따뜻한 환경을 제공한다. 이때 복막이 건조해지지 않도록 열기구의 직접적인 사용은 피한다.

32. NEC 증상은 일반적으로 출생후 첫 주에 나타난다.

33. 혈당이 너무 낮아지는 것을 예방하기 위해서이다.

34. 생후 24시간~48시간에 시작된다.

35. 윗입술이 얇고 눈이 작다.

36. 가장 이상적인 시기는 첫 임신 전이다. 유전질환을 가진 아이를 출산한 부부의 경우 두 번째 임신 전에 유전상담을 받아야 한다.

37. 첫째, 상담을 받는 개인이나 부부는 제공되는 정보에 대해 명확히 이해할 수 있어야 한다. 이 원칙은 첫 임신과 이후 임신에도 적용된다. 둘째, 간호사는 자신의 가치나 견해를 상대방에게 강요해서는 안된다. 부부는 모든 가능한 견해에 대해 인지할 필요가 있고 이러한 견해들을 심사숙고하여 스스로 의사결정을 내려야 한다.

38. 터너 증후군(45XO)에서는 무배란, 익상경(webbed neck), 단신(short stature), 인지장애 등이 나타난다.

39. 다운 증후군을 가진 어린이들은 보편적으로 어느 정도 인지 장애를 보이지만, 교육이 가능한 경우(IQ 50~70)에서부터 아주 심하게 손상 받은 경우(IQ 20 이하)까지 다양할 수 있다.

호흡기능 장애 아동의 간호

주요용어

결핵(tuberculosis)
기관지염(bronchitis)
낭성섬유증(cyctic fibrosis, CF)
부비동염(sinusitis)
비인두염(nasopharyngitis: common cold)
세기관지염(bronchiolitis)
중이염(otitis)
코피(epistaxis)
크룹(후두기관기관지염)(croup:laryngo tracheobronchitis)
편도염(tonsilitis)
폐렴(pneumonia)

학습목표

01 아동기 호흡기의 특성을 설명한다.

02 호흡기능을 사정한다(병력, 신체사정, 진단검사).

03 비인두염 아동에게 간호과정을 적용한다.

04 인두염 아동에게 간호과정을 적용한다.

05 편도염 아동에게 간호과정을 적용한다.

06 중이염 아동에게 간호과정을 적용한다.

07 크룹 아동에게 간호과정을 적용한다.

08 기관지염 아동에게 간호과정을 적용한다.

09 세기관지염 아동에게 간호과정을 적용한다.

10 폐렴 아동에게 간호과정을 적용한다.

11 결핵 아동에게 간호과정을 적용한다.

12 기타 호흡기 질환 아동에게 간호과정을 적용한다.

I 호흡기계의 특성

호흡기능 장애는 아동에서 흔히 발생된다. 특히 영아에 있어서는 해부학적으로 성인과 많은 차이가 호흡기능 장애에 영향을 미친다. 호흡기계는 신경 조절 호르몬하에 기능하는 복잡한 구조로 구성되며, 이러한 구조는 대사 노폐물인 탄산가스를 배출시키고 모든 세포가 신체 대사를 위한 산소를 공급하도록 공기를 운반하고 가스를 교환한다.

코, 인후, 후두, 기관, 기관지와 폐 같은 호흡기계 기관은 가스가 신체로 들어가도록 한다. 순환계는 가스를 체내의 수백만 개의 세포로 운반한다. 폐 조직의 아주 작은 일부 기낭(폐포)을 제외하고 호흡기계의 모든 구조는 공기 운반 기능을 하며 그것은 가스교환이 이루어지는 범위 내에 있다.

01 / 호흡기계의 해부 생리

호흡기계는 코, 부비동, 인두, 후두, 후두개로 구성된 상기도와 기관, 기관지, 세기관지, 폐로 구성된 하기도의 두 부분으로 분류된다. 흡기를 통하여 호흡기계는 폐포로 들어온 공기를 따뜻하게 하고 습화시키고 폐포막을 통해 산소를 헤모글로빈이 있는 적혈구 세포로 운반한다. 그리고 폐포에서 적혈구 세포로부터 이산화탄소를 이동시킨다. 호기를 통하여 이산화탄소로 채워진 공기는 밖으로 배출된다.

1) 호흡 조절 기전

(1) 신경계는 리드미컬한 호흡 주기와 깊은 호흡의 통제로 조화를 유지한다.

(2) 화학계는 폐포환기를 통제하고 정상 혈액가스 압력을 유지시킨다.

호흡 조절 중추는 호흡의 빈도와 깊이를 조정하고 흡기와 호기의 호흡 리듬상태를 조정한다. 신경계 호흡조절 중추는 리드미컬한 호흡 주기와 깊은 호흡의 통제로 조화를 유지한다.

화학적 제어는 pH, PCO_2, PO_2의 변화에 반응하며 연수에 있는 중추 화학수용체에 의해 조절된다. 아동에게 있어 산소의 고농도 주입은 산소요구를 완화시키고 호흡을 자극하기 때문에 위험하다.

2) 아동에서의 호흡기도의 차이점

사골과 상악동은 출생 시부터 존재하고 전두동과 접형동은 6세에서 8세까지 발달되지 않는다. 학령기 초기에 편도선 비대는 정상적이다.

호흡기 점액은 일반적으로 청결하게 하는 기능을 한다. 그러나 신생아는 소량의 호흡기 점액이 분비되므로 성장한 아동보다 호흡기 감염이 생길 가능성이 더 높다. 2세 이상 아동의 과도한 점액 분비는 또래 아동보다 관의 구경이 더 작기 때문에 쉽게 폐쇄될 수 있다[그림 12-1].

2세 이후에 오른쪽 기관지가 왼쪽 기관지보다 짧아지고, 광범위해지며, 더 각이 지게 된다. 이런 이유로 이물질이 흡인(aspiration)되면 오른쪽 폐로 들어가게 된다. 유아기에는 흡기에 복부 근육을 사용하게 된다. 2세에서 3세에는 흉식 호흡으로 변화되기 시작하고 7세에 완성된다. 성인보다 아동이 보조근을 더 많이 사용하기 때문에 질환으로 이러한 근육이 약화되어 호흡부전이 올 수도 있다.

유아기에는 큰 아동과 성인에서보다 호흡기벽에 표면활성체가 적어 호기 후 자주 허탈이 올 수 있다. 또한 기도의 평활근이 적으므로 유아기에는 큰 아동이나 성인만큼 쉽게 기관지경련이 발생하지 않는다. 따라서 세기관지 마찰로 공기가 밀리면서 생기는 천식음은 기도가 심각하게 손상되

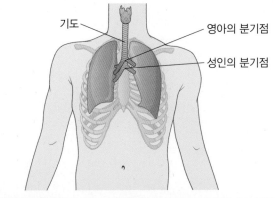

기도
영아의 분기점
성인의 분기점

그림 12-1 영아와 성인의 기관 분기점 차이

기관의 분기점이 영아는 제3흉추 반대편에 위치하나 성인은 제4흉추 반대편에 위치함

표 12-1	아동 상기도의 해부학적 특성

- 출생 시부터 사골과 상악동 존재
- 상대적으로 큰 머리와 작은 입과 짧은 목
- 6~8세까지 전두동과 접형동 발달 안 됨
- 작은 콧구멍과 후비공
- 혀의 기저부와 성문의 개구사이의 각도가 큼
- 성문과 후두가 높게 위치(C2-3)
- 2세 이후 오른쪽 기관지가 왼쪽 기관지보다 짧아지고, 더 각이 지게 됨

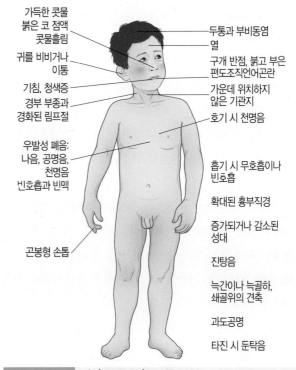

가득한 콧물
붉은 코 점액
콧물흘림

두통과 부비동염
열

귀를 비비거나 이통

구개 반점, 붉고 부은 편도조직언어곤란

기침, 청색증

가운데 위치하지 않은 기관지

경부 부종과 경화된 림프절

호기 시 천명음

우발성 폐음: 나음, 공명음, 천명음 빈호흡과 빈맥

흡기 시 무호흡이나 빈호흡

확대된 흉부직경

증가되거나 감소된 성대

진탕음

늑간이나 늑골하, 쇄골위의 견축

곤봉형 손톱

과도공명

타진 시 둔탁음

그림 12-2	호흡기계 질환 아동 사정

호흡기계 질환 아동의 건강력과 신체검진

었을 때에도 유아기에서는 두드러지게 나타나지 않는다[표 12-1].

기관의 분기점이 영아는 제3흉추 반대편에 위치하나 성인은 제4흉추 반대편에 위치한다.

호흡기계 기능 사정

01 / 병력

아동에서의 호흡기 질환 사정은 면담, 신체 검진, 임상병리검사를 포함한다. 아동이 급성기라면 면담과 건강력은 처음 발병했을 때와 나타난 증상에 관한 가장 중요한 항목만 다루어진다. 그러나 문제는 다양한 원인에 의해 발생할 수 있다[그림 12-2].

저산소증 증상은 흔히 잠행적이기 때문에 병력을 통하여 얻는 것이 중요하다. 말초혈관수축(신체 주요 장기에 유용한 산소를 저장하기 위한 기전)은 창백한 안색으로 나타나게 된다.

빈호흡(tachypnea)과 빈맥(산소화를 위한 노력), 불안, 착란(제한된 뇌 관류에 의한)이 발생될 수 있다. 불충분한 수유는 영아가 잘 빨지 못하고 빠르게 호흡하기 때문에 나타나게 되는 첫 번째 증상 중 하나이다. 심부정맥은 부족한 심장 관류로 인해 발생될 수 있다.

02 / 신체 사정

호흡기계 기능장애가 있는 아동의 신체 사정은 기침, 청색증 혹은 창백함 같은 증상뿐만 아니라 조직밀도에 대한 정보를 제공한다. 폐의 청진은 특별한 병리 기전을 확인하고 치료에 대한 아동의 반응을 사정하는데 도움이 된다. 청진은 기도 개방성을 확인하는데 필수적이다. 촉진과 타진은 통증 부위와 폐음과 호흡음을 평가하는 것을 포함한다.

1) 기침

기침(coughing)은 먼지, 화학물질, 점액, 혹은 염증에 대한 호흡기도 점막의 신경 자극에 의해 발생한다. 기침 소리는 숨을 내쉬면서 성문을 빠르게 지나가면서 내는 소리이다. 기침은 과도한 점액이나 호흡기도로 들어온 이물질을 제거하는 과정이다. 기침은 상기도 감염으로 발생한다. 흡기 후 호기(expiration) 시에 발작성 기침이 나타난다. 일반적으로 이것은 백일해를 앓는 아동에게서 발생된다. 기침은 흉부 압력을 증가시키고 심장으로 귀환하는 정맥혈을 감소시킨다. 감소된 심장 박출로 실신(기절)할 수 있다. 발작성

기침(paroxysmal coughing)은 중심정맥 순환에 압력을 증가시켜 중추신경계에 출혈이 발생할 수 있다. 어린 아동은 기침을 하고 난 후 구토를 하여 처음에는 위장 장애로 오인할 수 있다. 기침은 여러 질환과 관련이 있지만 보통 호흡기 질환과 관련되어 있다. 기침은 자극의 표시이면서 호흡기계의 보호기전으로 기침은 불수의적 반사작용이지만 구심성 신경섬유, 기침중추의 원심성 신경섬유로 되어있는 복합반사이다. 상기도나 하부 기도의 염증 또는 감염은 기침을 유발한다. 기침의 양상은 질병의 특성을 나타낸다. 예를 들어 심한 기침은 홍역과 낭성섬유증과 관련 있으며, 흡기 시 발작적 기침을 동반하는 백일해의 '백일해 기침'이 전형적이다. 쇳소리가 나는 기침은 크룹과 이물질 흡인 증상의 일부이다[표 12-2].

확인문제

1. 유아기에 성인보다 호기 후 자주 허탈이 오는 이유는 무엇인가?

2. 이물질이 흡인되면 오른쪽 폐로 들어가는 이유는 무엇인가?

2) 호흡의 속도와 깊이

빈호흡은 호흡 속도가 빨라진 것이다. 때로 이것은 아동에서 기도 폐쇄의 첫 번째 증상이다. 특히 유아의 호흡 속도를 사정할 때 수면 시 확인하도록 한다. 울게 되면 호흡 횟수를 제대로 확인할 수 없게 되기 때문이다. 또한 산소결핍증에 영향을 줄 수 있으므로 호흡의 깊이와 양상도 사정해야 한다.

확인문제

3. 기도폐쇄의 첫 번째 증상으로 호흡속도가 빨라진 것을 무엇이라 하는가?

3) 견축

견축(retractiion) 또는 유연한 흉곽과 관련된 연조직의 함몰이 폐질환에서 나타난다. 질병 시(특히 심한 기도폐쇄 시)에 견축은 심하게 나타난다[그림 12-3]. 전 늑골하연에서 보이는 늑골하 견축은 횡격막이 납작하게 내려간 것을 나타내며, 흉곽하연에 위치하고 늑막강 내에 더 많은 음압을 유지하려고 흉곽을 잡아당긴다. 폐색이 심한 경우 견축은 흉골상부(supraclavicular)와 흉골상절흔(suprasternal notch)까지 확장된다.

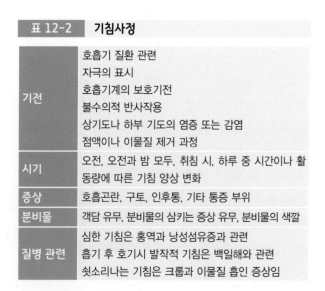

표 12-2	기침사정
기전	호흡기 질환 관련 자극의 표시 호흡기계의 보호기전 불수의적 반사작용 상기도나 하부 기도의 염증 또는 감염 점액이나 이물질 제거 과정
시기	오전, 오전과 밤 모두, 취침 시, 하루 중 시간이나 활동량에 따른 기침 양상 변화
증상	호흡곤란, 구토, 인후통, 기타 통증 부위
분비물	객담 유무, 분비물의 삼키는 증상 유무, 분비물의 색깔
질병 관련	심한 기침은 홍역과 낭성섬유증과 관련 흡기 후 호기시 발작적 기침은 백일해와 관련 쇳소리나는 기침은 크룹과 이물질 흡인 증상임

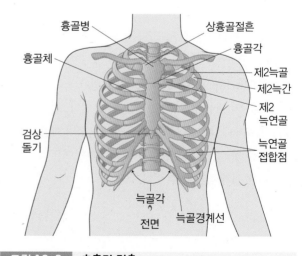

그림 12-3 호흡기 견축

기도 폐쇄 시 견축이 나타나는 부위

4) 불안정성

큰 아동이나 유아는 적절한 산소 공급이 어려울 때(저산소증, hypoxia) 불안하게 되고 침착하지 못하게 된다. 유아는 불안이 기도 폐쇄의 첫 번째 증상 중 하나인 빈호흡과 연관된다. 호흡기 질환이 있는 유아가 과도하게 움직이고 있다고 해서 질환이 호전되는 것은 아니다. 불안하게 휘젓는 움직임은 급성 호흡기 폐쇄를 의미한다.

5) 청색증

청색증(cynosis) 혹은 피부가 푸른색을 띄는 것은 저산소증을 의미한다.

PaO$_2$가 40mmHg 이하이거나 산화되지 않은 헤모글로빈이 3mg/100mL 이상 증가할 때 청색증이 나타나게 된다(불완전하게 산화된 적혈구 세포는 순환에서 검은색으로 보이기 때문이다). 청색증은 헤모글로빈이 5mg/100mL 이하일 때 나타난다.

그러나 청색증은 기도 유지 곤란 시에 항상 나타나지는 않는다. 만약 아동이 효과적으로 숨을 들이쉴 수 없다면 동맥혈을 포화시킬 수 있는 충분한 산소가 폐포까지 제공될 수 없다. 청색증은 그러한 결과로 나타난다. 아동은 더 많은 산소를 공급하기 위하여 호흡수를 증가시키게 된다. 기관의 관내와 주변 조직 사이의 압력 차이가 커져서 폐쇄와 함께 기관은 허탈된다. 아동은 쇼크가 나타나거나 사지의 청색증에 의한 말초신경혈관 수축을 동반하게 된다.

6) 곤봉형 손톱

만성 호흡기 질환이 있는 아동은 손가락이 곤봉형 모양으로 변하고 손톱 끝에 모세혈관이 증가하기 때문에 손톱 끝의 각도가 변하게 된다[그림 12-4]. 모세혈관은 말단 세포에 더 많은 산소를 공급하려는 노력으로 크기가 증가한다. 이를 곤봉형 손톱(clubbing)이라고 한다. 손가락 종지 내 조직의 곤봉상 또는 증식은 흔히 만성적인 저산소증, 일차적 심장결손과 만성 폐질환으로 나타난다. 곤봉정도는 손톱 기저부가 조직증식으로 부풀어 오르는 정도를 결정한다.

확인문제

4. 만성 호흡기 질환 아동의 손가락이 곤봉형 모양으로 변하는 이유는 무엇인가?

7) 우발음

우발음(adventitous sounds) 혹은 비정상적인 호흡음은 병리학적 상황에 의해 발생되고 호흡기 질환이 있는 아동의 폐 사정 시 청진된다. 청진시에 흡기음은 호기음보다 정상적으로 더 부드럽고 길다. 이것은 폐포성 호흡과 관련된 것이다. 기관지 호흡 또는 기관지음은 흡기음(inspiration)보다 호기음(expiraton)이 더 길다. 기관지 호흡음은 정상적으로

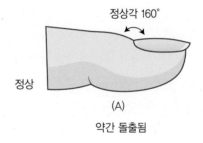

정상각 160°

정상

(A)

약간 돌출됨

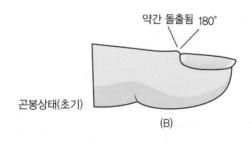

약간 돌출됨 180°

곤봉상태(초기)

(B)

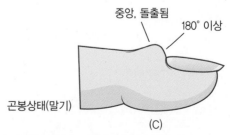

중앙, 돌출됨

180° 이상

곤봉상태(말기)

(C)

그림 12-4 **곤봉형 손톱의 진행과정**

만성 호흡기 질환은 손톱 끝의 모세혈관 증가로 손톱 끝의 각도가 변함

폐포 호흡 형태로 들을 수 있는 곳을 제외한 폐의 말초부위에서 들을 수 있고, 말초 폐포에서 가스 교환이 손상되었을 때 들을 수 있으며(폐렴이 발생할 때와 같이), 전달된 기관음으로 청진된다.

호흡 시 보조음은 점액으로 인한 폐쇄 시 공기의 진동으로 생긴다. 코나 인두가 폐쇄되었다면 목소리는 코고는 것처럼 들린다. 혀의 끝이나 후두가 폐쇄되었다면 흡기 시에 거칠고 불쾌한 소리가 난다. 이것이 후두 천명이다. 환아가 똑바로 누워 있을 때 가장 잘 들리고 똑바로 앉아있을 때 잘 들을 수 없다.

기관 아래나 기관지가 폐쇄 되었다면 호기 시에 천식음을 확실하게 들을 수 있다. 만약 폐포에 수액이 차있다면 맑은 마찰음(수포음)을 들을 수 있다. 폐포에 수액이 차있고 공기가 거의 들어가지 않거나 전혀 들어갈 수 없을 때 감소되거나 호흡음이 들리지 않을 수도 있다. 천명음(stridor), 고음(high-piched), 시끄러운 호흡음은 부종과 염증의 결과로 상기도가 좁아지는 것을 나타내거나 상기도가 폐색된 것과 관련 있다. 천명음은 흡기 또는 호기에 있을 수 있다. 아동에서 일반적인 원인은 크룹(croup), 후두개염(epiglottitis), 기관지염(tracheitis), 이물질 등이다. 그렁거림(grunting)은 큰 아동에 있어 급성 폐렴이나 늑막 병변을 나타내는 중증 징후이다. 신생아와 유아에게는 폐부종이 관찰되고 호흡곤란증후군의 특징이 있다. 그렁거림은 말단호흡기의 압력을 상승시켜 폐포 모세혈관막에서의 산소와 이산화탄소 교환시간을 연장시킨다.

8) 폐의 직경

만성 폐쇄성 폐질환이 있는 아동은 유입된 공기가 만성적으로 폐포에 정체되어 숨을 내쉴 수 없게 된다(과도팽창). 이로 인해 폐의 전후 직경이 길어지고 이는 새가슴으로 불리게 된다. 과도 공명음(소리가 크고 비어있는)은 폐위로 타진을 할 때 나타난다.

03 / 임상병리 검사

임상병리 검사는 호흡기 문제를 확인하거나 해결하기 위해 이용될 수 있고 문제의 원인과 심각성을 확인하기 위해 이용될 수 있다. 동맥혈 가스 분석, 비인두 배양, 가래 분석, 땀의 염화물질 분석이 포함된다.

1) 혈액가스검사

혈액가스검사는 환기 효과와 산-염기 상태를 결정하기 위한 침습적인 방법이다. 동맥혈 가스의 정상 수치는 [표 12-3]에 나타나있다.

혈액가스분석은 혈액의 산화에 대한 중요한 정보를 제공해준다. 동맥에서 산소의 부분압인 PaO_2(말초 산소압)의 적

표 12-3	혈액가스검사			
측정	정의	정상치	산증	알칼리증
pH	신체의 산·염기 상태를 나타냄	성인 : 7.35~7.45 아동 : 7.39	7.35 이하이면 산혈증	7.45 이상이면 알칼리 혈증
PCO_2	혈액 내 용해된 CO_2의 압력	성인 : 35~45mmHg 아동 : 37mmHg	45mmHg 이상 원인 : 폐쇄성 폐질환, 어떤 원인에 의한 과소환기	35mmHg 이하 원인 : 저산소증, 폐 색전증, 어떤 원인에 의한 과다환기
HCO_3	혈액 내 산의 완충 신장에서 조절 대사성 성분 (metabolic component)	성인 : 22~26mEq/L 아동 : 22mEq/L	22mEq/L 이하 원인 : 설사, 심부전, 쇼크, acetazolamide 치료, 당뇨병성 케톤산증, 췌장액 배액감소	26mEq/L 이상 원인 : 상부위장관계 수분손실, 이뇨제, corticosteroid 치료
염기과잉(BE)	혈액 내 모든 염기의 상태	성인 : ±2 아동 : ±3	감소	증가
PO_2	혈액 내 용해된 산소압력 폐에서의 산소포화를 나타냄	성인 : 90~100mmHg 아동 : 96mmHg	80mmHg 이하 : 저산소증 원인 : 폐쇄성 폐질환, CO_2 농도 증가, FiO_2 감소, 과소환기	100 mmHg 이상 : 높은 산소 포화 원인 : FiO_2 상승, 과다환기

절한 수준과 헤모글로빈의 산소 포화도가 적당한지도 알 수 있다. 만약 호흡기 질환으로 적절한 산소가 혈류에 도달할 수 없거나 헤모글로빈이 부족하고 산소를 완전히 보충하여 운반할 수 없다면(겸상 적혈구빈혈이나 지중해성 빈혈일 때) 산소 포화도는 떨어지게 된다. 만약 심각한 빈혈이 있는 아동이라면 포화도는 적당하지만(97%), 적혈구 세포의 수가 제한되기 때문에 체세포는 산소를 충분히 제공받을 수 없다. PaO_2가 증가하거나 감소되고, pH가 낮고, 혹은 체온이 내려가면 산소를 운반하는 헤모글로빈의 기능이 감소된다.

$PaCO_2$는 환기의 효과에 의해 평가된다. 과소환기를 하는 아동은 $PaCO_2$를 내뿜을 수 없기 때문에 $PaCO_2$가 증가할 것이고 과도환기를 하는 아동은 너무 많이 내뿜기 때문에 이산화탄소 포화도가 감소할 것이다. 폐쇄나 과소환기로 축적된 이산화탄소를 배출할 수 없을 때는 동맥에서 이산화탄소의 부분압이 증가할뿐만 아니라 탄산(이산화탄소가 혈장에 용해되었을 때 형성된)의 농도와 수소이온의 농도도 증가할 것이다. 이로 인해 산독증이 발생할 수 있다(혈중 pH의 감소와 산도의 증가).

신체는 신장의 세뇨관에서 중탄산염의 재흡수를 증가시킴으로써 장기간 산성이 되는 것을 보상할 수 있다. 호흡기 장애정도가 감소되었다면(폐쇄가 제거되거나 환기를 보조함으로써) 혈류에 존재하는 중탄산염의 양이 산성물의 양을 초과할 것이고 상태는 알칼리증으로 변할 것이다. 알칼리증은 호흡수 감소로 인해 발생하고(이산화탄소를 보존하기 위해) 무호흡으로 인해 발생된다. 이러한 상황이 발생할 때 아동을 주의 깊게 관찰할 필요가 있으며 혈액가스검사와 전해질수치를 측정해야 한다.

호흡성 알칼리증과 호흡성 산증에 대한 비교는 [표 12-4]에 나타나있다. [표 12-5]는 동맥혈 가스를 평가하는 단계에 관하여 설명하고 있다.

혈액 가스를 분석하기 위해서는 정맥혈보다 동맥혈이 이용된다(동맥혈은 폐에서의 혈액의 산화를 잘 반영하고 반면에 정맥혈은 각 신체의 대사정도를 반영한다). 어린 유아기에는 측두 동맥을 이용하고 신생아기에는 제대동맥 카테타를 이용한다. 아동은 요골동맥이 손목에 위치한 측부혈행이기 때문에 좋은 부위이다(만약 요골동맥이 응고되었다면 손부위는 측부혈행에 의해 산소를 공급받을 것이다)[표 12-6]. 동맥혈 가스분석을 위해 검체는 헤파린화된 주사기(응고를 예방하기 위해)를 사용해야 한다. 동맥을 천자한 후에 부위를 꼭 압박해야 하고 천자된 혈관에서 피하조직으로 출혈이 될 수 있으므로 큰 혈종이 형성될 가능성이 있고 천자 후 검게 보일 수 있다. 말초혈관이나 중심혈관에 삽입하는 동맥 카테터를 유지하여 더 추가적인 천자가 없도록 한다. 아동은 카테터를 가지고 놀거나 활동량이 많으므로 동맥 카테터가 돌출된 부위의 소독이 필요하다. 팔꿈치나 손 억제대 같은 부드러운 억제대를 대줌으로써 카테터를 제거하지 못하게 해야 한다.

표 12-4 호흡성 알칼리증과 호흡성 산증 비교

	원인	결과	치료 및 간호
호흡성 알칼리증	과도환기	호흡 곤란(빠르고 깊은 호흡) 부속근육 사용 증가 착란, 무의식 뇌압 상승 청색증, 빈혈 pH 증가(7.45 이상) $PaCO_2$ 감소(35mmHg 이하)	혈액 가스 모니터 산소 공급, 기관 삽관 적용 중탄산염나트륨 투여
호흡성 산증	과소환기	얕은 호흡, 호기 부전 착란, 지남력 장애 마비증(발가락과 손가락) pH 감소(7.35 이하) $PaCO_2$ 증가(45mmHg 이상) 실신, 발한	혈액 가스 모니터 필요시 약물투여(진정제) 산소 공급 환기 시 천천히 하도록 지시

표 12-5	혈액가스 분석

혈액가스분석 단계	내용
1단계 pH 평가	정상적으로 pH는 7.35에서 7.45 pH가 7.35 이하이면 산성, 7.45 이상이면 알칼리 1가지 이상의 산-염기 불균형 시에는 pH 조절해야함
2단계 환기 평가	동맥에서 CO2의 부분압($PaCO_2$)은 35~45mmHg이 정상 $PaCO_2$가 45mmHg보다 높으면 환기 부전과 호흡성 산증을 의미 $PaCO_2$가 35mmHg보다 낮으면 폐포의 과도환기와 호흡성 알칼리증을 의미
3단계 대사과정 평가	중탄산염(HCO_3^-)이 22mEq/L 이하이거나 base excess(BE)가 −2mEq/L 이하일 때는 대사성 산증을 의미 중탄산염이 26mEq/L 이상이거나 BE가 2mEq/L 이상일 때는 대사성 알칼리증을 의미 BE는 대사성 상태를 나타내는 지침 자주 2가지 산-염기 불균형이 동시에 일어나는 경우 한 가지가 초기 상태, 나머지는 신체의 보상 상태를 의미 대부분의 경우 $PaCO_2$와 HCO_3가 비정상일 때 1가지는 초기 산-염기 불균형을, 나머지는 보상상태를 의미 산성 과정은 pH가 산성으로, 알칼리 과정은 pH가 알칼리를 나타냄 ex 2단계와 3단계에서 환아가 호흡성 산증과 대사성 알칼리증이고 pH가 7.25였다면 초기 상태는 호흡성 산증, 나머지는 초기 문제를 보상하기 위한 과정이다.
4단계 초기와 보상 상태의 결정	혈액가스 분석을 설명할 때 가능한 보상의 3가지 상태를 기억해야함 $PaCO_2$나 HCO_3만 변화하는 비보상상태, 보상이 완전하지 않기 때문에 $PaCO_2$와 HCO_3^-가 비정상이고 pH가 비정상인 부분적 보상 상태, 보상이 완전하기 때문에 $PaCO_2$와 HCO_3는 비정상이지만 pH는 정상인 완전 보상상태 보상이 완전한 초기 상태를 확인하기 위해 초기 산성을 의미하는 pH가 7.35~7.40에 있는지를 확인, pH가 초기 알칼리성을 의미하는 7.40~7.45 인지를 확인해야 함
5단계 산화정도평가	정상적으로 PaO2는 80~100mmHg를 유지 PaO_2가 60~80mmHg이면 경미한 저산소증 의미 40~60mmHg이면 보통의 저산소증 40mmHg이하이면 심각한 저산소증을 의미함
6단계 해석	최종 분석은 보상정도, 초기 상태, 산화 상태를 포함해야함 예를 들면 "저산소증을 동반한 부분적으로 보상된 산증" 등

어린 유아에게서 직접적으로 동맥혈을 채취한다는 것은 불가능하므로 발뒤꿈치나 손가락에 스틱을 이용할 수 있다. 절차를 진행하기 전에 발뒤꿈치나 손가락을 따뜻한 물에서 약 20분 정도 따뜻하게 하면 모세혈관의 혈액 가스 수준이 동맥의 수준에 접근할 만큼 부분적으로 혈류가 증가할 것이다.

산소의 분압 정도를 확실하게 기록하기 위해 가능하다면

표 12-6	ALLEN TEST

- 요골 동맥에서 혈액가스분석을 하기 전에 손의 측부혈행을 확인
- 바늘 천자로 동맥을 차단할 수 있고 사실상 손의 혈류를 차단할 수 있음
- 측부혈행 확인을 위해 요골 · 척골 동맥을 누르고 색이 사라질 때까지 손을 올림
- 척골 동맥의 압력을 풀고 손의 색 변화를 관찰
- 손이 핑크빛으로 돌아오지 않는다면 요골 동맥으로 카테타를 삽입해서는 안 됨

임상병리 슬립에 리터를 기록한다. 또한 검체를 얻은 부위를 표시하는 것도 포함시켜야 한다. 동맥혈 가스 검체는 검사실로 옮기는 동안 얼음으로 차게 유지하여야 정확한 표본을 유지할 수 있다(이산화탄소는 실내 공기에서 감소된다).

2) 비침습적 검사

맥박 산소계측정과 경피적 산소 모니터링을 포함한 산화 헤모글로빈 포화도를 측정하기 위한 2가지 비침습적인 방법은 다음과 같다.

(1) 산소 포화도 측정

맥박 산소계측정은 산소 포화도를 측정하기 위한 지속적이고 비침습적인 방법이다. 측정을 위해 혈관 주변, 주로 아동의 손가락이나 유아의 발에 감지장치와 전자광검출기

를 놓는다[그림 12-5]. 적외선이 감지장치에서부터 전자광 검출기까지 직접적으로 손가락을 통과하게 된다. 헤모글로 빈이 없을 때보다 산소를 둘러싸고 있을 때 광선을 흡수하 기 어렵기 때문에 산소계측정은 헤모글로빈에서 산소 포화 도(SaO_2)의 정도를 탐지할 수 있다.

SaO_2는 PaO_2와 거의 일직선이 된다[그림 12-6]. SaO_2가 95%일 때 PaO_2는 80에서 100mmHg의 정상 범위에 있다.

SaO_2가 90%보다 떨어질 때 PaO_2는 60mmHg이다. SaO_2 외 PaO_2의 관계에 대해서 기억하기 쉬운 방법은 60~30, 90~60의 규칙이다(SaO_2가 60이면 PaO_2는 30, SaO_2가 90 이면 PaO_2는 60). 따라서 SaO_2가 90 이하가 되면 관심을 가지고 관찰해야 한다. 곡선은 PaO_2(혈액에서 측정된)와 SaO_2(맥박 산소 측정계에서 측정된)의 관계를 나타낸다. 도 표에서 보는 것과 같이 PaO_2를 증가시키는 것은 SaO_2를 의 미 있게 증가시키거나 조직에 대한 산소공급을 향상시키지 않는다. 이 시점에서 그 이상의 PaO_2 증가는 혈액에서의 용 해 산소만 증가시킬 뿐이며, 보통 상태에서 동맥 산소구성 을 의미 있게 기여하지 못할 것이다. 그러나 곡선의 낮은 부 분은 PaO_2 생산의 작은 변화에도 포화도는 크게 변화한다. 이러한 것은 특히 저산소상태(저산소증)의 조직 수준에 유 리한 점인데, PaO_2의 적은 감소가 조직에서 산소의 큰 소비 를 초래할 수 있기 때문이다.

맥박 산소계측정의 장점은 비침습적이라는 것이다. 단점 은 감지장치가 작고 위치가 제대로 되어있는지를 자주 확인 해야 한다는 것이다. 방안이 지나치게 밝으면 결과가 잘못

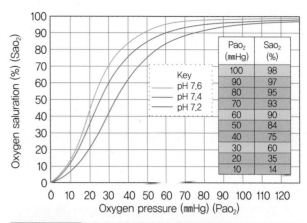

	Pao₂ (mmHg)	Sao₂ (%)
	100	98
	90	97
	80	95
	70	93
	60	90
	50	84
	40	75
	30	60
	20	35
	10	14

Key
— pH 7.6
— pH 7.4
— pH 7.2

그림 12-6 **산소화된 헤모글로빈의 해리도**
PaO_2와 SaO_2와의 관계를 나타냄

될 수 있으므로 신생아 집중치료실이나 밝게 불이 켜진 병 실에서는 감지 장치는 담요로 덮어두어야 한다.

맥박 산소계측정을 지속적으로 모니터하기 위해서는 적 절하게 간호를 해야 한다. 예를 들어, 영아를 돌보고 있는 동안 산소 수준이 떨어지기 시작한다면 PaO_2가 정상으로 다시 돌아올 때까지 집중적인 간호가 필요하다. 맥박 산소 측정기를 계속 가지고 있는 대부분의 영아는 압력 괴사를 방지하기 위해 적어도 3~4시간마다 전극의 위치를 바꿔 주 어야 한다. 특히 관류 저하와 저체온 등 체온 문제가 있거나 매우 민감한 피부를 가진 경우 더 자주 교체해 주어야 한다. 많이 움직이거나 안절부절 움직이는 영아는 결과를 판독하 기 어렵다.

(2) 경피적 산소 모니터링

경피적 모니터링($TcPO_2$)은 산소 포화도를 지속적이고 비침습적으로 측정하기 위한 다른 방법이다. 측정을 위해 서 44℃로 가열된 전극을 유아의 가슴에 부착해야 한다. 열 은 피부 아래 혈관확장의 원인이 되고 산소량을 측정할 수 있도록 말초동맥혈을 표면으로 이동시킨다. 모니터링 판독 을 위해 수은의 밀리미터로 환산된다. 이런 방법으로 측정 된 산소 포화도 수준은 맥박 산소계 측정에서처럼 동맥 내 PaO_2와 서로 관련이 있다. 경피적 모니터링은 맥박 산소계 측정보다 피부 화상을 예방하기 위해 3~4시간마다 탐침의 위치를 변경해야하는 단점이 있다. 위치 변경을 할 때마다 다시 눈금을 측정해야 한다. 감지기들은 혈압측정에 사용되 는 사지 근처에 두면 안 되고 또한 맥박에 영향을 미치기 때

그림 12-5 **산소 포화도 측정**
비침습적 방법으로 아동의 숟가락이나 발에 감지 장치를 통한 산소포화도 측정

문에 유치 동맥 카테터와 함께 두어서는 안 된다.

3) 비인두 배양

비인두 배양은 효과적으로 수행될 때 거의 불편감이 없다. 그러나 대부분 아동은 코나 인두에 무엇인가 들어가게 되면 몹시 놀라게 되고 즉시 저항하게 된다. 절차가 수행되는 동안 단호하고 침착할 필요가 있다. 코와 인두 배양은 상기도에 있는 검체를 보여주게 된다. 하기도 감염의 원인이 되는 유기체는 볼 수 없다. 인두 배양은 배양물에 닿는 끝부분이 인두의 감염된 부위에 닿지 않는다면 병리적인 검체를 얻을 수 없게 된다.

4) 호흡기계 합포체 바이러스 비강 세척

비강 세척으로 호흡기 합포체(Syncytial) 바이러스에 의한 감염 진단을 할 수 있다. 이를 위해 아동은 똑바로 누워 있어야 하고 비강안으로(바늘을 제거한) 무균 주사기로 1~2mL의 무균 생리식염수를 주입하게 된다. 그 후에 작고 동그란 무균 주사기를 이용하여 흡인하게 된다. 제거된 분비물은 무균 용기에 넣어 분석을 위해 검사실로 보내지게 된다. 비강 세척은 아동에게 불편감을 주고 식염수를 떨어뜨림으로써 잠재적으로 불안하게 한다. 검체 후 아동을 달래 주고 검체 수집이 끝난 것을 확인시켜 준다.

5) 가래 분석

기침으로 가래를 모을 수 없기 때문에 가래 수집은 어린 아동은 거의 불가능하다. 그러나 조금 더 큰 아동은 기침을 해서 가래를 모을 수 있다. 원하는 수집방법(기침을 해서 얻은 검체)을 정확하게 교육한 뒤 수차례 심호흡을 하게 한 후 깊은 기침을 하도록 한다.

확인문제

> 5. 침습적인 검사 방법으로 환기 효과와 산-염기 상태를 결정하는 검사방법은 무엇인가?

04 / 진단 검사

증상이 나타나는 시기와 심함 정도는 흉곽 내 복부 장기의 부피와 폐 발육부전 정도에 달려있다. 전형적인 경우는 청색증과 빈호흡, 흉골 함몰 등의 호흡부전 증상이 출생 시 또는 출생 후 수 분, 수 시간 내에 나타난다. 그 밖에 주상복부, 이환된 쪽의 호흡음 소실 등을 볼 수 있으며, 진단은 흉부 X선 사진과 종격동 이동 소견으로 진단할 수 있다.

1) 흉부 X-ray

흉부 X-ray는 폐의 침윤이나 경화정도를 보여주며 이물질의 위치를 확인할 수 있다. 흉부 X-ray는 아동은 지시에 따라 호흡하고 참을 수 없기 때문에 큰 아동보다 X-ray 촬영이 어렵다. 따라서 가장 확장된 위치의 폐를 찍기 어렵게 된다. 전산화단층촬영(CT)은 질환의 과정을 가장 잘 확인할 수 있는 기술이기 때문에 만성 폐질환이 있는 아동에게 지시된다.

2) 기관지조영법

흉부 방사선 촬영법은 공기가 찬 후두, 기관, 주요 세기관지를 나타낸다. 조직에서 폐쇄나 만곡된 부분이 보인다. X-ray 검사를 수행하기 전에 방사선불투과 물질을 초음파 분무기를 이용하거나 세기관지에 카테터를 주입함으로써 호흡기도 안에 주입한다. 이를 위해 아동에게 진정제를 투여한다. 그 후 검사 과정에 의한 기관지 자극으로 점액 생산이 증가하게 된다. 축적된 점액으로 호흡기 폐쇄가 올 수 있으므로 검사 후 주의 깊게 아동을 관찰해야 한다.

3) 폐기능 검사

폐기능 검사는 폐기능의 비정상 범위를 확인하기 위하여 시행된다. 예측 값의 50% 이하이면 폐기능이 현저히 떨어진 것으로 평가하며 흉곽수술 후 예후가 좋지 않을 수 있다. 폐기능에 영향을 주는 기관지 확장제 사용에 대한 아동의 반응 평가 및 폐쇄성 폐질환(호기질환)과 제한성 폐질환(흡기곤란)을 구별하기 위해 실시되기도 한다.

환기 과정 혹은 호흡에는 다음 3가지가 포함된다. ① 폐가 호기에서 흡기로 변할 때 공기의 속도와 방향을 변화시키는 관성력, ② 흡기 시 탄성력, ③ 저항력이나 기관지분리를 통하여 공기의 움직임에 대한 저항. 최대의 환기를 위해 저항은 최소가 되어야 한다. 세기관지가 점액으로 좁아졌거나 막히게 되면 저항은 증가하게 된다. 관성력, 탄성력, 저항력은 폐기능 검사에서 측정된다.

폐의 폐포는 세기관지가 허탈되기 때문에 호기 말에 완전하게 비워지지 않고 폐포에 공기가 남아있게 된다. 반대로 원활한 호흡 기능을 위해 흡기시 완전하게 공기가 채워지지 않는다. 천식이나 폐쇄성 폐질환이 있는 아동은 폐에서 공기의 이동이 어렵다. 폐 밖으로 공기를 이동시키는 데 만성적으로 어려움을 느끼게 된다. 보통의 아동과 같은 양의 공기를 내쉬려면 더 오랫동안 숨을 내쉬어야 할 것이다. 신경 근육장애와 같은 제한적인 환기 장애가 있는 아동은 호기와 흡기 모두 동일하게 어려움을 느끼게 된다.

폐 용량 검사는 폐쇄나 제한적인 환기 능력의 정도를 확인하기 위해 수행된다. 아동은 공기 교환을 기록하는 장치인 스피로미터(폐활량계)나 혹은 전산화된 vital capacity chamber로 호흡을 하게 된다. 일반적인 폐기능 검사는 [표 12-7]에 설명되어 있다.

4세 이하의 아동은 협조가 필요하므로 폐기능 검사를 시행할 수 없다. 그러나 모든 아동은 신호에 따라 입으로 마우스피스를 물고 강하게 호흡을 해야 하기 때문에 얌전한 태도와 교육이 요구된다. 어떤 검사는 아동이 부는 동안에 집게나 클립 혹은 도움을 받아 코를 막을 수도 있다. 이것은 호흡기 질환이 있는 아동을 불안하게 할 수 있다. 호흡하는 능력을 확인하기 위해 제자리에서 달리기를 하도록 요구할 수도 있다. 장비에 대한 충분한 예비교육이 없다면 자신들에게 수행되는 것에 대해 매우 불안하게 느끼게 되어 빈호흡이 올 수 있으며 완전한 용량으로 숨을 내쉬거나 들이쉴 수 없게 되기 때문에 검사 결과가 왜곡될 수 있다.

폐기능 검사의 결과는 아동의 호흡 문제에 대한 특성과 정도를 확인할 수 있으며 더 효과적인 환기를 위한 최상의 방법을 얻을 수 있게 된다.

폐기능 검사는 질병시 중증도와 경과를 평가하고 치료효과를 측정하는데 유용하다.

확인문제

6. 최대 호기 후 폐에 남아있는 공기의 양은 무엇이라고 하는가?

표 12-7 폐기능 검사

	1초 강제 호기량	강제 폐활량	강제 중간 호기 유량	최대 호기 유속	FEV1/FVC 비율	최고 수의 환기량
검사	(forced expiratory volume in first second of expiration, FEV1)	(forced vital capacity, FVC)	(forced midexpirratory flow rate, FEF, 25~75%)	(peak expiratory flow rate, PEFR)		(maximal voluntaary ventilation, MVV)
측정	1초 동안 내쉬는 공기의 양	최대 흡기 후 빠르게 힘껏 호기할 수 있는 공기량	강제 중간 호기의 유속 측정, 작은 기도질환의 조기 지표	노력 호기시 최대유속, 천식의 기관지 수축 모니터 보조, 최대유속을 측정할 수 있음	FEV1값을 FVC로 나눔, 폐쇄성과 억제성 폐기능 장애 감별	일정 기간에 가능한 빠른 심호흡, 운동 능력의 정보를 주는 비특이적 검사, 운동 스트레스 검사와 병용
정상 수치	예측치의 80% 이상	예측치의 80% 이상	연령 〈 50 : 예측치의 75% 이상 연령 ≥ 50 : 예측치의 70% 이상	약 600L/min	연령 〈 50 : 예측치의 75% 이상 연령 ≥ 50 : 예측치의 70% 이상	약 170L/min
임상적 의의	기도폐쇄 등급 구분	폐쇄성 질환 시 감소	기도 질환 지표	천식과 기관지 질환 감별	폐쇄성과 억제성 비교	운동 시 호흡능력 감별

05 / 건강증진과 위험요인 관리

아동의 가장 일반적인 호흡기 질환은 감기이다. 걸음마 단계의 아동은 손을 씻고, 적절하게 휴지를 버리고, 기침하는 동안 입을 가림으로써 가족을 통한 감기 전염을 피하도록 교육할 수 있다. 교실을 통하여 전파되는 세균이나 질환에 걸리는 것을 예방하기 위해 학령기 아동에게 이런 방법들에 대해 다시 주의를 주어야 한다. 기관지염의 원인이 되는 Haemophilus influenza B 유형의 발생률은 정기적인 예방주사(HIB 백신)를 접종하여 감소될 수 있다. 만성 호흡기 질환이 있는 아동은 폐렴구균 백신을 접종해야 하고 해마다 인플루엔자 백신을 접종해야 한다. 천식이 있는 아동의 부모는 환경을 통제하여 추가발생을 감소시키기 위해 노력해야 한다. 간접흡연을 감소시켜 호흡기 자극을 줄이는 것이 천식, 상기도 감염, 중이염을 예방하는 데 도움이 될 수 있다.

06 / 호흡기계 질환의 치료적 관리 및 간호

장 팽창을 막기 위해 비위관을 삽입하고 호흡곤란이 있으면 기관 내 삽관을 통한 호흡을 권장하며 산소 마스크로 산소를 공급한다. 고위험군에서는 체외막산소화요법(Extracorporeal Membrane Oxygenator, ECMO)이 개발되어 사용되고 있다. 수술 시 기도 상태가 좋은 아동은 즉시 수술하지만 고위험군에서는 아동의 폐혈관 저항이 어느 정도 안정된 후 수술하는 것이 좋다. 심호흡계 허탈과 산혈증의 가능성 때문에 응급수술이 필요하다. 간헐적 또는 지속적인 흡인을 하기 위해 비위관을 삽입하여 장에 들어가는 공기의 양을 감소시키고 호흡을 덜 힘들게 한다. 적당한 혈액가스 수준을 유지하기 위해 기관내 삽관과 양압 환기를 통해 호흡을 도와주어야 하는데 폐는 허약해서 쉽게 파열되므로 환기보조는 기흉이 생기는지 확인하면서 조심스럽게 실시한다.

외과적 처치는 복부 내용물을 복부로 원위치 시키고 결함 부위를 막는 것이다. 대부분의 경우 장염전은 횡격막 탈장을 동반하는데 이것도 함께 교정한다. 위루관은 절개 부위로 삽입한다. 복강이 너무 작아서 복부 내용물이 전부 들어갈 수 없는 경우 근막을 열어놓고 피부만 닫아 수개월에 걸쳐 완전히 교정한다. 생존율은 생후 첫 24~72시간 내에

진단받은 심한 경우에 50% 정도 된다. 소생술과 수술이 최적기에 행해졌을 때 예후는 결함의 크기, 폐의 발육부전 정도, 침범되지 않는 폐의 상태 등 3가지 요인에 의해 좌우된다. 일반적으로 증상이 일찍 나타날수록 예후는 나쁘다. 심한 선천성 기형을 동반한 경우는 사망률이 높다.

1) 거담 요법

기도 자극은 점액이 많이 생기게 되는 원인이 된다. 아동이 호흡기 질환으로 호흡이 빠르다면 공기의 흐름이 빨라져 점막이 건조하게 되고 더 점착성이 된다. 점액을 묽게 하며 점액의 배출법을 도와야 한다.

(1) 경구 수액

점액의 점도를 낮추는 가장 좋고 가장 효과적인 방법 중 하나는 아동이 수액을 잘 섭취하는 것이다. 수액을 자주 섭취하거나 혈관에 수액 공급이 탈수를 예방할 수 있다. 섭취량과 배설량을 주의 깊게 기록하여 수화 상태를 관찰해야 한다.

(2) 액화성 물질

Guaifenesin(Robitussin)같은 약물(거담제)은 점액을 묽게 하기 위해 투여된다. 코에 식염수를 한방울씩 떨어뜨리거나 비강 스프레이의 사용은 코의 건조된 점액을 축축하게 하고 부드럽게 하는데 효과적이다.

(3) 습화

습화는 기도에 습도를 제공해준다. 습도를 제공하는 일반적인 방법은 가습기와 분무기이다.

① 가습기

가습기는 매우 작은 물방울로 축축해진 공기를 방안으로 방출하여 차거나 따뜻한 습기를 제공해준다. 아동이 우연히 가습기를 잡아당길 경우 심한 화상을 입을 수 있으므로 따뜻한 물을 사용할 때 부모는 주의해야 한다. 이런 유형의 사고를 피하기 위해서는 아동의 손이 닿을 수 있는 곳에 놓는 것을 피해야 한다. 열이 있을 때는 차고 습한 것이 좋을 수 있다. 부모는 가습기를 사용한 후에 철저하게 청소를 해야

한다. 그렇지 않으면 pseudomonas균이 자라게 된다.

② 분무기

분무요법은 아동이 너무 어려서 호흡수와 깊이를 조절할 수 없을 때 사용된다. 공기나 산소가 많이 함유된 가스 형태로 연무 또는 분무될 수 있으며 수동식 분무기가 흔히 사용된다. 분무제는 흔히 작은 플라스틱 마스크 내로 방출되어 아동이 코와 입으로 들이마시게 된다. 코와 인두에 입자가 침전되는 것을 막기 위하여 치료 동안 입을 벌리고 천천히 깊게 호흡하도록 아동에게 가르쳐 준다. 분무기는 호흡기에 직접적으로 가습된 공기를 제공해 주는 기계 장치이다. 대부분 코와 입위로 고정된 손으로 쥘 수 있는 마스크로 되어 있고 동력원으로 전기 펌프에 부착되어 있다[그림 12-7]. 초음파 분무는 호흡기로 매우 작은 물방울들을 이동시키고 가장 미세한 세기관지까지 가습시킨다. 항생제나 기관지확장제와 같은 약물은 분무된 습기와 결합되어 사용될 수 있다.

많은 아동이 상기도에 갑자기 들어오는 습기로 인해 놀라게 되므로 분무기 치료를 불편하게 생각한다. 분무 사용이 가습시키기에 가장 효과적인 방법이며 상기도에 효과적일 수 있다. 분무 시 약물 투약을 하는 동안 약물의 흡수로 전신적인 증상이나 기도 자극 증상(경련이나 부종)을 주의 깊게 관찰해야 한다.

③ 계량화된 약물 흡입기

계량화된 약물 흡입기(metered dose inhaler, MDI)는 호흡기에 직접적으로 약물을 투여하기 위해 제공된 휴대용 장치이다. 기관지 확장제가 주로 사용되며 천식 또는 낭포성 섬유증 환아에게 유용하다. 5~6세 이하의 아동은 MDI를 사용하는 것이 어려워 호흡을 조절하고 연무화된 약물을 전달하고 지속적으로 분무요법을 할 수 있는 유격장치(spacer device) 또는 보유 챔버(holding chamber)를 사용한다. 아동이 기계의 피스톤을 누르는 동안 흡입된다. 어린아동은 기계에 "spacer"를 삽입할 필요가 있으며 플라스틱 연결관을 통한 약물 투여로 흡입을 더 잘 조절할 수 있도록 도와준다. 천식이 있는 아동은 일상적으로 간헐적인 기관지확장 치료를 위해 MDI를 사용하고 있다. 효과적인 사용을 위해 아동은 6가지 필수적인 과정을 따라야 한다. 통을 흔든다. 깊게 숨을 내쉰다. 숨을 들이 쉴 때 흡입기를 댄다. 천천히 길게 흡입한다. 그리고 나서 5~10초 동안 호흡을 멈춘다. 한번 뿜고(puff) 나서 다음 puff 사이에 1분 정도의 시간을 둔다.

(4) 기침

일반적으로 점액을 효과적으로 배출시키는 방법이기 때문에 아동이 기침을 못하게 하기 보다는 하도록 격려해야 한다. 체위변경, 가벼운 운동, 혹은 심호흡은 기침을 일으킨다. 비강 충혈로 코에서 점액이 분비되어 기침을 했다면 pseudoephedrine(Sudafed)와 같은 충혈 완화제가 점액의 배출을 멈추게 하고 기침을 하도록 해줄 것이다. 부모들은 아동에게 성인용 기침약을 투약해서는 안 된다. 이 약에는 아동에게는 과용량인 코데인이 함유되어 있다.

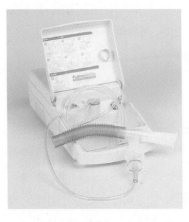

(A)

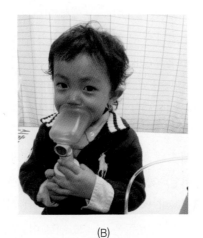

(B)

(C)

그림 12-7 **(A) 분무치료 (B) 분무기를 사용하는 아동 (C) MDI기계**

(5) 흉부 물리요법

아동의 체위를 간단하게 변경하는 것으로 점액을 이동시키고, 기침 반사로 배출시킬 수 있다. 아동의 가슴이 복부보다 낮은 위치에 있을 때는 중력이 낮은 엽과 기관지에서부터 점액의 이동을 도와준다. 똑바로 앉아있을 때는 중력이 상위 엽과 기관지로부터 배액되는 것을 도와준다. 앙와위로 누워 있을 때는 전방의 기관지가 배액되고, 복와위로 있을 때는 후방의 기관지가 배액된다. 따라서 폐의 일정 부위에 점액이 형성되어 정체되는 것을 예방하기 위해 잦은 체위 변경이 중요하다. 아동이 점액 배출에 문제가 있다면, 폐 분절의 배액을 촉진하는 1가지 우세한 체위를 유지한다. 체위변경을 하고 점액이 배액될 때, 자극으로 가끔 기침을 할 것이다.

흉부 물리요법(Chest physical therapy, CPT)에는 객출을 위해 점액을 묽게 하기 위한 3가지 기술이 포함된다. 이런 기술에는 체위 배액(postural drainage), 타진, 진동법이 포함된다. 각각은 단독으로 사용되거나 일반적으로 동시에 수행될 때 더 효과적이다.

매일 타진, 진동과 함께 체위 배액이 주요 기관지로 점액을 이동시키기 위해 처방될 것이다. CPT는 위에 음식물이 차있다면 기침이 구토를 유발할 수 있기 때문에 아침 식사를 하기 전이나 아침 식사를 하고 적어도 한 시간 후에 행해져야한다.

CPT는 힘이 들기 때문에 매번 대략 30분으로 제한한다.

① 기술

유아를 위한 일반적인 체위 배액은 [그림 12-8]을 참고한다. 유아는 무릎에서 체위 배액을 해야 하고 반면에 더 큰 아동의 체위 배액을 위해서는 비스듬한 판자 등이 필요하다.

체위 변경을 위한 준비는 아동의 상태나 인내력에 달려 있다. 흉부물리요법 기술은 [표 12-8]에 요약 설명되어 있다.

타진(흡각법)은 가슴을 향해 손바닥을 잔 모양으로 하거나 구부려서 시행한다. 아프게 하는 것처럼 세게 쾅 치는 소리가 나도록 하면 안 된다는 것을 부모에게 확실하게 한다.

유아와 어린 아동에게는 타진기, 노리개 젖꼭지, 혹은 작은 산소마스크를 사용할 수 있다[그림 12-9]. 이런 장비들은 움직임에 집중하게 하고 제거되는 점액의 양을 증가시키게

된다. 진동은 호기 동안 아동의 흉부에 손으로 진동을 주면서 압력을 주는 것이다. 타진과 같이 이것은 끈끈한 분비물을 기계적으로 묽게 하고 이동시키게 된다. 진동은 또한 기계적 진동법 등이 이용될 수 있다.

배액되어야 할 폐의 엽을 상위에 있게 하는 체위를 취해야 한다. 타진이나 진동은 피로할 수 있기 때문에 아동은 매번 모든 엽을 배액해서는 안 된다. 예를 들면, 아침 식사 전에 우상엽, 좌상엽, 좌하엽을 수행하고 점심 식사 전에 우하엽과 우중엽을 수행하고 저녁 식사 전이나 취침 전에 양쪽의 상엽과 하엽을 수행해야 한다.

각 체위를 한 후 기침을 하도록 한다. 아동에게 심호흡을 하고 내쉬고, 심호흡을 하고 기침을 하도록 설명을 한다면 기침을 잘 할 것이다. 세 번째 호흡을 하고 나면 주요 기도에서 점액이 자극을 받아 거의 자연스럽게 기침을 할 것이다.

과거에는 CPT는 호흡 물리요법사들에 의해 병원에서만 시행되었었다. 관리 치료가 도입되고 나서 간호사들이 CPT를 수행하고 부모들을 교육하고 있다. 부모들은 아동이 퇴원하기 전에 기술을 배워서 집에서도 계속적으로 수행해야 한다.

배액 지속기간은 아동의 상태와 견디는 정도에 따라 다르며 보통 20~30분 정도 시행한다. 모든 큰 폐 분절에서 배액을 촉진하기 위한 체위는 다양하며, 매번 모든 체위가 유용한 것은 아니다. 아동은 4~6개의 체위까지는 잘 협조하지만 6개 이상은 참기가 어렵다. 나이 든 아동은 시간이 오래 걸리는 것을 이해한다. 어린 아동과 영아는 치료사의 무릎과 다리 위에 혹은 베개를 이용하여 체위를 취한다. 가정에서 어린 아동은 패드를 댄 경사진 보드판, 침대, 긴 의자 위해서 체위를 취할 수 있다. 체위의 사용과 치료 기간 및 간격은 개인에 따라 다르다.

(6) 점액 제거 기구

점액 제거 기구(flutter divice)는 점액을 제거하기 위한 목적으로 사용되어 진다. 이는 작은 플라스틱 파이프처럼 생겼다. 기구안에 스테인레스 볼이 아동이 숨을 내쉴 때 움직여 폐를 진동시킨다[그림 12-10]. 이러한 진동이 점액을 기도 위로 이동시키고 배출시킬 수 있도록 점액을 묽게 해준다. 이런 기구는 낭성섬유증 아동의 폐분절에서의 기관지

그림 12-8 **영아의 체위 배액자세**
(A) 좌상엽 폐첨분절   (B) 좌상엽 후분절   (C) 좌상엽 전분절   (D) 우상엽 상분절   (E) 우하엽 후기저분절
(F) 우하엽 외측기저분절   (G) 우하엽 전기저분절   (H) 우중엽 내측 및 외측분절   (I) 좌상엽 상하 설분절

그림 12-9 **타진기**
유아와 어린 아동에게 사용하는 타진기

배액을 도와주며, 이를 위한 체위, 절차는 치료자의 손으로 흡각법이나 진동요법을 시행하면서 무릎에 환아를 눕히고 준비한다.

(A) 위쪽의 심첨부위, (B) 왼쪽 상엽의 뒷부분, (C) 왼쪽 상엽의 안쪽부위, (D) 오른쪽 하엽의 윗부분, (E) 오른쪽 하엽의 뒤쪽 기저부위, (F) 측면, (G) 오른쪽 하엽의 안쪽 기저부위, (H) 오른쪽 중앙 엽의 중앙과 측면부위, (I) 왼쪽 상엽의 설상엽 섬유증이있는 아동의 폐에서 점액을 제거하는데 이용된다.

표 12-8	**흉부물리요법**

원리: 중력을 이용한 체위 배액, 타진(손바닥으로 두드리기), 진동 요법을 통해 호흡기계의 점액을 묽게 하고 배출을 용이하게 한다.

계획	원리
1. 손을 씻는다; 아동을 확인한다; 아동에게 절차를 설명한다.	1. 미세병원균의 전파를 예방한다; 아동의 이해와 승낙을 구한다.
2. 아동의 상태를 사정한다; 절차가 적절한지를 분석한다; 필요에 따라 계획을 수정한다.	2. CPT는 신체적으로 지치게 한다; 두개강 압력을 증가시킬 수 있다. 기침으로 인해 유발되는 구토를 피하기 위해 식후 1시간 후에 시행한다.
3. 물품을 준비한다: 베개나 비스듬한 판자, 일회용 휴지(배양검사를 위한 검체가 필요하면 가래통이 있어야 한다); 타진 장치(유아용), 처방된 수액과 약물 분무기.	3. 조직적인 치료는 효과를 증가시키고 아동이 지치지 않게 해준다. 체위배액 전 분무는 기관지확장, 점액을 묽게 하고 분비물 이동을 유도하도록 처방된다.
4. 배액 체위를 선택한다(그림 13-8). 아동의 체위가 적절해도 편안해하지는 않다. 기준선 결정을 위해 폐 주위를 청진하고 타진한다.	4. 체위는 중력으로 분비물을 배액하도록 해준다.
5. 체위를 통해 지시된 폐 분절을 1~2분동안 타진하고 흡각법(손가락을 잘 보시오)을 이용하고 4~5회 호기 동안 진동법을 이용한다. 호흡기계 증상이 발생하는지 아동을 잘 관찰해야 한다.	5. 타진과 진동은 호흡기계의 기침을 통해 기관지 점액을 묽게 한다. 점액의 이동에 따라 기관지를 막게 된다. 청색증, 빈호흡, 호흡곤란, 격렬한 기침 등의 증상을 관찰한다.

계획	원리
6. 아동에게 심호흡과 분비물 배출을 위해 기침을 하도록 한다. 분비물의 배출을 확인하기 위해 폐 분절을 청진한다.	6. 기침은 분비물의 이동을 돕는다.
7. 처방에 따라 추가적인 체위 배액을 취하여 흉부의 체위를 변경하여 타진과 진동을 한다. 호흡기계 증상을 계속 관찰한다. 위 변경 사이에 휴식을 제공한다.	7. 체위 변경은 다른 폐 분절에서 점액을 묽게 하고 배액을 촉진한다. 아동은 반복되는 타진/진동으로 인해 피로해진다.
8. 처방된 체위를 마치면 아동을 침상으로 돌려보낸다. 연령에 따라 원한다면 양치질을 하도록 한다; 휴지를 이용해 버린다.	8. 기침을 통해 배출된 가래는 불쾌한 맛이 입에 남는다.
9. 절차의 효과성, 비용, 편안감, 안전성을 평가한다. 시행에 장점이 있고 필요하다면 건강 교육을 계획한다.	9. 절차의 효과성을 결정하고 앞으로의 치료 변경을 위해 평가가 필요하다. 건강 교육은 간호 처치에서 독립적인 간호 활동에 포함된다.
10. 절차, 배출된 가래의 양상, 아동의 반응을 기록한다. 가래 검체가 모아지면 분석을 위해 검사실로 보낸다.	10. 간호 처치와 아동의 상태를 기록한다.

2) 산소 치료

(1) 산소 투여

산소 투여는 호흡기에 산소를 공급해 줌으로써 동맥 포화도를 증가시킨다. 산소는 Isolette이나 플라스틱 후드를 통하여 통과 되어 전달된다. 단단하고 꼭 맞는 플라스틱 엔클로저가 거의 100%에 가까운 산소 농도를 유지시켜준다 [그림 12-11]. 후드는 유아의 머리에 편안하게 고정되어야 하고 유아의 목, 턱, 어깨에 닿아서는 안 된다. 유아의 얼굴에 직접적으로 산소가 흘러서도 안 된다. 비강 카테터나 비강 prong을 더 큰 아동에게 이용할 수 있다. 이런 것들은 4~5L/min의 산소 흐름으로 거의 50%의 농도를 제공하고

있다. 대부분의 아동은 침습적인 비강 카테터를 좋아하지 않는다. 압력으로 인하여 특히 비중격에 괴사가 생길 수 있다. 편안하게 고정된 산소마스크는 거의 100%의 산소를 공급할 수 있다. 그러나 아동은 마스크를 불편해한다. 필요하다면 고정시키기 위한 가죽 끈보다는 아동들이 손으로 직접 마스크를 잡도록 한다.

또한 산소 텐트가 이용된다. 산소 텐트가 아동에게 산소를 공급하기에 가장 편안한 방법이지만 텐트 안의 산소 농도를 조절하고 유지하는 것이 어렵고 필요로 하는 산소를 투여하기에 부적절하기도 하다. 산소 텐트 안의 습기는 미생물의 배양지가 될 수 있으므로 주의해야 한다. 직접적으로 얼굴에 접촉시키기 위해 특별한 장치가 필요 없으나 산

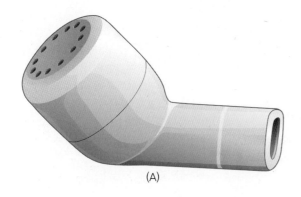

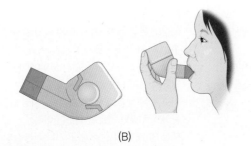

그림 12-10 flutter device와 사용법

(A) 금속성 볼이 안에서 진동을 일으킴
(B) 아동이 flutter device를 사용함

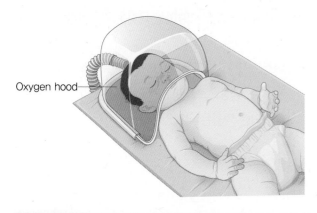

Oxygen hood

그림 12-11 영아에게 사용되는 산소후드

호흡기의 산소공급은 동맥포화도를 증가시킴

면에 다른 경우의 아동은 휴식 시간 동안에만 텐트 안에 있는다. 어떤 아동은 끊임없이 산소가 필요할 수 있으며 아동이 텐트나 후두로부터 나올 때 아동의 얼굴 가까이에 산소를 공급해야 한다. 청색증, 호흡 노력의 증가, 안절부절 못함은 다시 산소텐트로 들어가야 하는 징후이다. 몇몇 기관에서는 이러한 방식의 산소 공급형태가 더 이상 사용되지 않는다.

산소는 매일 투여되더라도 따뜻하게 하고 가습시켜서 투여해야 한다. 건조한 산소는 점막을 건조시키고 분비물을 농축시키기 때문이다. 산소를 투여할 때도 다른 약을 투여할 때처럼 똑같이 주의 깊은 관찰과 주의가 요구된다. 농도가 너무 낮으면 산소는 치료적일 수 없으며 반대로 농도가 너무 높으면 산소 독성이 발생하게 된다. 신생아가 장시간동안 100㎜Hg 이상의 농도로 산소가 투여되면 조기 망막증이 발생하게 된다. 어떤 아동은 장시간동안 70~80%의 농도로 산소가 투여되면 폐포가 비후되고 폐의 유연성이 감소하게 된다(산소독성이나 기관지 폐형성장애). 이런 이유로 인해, 혈액 가스분석을 통해 적당한 산소를 적절한 기구를 통하지 않고 장기간 고농도로 투여해서는 안 된다. 산소 투여를 받는 동안 간호사는 환아의 폐를 사정한다[그림 12-12].

어떤 산소 장비를 가지고 아동을 치료할 때는 가장 안전한 규칙에 따라야 한다. 산소는 가습되어 투여되므로 산소장비는 미생물 오염의 원인이 될 수 있다. 기관의 정책에 따라 장비를 교환하거나 적어도 일주일에 한번은 안전한 범위 내에서 세균 검사를 해야 한다. 맥박 산소계측정이나 지시

소농도를 30~50% 이상으로 유지하기 어렵다. 산소 텐트를 사용할 때 가장 어려운 점은 산소농도가 유지되도록 텐트를 계속 닫아두는 것이다. 산소의 소모를 줄이기 위해 가능하면 텐트를 닫아둔다. 산소는 공기보다 무겁기 때문에 텐트 아래 부분으로 많이 소실된다. 아동이 텐트 내에서 많이 움직이는 경우에는 커버를 당겨 느슨해 질 수 있으므로 텐트 아래 부분을 더 자주 확인해야 한다. 수유를 하거나 목욕을 시킬 경우에는 산소 텐트에서 아동을 나오게 할 수 있다. 반

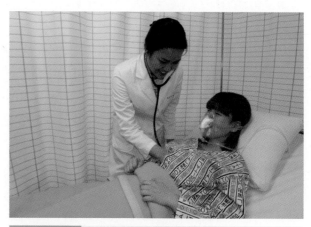

그림 12-12 산소 투여 시 환아의 폐 사정

산소치료를 받는 동안 간호사가 환아의 폐를 사정한다

된 TcPO2를 통해 아동의 산소 포화도 수준을 모니터하고 기록해야 한다. 상태 변화나 산소 흐름정도는 동맥혈 가스 측정으로 확인할 수 있다. 산소 투여 방법에 관한 장, 단점은 [표 12-9]에 나타나 있다.

(2) 약물치료

아동은 점액 분비, 기관지수축, 염증으로 인해 기도가 폐쇄되면 공기 교환이 어렵게 되기 때문에 주의해서 관찰해야 한다. 이러한 증상을 완화시키기 위해 아동에게 약물이 투약된다. 생리 식염수를 비강으로 스프레이하는 것은 비강 분비물을 축축하게 하고 묽게 하기 위해 투약된다. 항히스타민제제는 코의 점막을 수축시키고, 점액 생산을 감소시키고, 기도를 확장시키는데 효과적이므로 투약된다. 이것은 또한 일반적으로 졸음의 원인이 된다. albuterol, theophylline, racemic epinephrine 같은 기관지 확장제는 하기도를 개방시키기 위해 이용된다. 코티코스테로이 드는 염증을 감소시키기 위해 기도를 확장하여 흡입하거나 구강으로 투약된다. Guaifenesin(robitussin)같은 거담제는 점액 배출을 용이하게 한다. 이런 약들을 대부분 졸음의 원인이 되므로 특히 자동차를 운전하는 청소년들에게는 제한되어야 한다.

천식, 염증을 일으키는 질병, 기관지수축, 점액 분비물이 있는 아동은 약물(항염 스테로이드와 베타-2 agonist 기관지확장제)을 혼합해서 투여하게 된다. 항생제는 정맥주사, 근육주사, 구강투여, 혹은 분무기를 통한 흡입의 방법으로 투약된다. 항생제는 점액 생산이나 염증의 원인이 되는 감염을 제거함으로써 공기흐름을 원활하게 한다.

(3) 강화 폐활량계

강화폐활량계(incentive spirometer)나 아동이 폐의 점액을 이동시키기 위해 깊게 흡입하도록 격려해주는 기구는 모양이 다르게 제작되었으나 일반적인 유형은 마우스피스와 튜브가 부착된 것으로 흡입을 할 때 튜브에서 올라가는 밝은 색의 볼이 들어있는 텅 빈 플라스틱 튜브로 구성되었다. 더 깊게 흡입하면 할수록 튜브 안에 볼은 더 높게 올라가게 된다.

흡입하는 것이 아니라 마우스피스를 물고 불어야 한다고 생각하기 때문에 아동은 이런 유형의 기구를 사용하는 방법에 대해 교육을 받아야 한다[그림 12-13].

표 12-9	산소투여
유형	치료적 관리 및 간호
산소마스크 (oxygen mask)	• 크기가 다양하며 구강과 비강 시 투여 가능 • 피부자극과 구토시 흡인 가능 • 산소농도 조절 어려움 • 질식에 대한 두려움
비강 삽입관 (nasal canula)	• 수유나 식사 시 일정 산소 투여 가능 • 삽입으로 인한 불편감 • 복부 팽만과 구토 가능성 • 습도 제공할 수 없음
산소 후드 (oxygen hood)	• 고농도의 산소 투여 가능 • 고습도 환경 조성으로 환아의 불편감 사정 필요 • 수유 시 제거해야 함
산소텐트 (oxygen tent)	• 수유 또는 식사시 고농도 산소 투여 가능 • 산소가 새지 않도록 수시로 점검 요함 • 차고 젖은 텐트로 환아의 불편감 사정 요함 • 환아의 치료와 간호시 접근이 어려움 • 텐트 열 때 마다 산소 농도 저하 가능

확인문제

7. 흉부물리요법을 시행하는 목적은 무엇인가?

8. 아동의 공기 교환을 돕기 위하여, 점액분비, 기관지수축, 염증으로 인해 기도 폐쇄를 막기 위하여 투여되는 약물은 무엇인가?

| 그림 12_13 | 아동의 폐의 기능을 도와주는 방법으로 사용되는 spirometer |

(4) 기관지 절개술

기관지 절개술(tracheostomy)은 두 번째와 네 번째 기관고리(tracheal ring)사이의 기관에 외과적으로 개구부를 만드는 것이다. 성문하 협착, 기관연화증, 성대 마비와 같은 선천성 혹은 후천적 구조적 결손시 장기간의 기관 절개술을 필요로 한다. 기관절개술은 후두개염, 크룹이나 이물질 흡인과 같은 응급상황에서도 실시된다. 이러한 기관절개술은 짧은 시간에 이루어진다. 장기간의 호흡기 사용이 필요한 영아나 아동의 경우에도 기관절개술을 실시할 수 있다. 호흡기 폐쇄를 경감시켜 인공적인 기도를 형성하기 위해 기관을 개방하는 것이다. 기도를 형성하기 위한 절차가 기관절개술이고 형성된 기도가 기관누공형성술이다. 기관누공형성술은 또한 하기도 폐쇄로 인해 점액이 축적될 때 기관누공형성술을 통한 튜브를 통해 축적된 점액을 흡인한다. 기관누공형성술을 한 아동은 점액을 제거하기 위해 흡인을 자주 해야 한다. 기관누공형성술은 또한 코와 인두의 여과작용을 감소시키고 염증이 생길 가능성이 있다. 이런 이유로 인해, 기관누공형성술이 아닌 기관내 삽관이 기도 폐쇄를 완화시키기 위해 선택된다. 기관내 삽관은 인두폐쇄 시는 시행하지 않는다.

① 응급 삽관

기관지절개술이나 기관 내 삽관이 필요한 아동의 상기도 폐쇄만큼이나 아동이나 부모가 불안해 할 경우 의학적 응급상황이 발생한다. 아동의 얼굴색이 갑자기 창백해지고 기운이 없고 숨을 쉬지 않게 되며 전신적인 청색증이 뒤따르게 된다. 처치실로 즉시 아동을 옮겨 처치실 테이블에서 더 쉽게 행해질 수 있다. 그러나 아동은 보조 장비 때문에 빨리 운반할 수 없다면 운반하는데 시간을 낭비할 필요가 없다. 기관지절개술을 위해 기관의 윤상연골을 소독하고, 연골륜에 국소 마취제를 주입한다(의식이 없는 아동은 마취할 필요가 없다). 연골륜 바로 아래를 절개하고 밀폐장치가 있는 기관지절개술 튜브를 개방을 한 상태에서 삽입한다[그림 12-14]. 밀폐장치가 제거될 때, 아동은 개방된 기관지절개술 튜브를 통해 호흡을 할 수 있게 된다. 절개할 때 배출된 혈액(극소량)과 기관을 폐쇄했던 점액을 제거하기 위해 흡인 장치를 즉시 이용할 수 있다.

튜브를 편안하게 고정시키기 위해 절개부위를 줄이거나

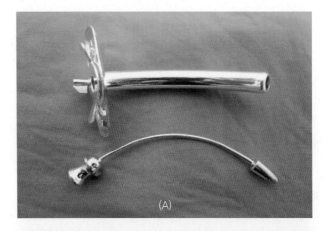
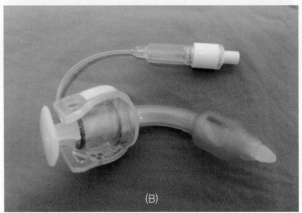

그림 12-14 기관절개튜브

(A) 기관절개튜브(금속성 튜브)
(B) 내관과 외관이 플라스틱으로 밀폐장치가 있는 커프가 있는 튜브

지혈시키기 위해서 약간의 봉합이 필요하다. 기관지절개술을 한 후 아동의 혈색은 즉시 돌아온다. 튜브를 통해 수차례 깊이 숨을 들이쉬고 나면 정상적인 혈색으로 돌아오게 된다.

의식이 없는 아동이 정상적으로 호흡을 하기 시작하면 의식이 회복되고 가끔 몸부림을 치고 주변 사람을 밀어낸다. 이런 행동은 산소부족에서 벗어났다는 것이고, 공포에서 벗어났다는 것이다. 아동은 부모를 보고 울기 시작하지만 소리를 낼 수 없게 되어 공포를 느끼게 된다. 아동에게 모든 상황이 아주 좋다고 안심시켜야 한다. 학령전기 아동이거나 더 어린 아동이라면 말을 할 수 없는 상황에 대해 누군가가 위로하는 소리를 듣게 되면 평온해질 것이다. 예를 들면, 학령기 아동은 "네 목에 튜브가 있기 때문에 잠시 동안 넌 말을 할 수가 없단다."라는 간단한 설명도 이해할 수 있다. 아동이 호흡을 하게 되자마자 곧 통증이 사라지게 되고 기관절개술 튜브 위로 손가락을 놓은 후 공기가 다시 후두를 지나가게 되며 아동은 말을 할 수 있게 된다. 기관절개술을 받은 환아는 출혈, 부종, 흡인, 갑작스런 튜브제거, 튜브 폐쇄와 늑막강으로의 공기누출 등의 합병증에 대한 면밀한 조사가 이루어져야 한다. 간호 목표는 개방된 기도를 유지하고 폐 분비물을 제거하고 습화된 공기와 산소를 제공하고 개구부를 깨끗하게 하며 삼키는 능력을 감시하고 동시에 합병증을 예방하는 방법을 교육하는 것이다. 환아가 표현할 수 없기 때문에 호흡기와 심장감시기의 사용뿐만 아니라 직접적인 환아 관찰이 필수적이다. 호흡소리, 호흡운동, 활력증후, 기관 절개술 고정 테이프가 조여지는지, 분비물의 양상과 양을 포함한 호흡기 사정이 환아가 안정될 때 까지 매 15분마다 수행되어야 하며 첫 24시간동안 1~2시간마다 수행된다. 그 후 2~4시간마다 사정을 하며 필요시 더 자주 수행한다. 환아의 침상머리를 올려 주거나 환아가 가장 편안한 자세를 취해주고 쉽게 이용 할 수 있고 바로 부를 수 있게 해준다. 흡인 카테터, 흡인기, 장갑, 멸균 식염수, 떨어진 분비물을 닦을 수 있는 멸균거즈, 가위, 삽입된 것과 같은 크기의 튜브와 한 치수 작은 튜브와 폐쇄기구(obtulator)를 침상가에 준비한다. 정상적인 습화와 여과하는 기도의 기능이 잘 되지 않기 때문에 습화시켜야 한다. 환아가 충분한 수액을 삼킬 수 있을 때까지 적절한 수액공급을 한다.

부모에게 튜브를 삽입한 이유에 대해서 설명해야 한다. 일시적인 조치라는 것임을 납득시켜야 한다. 처치를 한 후 가능하다면 바로 부모에게 아동을 보여주어 부모가 아동을 안심시키도록 해야 한다. 기관지절개술이 필요한 이유에 대해 부모에게 잘 설명해야 한다. 부모가 이것이 필요한 이유를 이해하고 받아들이고 긴장을 완화할 때까지 아동은 호흡을 하는 새로운 방법에 대해서 긴장하게 되고 받아들이지 않게 된다. 어떤 아동은 호흡이 어렵기 때문이 아니라 두려움 때문에 과도호흡을 하게 된다.

② 흡인

대부분 아동에게 사용되는 기관절개술 튜브는 플라스틱이다. 규칙적으로 세척이 요구되는 내관이 포함되지 않는다. 그러나 대부분의 아동은 점액이 없는 기도를 유지하기 위해 흡인을 자주 해야 한다(매 15분보다 자주). 흡인은 부드럽게 해야 하며 깨끗하게 해야 한다. 비효과적인 흡인은 점액을 제거할 수 없고 오히려 자극을 하여 점액을 형성시키는 원인이 된다.

확실하게 깊이 흡인하는 방법을 알아야 한다. 어떤 아동은 카테터가 기관 점막에 닿지 않게 그리고 자극하지 않게 하기 위해 기관절개술 튜브의 길이만큼만 흡인해야 한다. 기관을 폐쇄시킬 수 있을 만큼 점액이 많고 농축될 가능성을 감소시키기 위해 깊게 흡인을 해야 할 필요가 있다.

적절한 흡인 압력과 흡인 카테터 크기는 무기폐를 예방하고 흡인절차에서 생기는 저산소증을 감소시키는데 중요하다. 흡인 압력은 영아와 아동의 경우 60~100㎜Hg 정도이며, 미숙아의 경우 40~60㎜Hg이다. 기관 흡인 카테터는 여러 크기를 이용할 수 있으나, 선택 시 기관 흡인 카테터 직경은 기관절개 튜브 직경의 절반 정도이어야 한다. 카테터가 너무 크면 기도를 막을 수 있다.

기관의 분비물뿐만 아니라 공기까지 흡인하기 때문에 아이들은 처치를 하는 동안 산소포화도가 갑자기 줄어들 수 있다.

흡인을 하기 전에 기관절개술 튜브에 1~2mL 정도 무균 식염수를 떨어뜨려서 분비물이 묽게 되도록 한다. 그러나 이것은 격렬한 기침을 유발할 수 있고 흡입의 가능성이 있으며 실제적으로 분비물을 제거하는 데 도움이 되지 않는다.

어린 아동은 손으로 카테터를 만질 수 있으므로 흡인을 하는 동안 팔꿈치 억제대를 대 주어야 한다. 게다가 혼자 남겨졌을 때 흥분하여 기관절개술 튜브가 제거될 수 있으므로 억제대가 항상 필요할 수 있다.

기관누공형성술을 한 아동은 호흡에 어려움이 없는지를 자주 확인해야 한다. 흡인하기 위해 온 것이 아니라 그들과 함께 놀아주거나 단지 앉아서 흔들어 주기 위해 왔다는 것을 확실하게 해야 한다. 흡인하는 것보다 더 자주 아동을 확인해야 한다는 것을 부모들이 깨닫도록 확실하게 해야 하며 급성 폐쇄가 올 수 있으므로 누군가가 곁에 있어야 한다. 병원에서 퇴원한 후에도 기관절개술(tracheostomy) 튜브를 남겨두어야 한다면 집에서 관리하는 방법에 대해서 부모를 교육해야 한다.

기관누공형성술튜브를 고정시키기 위해 천으로 매고 아동의 목뒤에서 묶는다. 더럽혀지거나 느슨하게 되었을 때 교환해야 하고 확실하게 묶여 있는지를 자주 확인해야 한다. 아동은 이런 물건들에 흥분하는 경향이 있으며 매듭 아래로 손가락 하나 정도 들어갈 여유를 두어야 한다. 학령전기 아동이나 더 어린아동은 먹는 동안 턱받이 같이 목에 묶을 수 있는 사각형으로 된 거즈로 기관 누공 형성술 부위의 개방 부위를 덮는 것이 좋다. 이것은 입구에 작은 빵 부스러기나 액체가 떨어지는 것을 예방해 준다. 튜브의 관에 꼭 맞을 가능성이 있고 폐쇄가 될 수 있으므로 아이들에게 작은 장난감을 주어서는 안 된다.

기관절개 튜브의 교환은 무균법을 사용하여, 마지막 식사 2시간 후 또는 식사 전에 실시해야 한다. 연속적 영양 시에는 적어도 튜브 교환 1시간 전에는 잠시 중단해야 한다. 튜브 교환을 위해 새로운 멸균 튜브, 폐쇄기구, 멸균 끈을 준비한다. 분비물을 최소화하기 위해 시술 전 흡인을 해주고 목을 약간 신전시켜 준다. 한 명의 시술자는 이전의 끈을 자르고 개구부로부터 튜브를 제거한다. 새로운 튜브를 조심스럽게 개구부에 삽입(기관의 곡선을 따라 내려가고 앞으로 움직이며)하고 폐쇄 기구는 제거하며 끈으로 안전하게 묶어준다. 튜브가 기관주위의 연부조직 안으로 삽입될 수 있으므로 튜브를 교환한 후에는 호흡음과 호흡 노력을 주의 깊게 감시하여 호흡기의 적절성을 사정해야 한다.

기관절개술 튜브를 제거해야 할 시기는 개별적으로 고려되어야 한다. 기관절개술 튜브는 일반적으로 제거하기 전에 하루나 이틀 정도 접착테이프로 부분적으로 막는다. 그리고 나서 다음날까지 완전히 막는다(제거하지는 않는다). 아동에게 가능한 더 작은 크기의 기관절개 튜브를 적용하며 몇 달에 걸쳐 제거하는 것이 일반적 절차일 것이다. 이때 환아의 호흡 상태는 24시간 동안 손상되지 않으며, 제거 후 24시간내에 막히게 된다. 개구부에 작은 붕대로 덮고 튜브제거 부위는 단기간 내에 막히게 된다. 튜브를 잘 제거한 후, 며칠 동안 면밀한 관찰이 필요하다.

확인문제

9. 기관지 절개술 부위 흡인을 할 때 영아와 아동의 적절한 흡인 압력은 얼마인가?

10. 기관지 절개술을 한 아동이 음식물 부스러기가 흡인되지 않도록 하기 위한 방법은 무엇인가?

(5) 기관 내 삽관

기관 내 삽관(비강이나 구강 삽관)은 상기도 폐쇄를 우회하고 기관지까지 공기가 자유롭게 유입되도록 하는 방법이다. 삽관 튜브는 부종과 국소 자극의 원인이 되므로 영구적으로 남겨둘 수는 없다. 삽관을 하고 있는 동안 말을 할 수가 없다. 글씨를 쓸 수 있을 만큼 자란 아동은 효과적인 의사소통을 위해 펜과 종이를 주어야 한다. 학령전기 아동은 원하는 것을 그림으로 그리기를 원할 것이다. 아동은 간단한 그림으로 원하는 것을 알릴 수 있다(음료수, 빨대, 담요, TV켜기, 소변기). 기관 내 튜브는 아동이 쉽게 제거해 버릴 수 있기 때문에 안전한지를 주의 깊게 관찰해야 한다.

Capnometer는 흡기 시나 호기 시에 CO_2의 양을 측정하는 기구이다. 이것은 적외선에 민감한 기술이며 기관 내 튜브의 끝부위에 부착되어 있다. 호기 시에서 CO_2의 퍼센트를 측정함으로써 동맥의 $CO_2(PaCO_2)$를 평가할 수 있다. 이런 방법으로 이용되는 capnometer는 동맥혈 가스 분석에 필요한 반복적인 동맥천자를 감소시켜준다.

① 보조 환기

산소 포화도를 충분한 수준으로 증가시키는 방법으로 위에 설명된 방법들이 불가능할 때 보조 환기가 필요하다. 양압 호흡을 통하여 가습되고 분무된 공기나 산소를 충분한 압력으로 폐로 이동시켜 주어 폐포가 정기적인 팽창을 하게 된다. 폐의 탄력적인 반동에 따라 폐포를 비우게 된다.

인공호흡기의 유형에 따라 흡기-호기 주기는 설치된 시

가족지지 / 기관지절개술을 한 아동의 흡인 예방

• 튜브로 음식이 들어가는 것을 예방하기 위해 음식을 먹을 때 기관절개술 부위에 느슨하게 턱받이를 매준다.

• 튜브 안으로 들어갈 수 있는 작은 부품이 있는 장난감을 주지 않는다.

• (부드러운 털이 튜브 안으로 들어갈 수 있으므로) 인형을 잘 살펴야 한다.

• 튜브 안에 물건을 집어넣지 않도록 다른 아동과 노는 것을 잘 관찰해야 한다.

• 튜브로 물이 튀지 않게 아동을 목욕통에서 씻어준다.

• 향수나 실내 공기청정제는 기관을 자극할 수 있는 있으므로 최소한 사용하지 않도록 한다.

• 기관 경련의 원인이 될 수 있으므로 찬 공기는 피한다(추운 곳으로 나갈 때는 느슨한 면 스카프로 아동의 목을 덮어준다).

간 간격, 한정된 양, 한정된 압력에 따라 결정된다. 전통적인 기계적 인공호흡기는 저주파로 많은 호흡량을 제공한다. 그러나 지나치게 높은 기도 압력은 기관지 폐질환이 생길 수 있다. 적은 호흡량에 의존하는 새로운 환기 방법은 200~300회/min로 매우 자주 공기를 이동시켜준다. 폐의 과도팽창은 고주파 환기로 인해 발생할 수 있기 때문에 숨을 내쉴 시간이 충분하지 못하게 된다. 이런 이유로 어떤 고주파 인공호흡기는 폐의 정상적인 탄력 반동에 의존하기보다는 폐의 공기를 폐에서 흡수하도록 되어있다. 인공호흡기의 환기 양식(mode)의 분류는 [표 12-10]에 나타나있다.

자발적인 호흡 운동을 정지시키고 낮은 압력으로 기계적 환기를 하기 위해 정맥주사로 pancuronium(골격근이완제, Pavulon)이 투약된다(주요약물 참조). 정상적인 호흡 운동없이는 정상적인 근육 저항도 없다. 자발적인 호흡 기능이 없는 아동은 엄밀한 관찰이 필요하고 자주 동맥혈 분석이 필요하며 전적으로 돌보는 사람에게 달려 있다.

기계적 환기는 아동이 기관절개술이 시행되거나 기관 내 삽관을 하는 동안 필요하다. 기관을 밀폐하기 위해 인공호흡기에 커프가 달린 튜브가 이용된다. 위가 팽창되는 것을 예방하기 위해 비위관 튜브 삽입이 필요하다. 적절한 영양을 공급하는 것은 인공호흡기를 한 아동에게 어렵다. 비위관 영양이나 비경구적인 영양을 제공해야 한다. 휴식과 자극의 균형을 유지하는 것이 간호사 개인이나 부모에게 어려울 수도 있다.

호흡 보조가 필요한 아동은 두려움을 느끼게 된다. 많은 아동이 인공호흡기와 싸우거나 인공호흡기로 호흡하는 것을 거부하게 된다. 부모는 또한 극도로 불안해하고 공포를 느끼게 된다. 안전하게 인공호흡기 치료를 하는 동안 간호사는 아동이 환기를 하는 동안 안전할 것이라는 확신을 부모에게 해준다.

인공호흡기를 안전하게 사용하는 것이 아동을 안심하게 해준다. 아동이 인공호흡기 치료에 익숙해질 때 어떤 때는 기구가 정지될 수 있도 있으며 산소와 적절한 환기의 역할에 대해 청소년에게는 설명을 해야 한다. 아동은 항상 인공호흡기가 정지하지 않도록 지켜주며 호흡하기 어렵게 되면 도와 줄 준비가 되어 있다고 안심시켜야 한다. 대부분의 아동은 첫 날 밤에 누군가가 옆에 있고 밤 동안에도 계속 있을

것이라는 확신이 들지 않으면 인공호흡기가 정지될지도 모른다는 두려움으로 깊이 잠들지 못한다.

표 12-10	인공호흡기 환기 양식(mode)
환기 양식	방법과 적용
지속적 기도양압 환기법 (CPAP)	보조환기요법으로 환아의 자발호흡이 있는 경우에 이용한다. 지속적으로 일정한 유량을 유지시키므로 호기말 양압(PEEP : positivve endexpiratory pressure)을 유지한다. Nasal prong이나 nacopharyngeal tube를 이용할 수 있다. 각 방법에 따른 합병증을 고려한다.
조절환기법 (CMV : Controlled mandatoory ventilation)	환자의 호흡능력과는 관계 없이 인공호흡기가 인위적으로 일정한 호흡수로 triggering cycle을 유지해 호흡을 시켜주는 환기 양식이다. 호흡능력이 없는 환아에게 적용하는 방식으로 인공호흡기가 환아의 호흡을 완벽하게 통제한다. 정해진 호흡횟수, tidal volume 또는 minute volme대로 인위적인 호흡이 이루어진다. Volumecontrolled ventilation, pressure-controlled ventilatilation이 있다.
간헐적 강제 환기법 (IMV : Intermittent Mandatory Ventilation)	인공호흡기에 의한 일정수의 Intermittent mandatory breath 외에 환자의 자가 호흡을 허용하는 방식이다. 주기적인 과팽창(sigh)을 이용해 적절한 폐포환기를 시키며 장기간 인공호흡기를 사용한 환아에게 인공호흡기의 보조를 줄여가면서 인공호흡기의 제거준비를 위해 개발된 방식이다.
동시성 간헐적 강제 호흡법 (SIMV : Synchronized Intermittent Mandatory Ventilation)	IMV와 비슷하여 호흡수를 인위적으로 미리 설정한 강제호흡이지만, 이러한 호흡 사이에 환아는 자발적인 호흡이 들어가는데, 환아의 자발적 흡기노력(trigger-ing)이 있다면 spontaneous breathing time으로 구성된다. 만약 환아 자신의 흡기 노력이 부적합하다면 SIMV의 강제호흡 CYCLE만이 제공되는 방식이다.
보조/조절환기법 (ACMV ; Assited/ Controlled Mandatory Ventilaation)	CMV와 같지만 환자의 흡기시작 노력이 있을 때는 보조환기법(assited manda-tory ventilation)이 가능하지만 모든 호기로의 이행은 기계에 의해서 이루어지는 방식이다.
고빈도 환기요법 (HFO-High frequency oscillatory ventilation)	Dead space보다 작은 tidal volume으로 분당 600~900회로 과호흡시킴으로써 폐호흡을 유지시키는 인공 환기방법으로, 폐용적을 비교적 안정시키고 일정하게 유지한다.

주요 약물

Pancuronium Bromide(Pavulon)

- 작용: Pancuronium은 기계적 환기나 기관 내 삽관 시 골격근을 이완시켜주는 신경근육 차단제이다.
- 임신 위험 등급: C
- 용량: 초기에는 정맥으로 0.03~0.04mg/kg이 투여하고 다음에 0.03~0.1mg/kg로 투여한다. 필요에 따라 30~60분마다 반복해서 투여한다.
- 부작용: 계속된 투여는 무호흡과 관련된다; 빈맥, 과도한 타액 분비, 발한
- 간호: ① 투약을 한 후에 아동의 호흡 근육이 기능여부를 관찰한다; 보조적인 환기를 유지한다.
  ② 대략 2분에서 3분이 약물의 최대 작용시간이고 대략 1시간 정도 효과가 지속된다(신장 관류가 좋지 않은 아동은 더 길다)는 것을 알아야 한다.
  ③ 약물로 인해 의식상태가 변하지는 않는다는 것을 기억해야 한다. 시행을 위해 안정제나 진통제가 추가될 수 있다는 것을 예상해야 한다.
  ④ 기계적 환기 실패를 대비해서 침상 옆에 응급 소생술(Ambu bag) 장비를 준비해야 한다.
  ⑤ 아동에게 모든 사건이나 절차에 대해 설명해야 한다; 호흡 근육이 마비되었다고 해도 들을 수 있다. 부모가 면회를 할 때마다 아동에게 말을 하도록 격려해야 한다.
  ⑥ atropine이나 neostigmine methylsulfate(prostigmin methlsulfate)를 투약하여 약물의 효과를 전환시킬 수 있는 준비가 되어야 한다.
  ⑦ 활력증후, 심박동수, 혈압 등을 포함하여 모든 신체적인 변수를 모니터해야 한다. 전해질 불균형이 신경근육 효과를 상승시킬 수 있으므로 처방에 따라 전해질 수치를 확인해야 한다.

확인문제

11. 아동이 삽관을 했을 때 내쉬는 공기에서 이산화탄소의 양을 측정하는 방법은 무엇인가?

12. 기계적 환기나 기관 내 삽관 시 골격근을 이완시켜주는 신경근육차단제는 무엇인가?

(6) 폐 이식

폐 이식은 낭성섬유증 같은 만성 호흡기 질병이 있는 아동에게 가능하다. 심실비대로 인한 만성 호흡기 질환이라면 폐 이식은 심장 이식과 함께 행해져야 한다.

Ⅲ 비인두염

비인두염(nasopharyngitis)은 아동에게 가장 흔한 호흡기 감염으로 감기(common cold), 급성 비염(acute rhinitis), 코감기(coryza)와 동의어로 사용된다. 급성 바이러스성 비인두염은 일 년 내내 발생하고, 영아에서는 중이염과 하부기도 감염이 합병증으로 가장 많이 발생하며, 나이든 아동에서는 부비동염이 합병증으로 발생되기도 한다.

01 / 원인

급성 비인두염(감기)은 몇몇 바이러스 중 1가지가 원인이며 주로 rhinovirus, coxsackie virus, respiratory syncytial virus, adenovirus, parainfluenza virus, influenza virus들이 대부분이다. 아동은 다른 아동으로부터 학교에서 감기에 전염된다. 아동이 만약 면역 체계가 손상되었다면 건강한 아동보다 감기 바이러스에 더 민감해진다. 또한 스트레스에 의해 나타나기도 한다. 원인 요소로 통풍, 차가운 발, 오한 등을 들 수 있다.

비인두염은 1년 내내 발병하지만, 초가을부터 늦봄까지 가장 많이 발생한다. 증상은 겨울철이 가장 심하다. 4세 이하 아동에서는 1년에 3~8회 정도 발병하며, 영·유아에서는 더 심한 증상을 나타내고 합병증이 자주 발생한다.

02 / 사정

증상은 비충혈, 콧물, 미열로 시작된다. 코의 점막은 비후되고 염증이 생기게 된다. 아동은 부종과 충혈로 인해 호흡이 어렵게 된다. 국소 자극이 추가된 후 비염은 인두염이 된다. 인두 분비물 배액으로 기침을 하게 된다. 경부임파선이 부어오르고 촉진할 수 있게 된다. 약 일주일 정도 지나면 증상은 사라진다. 어떤 아동은 streptococci 같은 박테리아가 비강 점막을 자극하여 진하고 화농성이 있는 분비물이 생기게 되고 이차 감염의 원인이 된다.

유아는 질병이 악화될 수 있고 미숙한 신체 시스템으로 인해 체온 상승이 발병될 수 있다. 감기에 걸리면 열이 나고

38.8~40℃(102~104℉)까지 올라가게 된다. 유아는 일반적인 증상으로 구토와 설사 같은 이차적인 증상이 나타나게 된다.

동시에 입을 통해 빨면서 호흡할 수 없기 때문에 수유를 거부하게 된다. 이로 인해 탈수가 올 수 있다. 더 큰 아동은 고열이 나타나지 않는다. 체온은 거의 38.8℃(102℉)를 초과하지 않는다. 구강으로 호흡할 수 있으므로 급성 비충혈로 나타나지 않는다. [표 12-11]은 비인두염과 인두염 임상 증상을 나타낸다.

03 / 치료적 관리 및 간호

감기에는 특별한 치료가 없으므로 대증요법을 시행한다.

항생제는 이차적인 박테리아 침범이 없다면 비효과적이다. 아동이 열이 나면 acetaminophen(Tylenol)이나 어린이용 ibuprofen 같은 해열제로 조절할 수 있다. 이런 약물이 열을 조절할 수 있다는 것을 부모들이 이해하는 것이 중요하다. 해열제는 충혈을 감소시키거나 감기를 "치료"하지는 않는다. 아동의 구강 체온이 38.4℃(101℉) 이상일 때 보통 투약해야 한다. 18세 이하 아동에게는 Reye's syndrome의 발병과 관련되기 때문에 acetasalicylic(aspirin)을 투약해서는 안 된다는 것을 부모에게 상기시켜야 한다.

항히스타민제제(antihistamines)는 점막을 건조시키므로 비인두염의 치료를 위해서는 사용하지 않는다.

비충혈로 환아를 간호하는데 어려움이 있다면 식염수를 코에 떨어뜨린다거나 비강 스프레이가 비강 분비물을 묽게 하고 배액되도록 처방될 수 있다. 수유 전 비강 점액을 제거하기 위해 사용되는 bulb syringe는 흡인 시에 더 효과적이다[그림 12-15]. bulb syringe를 사용할 때 먼저 bulb를 누르고 난 다음 아이의 비강으로 삽입하도록 주의를 주어야 한다. bulb syringe를 먼저 삽입하고 bulb를 누르게 되면 실제적으로 분비물을 코 안으로 더 밀어내게 되므로 폐쇄 증가 원인이 된다.

구강충혈 완화제가 감기에서 충혈을 감소시킨다는 증거는 거의 없다. 그러나 대부분의 부모는 아동에게 처방이 되면 더 안심하게 되고 이러한 과정으로 인해 증상이 경감된다고 믿는다. 감기에 걸리면 기침을 억제해야 된다는 것은 좋은 방법이 아니다. 왜냐하면 기침이 분비물을 배출시켜서 분비물이 고이는 것과 그로 인한 감염을 예방하기 때문이다. Guaifenesin은 기침을 억제하지 않으면서 분비물을 묽게 해주는 약물이다. 부모는 비강 분비물을 묽게 하는 차가운 가습기를 이용할 수 있다. 그러나 가정용 가습기의 효과가 의심스럽고 자주 청소를 해야 하는 가습기의 사용이 부담이 될 수 있으며 감염의 저장소가 될 수 있다.

표 12-11	비인두염과 인두염 임상증상	
비인두염	영아 및 유아	· 발열 · 불안정, 과민성, 활동 감소 · 재채기, 구토, 설사 · 식욕 저하 · 인후통, 두통
	학령전기 이후 아동	· 재채기, 오한감 · 콧물, 기침 · 점막부종, 충혈 · 근육통
인두염	영아 및 유아	· 발열(40℃까지 오를 수 있음) · 구토, 복통 · 식욕부진 · 두통 · 중등도 혹은 중증 출혈 · 연하곤란
	학령전기 이후 아동	· 발열, 두통, 식욕부진 · 타는 듯한 느낌의 인두부종 · 삼출물과 편도선 위막 형성 · 인두와 편도의 부종과 발적 · 경부림프절 비대와 압통

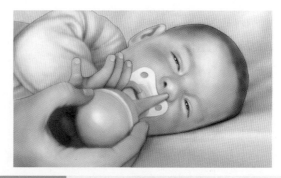

그림 12-15 **Bulb syringe를 이용한 흡인**

감기에 걸린 아동의 간호는 대체로 휴식을 취하게 하고 수액을 섭취하도록 지지하는 것이다. 일반적으로 부모는 아동이 침대에 누워 쉬어야 한다고 생각한다. 아동은 특징적으로 아프게 되면 활동을 제한하게 된다. 급성 감기 증상이 있는 아동은 자연적으로 침대에 누워서 잠을 자게 된다. 아동이 좋아지고 있다는 것을 부모들이 판단할 수 있는 가장 좋은 방법 중 하나는 활동이 증가하기 시작하거나 다시 "스스로 활동하기"시작하는 것을 알게 되는 것이다.

감기에 걸린 아동은 식욕을 상실하게 된다. 처음 감기에 걸린 며칠 동안은 고형 음식물보다 유동식을 더 좋아한다.

부모는 감기가 단순한 감기이고 그 이상이 아니라는 것을 확신해야 한다. 환아는 질병의 심각성에 따라 증상이 나타나므로 더 심각한 질병이라고 생각하는 것은 어리석다. 아동의 감기 합병증은 중이염이다. 갑작스런 체온 상승과 이통 같은 증상에 대해 부모를 교육해야 한다. 이러한 증상이 나타나면 아동은 항생제 투약과 청력 손상을 예방하기 위한 평가가 필요하다.

일반적으로 비인두염에 대한 예방요법은 없다. influenza에 대한 예방접종이나 약물투여는 influenza에 의한 비인두염에 효과적이나, influenza 감염이 전체 비인두염에서 차지하는 비율은 매우 낮다. 비타민 C 섭취는 감기예방에 뚜렷한 효과가 없으며, 항생제 남용은 세균의 항생제 내성을 증가시킬 수 있기 때문에 주의해야 한다.

인두염

인두염(Pharyngitis)은 인두의 감염과 염증이다.

01 / 원인

박테리아나 바이러스이다. 대부분 adenovirus, parainfluenza virus 등의 바이러스나 A군 베타용혈성 연쇄상구균이다. 영유아에서는 드물게 발생되며 대부분의 아동이 유치원과 초등학교를 들어가서 미생물에 대한 노출이 증가되는 4~7세경에 많이 발생한다. 비말감염으로 전파되며, 겨울에 호발한다. 임상증상은 바이러스성에 비해 세균성 감염이 더 급진적으로 진행되며, 대개 3~5일간 지속된다.

후비강에 끊임없는 분비물과 이차적인 자극으로 인한 만성 알레르기로 인해 발생한다. 어떤 인두염은 감기와 같이 발병하기도 한다. 인두염은 4세에서 7세에 가장 빈번하게 발생한다. 간호진단은 대부분 인두염으로 인한 통증과 관련된 것이다.

02 / 인두염의 유형

1) 바이러스성 인두염

인두염의 원인이 바이러스라면 일반적으로 증상은 가볍다. 인후염, 열, 근육통이 있다. 신체 사정에서 임파선이 눈에 띄게 커진다. 홍반이 인두 뒤와 구개궁에 나타날 수도 있다. 임상병리 검사에서는 백혈구 세포가 증가한다.

정도가 경하면 아동은 acetaminophen이나 ibuprofen 같은 진통제 외에는 거의 투여하지 않는다. 학령기 아동은 가글링을 할 수 있다(그 전에 방법에 대해 잘 설명하고 이해를 시키지 못하면 삼켜버릴 수 있다). 미온수로 된 가글링은 목을 진정시키고 따뜻한 타월이나 가열된 패드를 이용하여 목 외부를 감싸준다.

아동은 목이 아프기 때문에 잘 먹지 못한다. 고형 음식물보다 유동식을 더 좋아하게 된다. 특히 유아는 염증이나 민감성이 감소될 때까지 잘 관찰해야 하고 탈수를 예방하기 위해 수액을 공급해야 한다.

2) 연쇄상구균 인두염

Group A beta hemolytic streptococcus는 아동의 박테리아성 인두염에서 가장 흔한 원인균이다.

(1) 사정

A군 용혈성 연쇄상구균 감염은 경미한 증상에서 심한 독성을 나타내는 등 다양하며 비교적 질병기간이 짧다. 갑작스럽게 발병할 수 있으며 인두염, 두통, 열, 복통 등이 증상으로 나타난다. 환아의 50~80%에서 편도선과 인두에 염증과 삼출물이 보이게 되며, 보통 발병 2일째 나타난다. 하지만, 삼출물이 없는 2세 이상의 인두염 환아의 경우도 연쇄상 구균성 감염을 일단 의심해 보아야 한다.

급성 인두염 환아의 80~90%가 바이러스성이지만, A군 용혈성 연쇄상 구균 감염을 확인하기 위해서 인두배양이 필요하다. 어떤 아동에서는 정상적으로 인두에 연쇄상 구균이 서식하기 때문에 배양검사에서 양성반응이 곧 질환을 의미하지는 않는다. 대부분의 연쇄상 구균 감염은 질병 기간이 짧으며 항체반응(antistreptolysin O)이 증상보다 늦게 나타난다.

연쇄상구균 감염은 가벼운 증상이 나타난다 하더라도 일반적으로 바이러스성 감염보다 더 심하다. 연쇄상구균으로 인한 인두염은 구개편도가 붓고 두드러지게 홍반(선홍색)이 나타난다.

편도염외에 흰색 삼출물이 생긴다. 구개에 점상출혈이 나타난다. 인두가 홍반된다. 고열이 나고, 목이 몹시 아프고, 기면상태가 된다. 아동은 아파 보이고 삼키는 것이 어렵게 된다. 체온은 보통 40℃(104℉) 이상으로 올라간다. 아동은 두통을 호소하게 된다. 복부 임파선이 부어 복부 통증이 온다. 목의 미생물배양 검사로 Streptococcus 박테리아를 확인한다. 모든 연쇄상 구균 감염은 심장과 신장 손상을 일으킬 수 있으므로 심각하다.

실제로 조직을 괴사시키는 연쇄상구균의 극단적인 유독성은 광범위한 조직 손상을 야기하게 된다. 연쇄상구균을 확인하는 것은 단순한 처치 과정이다.

(2) 치료적 관리

페니실린 같은 항생제를 10일 동안 투여한다. 부모는 10일 동안 치료를 해야 하는 중요성을 이해해야 한다. 연쇄상구균이 완전하게 박멸되었다는 것을 확신할 때까지는 치료를 계속해야 한다. 그렇게 하지 않으면 아동은 연쇄상구균에 감각과민 반응을 일으켜 류마티스열(류마티스열이 발생할 가능성이 거의 1% 이하일지라도)과 사구체신염이 발생한다. 완전한 항생제 치료를 받도록 하기 위해 부모는 냉장고 문에 메모장을 붙여서 기억해야 한다. 만약 페니실린에 알레르기가 있는 경우 에리트로마이신(erythromycin), 아지트로마이신(azithromycin), 클래리스로마이신(clarithromycin), 클린다마이신(clindamycin), 세팔로스포린(cephalosporin) 등의 사용을 고려한다.

항생제를 투약할 때는 정확한 투약법을 지키고 치료기간 내내 제대로 이행하는 것이 중요하다. 주사 시에는 큰 근육(광측근, 복측둔근)에 깊게 주사해야 한다. 주사 부위에 1~2일 동안 압통이 있어서 아동이 다리를 절뚝거릴 수 있다는 것을 부모에게 알려준다. 주사 후 이러한 불편감을 완화시켜 주기 위하여 주사 부위에 온찜질을 해준다. 주사 시 통증을 완화하기 위해 주사 전 2시간 30분 동안 EMLA을 바르거나 30분 동안 LMX4를 바르면 효과가 있다.

게다가 감기에 걸렸을 때와 같이 휴식하는 동안 측정해야 하는 것, 인후염을 경감시키는 방법, 수화 유지에 대해 부모를 교육시켜야 한다.

급성 사구체신염이 합병증으로 올 수 있다. 급성 사구체신염(혈뇨와 단백뇨)의 증상은 인두염이 발병한 후 1주일에서 2주일 사이에 발생한다. 항생제가 급성 사구체신염을 예방한다는 증거는 없다. 연쇄상구균의 특성이 신장원발성이라면 신장 질환으로 발병할 확률은 50% 이상이다.

치료 2주 후에 아동은 급성 사구체신염을 검진하는 단백뇨를 조사하기 위해 소변 검체를 가지고 병원을 방문해야 한다.

바이러스에 의한 인두염(일반적인 대처 외에 다른 치료는 필요가 없다)과 연쇄상구균에 의한 인두염(생명을 위협하는 질병을 예방하기 위한 일정한 치료가 필요하다)을 부모가 구별한다는 것이 어렵기 때문에 인두염이 발병한 아동은 건강 전문가에게 검사를 받아야 한다. 아동의 "단순한" 인후염이 위중하게 될 수도 있다.

연쇄상 구균은 예방접종이 없다. 병원균은 감염된 사람

과의 직접적인 접촉이나 호흡기 분비물에 의한 비말감염 혹은 접촉에 의해 전파된다. 따라서 감염은 가족, 학교, 보육시설 등에 확산된다. 감염이 있더라도 항생제를 투여하게 되면 24시간 후에는 전염력이 없다. 따라서 24시간 동안 충분히 항생제 치료를 받을 때까지 학교나 보육시설에 보내지 않도록 한다.

확인문제

13. 왜 영아는 인두염 통증에 acetosalicylic acid(aspirin)을 투여하면 안되는가?

V 편도염

편도염(tonsilitis)은 구개 편도의 감염과 염증에 일반적으로 사용되는 용어이다. 편도염은 아데노이드(인두) 편도의 감염과 염증이다.

편도조직은 머리와 목 주위의 병원균을 여과하고 항체를 형성하는 임파 조직이다. 구개 편도는 인두의 양쪽에 위치하고 아데노이드는 비인두에 위치한다. 이관편도는 유스타키오관 입구에 있다. 설편도는 혀 밑에 위치한다. 모든 편도는 Waldeyer's ring에 의해 집합적으로 관련되어 있다. 편도는

통과하는 박테리아에 의해 쉽게 감염된다[그림 12-16].

01 / 원인

편도염은 학령기 아동에게 가장 일반적인 질환이다. 원인이 되는 유기체를 인두 배양으로 확인해야 한다. 학령기 아동에서 유기체는 일반적으로 group A beta-hemolytic streptococcus이다.

3세 이하 아동은 종종 바이러스가 원인이 되기도 한다.

02 / 사정

구개 편도의 감염은 심각한 인두염의 모든 증상을 나타낸다. 아동은 인두가 너무 아파서 침을 삼키는 것도 어렵게 된다. 금속이나 유리 조각을 삼키는 것처럼 몹시 아프다고 묘사한다. 고열이 나게 되며 기면 상태가 된다. 신체 사정에서 편도 조직은 선명하게 붉은 색을 나타내고 중앙에서 만나게 되는 구개 편도 조직의 두 배로 커져 있다. 편도에서 농양이 발견되거나 배출될 수 있다.

열, 기면, 인두 통증, 부종에 추가적으로 비음, 구강 호흡, 청력 곤란, 악취 등이 아데노이드 조직 감염의 증상으로 나타나게 된다. 구강 호흡과 음성의 변화는 비후된 조직에 의한 후인두 폐쇄로 인해 나타나게 된다.

아데노이드가 비대해지면 비공 뒤쪽의 공기통로가 막혀서

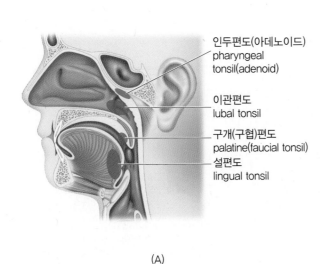

(A)

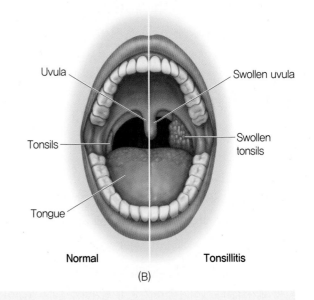

(B)

그림 12-16　편도의 위치와 편도염

숨쉬기가 어려워지고 결국 구강호흡을 하게 된다. 구강 호흡을 계속하게 되면 구강 인두의 점막이 건조해지고 자극을 받게 된다. 또한 악취가 나기도 하며 미각과 후각을 손상되게 한다. 공기가 소리전달을 할 수 없기 때문에 약한 비음을 낸다.

청력 곤란은 유스타키오관 폐쇄로 발생하게 된다. 유스타키오관 차단은 심각하고 급성 중이염(중이의 감염)으로 발전할 수 있다. 비후된 아데노이드 조직은 산소공급의 부족으로 인해 수면 중 무호흡의 원인이 된다. 편도와 아데노이드는 림프조직의 일부로 출생 때부터 존재하지만 4~10세에 가장 활발하여 크기도 많이 증가한다. 그러나 다른 면역계통의 기능이 강화되면서 사춘기부터 활동이 감소되고 크기도 서서히 작아진다. 편도염은 구개편도의 감염으로 대부분 인두염과 함께 발생하며, 많은 임파 조직과 잦은 상기도 감염으로 어린 아동에게 흔한 질환이다. 인두편도염은 인두편도의 감염을 말한다.

03 / 치료적 관리

박테리아로 인한 편도염의 치료로 열에는 해열제로, 통증에는 진통제로 그리고 10일간의 항생제 치료가 아동에게 요구되어진다. 만약 원인이 바이러스라면 편안하게 해주거나 열을 내리는 치료 외에 다른 치료가 없다.

인두배양 검사에서 A군 베타 용혈성 연쇄상 구균 양성 반응으로 나오면 항생제 치료를 시작한 지 하루나 이틀 후에 감염으로 인한 통증이 감소되었다고 하더라도 인두 뒤에 남아 있는 streptococci를 완전하게 제거하기 위해 10일간의 항생제 치료과정이 필요하다는 것을 부모에게 상기시켜야 한다. 편도 감염이 된 후에 편도 조직은 비대되어진 채 남아 있거나 위축되고 정상보다 작아진다.

1) 편도선 절제술

편도선절제술은 구개 편도를 제거하는 것이다. 아데노이드절제술은 인두 편도를 제거하는 것이다. 과거에는 편도절제술이 편도염의 일반적인 치료였다. 그러나 최근에는 편도선 절제술이 추천되지 않는다. 편도 조직은 편도를 결찰함으로써 제거하거나 레이저 수술을 하여 제거하게 된다. 봉합이

남아있지 않기 때문에 이런 유형의 수술 후에는 폐쇄 절개 부위가 수술 후보다 더 출혈 가능성이 높다. 수술 시 혈액 흡인의 위험성이 높고 일반 마취로 인한 위험성이 높아진다.

만성 편도염은 구개 편도를 제거해야 한다. 아데노이드는 과도하게 비대되어 폐쇄의 원인이 된다면 제거해야 한다. 동시에 아데노이드와 구개 편도가 함께 제거되어야 하고 최근에는 증상과 비대와 감염의 정도에 따라 편도절제술인지 아데노이드절제술인지 혹은 둘 다 절제해야 하는 지를 결정하게 된다.

편도/아데노이드절제술(tonsil & adenoidectomy)은 반복되는 편도염과 인두염, 편도 주위 농양, 림프의 과잉 증식으로 인한 폐색 증상이 있을 때 시행한다. 3세 이하 아동에게 아데노이드 절제를 할 때 편도선 절제를 같이 해서는 안 된다. 아데노이드절제술 후에는 청각, 후각, 미각에 대한 사정을 해야 한다.

편도선 절제술이나 아데노이드절제술은 조직이 감염되어 있는 동안에는 절대 시행하지 않는다. 그 시기에 수술을 하게 되면 혈류를 타고 원인균이 퍼지게 되고 패혈증의 원인이 된다.

부모는 편도를 제거하기 위한 수술이 연기되는 이유를 궁금해 한다. 그들은 편도가 아프면 즉시 제거해야 한다고 생각한다.

수술이 불가능한 이유와 시간이 지난 후 수술 계획이 더 안전한 이유에 대해 설명을 해줄 필요가 있다. 대부분의 부모는 아동의 일반적인 건강 상태의 호전과 수술 후 이행에 대해 기록하도록 한다.

확인문제

14. 편도염이 발생하는 구개 편도는 어디에 위치하는가?

간호진단 및 목표

간호진단 : 수술 후 혈액 손실과 관련된 체액 부족 위험성
간호목표 : 아동은 수술 후 적절한 체액 균형을 유지할 것이다.
예상되는 결과 : 아동의 맥박과 혈압이 정상이다; 과도한 출혈이 없다; 섭취와 배설이 정상 범위를 유지한다.

- 구개파열(말하는 동안에 양쪽 편도선이 공기의 유출을 잡아주기 때문)
- 수술 시에 급성감염(염증이 있을 시 출혈위험이 증가하기 때문)
- 혈액질환과 전신질환이 있을 때이다.

편도절제술은 일시적이거나 하루 수술로 시행된다. 수술 전 완전한 병력과 신체 검진, 출혈시간과 응고 시간을 포함한 임상병리 검사를 실시한다. 사정에 있어 또 다른 중요한 점은 흔들리는 치아를 관찰하는 것이고 이것은 수술을 하는 동안 제거되고 흡인될 수 있기 때문이다. 흔들리는 치아가 있다면 이 사실을 아동의 차트 앞에 기록하고 마취 전문 의사에게 보고해야 한다.

병원에 입원을 하기 전에 몇 주 동안 아동의 치료에 일반 감각을 사용하도록 부모를 교육해야 하고 이것은 수술을 하는 동안 아동이 감기에 걸리지 않거나 편도염이 재발하지 않도록 하기 위함이다.

수술 후 출혈이 없는 지를 확실하게 하기 위해 활력징후를 주의 깊게 관찰해야 한다. 머리를 가슴보다 낮추기 위해 아동의 가슴 아래에 베개를 한 쪽이나 복부에 놓아둔다. 입으로부터 배액된 타액을 삼키지 못하게 하여 흡인이 되지 않게 한다

편도절제술을 한 후 출혈이 급성으로 발생할 수 있다. 아동은 수술 부위로부터 스며 나오는 혈액을 삼킬 수 있기 때문에 출혈이 심각해 질 수 있고 얼마동안은 출혈이 거의 발생하지 않을 수 있다. 출혈을 발견하기 위해서는 맥박과 호흡의 증가, 잦은 연하, 불안감을 포함한 출혈의 민감한 증상을 사정해야 한다.

수술 후 출혈이 발생할 수 있으므로 인후에 빛을 비추고 압설자를 조심스럽게 넣어 출혈을 직접 관찰할 필요가 있다. 다른 출혈증상으로는 빈맥, 창백, 무언가 자주 삼키는 것과 같은 행위와 토혈 등이 있다. 안절부절은 출혈을 나타내는 증상이기도 하지만 수술 후 발생하는 일반적인 불편감에 의한 것일 수도 있다. 후기 증상으로는 혈압저하와 쇼크가 있을 수 있다.

출혈이 발생하면 아동의 머리를 올리고 한 쪽으로 돌려 폐쇄를 예방하기 위해 수술 부위의 압력을 감소시켜야 한다. 아동을 진찰하는 의사는 후인두를 잘 관찰하기 위해 빛이 잘 들게하고 치과용 거울이 필요하다. 진찰이 완전하고 효과적이기 위해서는 이런 것들이 안전하다. 수술 부위에 과도한 출혈이 발생한다면 아동은 출혈을 멈추기 위한 봉합을 하기 위해 수술실로 가야 한다.

편도절제술 후 가장 위험한 기간은 노출된 수술 부위를 덮는 응혈이 형성되는 첫 24시간이 중요하고 응혈이 용해되거나 분해되기 시작하는 5일에서 7일이 중요하다. 응혈이 용해되는 시기에 새로운 조직이 생겨나지 않으면 노출된 표면으로부터 출혈이 발생하게 된다. 수술의 합병증이 없다면 수액을 삼킬 수 있게 되고 수술을 한 당일 일반적으로 퇴원을 하게 된다. 부모는 첫날 집에서 아동의 위험한 증상(잦은 연하, 증가된 불안감)에 대해 교육을 받아야 한다. 완전히 치유가 되는 7일이 지나기 전에는 아동의 활동을 제한하도록 충고해야 한다(뛰거나, 수영하지 않는다). 수술 부위가 합병증 없이 치유되고 있는지를 추후 관리하기 위해 수술을 한 후 대략 2주 후에 병원을 방문하도록 한다.

간호진단 및 목표

간호진단 : 외과적 수술과 관련된 통증
간호목표 : 아동의 불편감이 참을 수 있는 수준으로 제한될 것이다.
예상되는 결과 : 아동은 통증을 참을 수 있다고 표현한다.

수술 후 인후통이 매우 심하다. 얼음 목도리가 통증을 완화시켜 줄 수 있으나 대부분의 아이들이 싫어한다. 대부분의 환아는 수술 후 중증도의 통증을 경험하며 적어도 24시간 동안은 진통제를 필요로 한다. 진통제는 구강투여를 피하고 직장이나 정맥으로 투여한다. 통증이 계속되기 때문에 진통제가 규칙적으로 투여될 수 있게 처방되어야 한다. tetracaine lollipops나 ice pops 같은 국소 진통제와 promethazine(Phenergan)같은 최토제가 투여될 수도 있다.

편도선절제술은 아동에게는 불편하고 고통스러운 과정이다. 앞으로 경험하게 될 시술과 감각에 대해 설명하는 것과 같은 친절한 교육이 필요하다. 편도가 제거된다고 해도 꺼냈다기보다는 '교정되었다'라고 이야기하는 것이 더 낫고 아동은 그것이 작은 것이라 할지라도 신체의 일부가 제거된 것이라는 것을 알게 되면 매우 놀라게 된다.

편도선절제술은 후 인두의 심한 고통을 감소시켜준다. 액상 진통제는 삼키기 쉬우므로 알약이나 정제보다 액상형

태가 좋다. 직장 투약이 또한 가능하다. 때때로 아동의 통증을 경감시키기 위해 정맥 내 투약을 할 수도 있다.

대부분의 아동은 수술을 한 후 갈증을 느끼게 되고 수액을 삼키는 것이 인두 움직임을 활발하게 하고 혈액의 흐름을 증가시키고 부종과 통증을 감소시켜주므로 음료수 섭취가 도움이 된다. 마취에서 완전히 깨어나자마자 자주 맑은 유동액이나 얼음조각을 먹도록 해야 한다. 수액을 주의 깊게 선택해야 한다.

산성 주스는 제거된 조직을 자극하여 매우 불편하게 한다. 탄산 음료는 '김이 빠진' 상태가 되었을 때 마시도록 하지 않으면 수술 부위를 자극할 수 있다. 구토를 한다면 피를 삼키는 것 같은 오해를 하지 않도록 같은 붉은색 주스는 피하도록 한다.

아동은 일반적으로 편도선절제술을 한 후에 그들이 원하는 모든 아이스크림을 먹을 수 있게 해주기보다는 맑은 액체를 얼린 아이스케이크가 더 좋다.

아동은 일반적으로 24시간에서 48시간 후에 젤라틴, 으깬 감자, 수프, 과일 요리 같은 음식을 포함한 부드러운 식사를 할 수 있게 된다. 첫 주에는 부드러운 음식만을 계속 먹어야 한다. 선택적인 식이는 2주 후에 제공될 수 있다(빵 조각이나 다른 음식은 잘 썹을 수 없다면 인두 자극의 원인이 된다). 아동의 상태나 치료에 대해 질문이나 문의 사항이 있을 때 연락할 수 있는 전화번호(진료소, 병원, 소아과 의사)를 알고 있도록 부모에게 알려준다. 어떤 아동은 편도선절제술을 하고 나서 첫 주에 유스타키오관의 압력 이동으로 인한 경미한 귀앓이를 할 수 있다는 것을 부모에게 알려준다.

(1) 수술 전 간호

편도선절제술을 아데노이드절제술이 시행되지 전에 상세한 과거력을 수집하고, 신체사정을 하며 일반적으로 검사를 시행한다. 수술 부위는 혈관이 많이 분포되어 있으므로 수술 후 출혈 위험을 관찰해야 하는데 혈액 응고와 출혈 시간, 혈소판 수, 프로트롬빈 시간 등 철저한 출혈 경향 검사가 필요하다.

(2) 수술 후 간호

기도를 유지한다. 수술 후 분비물의 배액을 촉진하기 위

해 아동이 마취에서 깨어나기 전에 아동의 가슴 밑에 베개를 대어주고 복위를 취해주거나, 한쪽 무릎을 굴곡시킨 채 반복위를 취해 준다[그림 12-17].

흡인이 필요하면 구강인두의 손상을 피하기 위해 부드럽게 시행한다. 아동이 마취에서 깨어나면 침상안정시킨다. 아동이 원하면 앉아있을 수 있다. 목안의 점액을 제거하기 위해 기침을 한다든지 코를 푸는 행위는 수술부위를 자극하여 출혈의 원인이 되기 때문에 가능한 삼간다. 가습기를 틀어주어 입으로 호흡하는 동안 건조해졌던 점막에 습기를 제공한다. 적절한 수분 공급은 분비물을 묽게 하여 배액을 촉진시킨다. 아동이 마취에서 완전히 깨어나고 활력징후가 안정되면 소량의 수분을 조심스럽게 준다. 의식이 완전히 회복되면 얼음조각이나 물을 한 모금 먹을 수 있다. 처음에는 시원한 비탄산 음료와 산(acid)이 없는 음료를 권장한다. 감귤(citrus)주스는 수술 부위를 불편하게 하므로 피한다. 음료는 불편감을 완화시키고 수화 상태를 유지하는 데에 도움이 된다. 붉거나 갈색인 음료는 구토 시 혈액과 혼동할 수 있기 때문에 피하는 것이 좋다. 빨대로 빠는 것은 구강을 진공 상태로 만들어 출혈을 자극하므로 컵으로 마시도록 한다. 인공과즙을 주고, 나중에 천연과즙을 준다. 우유, 아이스크림, 기타 유제품은 목과 인후에 막을 형성하기 때문에 주지 않는다. 수술 후 합병증을 예방한다. 출혈 증상을 주의 깊게 관찰한다. 출혈을 분명하게 알려주는 초기 증상은 아동이 흐르는 혈액을 계속해서 삼키는 행동이며, 간호사는 인

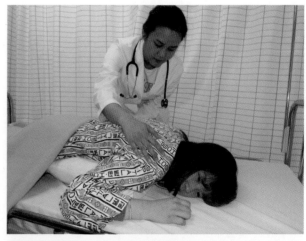

그림 12-17 **편도선 수술 후 체위**
베개를 흉부아래에 지지하여 입으로부터 분비물의 배출을 돕는다.

후에 빛을 비추어 피가 스며나오는지 직접 관찰해야 한다. 아동이 잠들어 있으면 잦은 연하 작용을 주의 깊게 살펴본다. 그 외의 출혈 증상은 쉬고 있을 때의 맥박수가 120회/분, 혈압하강, 창백, 불안, 오심, 선홍색 구토물 등이 있다. 혈압하강은 쇼크를 의미하는 것으로 출혈 시 가장 늦게 나타나는 증상이다. 출혈이 계속되면 즉시 주치의에게 알려서 수술실에서 재소작이 이루어져야 한다. 계속되는 청색증, 천명, 빠른 호흡, 안절부절(restlessness), 흥분은 부종이나 분비물 축적으로 기도가 폐쇄된 것을 의미한다. 편도선 절제술 후에는 흡인기를 침상 옆에 비치한다. 안위를 증진시킨다. 수술 후 인후 통증이 매우 심하며 평균 5일 정도 지속된다. 수술과 관련된 심한 통증을 경감시키기 위해 아편 제제(opioids)를 수술 직후 투여한다. 얼음 목도리(ice collar)가 통증을 완화시킬 수 있으나, 많은 아동이 얼음목도리를 귀찮아하고 싫어한다. 아동은 적어도 24시간동안 진통제를 필요로 한다. 진통제는 직장이나 비경구적으로 투여한다. acetaminophen과 같은 경한 진통제가 수술부위를 자극하는 울음을 감소시키는 데에 효과가 있다. 수술 후 출혈 위험 때문에 aspirin 사용은 금한다. 수술 후 첫째 날이나 둘째 날에 죽, 스프, 으깬 감자 등의 연식을 준다. 목(throat)이 치유될 때까지 유동식을 준다. 수술 부위의 치유는 대략 3주 정도 걸린다. 퇴원 시 가정 간호에 대해 교육한다. 아동의 퇴원 시 가정간호에 대한 교육을 시킨다. 퇴원 후 나타날 수 있는 증상으로 병변 부위에 하얗게 막이 형성되고, 7~10일간은 인후통, 입냄새, 미열이 있을 수 있다는 것을 교육한다. 또한 적절한 수분과 영양공급, 통증관리, 활동 제한, 수술 후 잠재적인 합병증에 대해 교육한다. 수술 후 처음 몇 시간동안 수술부위에 형성된 막이 4~10일 후 치유되면서 떨어져 출혈이 발생할 수 있다. 출혈은 일반적이지는 않으나, 만일 출혈이 의심되면 즉시 병원을 방문하도록 교육한다. 짙은 갈색의 오래된 혈액은 흔히 구강과 비강, 구토물에서 볼 수 있다. 귀의 통증이 심하고 열이나 기침이 계속되면 의학적 관리가 필요하다. 퇴원 후 3일간은 외출을 금하고, 편안한 범위에서 활동을 허락한다. 수술 10~14일 후에는 학교에 갈 수 있으며, 감염이 있는 사람과 접촉을 피하도록 한다.

확인문제

15. 편도선 절제술 후 출혈을 알 수 있는 가장 민감한 증상은 어떤 것인가?

중이염

중이염(otitis media)은 초기 아동기에 많은 질환이며 3세까지 약 80%의 아동이 한 번씩 앓게 되는데 50% 정도는 3번 이상 경험하기도 한다. 6~20개월 아동에게 가장 발생빈도가 높고 이후 감소하다가 학교 가는 시기인 5~6세경에 약간 상승되지만 7세 이후에는 흔하지 않다. 학령전기 남아가 여아보다 발생 빈도가 높으며 겨울철에 주로 많다. 가족 구성원이 많거나(특히 흡연하는 사람이 있는 경우), 중이염 병력이 있는 부모 형제가 있는 아동에게 더 많이 발생한다. 간접흡연은 중이염 병원체를 중이안에 있는 호흡기 상피세포에까지 고착시켜, 염증 반응을 오래가게 하고 이관(eustachian tube)을 통한 삼출물 배출을 저해함으로써 삼출성 중이염 발생을 증가시킨다. 가족의 사회경제상태와 다른 아동과의 접촉 정도에 따라 발생위험이 높다.

01 / 급성 중이염

1) 원인

급성 중이염(AOM)은 sterptococcus pneumoniae, H.influenza, moraxella catarrhalis에 의한 발생이 많다. 또한 중이염을 일으키는 바이러스로는 RSV와 인플루엔자가 있다. 상기도 감염, 알러지성 비염, 아데노이드 비후가 이관을 막아서 발생하기는 하지만 이 같은 비감염 형의 원인은 확실하지 않다. 모유 수유아가 인공 수유아보다 중이염 발생이 낮다. 모유 수유 속에 IgA가 호흡기 바이러스를 차단하여 이관과 중이가 병원체에 노출되지 않도록 하기 때문이다. 또한 모유수유를 하는 경우는 인공수유보다 반 직립자세를 취하기 때문에 이관으로의 역류가 발생하지 않기 때문이다.

2) 병태생리

중이염은 유스타키오관의 기능장애로 발생한다. 유스타키오관은 중이와 비인두를 연결하는 유일한 해부학적 통로로 평소에는 비인두와 단절되어 있으나, 삼키거나 하품을 하거나 울거나 재채기할 때 tensor veli palatine(TVP) 근육이 수축되어 비인두와 통한다. 즉, 유스타키오관이 열리면서 중이는 환기가 되고, 산소가 중이 점막의 혈관으로 흡수된다. 영·유아는 삼키는 힘이 부족하여 유스타키오관을 잘 열지 못하는 경우가 많은데, 이로 인해 중이강이 음압이 될 수 있다. 이 때 울거나 재채기하거나 코를 풀면 관이 열리며, 비인두에 있던 세균이 공기 압력의 차이로 중이로 들어가 그곳에서 빠르게 번식하고, 점막을 침범한다. 이러한 염증과정으로 중이에 삼출물이 축적된다. 이 삼출액은 소리를 전달하는 중이의 역할을 방해하고, 병원균이 자라는 좋은 환경을 만든다. 또한 중이와 인두의 연결을 차단하고, 중이를 환기시키는 기능을 방해한다. 또한 비대해진 임파조직은 중이로부터의 배액을 방해하여 중이강 내에 체액이 축적되고, 중이 내 압력이 증가하여 고막이 파열될 수 있다. 3세 미만 아동의 유스타키오관은 나이든 아동이나 어른보다 넓고, 짧고, 수평이어서 비인두의 감염원이 쉽게 중이강으로 전파된다[그림 12-18]. 그러므로 유스타키오관 폐쇄에 의한 기능장애는 중이강 내의 공기압을 감소시키고 감염과 삼출액 분비를 일으킨다.

3) 사정

급성 중이염은 일반적으로 호흡기계 감염 이후 동반된다. "감기"나 비염 그리고 수일 동안 미열이 있는 아동에게서 갑자기 38℃(102℉) 이상의 열이 발생하고 찌르는 듯한 지속적 동통이 한쪽 귀 또는 양쪽 귀 모두에서 발생하게 된다. 성장한 아동의 경우 통증을 말로 표현할 수 있다. 영아의 경우 매우 보채고 침범된 귀를 자주 잡아당긴다. 외이도는 일반적으로 귀지가 없는데 그 이유는 감염으로 인한 열로 인해서 귀지가 모두 녹아서 외이도 밖으로 배출되었기 때문이다. 외이도의 감염과는 반대로 불편감이 이개를 만짐

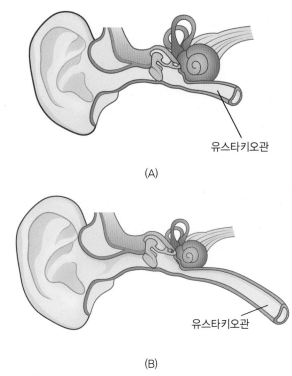

유스타키오관

(A)

유스타키오관

(B)

그림 12-18 **아동과 성인 유스타키오관의 비교**
(A) 아동   (B) 성인

으로 인해서 해소되지 않는다. 귀 뒤의 유양돌기는 촉진 시 부드럽지 않을 수 있다. 만일 그럴 경우 감염이 중이 밖으로도 퍼져 유양돌기에까지 전염된 경우이며 이것은 매우 심한 합병증이다.

정상적인 고막의 모양은 추골윤곽이 보인다. 이경검진 시 중이 감염이 있을 때 고막의 모습은 외이도 쪽으로 팽륜되어 있으며 이경의 빛 반사는 고막의 볼록한 모양 때문에 정상일 때처럼 명확히 나타나지 않는다. 고막의 경계표(추골과 침골의 윤곽)는 나타나지 않거나 아주 희미하게 보일 수 있다. 함기성 검사(pneumatic examination) 시 운동성이 감소되어 있을 것이다. 고막천자(고막을 통해 중이에서 체액을 빼내는 것)는 고막 사정 시 배양목적으로 체액을 얻기 위해 의사에 의해 수행될 수 있다. 고막이 화농성을 띄고 있으며 변색되고 팽만되거나 색이 충혈되고 고정되어 있으면 중이염 진단을 내린다[표 12-12].

대부분 중이 감염은 Pneumococcus, Haemophilusinfluenzae(특히 5세 이하의 아동) 또는 hemolytic streptococci가 원인균이다. 이러한 이유 때문에 대부분 중이염 아동은 ampicillin,

표 12-12	중이염의 임상증상	
급성 중이염	• 상기도 감염 후 발생 • 이통 • 삼출성 이루 또는 분비물 • 발열	
만성 중이염	• 이명 • 어지럼증 • 청각장애 • 귀가 꽉 찬 느낌 • 의사소통 어려움(청각장애)	
연령	영아 및 유아	• 심한 울음 • 불안정, 보챔 • 감염된 귀를 잡아당기거나 베개에 문지름 • 식욕부진
	학령전기 이후 아동	• 울고, 아픔 호소 • 무기력 • 식욕부진 • 불안정

amoxicillin, sulfonamides(H. influenzae를 제거하는 항생제)로 치료한다. 병원균의 내성이 증가할 수록 erythromycin과 sulfonamide가 치료에 추가될 수 있다. 만성 중이염은 staphylococcus가 원인이 되며 staphylococcus에 효과가 있는 cephalosporin과 같은 항생제 치료가 요구된다.

부모에게 처방된 기간 동안(주로 10일) 정확히 항생제를 복용시키도록 주의시킨다. 그렇지 않으면 동통이 없어질 때(24~48시간)까지만 약을 줄 수도 있고 아동은 2주 후에 다시 중이염이 재발되어 병원에 오게 될 것이다. 또한 감염이 streptococcus에 의한 것일 때는 완전히 치료되지 않는다면 아동은 류마티스성 열, 사구체신염과 같은 streptococcal 감염으로 인한 합병증에 노출되기 쉽다.

중이염 질병과정 동안 대부분의 아동은 전도성 난청을 갖게 되는데 급성 감염 후 6개월 이상 지속될 수 있다. 아동이 병원에서 집에 도착한 후 청력손상이 있을 경우 감염이 더 악화되고 있다고 생각할 수 있으므로 부모에게 이점에 관해서 주의시키도록 한다. 아동이 6개월 이후에도 계속 전도성 난청이 있다면(또는 다른 증상과 같이) 새로운 감염이 초래되었는지 또는 장액성 중이염이 있는지 파악하기 위해서 다시 진찰받아야 한다.

아동은 acetaminophen(Tylenol)과 같은 해열진통제가 필요하다. 일부 의사들은 유스타키오관을 개방하고 중이 내로 공기가 들어가도록 하기 위해서 항충혈제로서 비강점적액을 처방할 수도 있다. 이러한 약물은 장액성 중이염과 만성 중이염으로 진행되는 것을 예방하는 데 도움이 된다. 비강 항충혈제 점적액은 주로 3일 동안 처방된다. 만일 더 오랜 기간 동안 투여한다면 반동효과가 생기므로 부종의 원인이 되고 그로 인해 점막크기의 증가가 온다.

4) 치료적 관리

(1) 고막절개술

항생제 투여 후 24~48시간 후에도 고막이 팽만되고 심한 통증이 있거나 전신 증세가 심하고 치료에 반응이 없을 때에는 고막 절개(tympanostomy)와 고막 천자(tympanocentesis)를 한다. 이는 원인 균주를 규명하고 항생제 감수성을 증가하기 위해서이다. 열이나 불편감을 완화시켜주기 위해서 해열진통제로 acetaminophen이나 ibuprofen을 투여한다. 코 증상을 완화시키기 위해 항히스타민제와 경구용 항울혈제를 투여한다.

고막절개술(myringotomy)은 고막을 외과적으로 절개하는 것으로서 중이가 감염으로 인해서 농성 삼출물로 가득 차 있고 고막이 외이도 쪽으로 팽륜되어 마치 터질 것처럼 보이는 경우에 행한다. 고막이 작게 여러 층으로 찢어지는 것을 예방하고 압력을 경감시키기 위해서 고막을 절개하게 된다. 만일 고막이 자연스럽게 터져버리면 크게 찢어지고 고막은 다시 붙지 않으므로 영구적인 청력상실이 오는 원인이 될 수 있다.

고막절개술은 통증이 심한 절차이므로 아동의 경우 전신마취 또는 의식을 진정시킨 후 행하게 된다. 전신마취의 위험을 피하기 위해서 국소마취를 이용해서 외래 진찰실에서 시행하기도 한다. 이 시술동안 고막의 상해를 피하기 위해서 아동은 절대 안정되어야 한다. 고막을 네 등분했을 때 후하방 쪽을 절개한다. 고막의 하방부위는 전도성 음 전달에 중요한 부분이 아니므로 작은 상처가 있다해도 청력에 영향을 미치지 않는다. 부모는 이 시술이 아동의 고막에 상해를 남기게 될 까봐 걱정할 수 있으므로 이 점을 설명하도록 한다. 고막절개술 후 중이의 내용물(농 또는 혈액)은 귀 밖으로 배액될 것이다. 환기튜브를 고막 절개술 후 고막에 삽입하게 된다. 그러나 이 시술은 중이염 치료의 첫 단계부터 고려되는 치료법은 아니다.

중이염의 즉각적인 치료가 이루어질 때는 고막절개술이 거의 필요하지 않다. 부모에게 중이염의 증상을 인식하도록 그리고 중이염이 심각한 질환이 될 수 있으므로 아동을 빨리 병원에 데리고 와야 한다는 점을 교육시킨다.

5) 간호

(1) 통증완화

통증을 완화하기 위한 진통제로 acetaminophen이나 ibuprofen을 투여한다. acetaminophen은 이통을 완화시킬 뿐 아니라 해열에도 효과적이다. 머리를 상승시키고 아픈 쪽 귀를 밑으로 하여 국소적인 열요법으로 통증을 완화시킨다. 이러한 자세는 고막이 파열되었거나 고막절개술을 한 경우에 삼출물의 배액을 촉진시킨다.

(2) 감염 간호

감염된 쪽 귀에 얼음주머니를 대어주어 부종을 감소시키고 중이의 압력을 줄여서 편안하게 한다. 통증 때문에 잘 먹지 않으므로 적절한 수화를 위해 아동이 좋아하는 맑은 음료를 일정한 간격으로 제공한다. 귀에서 배액이 되면 생리식염수와 과산화수소수에 적신 면봉으로 이강 내를 닦고 건조시킨다. 중이염의 가장 큰 합병증은 청력감소이다.

(3) 부모교육

부모는 아동의 청력감소 증상을 주의 깊게 관찰하고, 기능장애가 의심되면 청력검사를 해야 한다. 증상이 나타나지 않아도 치료 시작 후 2주와 8주에 청력검사를 받도록 교육한다. 처방된 항생제를 스케줄대로 투여하도록 부모에게 가르친다. 항생제 투여 후 24~48시간 내에 통증이나 고열이 가라앉는 빠른 회복 때문에 부모는 약물투여에 소홀하기 쉽다. 그러므로 간호사는 증상 소실로 치유된 것처럼 보여도 모든 처방된 약이 다 투여될 때까지 치료가 끝나지 않았으며, 적절한 치료와 추후관리로 중이염의 합병증을 예방할 수 있다는 것을 부모에게 강조한다. 간접흡연에 노출된 아동은 중이염에 걸릴 위험이 높다. 담배 연기는 유스타키오관을 자극하며, 이 자극은 중이염을 유발할 수 있다. 인공영양 시 수평 자세를 취하면 조제유가 유스타키오관으로 흘러 들어가고, 유스타키오관을 자극하거나 차단하는 역할을 하여 중이염을 유발할 수 있다. 중이염을 예방하기 위해 영아를 앉힌 자세에서 수유한다.

02 / 장액성 중이염

장액성 중이염(Serous otitis media)은 만성 중이염의 결과로 온다. 정상적으로 중이는 공기가 가득 찬 공간이며 공기는 유스타키오관에 의해 공급되고 있다. 유스타키오관은 삼키거나 하품하고 씹을 때 열리게 된다. 만일 중이에 공기공급이 차단된다면 중이의 상피세포의 기능은 분비세포의 기능으로 변화하는 경향이 있다. 이로 인해 중이는 분비물로 차게 된다. 시간이 지나면서 분비물은 마치 풀과 같이 매우 끈적거리게 된다. 어떤 아동들은 가득 찬 느낌 또는 귀에서 울리는 소리와 같은 느낌을 표현한다. 청력상태는 분비물로 인해서 20~40dB로 떨어지게 된다. 청력상실이 점차적으로 일어나기 때문에 부모와 아동은 정규 청력검사에서 확인될 때까지 잘 깨닫지 못할 수 있다. 침범은 일반적으로 양측성으로 온다. 3~10세경의 아동에게 자주 발생한다.

1) 사정

귀의 검진을 통해 고막 뒤에 형성된 체액의 정도를 알 수 있다. 그러나 이것은 중이에 공기가 어느 정도 있을 때만 체액이 차있는 선을 비교하여 알 수가 있다. 중이에 차있는 체액이 끈적끈적 하게 되면 고막을 수축시키는 경향이 있다. 이 현상은 추골이 좀 더 드러나게 하여 고막이 추골주위에서 수축될 때 수평각에 변화가 오게 된다. 또한 이경검사 시 볼 수 있는 빛 반사에도 변화를 가져온다. 만일 함기성 이경을 사용할 경우, 공기가 고막으로 들어갈 때 고막의 움직임이 없다.

2) 치료적 관리

장액성 중이염의 치료는 장기적이다. 만일 알러지로 인한 감염이 원인일 경우 알러지를 통제하기 위한 지침을 세워야 한다.

알러지원을 피함, 저감작화 요법 또는 알러지 반응을 변화시키기 위한 약물치료 등으로 치료를 시행한다.

치료의 궁극적인 목적은 공기를 중이에 공급하는 데 있다. 정도가 약할 때는 매일 항히스타민을 주거나 유스타키오관 점막을 수축시키기 위한 항충혈제를 비강으로 투여한다. 소수의 아동에게서 유스타기오관이 비대된 아데노이드에 의해 폐쇄되어 있을 수 있다. 필요한 경우 아데노이드 제거술을 해야 한다.

중이의 분비물은 고실천자술에 의해 제거될 수 있다. 그러나 이 방법은 중이로 공기를 주입하는 시술이 수행되지 않는다면 분비물이 다시 역류될 수 있다.

(1) 이관 고막절개술

이관 고막절개술(tubal myringotomy)은 작은 플라스틱 튜브(Teflon)를 고막(고막절개술)을 통해 삽입함으로써 공기를 중이에 들어가게 할 수 있다. 이러한 튜브의 삽입은 고막절개를 시행한 후 행해진다[그림 12-19]. 고막절개술 튜브는 lidocaine(Xylocaine)으로 국소주사한 후 외래에서 시행될 수도 있고 수술실에서 전신마취하에 삽입될 수도 있다. 튜브는 6~12개월 후에 제거된다. 많은 아동에게 이 기간은 중이의 분비과정을 멈추게 하는 데 충분한 기간이 되나 일부 아동의 경우 공기를 계속 들어가도록 하기 위해서 재 삽입하는 수도 있다.

고막절개술 튜브가 삽입되어 있는 동안 물이 아동의 귀로 들어가지 않도록 한다. 대부분 의사들은 아동이 샤워하는 것보다 통목욕을 하도록 권장하지만 샤워를 할 때에는 귀마개를 사용해야 한다. 머리를 감을 때는 반드시 귀마개를 하고 감아야 한다. 수영은 되도록 금지되지만 필요시 귀마개를 꼭 사용해야 한다.

심한 중이염은 만성이 될 수 있다. 부모에게 처방된 대로 정확히 투약을 계속하도록 한다. 종종 고막절개술 튜브를 삽입하는 것을 부모들이 수용하는 데는 많은 정서적인 지지가 필요하다. 그들은 고막에 절개를 가하는 것보다 그대로

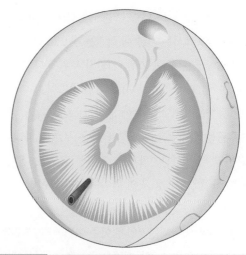

그림 12-19 고막절개술 튜브
장액성 중이염을 예방하기 위해 삽입

두는 것이 해를 줄일 수 있다고 생각하기 쉽다. 학교 보건교사에게도 아동의 상태에 대해서 이야기한다. 수업시간에 중요한 내용을 놓치지 않도록 하기 위해서 아동이 앞자리에 앉도록 학교의 협조가 요구된다.

확인문제

16. 급성 중이염은 장액성 중이염과 어떻게 다른가?

VII 크룹

크룹 증후군(Croup syndrome)은 쉰 목소리, 개 짖는 듯한 기침 혹은 쇳소리 같은 기침, 다양한 흡기 시 협착음, 또는 후두부위의 부종과 폐쇄로 인한 호흡곤란 등의 복합적인 증상으로 특징되는 증후군을 말한다. 기도의 급성 감염은 영아와 어린 아동에게 매우 위험하다. 왜냐하면 어린 아동의 경우 감염의 발병 빈도가 상대적으로 높으며, 같은 염증 반응이라 하더라도 기도 직경이 좁아 그 부작용이 더 심각하기 때문이다.

크룹은 아동기에 흔한 호흡기계 질환이며 여아보다 남아에게서 더 흔하다. 크룹은 늦가을에서 초겨울에 걸쳐 증가하며, 특히 6개월에서 3세 아동에게 많으며 2세 때 가장 흔

하다. 크룹 아동의 1~15%가 입원을 필요로 하며, 입원한 아동 중 1~5%에서는 기관 내 삽관을 필요로 한다.

크룹 증후군은 후두, 기관, 기관지 부위에 다양하게 영향을 미치는데, 특히 후두 부위에 감염되면 목소리와 호흡에 심각한 영향을 미치기 때문에 임상적으로 쉽게 알 수 있다. 이 증후군은 일차적으로 영향을 받은 부위에 따라 후두개염, 후두염, 후두기관기관지염, 경련성 후두염, 기관염으로 구분된다[표 12-13]. 또 감염 원인에 따라 바이러스성, 세균성, 알레르기성 크룹으로 분류된다.

대체로 후두기관기관지염은 아주 어린 아동에게서 더 많이 볼 수 있는 반면에 후두개염은 좀 나이든 아동에게서 나타난다. 후두개염은 후두기관기관지염에 비해 기침이 없고 연하곤란이 있으며 중증도가 더 높다.

크룹은 상기도 폐쇄를 일으키는 가장 흔한 급성 질환 중의 하나이기 때문에 크룹을 정확하게 진단하고, 어떤 형태의 크룹인지 구별하는 것은 매우 중요하다. 급성 후두개염이나 세균성 기관염은 생명에 위협을 줄 수 있는 반면에 경련성 크룹과 후두기관기관지염은 보다 덜 위중하기 때문이다.

01 / 급성 후두개염

급성 후두개염(acute epiglottitis)은 후두개(연하 동안 음식과 수액을 막기 위해 후두의 개방을 덮는 판 조직)의 염증

이다. 거의 발생하지 않는다 하더라도 후두개의 염증은 팽창되어 기도가 폐쇄되므로 응급상황이 발생할 수 있다. 3세에서 6세 사이의 아동에게서 가장 자주 발생한다.

후두개염은 원인균이 박테리아성이거나 바이러스성이다. H.influenzae type B는 가장 일반적인 박테리아성 원인이지만 pneumococci, streptococci, 혹은 staphylococci도 원인이 될 수 있다. Echovirus와 respiratory syncytial virus 또한 질병의 원인이 될 수 있다.

1) 사정

아동의 증상은 경미한 상기도 감염으로 시작된다. 후두개로 염증이 진행되는 하루나 이틀 후에 갑자기 심각한 흡기성 천명음, 고열, 쉰 목소리, 매우 심한 인후통의 증상이 나타난다. 침을 삼키는 것이 어렵게 된다. 인두의 자유로운 움직임을 위해 혀를 내밀게 된다.

혀끝으로 아동의 구개 반사를 자극하게 되면 팽창되고 염증이 생긴 후두개는 선홍색의 인후 뒤로 넘어가게 된다. 그러나 너무 부종이 심해서 구개는 성문의 완전한 폐쇄와 호흡 부전의 원인이 된다. 따라서 후두개염 증상이 있는 아동은(연하곤란, 흡기성 천음, 열, 쉰 목소리), 혀끝으로 후두개를 직접적으로 보려고 하거나 기관누공형성술이나 기관내 삽관 같이 쉽게 할 수 있는 인공 기도를 통하여 인후 배양을 해야 한다. 신체 사정을 하는 간호사 역할에 있어서

표 12-13	크룹 증후군		
특성 유형	급성 후두개염	급성 후두기관기관지염	급성 경련성 후두염
호발연령	2~7세	3개월~3세	1세~3세
원인	세균 : 주로 Hemophilus influenza	바이러스 : 주로 Parainfluenza virus	바이러스, 알레르기원, 정서적, 유전적 소인
발병형태	급속히 진행	서서히 진행	밤에 갑자기 진행
주증상	· 연하곤란 · 앙와위에서 심해지는 협착음 · 침 흘림 · 고열 · 빈호흡 · 빈맥 · 매우 아파 보임	· 상기도 감염 · 흡기 시 협착음 · 쇳소리 기침 · 쉰 목소리 · 호흡곤란 · 불안정 · 미열	· 상기도 감염 · 크룹성 기침 · 흡기 시 협착음 · 쉰 목소리 · 호흡곤란 · 불안정 · 낮에는 무증상
치료 및 간호	· 항생제 치료 · 기도유지 · 수액요법 · 응급 시 입원치료	· 습도 유지 · Racemic epinephrine · 호흡부전 시 수액요법 · 입원치료	· 습도 유지 · 수액 공급 · 가정치료 가능

이것은 중요하다. 임상병리 검사에서는 호중구의 비율이 증가된 백혈구 증가증(20,000~30,000 ㎣)이 나타난다. 패혈증을 평가하기 위해 혈액 배양 검사가 시행된다. 산소 포화도를 평가하기 위해 동맥혈 가스 분석을 실시한다. 그러나 심하게 울게 되면 후두개가 폐쇄될 수 있으므로 이러한 검사는 후두개의 확대를 보여주는 목 측면의 X-ray 검사나 초음파 검사를 시행한 후로 연기해야 한다. X-ray 실에 있는 동안 폐쇄가 발생할 수 있으므로 후두개염이 있는 아동을 부모나 간호조무사 중 한 명만을 동반하여 X-ray 실로 보내서는 안 된다. 아동은 몸을 앞으로 구부리고 팔로 상체를 지탱하며, 머리와 코는 들어올리면서 입을 벌리고 앉아 있는 삼각자세(tripod position)를 취한다[그림 12-20].

2) 치료적 관리 및 간호

후두개 염증을 감소시키기 위해 아동에게 습화된 공기를 제공해야 한다. 청색증이 있다면 산소를 공급해야 한다. 예를 들면 H. influenzae에 효과적이라고 알려져 있는 cefuroxime같은 cephalosporin 항생제는 인후 배양에서 특별한 항생제를 사용하도록 결정하기 전까지 처방될 것이다. 삼킬 수 없기 때문에 아동은 수화를 유지하기 위해 수액 정맥 치료가 필요하다. 전체적인 폐쇄를 예방하기 위해 예방적인 기관누공형성술이나 기관 내 삽관이 필요하다. 튜브가 부어있는 후두개를 넘어갈 수 없기 때문에 후두개염이 있는 아동의 삽관이 가끔 어려울 수 있다. 항생제 치료 후에 후두개 염증은 빠르게 감소된다. 12시간에서 24시간 안에 기도를 확보할 수 있을 만큼 충분하게 크기가 감소된다. 항생제 치료는 7일에서 10일간 계속될 것이다. 아픈 아동의 형제자매는 같은 증상이 나타나는 것을 예방하기 위해 예방적인 항생제 치료를 받아야 한다.

후두개염의 증상은 크룹의 증상과 같지 않다. 부모는 아동이 크룹를 앓았을 때 하지 않았던 기관누공형성술이 지금 왜 필요한지를 질문하게 된다. 두 질병의 차이점에 대해 부모에게 설명해야 한다. H. influenzae type B에 대한 일상적인 면역법은 후두개염의 발병률을 감소시켜준다.

후두개염이 있는 환아는 기관누공형성술을 시행하기 전에 폐쇄가 발생하여 사망하기도 한다. 이런 일이 발생하게 되면 증상의 심각성을 깨닫지 못했다는 것을 부모에게 납득

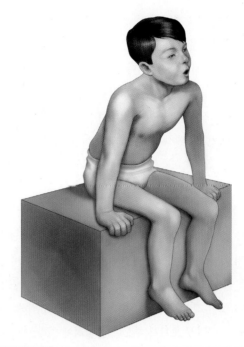

그림 12-20 삼각자세

시켜야 한다.

심한 주의를 받게 되면 다른 아동의 심각하지 않은 증상에 반복해서 병원을 방문하게 된다. 부모가 자신에 대한 신뢰감과 아동의 건강을 회복할 수 있다는 판단을 내릴 수 있는 능력을 회복할 수 있는 시간을 갖도록 해야 한다.

02 / 급성 후두기관지염

1) 원인

주원인은 parainfluenza virus, RSV, influenza A형과 B형, mycoplasma pneumonia 등이다. 대개는 상기도 감염이 먼저 발생된 후에 점차 주변 부위로 침범하게 되는데, 특징은 미열에서부터 시작하여 서서히 진행된다.

2) 사정

크룹(croup)(급성 후두기관기관지염, laryngotracheo-bronchitis)에 걸린 아동은 전형적으로 취침시간에 열이 없거나 미열 정도로 경미한 상기도 감염이 있다. 밤 동안 심한 기침을 하고(크룹성 기침), 흡기성 천명음이 있고, 현저한 움추림이 있다. 극심한 기침으로 잠에서 깨어나게 된다. 후두, 기관, 주요 기관지는 모두 염증이 생기게 된다. 청색증은

거의 발생하지 않지만 후두 염증으로 인한 성문 폐쇄의 위험성이 발생하게 된다.

몇 시간이 지난 후에 심한 기침을 제외하고 전형적으로 심각한 증상이 아침이 되면 경감된다. 증상은 다음날 밤이 되면 다시 발생한다. 맥박 산소계측정법과 경피적 CO_2모니터는 저산소증이 발생하는지를 기록하기 위해 도움이 되는 방법이다.

3) 치료적 관리

크룹 증상을 경감시켜주는 1가지 응급처치는 부모가 방이 증기로 채워질 때까지 욕실 안에 샤워기나 뜨거운 수도꼭지를 틀어 놓고 이런 따뜻하고 습화된 환경에 놓이도록 한다. 증상이 경감되지 않으면 더 나은 치료를 위해 응급실로 아동을 데리고 오도록 부모에게 알려야 한다. 아동이 응급실에 오게 되면 budesonide로 공기를 차게 습화시키고 분무기로 스테로이드나 epinephrine을 투약하여 염증을 감소시키고 효과적으로 기관지 확장을 해야 한다. 구강으로 투약되는 스테로이드인 dexamethasone은 기도 부종을 감소시켜주는데 효과적이다.

아동을 수화시켜주기 위해 정맥 치료가 처방된다.

간호진단 및 목표

간호진단 : 기도의 부종 및 수축과 관련된 기도개방 유지 불능
간호목표 : 아동은 1시간 안에 적절한 기도청결에 대해 설명할 것이다.
예상되는 결과 : 호흡수가 분당 22회 미만이다; 청색증이 나타나지 않는다; PaO_2가 80~100mmHg이다.

끊임없이 아동을 면밀하게 관찰하고 불안을 감소시켜주기 위해 옆에 있어야 한다. 같은 이유로 부모가 아동 곁에 있도록 격려해야 한다. 심한 불안으로 인해 심박동수와 호흡수가 증가하고 공기 부족의 증상인 청색증이 발생하므로 매 15분마다 활력징후를 확인해야 한다. 이런 증상이 발생한다면 기관절개술이나 기관 내 삽관이 필요하다(심각한 호흡기계 부종으로 크룹이 있는 아동의 삽관은 어렵다). 천명음(wheezing)이 증가되었다는 것은 염증이 증가되고 있다는 것을 의미한다. 어떤 아동에서는 새로운 경험으로 인한 공포(부모의 공포로 인한 느낌)와 산소 부족으로 인한 불안감을 구별하는 것이 어렵다. 활력징후를 계속 기록하고 호흡

수 증가와 불안감을 나타내는 활동을 계속 기록해야 한다. 맥박 산소계측정법을 이용할 수 없다면 동맥혈 가스 분석으로 효과적인 산화정도를 사정할 수 있다.

구강 수액 섭취를 자주 제공하여 아동이 수화되고 분비물이 습화되도록 해야 한다. 빠른 호흡을 하는 아동에게 음료수를 제공해서는 안 되고 정맥 수액 요법이 필요하다. 수화정도를 평가하기 위해 섭취량과 배설량을 측정하고 요비중을 측정하여야 한다.

전체적인 기도 폐색이 오는 후두경련은 아동의 구개 반사가 유발되거나 울 때 가장 발생하기 쉽다. 울지 않도록 한다. 크룹이 있거나 심한 기침을 하는 아동의 구개 반사를 유발시켜서는 안 된다.

4) 간호

가장 중요한 것은 지속적이면서도 정확하게 호흡상태를 사정하고 관찰하여 호흡부전이 나타나는 응급상황을 인지하는 것이다. 기관 내 삽관 기구들은 침상 가까이에 준비해 두어야 하며, 다른 병동이나 병원으로 이동할 때에도 응급기구들을 함께 가지고 가도록 한다. 아동에게는 충분한 휴식 기회를 주어 에너지 소모를 막는다. 대부분 아동은 상체를 높여서 앉기를 좋아하며 부모의 존재를 통해 안정감을 느끼며, 부모에게 안겨있으면 편안해 한다. 아동이 울게 되면 호흡부전과 저산소증이 심해지므로 울리지 않도록 하며 반드시 치료에 대한 과민성이나 부작용이 있는지를 먼저 사정하도록 한다. 아주 심하게 우는 아동은 부모가 안은 상태에서 얼굴에 직접 찬 습기를 닿게 해주도록 한다. 크룹의 증세가 급속하게 심해지고, 아동의 기침 소리와 협착음, 창백한 모습 등을 보는 부모는 매우 불안해하고 걱정하게 된다. 이런 부모에게는 아동의 질병 진행과정과 치료에 대해 설명해 줌으로써 안심시킬 수 있다.

크룹은 갑자기 증상이 나타나기 때문에 부모에게는 불안한 질병이다. 심각한 증상이 아침까지 사라지지 않는다면 부모는 밤중에 아동을 병원으로 급히 데려가지 않은 것에 대해 어리석었다고 생각하게 된다. 아동을 병원에 데려왔을 때는 심각한 수준이므로 부모는 퇴원시키는 것을 원하지 않는다.

03 / 급성 후두염

급성 후두염(acute laryngitis)은 흡기 시 후두 경련에 의해 성대 주위의 기도가 폐쇄되는 것으로, 밤에 갑자기 증상이 나타난다.

1) 원인과 증상

급성 후두염은 학령기 후기나 청소년기 아동에게 흔히 발생된다. 영아기 이전의 아동은 후두에만 국한된 감염 질환보다는 후두기관기관지염과 같이 좀 더 광범위하게 침범되는 경우가 흔하다. 원인은 adenovirus, influenza virus, parainfluenza virus, rhinovirus, RSV 등이다.

주증상은 쉰 목소리이며, 그 외 상기도 감염 증상(콧물, 인후통, 비울혈)과 전신증상(열, 두통, 근육통, 쇠약감)을 동반하기도 한다. 감염된 바이러스 종류에 따라 증상이 다양하게 나타나는데, adenovirus나 influenza virus는 심한 전신 증상을 일으키고, parainfluenza virus와 rhinovirus, RSV는 경한 증상을 나타낸다.

2) 치료적 관리 및 간호

경련성 크룹 아동도 가정에서 치료를 받는다. 가습된 공기를 흡입하도록 하며, 특히 밀폐된 욕실에서 따뜻한 물에 의한 증기 요법이 좋다(필요하면 샤워도 할 수 있다). 차가운 공기를 흡입하는 것이 후두경련을 완화시키므로 기침이 진정될 때까지 차가운 가습 환경에서 재워 발작을 예방한다. 실제로 많은 부모가 아동을 병원으로 데려오는 도중에 차가운 밤공기로 증상이 완화되는 경험을 한다. 기침이나 토근 시럽(ipecac syrup)으로 구토를 유발하여 후두 경련을 호전시킬 수 있으나, 구토로 인해 위 내용물이 기도로 흡인되는 것에 주의해야 한다. 후두경련이 완화된 후에도 재발을 방지하기 위해 가습기를 2~3일간 지속적으로 적용한다.

확인문제

17. 후두개염이 있는 환아에게 절대 해서는 안 되는 것은 무엇인가?
18. 크룹 증상을 경감시키는 응급처치는 무엇인가?

Ⅷ 기관지염

기관지염(Bronchitis)은 기관지와 기관의 주 염증으로 학령전기와 학령기 아동에게 나타나는 주 질환이다. 이것은 열, 기침에 의해 특징화되어지고 대개 비강울혈과 함께 나타난다.

01 / 원인

원인균은 인플루엔자 바이러스, adenovirus, mycoplasma pneumoniae등이 있다. 이 외 기관지염을 일으키는 바이러스로는 호흡기합포체 바이러스와 influenza virus, parainfluenza virus, adenovirus가 있다. mycoplasma pneumoia에 의한 세균성 감염은 대부분 1차적인 바이러스 감염이나 다른 기도 문제에 있어서 2차적으로 발생된다. 또한 이물질 흡인의 결과로 나타날 수 있고, 공기오염이나 추운 날씨, 알레르기 등이 질병의 소인이 될 수도 있다.

02 / 사정

청진 시 건성수포음과 거친 나음(rales)을 들을 수 있다. 아동은 1~2일 동안 경한 상기도 감염이 있을 수 있다. 그런 다음 고열과 마르고, 쉰 목소리와 자주 나오는 마른기침으로 진행된다.

큰 아동에게 자주 발생한다. 심한 기침은 아동이 잠들지 못하게 한다. 이러한 증상이 1주간 지속되고 완전히 회복되는데 때때로 2주 정도 오랜 시간이 걸린다.

흉부 X-ray상 폐포의 과대 확장으로 넓게 퍼져 보인다. 이것은 폐의 문(hilus)에 보일 수 있다.

03 / 치료적 관리

치료는 증상을 경감시키고 열을 떨어뜨리고 적당한 수화 상태를 유지하는데 목적이 있다. 항생제는 박테리아 감염을 위하여 처방이 된다. 만약 점액이 끈끈하다면 거담제가 필요하다.

기관지염이 있는 아동에게 가래를 수집하는 것은 중요한 일이다. 그러므로 기침을 감소시키는 기침시럽이 드물게 사용되기도 한다.

04 / 간호

간호사는 2~4시간마다 아동의 체온과 분비물의 양상, 호흡노력에 대해 사정하고 섭취량과 지속적인 기침과 관련된 수면 부족 증상을 관찰해야 한다. 아동이 좋아하는 음료수를 소량씩 자주 주어 수분섭취를 증가시키고 아이 방의 습도를 유지해 주도록 부모에게 교육한다. 아동이 입원한 경우 매일 체중을 측정하여 탈수 증상을 관찰한다. 아동의 기분 전환을 위해 조용한 활동을 하도록 한다.

Ⅸ 세기관지염

세기관지염(bronchiolitis)은 세기관지와 소기관지의 염증이다.

2세 미만의 영아에게 종종 발생되고 6개월 된 영아에게 가장 빈번하다. 겨울과 봄에 가장 많이 발생한다. 예를 들어 아동이 1세 때 세기관지염을 앓았다면, 성장하면서 천식으로 발달하는 경우가 있다. 아데노 바이러스, parainfluenza virus, 호흡기 결합 바이러스가 대부분의 원인균이다.

01 / 원인

바이러스가 주 원인으로 respiratory syncytial virus(RSV)가 원인균의 50% 이상을 차지하며, 그 외에 adenovirus, parainfluenza virus, mycoplasma도 원인이 될 수 있다. RSV는 겨울과 봄에 유행하며, parainfluenza virus는 가을에 주로 유행한다. 입원 아동의 80%가 12개월 미만으로, 영아기 입원의 가장 흔한 원인이다. 나이든 아동이나 어른은 영아보다 세기관지의 부종에 잘 적응하기 때문에 바이러스에 감염되어도 세기관지염의 임상특징이 잘 타나지 않는다. 감염의 근원은 가벼운 호흡기 감염을 앓는 가족 구성원이며, 1주일

전에 가족 중에 비슷한 호흡기 감염을 앓은 경우가 많다. 최근에 사회경제적 수준이 향상되면서 발생 빈도가 많이 증가하였는데, 이는 어린이집 등의 집단 시설을 이용하는 경우가 많아지고, 미숙아 생존율이 높아졌기 때문이다.

02 / 사정

전형적으로 1~2일 동안 상기도 감염이 있은 후에 갑자기 비익확장, 호흡 시 견축, 호흡수 증가가 나타나기 시작한다. 미열, 백혈구 증가증, 그리고 적혈구 침강속도의 증가가 나타나기 시작한다. 점액과 염증은 소기관지를 차단하고 공기가 폐포를 자유롭게 들어가거나 나올 수 없다. 대부분의 아동은 폐포 과다 팽창으로 발달한다. 좁아진 세기관지로 공기가 나오는 것보다 들어가는 것이 좀 더 쉽기 때문이다. 호흡시 호기가 길어지고 천명음(wheezing)이 나타난다. 초기 과다 팽창 후, 무기폐의 부분에 폐포가 폐쇄되어 남아있던 공기는 재흡수된다.

환아는 저산소증으로 빈맥과 청색증이 나타나며 빠른 호흡으로 매우 지치게 된다. 흉부 X-ray상 이차성 감염 또는 폐포의 협착(무기폐)의 원인에 의해 폐 침윤 상태가 나타난다.

Pulse oxymetry는 낮은 산소포화도를 나타낸다.

03 / 치료적 관리 및 간호

심하지 않은 증상을 가지고 있는 아동을 위해 해열제, 충분한 수분공급, 증상이 진행되는 과정을 주시해야 한다. 상태가 안 좋아진 아동은 입원을 하게 된다(예: 만약 아동이 과호흡, 견축 등이 나타나든가 피곤하게 보이거나, 충분하지 못한 체액 균형상태 등의 과거력 있는 경우). 산소요법과 활력징후의 기록과 혈액가스 검사, 환기는 필수적이다.

항생제는 박테리아가 원인인 경우가 드물기 때문에 기관지염 치료에 공통적으로 사용되지 않는다. 아동에게 가습화된 산소를 제공하고 호흡기 점막의 수분을 유지하기 위해 적당한 수분공급이 필요하다. 중성화된 기관지 확장제와 steroid가 사용될 수 있다.

기관 내 삽관을 했거나 보조호흡기를 부착한 아동은 corticosteroid, theophylline, furosemide 등을 투여한다.

Rivavirin은 세기관지염에 효과가 있는 치료약으로 후드나 혹은 산소마스크를 통해 투여할 수 있으나 값이 비싸고 임산부에게 기형아 출산의 위험이 있기 때문에 영아가 심한 호흡기 감염 합병증에 걸릴 우려가 있을 때와 면역억제 질환을 앓고 있거나 면역억제 치료를 받고 있는 경우에만 사용하도록 제한하고 있다. 흡인성 분무용 ribavirin을 투여하는 경우 임신한 의료인이나 방문객은 주의해야 한다. 아동은 사람의 접촉이 적은 방에 두는 것이 좋다. 세기관지염은 주로 의료인, 가족, 다른 환자에 의해 직·간접적으로 전파되므로 손을 자주 씻어야 한다. 특히 눈과 코의 분비물 접촉에 의해서 전파가 잘 되므로 의료인은 아동의 얼굴에 가능하면 손을 대지 않는 것이 좋다. 가운과 장갑을 착용하여 접촉을 주의함으로써 RSV 병원감염의 전파를 감소시킨다. RSV 예방은 고위험 영아와 아동의 입원을 줄이기 위해 가장 중요하다. RSV 유행 시기에 매월 IV용 RSV 면역글로불린(RSV-IG, RespiGam) 또는 IM용 RSV 단일클론항체(Synagis)의 투여는 만성 폐질환이 있는 생후 6개월 미만의 미숙아(재태기간 35주)와 생후 24개월 미만 아동의 입원을 상당히 감소시킬 수 있다. 홍역과 이하선염, 풍진, 수두 백신은 RSV-IG의 마지막 접종 후 9~10개월 이후로 연기해야 한다.

아동에게 적당한 환기를 지지하도록 도와주는 것이 필요하다. 아동을 주의 깊게 관찰해야하는데, 만약 RSV가 원인이 되면 무호흡이 발생할 수 있기 때문이다. 영아에게 체외막산소공급(extracorporeal membrane oxygenation으로 심장수술을 위해 사용되는 것)등의 적절한 산소요법 유지가 필요하다. 심장질환이 있는 유아에게 anti-RSV 항체접종이 필요하다.

환아는 대개 호흡을 용이하게 하기 위해 반좌위로 취해주어야 한다. 복위는 호기 시 흉부가 좀더 완전히 비워지도록 돕는다. 또한 수유로 쉽게 지치게 되고 정맥 내 수액공급이 구강 수유 욕구를 충족하면서 질환 발병 후 첫 1~2일 동안 공급된다.

부모는 아동의 상태에 관하여 자세한 설명을 요구한다. 대부분의 부모는 기관지(bronchi)를 알고 있지만 세기관지(bronchiole)의 용어는 친숙하지 못하다. 간단한 감기가 얼마나 심각하게 되는지 이해하지 못한다. 그들은 곧바로 의료기관을 찾아야 할지말지 궁금해 한다. 어린 유아가 너무 심하게 질환에 이 환되었을 때 부모로서의 자존감을 상실하게 된다. 세기관지염은 감기로서 시작됨을 확신할 수 있다. 그들은 이러한 감기가 심각하게 진행되는 점을 잘 알지 못한다. 세기관지염의 급성기는 2~3일간 지속된다. 이후 아동의 상태는 빠르게 향상된다.

비록 세기관지염의 사망률은 1% 이하일지라도 유아에게는 심각한 장애이다. 치료 없이 유아의 많은 수가 사망할 수 있다.

확인문제

19. 세기관지염이 가장 빈번하게 발생하는 아동의 연령은?

폐렴

폐렴(pneumonia)은 100명 중 2~4명의 아동에게 발생하는 폐포의 염증이다. 박테리아(pneumococcal, streptococcal, staphylococcal, or chlamydial)나 RSV와 같은 바이러스가 원인이 된다. 지방의 흡입이나 탄화수소 물질 역시 폐렴의 원인이 된다.

폐렴은 생후 48시간 이하의 영아에 있어 주요한 사망원인이 된다. 늦은 겨울이나 초가을에 자주 발생한다. 양수막이 파열된 후 24시간 이후 태어난 신생아와 분만동안 양수를 흡입한 신생아는 출산 후 초기 몇일 동안 폐렴으로 발전되는 경향이 있다.

출생 전 24시간 이상동안 양수막이 파열되었다는 것을 알았을 때, 감염예방을 위한 광범위 항생제 투여가 사용된다. 폐렴의 임상증상은 [표 12-14]에 요약하였다.

01 / 바이러스성 폐렴

바이러스성 폐렴(Viral pheumonia)은 일반적으로 상기도 호흡감염 바이러스에 의해 발생된다. RSV, myxoviruses or adenovirus성 폐렴의 증상은 상기도 감염으로 시작된다. 증상으로는 발생 1~2일 동안 미열이 나며 과호흡으로 시작된다. 비록 폐의 증상이 발견될지 않을지라도 호흡음은 줄어들고 나음이 청진될 수 있다.

X-ray상 침윤상태가 확산되어 보인다. RSV는 무호흡이 발병될 수 있다. 이러한 바이러스 감염 때문에 항생제 치료는 대체로 비효과적이다. 아동은 휴식을 취하고 가능한 열을 내리기 위해 해열제를 사용한다. 만약 아동이 수유로 지치게 되거나 수액 섭취의 부족으로 탈수 된다면 정맥 내 수액공급이 필요하다. 병의 급성기로부터의 회복 후 아동은 1~2주 동안 박테리아성 폐렴과 같이 에너지의 부족 또는 기면상태에 빠질 것이다.

폐렴 진단에도 불구하고 항생제 치료를 받지 않으면 부모는 혼돈스러울 수 있다. 부모가 아동의 치료와 간호계획을 잘 이해할 수 있도록 바이러스와 박테리아 감염의 차이에 대한 설명이 필요하다.

02 / 세균성 폐렴

세균성 폐렴(bacterial pneumonia)은 면역결핍이나 낭포성 섬유종과 같은 만성질환이 없는 경우에는 흔하지 않으며, 대부분 상기도 감염에 의한 합병증으로 발생한다. 이것은 바이러스 감염이 이 부위의 방어기전을 교란시켜서 병원체의 성장을 증가시키기 때문이다.

신생아기 이후 아동에서 세균성 폐렴은 다른 종류의 폐렴과는 구별되는 명백한 특징을 나타내며, 원인균에 따라 임상적 특징이 다르다.

1) 원인

세균성 폐렴의 원인은 나이에 따라 다르다. 3개월 이하 영아는 pnemococcus, group A streptococcus, staphylococcus, enteric bacilli, Chlamydia, 3개월에서 5세 아동은 pneumococcus, Hemophilus influenza type B, staphylococcus, 5세 이후 아동은 Mycoloplasma pneumoniae가 주된 원인균이다.

2) 사정

신생아기 이후의 아동에서 세균성 폐렴은 다른 종류의 폐렴과는 분명하게 구별되는 임상적 특징을 나타내며 원인균에 따라 임상적 특징에 차이가 있다. 발병이 갑작스러운 세균성 폐렴은 일반적으로 상기도의 바이러스 감염이 선행되는 경우가 많다.

세균성 폐렴 아동은 전신적, 국소적인 신체증상을 보인

표 12-14	폐렴의 임상증상

- 고열
- 흉통, 흉부견축, 비익 확장
- 흰색의 가래 섞인 거친 기침
- 창백하거나 청색증
- 빈호흡
- 피로, 불안, 얕은 호흡
- 상기도 감염 후 시작
- 흉부 방사선검사 소견 : 기관지 주위에 범발성 혹은 반점상 침윤
- 호흡음 감소, 나음
- 불안정, 기면
- 타진 시 둔탁음
- 위장관 장애 : 식욕부진, 구토, 설사, 복통

간호사례 / 폐렴으로 입원한 아동

3세 된 아동이 폐 구균성 폐렴의 진단으로 병원에 입원하기 위해 부모님과 함께 응급실에 왔다. 그의 부모는 말했다". 우리 아이는 단지 독감에 걸려서 약간의 끈끈한 노란색 점액이 나오는 기침을 해요"

사   정 : 키와 몸무게는 연령에 맞는 정상 범위에 있는 3세 된 남아이다. 아동은 발한이 있고 창백하다. 체온은 39.0℃, 맥박 146회/분, 호흡 40회/분, 코 흘림과 견축이 관찰되었다. 폐의 호흡음은 감소되었다. 나음(crackles)이 청진되었고 오른쪽 위쪽과 중앙부엽에 타진시 둔탁음이 청진되었다. 끈끈한 화농성 가래가 섞인 기침을 한다. 아동은 호흡곤란을 호소한다. 아동의 어머니는"기침하기 때문에 많이 마시지 못했어요. 그리고 기침 할때는 누워있고 싶어해요" X-ray상 반점의 확산이 보인다. 백혈구증가증이 나타난다. 배양을 위한 가래 검체를 얻을 수 없다.

간호진단 : 폐렴의 생리적 영향과 관련된 비효율적 호흡양상

간호목표 : 아동은 적당한 환기의 증상과 증후가 나타날 것이다.

평   가 : 산소 공급 없이 호흡률, 산소포화도, 동맥혈 가스 수준이 연령에 맞는 수치를 나타낼 것이다. 청진 시 폐는 깨끗하게 들린다. 아동은 편안하게 호흡을 한다; 호흡은 더 편안해지며 환기 상태는 향상된다.

계획 및 중재

1. 지정된 비율로 산소마스크(face)를 통해 산소를 보충하고 유지시킨다. 혈액가스분석을 시행하고 pulse oximetry(맥박산소계측기)를 통해서 산소농도를 모니터한다.
2. 폐음을 포함해서 활력증후와 호흡상태를 사정을 하는데 처음에는 매 1~2시간 시행하고 그리고 나서는 규정된 방침에 따라 사정한다.
3. ampicillin 또는 amoxicillin와 같은 항생제요법을 시행한다.
4. semi-Flowler's 자세에서 high Fowler's 자세를 아동에게 적용한다. 자주 아동의 자세를 변경한다.
5. 흉부 물리요법을 시행한다.
6. 매 1~2시간마다 incentive spirometry를 사용하고 기침과 깊은 호흡을 격려하도록 놀이를 사용한다. 이때 부모를 포함시킨다.
7. 편하게 측정결과를 받아들일 수 있도록 부모와 아동을 도와준다.

간호진단 : 구강 섭취의 감소와 이차적으로 빈호흡, 발한, 열로 인하여 무감각성 체액량 손실과 관련된 체액부족 위험성

간호목표 : 아동은 충분한 체액의 균형을 이루는 증상과 증후를 나타낼 것이다.

평   가 : 피부탄력성 좋음. 섭취량과 배설량 측정, 소변비중, 임상검사 그리고 체중 모두가 연령에 맞는 수준을 유지한다.

계획 및 중재

1. 매일 체중을 측정하고 모니터한다.
2. infusion pump 또는 controller를 사용해서 규정된 규칙에 의해서 정맥수액요법을 시행한다.
3. 자주 아동에게 수액을 조금씩 제공한다. 수액의 형태는 아동이 좋아하는 것을 기초로 해서 젤라틴, 아이스케이크 또는 과일바 같은 것으로 다르게 제공한다. 아동에게 음료섭취를 격려하는데 놀이를 사용하거나 게임을 통해서 매번 젤라틴을 한숟가락 또는 조금씩 섭취하도록 한다.
4. 체온조절을 위해 여름옷을 아동에게 입히고 acetaminophen을 투여한다.
5. 섭취량과 배설량 측정, 소변비중, 소변과 혈청전해질, BUN과 크레아틴치와 삼투압을 모니터한다.

간호진단 : 빈호흡과 관련된 활동의 지속성 장애

간호목표 : 아동은 질환이 전의 활동 수준으로 돌아갈 것이다.

평   가 : 아동의 연령에 맞는 수준으로 산소포화도와 정상 활력징후를 유지하며 호흡의 어려움 없이 최소한의 자가간호활동에 참여한다.

계획 및 중재

1. 휴식과 활동의 균형을 제공한다. 지나친 피로를 막도록 간호 계획을 한다.
2. 활동전후에서는 보조산소요법을 시행하고 활력징후, 산소포화 수준과 호흡의 차이점 등의 모니터를 지속적으로 한다.
3. 소량씩, 자주 식사를 제공한다.
4. 점차적으로 활동을 증가시키도록 하고 있다. 즉 산소포화수준을 지침으로 해서 자기간호활동, 침대에서 의자까지 가는 것, 기상 등
5. 빈번한 지지를 제공해 주고 아동과 가족이 서로 접촉하도록 한다.

다. 증상과 징후는 열, 피로, 빠르고 얕은 호흡, 기침, 심호흡 시에 심해지는 흉통이 있으며, 이 통증이 복부로 확장되면서 충수돌기염으로 오진되기도 한다. 오한과 뇌막염 증세가 나타나고, 늑막의 반동과 늑막 삼출액이 생성되며 침윤(consolidation) 과정이 빠르게 진행된다.

영아에서는 폐렴의 임상증상이 두드러지지 않아 확진이 어려울 때도 있다. 감염의 초기 증상은 주로 불안정, 소진, 식욕부진 등이다. 갑작스러운 고열은 경련을 동반할 수도 있다. 신생아에게 있어 폐렴은 호흡부전으로 인한 신생아 사망을 초래할 수 있으므로 호흡 양상을 주의 깊게 관찰해야 한다.

3) 진단검사

방사선 촬영 결과 폐조직의 침윤을 보고 조기에 진단할 수 있다. 흔히 대엽의 경화와 심할 때는 늑막 삼출을 볼 수 있다. 임상검사는 그람염색법(Fram's stain)과 객담 배양, 비인두 분비물 검사, 혈액 배양, 폐조직 생검 등을 할 수 있다. 보통 백혈구 수치는 증가되나 포도상구균성 폐렴의 영아에서는 백혈구 수치가 정상으로 나타나기도 한다.

4) 치료적 관리

세균성 폐렴에 항생제는 매우 효과적이다. 진단 즉시 페니실린-G를 정맥 혹은 근육으로 투여하며, 페니실린에 과민성이 있는 아동은 erythromycin이나 cephalosporin등의 항생제를 투여한다.

대부분 임상에서는 빠르면서도 최대의 효과를 내기 위해 정맥으로 항생제를 투여한다. 폐렴구균성 폐렴은 초기에 증상이 발견되고 치료가 시작되면 가정치료가 가능하다. 치료는 항생제 투여, 침상 안정, 충분한 수분섭취, 해열제 투여 등이다. 늑막의 삼출이나 농흉이 동반되었을 때와 포도상구균성 폐렴은 입원치료가 필요하다. 영아나 유아의 폐렴은 질병의 진행과정이 다양하고 합병증이 잘 발생하기 때문에 병원에서 치료한다. 정맥내 수액요법을 하며 호흡을 완화시켜 주기 위해 산소를 공급한다.

폐렴구균성 폐렴은 예후가 좋으며 치료가 즉시 시행되면 회복이 빠르다.

포도상구균성 폐렴은 지속 기간이 길다. 조기 발견하여 치료하면 효과적이나 치료 전에 폐렴을 앓은 기간에 따라 예후가 다양하다. 현재 폐렴구균성 폐렴에 대한 예방백신이 있으나 후천성 폐렴구균성 감염의 위험이 높은 2세 이상의 아동에게 선택적으로 투여한다.

합병증으로는 중이염이 가장 흔하며, 늑막염, 뇌막염, 복막염, 농흉, 기흉 등이 있다.

5) 간호

세균성 폐렴 아동의 간호는 아동의 요구에 따른 대증적 지지간호를 시행한다. 그리고 호흡상태를 지속적으로 사정하며 산소공급과 항생제를 투여한다. 아동을 격리병실에 입원시키며 신체적, 정서적 스트레스를 줄이고 충분한 휴식과 에너지를 유지할 수 있도록 한다. 충분한 수면을 위해 가급적 간호처치를 모아서 한번에 하도록 하고, 기침이 심하면 진해제를 투여하여 안정을 취하도록 한다. 탈수 예방을 위해 급성기 때는 정맥 내 수분공급을 하며, 구강 수분 섭취가 가능하면 흡인을 방지하고 기침이 악화되는 것을 막기 위해 조심스럽게 수분을 공급한다.

가습 텐트 속에서 충분한 습기를 제공하여 분비물을 묽게 하고 열을 저하시켜 준다. 텐트 내의 이불이나 아동의 옷은 자주 갈아주어 오한을 방지한다. 아동의 가장 편안한 자세는 대체로 반좌위이지만 아동이 안위를 느끼는 자세를 자유롭게 취할 수 있도록 허락해준다. 만일 폐렴이 일측성이라면 침범된 쪽으로 눕는 것이 흉벽에 대한 부목 효과가 있으며 불편감의 원인이 되는 늑막 마찰도 감소시켜 준다.

발열 감소를 위해 시원한 환경을 유지해 주며 처방에 따라 해열제를 투여한다. 질환의 진행 상태를 사정하고 합병증의 초기증상을 발견하기 위해 활력증상의 측정과 흉부 청진을 계속적으로 실시한다. 효과적으로 기침을 할 수 없고 분비물의 배출에 어려움이 있는 아동은 흡인을 해야 한다. 학령전기 이후 아동은 도움 없이 분비물을 잘 배출할 수 있다. 타진법과 진동법의 흉부물리요법과 체위배액, 흡인은 4시간마다 혹은 상태에 따라 더 자주 시행할 수 있다.

03 / 마이코플라즈마 폐렴

마이코플라즈마 폐렴(mycoplasmal pneumonia)에서 Mycoplasma균은 바이러스와 유사하고 크기가 더 크다. Mycoplasmal 폐렴은 아동기(5세 이상)에서, 그리고 겨울에 자주 발생한다.

Mycoplasmal 폐렴의 증상은 다른 폐렴과 구별이 어렵다. 아동은 열과 기침이 나고 이상이 있다는 것을 느낀다. 목의 림프절은 커져있을 것이다. 아동은 지속적인 비염이 있다[표 12-15].

확인문제

20. 폐렴 아동에게 간호중재로 시행하는 흉부 물리요법의 근거는 무엇인가?

XI 결핵

결핵(tuberculosis)은 폐에 가장 흔히 나타나는 감염 질환이다. 선진국에서는 점차 줄어들고 있으나, 우리나라의 경우는 2003년에 31,000명 이하로 감소했다가 이후 다시 증가하여 34,000~35,000명 선이 유지되고 있다. 질병관리본부의 발표에 따르면 2011년 우리나라의 결핵환자는 39,557명으로, 인구 10만 명당 80명을 넘어 OECD 국가 중 발병률 1위를 나타내었다. 결핵은 아직도 전 세계의 많은 지역에서 사망의 주된 원인이 되고 있고, 우리나라에서도 간염이나 AIDS 등 다른 법정전염병보다도 사망률이 높다. 결핵은 특히 거주지가 없는 저소득층에 많이 발병한다. 결핵은 전염성이 높은 폐질환이다.

1) 원인

원인이 되는 병원체는 Mycobactrium 결핵균이다. 전염방법은 감염된 입자를 통하며, 잠복기간은 2주에서 10주이다.

아동은 일반적으로 가족으로부터 이 질환에 감염되며 모든 가족구성원은 병에 대한 선별검사를 받아야 한다(천자검

표 12-15	마이코플라즈마 폐렴의 임상증상
발병 양상	• 갑자기 또는 점진적으로 발생함
전신 증상	• 열, 오한, 기침 • 피로, 식욕부진 • 5세 이상 아동과 겨울에 자주 발생 • 인후통과 두통 • 목의 림프절 비대
지속 증상	• 지속적 비염 • 기침 시 점차적으로 분비물 양상 변화(장액성 또는 점액성, 혈성) • 병발 무위에서 나음 청진

사 또는 Mantoux). 몇몇 아동은 접촉이 되었는지 알지 못하면서 증상이 나타날 때서야 이 병이 발병된 것을 발견한다. 백인이 아닌 아동은 백인보다 더 감염되기 쉬운 경향이 있다. 만성질환이나 영양불량 상태의 아동은 감염에 대한 감수성 때문에 건강한 아동보다 더 감염되기 쉽다.

2) 병태생리

결핵균이 아동의 폐에 침범했을 때를 일차 감염이라 한다.

아동은 가벼운 기침을 하게 된다. 백혈구는 침범지역에 들어가서 효과적인 일차적 감염의 장벽을 형성하기 위한 새로운 세포형성을 하게 된다. 침범된 지역은 석회화되고 영구적으로 구역이 결정되어진다. 일차병소의 발전은 보통 아동에게서 결핵에 거의 이환되어 있다. 아동의 건강상태가 좋지 않거나, 감염을 예방하는 칼슘을 충분히 섭취하지 못한 경우에, 결핵은 다른 폐부위나 신체부위로 전파될 것이다(속립성결핵). 속립성결핵 아동은 거식증, 체중 감소, 낮은 체온 등의 증상을 보일 것이다. 다른 부위는 뼈, 관절, 림프절, 신장 그리고 지주막하(결핵성수막염)에 영향을 주게 된다.

3) 사정

결핵진단은 최근의 간호력으로 알 수 있다. 모든 아동은 생후 9개월에서 12개월에 투베클린 반응 검사를 받는다. 그리고 일 년에 한 번씩 그 이후 사는 지역에 결핵의 위험성이 있는지를 조사한다. 투베클린반응 검사는 홍역 면역접종후에는 실시하지 않으며, 검사결과는 가성음성으로 나타날 것이다. 또한, 홍역백신은 속립으로 되기 위한 일차적 결핵병

표 12-16　Mantoux 검사

2TU PPD (purified protein derivatives) 0.1mL 전반 내측에 피내 주사하여 48~72시간 후 경결(induration)의 크기 판독

· 결핵에 감염되면 3주~3개월 후에 투베르쿨린 검사에서 과민반응(cutaneous hypersensitivity)이 나타남.

· 판정 기준
  - ≤ 5mm : 음성
  - 6~14mm : 양성
  - ≥ 15mm : 강양성
· 5세 미만의 소아에서 10mm 이상이면 결핵감염으로 간주

· 투베르쿨린 반응 강양성이 나타나는 경우
  - 뼈, 관절의 결핵
  - 당뇨병 환아
  - 결핵성 늑막염
  - Erythema nodosum

· 투베르쿨린 반응을 저하 시키는 요인
  - 매우 어린 나이
  - 영양 부족
  - 면역결핍
  - 홍역, 유행성 이하선염, 수두 및 인플루엔자와 같은 바이러스성 감염
  - 생백신 접종
  - 아주 심한 결핵

· 위양성 투베르쿨린 반응이 나타나는 경우
  - 비정형 결핵균에 의한 감염
  - 과거에 BCG접종 받은 경우

소의 원인이라 할 수 있다. 따라서, 예방접종 전에 음성 투베클린반응 결과를 확인하는 것이 중요하다.

4) 진단검사

작고, 네 개로 분리된 기구, PPD백신의 천자 검사 시 아동의 팔 안쪽(피하)을 알코올로 소독한 후 시행한다. 건강간호 전문가는 72시간 내에 그 부위를 검사하고 반응을 기록한다. 양성 반응(하나 이상의 구진형성, 지름이 2㎜보다 더 큰 부위)은 아동이 결핵에 노출됨을 의미한다. 음성반응을 나타내는 아동은 흉부촬영술과 같은 중요한 정보를 확인할 수 있는 지속적인 간호가 필요하다. 피부검사는 결핵을 앓은 적이 있는 아동에게는 시행하지 않는다. 이런 아동은 굉장히 민감한 반응을 가지고 있으므로 검사부위의 피부는 벗겨지고 괴사를 일으킨다. 결정적인 피부검사는 Mantoux검사이다[표 12-16]. 이것은 PPD백신을 직접 피부 아래의 진피에 주입한다. 이 반응은 천자검사와 같은 방법으로 판독한다.

두 번째 진단절차로서, 객담을 분석한다. 아동은 목(인후)뒤에서가 아니라, 폐로부터 객담을 추출해야 한다고 아동에게 확실히 이해시켜야 한다. 아동에게 깊게 기침을 하는 것을 시범을 보이나 유아와 어린 아동은 객담을 배출하지 못하고 삼킨다.

그러므로 9세 또는 10세의 어린 아동에게, 위세척은 객담 검체를 얻기 위해 필요하다(왜냐하면 결핵 박테리아는 위 분비물에 의해서 파괴되지 않고 산과 결합하기 때문이다). 위세척은 아동이 음식을 섭취하기 전 아침 일찍 시행한다. 이것은 구토를 예방하고 검체를 많이 수집하기 위해 시행하는 것이다. 왜냐하면 아동은 밤 동안 가래를 삼킨다. 검체물을 수집하기 위해서, 비위강튜브는 비강이나 구강으로 통과 시킨다. 위 내용물을 흡인하고 임상검사과정을 위해서 무균적 용기에 놓는다. 분석은 일반적으로 3일 동안

연속적으로 시행한다.

위를 통과하는 큰 튜브를 가진 느낌은 불안정하고 숨 막히는 느낌, 구역질하는 느낌, 그 자체만으로도 불안을 준다. 아동은 알고 믿는 사람으로부터의 지지가 필요하다. 아동은 절차에 대해서 그들이 느끼는 점을 표현할 수 있는 시간이 필요하다. 아동은 플라스틱 카테터를 가지고 놀고 튜브를 넣을 수 있는 인형과 함께 놀이를 하도록 한다. 아동이 인형 안에 튜브를 넣으면서 힘과 분노를 나타낸다. 이것은 어떻게 아동이 그들에게 행하는 절차를 상상하는지를 나타낸다.

질병진행의 초기에, 흉부 촬영에서는 나타나지 않는데 결핵 초기의 병소는 아주 작기 때문이다. 그러나 국소적 감염이 발생할 때에는 감염된 부위에서 그 부위가 석회화되어서 필름상에 검게 나타날 수 있다.

부모는 그들의 아동이 결핵이라고 진단을 받으면 불안해한다. 약물요법을 하기 전에 결핵진단은 오랫동안 병원에 입원해야 한다. 치료 후 집으로 돌아가 학교에 정상적으로 갈 수 있음을 부모에게 설명한다.

5) 치료적 관리

결핵치료는 특정한 항결핵 약물 혼합요법으로 시행하는 것이 기본이다[표 12-17]. Para-aminosalicylic acid(PAS)는 결핵에 대해서 정균작용을 하고 치료의 중요한 물질이 될 것이다. PAS 투여는 아동에게 위장 장애를 유발하게 된다. 음식을 섭취한 후에 투여하고 절대 공복에 투여하지 않는다. Isoniazid(INH)는 현재 치료를 위한 약물이다. INH는 pyridoxine(비타민 B₆)과 동시에 투여하여 말초신경 증상을 예방한다. Rifampin는 자주 INH와 혼용하여 사용한다.

Ethambutol은 큰 아동에게 사용한다. 유아에게는 주의를 요하게 되는데 하나의 부작용은 시신경염을 일으킨다는 것이다.

부작용은 아동이 폐조직의 효과적인 방어벽 형성을 위한 단백질, 칼슘 그리고 피리독신 등의 고식이요법을 취해야 한다(특히 INH의 치료 시). 일차적 결핵을 가진 아동은 감염되지 않으므로 격리를 필요로 하지 않는다. 빠른 약물치료를 실시해야 하며 임상증상은 나타나지 않는다. 아동은 학교에 다니면서 일상적인 활동으로 돌아갈 수 있다. 그러나

표 12-17	결핵 화학요법

- 무증상 감염 (tuberculin 양성, 발병 없을 때) : INH 9개월 요법
- 폐결핵일 때
  6개월 요법(표준요법) : INH, RFP, PZA 2개월 + INH, RFP 4개월 오랜 기간 동안 약물을 잘 복용해야 한다는 점과 1차 내성을 포괄할 수가 없다는 제한점이 있음
- 폐외 결핵일 때
- 예외 : 골 및 관절 결핵, 파종성 결핵 및 결핵성 수막염은 6개월 치료로 부족 → 9~12개월 치료, 필요시 외과적 처치

약물 치료는 18개월 동안 계속 되어야만 한다.

아동은 결핵균 활동성을 확인하기 위해서 매년 1회 간격으로 흉부 촬영술을 해야 한다. 결핵에 이환된 여성이 임신을 했을 때는 간호제공자에게 알려야 한다. 폐는 석회화가 되고 결핵은 재발할 수 있는 것에 대하여 임신 시 변화 할 수 있는 상황에 대해 알도록 한다. 그러므로 다른 만성질환이 발생하고 있는 아동은 칼슘섭취 저해와 식욕이 감소된다.

아동은 긴 기간 동안 약물을 복용해야하며 약물의 순응도 범위를 평가하기 위하여 주기적인 건강간호관리가 필요하다. 아동은 정기적인 예방접종을 받아야만 하는데 결핵으로부터 완전히 회복될 때까지 이차적인 질병의 접촉이 없어야 한다. 백일해(whooping cough)를 예방하는 것은 매우 중요한데 왜냐하면 발작성 기침은 결핵이 전염될 수 있으며 결핵 병소가 재발될 수 있는 원인이기 때문이다.

BCG(Bacilli Calmette-Guerin)백신은 결핵에 대해 유용하지만 아동에게는 정규적으로 사용하지 않는다. 피부검사는 BCG 백신효과 후에는 강한 양성 반응으로 나타난다. 계속 음성 결과가 나타나게 되면 완전히 치료되었음을 알게 된다. BCG 백신 후에 피부검사는 의미가 없다.

6) 간호

활동성 결핵 아동은 약물요법을 시작하여 객담검사에서 병원균의 감소가 나타날 때까지 격리를 시켜야 한다. 이때 마스크 착용과 철저한 손 씻기를 해야 한다. 하지만 규칙적인 약물요법이 지속되는 동안은 비전염성이므로 가정에서도 관리가 가능하다. 따라서 폐결핵 아동의 주된 간호는 외래, 학교, 보건소 등에서 이루어진다. 증상이 없는 아동은 자유로운 생활을 할 수 있으며 학교나 유치원에 다닐 수 있다. 그러나 활동성 결핵일 때는 경쟁적인 놀이나 격렬한 운

동은 피하도록 한다. 가급적 긴장상태나 부모의 불안, 과잉보호는 피하도록 하고 영양 섭취(고열량, 고단백, 식이, 칼슘 섭취 권장)를 권장하도록 한다. 정규 예방접종을 계속 실시하도록 하고 적절한 영양과 충분한 휴식, 감염의 예방에 중점을 둔다. 방사선 검사와 피부반응 검사를 실시하며 임상 검사물을 채취하는 등 질병 관리를 한다. 영아나 유아는 기침을 해도 하부기도 점액을 삼켜버리기 때문에 객담을 채취하기가 어렵다. 그러므로 도말이나 배양을 위한 검사물을 얻기 위해서는 이른 아침 공복시에 위세척을 하여 위 내용물을 흡인한다. 외래에서는 가정에서 아동을 돌보는 내용이나 질환과 관련된 정보를 부모와 아동에게 교육해 주어야 한다. 아동은 대부분 가정에서 어른들로부터 감염되기 때문에 부모들이 죄의식을 느낄 수 있다. 질병에 대해 잘못된 지식을 갖고 있다면 사실대로 설명해 주어야 한다. 부모의 불안을 감소시켜 주는 것이 부모가 그 질환을 좀 더 적극적으로 관리할 수 있도록 해주며 아동의 계속된 간호계획을 세우는 데 더 효과적으로 협조하게 된다. 치료의 성공은 가족의 협조와 수용에 달려 있으므로 간호사는 진단과 치료과정, 회복을 위한 충분한 치료기간이 필요하다는 것을 가족이 이해하도록 도와줘야 한다. 적절한 영양섭취로 최적의 건강상태를 유지하고 결핵 감염에 이환되지 않도록 예방하는 것이 중요하며, 조기 진단과 조기치료를 통해 결핵이 주변으로 전염되는 것을 예방해야 한다.

Ⅻ 기타 호흡기 질환

01 / 코피

코피(비출혈, epistaxis)는 아동기에 가장 일반적으로 발생하는 증상이다. 코를 파거나 다른 아동이 코를 치는 것 같은 외상으로 인해 보통 발생한다. 습도가 낮은 집에서는 덥고 건조한 환경이 아동의 점막을 건조시키고 불편하게 하며 갈라지고 출혈이 생길 가능성이 높게 된다. 대부분의 아동은 호흡기 질환 동안에 코피를 흘리는 경향이 있다. 격렬한 운동 후에도 발생할 수 있다. 류마티스성 열, 성홍열, 홍역, 바리셀라 감염(수두) 같은 전신 질환과도 관련이 있다. 비강

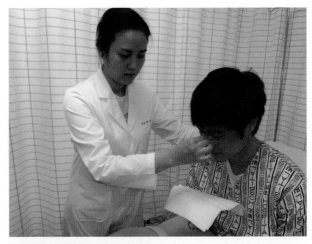

그림 12-21 비출혈 환아 간호

응급처치로 코피가 나는 쪽의 코의 윗부분을 살짝 잡고 코의 옆면에 압력을 가한다.

돌기, 부비강염, 알레르기성 비염으로 발생할 수도 있다. 유전적인 경향도 있다. 비출혈이 비인두 뒤로 출혈이 된다면 눈에 보이는 출혈과 숨막히는 느낌으로 매우 놀라게 된다. 공포감은 일반적으로 출혈의 심각성에 비례하게 된다.

비출혈이 있는 아동은 비혈관에 혈압을 최소화하고 앞쪽으로 혈액의 움직임을 유지시키기 위해 약간 머리를 앞쪽으로 한 똑바른 자세를 취해야 하고 비인두를 뒤로 젖혀서는 안된다. 손가락으로 코의 양쪽을 눌러 압력을 주어야 한다[그림 12-21].

울음이 머리의 혈압을 증가시키고 출혈을 연장시키므로 아동을 진정시키고 울음을 멈추게 한다. 간단한 처치로 출혈을 조절할 수 없다면 혈관을 수축시키기 위해 epinephrine(1 : 1000)을 출혈 부위에 사용한다. Nasal pack이 필요하다. 모든 아동에게 비출혈은 발생할 수 있다. 그러나 만성 비출혈은 전신 질병이나 혈액 질환과 관련하여 조사해야 한다.

02 / 부비동염

부비동염(sinusitis)은 종종 상기도 바이러스 감염에 이어서 나타나며, 심각한 장애는 아니나 생명을 위협하는 합병증으로 이어질 수도 있다. 부비동염은 유아기뿐만 아니라 영아기에 발생할 수 있지만 대부분은 학령기 동안에 발생한다. 부비동염의 염증과 감염은 급성 또는 만성이 될 수 있다.

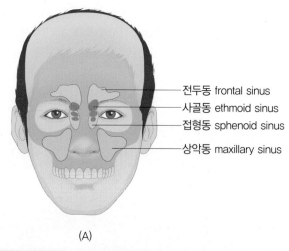 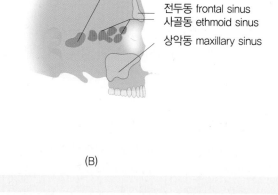

전두동 frontal sinus
사골동 ethmoid sinus
접형동 sphenoid sinus
상악동 maxillary sinus

접형동 sphenoid sinus
전두동 frontal sinus
사골동 ethmoid sinus
상악동 maxillary sinus

(A)　　　　　　　　　　　　　　　　　(B)

그림 12-22 **부비동염 발생부위**
(A) 부비동염 전면　　(B) 부비동염 내외측면

1) 원인

급성 부비동염은 부비동에 박테리아가 침범하여 점막에 염증과 부종을 초래하여 좁은 부비강 통로를 폐쇄함으로써 발생된다[그림 12-22]. 이환된 부비동은 화농성 물질로 채워지고, 염증과 감염은 부비강 점막을 덮고 있는 섬모의 보호, 청결 작용을 방해한다. 손상된 점액섬모의 이송은 부비강 내 분비물의 정체를 초래하여 박테리아 성장의 매개체를 제공한다.

만성 부비동염은 보통 급성 부비동염의 합병증이다. 지연되거나 반복된 감염이 부비강의 점액성 내층에 불가역적인 변화를 초래한다. 전두동과 접형동은 아동에게 가장 흔한 침범부위이다. 비용종과 비중격 만곡, 아데노이드 비대는 부비강 배액을 방해하여 감염을 초래할 수 있다. 만성 부비동염이 있는 아동은 흔히 알레르기성 비염이나 삼출성 중이염도 나타난다. 아데노이드 비대와 면역 결핍, 비강 내 이물질 폐쇄는 부비동염의 발생 원인이 된다. 낭포성 섬유증 아동은 짙은 점액성 분비물과 비용종 때문에 부비동염의 발생률이 높다.

부비동의 감염은 중이로 전파되어 중이염을 초래할 수 있다. 감염이 뼈를 통해 직접 전파되거나 또는 두개골의 정맥류를 따라서 안와나 중추신경계와 같은 인접한 조직으로 전파될 경우 심각한 합병증이 발생된다.

급성 부비동염 원인균으로는 폐렴연쇄구균, haemophilus Influenza, moraxella catarrhalis가 있고, 만성 부비동염은 A군 용혈성 연쇄성 구균 등이 흔한 원인균이다.

2) 증상

부비동염은 14일이 경과해도 호전되지 않는 감기, 미열, 화농성 비강 분비물이 있는 비충혈, 구취, 기침(보통 아이가 누워 있을 때 더 심함), 두통, 압통의 증상과 징후로 특징지어지며, 이환된 부비동의 답답함(fullness)으로 아동이 안절부절하게 된다. 간혹 안면부종이 생기고, 목소리가 콧소리로 변한다. 만성 부비동염 아동은 대부분 만성 기침과 재발성 두통 외에는 같은 징후를 보인다. 아동의 미각이나 후각이 손상될 수 있고 피로를 느끼게 될 수도 있다. 기침은 낮에 주로 하지만 코 뒤쪽으로 넘어가는 분비물(후비루:postnasal discharge) 증상은 야간에 심하다.

합병증으로는 경막외 또는 경막하 농양, 수막염, 시신경염, 안와주위 봉와직염과 농양 및 골수염 등이 있다.

3) 진단검사

X선 검사, CT, MRI 등을 이용하여 정확하게 진단할 수 있으며, 수술 계획 및 합병증 유무를 확인하는데 유용하다. 세균 배양을 위해 부비강 천자를 할 수 있다. 부비동 방사선 소견은 1세 이상의 아동들에서 점막비후, 혼탁(opacification), 공기색전증을 보인다. CT소견은 세부적인 해부학적 정보를 제공하기 때문에 부비강 질환의 진단에 대한 기본이 된다.

4) 치료적 관리

급성 부비동염에 있어서 대부분의 경우는 자연 치유가 된다. 항생제 치료가 필요한 경우 급성일 때는 2~3주간, 만성일 때는 4~6주간 amoxicillin이나 augmentin 등을 투여한다. 항생제 치료 외에 진통제, 수액공급, 온습도 적용과 비충혈제거제의 치료가 추가될 수 있다. 항히스타민제는 만성 부비강염과 관련된 알레르기 징후의 치료에 사용되지만, 짙은 분비물로 인한 부비강의 배액을 방해하려는 경향이 있다. 스테로이드 비강 분무기(nasal sprays)는 비충혈제거 점비제의 반동효과를 피하면서 염증을 완화시키기 위해 사용될 수 있다. 부비동의 외과적 배액과 세척은 약물 치료에 반응하지 않으며, 합병증이 있을 때, 통증이 동반될 때 시행한다. 만성 부비동염이 있을 때에는 다른 근본적인 구조적 문제가 있는지 알아보고 이에 대한 치료를 해야 한다.

확인문제

21. 부비동염의 합병증은 무엇인가?

03 / 낭성섬유증

낭성섬유증(cystic fibrosis, CF)은 외분비선 기능장애이다. 특히, 췌장과 폐에서 신체의 점액분비물이 분비선을 통하여 통과하는 것을 어렵게 한다. 또한 한선의 분비물에서 현저한 전해질 변화를 일으킨다(땀의 염소 농도는 정상을 넘어 2배에서 5배 정도이다). 질환의 원인은 7번 염색체가 비정상으로 기도와 췌장에서 상피세포의 탈수를 일으킨다.

이 질환은 상염색체 열성형질로 유전된다. 2,500명의 신생아에게서 거의 1명꼴로 발생한다. 대부분의 백인에게서 일어나고 흑인과 아시아인에게서는 거의 일어나지 않는다. 이 질환은 삶의 초기에 치명적이지만, 아동의 50% 정도는 현재 28세를 넘어도 살고 있다. 폐이식의 가능성과 함께, 생존율은 증가한다. 유전자는 만성 융모추출법 또는 양수천자를 통하여 질환을 가진 대상을 발견하기 위한 목적으로 임신시 시행된다.

낭성섬유증을 가진 남아는 수정 능력이 없다. 끈적한 점액으로부터 수정관이 덩어리가 형성되고 막히게 된다.

여아는 자궁 경부에 진득한 분비물 배출로 정자이동에 제한을 받는다. 인공수정 또는 체외수정을 통하여 임신이 가능해 질 수 있다.

1) 원인

낭성섬유증은 상염색체 열성 유전 질환으로 환아는 양쪽 부모 모두에게서 비정상적인 염색체를 받은 경우이다. 7번 염색체의 유전자에 결함이 있는 것인데 이 유전자는 cystic fibrosis

transmembrane regulator(CFTR)라고 불리는 1,480개의 아미노산을 코드화한다. 이 단백질은 membrane-bound glycoprotein 계열로 cAMP-activated chloride channel를 구성하고 상피세포의 다른 chloride와 sodium channel을 조절한다. 낭포성 섬유증식증은 바로 기도와 췌장 상피세포의 기능이 저하되어 나타난 것이다. 나트륨(Na)과 염소(Cl)의 비정상적 이동이 기도점막 분비물의 점성을 높이고 폐질환을 일으키는 것으로 보인다. 낭성섬유증에서는 F508유전자 돌연변이가 가장 흔하며 낭성섬유증 염색체의 70%에서 발견된다. 나머지는 700가지 이상의 다른 돌연변이가 관여하고 있다.

2) 증상

(1) 췌장의 이상

췌장의 외분비세포는 정상적으로 지방, 단백질 그리고 탄수화물을 소화하기 위해 십이지장으로 내보내는 리파아제, 트립신, 아밀라아제, 효소를 생성한다. 낭성 섬유증은 이런 효소 분비물은 끈끈해지게 되므로 관을 막게 된다. 결국, 외분비세포에 역압력을 가하게 됨으로써 외분비세포는 소모되어지고 효소 생성의 능력이 없어지게 된다. 랑게르한 스섬과 인슐린생성은 질병의 말기까지 이 과정에 의해서 영향을 거의 받지 않게 되는데 이는 그들이 내분비활동을 가지고 있기 때문이다.

십이지장에서 췌장효소가 없는 아동은 지방, 단백질 그리고 어떤 당은 소화할 수 없다. 아동의 변은 크고, 굵고 그리고 기름기를 포함한다(지방변증, steatorrhea). 장내 미생물층은 소화되지 않은 음식물로 인하여 증가하게 되고, 변이 지방과 함께 결합할 때에는 변의 양이 많고 극도로 불쾌한 냄새가 나기도 한다.

장내의 배설물 부피로 인하여 팽만된 복부를 형성하게 된다. 아동은 섭취하는 음식의 약 50%만이 흡수되므로 영양불량상태가 나타난다. 엉덩이의 피부는 느슨해지고 축 늘어져서 수척해지게 된다. 특히, 지용성 비타민 A, D, E 는 흡수할 수가 없는데 이유는 지방이 흡수되지 않아 지용성 비타민이 낮은 수치를 나타내게 된다. 이런 4가지 증상(영양불량, 팽만된 복부, 지방변증, 지용성 비타민 결핍증)은 소아지방변증의 4가지 증상이다(흡수장애증후군). 따라서 이런 증상등을 소아지방변증 증후군이라고 한다.

신생아의 태변은 정상적으로 끈끈하다. 낭성 섬유증을 가진 아동의 거의 10% 정도는 굵은 변을 보게 되는데 이유는 장이 폐색되어서 췌장의 효소가 부족하기 때문이다(태변성 장폐색증).

신생아는 변이 나오지 않아서 복부에 정체될 것이다. 태변성 장폐색증은 태어난지 24시간 안에 변을 보지 않은 신생아를 주의 깊게 관찰해야 한다. 영아에게서 단단해진 변을 내보내기 위해 힘을 주므로써 생기는 직장탈출증이 발견된다.

(2) 폐병발

기관지 점액이 증가하기 때문에 섬모운동이 저항을 받게 된다. 점액이 흐르는 속도가 느려지고 배출이 되지 못하면서 또한 점액 폐쇄가 일어난다. 정체된 점액은 세균 성장에 좋은 배지가 된다. 가스교환이 감소되고 저산소증, 고탄산증, 산증이 일어난다. 심하면 폐까지 침범해서 폐혈관을 누르고 폐기능을 저해하면서 점차 폐고혈압, 폐심장증(cor pulmonale), 호흡부전과 사망을 초래한다. 낭성섬유증의 거의 모든 아동이 폐합병증을 경험하지만 발병시기와 침범 부위는 다양하다. 증상은 기도에 점액이 침착하는 정도에 따라 나타나며 세균 군집으로 폐조직이 파괴된다. 비정상적 점액 점성도로 분비물 배출이 어렵고 점차 기관지와 세기관지가 막히면서 기관지확장증, 무기폐, 과팽창이 야기된다.

감염은 세기관지가 폐색되어 기관지세관에 쌓인 진한 분비물로 일어난다. 낭성 섬유증 아동의 폐분비물 배양 결과 Staphylococcus aureus, Pseudomonas aeruginosa, H. influenzae등이 발견된다. 이차적 폐기종(팽창된 폐포)은 모든 기관지가 흡기 시보다 더 좁아질 때인 호기 시 진한 점액이 지나가도록 힘을 줄 수 없기 때문에 발생하며 기관지확장증과 폐렴이 발생한다. 무기폐는 막힌 세기관지 뒤에 폐포로부터 공기의 유입이 안 되어 발생한다. 손가락은 곤봉형 모양의 손톱이 형성되며 흉부는 전후경의 직경이 넓어지게 되며 호흡성 산증이 진행되는데 이는 폐색으로 인하여 충분히 이산화탄소를 내보내는 능력이 저하되기 때문이다.

(3) 한선병발

한선은 그 자체로써 구조의 변화는 보이지 않지만, 발한으로 전해질 구성성분이 변화하게 한다. 낭성섬유증의 아동에게서, 염분의 염소의 수치가 정상보다 2배에서 5배까지 증가하게 된다. 몇몇 부모들은 임상검사를 부모는 신생아가 이 질환에 걸려 있다는 것을 알고 있는데 그 이유는 부모가 아동에게 키스를 할 때 부모는 땀에서 진한 짠맛을 느끼기 때문이다.

(4) 생식기 병발

영양상태와 임상증상이 좋아도 여아에게는 성장발현이 지연된다. 남녀 모두에서 생식기는 영향을 받는다. 여자는 정상적인 나팔관과 난소를 가지고 있다. 점성도가 높은 자궁 분비물이 정자가 들어오는 것을 막아서 임신이 어려울 수 있다. 임신을 하게 되면 미숙아 출산과 저체중 신생아 출산 확률이 높다. 성인 남자의 대부분(95%)은 정관이 막히고 볼프관(Wolffian duct)의 미발달로 정자생성이 안되면서 불임이 된다.

3) 사정

낭성섬유증은 간호력, 땀에 있는 염소의 비정상적인 농도, 십이지장의 췌장효소부재 그리고 폐병발에 의해서 진단을 내린다.

낭성섬유증의 신생아는 체중이 감소된다(출생체중에서 5%에서 10% 정도). 그러나 그 후에도 7~10일 동안 체중은 증가하지 않고 4주에서 6주까지도 증가하지 못한다. 신생아의 체중감소는 자주 아동의 체중을 측정하는 간호사가 잘 관찰하여야 한다. 출생 시 태변은 매우 끈끈해지므로써 장폐색을 가지고 있고(태변성 장폐색증) 변을 볼 수 없게 된다. 태변성 장폐색증을 가진 모든 아동은 낭성 섬유증 관련 검사를 받아야 한다. 이것은 질병을 가진 신생아에게서 높은 수치를 나타내는 혈청면역반응성 트립신분석에 의해서 행할 수 있는 것으로 그 이유는 태아기간부터 췌장의 폐색이 있었기 때문이다.

아동은 음식 섭취 문제 때문에 약 1개월 동안 관찰하여야 한다. 아동은 소화기능이 아직 성숙되지 않았기 때문에 섭취하는 것의 약 50%만이 흡수되므로 항상 배고파한다. 이것은 먹는 것을 탐욕스럽게 먹게 되는 원인으로 공기를 삼키는 경향이 있다. 이는 산통 또는 복부팽만과 구토가 나타난다. 변은 크고, 굵고 그리고 기름기가 있고 자주 보면서 설사를 할 것이다. 그러나 가벼운 산통을 가진 아동은 변 점조도에서 변화를 보이지 않을 수도 있다.

아동은 4개월에서 6개월 사이에 간호제공자에 의해서 관찰되어져야 하는데 그 이유는 잦은 호흡기감염, 만성적 기침, 그리고 체중 감소가 일어나기 때문이다. 흉부의 청진상 천명음과 건성수포음이 들린다.

낭성섬유증의 아동이 취학하기 전까지, 기침이 두드러지게 나타난다. 타진 시 흉부에서 과도공명음이 들리고, 폐기종이 나타난다. 수포음과 건성 수포음도 들리며 곤봉형 모양의 손톱도 나타난다. 이후 질병의 증상이 계속적이고 명백하게 나타난다[표 12-18].

확인문제

22. 일차적 결핵을 가진 아동은 격리를 필요로 하는가?

23. 낭성섬유증은 신체의 어떤 부위에서 주로 발생하는가?

4) 임상검사

(1) 발한검사

발한검사는 땀의 염소성분을 검사한다. 유아는 6주에서 8주까지는 검사하지 않는데 신생아는 많은 분량의 땀이 없고 검사 판독이 정확하지 않기 때문이다. 그러나 더 새로운 검사절차를 가지고 발한 검사를 신생아에게도 할 수 있다.

발한검사를 위해, 필로카르핀(땀샘활동을 자극하는 콜린성 약물)을 사각 거즈 위에 떨어뜨린다. 이것을 아동의 전박에 놓고 구리전류와 연결한다. 적은 전류는 피부 안으로 필로카르핀을 운반하는데 적합하다.

왜냐하면 낮은 전류는 동통이 없으며 전류를 통한 후에 발의 부위는 물로 씻고 말린다. 그리고 여과종이로 형성된 땀을 모아서 댄다. 이 여과종이는 실험자의 손가락에 의해서 만져지는 것보다는 포셉으로 올려야만 한다. 이유는 실험자의 피부로부터 땀이 종이에 옮겨질 수도 있고 검사분석 결과가 정확하지 않을 수 있기 때문이다.

땀에서의 정상적인 염소농도는 20mEq/L이다. 아동에게서 60mEq/L 염소보다 더 높은 수치는 낭성섬유증으로 진단내려진다. 50~60mEq/L 수치는 이 질환을 의심할 수 있으며 재검사를 시행한다.

땀 검사(sweat chloride test; pilocarpine iontophoresis)는 특별한 기구(3mA electric current)를 이용해서 땀 분비를 자극한 후 필터 용지에 땀을 떨어뜨려 성분을 검사하는 것이다. 최소한 땀 75mg 이상이 필요하다. 신생아의 경우 땀샘이 충분히 발달하지 않았기 때문에 이 검사를 하기 힘들 수 있으며 결과도 부정확할 수 있다. 이럴 경우 며칠 후 한 번 더 검체를 채취하도록 한다. 정상적으로 땀 속의 Cl은 40mEq/L 이하이며 평균 18mEq/L이다. 만약 60mEq/L 이상이면 낭성섬유증을 확진한다.

(2) 십이지장 분석

췌장효소검출을 위한 십이지장 분비물의 분석은 십이지장으로 튜브를 삽입하여 분비물을 흡인한 후 분석한다. 이 검사는 적지 않은 시간이 소요되는데 이유는 튜브가 유문을 통하고, 자연연동운동에 의해서 십이지장으로 통하게 되기 때문이다. 튜브로부터 분비물을 흡인함으로써, 그리고 pH 검사를 위해 분비물을 검사함으로써 위로부터 십이지장까지 지나갈 때 할 수 있다.

위 분비물은 산성이며(pH 7.0 이하), 십이지장 분비물은 알카리성이다(pH 7.0 이상). 대체적으로 튜브의 초기 삽입은 아동에게는 어렵다. 왜냐하면 아동은 튜브가 인후를 지나갈 때 질식하고 구역반사를 할 것이다. 아동은 일반적으

표 12-18	낭성섬유증의 임상 증상
유형	**임상 증상**
태변성 장폐색	• 복부팽만 • 구토 • 탈수 진행 • 대변 나오지 않음
위장관계	• 양이 많고 거품과 악취가 나는 대변 • 식욕의 변화(초기 : 왕성 → 후기 : 부진) • 체중 감소 • 성장 발달 장애 • 지용성 비타민 결핍 • 복부 팽망 • 빈혈 • 가는 사지 발달 • 혈색이 않좋은 피부
폐	• 천명음 청진 : 질병 초기 • 질병 진행 시: 호흡곤란 증가, 발작적 기침, 폐쇄성 폐기능 부전, 산재성 무기폐 • 청색증 • 곤봉형 손톱과 발톱 • 반복되는 기관지염과 기관지폐렴

로 초기삽입을 하고나서 놀랄 것이므로 절차를 시행하는 동안 많은 지지가 필요로 한다.

십이지장으로부터 얻어진 검체는 췌장효소인 트립신내용을 분석하기 위해서 검사실로 보내진다. 검사실로 가는 동안 검체는 차게 유지하며 검사물은 정확한 결과를 위해서 즉시 분석되어야 한다.

(3) 변분석

변은 지방성분을 분석하게 된다. 커다란 기름진 덩어리나 변분석이 필요하다.

(4) 폐검사

흉부촬영술은 일반적으로 폐병발 여부를 확인할 수 있다(폐기종과 초기 폐렴침윤). 폐기능 검사는 폐 병발 범위를 결정하기 위해 실시한다.

5) 치료적 관리

낭성섬유증의 아동의 치료는 췌장, 폐 그리고 한샘의 병발을 감소시키기 위해 치료를 포함한다.

간호진단 및 목표

간호진단 : 지방소화불능과 관련된 영양부족
간호진단 : 아동은 매일 충분한 양의 영양을 흡수할 것이다.
예상되는 결과 : 아동의 신장과 체중은 변의 양 감소, 백분수위 성장 곡선을 따른다.

낭성섬유증 아동은 고칼로리, 고단백질, 중등도 지방 식이요법을 행한다. 비타민 A, D, E 는 수용성 형태로 공급한다.

더운 계절 동안에는 여분의 염분을 발한 때문에 보충해 준다. 중성지방은 다른 지방보다 쉽게 소화되기 때문에 식이요법시 사용된다.

낭성섬유증의 유아는 일반적으로 전체적으로 모유를 먹지 않는데 이유는 모유에는 충분한 단백질을 가지고 있지 않기 때문이다(유아는 많은 양의 단백질을 필요로 한다). 아동의 몇몇은 불행히도 우유 알러지로 초기에 진단받게 되고 콩 식단으로 대체하여 다루어져야 한다. 이것은 단백질을 충분히 얻지 못하고 유아용 유동식을 섭취하는 동안 영양불량 상태는 더 나빠진다. Probana와 같은 고단백질 유아용 유동식이 일반적으로 추천된다.

낭성섬유증의 아동은 식욕이 좋아서 잘 먹는다. 식사 또는 과자를 먹기 전에 아동은 분비가 안 되는 효소를 대신하는 췌장 효소, 췌장 리파아제의 섭취가 필요하다(주요약물 참조). 이 효소는 커다란 캡슐로 제공이 되는데 어린 아동을 위해서는 캡슐을 벗겨야만 하는데 이유는 큰 캡슐을 삼킬 수가 없고 특히 유아는 캡슐을 용해할 수 있는 위산이 충분하지 않다.

캡슐로부터 나온 가루는 음식에 한 티스푼보다 적은 양을 넣는다. 뜨거운 음식에는 넣지 않는데 효소활동의 대부분이 파괴되기 때문이다. 또한 유아 유동식이 있는 젖병에는 첨가하지 않는데 유아는 완전히 병 안에 있는 것을 마시지 않을 수 있기 때문이다. 아동이 췌장효소의 합성요소를 섭취할 때 대변의 양과 불쾌한 냄새는 감소된다.

신생아기 때에는 태변 장폐색이 나타날 수 있으며 연령이 높아지면서 점차 심해지게 되는데 흡수장애, 연동운동 감소, 점액 점성도의 증가로 변비가 생긴다. 이러한 문제는 수술보다는 삼투성 용액을 구강 혹은 비위관으로 주입하여 배변을 촉진하며, 완화제 혹은 섬유질이 많은 식이, 저지방 식이로 해결할 수 있다. 20~25% 아동에서 직장탈출이 보이는데 장갑을 끼고 손가락에 윤활제를 발라 다시 집어넣을 수 있으며 나아가 효소를 더 추가하여 배변량을 줄이는 것으로 예방할 수 있다. 날씨가 덥거나 육체 운동을 하면 땀을 통해 염화나트륨의 소모가 심하므로 소금이 충분히 들어있는 음식을 먹도록 하며, 염분이 적은 분유나 모유를 먹는 영아는 보충제가 꼭 필요하다. 전해질 섭취를 위해 이온 음료를 먹일 수도 있다. 간혹 위식도 역류 장애를 경험하기도 하는데 제산제나 소화제로 치료되며 음식 조절과 식후 똑바로 선 자세를 유지하면 예방할 수 있다. 낭성섬유증에서 췌장효소의 부족과 스테로이드의 사용은 뼈 성장을 저해하기도 하므로 뼈 성장에 대한 사정이 필요하며 골다공증과 같은 합병증을 관리해야 한다. 아동의 성장발달을 위해서 성장호르몬 투여가 고려되기도 한다.

아동은 체중이 증가되기 시작된다. 청소년기에, 아동은 효소 치료를 하여도 체중유지를 위해 충분히 많은 양의 식이를 섭취해야 한다. 왜냐하면 성장기 동안은 아주 많은 양의 칼로리가 요구되기 때문이다.

낭성섬유증의 아동이 흥분한다면 아동은 발한으로 인해 과도한 나트륨과 염소를 소모하게 될 것이고 탈수가 될 수 있다. 부모는 28℃(72℉) 또는 그 보다 아래로 방의 온도를 유지해야만 한다. 그리고 자주 물을 제공해주어야 한다. 지치게 놀거나 열의 노출에 대하여 경계하면서 밖에서 노는 것을 감시해야 한다.

간호진단 및 목표

간호진단 : 점액증가와 관련된 기도개방 유지 불능
간호진단 : 아동의 기도는 질환이 진행하는 동안 기도개방을 유지할 것이다.
예상되는 결과 : 아동의 체온은 38.0℃; PaO_2는 80에서 90mmHg; $PaCO_2$는 40mmHg

불행히도 낭성섬유증 시 폐의 기능저하는 췌장효소를 포함하는 보충물 공급에도 불구하고 증상이 진행된다. 막힌 기도로부터 감염의 가능성은 항상 있다. 그러므로 기관지 분비물이 세기관지로부터 배출될 수 있도록 습도유지가 중요하다. 이것은 흉부물리요법을 함께하면서 잦은 분무 또는 에어로졸 치료를 한다.

(1) 습윤산소

산소는 마스크, Prongs(끝이 뾰족한 기구), 인공호흡기 또는 분무기 그리고 드물게 산소텐트도 제공한다. 분무는 방사초음파 기계에 의해서 제공할 수 있고 최소한 기관지의 공간에 도달할 수 있는 작은 물방울 크기로 적게 만드는 분무기 마스크를 통해서 제공한다.

(2) 에어로졸 치료 제공

하루 세 번에서 네 번 정도 아동은 항생제 또는 기관지확장제를 제공하기 위해 분무기에 의해서 에어로졸 치료를 제공한다. 항생제는 특히 배양 검사 결과에 의해서 결정한다. Acetylcy steine(Mucomyst)과 같은 점액용해제는 분비물을 희석시키고 용해시키는데 도움이 된다. 아동이 에어로졸 치료를 하고 난 후 기침은 감소되며 생기가 나게 된다. 아동은 기침을 하면서 기도를 청결하게 유지할 수 있다는 것이 확실히 관찰된다. 기침을 감소시키기 위하여 기침시럽을 주지 않도록 하는데 이는 분비물을 밖으로 배출하는 데에는 기침이 필요하기 때문이다. 또한 진통제인 코데인을 주어서는 안 되는데 코데인은 기침을 감소시키기 때문이다.

(3) 흉부물리요법

낭성섬유증을 가진 기관지분비물은 끈적하고 분무 또는 에어로졸 치료에 의해서 용해됨에도 불구하고, 아동은 분비물을 배출하기 어렵다. 분비물 배출을 돕기 위해, 하루에 3~4회 정도 자주 흉부물리요법이 필요하다.

환자가 호흡기 증상을 나타날 때는 흉부물리요법 전에 기관지 확장제를 투여하여 분비물 배출을 더 용이하게 한다. 또 다른 흡입세(pulmozyme)는 점액의 점성도를 감소시키는데 특별한 부작용이 없어 잘 사용된다. 이러한 흡입제를 매일 사용하게 되면 폐기능과 호흡곤란이 향상되고 점액의 점성도가 감소된다.

흉부물리요법은 흔히 아침에 일어날 때, 저녁으로 하루에 두 번씩 실시하며 감염이 있을 때에는 더 자주 실시한다. 기관지 확장제는 기관지를 넓혀 분비물 배출을 도와주므로 흉부물리요법 전에 투여한다. 최근 아동 스스로 입에 물고 기관지 점액을 제거하는 기구(flutter mucus clearance device)가 개발되어 있으며 이 기구를 이용하면 대부분의 아동이 다른 사람의 도움 없이 5~15분 만에 분비물을 제거할 수 있다. 또 다른 제품들도 나와있는데 이것은 흉곽진동을 증가시켜 분비물 배출을 돕는다. 성대를 부분적으로 폐쇄시키는 강제흡기는 작은 기도에서 분비물을 배출하도록 하는데 연달아 기침을 계속하게 되면 큰 기도에서도 분비물을 배출할 수 있다.

(4) 활동

낭성섬유증 아동은 폐의 모든 엽들의 분비물 배출의 촉진을 돕기 위하여 아동의 자세를 매일 여러 번 변경하는 것이 필요하다. 그러므로 아동은 교대로 옆으로 눕히고 복부를 위로, 그리고 뒤로 눕게 한다. 아동은 상엽의 분비물을 배출하기 위해 하루 중 대부분을 앉아 있어야 한다. 또한 자세 변경은 뼈가 융기된 부분의 피부괴사를 예방하는데 도움을 주고 활동의 유지는 아동의 폐가 기능하는데 도움을 준다.

매일 규칙적으로 운동하는 것도 중요하다. 운동은 분비물 배출을 자극할 뿐 아니라 자존감 증가, 근력 향상, 심박출량 증가 등 모든 면에서 폐기능을 증진시킨다. 운동의 궁극적인 목적은 습관적인 호흡패턴을 향상을 위한 것이다.

(5) 주의 깊은 관찰

낭성섬유증의 아동은 주의 깊은 관찰이 요구되는데 이는 그들의 건강상태가 빠르게 변화할 수 있기 때문이다. 폐가 부분적으로 폐색되어진다면 매우 호흡이 어렵게 될 것이다. 또한 만성적 호흡성 질환을 가진 아동은 심장의 우측이 커지게 되는데 폐울혈은 폐동맥의 압력을 증가시키기 때문이다. 스트레스를 받거나 운동을 한 후에 아동은 심부전의 증상을 보일 수도 있다.

(6) 호흡 위생

아동의 기침으로 얻은 객담은 비위가 거슬리 정도의 불쾌한 냄새를 가지고 있다. 또한 빈번한 구강간호, 칫솔질과 상쾌한 기분이 들 수 있는 좋은 향의 양치질이 필요하다.

(7) 충분한 휴식과 편안함

손상된 폐기능을 가진 아동은 에너지를 소비하는 호흡곤란을 가지고 있다. 아동은 휴식시간이 필요하며 한 번에 너무 많은 처치를 하지 말아야 한다. 많은 처치는 아동을 지치게 한다. 식사 전에 휴식기간이 허락되어져야 하는데 식사하는 동안 지치지 않게 한다. 휴식시기를 균형 있게 조절하는 것과 한 번에 모든 절차를 하지 않는 것은 쉽지는 않다.

(8) 성장과 발달

아동이 쉽게 피로하게 된다면 부모와 함께 의미 있는 시간을 보내도록 하는 것이 필요하다.

간호진단 및 목표

간호진단 : 산성 변과 관련된 피부손상 위험성
간호진단 : 아동의 피부는 질병이 진행되는 동안 손상받지 않은 상태를 유지할 것이다.
예상되는 결과 : 아동은 홍반 또는 궤양을 가지고 있지 않다; 직장 탈출증은 존재하지 않는다.

아동의 기저귀를 자주 교환하는 것이 필요하다. 기저귀 착용 부위에 피부자극이 없게 하며 아동이 췌장효소를 조절하게 될 때까지 변은 특히 자극이 되는데 이는 고농도의 지방물이 함유되어 있기 때문이다.

장운동 후에 직장 탈출증의 유무를 관찰하기 위해 직장을 관찰해야 한다. 직장부위의 약해진 근조직 때문에 나타나는 일반적인 합병증이다. 직장점막탈출증은 항문괄약근으로부터 엷고 붉은 덩어리가 튀어나옴으로써 나타난다. 직장의 점막은 혈액공급이 손상되기 전에 즉시 교정되어야 한다. 대각선 방향으로 침상 위에 아동을 눕도록하여 엉덩이보다 머리를 더 낮게 한 자세에서 흉부물리요법을 시행한다. 그 후 윤활제를 바르고 장갑을 낀 손으로 부드럽게 탈출된 직장 덩어리를 제자리에 밀어 넣는다. 그 후에 몇 분 동안 항문을 부드럽게 압력을 유지함과 동시에 엉덩이도 압박한다. 이는 췌장효소 치료를 받는 아동은 영양 상태가 좋으므로 문제가 심각하지 않다.

간호진단 및 목표

간호진단 : 아동의 만성질환과 관련된 가족의 비효율적 대응 위험성

간호진단 : 가족 구성원들은 질병과정동안 충분한 대처능력을 보일 것이다.

예상되는 결과 : 가족 구성원들은 현재 환경에서 대처할 수 있는 충분한 자원을 가진다.

질환을 가진 아동의 부모는 아동의 간호를 위해 많은 책임을 당연하게 받아들인다. 퇴원계획으로 집에서 해야 할 것과 필요한 간호 등에 관하여 부모에게 교육함이 필요하다. 예를 들면, 이런 장애를 가진 많은 아동은 집에 있을 때 밤에 산소 카테터를 하고 잠을 잔다. 그러므로 부모는 산소의 기능에 대해서 배워야 할 것이며 흐름을 조절하는 방법을 배우는 것이 필요하다. 작은 것부터 매일 가르친다면 더욱 효과적이다(예를 들면, 앉아서 "경환 어머님, 나에게 산소를 트는 방법을 보여주세요."). 부모교육에서 가장 중요한 것은 흉부물리요법, 기침, 점액 배출법, 호흡 운동 등이다. 치료의 성공은 이러한 처방된 방법들을 얼마나 지속적이고 규칙적으로 수행하느냐에 달려있다. 상태에 따라 이런 방법들은 매일 같이 오랜 시간 행해지게 된다. 간호사는 이러한 방법들을 아동과 가족이 잘 수행하도록 확인하고 지지해주어야 한다.

가족은 어떤 간호가 필요한지 생각해야만 한다. 가족은 아동을 위한 간호에 많은 시간을 보내야 한다. 부모는 일과 아동을 보살피는 것과 그리고 가족에서 휴식의 균형이 필요하다.

많은 부모는 집에서 아동을 간호하는 첫 번째 주 이후부터 피곤해지기 시작하는데 이유는 아동이 아파서 부르는 소리를 듣지 못하게 되는 두려움 때문에 밤에 푹 잠드는 것을 두려워한다. 점차적으로 부모는 잠들기 전에 아동의 상태를 평가하는 능력에 대해 자신감이 좀 더 생기기 때문에 불안은 점점 감소될 것이다.

부모는 응급 시 전화를 걸 수 있는 건강간호제공자의 전화번호가 필요하다. 지지그룹에 참가해서 부모를 격려하는데 이것은 부모가 그들의 생각을 이야기할 수 있으므로 다른 이해하는 사람들을 만나게 되고 힘이 되게 된다. 이따금 가장 중요한 것은 부모는 낭성섬유증을 가진 부모 간에 느낌이 무엇인지 다른 사람들과 이야기하는 것이 필요하다.

아동은 가능하다면 정규학교에 다니도록 하는 것이 필요하다. 그렇지 않으면 가정교사와 함께 있게 해준다. 가정교사는 아동이 학교식당에서 점심을 먹는다면 아동과 함께 췌장효소를 가지고 가는 것을 챙겨준다. 적당한 의복과 위생과 같이 건강유지와 질병예방방법의 지도는 아동과 부모와 교사를 포함한 모든 사람들에게 강조하는 것이 필요하다.

낭성섬유증의 아동은 모든 아동과 같이 주기적인 건강사정이 필요하므로 정기적인 예방접종을 받을 수 있다. 정기적으로 몇 번씩 병원에 입원하면서 예방접종을 받는다. 특히 중요한 것은 이런 아동에게는 백일해와 홍역 백신이 주어지는데 이유는 이 2가지 감염은 심각한 호흡기 합병증의 원인이기 때문이다. 또한 아동은 일반적으로 이 질환의 예방적 차원에서 인플루엔자, 수막구균 그리고 폐렴구균 백신을 접종 받게 된다. 아동이 사망하게 된다면, 통상적으로 감염과 폐의 합병증으로 일어난 것이다. 낭성섬유증의 아동을 가진 가족 중에 다른 형제 아동이 있다면 첫 번째 아동이 죽게 되면 특히 많은 심리적 지지를 해주어야 한다. 가족구성원은 다른 형제 중에 또 나타날 수 있는지 유전자 검사를 행하는 것이 바람직할 것이다.

※ 호흡기계질환은 성인보다 아동에게 자주 일어나는 경향이 있는데, 이는 기관지구경이 좁아 폐색이 더 쉽게 일어날 수 있기 때문이다.

※ 호흡기계질환을 가진 아동은 매우 세밀한 관찰이 필요한데 이는 아동이 산소부족에 대한 설명을 할 수 없기 때문이다. 어린 아동은 산소가 연소된다는 사실을 인식하지 못한다. 아동이 생일 초와 같은 불꽃이 산소통의 3m 내에 있어서는 안 된다는 사실을 알고 있는지 더 많은 관찰이 필요하다.

※ 영아돌연사 증후군은 갑작스럽고 예상치 못한 영아와 신생아의 사망이다.

※ 비인두염은 아동에게 흔히게 발생되는 염증성 질환이며, 급성 비연두염(감기)으로, 주로 바이러스가 원인이 된다.

※ 인두염은 인두의 감염과 염증이며 원인은 박테리아나 바이러스이다.

※ 편도염은 구개 편도의 감염과 염증으로 아데노이드(인두)편도의 감염과 염증에 관한 것이다. 재발되는 감염을 가진 아동은 외과적으로 편도와 아데노이드를 제거해야 한다.

※ 중이염은 호흡기계 감염 후 아동기에 발생하는 가장 흔한 질환으로 6~36개월의 아동에게 가장 발현율이 높다.

※ 크룹은 후두, 기관, 기관지의 염증으로 아동기 초기에 가장 위급한 질병으로 6개월에서 3세 사이에 발생하는 호흡기 질환이다. 후두개염을 가진 아동은 혀끝을 통해 구역반사가 되지 않도록 하며, 심한 후두개염은 기도를 완전히 막을 수 있다.

※ 기관지염은 기관지와 기관의 주 염증으로 학령전기와 학령기 아동에게 주로 나타난다.

※ 세기관지염은 세기관지와 소기관지의 염증으로 2세 미만의 영아와 6개월 된 영아에게 가장 빈번하며 겨울과 봄에 가장 많이 발생한다.

※ 폐렴은 폐의 염증으로 박테리아나, RSV와 같은 바이러스가 원인이다. RSV 감염을 가진 유아는 면밀한 관찰을 해야 하는데 이는 아동이 무호흡의 경향이 있기 때문이다. 만약 바이러스가 아니라면 아동은 병원균에 대해 특정한 항생제요법이 필요하다.

※ 부비동염은 전두동이 6세 이전에는 발달되지 않기 때문에 6세 이하에서는 거의 발생하지 않는다. 열이 나고 화농성의 비강 분비물이 생기고 두통이 있으며 침범된 동(sinus)이 민감해지게 되어 감염된 원인균을 확인하기 위해 인두배양검사를 하게 된다.

※ 기타 호흡기능장애로는 코피, 결핵, 낭성섬유증 등이 있다. 이 중 결핵은 매우 내성이 높으며 변형된 상태로 이환되고 발병률이 증가되고 있는 폐의 감염이다. 낭성섬유증은 외분비선의 기능장애를 일으키는 질환이다. 이것은 흡수불량과 끈끈한 폐 분비물이 배출되는 결과를 가져온다.

1. 호흡기벽에 표면활성체가 적으므로 호기 후 허탈이 자주온다.

2. 2세 이후 오른쪽 기관지가 왼쪽 기관지보다 짧아지고 광범위해지며, 더 각이 지게 되므로 이물질이 오른쪽 폐로 더 잘 들어간다.

3. 빈호흡

4. 손톱 끝에 모세혈관이 증가하기 때문에 손톱 끝의 각도가 변하게 된다. 크기의 증가는 모세혈관은 말단 세포에 더 많은 산소를 공급하려는 노력으로 생기게 된다.

5. 혈액가스검사는 환기효과와 산-염기 상태를 결정하며 혈액의 산화에 대한 중요한 정보를 제공한다.

6. residual volume(RV)으로 폐쇄성 폐 질환인 경우 폐포에 공기가 남아 있다면 증가할 것이다.

7. 중력을 이용한 체위 배액, 타진, 진동 요법을 통해 호흡기계의 점액을 묽게 하고 배출을 용이하게 한다.

8. 기관지 확장제와 코티코스테로이드로, 기관지 확장제는 하기도를 개방시키고, 코티코스테로이드는 염증을 감소시키기 위하여 기도를 확장하여 흡입하거나 구강으로 투약한다.

9. 60~100mHg

10. 튜브로 음식이 들어가는 것을 예방하기 위해 기관절개술 부위에 느슨하게 턱받이를 매어준다.

11. Caprometer로 흡기 시나 이산화탄소의 양을 측정하는 기구로 적외선에 민감한 기술이며 기관 내 튜브의 끝 부위에 장착되어 있다. 호기 시에서 이산화탄소의 퍼센트를 측정하여 동맥의 이산화탄소를 평가할 수 있다.

12. Pancronorum은 자발적인 호흡 활동을 제거하는데 효과적이다.

13. 영아에게는 레이 증후군과 아스피린의 연관으로 아스피린을 처방해서는 안된다.

14. 구개편도는 인두의 양쪽에 위치하고 있다.

15. 편도선절제술 후 출혈의 증상은 증가된 맥박, 잦은 연하, 불안감 등을 포함한다.

16. 장액성 중이염은 만성 중이염의 결과로 온다.

17. 인공기도를 확보하기까지는 인후배양 검사를 하거나 압설자로 직접적으로 후두개를 누르면 안된다.

18. 부모가 방이 증기로 채워질 때까지 욕실 안에 샤워기나 뜨거운 수도꼭지를 틀어 놓고 따뜻하고 습화된 환경에 놓이도록 한다. 증상이 경감되지 않으면 응급실로 아동을 데리고 오도록 부모에게 교육한다.

19. 2세 미만의 영아에게 종종 발생하고 6개월 된 영아에게 가장 빈번하게 발생한다.

20. 흉부물리요법은 분비물의 이동을 도와주고 가래를 뱉을 수 있도록 도와준다.

21. 부비동염은 대부분 심각하지 않은 질환이나, 감염이동(sinus)에서 뼈(골수염)나 중이(중이염)까지 침범하게 되면 심각한 합병증이 생길 수 있으므로 치료를 해야 한다.

22. 일차적 결핵을 가진 아동은 감염되지 않으므로 격리를 필요로 하지 않으며 빨리 약물 치료를 실시해야 하며, 임상증상은 나타나지 않는다. 아동은 학교에 다니면서 일상적인 활동으로 돌아갈 수 있다. 그러나 약물 치료를 18개월 동안 계속되어져야 한다.

23. 낭성섬유증은 외분비선 기능장애이다. 특히 췌장과 폐에서 신체의 점액분비물이 분비선을 통하여 통과하는 것을 어렵게 한다.

소화기능 장애 아동의 간호

주요용어

구토(vomiting)
급성 위장관염(acute gastroenteritis, AGE)
변비(constipation)
설사(diarrhea)
유분증(encopresis)
장중첩증, 창자겹침증(intussusception)
탈수(dehydration)

학습목표

01 아동 소화기관의 특성을 설명한다.
02 소화기능을 사정한다(병력, 신체사정, 진단검사).
03 수분전해질 불균형(구토, 설사, 탈수) 아동에게 간호과정을 적용한다.
04 급성 위장관염 아동에게 간호과정을 적용한다.
05 변비와 유분증 아동에게 간호과정을 적용한다.
06 장중첩증 아동에게 간호과정을 적용한다.

I 소화기계의 특성

01 / 소화기계 해부생리

소화기계는 다양하고 긴 구조로 구성되어 있으며, 선천적 또는 후천적인 증상이 나타날 수 있다. 소화기계는 음식물을 소화하여 영양분을 몸 전체로 분배하는 책임을 갖고 있으므로 어떠한 문제든지 빠르게 다른 부분에 영향을 미칠 수 있으며, 신체성장과 발달에 영향을 미칠 수 있다.

소화(digestion)는 입을 통하여 섭취한 음식물, 즉 고분자 화합물을 세포 생성과 에너지 합성에 관여하는 저분자 화합물로 변화시켜서 혈액으로 흡수되도록 하는 신체기능을 뜻한다. 이러한 소화기능은 위장관(gastrointestinal tract) 및 부속기관인 간, 담낭, 췌장에서 담당하고 있는데, 이들 기관을 흔히 소화기계(digestive system)라고 일컫는다. 소화기계는 성장 발달에 필요한 영양소의 섭취 및 소화 흡수기능과 수분 전해질의 균형, 신체노폐물을 생성하는 기능을 담당한다. 그러므로 소화기계에 이상에 생기면 영양공급의 장애로 아동의 성장과 발달에 중대한 영향을 미칠 수 있다.

많은 부모가 소화기계 질환의 심각성을 모르고 있으므로 건강교육은 아동과 가족에게 대단히 중요하다. 때로는 간단하게 생각했던 위장의 통증이 심각한 증세를 유발하고 아동의 목숨을 위태롭게 한다는 사실에 놀라기도 한다. 어떤 소화기계 질환은 부모와 아동에게 새로운 식생활 습관을 요구한다. 부모는 아동이 어릴 때 식생활과 상태 측정 등의 교육이 필요하다. 아동이 성장함에 따라 영양 및 식사 습관과 자기 스스로의 조절에 대한 상담이 중요하게 된다. 소화기계 질환을 가진 아동에 대한 간호 계획은 아동과 가족의 식사계획과 관련이 있다. 누가 준비를 하고 조언을 해야 할지 계획하는 식사계획을 확실히 해야 한다. 예를 들어 보모나 아동의 다른 가족이 식사의 한 부분을 책임지지만, 많은 아동들이 아침과 점심을 학교 식당에서 먹기도 하므로 학교급식 관계자와 만나 어떤 음식이 아동에게 안 좋은지 음식은 어떤 것을 골라야 하는지 조언해야 한다.

특히 설사와 B형 간염은 국민건강증진을 위한 목표로써 집중적 관리가 되고 있다.

소화는 입에서 시작되는데 음식물은 작은 조각으로 쪼개지고 귀밑샘, 혀밑샘, 턱밑샘에서 나온 타액과 섞이며, 저작과 삼킴의 반사적인 동작을 통해 음식물을 소화한다. 식도는 음식물이 위로 가는 통로이다. 이때 횡격막 부위를 지나간다. 이는 다음 그림과 같다[그림 13-1].

식도(esophagus)는 전장(foregut)에서 분화되어 태생 4주부터 확인된다. 이후 급속히 성장하여 출생 시에는 약 10㎝에 달한다.

위(stomach)는 전장에서 분화되어 태생 4주에 확인이 가능하다. 출생 시에는 위용적이 10~20㎖ 정도로 활발하며, 생후 1주가 되면 90㎖, 1개월이 되면 약 200㎖까지 급성장한다. 또한 영아기에는 큰 아이에 비해 위가 둥근 형태로 유지되다가 2세 이후 점차적으로 위가 길어지면서 7세 경에 성인과 비슷한 형태를 띠게 된다. 위의 이러한 해부학적인 형태상의 특징으로 인해 수유 후에 역류나 구토가 쉽게 일어난다. 수유 후 역류나 구토를 예방하기 위해 상체를 약간 높여서 오른쪽으로 눕혀 놓는 것이 좋다. 출생 시 위산이 충분하며 흡수면적과 분비샘이 발달되어 있으므로 소화흡수에 심각한 지장은 없다.

때때로 신생아는 횡격막이 탈장되는 경우가 있다. 신생아의 경우, 위의 분문이 이완되어 음식물이 거꾸로 식도로 들어가기도 한다. 어떤 신생아의 경우는 유문괄약근이 협착되어서 음식물이 위에서 십이지장으로 나가지 못한다.

장(intestine)은 태생 5~40주까지 급성장한다. 특히 태생 7개월 이후 급격히 성장하여 태생기말이 되면 소장의 길이가 2.5~3m에 이르며, 대장의 길이는 30~50㎝에 달한다.

소장은 세 구역인 ① 십이지장(샘창자), ② 공장(빈창자), ③ 회장(돌창자)으로 나누어진다.

소장의 길이는 신체비율로 비교하자면 성인에 비해 아동이 더 길다. 성인은 소장의 길이가 키의 4배에 이르나 유아의 경우는 키의 6배에 이른다고 한다. 그러나 영아의 대장은 성인에 비해 짧다. 이로 인해 대변에서 상피내막으로 수분흡수가 적게 일어나서 영아의 변이 딱딱하지 않고 자주 보는 결과를 낳게 된다. 또한 태생 5개월에 장운동을 시작하나 태생 30주 이전에는 소장의 연동운동이 비조직적이

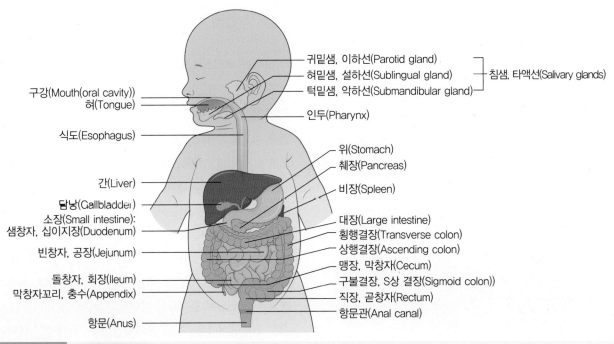

그림 13-1 소화기계 구조

소화기계는 다양하고 긴 구조로 구성되어 음식물을 소화하고 영양분을 몸 전체로 분배함

며, 36주경이면 만삭아와 유사한 장운동을 보인다. 장운동은 재태기간이 증가할수록 태중에서 이미 변을 만들어서 출생한다. 이를 태변(Meconium)이라고 하는데, 상피세포, 소화기계 분비물, 태중에서 삼켰던 양수의 잔여물 등이 태변을 형성하며, 생후 24시간 이내에 배출하게 된다. 태변을 배출한다는 것은 위장관계에 선천적인 폐색이 없다는 것을 의미한다.

대장은 맹장, 상행결장, 횡행결장, 하행결장, S상 결장, 직장으로 구분되어 있다. 아동에게 질환으로 진행되는 충수는 맹장 끝에 붙어 있다.

Ⅱ 소화기계 기능 사정

01 / 병력

소화기계의 질환을 갖고 있는 아동은 구토와 설사 증세로 빨리 탈수상태가 된다. 약한 피부 탄력성과 건조한 점막 또는 눈물 부족 등의 탈수 상태가 빨리 사정되어야 한다[그림 13-2]. 부모와 아동의 증상에 대해 이야기할 때 입안에

침이 고이는 것과 구토 등의 증세가 정확히 어떠한지 알아보아야 한다. 또 얼마나 자주 구토를 하는지, 기저귀가 24시간 동안 얼마나 자주 젖는지와 이러한 현상이 자주 있었는지 물어보아야 한다. 가능하다면, 과거와 현재의 몸무게를 비교한다. 아동의 키와 몸무게 측정은 영양 상태를 나타내는 중요한 지표이다. 특별한 방법으로 식생활을 제한하더라도 그 양이 적당하다면, 아동의 몸무게와 키는 증가할 것이다. 아동은 앞으로 자신의 식생활에 책임을 져야하므로, 영양섭취에 대해 배움으로써 그들의 섭취량에 대한 책임의식을 배워야 한다. 어떤 부모는 자신의 실수로 신생아가 설사하는 것을 두려워 한다. 소화기계 질환의 아동에 대한 간호진단은 영양분의 섭취 및 소화의 양과 종류와 관련이 있다. 그리고 소화기계 질환은 환자 아동과 가족에게 감정적인 희생이 따른다. 아동에게 음식을 주는 것은 어머니와 아동의 관계에서 중요하며, 아동이 소화기계 질환으로부터 고통을 당할 때 심각하게 문제가 될 수 있다. 음식물을 먹는다는 것은 가족의 문화와 삶에 필요한 요소이다. 그러므로 질환에 의한 장애는 모든 가족에게 고통이다. 일반적으로 보면, 모든 아동은 설사를 한다.

소화기계 병력은 재태기간과 출생 시 체중이 아동의 성장 사정에 중요한 기준이 된다. 그러므로 재태기간 중의 결

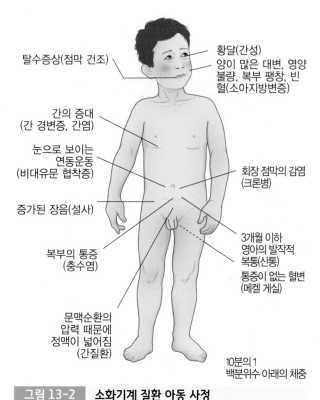

탈수증상(점막 건조)

황달(간성)
양이 많은 대변, 영양
불량, 복부 팽창, 빈
혈(소아지방변증)

간의 증대
(간 경변증, 간염)

눈으로 보이는
연동운동
(비대유문 협착증)

증가된 장음(설사)

회장 점막의 감염
(크론병)

복부의 통증
(충수염)

3개월 이하
영아의 발작적
복통(산통)

통증이 없는 혈변
(메켈 게실)

문맥순환의
압력 때문에
정맥이 넓어짐
(간질환)

10분의 1
백분위수 아래의 체중

그림 13-2 **소화기계 질환 아동 사정**
건강력과 신체검진을 통하여 사정함

손이나 손상을 알기 위해서는 산전관리에 대한 정보를 수집해야 한다.

신생아와 영아 초기의 자료는 소화기계 장애를 밝히는데 도움이 된다. 현재 증상이 음식이나 수분섭취의 변화에 수반되어 발생하는지를 사정해야 한다. 최근의 여행이나 이사 경험은 오염된 음식이나 물을 섭취했을 가능성이 있으므로 의미가 있다. 가족력은 다른 가족구성원의 유사한 장애를 찾아내고, 사회경제적 수준과 주거 환경은 건강과 건강습관에 영향을 줄 수 있으므로 생활 양식과 가족적 요인도 중요하다.

가족 중 아동의 수 및 거주 형태는 아동의 건강, 특히 감염성 위장장애에 영향을 줄 수 있다. 또한 가족의 스트레스, 행복감 및 안녕감은 식사방법과 경험에 영향을 미칠 수 있다. 아동의 입학, 동생의 출생, 애완동물의 죽음, 최근의 이사 등 스트레스를 유발할 수 있는 아동의 생활변화는 소화기계의 기능 변화에 영향을 미칠 수 있다. 소화기계의 사정에서 초점을 두어야 할 것은 섭취와 배설의 균형이므로, 24시간 식이력은 소화기능을 평가하는데 매우 중요하다.

02 / 신체사정

영양과 배설의 문제는 주로 위장관계의 기능과 구조에 의한다.

성인과 비교 했을 때 신생아의 위장관계는 미성숙으로 인해 비효율적이다. 신생아의 경우, 위용적이 20~50㎖ 정도밖에 되지 않으므로 잦은 역류가 나타날 수 있다.

이러한 역류는 되새김질(rumination)이나 뱉어내기 반사(spitting reflex)와는 구분되어야 한다. 위용적은 생후 1세가 지나면서 200~460㎖까지 빠르게 확장된다. 위의 위치도 처음에는 가로로 있다가 성장함에 따라 수직방향이 되며, 약 10세경이 되면 성인의 위 모양과 비슷하게 된다. 위장관계의 각 부위별로 음식물이 머무르고 통과하는 대략적인 시간은 입안에서 1분, 식도 통과시간 3분, 위에서 소화되는 시간은 약 2~4시간, 소장에서 1~4시간, 대장에서 10시간~수 일에 이르는 것으로 알려져 있다.

아동의 경우, 간은 성인의 약 1/10인 150g 정도의 무게를 가지며 숨을 완전히 내쉬었을 때 우측 쇄골 중앙선 상에서 늑골 밑으로 약 2㎝ 가량 만져지며 성장하면서 점차 촉진되는 부분이 감소된다.

간에서 생성된 담즙(bile)은 담관(bile duct)을 통해 십이지장으로 들어간다.

소장의 길이는 신생아는 신장의 약 7배, 유아는 약 6배, 성인은 약 4~5배 정도이다. 따라서 아동의 소장은 성인보다 신체의 크기에 비해서 상대적으로 흡수면적이 넓으며 성인보다 많은 체액과 전해질을 장으로 분비하게 된다. 이러한 특징으로 영아의 설사는 더 많은 전해질 손실이 있을 수 있고, 배변의 형태도 성인에 비해 더 무르고 부드럽다.

소장에서 영양소가 흡수되기 위해서는 몇 가지 기전이 필요하다. 소장벽은 영양소 흡수면적을 증가시키기 위해 미세융모, 융모, 돌림주름(circular fold)으로 형성되어 있다. 미세융모(microvilli)는 세포표면에 가는 털을 가지고 있으며, 점막세포의 세포막에 작은 돌기를 형성한다. 융모는 점막에 손가락과 같은 형태의 부드러운 융기를 가지고 있으며, 융모 내에 수많은 모세혈관과 모세림프관이 있다. 이러한 모세림프관을 유미관(lacteal)이라고 하며, 소화된 영양소는 점막세포를 통해 모세혈관과 유미관 내로 흡수된다.

소장의 점막과 점막하층의 주름은 위(stomach)의 점막주름(rugae)과는 달리 돌림주름(circular fold)이므로 음식물이 소장 내에 가득 차게 되어도 주름이 사라지지 않는다. 표면적을 증가시키는 이러한 구조는 소장의 끝으로 갈수록 없어지면서 파이어판(Peyer'patches)이라고 하는 림프조직이 증가하게 된다.

위장관계의 일차적인 기능은 영양분의 소화와 흡수 외에도 분비선을 통한 소화효소 분비 기능, 내분비 기능, 면역기능을 가지고 있다. 호르몬을 분비하는 세포는 위와 소장의 점막에 분포되어 있으며, 타액선에서도 소화효소를 분비한다. 위의 분비샘에서는 효소와 염산을 분비하며, 췌장도 소화효소를 분비한다. 간에서는 담즙을 생산한다. 병원체로부터 신체를 방어하는 면역기능은 소장의 림프조직, 면역글로불린이 함유된 위장 분비물, 위산 등이 담당한다.

아동은 생후 4~6개월까지 탄수화물의 초기 소화에 관여하는 췌장 효소 아밀라제가 불충분하기 때문에 이런 영아에게 곡물을 주면 가스나 설사를 유발할 수 있다. 또한 생후 초기 분비량이 적은 락타아제는 가스 발생을 유발하는 락토즈의 불완전한 흡수를 가져오고, 복부팽만과 설사를 유발하게 된다. 리파아제 효소의 분비량이 적기 때문에 지방의 소화와 흡수는 잘 이루어지지 않는다.

03 / 진단검사

변화하는 증상의 진단에 X-ray촬영이 사용된다. 초음파와 자기공명영상도 도움이 된다. 다른 중요한 사정영역은 뇨검사를 통한 수분축적이나 혈액검사를 통한 전해질 균형 정도를 검사하는 것이다.

많은 전형적인 절차는 소화기계 질환의 치료와 진단에 이용된다. 일반적인 진단적 검사는 광섬유내시경 검사(fiberoptic endoscopy)와 바륨(barium)관장이 이용된다. 아동이 보통 두려워하므로 여기에 대한 준비를 하는 것이 좋다. 아동이 수면내시경이 필요하다면, 실제로 내시경하는 과정뿐 아니라 여기에 대한 준비과정도 중요하다.

비위관 또는 위관영양과 같은 보조기구를 이용한 영양공급과 모든 영양조절 및 장의 휴식에 필요한 정맥주입요법이 포함된다. 결장절제술 또는 소장절제술이 같은 이유에서 실시되기도 한다. 일반적으로 아동은 진단검사를 두려워하므로 사전 준비와 교육을 해야 한다.

1) 단순 복부 X-ray 촬영
이물질이나 종양, 장내 가스 유형, 폐쇄나 위장관계 천공을 확인할 수 있다.

2) 항문직장압측정
항문직장압측정(Anorectal manometry)은 항문 직장벽의 수축에 따른 내압의 변화를 기록하는 것으로 항문 괄약근의 기능을 검사하는 것이다. 선천성 거대 결장과 기능적 변비를 감별하는 데 도움이 된다.

3) GI series
바륨이나 공기를 먹거나 관장을 통해 주입하여 위장관계의 기능과 구조를 사정하고, 비정상을 찾아 내기 위해 실시한다.

4) 항문 근전도
항문 근전도(Electromyography)는 항문 괄약근이나 치골직장의 신경 지배 정상 유무를 판별하며, 이상 시 신경장애인지 근육 장애인지 감별하고 괄약근의 손상 정도나 부위를 판단할 수 있다.

5) 호기 수소 검사
흡수되지 않은 유당이 대장에 도달하면 대장 내 세균에 의해서 H_2가 생산되고, H_2가스는 일정한 비율(15~20%)로 점막을 투과하여 혈류로 흡수되었다가 폐를 통하여 체외로 배출되는데, 이를 측정하는 검사를 호기 수소 검사(Breath hydrogen test)라고 한다. 탄수화물 흡수장애나 박테리아 과잉 성장 시 증가한다.

6) D-자일로스(D-Xylose) 흡수 검사
10% D-Xylose 용액을 구강으로 투여하며 30, 60, 90분 후 혈청 내 D-Xylose를 측정한다. 또는 5시간 동안 소변을 모아 소변으로 배설된 D-Xylose를 측정한다. 십이지장, 공장 점막의 흡수 능력을 평가하기 위해 실시한다.

7) 내시경과 생검

십이지장이나 공장에 대한 생검의 기준은 일정하지는 않으나, 심한 발육 지연이나 중증 설사 아동 등 다른 방법으로 진단이 어려울 때에 필요하다.

진단과 치료에 중요한 면역억제제를 쓸 것인지 결정할 수 있고, 조직에서 이당류 분해 효소를 정량 측정하여 분유를 선택하는 데 도움이 된다. 영양실조, 세균 과증식, 속발성 감염 등이 발병하기 전에 조기에 검사하는 것이 좋다.

내시경하에서 소장과 대장의 생검으로 광학 및 전자현미경검사, 배양검사, 기생충검사를 실시한다. 아동이 내시경검사의 두려움 때문에 진정제를 투여 받으면, 이에 대한 준비 과정도 중요하다.

8) 위섬광조영술

위섬광조영술(gastric scintigraphy)검사는 역류를 진단할 수 있으며, 위 내용물이 폐로 흡인되는것을 증명하는데 도움이 된다.

9) 대변 24시간 pH검사

Nitrazine pH종이에 대변을 묻혀보아서 색깔이 있는 차트와 비교하여 탄수화물 흡수장애를 감별할 수 있다. 산성도가 높아 pH가 5.5보다 낮게 나타난다면 탄수화물 흡수장애를 의미한다.

04 / 건강증진 및 위험 관리

소화기계 질환은 원인이 매우 다양하고 범위가 넓기 때문에 건강증진의 측면에서 중요하다. 충수염과 같은 예상치 못한 질환도 있으며, 지방변증은 유전적인 면이 있으며, 크론병(Crohn's disease)과 궤양성 대장염 등은 자가 면역에 초점을 맞춘다. 냉동식품에 의하거나 제대로 씻지 않은 손에 오염된 식품에 의한 구토나 설사는 예방할 수 있다. 간염은 손씻기와 일반적인 면역으로 예방할 수 있다. 비타민과 단백질 부족은 음식 섭취와 선택에 관한 내용을 부모에게 교육함으로써 예방할 수 있다.

영양공급에 대한 지도는 아동의 생활에 많은 영향을 미치므로 가족은 계획적인 간호를 해야 한다. 가족 구성원의 역할로부터 질병을 예방하기 위한 그들의 생활습관이 필요하다(아동보호시설에서 개인별로 아동의 식사관리를 하고 있는가? 학교에 결장루 수술을 한 아동이 다닐 수 있는가? 학교 식당에서 글루텐이 없는 음식을 선택할 수 있는가?). 모든 가족이 적어도 하루에 한 번 정도 같이 식사를 하면서 서로의 경험을 교환하고 각각의 가족들이 접촉할 수 있는 상황을 만들어야 한다. 식사에 문제가 있는 아동을 돌보는 가정은 이러한 것이 어렵다. 아동이 가족과 식사를 안 하더라도 아동을 식탁 앞에 앉도록 한다. 먹지 못하는 아동이 식사하는데 있기는 매우 어렵다 할지라도, 그런 시간을 만들어서 아동과 가족이 다 같이 하는 시간이 의미 있도록 한다.

신경분절이 없는 거대결장 같은 장에 문제가 있는 아동의 경우, 아동이 음식을 먹지 않는 것이 편식을 하는 행동이라고 부모가 생각할 수 있기 때문에 질환을 진단하는 것이 늦어진다. 기본적인 영양에 대한 부모교육과 단순한 소화기계 궤양과 심각한 설사 또는 정상적인 구역질과 질병에 의한 구토나 설사를 어떻게 구별해야 하는지에 대한 교육은 부모에게 도움을 준다. 조기의 간호중재는 심각한 질환으로부터 아동을 보호한다.

확인문제

1. 신생아에게 잦은 역류가 나타나는 원인은 무엇인가?

Ⅲ 수분 전해질 불균형

01 / 체액의 균형

체액은 아동 체중의 많은 부분을 차지하고 있으므로 성인보다 매우 민감하다. 성인은 체액이 전체몸무게의 60%를 차지한다. 영아는 75%에서 80% 정도를 차지하며, 더 큰 아동의 경우 65~70% 정도이다. 체액은 세포내액과 세포외액으로 구성되는데, 세포 내액은 체중의 35~40%, 세포외액은 20~25%를 차지한다. 세포외액은 20%의 간질액과 5%

의 혈관내액(혈장)으로 구성된다. 영아의 경우, 세포외액의 비율은 훨씬 크며, 전체 몸무게의 45% 정도이다[그림 13-3]. 더 큰 아동의 경우는 30%이며 청소년은 25%이다.

체액은 보통 구강으로 들어가는 액체에 의해, 음식소화에서 형성되는 물에 의해 구성된다. 체액은 소변과 대변으로 손실된다. 극소량의 불감성 손실은 피부와 폐에서의 증발과 타액으로 손실된다. 영아는 신장이 미성숙하여 소변을 농축시키지 못해 소변으로 많은 양의 수분 손실 가능성이 있다. 또한 영아의 경우, 상대적으로 체중에 비해 체표면적이 크므로 많은 불감성 손실(insensible loss)이 발생한다. 수액투여는 아동이 오심이 있거나 구토로 음식을 먹지 못할 때 시행한다. 설사 시 열이 나면 발한성으로 체액 배출이 급격히 증가한다. 수분손실이 심각할 때 탈수가 일어난다.

성인이 70kg일 때 세포외액(extracellular fluid, ECF)은 약 14,000㎖이다. 매일 성인은 2,000㎖의 체액을 섭취한다. 이것은 14%의 세포외액이 매일 바뀐다는 뜻이다. 반면 7kg의 영아의 경우, 세포외액은 1,750㎖이며, 700㎖를 섭취하고 같은 양을 배출한다. 이는 체액의 40%를 매일 바꾸는 것이다. 성인의 경우, 소화기관의 문제로 음식섭취를 못할 때 신장 배출 측정 시 세포외액의 14% 정도의 체액량이 부족하다. 음식을 섭취하지 않은 영아의 경우, 세포외액의 40% 정도가 부족하다.

영아는 체중에 비해 많은 체액량을 함유하고 있고 성인에 비해 세포외액이 차지하는 비율이 더 높으므로 수분손실

이 일어날 때 세포외액이 먼저 손실된다. 또한 세포외액에는 나트륨(Na)과 염소(Cl) 등의 전해질이 많이 함유되어 있으므로 아동은 성인에 비해 수분과 전해질 불균형에 쉽게 빠진다. 영아의 이러한 손실은 성인의 경우보다 치명적인 손상이 된다. 그러므로 영아에게 탈수 증세는 성인이나 큰 아동보다 심각한 증상이다. 아동의 체액 요구량은 [표 13-1]을 참고한다.

02 / 체액의 이동기전

수분은 체내에 비교적 일정한 양이 함유되어 있고, 인체 내 모든 체액 구간 사이를 자유롭게 왕래할 수 있다. 수분의 이동은 용질과 물리적인 힘에 의해 결정되는데, 체액 균형에 영향을 미치는 물리적인 힘과 내적 조절기전이 작용한다. 정수압(hydrostatic pressure)이란 수분의 양에 의해 형성되는 압력을 의미한다. 심장의 펌프작용은 순환동맥내 압력을 증가시켜 체액을 모세혈관에서 간질강 내로 이동시키며, 사구체 모세혈관에서 신장의 집합관으로 수분을 이동시킨다. 반투막을 사이에 두고 저농도의 용액과 고농도의 용액이 존재할 때 각각의 용액은 농도를 동일하게 유지하기 위해 수분의 이동이 일어나는데, 이때 고농도 용액에 의해 끌어당겨지는 힘을 삼투압(osmotic pressure)이라고 하며, 수분은 저농도 용액에서 고농도 용액으로 이동된다. 체액 내에서는 혈장 단백질과 나트륨이 삼투압 형성에 관여한다. 이와는 반대로 확산(diffusion)은 고농도 용액에서 저농도 용액으로 용질이 이동하는 것이다. 확산속도는 용질 크기, 확산거리, 온도, 흥분 등에 영향을 받는다. 운반체에 의해 촉진적 확산은 용질의 세포막 투과를 보조한다. 능동운반(active transport)은 압력이나 농도 또는 전위가 낮은 곳

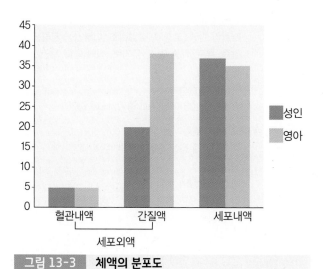

그림 13-3 체액의 분포도
영아는 성인에 비해 세포외액이 차지하는 비율이 높음

표 13-1 아동의 1일 수분 요구량

체중	첫 10kg까지	100cc/kg
	다음 10kg까지	50cc/kg
	20kg 이상 해당 체중	20cc/kg

[예시] 몸무게 35kg인 아동의 1일 수분요구량
    첫 10kg : 100cc × 10kg = 1,000cc
    다음 10kg : 50cc × 10kg = 500cc
    20kg 이상치 : 20cc × 15kg = 300cc
    → 이상을 모두 합하면 1일 수분요구량은 1,800cc임

에서 높은 곳으로 세포막을 통해 물질이 이동되는 것으로 Na, K, 포도당의 이동이 이에 속한다. 체액균형에 영향을 미치는 내적 조절기전을 살펴보면 수분섭취욕구는 세포외액의 농도가(삼투압이) 증가하거나 혈액량이 감소되면 더 강해지지만, 혈액량 감소와 삼투압의 증가에 대한 반응으로 뇌하수체 후엽에서 항이뇨호르몬이 분비되어 신장에서의 수분 보유를 증진시킨다. 또한, 부신피질에서 알도스테론(aldosterone)이 분비되어, 신세뇨관에서의 나트륨 재흡수를 증진시키고 동시에 수분의 삼투성 재흡수를 촉진시킨다. 신장으로 가는 혈류량이 감소되면 레닌(renin) 분비가 자극되고, 혈장 글로불린과 반응하여 앤지오텐신(angiotensin)을 생성한다. 앤지오텐신은 강력한 혈관수축제로 알도스테론의 분비를 자극한다.

03 / 탈수의 유형

병태생리학적으로 탈수는 세포내액과 세포외액 공간 사이 물의 분포 변화, 즉 칼륨(포타슘)은 세포내로, 나트륨(소디움)은 세포 밖으로 이동시키기 위해 에너지를 필요로 하는 능동운반에 의해 나타난다. 나트륨은 세포외액의 주요 용질로서 세포외액의 양을 결정하는 주요인이다. 칼륨은 세포내 주요 용질이다.

급성 탈수 시 세포외액량이 줄어들면 총 나트륨량은 혈장 나트륨 수치와 상관없이 항상 같이 감소한다. 따라서 수분보충 시 나트륨도 함께 보충해주어야 한다. 설사에서 나트륨 고갈은 두 가지 방식으로 일어난다. 하나는 대변을 통해 체외로 나가는 것이며, 나머지는 전해질 평형을 유지하기 위해 칼륨과 대치되는 것이다. 탈수는 삼투압에 의해 세 가지 범주로 분류되며, 주로 혈장 내 나트륨 농도에 의한다. : (1) 등장성 (2) 저장성 (3) 고장성

1) 등장성 탈수

등장성 탈수(Isotonic dehydration) 시, 물이 흡수되는 양보다 소실되는 양이 많을 때 또는 배설보다 흡수량이 적을 때, 혈장량의 감소가 일어난다. 신체는 이러한 부족 시 간질액의 이동으로 혈장량을 늘리려고 한다. 혈관과 간질액의 구성 성분은 비슷하며, 구성 성분 비율은 바뀌지 않는다.

그러나 이러한 탈수는 위험하다. 이 시점에서 계속 영아의 체액손실이 지속되면, 혈장량은 급격히 줄어들며 심혈관계 기능부전이 일어난다.

혈장량과 순환혈액량을 현저히 감소시켜, 피부, 근육 및 신장에 영향을 미친다. 쇼크는 생명에 가장 큰 위협이 되며, 등장성 탈수가 있는 아동은 저혈량성 쇼크의 특징 징후를 보인다. 혈청 나트륨은 정상범위인 130~150mEq/L에서 유지된다.

탈수의 임상 증상은 [표 13-2]를 참조한다.

2) 고장성 탈수

고장성 탈수(hypertonic dehydration) 시, 감소된 체액 섭취와 메스꺼움이나 열, 많은 양의 설사 또는 다량의 뇨와 관련된 신장 질환과 같은 경우에 과다한 체액의 손실, 특히 전해질보다 물의 손실이 많게 된다. 체액의 감소가 계속될 때 전해질이 혈액에 농축된다. 체액은 간질액과 세포내액 공간에서 혈액으로 이동한다. 간질액과 세포내액 구획에서 탈수 상태가 일어난다.

적혈구 세포와 적혈구용적률(hematocrit)은 혈액이 농축되기 때문에 상승하며 전해질 수치도 함께 올라간다.

표 13-2	탈수의 임상 증상
유형 / 탈수	임상 증상
등장성 탈수	설사, 구토, 흡인 혈액 소실 : 화상, 출혈 저혈압 빈맥, 부정맥, 점막건조, 피부긴장 저하, 갈증, 혼돈, 체중 감소, 무기력, 정맥 충혈 지연, 핍뇨, 발열 수분섭취 감소 요비중 : 1.03 이상, Hct 증가, BUN 증가
고장성 탈수	요붕증 : 갈증기전 장애 중추신경계 장애 증상 : 두부 손상, 종양 위장염 비경구 고장액 주입 마르고 끈끈한 점막, 건조하고 홍조 띤 피부, 체온 상승, 안절부절, 발작, 혼수
저장성 탈수	영양실조와 만성 질환의 증상 : 체중 감소 혈청 Na 130mEq/L 이하, 혈청 삼투압 280mOsm/kg 미만

이 형태의 탈수는 가장 위험하고 훨씬 더 주의 깊은 수액요법이 요구된다. 고장성 설사는 다량의 용질을 함유한 수액을 구강 섭취하거나 신장으로 많은 양의 용질을 부담시키는 고단백영양을 비위관으로 공급받는 영아에게 발생한다. 고장성 탈수에서는 농도가 더 낮은 세포내액에서 세포외액으로 수분이 이동한다.

혈청나트륨 농도는 150mEq/L 이상이다.

3) 저장성 탈수

저장성 탈수(hypotonic dehydration) 시에는 체액 손실과 관련된 불균형으로 전해질의 감소가 일어나며, 염분과 염소(chloride)의 농도가 낮아진다. 이러한 현상은 구토와 치료적인 이뇨제를 통한 전해질 손실과 염분 섭취가 부족한 결과이다. 낮은 수치의 전해질로 세포외액의 삼투압이 감소한다. 세포외액을 낮추기 위해 신장은 더 많은 체액량을 배출하고, 전해질의 농도 증가를 위한 작용이 일어난다. 이는 세포외액의 탈수를 야기한다.

등장성이나 고장성 탈수보다 더 적은 양의 수분소실로도 신체증상이 더 심각해지는 경향이 있다. 혈청나트륨 농도는 130mEq/L 미만이다.

4) 과다수분공급

과다수분공급(overhydration)은 탈수 상태와 중증 정도가 비슷하다. 정맥주사를 투여하는 아동에게 보통 일어난다. 이 상황에서 초과하는 체액량은 보통 세포외액이다. 세포외액이 과부하되면 심혈관계의 과부하와 심장기능 부전으로 나타나기 때문에 위험하다. 섭취 또는 관장에 의해 수분과 같은 다량의 저염 체액이 생성될 때, 신체는 체액을 세포외액에서 세포내액으로 삼투압을 보충하기 위해 이동시킨다. 이때 세포내액의 부종상태의 결과로 두통, 구토, 시력이 나빠지고 흐려짐, 경련, 근육의 꼬임과 발작 등이 나타난다. 세포내액의 부종은 무신경절 장질환에서 관장을 시행할 때 일어날 수 있다.

확인문제

2. 어떠한 체액구성 성분이 성인보다 영아에서 더 많은 비중을 차지하는가?

3. 영아가 수분의 불감성 손실이 많은 원인은 무엇인가?

04 / 산염기 균형

산과 염기 그리고 염분이 물에 용해될 때, 이는 양이온과 음이온으로 분리되며, 이러한 것들을 전해질이라 한다. 나트륨(Na), 칼륨(K), 마그네슘(Mg)과 칼슘(Ca) 등은 양이온(cation)으로 구성되어 있다. 중탄산염(HCO_3), 인산(PO_4), 유황(SO_4)은 염기의 음이온(anion)으로 구성된다. 보통의 이온은 하나의 이온으로 구성되며 칼슘(Ca)과 유황(SO_4) 등은 2개의 이온으로 구성된다.

혈장과 간질액의 주된 양이온은 나트륨이며, 음이온은 염소와 중탄산염이다. 세포에서는 칼륨이 주요 양이온이며, 인산이 주요 음이온이다.

1) pH(수소이온농도지수)

물은 H와 OH로 분리된다. OH보다 H를 더 많이 함유하면 산성이다(pH가 7.0 이하). OH가 H를 초과하면 염기성이다(pH가 7.0 이상). 혈액의 pH는 보통 7.35에서 7.45 사이이거나 약간 염기성이며 OH, H의 비율은 20 : 1이다. 예를 들어 Cl가 10 정도 감소하면(염산염이 줄어들 때 구토를 유발한다), H의 수가 10 정도 감소해야 하는데, 이러한 현상이 OH수가 H 수보다 많게 되므로 구토가 일어난다. 반대로 H수가 10 정도 증가해야 한다면, 혈액은 OH보다 H가 많아지므로 산성화 될 것이다. 헤모글로빈은 보통 pH가 산성화 상태에서 많은 산소를 운반하지 못한다. 또한 낮은 pH는 혈관 협착 특히, 폐혈관 협착을 야기한다. pH가 순환적으로 산소운반에 영향을 미친다. 신체의 3가지 완충장치인 완충염, 호흡기계, 신장 등은 OH와 H의 비율을 20 : 1로 유지하게 하고 pH상태를 안정시킨다. pH가 7.0보다 낮거나, 7.8보다 높으면 생명유지에 지장을 준다.

2) 완충염

완충염은 강한 산성 또는 부분적인 산성을 변화시킨다. 완충된 후에 많은 H를 내준 산은 적은 H만 남는다. 강염기가 변화하여 적은 H를 대체하여 준다. 이러한 시스템에 의해 pH의 급격한 변화를 피할 수 있다.

3) 호흡기계

폐는 혈액으로부터 과다한 H를 옮겨준다. H가 HCO_3와 결합하여 H_2CO_3를 형성한다. 폐에서 H_2CO_3는 CO_2와 H_2O로 분해된다. CO_2는 폐에서 방출된다. H는 H_2O 생산과 결합되어 더 이상 혈액의 산성화가 생기지 않는다 ($H+HCO_3=H_2CO_3=CO_2+H_2O$). 반대로 같은 결론을 도출한다($CO_2+H_2O=H_2CO_3$). 다음에 H와 HCO_3로 분해된다.

4) 신장

신장은 완충장치로 수소이온을 방출한다. H 또는 NH_4을 소변으로 배출한다. 반면 HCO_3로 pH가 증가하면서, H는 보유하고 칼륨이 방출된다.

5) 혈액의 pH 지표로서의 혈중 CO_2

산염기 균형의 부조화가 산증과 염기증을 야기한다. 혈액의 CO_2는 모든 다른 혈장의 CO_2상태를 나타낸다. 혈중 CO_2는 중탄산염 형태이며 보통 20~28mEq/L이다.

(1) 대사성 산증

대사성 산증(metabolic acidosis)에서 염분은 설사를 하여 소실되는 중요 전해질이다. Na가 방출될 때 신체는 H의 변화를 동일하게 유지하려고 한다. 혈액 속의 H수가 OH의 수를 초과하므로 산성화된다. 혈액의 pH를 교정하려면 신장에서 H를 배출한다. H와 HCO_3를 결합하여 탄산을 형성하고 이를 제거하기 위해 폐에서 CO_2와 H_2O로 분해된다. 이러한 현상이 지속되면, CO_2수치가 내려간다. 대사성 산증에서 혈중 CO_2는 낮다. 혈청 CO_2가 낮을수록 소실된 Na의 수는 증가한다. 아동은 과다호흡을 하게 된다.

(2) 대사성 알칼리증

대사성 알칼리증(metaboic alkalosis)에서는 구토와 함께 많은 양의 염산이 감소된다. Cl가 구토로 인해 줄어들 때 신체는 H의 양을 감소시켜, 양이 같도록 한다. 이때 아동은 알칼리화 된다(H량이 OH의 량 보다 적다).

신장에서 H를 보유하거나 폐에서 CO_2를 보유한다. 아동의 호흡은 느려지고 얕아진다. 축적된 과다한 CO_2는 탄산염으로 혈류로 용해되고 H와 HCO_3로 변화한다. 총 CO_2량은 증가할 것이다. 대사성 알칼리증에서 혈중 CO_2 수치는 높다.

CO_2수치가 높을수록 소실되는 Cl의 양은 증가한다. 혈류의 H량을 증가시키기 위해 Na또는 K의 교환을 하는 세포로부터 H가 배출된다. 신장의 K를 소변으로 배출한다. 소변의 K배출은, 낮은 K수치로 알칼리증을 형성한다. 아동은 과소호흡 상태가 되고, 혈중 CO_2는 40mEq/L 이상이 될 것이다. 증가된 HCO_3과 Calcium이온이 혼합되어 강직(tetany)이 발생할 수 있다.

확인문제

4. 대사성 알칼리증은 어떤 증상일 때에 주로 나타나는가?

05 / 구토

1) 원인

구토(vomiting)의 원인은 여러 가지로 알려져 있다. 위장관의 급성 감염성질환으로 인한 경우가 가장 많고, 두개 내압의 상승, 독성물질의 섭취, 식품 과민성과 알러지, 위장관의 기계적 폐쇄, 대사장애, 심리 정신적 요인 등이 있을 때 나타난다. 아동은 구토로 인해 탈수(dehydration)와 전해질 장애, 영양장애, 흡인 등의 합병증이 생길 수 있다.

아동의 연령, 구토의 양상, 증상이 나타나는 기간은 구토의 원인을 사정하는데 도움이 된다. 예를 들어 만성적이고 간헐적인 구토는 장기의 이상이 원인일 수 있으나 등교 전 같은 시간에 나타나는 구토는 기질적 질병의 결과가 아니라 학교 공포증 등 심리적인 문제일 수도 있다. 구토물의 색과 양상은 원인에 따라 다양하다. 녹색 담즙색의 토물(vomitus)은 장폐색을 의미하며, 음식물 섭취 후 몇 시간 후 소화되지 않은 위 내용물이나 점액과 지방성 음식물을 토하면 위가 덜 비워졌거나 상부 소장의 폐색을 의심한다. 어떤 약물, 음식, 독성 물질에 의한 위의 자극은 구토를 유발한다.

구토에 동반되는 증상도 원인을 사정하는데 중요한 단서가 된다. 예를 들어서 변비를 수반하면 해부학적, 기능적 폐색을 암시한다. 구토와 함께 국소적인 복부의 통증이 나타나면 충수염, 췌장염, 위궤양을 의미하며, 구토와 동반되는 의식수준의 변화나 두통은 중추신경계나 대사 장애를 의미한다. 사출성 구토는 유문협착증에서 흔히 나타난다.

2) 임상증상

구토의 양상이나 구토물의 양상, 구토유발 시기에 따라서 구토에 수반되는 증상이 달라진다.

구토물(vomitus)의 종류를 관찰하여 소화가 안되었는지, 선홍색 혈액이나 커피색깔의 혈액이 섞였는지, 담즙이 섞인 경우, 다량의 수양성, 초기에는 없었으나 나중에 피가 섞인 경우, 지독한 냄새 등 수반된 증상에 따라 원인 질병을 구별할 수 있다. 일반적으로 소화되지 않은 음식이 섞인 구토물은 식도폐쇄나 분문(들문) 윗부분의 폐쇄를 의심한다. 담즙(bile)이 섞이지 않은 구토물은 십이지장의 바터팽대부 (ampulla of vater) 윗부분의 폐색을 의미하며, 담즙이 섞인 구토물은 십이지장의 바터팽대부 하부의 장폐색을 의미한다. 대변이 섞인 토물은 복막염, 하부 장관, 결장 폐쇄를 의미하며, 선홍색 토혈은 위의 급성 출혈, 커피찌꺼기 같은 토혈은 위, 십이지장의 만성 출혈을 의미한다. 구토자극이 구토작용에 관여하는 경로는 [그림 13-4]에 설명되어 있다.

3) 사정

구토는 철저한 병력과 신체검진, 여러 가지 진단검사를 통해 정확한 병인을 진단할 수 있다. 구토물의 양상, 식사나 특별한 음식과의 관련성, 행동, 통증의 유무, 변비, 황달은 병력에 있어 중요한 요소이다. 신체검진은 복부 검진과 수액상태의 사정을 포함해야 한다. 또한 뇨단백이나 혈액의 전해질 및 방사선 검사를 해야 한다. 가슴과 복부의 방사선 촬영, 초음파 촬영으로 해부학적 비정상 상태를 사정할

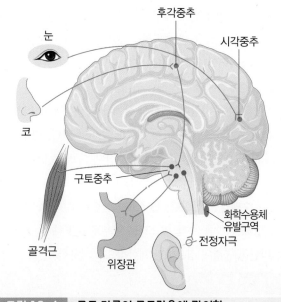

그림 13-4 구토 자극이 구토작용에 관여함

수 있다. 식도의 염증이 의심될 때는 위장관의 내시경검사가 가치 있는 진단적 검사이다. 정신과적인 평가는 신경성 식욕부진증과 거식증일 때 적용한다. 구토는 위장관 장애의 임상증상의 하나로, [표 13-3]에 위장관 기능 장애의 임상증상의 유형에 관한 특성을 제시하였다.

4) 치료적 관리

구토는 감염성 질환에서 흔히 있는 증상이나, 원칙적으로 구토를 유발하는 근본적인 원인을 제거하는 것이 중요하다. 구토에 대한 관리는 구토의 원인에 대한 발견과 치료,

표 13-3 **위장관 기능장애 아동의 임상증상**

임상증상	변비 (constipation)	· 단단한 변 또는 드물게 배변 · 배변의 어려움 · 혈액이 섞인 변 · 복부불편감

	구토 (vomiting)	· 위 내용물의 격렬한 배출
		· 타액 분비, 창백증, 발한, 빈맥 등의 원인
		  → 중추신경계 통제 장애(오심 동반)
		· 사출성 구토(projectile vomiting)
		  → 강력한 연동운동 동반하는 구토
		  → 유문협착증, 유문경련의 증상임

	뱉어내기, 역류(spitting up or regurgitation)	위 내용물이 식도나 구강으로 배출
	되새김질(rumination)	섭취한 음식을 다시 역류시켜 되씹는 행동

탈수와 영양장애 같은 합병증을 예방하는 것이다. 탈수가 있거나 심한 구토로 진행되거나 24시간 이상 구토를 지속하거나 과거력이나 신체검진으로 진단을 내리는데 실패하였을 때 추후검사를 실시해야 한다.

소량씩 자주 먹이며, 대사성 장애나 영양장애, 소화성 식도염 등 동반된 증상을 함께 치료해 주어야 한다. 항구토제(antiemetics)를 단기간 사용하기도 한다. 구토로 탈수가 왔을 때는 구강으로 재수화(oral rehydration)를 하거나 비경구적으로 수액을 공급한다. 항구토제는 함부로 쓰면 원인 규명에 방해를 받을 수가 있으므로 함부로 사용해서는 안 된다. 원인이 규명된 경우에만 제한적으로 사용한다.

간호진단 및 목표

간호진단 : 구토와 관련된 체액부족
간호목표 : 구토가 일어나기 전까지, 아동은 충분한 체액을 보유할 것이다.
예상되는 결과 : 피부긴장도는 정상이며 소변의 비중은 1.003에서 1.030이다. 소변량은 1ml/kg/h 보다 많다. 구토의 발생 빈도와 양이 줄어든다.

구토를 감소시키기 위해서, 아동의 연령에 따라 음식과 수분 공급을 일시 정지해야 한다. 보통 3~6시간이 충분하다. 큰 아동은 이 기간 후에 약간의 얼음 조각과 적은 양의 물(약 15분마다 1tbs)을 4시간 동안 공급한다. 그 후, 2tbs를 30분마다 4시간 동안 공급한다. 아이스바는 충분히 물의 대용물이 될 수 있으며, 게토레이나 차 등의 물을 조금씩 주어도 된다. 아동은 배가 고프고 많은 양의 물을 마시고 싶어 할 것이다. 그러나 구토 예방을 위해 소량의 물을 지속적으로 준다. 만약 아동이 계속 소량의 물을 마신다면, 스프나 물과 섞인 우유를 주어도 된다. 마른 과자나 빵은 배고픔에 도움을 줄 것이다. 둘째 날부터, 부드러운 음식을 준다. 셋째 날부터 보통의 식사로 돌아와도 된다. 신생아는 천천히 3시간 동안의 조절 후에 수분을 공급한다. 15분마다 1tbs을 2시간 동안, 2시간마다 28.3gm을 12~18시간 동안 제공한다. Pedialyte 같은 포도당 및 전해질 용액은 신생아의 전해질 균형 상태를 유지하기 위한 수분의 공급이다. 신생아는 점점 더 맑은 수분에서 우유 그리고 부드러운 음식으로 큰 아동과 같은 과정으로 진행한다. 만약 구토가 계속된다면, 신생아는 수분의 유지를 위해 정맥 내 치료가 필요하다.

간격을 두고 수분의 양을 점점 더 증가시키는 것이 중요하다는 것을 부모에게 교육시킨다. 만약 아동이 적은 양의 수분을 섭취하고 구토를 하지 않는다면 장관염으로 구토가 일어난 것이므로 많은 양의 수분 섭취 시에도 구토는 하지 않는다. 부모들은 구토하는 아동에게 과하게 공급하면 안 되며 음식조절로 구토를 치료한다. 성인의 구토 증세를 치료하는 프로클로르페라진(prochlorperazine)을 사용할 경우 아동에게 부작용이 나타날 수 있다.

확인문제

5. 만약 구토를 한다면 얼마동안 아동은 금식해야 하는가?

5) 역류와 뱉어내기

영아기 동안에는 수유와 관련하여 여러 가지 크고 작은 어려움(Feeding difficulties)이 있을 수 있다. 수유 문제(feeding problem)는 부모나 돌보는 사람의 양육경험이 부족할 때 잘 생기지만, 영아가 배고픔이나 포만감을 표현하는 것이 분명하지 않은 경우에는 노련한 부모가 양육하더라도 있을 수 있는 문제이다. 영아에게 젖을 먹일 때 영아의 반응을 잘 살펴서 트림을 하려고 하거나 포만감을 느끼는 영아의 몸짓을 잘 파악해야 한다.

수유 후 소량의 젖이 되넘어 오는 것은 영아기에 흔히 있는 일이다. 여러 가지 심각한 구조적 장애가 있어서 나타나는 구토와 혼동되어서는 안 된다.

역류(regurgitation)는 소화되지 않은 음식이 위에서부터 되넘어 오는 것이며, 대개 트림과 함께 나타난다. 이는 영아 초기의 위의 해부학적 구조상 흔히 있을 수 있는 정상적인 현상이다.

뱉어내기(spitting up)는 수유 후 즉각적으로 영아의 입에서 삼키지 않은 젖을 흘리는 것을 말한다. 우유를 뱉어내는 것은 정상적으로 흔히 있을 수 있는 일이지만 부모들은 이러한 현상도 문제로 인식할 수 있다. 먹이는 양이 너무 많거나, 특히 모유수유를 하는 경우에 젖을 너무 자주 빨리는 경우, 영아가 먹기 싫을 때 억지로 먹이려고 하면 젖을 삼키지 않고 물고 있다가 뱉어내게 된다. 이러한 점을 부모에게 설명하여 뱉어내기를 예방할 수 있다.

역류나 뱉어내기는 정상 영아에서 흔히 있는 일이므로 지나치게 걱정하지 않도록 부모에게 설명해야 한다. 역류는 수유하는 동안이나 수유 후에 트림을 충분히 시키고, 수유 후에는 상체를 조금 높여서 오른쪽으로 눕혀 두면 예방할 수 있다. 역류로 인한 불편함을 덜기 위하여 영아에게 흡수가 잘 되는 턱받이를 사용하고 어머니가 보호용 천을 사용하면 뒤처리하기가 쉽다. 역류로 인해 유즙을 자주 흘리게 되어 입 주위, 턱, 목 밑의 피부가 습하고 손상될 수 있으므로 청결하고 건조하게 해 주어야 한다.

6) 되새김질

되새김질(rumination)이라는 용어는 "되씹는다"는 뜻의 라틴어이다. 즉 되새김질은 섭취한 음식을 다시 역류시켜 되씹는 행동을 말한다. 이는 3~12개월 사이의 영아에게 나타나는 희귀한 장애이다. 이는 인지장애아에게서 가장 흔히 관찰된다. 이 장애는 기질적, 환경적 요인이 모두 관여하는 것으로 보고 있다. 일부 아이는 위식도 역류장애가 함께 있을 수도 있다. 또한 되새김질은 머리를 벽에 부딪치는 것과 같은 유아기 자해행동의 한 형태로 보기도 한다. 이는 자극이 결여된 환경과 관련이 있는 것으로 보고 있으나 양육인의 역할이 발병에 기여하는지는 검증되지 않았다. 되새김질장애가 있는 대부분의 아동은 건강해 보이며 잘 지내는 것처럼 보인다. 부모는 아이가 계속 음식을 흘리거나 토하거나 또는 아동에게

신 냄새가 난다고 말할 수 있다. 이 장애가 진행됨에 따라 아동은 많은 양의 수분과 전해질을 잃게 됨으로써 결국 성장장애를 보이게 된다. 아동을 안아주고, 흔들어주고 이야기를 거는 등 주의를 환기시켜줌으로써 되새김질을 감소시킬 수 있다. 종종 식이의 농도를 진하게 하여주는 것이 효과적일 수 있는데 이는 음식물이 걸쭉하면 역류시키기가 더 어려울 수 있기 때문이다. 정도가 심각해지면 입원이 필요할 수 있다. 아동과 부모간의 애착이 문제가 될 수 있는데 이는 아동의 지속적인 되새김질과 성장장애로 부모가 매우 불안해 할 수 있기 때문이다. 따라서 부모 또한 아이와의 관계 형성을 위하여 지지와 교육, 도움이 필요할 수 있다.

확인문제

6. 되새김질이 주로 나타나는 아동은?

7) 위식도 역류

위식도 역류[gastroesophageal reflux(들문이완증, chalasia)]는 위식도 괄약근과 식도 아랫부분이 늘어지는 신경근육 장애로 식도까지 위 내용물이 쉽게 역류한다. 출생 후 1주일 후부터 시작되며, 탈장과 관련이 있을 수 있다. 역류는 음식 섭취 후 즉시 또는 식후에 영아가 누웠을 때 일어난다. 뇌성마비 또는 다른 신경학적인 문제를 지닌 아이들은 더 위험하다. 흡인성 폐렴 또는 식도의 인접 기관에 수축이 일어날 수 있다. 만약 역류의 양이 많으면, 충분한 섭취를 못하여 성장에 지장을 준다[그림 13-5].

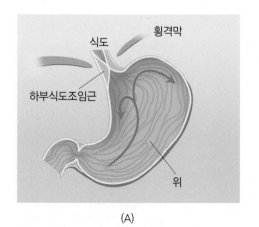
(A)

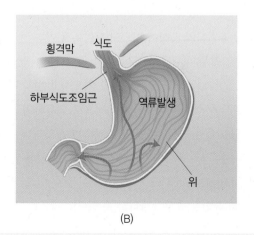
(B)

그림 13-5 **위식도 역류**
위식도 역류에서는 하부식도 조임근이 열려서 위 내용물이 식도쪽으로 역류된다.

1세 미만 영아에서 흔히 관찰되며, 아동의 약 85%는 생후 1주 이내에 증상이 시작된다. 아동의 60%가 2세까지 증상이 사라진다. 약 300명~1,000명 중 1명 꼴로 위식도 역류가 발생한다.

위식도 역류와 위식도 역류 질환(gastroesophageal reflux disease, GERD)을 구별해야 한다. 위식도 역류질환은 위식도 역류로 인해 조직의 손상이 온 경우이다. 위식도 역류로 인해 성장장애, 출혈, 연하곤란과 같은 합병증이 초래되었을 때 위식도 역류질환이라고 하며, 무호흡, 기관지경련, 후두 경련, 폐렴이 생길 수도 있다.

(1) 사정

진단은 자료수집에 의해 이루어진다. 구토는 쉽게 일어나며, 비사출성, 무담즙성이다. 유문 협착과 관련된 구토보다 더 빨리 시작된다. 아동은 민감하며 무호흡기간을 경험한다. 원위 식도나 코를 통하여 식도에 Probe나 카테터를 삽입하여 분비물의 pH를 측정하여 위의 분비물이 식도로 들어갔는지 아닌지를 확인한다(만약 7.0 이하면 산성이다). 광섬유내시경 검사 또는 식도조영술(esophagography)은 들문이완증(chalasia)과 위의 역류로 음식물이 식도로 들어갔는지를 보여 준다. 특히 영아의 머리를 아래로 기울이면 심해진다[표 13-4].

심한 경우에는 만성 식도염이나 폐흡인(lung aspiration)으로 인한 흡인성 폐렴이 생길 수 있기 때문에 위험하다. 반복되는 역류로 인해 영양섭취가 저해되어 성장장애를 유발할 수 있다. 대개 생후 1주일 경부터 증상이 나타나는데 가장 흔한 증상은 반복적 만성 구토와 메스꺼움, 역류이다. 영아 후기까지 증상이 지속되면 반복적 기침, 천명, 폐렴, 되새김질(rumination) 등이 흔히 나타나고, 영양소 섭취가 양호하지 못하여 체중 증가가 저조하고 성장이 지연된다. 위산이 섞인 위내용이 반복적으로 역류하여 식도염(esophagitis)을 유발할 수 있고, 오래되면 식도의 편평상피가 위의 원주상피로 대치된다. 위장관 출혈로 인해 혈액 섞인 구토(hematemesis)나 혈변(melena)을 볼 수 있고, 철결핍성 빈혈과 불안정 증상이 나타날 수 있다.

표 13-4		위식도 역류의 임상증상과 간호
임상증상	일반적 증상	• 반복적인 구토, 메스꺼움, 흉통(chest pain) • 뱉어내기(spitting up) • 되새김질(rumination)
	영양 및 성장 장애	• 체중 증가 저조 • 철결핍성 빈혈 • 만성적인 영양섭취 부족으로 성장장애
	만성 식도염	• 위산 섞인 위 내용물의 반복적 역류로 유발됨 • 속쓰림: 산이 식도 상피층에 있는 신경을 자극하여 초래됨 • 가스부위 불편감 • 식도 하부 pH: 3~4 이하
	위장관 출혈	• 혈변(melena), 잠혈변, 흑색변 • 토혈(hematemesis)
	호흡기 합병증	• 수유 후 질식(choking), 구역질, 천명 • 흡인성 폐렴, 상기도 감염 빈발 • 원인불명의 기침, 천식 • 무호흡증 • 돌연사 증후
간호	식이 (feeding)	• 우유에 곡분을 첨가하여 걸쭉하게 된 농축유 제공 : 젖꼭지의 구멍을 크게 뚫어서 먹여야 함 • 소량씩 자주 먹임 : 모유수유아는 모유를 소량씩 자주 먹임 • 수유 중이나 후에 트림 • 심한 역류, 체중 증가 저조 시 위관영양(gavage feeding) • 지방이 많은 식품, 초콜릿, 토마토 제품, 탄수화물, 음료수 등은 하부식도의 압력을 감소시키므로 피해야 함 • 과일 주스, 구연산, 매운 음식은 위산의 분비를 촉진하므로 가급적 먹이지 않음
	자세	• 복위(prone position)를 취해줌 : 역류를 줄이고, 위가 비워지는 시간 촉진, 기도 내 흡인 예방 • 수유 후나 잠잘 때는 상체를 30° 정도 올린 체위 유지 • 어린 영아는 복위, 영아후기는 상체를 세워 안거나 직립자세 유지
	부모지지	• 가정에서의 간호에 대해 교육 : 수유, 체위, 투약 등 • 부모가 간호에 참여하여 발달 촉진 및 치료에 조력 • 외과적 치료에 대한 준비 : 수술 준비 • 부모의 불안 완화 : 안심, 확신시킴 • 꼭 끼는 옷을 입히지 않도록 함 • 수유 중에 아기에게 턱받이나 보호복 착용

(2) 치료적 관리

① 약물치료

약물요법은 식도염이나 호흡기문제, 성장장애 등의 합병증이 있을 때 사용한다. 괄약근의 압력을 높이고 위가 비워지는 시간을 촉진하며, 위산을 억제할 수 있는 약물을 투여한다. 또한, 위를 비우고 유문조임근(pyloric sphincter)을 이완시키는 약물이 유용할 경우도 있다.

Tagamet, Zantac, Pepcid 등 제산제(antacid)나 위산분비 억제제(H_2 blocker)를 투여하여 위산의 분비를 줄이고 식도염을 예방할 수 있다. 역류를 감소시키기 위해 베타네콜(bethanechol)과 메토클로프라미드(metoclopramide)를 투여하며, 시사프리드(cisapride)는 유문괄약근의 압력을 증가시키고 위의 소화력을 증진시켜 위를 비우는 시간을 촉진한다.

② 외과적 치료

약물치료로 효과가 없거나, 해부학적 결함이 있거나, 흡인성 폐렴이나 무호흡이 반복될 때, 식도협착과 같은 합병증이 있는 아동은 수술요법이 필요하다. 역류를 막는 수술 방법으로 위저부주름술(Nissen Fundoplication)이 가장 흔히 사용된다. 위에서 식도로 역류하는 것을 방지하기 위하여 식도하부를 위저부로 감아 봉합하는 수술이다. 식도협착이 있으면 부지(bougie) 확장술이 필요하다.

외과적 방법에서 새로운 위식도 접합(gastroesophageal anastomosis)을 위해 원위식도를 주름지게 봉합해서 역류를 줄인다. 수술 후 비위관의 삽입으로 감압시켜서 봉합선이 찢어지는 것을 막는다. 위루형성술(gastrostomy)을 시행할 수도 있으며, 때로는 유문성형술(pyloroplasty)을 실시하여 위가 비워지는 것을 촉진할 수 있다.

간호진단 및 목표

간호진단 : 식도역류와 관련된 영양부족 위험성
간호목표 : 치료 과정동안 아동은 충분한 영양을 공급 받을 것이다.
예상되는 결과 : 피부긴장도는 정상이며 소변의 비중은 1.003에서 1.030이다. 열량공급은 100cal/kg/24h이다.

체중과 수분섭취량 및 배설량을 모니터한다. 식사 후, 아동은 누워있거나 또는 침상안정 하도록 한다. 모유수유를 하는 엄마는 모유를 먹이거나 쌀 시리얼을 섞어 준다. 부모에게 어느 정도의 양을 시리얼과 섞어야 되는지 확인시킨다. 어려운 과정을 이해할 수 있도록 도와주고, 실수를 할 수 있다는 사실을 인지시킨다(부모는 좋은 영양사가 될 수 있다). 수술 후 아동에게 음식물 섭취를 격려하고, 부모로서 역할을 할 수 있다는 안도감을 부모에게 심어준다.

확인문제

7. 위시도 역류 환아의 수유 후 가장 직합한 체위는 무엇인가?

06 / 설사

설사는 대변으로 다량의 수분과 전해질이 소실되는 것을 말한다. 일반적으로 아동의 대변량은 하루에 5~10g/kg 정도이며, 성인은 200g/일인데, 영아의 경우 대변량이 하루 10g/kg 이상이거나 소아와 성인에서 하루 200g 이상일 때 설사로 볼 수 있다. 수분의 대부분은 소장에서 흡수되며, 대장에서 대변이 농축된다. 소장에서 수분을 흡수하는 데 장애를 일으키는 질환은 많은 양의 설사를 일으키게 된다. 모든 설사는 장내 용질 이동의 장애에 의하여 일어난다. 물은 나트륨, 염소, 포도당이 흡수될 때 이들의 이동에 따라 수동적으로 장점막을 통해 흡수된다. 대부분의 설사는 분비성, 삼투성, 또는 장관 운동 이상에 의하여 일어난다. 분비성 설사는 분비를 일으키는 물질에 의하여 유발된다. 예를 들어 콜레라 독소는 장의 세포 표면에 있는 수용체에 부착하여 세포내의 cAMP나 cGMP의 축적을 일으킨다. 장내에 있는 지방산이나 담즙염의 일부도 이러한 방법으로 대장 점막에 작용하여 분비성 설사를 일으킨다. 일반적으로 분비성 설사는 양이 많고 금식하여도 설사가 지속된다. 삼투성 설사는 마그네슘, 인과 같은 흡수가 잘 되지 않는 용질이나 당류, 알코올류, 소비톨과 같은 흡수되지 않는 물질에 의하여 일어난다. 소장에 질병이 있어 유당 불내성이 있을 때 유당을 섭취하면 당흡수 저하로 인한 삼투성 설사가 일어난다. 흡수되지 않는 탄수화물은 대장에서 발효되어 지방산을 형성하며, 이는 장관내 삼투압을 증가시킨다. 삼투압의 증가로 인한 설사는 양이 상대적으로 적으며 금식하면 설사가 감소한다.

설사는 개발 도상국에서 신생아가 사망에 이르게 되는 주요 원인이다. 비록 신생아의 설사가 다른 이유에서 발생하더라도, 우선적인 원인은 소화 기관의 바이러스성 감염이다. 가장 흔한 기본적인 병원균은 로타바이러스(rotavirus)와 아데노바이러스(adenovirus)이다. 가장 흔한 박테리아성 병원균은 캄필로박터제주니(campylobacter jejuni), 살모넬라(salmonella), 람블편모충(giardia lamblia), 클로스트리듐디피실레(clostridium difficile)이다. 신생아의 설사는 적은 세포외액에서의 갑작스러운 수분의 감소 때문에 항상 심각하다.

세포외 염분소실은 혈량의 감소를 가져오며 체액이 배출된다. 신장 기능부전은 산성화를 진행시켜 사망에 이른다. 식사조절은 설사를 효과적으로 치료한다. 특히 캄필로박터에 의한 감염은 모유수유를 하면 예방될 수 있다. 설사는 보통 감염과 관련되며, 만성적 흡수 불량 또는 염증의 원인이기도 하다.

불안정성 장증후군(irritable bowel syndrome)은 설사가 동반되는 증상으로 복통이 동반되며, 여아가 남아보다 조금 더 잘 이환된다. 6~36개월 아동에게서 대부분 발견되며, 대부분의 아동은 3년 동안 증상이 지속된다(과다 수분 흡수도 이유가 된다). 1주에 여러 번 설사증상이 나타나며 음식과는 관련이 없으며 일반 음식도 섭취 가능하다.

1) 원인

설사를 일으키는 병원체의 대부분은 오염된 음식이나 물을 통해 변-구강 경로로 전파되거나, 주간보호센터(daycare centers) 같은 곳에서 사람에서 사람으로 직접 접촉을 통해 전파된다. 깨끗한 물의 부족, 단체생활, 나쁜 위생상태, 영양결핍 및 취약한 공중위생이 주요 위험요인-특히 세균이나 기생충-이다. 영아에서 설사의 심각도와 횟수의 증가는 연령에 따른 병원균에 대한 감수성과 관련이 있다. 예를 들면 영아의 면역체계는 많은 병원균에 노출된 적이 없어 항체를 아직 획득하지 못하고 있다. 세계적으로 급성 위장염의 가장 흔한 감염원은 주로 로타바이러스로 감염성 설사의 70~80% 원인이 된다. 로타바이러스(rotavirus)는 어린 아동에게 심한 위장관염을 일으키는 가장 중요한 원인이며, 매년 55,000~70,000건의 입원을 야기하는 중요한 병원 감염

원(병원에서 획득)이다. 로타바이러스성 질환은 3~24개월 아동에게 가장 심각한 질환이다. 3개월 이전의 아동은 모체에서 받은 항체 때문에 질병에 대한 저항력을 어느 정도는 가지고 있다. 로타바이러스성 감염의 심한 사례 중 25% 정도는 나이든 아동에서도 발견된다. 살모넬라(Salmonella), 이질(Shigella), 캄필로균(Campylobacter)은 가장 흔히 검출되는 세균이며, 살모넬라는 영아에서 가장 흔한 원인균이고, 편모충(Giardia)과 이질은 유아기에서 가장 빈도가 높은 원인균이다. 미국의 경우 이질은 흔하지 않지만 영유아기 설사성 질환의 5% 미만으로 추정된다. 캄필로균은 2가지 형태(12개월 미만에서 가장 빈도가 높고 15~19세에서 두 번째로 높다)이다. 편모충과 캄필로균은 기생충이다. 미국의 경우 편모충은 비이질성 질병의 15% 정도이며, 캄필로균은 주간보호센터에 있는 어린 아동에서 종종 발견된다. Plesiomonas 및 Yersinia 역시 기생충인데, 건강한 청소년에게서 10일 이상 지속되는 설사를 유발하는 대표적 병원체이다. 항생제가 장내 정상균을 변화시켜 클로스트리듐 디피실레 같은 세균을 증식시키기 때문에 항생제 투여가 흔히 설사와 관련된다. 클로스트리듐 디피실레의 미국 내 빈도는 2000년 이후 2배 이상 증가되었다. 또한 항생제와 관련된 설사는 살모넬라, Clostridium porringers type A 및 포도상구균(Staphylococcus aureus) 등에 의해 유발될 수도 있다.

2) 사정

대변검사는 설사의 병태생리학적 기전을 짐작할 수 있고 감별 진단에 도움이 될 수 있는 기본적인 검사이다. 대변검사에는 육안검사, 화학적 검사, 현미경적 검사 및 배양검사가 있다. 영유아 설사의 가장 심각한 합병증은 탈수이다. 탈수 치료의 가장 기본적인 치료는 경구 수액(oral rehydration solution, ORS)요법과 적절한 식이요법이다. 경구 수액 요법은 탈수 상태를 빨리 원상태로 회복시키는 단계(rehydration)와 탈수가 회복된 후 계속되는 설사에 따라 체내 수액 상태를 유지시키는 단계(maintenance)로 나누어서 생각할 수 있다. 탈수 증상이 없는 경우에는 ORS를 줄 필요는 없고 모유나 정상 농도의 분유를 그대로 먹이면 된다. 설사를 계속 할 때는 한번 설사에 ORS를 10㎖/㎏를 줄 수 있으나 짠맛 때문에 잘 먹지 않으려는 경우가 많다.

3) 설사의 유형

(1) 경증 설사

① 사정

설사하는 아동의 상태에서 열은 38.4~39℃이다. 아동은 보통 식욕이 좋지 않고, 불안정하며 편안해보이지 않는다. 아동의 입은 건조하다. 맥박은 빠르게 뛰고 미열이 있다. 피부는 부드럽고 피부 탄력은 정상이다. 소변량은 보통이다.

② 치료적 관리

이 상태에서 설사는 아직 심각한 정도는 아니며, 아동은 집에서 치료할 수 있다. 구토 시와 같이 장의 휴식이 필요하나 비교적 짧은 시간이 필요하다. 부모는 적어도 1시간 정도, 구토 시처럼 구강 탈수 보충액을 제공한다.

경한 탈수증일 경우에는 ORS 50㎖/kg을 4시간 동안 준다. 설사가 계속될 때는 설사 한 번마다 10㎖/kg, 토할 때는 5㎖/kg을 더 보충한다. 탈수증이 교정되는 대로 모유나 분유를 먹인다.

신생아를 모유로 키울 경우, 모유 공급은 계속되어야 한다. 만약 수분 소실의 보충을 위해 많이 먹어야 한다면, 짧은 시간 동안의 수분 섭취가 어려울 수도 있다. 조심스러운 부모는 설사를 멈추는 로페라미드(loperamide) 또는 카올린(kaolin)과 펙틴(pectin)과 같은 약을 사용하지 않는다. 이러한 약물은 어린 아동에게는 부작용이 있을 수 있다. 부모는 감염의 확산을 막기 위해 손을 씻는다. 신생아는 설사 후 유당 결핍 증상이 나타날 수 있다. 이는 유당 내성 불량으로 진행된다. 이런 상태에서, 아동은 모유나 보통 우유를 먹지 못하며 설사는 다시 시작된다. 이런 신생아에게는 모유나 우유를 공급하기 전에 유당이 없는 식이(lactose free formula)의 공급이 필요하다.

(2) 중증 설사

① 사정

중증 설사는 경증 설사의 결과일 수 있거나 더 심한 경우이다. 중증 설사의 증상은 영아에게 중하다. 직장의 온도는 39.5~40℃까지 올라가기도 한다. 맥박과 호흡은 약하고 빠르다. 피부는 창백하고 차갑다. 영아는 불안해 보이며 기면 상태이다[표 13-5].

머리의 천문함몰, 움푹 들어간 눈과 푸석한 피부 같은 명백한 수분 부족 현상을 보여준다. 짧은 간격으로 매 분마다 복부 움직임의 모습이 보인다. 대변은 혈액이 조금 섞이며 수분이 많고 초록색이며 강한 힘으로 밀리어 배출된다. 소변량은 적고 농축되어 있다. 검사 결과는 수분 부족에 의해 증가된 헤모글로빈과 혈액단백 수치가 나타난다. 전해질 측정은 대사성 산증의 지표이다. 아동의 수분 손실을 측정하기는 어렵지만 아동의 몸무게를 측정하여 대략 수치를 알 수 있다. 예를 들어, 만약 아동이 어제 10.4kg였고 오늘은 8.9kg라면 10% 이상의 손실로 볼 수 있다. 경증의 수분 부족은 2.5%에서 5%의 몸무게 감소를 나타내며, 중증 설사는 빠르게 5%에서 15% 정도의 손실을 야기시킨다. 10% 이상의 몸무게가 감소된 영아에게는 즉각적인 치료가 요구된다.

요비중 검사는 탈수가 의심될 때 시행할 수 있다. 입원을 요하는 아동의 경우 전혈구검사(CBC), 혈장전해질, 크레아티닌(creatinine) 및 요소질소(BUN) 검사가 반드시 필요하다. Hemoglobin, hematocrit, creatinine 및 BUN은 주로 급성설사 시 상승하며 재수화로 정상화시켜야 한다.

② 치료적 관리

치료는 전해질과 수분 균형에 초점을 맞춘다. 설사를 하는 아동은 대변을 수집하여 적절한 항생제가 처방된다. 대변수집은 침대나 기저귀 등에서 얻을 수 있다. 혈액 검체는 헤모글로빈, CO2, Na, K, pH 수치를 파악하는데 필요하다. 결과가 나오기 전에 정맥 내 수액공급이 시작되어야 한다[그림 13-6]. 비록 영아에게 칼륨이 부족해도 신부전이 확진되기 이전에는 공급될 수 없다. 만약 칼륨의 조절 능력 부족 시에 계속된 정맥 내 칼륨의 투여는 심정지를 야기한다. 수분 부족 시 설사가 악화되지 않도록 수액을 공급해주어야

표 13-5	설사의 중증도별 임상증상		
중증도	경증 설사(mild diarrhea)	중등도 설사(moderate diarrhea)	중증 설사(severe diarrhea)
임상증상	· 설사 횟수 하루 5회 이내 · 체중감소가 없거나 5% 이내 · 탈수 증상 없음	· 5~10회 이내의 묽은 변(watery stool) · 5~10% 이내의 체중 감소 · 경미한 탈수증상 : 구강건조, 피부긴장도 저하 · 체온 상승 또는 정상 체온 · 잦은 구토 · 초조 및 자극에 대한 과민 반응 · 산혈증 없음	· 하루 10회 이상 설사 · 10% 이상 체중 감소 · 중등도~중증 탈수: 피부긴장도 저하, 대천문함몰, 빈맥 · 산혈증, 기면, 반혼수 상태 · 축 늘어지고, 고음의 약한 울음 소리 · 눈물이 없고 평상시보다 자주 떼를 씀 · 목적 없는 움직임과 친숙한 물체나 사람에 대해 부적절한 반응을 나타냄

한다. 영아 몸무게의 5% 이상이 감소되면 수분부족량은 대략 50㎖/kg이다. 만약 영아 몸무게의 10% 이상이 감소되면 수분부족량은 대략 100㎖/kg이다. 12~15%의 수분부족은 125㎖/kg의 수분 보충이 필요하다. 수액공급은 빠르게 반복적으로 3시간에서 6시간 이내로 하며, 이후에는 천천히 정상 속도를 유지한다.

간호진단 및 목표

간호진단 : 설사와 관련된 체액 부족 위험성
간호목표 : 충분한 수분 균형상태를 유지할 것이다.
예상되는 결과 : 피부긴장도는 정상이며 소변의 비중은 1.003에서 1.030이다. 소변량은 1ml/kg/h 이상이다. 변상태는 혈액은 나오지 않고 pH = 7.35 이상이다.

a. 수분공급과 안위의 증가

중등도의 탈수가 있을 때는 ORS 100㎖/kg을 4시간 동안 준다. 설사가 계속될 때는 설사 한 번마다 10㎖/kg, 토할 때는 5㎖/kg을 더 보충한다. 탈수증이 교정되는 대로 모유나 분유를 먹인다. 쇼크나 쇼크에 가까운 상태인 심한 탈수증일 경우에는 정맥 내로 생리식염수나 Ringer's lactate를 1시간내 20~40㎖/kg 주며 탈수 정도에 따라 조절한다. 한편 시판되는 음료수는 전해질의 농도가 낮고 당질의 농도가 상대적으로 너무 높기 때문에 경구용 수액으로는 부적당하다.

단기간 내에는 수분부족에 의한 복합적 문제를 동반하는 구토를 하면 아동을 금식시킨다. 입술이 건조해 보이면 축축한 젤리로 입술을 적셔주고, 빨 수 있는 기구 등을 사용하기도 한다. 매우 목이 마르기 때문에 마시고 싶어한다. 단기간 후에, 아동은 깨끗한 물이나 구강 탈수 보충수액 또는 우유 등을 미량 제공한다. 아동의 구강으로의 음식섭취를

점차 증가시켜 부드러운 음식 등을 제공한다(바나나, 쌀 시리얼, 토스트 등). 만약 아동이 열을 동반한 심한 설사가 있을 경우에는 열을 떨어뜨릴 필요가 있다. 장의 온도가 증가하면 항문괄약근의 이완으로 더 심한 설사를 야기시킬 수도 있다. 묽은 변으로 항문 부위의 피부가 손상될 수도 있으므로 깨끗하고 건조하게 유지한다.

b. 수분 섭취 및 배설 기록

설사 시 간호는 수분섭취 및 배설기록에 중점을 맞춘다.

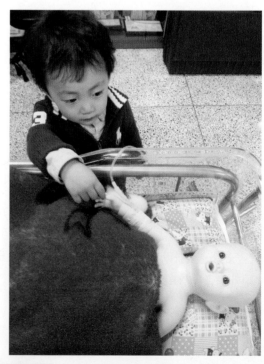

그림 13-6 **놀이 치료는 주로 정맥주입을 위한 관의 삽입과 체액관리 시에 쓰인다. 정맥 치료를 받는 인형이 있다.**

처음에는 아동이 탈수상태이기 때문에 정맥주사 치료가 매우 중요하다.

아동은 12~48시간 금식하고 정맥수액요법을 받는다. 정맥주입을 관찰하는 것은 간호사의 중요한 업무이다. 간호사는 정확한 수액과 전해질 농도가 주입되는지, 주어진 시간에 원하는 양을 투여하기 위해 주입률이 적당한지, 정맥부위가 유지되는지 등을 확인해야 한다.

최상의 주입을 유지한다. 카테터가 빠지거나, 주입할 때 막히는 것을 막기 위해 팔 억제대가 필요할 것이다. 정맥 세트에 손을 대거나 가지고 노는 행동을 하지 못하도록 아동과 부모에게 교육이 필요하다. 만약 아동이 너무 어려서 이해를 못한다면, 부드러운 억제대를 해준다. 억제대 사용 시에는 매시간 확인하며, 부모에게 왜 정맥주입이 중요한지 설명해주면 얼마나 억제대가 중요한지를 이해할 것이다.

정확한 배설량을 측정하는 것은 신혈류(renal blood flow)가 수액에 K^+을 보충하기에 충분한지를 결정하는 데 중요한 역할을 한다. 간호사는 대변을 살펴보고, 검사를 위한 각종 검체물을 수집할 책임이 있다. 또한 대변을 채집하거나 다른 곳으로 보낼 때에는 감염전파를 예방하기 위한 간호가 수행되어야 한다. 검사를 위해 대변을 채집할 때에는 깨끗한 설압자를 이용하거나 배양에 적합한 용기에 담아 보내야 한다. 대변 검체물은 병원정책에 따라 적당한 용기에 담아 검사실로 보내야 한다.

화장실 사용방법을 아는 아동은 처리 가능한 소변수집기를 사용하여 대변과 분리된 소변 배출을 돕는다. 이는 아동의 구토와 이에 따른 신장의 기능 확인을 명확하게 돕는다. 칼륨 치료 시 명확한 신장 기능의 확인이 필요하다. 대변에서 분리된 소변은 대변의 상태와 수분 함유량 등의 판단에 도움을 준다. 대변을 보았을 때, 색깔과 구성성분 크기, 혈액의 유무 또는 점액질을 기록한다. 기저귀에서 많은 양의 대변을 볼 수 있다.

간호진단 및 목표

간호진단 : 피부에 대변이 묻는것과 관련된 피부손상
간호목표 : 설사기간동안 아동의 피부 통합성이 유지될 것이다.
예상되는 결과 : 기저귀가 닿는 피부에 홍반이나 궤양이 보이지 않는다.

설사는 피부에 자극적이기 때문에 아동이 배설한 후 즉시 기저귀를 갈아주어야 한다. 배설시마다 즉시 씻어주고, 바세린이나 연고를 발라주어 자극으로부터 피부를 보호해주어야 한다. 만약 아동의 피부가 벗겨진다면, Desitin이나 Balmex가 도움이 될 것이다. 복부를 아래로 하여 아동을 눕히고 엉덩이를 공기 중에 놓이게 하여 자극으로부터 보호한다.

간호진단 및 목표

간호진단 : 손상경험과 관련된 불안
간호목표 : 아동이 장기간의 경험으로 고통받지 않을 것이다.
예상되는 결과 : 고통스런 과정 후에 아동은 연령에 맞는 방법으로 부모와 상호작용하며 아동이 편안해진다.

설사하는 모든 아동은 소화기관이 감염되었다고 추정하고 감염 조절과 기본적인 예방이 필요하다. 만약 아동이 기저귀를 착용할 경우도 처방을 따라야 한다. 보통 아동은 설사와 피로함에 익숙치 않고 몸의 변화에 민감한 반응을 나타낸다. 아동은 누군가와 같이 있거나 보호가 필요하다. 심한 설사를 하는 아동이 병원으로 갈 때, 많은 응급요원들은 정맥관 확보, 검체물 채취, 열 감소 등의 과정을 이행하여야 한다.

초기에는 아동과 대화를 하고 부드럽게 다루는 시간을 함께한다. 초기 과정이 완결되면, 침상에 앉아 아동을 잡고 부드럽게 아동의 머리를 만진다. 부모에게 다음 치료 과정이 무엇인지, 왜 필요한지를 교육한다. 단순한 간호행위라도 그들이 하도록 북돋아준다. 아동은 처음 맞이하는 새로운 환경이 어색하기 때문에 이러한 도움이 필요하다.

c. 예방

설사의 가장 중요한 중재는 예방이다. 감염은 대부분 대변-구강경로(fecal-oral route)에 의해 전파되므로, 설사 예방을 위한 개인위생, 식수의 오염방지, 음식물의 세심한 준비 등에 대한 부모교육이 중요하다.

확인문제

8. 중증 설사 시 나타나는 증상은?

4) 설사와 구토를 유발하는 박테리아성 감염질환

(1) 살모넬라

- 원인: salmonella 박테리아
- 잠복기간: 6~72시간 동안의 잠복기, 7~14일의 회복기
- 전염 기간: 얼마 동안 병원체가 배설작용에 영향을 미치느냐에 따라 다름(평균 3개월)
- 전염 경로: 전염체가 포함된 음식의 섭취

살모넬라(salmonella)는 미국에서 가장 흔한 오염음식 병균체이며 설사를 야기하는 주원인이다. 전염의 진단은 대변을 통해서 확인할 수 있다. 이 질환을 갖고 있는 아동은 설사와 복통, 구토, 고열 그리고 두통 등의 증상을 나타낸다. 생기가 없고 졸립다. 혈액과 점액을 포함한 심한 설사를 한다. 중증 설사의 증상처럼 수분 또는 전해질의 비율이 변화된다. 또한 전신적으로 증상이 진행되며, 아목시실린(amoxicillin)과 같은 항생제를 투여한다. 합병증으로는 뇌막염, 기관지염, 골수염 등이 나타난다. 살모넬라는 오염된 음식으로 전염되지만, 감염된 거북이 등에 의해 아동에게 전염될 수도 있다.

(2) 이질

- 원인균: shigella의 병원체
- 잠복기간: 1~7일
- 전염 기간: 1~4주 정도
- 전염 경로: 전염체가 포함된 음식의 섭취 또는 우유

이질균(shigella)은 살모넬라균과 같이 점액질과 혈액을 포함한 심한 설사의 원인이 된다. 암피실린(ampicillin)이나 트리메토프림 설파메톡사졸(trimethoprim sulfamethoxazole, TMP-SMX) 등은 전형적인 약물이다. 아동은 수분과 전해질 보충이 필요하다. 안전하고 깨끗한 음식 섭취로 예방이 가능하다.

(3) 포도상구균

- 원인균: Staphylococcus aureus의 Staphylococcal enterotoxin 생성.
- 잠복기간: 1~7시간
- 전염 기간: 오염된 음식이 신체에 접촉하는 기간
- 전염 경로: 전염체가 포함된 음식의 섭취

포도상구균(staphylococcus)에 감염된 아동은 심한 설사와 구토, 복부의 경련, 과다한 타액의 분비를 나타낸다. 크림이 있는 음식을 통하여 이 병균이 전달된다. 이 병균은 적당한 요리 과정에 의해 파괴되지만, 병의 원인이 되는 내독소는 파괴가 되지 않기 때문에 가끔 오염된 음식으로부터 원인이 되는 병원체의 발견이 어렵다. 전해질 투여와 수분의 공급 등 적극적인 치료가 필요하다. 음식은 적당한 냉장고에 보관하여 오염을 예방한다.

07 / 탈수

탈수(dehydration)는 영아기의 흔한 문제로 총 수분 섭취량에 비해 총 배설량이 많을 때 발생한다. 수분 섭취와 배설은 아동의 체표면적과 비례하기 때문에 아동은 성인에 비해, 영아는 더 큰 아동에 비해 탈수가 더욱 더 빠르고 빈번하게 초래된다.

출생 시 영아의 세포외액은 신체 총 수분의 50% 이상을 포함하고 있으며, 상대적으로 Na와 Cl이온도 증가되어 있다. 영아의 넓은 체표면적은 피부의 땀을 통해 많은 수분을 소실한다. 미숙아의 체표면적은 성인에 비해 5배 이상 크며, 영아는 2~3배 더 크다. 영아의 위장계는 비율적으로 더 길어서 설사 시 수분 소실을 더욱 증가시킨다. 또한 위장관의 하루 분비물량은 아동보다 영아가 더욱 많다.

영아의 신진대사율은 큰 체표면적 때문에 성인에 비해 높다. 결과적으로 신장에 의해 배출되어야 할 대사성 노폐물 생산이 증가된다. 신진대사의 증가는 결국 수분소실과 수분배출 요구의 증가와 열 생산을 증가시키는 원인이 된다. 영아는 큰 아동이나 성인보다 체중에 비해 많은 양의 수분을 섭취하고 배설한다. 전해질도 함께 배설하기 때문에

신체 수분과 전해질을 보유하고 유지하는 능력이 제한되어 있다. 따라서 탈수증 환아의 경우 탈수의 정도, 탈수의 유형, 체내 K 결핍의 유무(탈수증이 위장을 통해 유발되었을 때), 산염기 장애 유무 및 종류 등이 사정되어야 한다.

탈수의 정도는 체중의 감소로써 측정되며, 탈수의 유형은 초기 혈장 내 나트륨의 농도에 따라 분류된다. 등장성 탈수(isotonic dehydration)의 경우 혈중 나트륨이 130~150mEq/L, 저장성 탈수(hypotonic dehydration)는 130mEq/L 미만, 고장성 탈수(hypertonic dehydration)는 150mEq/L보다 높은 경우를 의미한다.

1) 사정

아동에서의 탈수의 원인은 다음과 같이 수분섭취의 부족 또는 과도한 소실로 인해 발생하게 된다.

- 피부: 발한, 열, 화상
- 위장관: 구토, 설사, 누(fistula), 흡인(suction)
- 신장: 요붕증, 당뇨, 요로 감염
- 폐: 과호흡
- 혈관계: 출혈

탈수가 위장을 통해 일어났을 때는 대개 체내 K의 소실을 가져온다. 신질환을 동반하지 않는 당뇨병이나 케톤산증의 대사성 산증일 때에도 대개 K부족을 동반한다. 그러나 단순한 수분 결핍, 요붕증, 진행된 신부전증, 부신피질 부전증일 경우에는 K결핍이 동반되지 않는다.

탈수의 유형과 정도에 대한 사정은 효과적인 치료계획을 세우는 데 필수적이다. 탈수의 정도는 %로 표현하며, 3~5%(경증), 6~9%(중등도), 10% 이상(중증)으로 기술한다. 수분은 영아 체중의 60~70%를 차지한다. 그러나 지방조직은 수분을 거의 함유하고 있지 않으며 영아와 아동 개개인에 따라 매우 다양하다. 탈수를 기술하는 더 정확한 방법은 체중 1kg당 몇 ㎖의 급성 소실(48시간 이내, 혹은 경과)이 있었는지를 반영하는 것이다. 예를 들면, 50㎖/kg의 소실은 경증인 반면, 100㎖/kg의 소실은 중증의 탈수를 야기한다. 체중은 영아와 어린 아동에게 있어서 총 체액소실량(%)의 가장 중요한 결정요소이다. 그러나 흔히 아프기 직전의 체중을 잘 모른다. 탈수의 다른 증상으로는 의식수준의 변화(안절부절못함에서 기면상태), 자극에 대한 반응, 피부 탄력성과 긴장도 감소, 지연된 모세혈관 충혈(capillary refill), 심박동수 증가, 움푹 들어간 눈과 대천문 함몰 등이 있다. 임상징후는 탈수 정도에 대한 단서를 제공하고 있다. 다양한 예측인자를 사용하는 것은 수분결핍을 사정하는 데 민감도를 높이며, 탈수 정도를 사정하는 데 경험 많은 평가자의 합리적 동의를 이끌어 내고 있다. 탈수의 개관적인 증상은 5% 미만의 수분결핍이 있을 경우에도 나타난다. 빈맥, 저혈압과 함께 쇼크는 세포외액의 심한 소실이 있을 경우 나타나는 공통적인 특징이다. 2초 이상의 모세혈관 충혈 지연, 눈물이 안 나옴, 건조한 점막, 전반적으로 아파 보이는 외모 중에서 2가지 증상은 적어도 5%의 소실에 대한 예측인자이다. 일반적으로 3가지 이상의 증상은 6~9%의 수분소실을 의미하며, 4가지 이상의 증상이 있는 경우 10%이상의 수분소실을 나타낸다. 쇼크, 빈맥 및 매우 낮은 혈압은 세포외액량의 심각한 고갈을 나타내는 흔한 증상이다.

2) 치료적 관리와 간호

임상 증상은 갈증이 나고 피부, 입술, 혀가 건조하고 타액이 더 끈적끈적해지며, 피부의 긴장도가 좋지 않으며, 대천문은 함몰되어 있고 체중 및 요량이 감소되며, 무감동 상태(apathy)나 불안 및 경련이 일어날 수 있다. 검사 소견은 요량이 감소되고 요비중이 높다. BUN이 상승할 수 있으며 Hct, 적혈구수, 혈장 단백의 상승으로 혈액 농축이 있다.

급성기 탈수의 경우, 이미 소실한 수분과 염분을 보충하며 1일 유지량을 공급하는 것을 목적으로 한다. 여기에는 24~48시간이 필요하며, 탈수가 중등도나 중증일 경우에는 정맥내 주사로 공급하도록 한다. 경미한 탈수 및 경미한 전해질 장애에는 구강 점막이 건조하고 요량이 감소한다. 탈수를 일으킨 원인에 따라서는 아동이 정상으로 보일 수도 있다. 구토가 없는 경우에는 수분, 전해질(나트륨, 칼륨, 중탄산염), 탄수화물(포도당) 등을 경구로 투여하면 된다.

중등도 또는 중증의 탈수가 있을 때 초기 정맥내 수액요법은 우선 등장성 5% 포도당 전해질 용액으로 교정을 시작한다.

처음 45~60분 동안은 순환 혈액량을 회복시키기 위해

15~20mL/kg을 빠른 속도로 주입한다. 1일 총 수분 요구량 중 25%를 3시간 동안 공급한다. 계산된 나머지는 24시간에 걸쳐서 주게 된다. 임상 증상이 호전되고 소변 배출로 신기능이 정상이면, 칼륨을 수액에 첨가하도록 한다. 만약 고장성 탈수의 경우에는 1일 총 요구량을 24시간에 걸쳐 고르게 투여하며, 전해질 균형을 회복하는데 더 오래 시간을 요한다. 즉 전해질 균형을 위해 좀 더 서서히 교정함으로써 수분중독(water intoxication)을 예방하도록 한다.

간호 관찰과 중재는 탈수 발견과 치료관리에 필수적이다. 영아는 아주 다양한 상황에서 체액소실이 일어나며, 아주 짧은 시간 내 변화가 일어날 수 있다. 간호사의 중요한 책임은 탈수의 증상을 관찰하는 것이다. 간호사는 전반적인 외모를 관찰하면서 더 구체적인 증상을 살펴보아야 한다. 빠르게 탈수를 유발하는 상황은 설사, 구토, 발한, 열, 당뇨병, 신장질환과 심장기형 등과 같은 질병, 특정 약물의 투여(예를 들어 이뇨제와 스테로이드), 그리고 손상(대수술, 화상 및 광범위한 외상) 등이다. 수분섭취량(intake)과 배설량(output)의 정확한 측정은 탈수를 사정하는 데 필수적이다. 이러한 요소에는 구강 및 비경구 섭취와 소변, 대변, 구토, 누관, 비위관 흡인, 땀 및 상처 배액 등에 의한 손실이 포함된다.

확인문제

9. 탈수는 수분 섭취량과 배설량의 비율이 어떠할 때 일어나는가?

IV 위장관염

01 / 급성 위장관염

급성 위장관염(acute gastroenteritis, AGE)은 점막 내에 주로 중성 백혈구가 침윤하고 형질세포 및 림프구의 수가 약간 증가할 수 있다. 부종, 출혈, 미란을 흔히 동반한다. 이러한 변화는 대개 일시적인 소견이고, 만성 위장관염의

초기인지는 확실치 않다. 급성 위장관염은 원인에 따라 급성 내인성 위장관염과 급성 외인성 위장관염으로 나뉘는데, 외인성 위장관염은 발생에 영향을 주는 요인에 따라서 좀 더 세부적으로 분류하면 식이성 위장관염, 약제성 위장관염, 중독성 위장관염, 부식성 위장관염으로 나눈다.

급성 위장관염은 위와 소장에 오는 급성 염증으로서, 급성 설사병으로 불리우기도 한다. 설사를 일으키는 창자플루(intestinal flu), 여행으로 인한 설사(traveler's diarrhea), 바이러스성 장염, 식중독(food poisoning) 등이 여기에 해당된다. 어느 연령층에서나 발생할 수 있으며, 특히 저개발국에서는 중요한 사망원인이 되기도 한다. 급성 위장염은 어린 아동에게 가장 흔히 오는 위장관계 질환으로, 어린 아동의 경우 흔한 사망 원인이기도 한다. 심한 탈수와 전해질 불균형이 주된 합병증이다. 흔히 위장관염은 오심과 구토(nausea & vomiting)가 주된 증상으로 나타나며, 발열과 복통이 동반되는 경우가 많다. 여러 가지 다양한 원인균에 의해 발병되며, 과도한 수분 손실로 인한 탈수의 위험에 빠질 수 있다.

1) 원인

급성 위장관염을 일으키는 원인으로는 이질아메바(Entamoeba histolytica), 박테리아, 항생제로 인한 반응, 효소결핍, 식품알러지, 독물 섭취(ingestion of toxins), 기생충, 바이러스를 꼽는다. 이 중에서 가장 흔한 것은 로타바이러스에 의한 위장관염으로 영아기 설사의 가장 중요한 원인이 된다. 입원한 설사 아동의 약 40~50%를 차지하고 있다. 우리나라에서도 매년 늦겨울부터 봄철 사이에 이 바이러스에 의한 위장염으로 전국적으로 설사가 유행한다. 주로 6개월~2세 사이의 영유아에게 잘 발생하며 경구를 통해 감염된다. 로타바이러스 외에도 노워크바이러스(norwalk virus), 아데노바이러스(adenovirus)도 바이러스성 위장관염을 일으키는 주요 원인이다. 노워크바이러스는 나이든 아동에게 주로 감염을 일으키는 유행성 위장관염의 가장 흔한 병원체이다. 세균에 의한 위장관염은 주로 이질, 살모넬라, 대장균 등이 주를 이룬다. 일반적으로 염증성 설사는 이질, 살모넬라, 대장균(enteroinvasive E. coli, enterohemorrhagic E. coli)등에 의해서 유발되며, 비염증성 설사는 대장균

(enteropathogenic E. coli, enterotoxigenic E. coli), 콜레라균 (vibrio cholerae) 등에 의해 유발된다.

2) 병태기전

여러 가지 다양한 유발 원인에 대해 장관이 반응하여 장액(luminal fluid)이 흡수할 수 없을 정도로 증가한다. 이로 인해 복통(abdominal pain), 구토, 심한 설사가 나타나며, 이차적으로 세포내액의 고갈을 초래한다. 따라서 탈수와 전해질 손실이 발생한다.

3) 급성 위장관염의 유형

(1) 급성 외인성 위장관염

① 식이성 위장관염

단순성 위장관염이라고도 하며 아이스크림과 같은 빙과류나 찬 음식, 뜨거운 음식, 짜거나 매운 향신료(고추, 후추 등)를 많이 먹거나 커피, 알코올 등을 많이 마시면 발병한다. 이들 발생 요인 중에서도 알코올에 의한 위장관염이 가장 주의를 요하는데, 한 번에 쭉 마시는 위스키나 소주 등의 강한 술은 위점막을 파괴시킬 수 있으며, 특히 술이 약한 사람이 무리하게 술을 마시면 종종 급성 위장관염에 걸리게 되는 경우가 있다.

② 약제성 위장관염

약의 부작용에 의해 발생하는데 아스피린, 항생제 및 비스테로이드성 소염제 등이 잘 알려져 있다. 이러한 약제들은 위점막을 보호하는 점막층을 파괴하거나 위산 분비를 증가시켜 위벽을 상하게 하는데, 특히 위점막의 저항성이 약한 사람에게 잘 생긴다.

③ 중독성 위장관염

소위 식중독이라고 일컫는 것으로 이질균, 대장균, 살모넬라균, 콜레라균 및 장염비브리오균 등에 감염되어 발생하는데, 이들 원인균이 직접 위점막과 장의 점막을 침해하여 장염이 동시에 발생하므로, 이를 보통 급성 위장염이라고도 한다.

④ 부식성 위장관염

우연히 또는 의도적으로 강한 산이나 알칼리제를 먹었을 때 발생하는 위장관염으로 위 점막뿐만 아니라 부식제가 통과하는 구강 및 식도 등에도 궤양이나 출혈을 일으키며, 많은 양을 먹으면 목숨을 잃을 수도 있다.

(2) 급성 내인성 위장관염

알레르기성 위장관염 및 화농성 위장관염으로 나눌 수 있는데, 알레르기성 위장관염은 생선이나 돼지고기 등을 먹은 후에 알레르기 반응으로 위장관염이 발생되는 것이며, 화농성 위장관염은 위의 주변에 있는 장기나 다른 부위에서 생긴 세균감염이 혈관을 통하여 전이되어 위점막하층에 화농성 병변이 생기는 것이다.

> **가족지지/ 살모넬라균으로 인한 위장관 감염예방**
>
> 다음과 같이 감염의 전염을 예방하는 방법을 제시한다.
> - 손은 음식물 준비 전에 반드시 닦는다.
> - 닭고기는 공장에서 가공단계에서 감염되기 쉽다. 날 고기를 만질 때에는 반드시 손을 씻는다.
> - 음식물을 준비하는 도마 등은 사용 후 뜨거운 물과 비눗물로 씻은 후에 잘 말린다.
> - 다른 음식물을 먼저 한 후 닭고기는 나중에 요리한다.
> - 계란은 완숙으로 익히며, 적어도 3분간은 삶거나 반숙한다.
> - 애완용 거북이와 놀거나 거북이의 물을 갈은 후에는 반드시 손을 닦는다.

02 / 만성 위장관염

만성 위장관염(chronic gastroenteritis)은 점막고유층 내에 림프구 및 형질세포 침윤이 증가하고, 특수형 위장관염의 소견을 동반하지 않는다. 만성 위장관염의 원인으로는 식이, 조미료, 약물, 알코올, 커피 및 담배 등의 외인성 인자와 함께 스트레스 등이 문제가 된다.

1) 표재성 위장관염

표재성 위장관염은 점막 상부의 고유층에 국한하여 강한 림프구 침윤을 보이고, 위와 상피 및 고유선은 비교적 잘 유지되어 있는 위장관염이다.

2) 위축성 위장관염

위축성 위장관염은 위 점막의 두께가 얇아지고, 위와 상피부와 고유선부 두께 간의 비율이 바뀐다. 위 점막은 일반적으로 위 고유선의 소실과 만성 염증세포의 침윤 소견을 보이지만, 고유선의 위축으로 위 점막은 얇아지고 위와 상피층의 상대적 증식을 동반하고 있다. 위축성 위장관염은 유전적 요인 및 면역기능 이상 등이 문제가 되는데, 우리나라에서는 면역 이상으로 발생하는 위축성 위장관염은 거의 없는 것으로 보인다. 또한 건강한 사람들에 비해 갑상선 기능 저하증 및 항진증, 만성 부신피질 저하증, 뇌하수체 기능 저하증, 당뇨병 등의 내분비 질환 환자들에게 위축성 위장관염이 많이 발생한다. 그 외에 만성 신부전, 요독증, 동맥경화증, 철분결핍성 빈혈 등과도 관련이 있으며, 십이지장액(주로 담즙)이 위속으로 역류하여 영향을 끼칠 수 있다. 또한 위암, 위궤양, 십이지장궤양 때와 위절제술 후에도 발생하게 된다.

03 / 사정

1) 급성 위장관염

위의 점막층은 정상적으로는 위산의 작용으로부터 위벽을 보호한다. 이 점막방어벽은 프로스타글란딘(prostaglandin)으로 구성되어 있다. 만약 이 점막방어벽이 손상을 입게 되면 위장관염이 생기게 된다.

염산이 점막에 접촉하면 작은 혈관들이 손상되어 부종과 출혈이 생기고 결국 궤양을 형성하게 된다. 그러나 급성 위장관염으로 인해서 생긴 손상은 대개는 국소적이다.

2) 만성 위장관염

만성 위장관염 초기의 병태생리적 변화는 급성 위장관염과 같다. 위벽이 두꺼워지고 붉게 충혈된 뒤에 위의 내벽이 얇아지고 위축된다. 계속적으로 위벽이 퇴화되고 위축되어 벽세포가 제 기능을 잃게 되면 위산 분비와 내인자의 원천이 상실되고, 비타민 B_{12}를 흡수할 수 없게 되므로 악성 빈혈을 초래한다.

만성 위장관염은 대개 상처 없이 치유되지만, 출혈이나 궤양으로 진전될 수도 있다. 위축성 변화로 인해 위산 분비 양이 감소하고, 염산 결핍증이 되면 위암 발병의 주된 위험

요인이 된다.

04 / 치료적 관리 및 간호

급성 위장관염에 대한 일반적인 치료는 메스꺼움이나 구토, 설사에 대한 지지적인 치료이며, 치료의 일차적인 목표는 탈수증을 예방하는 것이다. 그러므로 경구적으로나 비경구적으로 수액을 공급하는 것(rehydration)이 가장 기본적인 치료의 하나이다. 위장관염 아동의 일반적인 치료사항을 아래와 같이 정리하였다.

탈수증을 수반하지 않는 경증 설사에서는 물(clear water), 사과쥬스, 희석된 녹차 등 음료수를 많이 마시게 한다. 토하는 경우는 많은 양의 경구 투여를 금하고, 소량씩 자주 마시게 한다. 물을 마시게 할 때 설탕 넣은 물을 주거나, 5% 포도당액을 마시게 할 수도 있다. 경구용 전해질 용액을 24시간 이상 투여할 수도 있다. 우유를 끓여서 먹이면 고나트륨혈증(hyernatremia)을 초래할 수 있으므로 금해야 한다. 음식을 다량으로 먹이는 것은 위장을 자극하고 상태를 악화시키므로 피해야 한다. 물(clear water)만 48시간 이상 먹이는 것은 피하고, 아동의 연령에 따라 미음, 바나나 플레이크, 곡류 시리얼, 크래커, 토스트 등을 함께 준다. 처방에 따라 진토제(antiemetics)나 지사제(antidiarrheal therapy)를 투여할 수 있으며, 정맥을 통해 처방된 수액을 공급한다. 차살리실산비스무스(bismuth subsalicylate), 에리트로마이신(erythromycin), 반코마이신(vancomycin), 퀴나크린(quinacrine) 등 원인균에 적합하게 처방된 약을 투여한다. 급성 위장염 아동에게 흔히 내리는 간호진단은 "격렬한 장운동과 관련된 급성 통증", "장운동 항진과 관련된 설사", "과다한 손실과 관련된 체액결핍/체액결핍 위험성" 등이다. 위장관염을 예방하기 위한 가장 좋은 방법은 손씻기를 잘 하는 것이다. 대변 후나 기저귀를 교환한 후, 음식준비 전, 식사 전에 반드시 손을 씻도록 한다.

1) 급성 위장관염

(1) 식이성 위장관염

식이성 위장관염의 치료는 식이요법이 가장 중요하다.

식이성 위염은 식사를 한 후 몇 시간 뒤에 윗배가 몹시 아프며 메스꺼움을 느끼거나 토하고 설사가 나타난다. 일반적으로 치유경과는 빠른 편인데, 보통 2~3일이면 치료가 된다. 우선 하루 정도 절식을 하고 물이나 엽차, 보리차 또는 숭늉을 마시면, 심하지 않은 위장관염일 때는 증상이 사라진다.

증상이 경감되면 죽이나 빵을 조금씩 먹는데, 이때 알코올 음료나 카레 같은 자극성 음식물의 섭취를 절대 피해야 한다.

통증이 심하고 구토나 토혈의 증상이 2일 이상 지속되면 의사의 진찰을 받아야 하며, 1주일 이상 증상이 계속되면 급성 위장염 외의 다른 질환을 의심해야 한다. 특히 맹장염이라고 일컫는 급성 충수염은 처음 증상이 급성 위장관염과 비슷하기 때문에 진단 시 곤란을 겪을 수도 있다.

식이요법으로 치료가 되지 않고 증상이 심할 때는 약물치료를 필요로 하는데 통증에는 진경제의 주사가 효과가 있다. 또한 구토나 설사가 지속되면 체내의 수분이 빠져나가며 염분과 기타 필요한 전해질이 소실되어 탈수 현상이 생길 수 있으므로, 이를 막기 위해 충분한 수분을 섭취해야 한다. 특히 나이가 많은 사람이나 아동이 2~3일 동안 설사를 계속할 경우, 충분한 수분섭취가 되도록 해야 한다.

확인문제

10. 급성 위장관염 중 식이성 위장관염 초기에, 증상을 완화할 수 있는 간호중재는 무엇인가?

(2) 약제성 위장관염

식이성 위장관염과 마찬가지로 약물을 내복한 직후에 위나 가슴이 아프고 위를 누르는 것 같은 느낌을 갖게 된다. 이때에는 약제의 복용을 중지하고 자극이 심하지 않은 부드러운 식사를 해야 한다. 때로는 격렬한 통증이나 토혈을 보일 수 있는데, 이때에는 위에 여러 개의 표재성 궤양이 합병하는 경우가 많기 때문에 조속히 의사의 진찰을 받도록 해야 한다.

(3) 중독성 위장관염

식사한 직후 또는 수 시간 이내에 급격한 복통이나 구토

및 설사가 나타나고, 심할 때는 쇼크 상태에 빠져 의식을 잃기도 한다. 유해한 물질이 들어 있는 음식을 섭취하였을 때는 가능하면 모두 토하도록 하고 입속까지 깨끗이 씻도록 한 후 의사의 진찰을 받는 것이 바람직하며, 조기에 위를 세척하는 것이 좋다. 부식성 위장관염은 산이나 알칼리 같은 부식성 물질을 마시거나 먹은 직후, 입과 목구멍이 타는 듯한 심한 통증을 느끼게 된다. 치료를 위해서는 조기에 위 세척을 하고, 식도협착이나 위유문부 협착이 생겨 음식물이 넘어가지 않을 때는 수술을 받아야 한다.

(4) 알레르기성 위장관염

위에 급격한 통증, 구토, 토혈 등의 증상이 나타날 수 있는데, 위 점막에 피부에서 볼 수 있는 발진이 나타나며 미란이나 궤양성 병변을 동반할 수 있다. 치료를 위해서는 식이성 위장관염과 같은 방법을 써야 하며, 예방이 가장 중요하므로 알레르기성 체질인 사람은 계란이나 푸른색을 띠는 생선 등 원인이 되는 음식을 가급적 먹지 않는 것이 좋으며, 또한 발진을 일으켰던 음식의 섭취는 피해야 한다.

(5) 화농성 위장관염

높은 열과 심한 복통이 나타나는데, 이는 응급치료를 요하는 질환이므로 빨리 병원으로 가서 수술을 받아야 한다.

2) 만성 위장관염

(1) 표재성 위장관염

표재성 위장관염은 상복부에 통증이 올 수 있는데, 식사 직후에 나타날 수 있다. 또한 상복부가 무겁게 눌리는 듯한 기분을 느낄 수 있으며, 메스껍고 가슴이 답답하여 소화성 궤양과 비슷한 증상을 보일 수 있다. 치료는 발생 원인이 확실히 알려져 있지 않았으므로 실제적인 원인요법은 없고 증상에 대한 치료만이 시행되고 있는 형편이다. 약물요법을 쓸 경우 소화성 궤양에 준하여 제산제, 항펩신제, 진경제, 진정제 등을 사용할 수 있다.

(2) 위축성 위장관염

위축성 위장관염은 명확하게 나타나는 증상은 없으나,

간호사례 / 급성 위장관염 환아

사   정 : 12세 여아 이가은은 1일 전 복통(abdominal pain), 구토(vomiting) 1회, 열(fever)이 있어 동네 소아과 진료를 받고 경구약을 처방
받아 복용 하던 중, 금일 지속적인 복통, 설사(diarrhea) 6회, 열감이 있어 본원 외래 진료 후 병동으로 입원하였다. 아동은 특별
한 의학적 병력은 없으며, 활력징후 측정 결과 체온은 37.2℃, 맥박은 84회/분, 호흡은 20회/분, 혈압은 100/60mmHg이었으며,
키는 155 cm, 몸무게는 42 kg이다. 어머니는 "아이가 계속 배가 너무 아프다고 하네요. 설사 하고 기운도 없을텐데 배가 아프다
고 밥도 거의 먹지 않았어요"라고 하였다. 환아가 복통을 호소할 때 통증척도 NRS(numerical rating scale)는 4점이었다.

간호진단 : 병리학적 과정과 관련된 급성 통증 (또는 위장관염과 관련된 급성 통증)

간호목표 : 아동은 1시간 내에 통증척도 NRS(numerical rating scale)가 3점 이하로 감소한다.

평   가 : 아동은 통증을 조절한다.

계획 및 중재

1. 아동의 나이, 인지발달, 자가보고 능력에 맞는 통증척도를 사용하여 통증을 사정한다.
2. 통증을 나타내는 비언어적 신호를 사정한다.
3. 처방된 약물(진통제, 진경제, 지사제, 정장제 등)을 설명 후 투여한다.
4. 투약 후 통증이 완화되었는지 확인한다.
5. 편안한 체위를 취해준다.

간호진단 : 설사와 관련된 체액 부족 위험성

간호목표 : 아동은 3~4시간 내에 적절한 수분균형상태를 유지한다.

평   가 : 아동은 전해질 불균형 없이 적절히 수화되어 촉촉한 점막, 양호한 피부긴장도, 몸무게에 맞는 소변량(1ml/kg/hr 이상), 정상 요
비중(1.003~1.030), 정상 체중을 유지(회복)하며, 설사, 혈변, 점액변이 아닌 부드러운 고형 대변을 배설한다.

계획 및 중재

1. 수화상태를 점막, 피부긴장도, 소변량, 요비중, 체중 변화(감소) 등으로 파악한다.
2. 경구 수액요법을 실시한다.
3. 정맥 수액요법으로 수분과 전해질을 공급한다.
4. 섭취량과 배설량을 측정한다.
5. 탄산음료, 과일주스, 젤리, 인스턴트 혼합 과일음료, 지방이 많은 음식, 유제품을 먹지 않도록 한다. 감자, 쌀, 빵, 시리얼, 요거트, 과
일, 야채 같은 복합당질로 된 음식을 줄 수 있다.
6. 필요시 처방에 따라 지사제, 프로바이오틱스를 투여한다.
7. 혈색소(hemoglobin), 적혈구용적률(hematocrit), 혈액요소질소(BUN), 크레아티닌(creatinine), 혈청 전해질 등 혈액검사 결과를 확인
한다.

소화불량증상이 있을 수 있다. 기름기나 조미료(자극적인 음식)를 많이 넣은 식사를 하고 난 후에 소화가 잘되지 않는 느낌을 갖는 경우가 많다. 특히 과식한 직후 상복부에 불쾌감이나 복통을 느끼며 식사 후에 바로 배가 불러지고 압박감을 동반할 수 있으며, 많은 환자에서 체중 감소를 볼 수 있다. 또한 입맛이 떨어지고 메스꺼움과 구토, 전신 권태감, 설사 등이 나타날 수 있으며 빈혈이 합병되는 경우에는 혀의 위축성 변화가 오며, 이상감각을 가서올 수 있다. 만성 위장관염의 치료는 발생원인이 확실히 알려져 있지 않고, 진행성 병변이어서 실제적인 원인요법은 없고 증상에 대한 치료만이 시행되고 있다. 따라서 원인이라고 추측되는 알코올이나 카페인 등이 들어있는 음료, 향신료, 차거나 뜨거운 음식 또는 음료 등과 아스피린, 항생제 등의 약물 섭취나 사용을 피해야 한다. 식사는 위의 부담을 경감시키고, 소화 기능을 정상화하는데 도움이 되며 영양분이 충분히 들어 있는 음식으로 한다. 약물에는 점막보호제나 소화관 운동 기능 조정제가 사용되며 때에 따라서는 정신신경안정제가 병용될 수 있다. 아무런 자각 증상이 없는 경우에는 약물요법이 필요하지 않으나, 빈혈이 있을 때는 철분제나 비타민제의 보충이 필요하다.

변비와 유분증

01 / 변비

변비(constipation)란 딱딱해진 대변 배출 시의 어려움을 말하며, 어떤 연령의 아동이라도 발생 가능하다. 변비는 대변 배출 시 통증이 있고 항문열상이 생기므로 아동에게 어려움을 준다.

통증 때문에 배변 보는 것을 꺼려하게 되고, 직장은 점점 부어오르며, 대변 횟수가 줄어든다. 또한 대변이 통과할 때 항문의 통증을 느낀다. 이러한 악순환은 아동이 심하게 변비를 호소할 때까지 지속된다.

변비는 위장관의 구조적 이상의 이차적 문제로 올 수 있다. 장의 구조적 이상-협착, 항문변위, 선천성 거대결장-

역시 변비를 동반한다. 변비와 관련된 전신 이상은 부갑상선기능항진증이나 비타민 D 과다증, 만성 납중독으로 인한 갑상선 기능저하증, 고칼슘혈증 등이 있다. 변비는 약물들, 즉 제산제, 이뇨제, 페니토인(Dilantin), 항히스타민, 아편, 철보충제 등의 부작용으로 발생할 수 있다. 척수손상은 직장근육의 감각 상실을 동반한다. 이런 아동들은 만성 분변매복(대변막힘)과 변실금이 유발되기도 한다. 대부분의 아동은 명확히 확인힐 수 있는 기관별 원인을 알 수 없기 때문에 특발성이거나 기능성 변비들을 가지고 있다. 기능성 변비에서는 유분증(encopresis)이 흔한데, 유분증은 만 4세 이상의 아동이 특별한 기질적 병변없이 대변을 잘 가리지 못하여 옷에 싸거나 적절치 않은 곳에 반복적으로 대변을 보는 것이다. 만성변비는 환경적, 심리사회적 혹은 두 요인 모두 관련이 있다. 만성질병, 과도한 배변훈련, 성격과 정서적 요인도 변비의 원인적 요인으로 작용한다. 배변 시 고통스러운 경험은 변을 참는 행동을 유도한다. 배변훈련 시기동안 아동은 놀이를 방해받고 싶지 않거나 지나치게 열심히 배변훈련에 적응하느라 배변을 참게 된다.

1) 사정

변비의 상태와 과정에 관하여 부모들은 확신이 필요하다. 어떤 아동은 매 3일마다 대변을 보는 경우가 있다. 변이 딱딱하지 않으므로 변을 배출시키는데 문제가 없으면 변비가 아니다. 변비를 야기하는 환경을 확인한다(저 섬유성 음식, 화장실의 개인 공간 문제, 가족 간의 스트레스). 변비가 있는 아동은 조심스럽게 항문에 상처가 있는지 확인한다. 변비는 장의 무신경절 질환과 다르다. 변비에서 직장 검사 시 직장근 안의 굳은 변이 발견된다. 무신경절 질환에서는 변이 발견되지 않는다.

신생아는 출생 후 24~36시간 내에 처음 태변을 배설하게 된다. 그러므로 제시간 내에 태변이 배설되지 않을 경우에는 장폐색, 장협착, 선천성 거대결장, 갑상선기능저하증, 태변전색(태변마개), 태변성 장폐색 등에 대한 가능성을 사정해야 한다. 태변전색(meconium plugs)은 수분이 결여된 태변성분이며 이는 손가락 검사에 따라 보통 판별되고 고장액이나 조영제 세척을 필요로 한다. 태변성 장 폐색증은 낭포성 섬유증식증의 초기 증상이며, 비정상적 태변에 의해 원위부 소장이 폐색된다. 치료는 태변 전색과 같다. 영아기 변비는 식이와 관련하여 자주 발생한다. 이런 경우는 구조적인 원인과는 구별하여 접근하여야 하며 광범위한 간호력 조사가 선행해야 한다. 변비는 모유 수유아에게서는 적으며 가끔 모유 수유아가 변비를 유발하는 경우는 잔여물이 적은 모유의 소화력으로 인한 정상 현상이다. 모유에서 인공영양을 시작하려는 영아의 경우에서 가끔 발생한다. 이런 경우에는 곡류, 야채, 과일 등의 섭취를 늘리면 교정할 수 있다. 일부 단단한 변을 보는 인공영양아는 항문열상으로 발전하기도 하는데 이때 배변 참기 행동은 배변 시 통증에 대한 반응이다. 아동 초기 변비는 정상발달의 과정과 환경 변화로 발생한다. 장 운동의 불편감을 경험한 아동은 의도적으로 배변을 참는다. 시간이 지날수록 직장은 배변을 축적하기 위해 적응하고 대변 배출은 위협받게 된다. 축적되었던 장 내용물이 극도로 쌓이면 마침내 심한 통증과 함께 비워지므로 아동은 배변을 참으려는 욕구가 점점 강해진다. 학령기 아동의 변비는 만성적인 문제일 수도 있고 처음 발생하는 경우일 수도 있다. 이 시기에 처음 변비가 생기는 원인은 환경적 변화, 스트레스, 배변 습관의 변화 등이다. 변비의 흔한 원인은 학교 화장실의 사적 공간 확보 부족으로 인한 공포, 바쁜 등교시간 등이다.

2) 치료적 관리

만성적 변비 치료는 변을 부드럽게 하는 것과 관계 있으며, 통증 없이 배설되도록 돕는다. 아동에게 배변을 하기위해 규칙적인 배변 습관을 형성하는 것을 도와주어야 한다.

변비의 치료는 원인과 기간에 따라 다양하다. 적절한 치료를 위해 간호력과 신체검진은 반드시 선행해야 한다. 태변 전색은 손가락 검사로 보통 비워질 수 있다. 또한 생리식염수나 가스트로그라핀(Gastrografin), 하이페이크(Hypaque) 등의 고장액 세척이 폐색증을 완화하는데 도움이 될 수 있다. 올바른 장 습관에 대한 부모교육은 영아를 위한 관리에 포함된다. 단기적인 변비는 치료가 필요하지 않는다. 간단한 변비 관리는 더 심한 변비를 예방하기 위해 식이 관리와 빈 직장을 유지하는 것을 계획한다. 만성 변비 관리는 조직적인 접근이 필요하다. 만성 변비의 관리는 대변 배출을 유도함으로써 늘어난 직장을 정상 크기로 축소하는 것이다. 장세척, 대변 정체 예방을 위한 요법, 식이 조절, 장 습관 훈련, 그리고 행동수정 등의 중재프로그램을 혼합하여 이용할 수 있다. 만성변비를 치료하기 위한 가장 효율적인 방법에 대한 합의는 없다. 그러나 가장 중요한 것은 단단한 변을 제거하는 것이다. 좌약, 관장, 구강으로 polyethylene glycol-electrolyte solution(GoLYTELY) 등이 처방된다. 극심한 분변매복은 미네랄 오일 등과 혼합하여 사용하기도 한다. 좌약은 심한 분변매복에는 효과적이지 않다. 가끔 외과적 수술이 필요하기도 하다.

간호진단 및 목표

간호진단 : 항문열상 통증과 관련된 변비
간호목표 : 2주에 걸쳐 일반적인 배변을 한다.
예상되는 결과 : 매일 통증 없이 부드럽게 장운동을 한다.

굳은 변을 제거하기 위한 관장처치를 처방에 따라 한다. 이후 도큐세이트나트륨(docusate sodium) 같은 변완화제 처방으로 부드러운 변이 형성되도록 한다. 섬유질이 많은 유동 음식을 섭취하고, 매일 같은 시간에 배변을 하는 습관을 기르도록 한다.

단단한 변을 보거나 항문열상이 있는 경우는 맥아엑스, 락툴로스 등의 변연화제가 사용될 수 있다. 직장을 자극하기 위해 직장체온계나 면봉 등으로 항문을 자극하는 방법은 항문 열상 등을 유발하고 통증을 증가시켜 배변참기 행동을 유발할 수 있으므로 권장하지 않는다.

02 / 유분증

유분증(encopresis)은 대변실금이라고도 하며 만 4세가 지난 아동이 특별한 기질적 병변없이 대변을 가리지 못하는 경우를 말한다. 유분증은 보통 남아에게서 많이 발생하며, 밤보다는 낮에 주로 그 증상이 나타나기 때문에 사회 적응에 유뇨증보다 더 심각한 문제를 야기할 수 있다. 기질적 질병이 원인이 되는 경우는 극히 드물고 일반적으로 심리적인 원인에서 비롯된다. 부모가 맞벌이를 해서 주로 놀이방에서 지내거나, 부모와 떨어져서 조부모나 친척이 키우는 경우, 동생이 생겼거나 학교를 처음 다니기 시작했을 때, 대소변 가리기 훈련을 무리하게 받았을 때 주로 발생한다.

간호사례 / 변비 아동

사   정 : 7세 남아 김정훈은 9일 동안 대변을 보지 않아 소아과를 방문하였다. 보호자는 "올해 초등학교 입학을 했어요. 아이가 학교 화장실에서 대변 보는 것이 어렵다고, 대변이 마려우면 참았다가 집에 와서 보곤 했는데, 오늘은 9일째 대변을 안 봐서 왔어요. 배가 좀 나온 것 같기도 하고 물어보면 불편하다고는 해요."라고 하였다.

간호진단 : 환경적 변화, 심리사회적 요인(공용 화장실 사용, 스트레스 등)과 관련된 변비

간호목표 : 복부 팽만, 불편감이 줄어든다.

평   가 : 1~3일에 1회 이상 불편감 없이 배변을 한다.

계획 및 중재

1. 배변의 횟수, 양, 빈도, 농도 등의 배변 양상을 사정한다. 정상 배변 양상은 개인 차이가 있을 수 있음을 설명한다. 아동이나 가속에게 배변습관 일지를 쓰도록 교육한다.
2. 복부를 사정한다.
3. 수분을 포함한 음식 섭취 양상을 사정한다.
4. 복부 마사지를 하도록 교육하고 시행해보도록 한다.
5. 수분섭취, 고섬유식이를 권장한다. 섬유질이 많은 음식(빵, 곡물, 채소, 과일 등)을 매일 섭취하도록 권장한다. 섬유질이 많은 음식은 통밀빵, 콘플레이크, 오트밀, 쌀겨, 과일이나 겨를 섞어 만든 머핀, 현미 등의 곡물, 브로콜리, 양배추류, 당근, 샐러리, 상추, 아스파라거스, 콩, 옥수수, 감자, 시금치, 고구마, 호박 등의 채소, 사과, 귤, 배, 건포도 등의 과일, 기타 각종 견과류, 씨앗류이다.
6. 변의가 있을 때 바로 반응하도록 교육한다.
7. 편안한 배변 환경을 제공한다.
8. 매일 일정한 시간에 배변하도록 한다. 아동이 가장 편안한 시간에 변기에 앉아 있도록 하는데, 가능하면 아침 식후 1시간 이내로 한다.
9. 필요시 처방에 따라 변완화제를 투여하거나 관장을 시행한다.
10. 활동량을 증가시킨다.
11. 가족이 변비의 원인을 이해하도록 하고 정서적 지지를 하도록 교육한다.

유분증이 의심될 때 확인해야 할 신체적인 질환들은 만성 변비, 갑상샘 질환, 고칼슘혈증, 항문 파열, 직장 협착증, 선천거대결장(congenital megacolon) 등이 있으며, 정밀검사를 통해 이러한 신체적 질환이 없다는 것이 밝혀져야 유분증 진단이 가능하다. 유분증 치료는 정확한 검진을 통해 장에 이상이 없는지 확인해야 하며 원인이 심리적인 것이라면 유뇨증과 같이 행동요법과 정서적 장애의 원인을 파악하여 환경적인 변화 등 근본적인 대책을 마련해야 한다.

유분증 아동을 위한 부모교육 내용은 다음과 같다.

• 바지에 대변을 보았을 경우 야단치거나 벌을 주지 않도록 한다.
• 아동의 인지능력에 맞게 서서히 여유를 가지고 대변 가리기 훈련을 다시 시작하고, 변은 변기에 보아야 하고 바지에 변을 보면 안된다는 것을 부드럽지만 단호하게 말해주는 것이 중요하다.
• 아동이 대변을 잘 가릴 때는 맛있는 음식을 주거나 재미있는 놀이를 좀더 허용해 주거나, 예쁜 스티커를 달력에 붙여주고 이 스티커가 일정 개수 모일 때마다 아동에게 작은 상을 주는 긍정적인 강화를 해주도록 한다.
• 대변감을 느낄 때는 자신이 원하는 시간에 변기에 앉을 수 있는 환경을 마련해주도록 한다.
• 옷에 변을 보았을 때 바로 옷을 갈아입도록 해준다.
• 자신이 좋아하는 옷을 입히는 것도 유분증을 예방하기 위한 좋은 방법이다. 대부분 아동은 자신이 좋아하는 옷을 더럽히고 싶어하지 않기 때문에 아동이 좋아

하는 옷을 입히면 아동이 스스로 변을 가리는 데 도움이 될 수 있다.
• 유분증이 장기간 지속될 경우 아동의 성격형성과 사회성 발달에 지장을 초래할 수 있으므로 모든 가족의 세심한 관심과 노력이 필요하다.

확인문제

11. 변비 증상을 완화하기 위한 치료와 간호 중재는?

Ⅵ 장중첩증(창자겹침증)

장중첩증(창자겹침증, intussusception)은 장이 다른 곳으로 함입된 증상을 말한다[그림 13-7]. 이는 보통 출생 후 첫 해의 중반기에 나타난다. 1년이 안 된 영아는 장중첩이 보통 특발성으로 발생한다.

1년이 지난 영아는 장이 보통 함입된다. 이는 메켈게실(Meckel's diverticulum), 폴립(polyp), 파이어판의 비후(hypertrophy of peyer's patches) 또는 장의 종양(bowel tumor) 등이 원인이 된다.

함입점은 보통 회장맹장 부위이며, 상부소장과 하부소장 사이에 발생하는 경우는 수술을 요하는 응급상태이다. 함입의 치료방법은 정복술 혹은 외과수술이다.

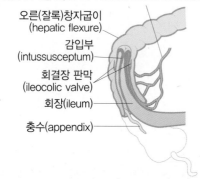

중간층 혈관 끌어당김(blood vessels drawn in between layers)

오른(잘록)창자굽이 (hepatic flexure)
감입부 (intussusceptum)
회결장 판막 (ileocolic valve)
회장(ileum)
충수(appendix)

(A)

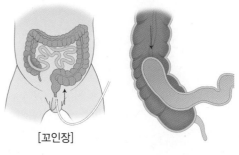

▶ 항문으로 tube를 삽입

[꼬인장]

(B)

그림 13-7 장중첩증과 장중첩증 치료적 관리
(A) 주로 회장맹장사이에 일어남   (B) 장중첩증의 치료적 관리

01 / 원인

일반적으로 장중첩증의 원인은 밝혀지지 않았으며, 대부분의 경우(약 95%) 정확한 원인이 분명하지 않다. 나머지 5%의 아동에서 메켈 게실, 용종(polyp), 종양, 장중복(duplication)등과 같은 기계적인 요인이 발견된다. 특발성으로 장의 임파조직 비대로 초래될 수 있으며, 초여름과 초겨울에 아데노바이러스 감염의 후유증으로 나타나기도 한다. 특수한 경우는 복강 내에 다른 수술을 한 후에 합병증으로 생기는 장중첩증이 있다. 이때는 주로 상부 소장과 하부 소장 사이에 일어나며, 수술만이 유일한 치료방법이다. 장중첩증은 생후 6개월 정도 된 건강하고 영양상태가 좋은 남아에서 흔히 발생한다. 어느 연령에서나 발생할 수 있지만 3개월 전에는 드물고 3세 이후에는 빈도가 감소된다.

02 / 사정

이 진단을 받은 아동은 갑자기 다리를 올리고 고통스럽게 울며 구토를 동반할 수도 있다. 불쾌함을 야기하는 연동운동 후에 증상은 없어지면서 회복된다. 약 15분 후에 같은 현상이 다시 발생된다. 구토 시 담즙을 포함한다. 약 12시간 후 아동은 변에 피가 섞여 나오고 젤리 같은 형태를 띤다. 함입팽창된 장은 더욱 팽창한다. 만약 괴사가 생기면 아동은 보통 열이 올라가며 백혈구 증가와 빠른 맥박을 나타낸다.

상태가 나빠지면서 영아는 무기력해지고 점차 약해진다. 활력징후에서 쇼크와 같은 상태가 나타나고 담즙 섞인 구토와 복부팽만이 뚜렷해진다. 초기에는 정상변을 보다가 대변이 없어지며 아동의 50% 정도에서 점액성 혈변 같은 특징적인 변(jelly stool)을 보게 되는데, 이는 장 자극의 결과 대변에 혈액과 점액이 섞이기 때문이다. 대개 증상이 나타난 후 12시간 내에 혈변을 본다. 시간이 경과함에 따라 복부 팽만과 압통이 심해지고, 괴사(necrosis)로 장이 파열(perforation)되고, 복막염이 초래되어 심한 탈수증과 패혈증, 쇼크 등으로 진행된다. 약 2/3의 아동에서 이러한 특징적 증상이 나타나고, 나머지 아동에서는 간헐적으로 보채는 듯한 비특이적 증상이 나타난다.

증상의 변화에 의해 진단한다. 항상 부모는 우는 아동을 관찰하고 함입의 경과에 대한 충분한 질문을 해야 함을 주의한다.

- 동통의 기간은 어느 정도인가(울지 않는 사이의 시간이 점점 짧아진다)?
- 강도는 어떠한가(심각함)?
- 빈도는 어떠한가(약 15분에서 20분정도)?
- 관찰결과는(다리를 들고 운다)?
- 아동의 아픈 다른 증상은(구토, 음식거부, 복부가 꽉 찬 느낌)?
- 초음파(sonogram)에 의해 함입의 형상을 확인한다.

진단은 전형적인 임상증상, 대변 모양, 복부 덩어리 등으로 확진되며, 의심이 가는 경우에는 치료를 겸하여 바륨관장(barium enema)을 한다. 단순 복부 X선 촬영상 맹장부 공기가 안 보이는 소견도 나올 수 있고, 장폐색증의 소견이 나오기도 한다. 확진은 바륨관장(barium enema) 소견을 통해서 가능하다. 직장 검사 상에서는 점액과 혈액이 보이며, 경우에 따라서는 하부 장의 장중첩증이 나타날 수 있다. 바륨관장을 통해 장중첩증을 확진할 수 있을뿐만 아니라 바륨의 압력으로 인해 중첩된 장을 성공적으로 환원시킬 수 있으므로 치료적 목적으로도 실시한다[그림 13-7(B)].

03 / 치료적 관리

대부분의 경우에서 초기 치료로 진단검사 시에 바륨관장(barium enema)에 의해 수압이나 공기압으로 장을 환원시키는 비수술적 방법을 선택한다. 바륨 용액은 장으로 천천히 넣어 중첩이 있는 장의 운동을 자극하고 바륨의 중력에 의해 말려 들어간 장이 원위치로 돌아가게 하는데, 이때 복부를 만져서는 안 된다. 장이 환원되면 소장은 바륨으로 차게 되고 덩어리가 없어진다. 아동의 75~80% 정도가 바륨관장으로 환원된다. 환원이 성공적으로 되었어도 영양공급에 문제가 없고, 대변이 정상적으로 나오며 증상이 없어질 때까지 입원을 권유한다.

장중첩증은 함입된 곳을 편평히 하는 외과수술 또는 물

에 용해된 용액주입 또는 공기주입으로 치료한다. 만약 함입을 야기하는 부분이 없으면 비외과적 치료가 함입을 성공적으로 감소시킨다. 이러한 형태의 감소 후 24시간 내에 많은 아동에서 함입이 재발하기 때문에 24시간 동안 관찰해야 한다.

다시 재발하면 외과수술 또는 용액주입에 의한 증상완화 치료를 시행한다.

간호진단 및 목표

간호진단 : 복부의 연동운동과 관련된 통증
간호목표 : 아동은 구두로 또는 다른 방법으로 고통스러움을 호소할 것이다.
예상되는 결과 : 아동은 장난감이나 주위환경으로부터 편안함을 얻을 수 있다.

장중첩증이 있는 아동은 예리한 통증이 있다. 이는 그 동안 겪었던 증세와 다르기 때문에 이러한 종류의 통증에 당황한다. 한 예로, 아동이 장난감을 가지고 놀다 다쳤을 경우에 부모가 아동의 손가락에 뽀뽀해주면 고통은 없어진다. 이것은 반복적으로 돌아온다. 영아는 이러한 이상한 통증의 공포에서 벗어나기 바라며, 이때 관심을 갖고 돌보아주는 것이 필요하다.

간호진단 및 목표

간호진단 : 장 폐색에 의한 체액 부족 위험성
간호목표 : 영아는 적당한 체액량 균형 상태를 나타낼 것이다.
예상되는 결과 : 영아 피부긴장도는 좋다. 맥박은 90~100회/분. 설사의 양과 대변에 섞여 나오는 혈액의 양은 최소량이 된다. 구토 증상은 감소된다.

영아는 외과 수술이나 비외과적인 치료 전에 금식을 한다. 복부의 통증이 있으므로 인공젖꼭지(pacifier)를 물려줌으로써 편안함을 찾도록 돕는다. 구토가 있으므로 수액요법 치료가 전해질(electrolyte) 균형을 유지하고, 충분한 수분을 공급하기 위해 시행된다. 비외과적 치료가 완료되면, 영아는 몇 시간동안 금식상태를 유지한 후 식사량을 점점 증가시킨다. 수술받은 영아는 비위관(nasogastric tube)을 삽입하고 정맥주사를 시행한다. 비위관은 봉합선(suture line)이 치유될 때까지 유지하고, 연동운동이 돌아오는 것을 기다린다. 장의 소리가 정상이 될 때 구강으로의 식사량을 증가한다.

간호진단 및 목표

간호진단 : 영아의 질환과 관련된 부모 역할장애 위험성
간호목표 : 질병기간 동안 부모는 영아와 가까운 친밀감의 행동을 보인다.
예상되는 결과 : 부모가 안고 영아에게 이야기 한다. 영아에 대한 긍정적인 특징을 표현한다.

수술 후 부모는 관계 발전을 위해 영아를 안고 영아를 편안하게 해준다. 영아를 안을 때 조심하도록 주의를 주고 지도한다. 식사 시 부모가 간호에 참여하도록 한다. 이는 다시 부모로서 역할을 할 수 있다는 확신을 갖게 한다. 부모의 행동 때문에 잘못되지 않는다는 확신을 준다. 아동의 구토증상이 언제 나타나든지, 많은 부모가 영아에게 식사를 주는 방법이 잘못되었다고 걱정한다. 부모는 영아를 안고 있으면서 영아가 괜찮아지는 것을 확인하고 안심할 필요가 있다.

확인문제

12. 장중첩증 환아의 증상은 무엇인가?

※ 소화기능 장애 아동은 가능하면, 식사시간을 가족과 함께 할 필요가 있다. 만약 다른 가족 구성원과 음식을 먹지 못해도 사회적 관계를 위해 함께 한다.

※ 아동은 성인에 비해 구토와 설사로 인해 비율적으로 더욱 많은 체액이 소실된다. 이러한 이유로 그들은 탈수를 피하기 위한 빠른 사정과 중재가 필요하다. 체액과 전해질 불균형은 구토와 설사로 인해 빠르게 변화되는 경향이 있다. 구토는 염기증을 일으키고, 설사는 산증을 유발한다.

※ 많은 아동의 구토는 바이러스성 감염이나 소화기계 질환에 의해 나타난다. 구토는 대사성 염기증으로 심각한 증상으로 발전될 수 있다. 구토는 위장관 장애의 증상으로, 관련된 임상증상으로는 변비, 뱉어내기와 억류, 되새김질 등이 있다.

※ 소화기능 장애는 대부분 어느 정도의 영양상태를 저해한다. 이것은 아동이 신체가 성장함에 따라 매일 성장을 위한 적당한 영양과 체액을 필요로 하기 때문에 더욱 중요한 문제이다.

※ 급성 위장관염은 점막 내에 주로 중성 백혈구가 침윤하고 림프구의 수가 증가할 수 있다. 흔히 부종, 출혈, 미란을 동반한다. 만성 위장관염은 점막층 내에 림프구 및 형질세포 침윤이 증가하고, 특수형 위장관염의 소견을 동반하지 않는다. 특히 외인성 인자와 스트레스가 원인이 된다.

※ 변비는 대변배출 시 어려움으로 위장관의 구조적 이상의 이차적 문제로 올 수 있다.

※ 장중첩증은 장이 다른 곳으로 함입된 증상으로 출생 후 첫 해의 중반기에 나타난다. 보통 함입점은 회장맹장 부위이다. 소장과 소장 사이에 발생하면 응급수술이 요구된다.

1. 성인과 비교 했을 때, 신생아의 위장관계는 미성숙으로 인해 비효율적이다. 신생아의 경우, 위 용적이 20~50mL 정도 밖에 되지 않으므로 잦은 역류가 나타날 수 있다.

2. 세포외액은 성인보다 영아에게서 체중의 더 높은 비율을 차지한다.

3. 영아는 체중에 비해 체표면적이 크므로 불감성 손실이 많다.

4. 구토 시에 과다하게 많은 양의 염산이 소실되므로 대사성 알칼리증이 나타난다.

5. 아동의 구토에 의한 금식기간은 연령에 의해 결정되지만, 보통 3~6시간 정도면 충분하다.

6. 3~12개월 사이의 영아에게 나타나는 희귀한 장애이며, 인지장애아에게서 가장 흔히 관찰된다.

7. 1시간 동안 상승된 복와위는 위장관 역류를 가진 아동을 위한 수유 후 가장 좋은 체위이다.

8. 맥박과 호흡은 약하고 빠르다. 피부는 창백하고 차갑다. 영아는 불안해 보이며 기면 상태이다. 천문 함몰, 움푹 들어간 눈과 푸석한 피부 같은 명백한 수분부족 현상을 보여준다.

9. 탈수는 영아기의 흔한 문제로 총 수분 섭취량에 비해 총 배설량이 많을 때 발생한다.

10. 하루 정도 절식을 하고 물이나 엽차, 보리차 또는 숭늉을 마시면, 심하지 않은 위장관염일 때는 증상이 사라진다.

11. 굳은 변을 제거하기 위한 관장 처치를 한다. 그 후, 도큐세이트나트륨같은 변완화제 처방으로 부드러운 변이 형성되도록 한다. 섬유질이 많은 유동음식을 섭취하고, 매일 같은 시간에 배변을 하는 습관을 기르도록 한다.

12. 갑자기 다리를 올리고 고통스럽게 울며 구토를 동반할 수도 있다. 불쾌함을 야기하는 연동운동 후에 증상은 없어지면서 회복된다. 약 15분 후에 같은 현상이 다시 발생된다. 구토 시 담즙을 포함한다. 약 12시간 후 아동은 변에 피가 섞여 나오고 젤리 같은 형태를 띤다. 만약 괴사가 생기면, 아동은 보통 열이 올라가며 백혈구 증가와 빠른 맥박을 나타낸다.

영양 및 대사 장애 아동의 간호

주요용어

영양 및 대사 기능(nutrition and metabolic function)
영양장애(nutritional disorder)
유당 불내증(lactose intolerance)
식품 과민증(food sensitivity)
우유 알레르기(milk allergy)
비만(obesity)

학습목표

01 아동기 영양 및 대사 기능의 특성을 설명한다.
02 영양 및 대사 기능을 사정한다.
03 영양장애 아동에게 간호과정을 적용한다.
04 식품알레르기(유당 불내증, 식품 과민증, 우유 알레르기)
   간호과정을 적용한다.
05 비만 아동에게 간호과정을 적용한다.

비만 아동에 대한 사회적 관심이 증대되고 있지만 여러 가지 이유로 잘 먹지 못하여 영양부족이나 비타민 결핍에 걸린 아동에 대한 관심도 중요하다. 이러한 아동은 영구적인 손상이 초래되기 전에 발견되어 충분한 영양공급을 받아야 한다. 보통의 아동은 필요한 영양분 섭취에 신경을 거의 쓰지 않기 때문에 영양결핍의 원인이 되는 잘못된 식습관을 가지고 있는지 아동을 사정해야 한다. 또한 장질환이나 특별식이를 먹을 때도 영양결핍이 초래되는지 아동을 항상 잘 관찰해야 한다.

Ⅰ 영양 및 대사 기능의 특성

아동의 위의 용적은 신생아 60ml에서 생후 12개월경 200~300ml로 빠르게 확장된다. 영아의 영양요구량은 100kcal/kg로 성인 30~40kcal/kg보다 높은데, 성인에 비해 대사율이 높기 때문이다. 또한, 영아의 소장은 성인에 비해 상대적으로 길어 많은 체액과 전해질을 장으로 분비하므로, 설사가 발생하면 더 많은 체액과 전해질이 손실될 수 있고, 대장은 성인보다 짧아 수분 흡수량이 적기 때문에 탈수에 취약하다. 그리고 영아 초기에는 아밀라제, 락타아제, 리파아제와 같은 소화 효소가 부족하나 단백질의 경우는 비교적 소화가 흡수가 잘 이루어진다.

Ⅱ 영양 및 대사 기능 사정

아동의 영양상태를 사정하는 것은 아동의 건강상태 평가에 있어서 필수적인 것으로 궁극적으로는 아동의 영양 섭취와 배설의 균형을 확인하는 것이다.

영양상태 사정에는 식이력, 임상증상, 신체계측, 사회인구학적 특성 및 생화학적 검사자료 등이 있다. 식이력을 알아보기 위한 방법으로는 아동이 실제적으로 섭취한 음식의 종류와 양을 기록하는 식이 일지가 있다[표 14-1]. 아동의 영양상태를 확인할 수 있는 신체계측 자료로는 체중과 신장

표 14-1	식이력에 포함될 정보
· 섭취한 음식의 종류와 양
· 평상시 가족과의 식사시간
· 주로 가족과 함께 식사하는지
· 누가 식사 준비를 하는지
· 주로 사용하는 요리 방법
· 외식 횟수
· 아침식사 여부
· 점심식사 장소
· 좋아하는 음식
· 평소 식욕 정도
· 유아인 경우 수유방법
· 비타민 제제 복용여부
· 음식 알레르기 여부
· 최근 체중 변화
· 수유 문제(수유곤란, 연하곤란 등)
· 치아문제
· 기타 교정장치로 인한 수유 곤란, 신체활동 정도, 가족력 등

이 있으며 이 자료를 토대로 연령에 따른 한국 소아의 성장 표준치와 비교하여 아동의 영양상태를 확인한다. 또한 생화학적 검사 자료로는 헤모글로빈, 헤마토크릿, 트렌스페린, 알부민, 크레아티닌, 질소 등이 있다.

Ⅲ 영양 및 대사 장애와 간호

01 / 성장장애

성장장애(failure to thrive)는 아동이 표준성장곡선에서 신장과 체중이 3percentile(3백분위수) 이하인 경우이다. 성장장애 아동을 조기에 사정하여 적절한 간호중재를 제공하지 못하면 인지장애를 초래할 수 있다.

성장장애의 원인으로는 심장질환과 같은 기질적인 경우와 모성역할의 문제와 같은 비기질적 경우가 있다. 또한 어떤 경우에는 신체적 원인과 정서적 원인 2가지 모두 성장장애의 원인이 될 수 있는데, 비기질적 원인이 대부분이다.

비기질적 요인과 2가지 요인의 혼합형은 부모의 아동에 대한 태만의 형태로 나타날 수 있다. 이러한 경우의 부모는 아동에게 정서적 애착을 느끼지 못하고 있으며 가족으로부터 지지가 거의 없거나 아동의 성장을 위한 적절한 음식

이 필요한 시기를 알지 못하여 아이에게 충분한 음식을 주지 않는 경우도 있다. 또한 부모가 충분한 음식을 제공하는 경우라도 아동이 정서적 박탈로 인해 무력하여 음식을 먹고 싶지 않거나 아동이 너무 과민하거나 자주 복통을 호소하거나 다루기 어려운 기질이 있거나 등의 문제로 부모를 힘들게 할 수도 있다. 어떤 경우의 아동은 출생 시의 신경학적 손상으로 인해 정상 아동과 같이 반응하지 못하게 되면 어머니는 아동의 이러한 무력한 모습을 어머니에 대한 반응 부족으로 해석하고 자신 또한 아동에게 적절히 반응하지 않게 된다.

1) 사정

모든 아동은 정기적인 신체 검진 시에 신장과 체중 측정을 해야 하며 측정된 신장과 체중을 표준성장곡선과 비교하여 성장장애 여부를 확인한다. 부적절한 부모-자녀 관계로 인한 성장장애 아동은 부가적으로 운동발달 및 사회성 발달 지체를 동반할 수도 있다.

섭취량과 배설량을 포함한 식이력과 함께 임신력과 가족 사정도 자세히 수집하도록 한다. 많은 경우 부적절한 양육 행동은 산전 시기부터 나타날 수 있기 때문이다. 계획되지 않은 임신이나 수용하지 못하는 임신, 임신 중 남편이나 남자 친구가 떠나버렸거나, 임신 중 부모 또는 가까운 친구의 사망, 실직과 같은 경제적 어려움, 먼 곳으로의 이사 등은 모두 임신 후 적절한 양육행동 습득에 방해요인이 될 수 있다. 신체검진 시 성장장애 아동은 다음과 같은 특징을 보일 수 있다.

- 아동이 무력해 보이고 근긴장도가 떨어져 있으며 피하지방층이 없고 피부손상이 있을 수 있다.
- 아동이 정상아와는 달리
- 검진자의 신체검진에 저항하지 않는다.
- 만약 정서적 박탈감이 있다면, 아동이 자극을 원하는 것처럼 사지를 지나치게 움직일 수 있다.
- 아동은 정상아에 비해 장난감을 잡으려고 하거나 대인 접촉에 의욕을 보이지 않을 수 있다.
- 아동은 사람의 시선에 굶주린 듯 자신에게 다가오는 사람을 빤히 쳐다볼 수 있다. 일부 의료인들은 이러한 아동의 눈빛이 너무 강렬하여 돌보는 데 어려움이 있

었다고 말하기도 한다.
- 아동이 생후 2개월경 안기거나 안아주는 사람을 따르거나 하는 행동을 보이지 않는다.
- 아동이 3~4개월경이 되어서야 엎드린 자세에서의 발달 행동(머리와 가슴을 들어 올리고 눈으로 물건을 바라봄)을 보이게 되나 그 후에 나타나야 하는 다른 발달 행동(똑바로 앉고, 서고, 기고, 걷는 행동)에서는 지체를 보인다.
- 아동은 상호작용의 결여 때문에 두드러지게 언어 발달의 지연을 나타낸다.
- 아동은 잘 울지 않거나 또는 안 울 수도 있다. 성장장애가 지속되면 아동의 신체적 상태는 극도로 악화되어 기아로 인한 산독증까지 나타날 수 있으며, 감염에 대한 아동의 면역력은 극도로 낮아 상기도 감염 발생 시 아동은 사망할 수도 있다.

2) 치료적 관리

성장장애 아동에게 적절한 식이요법을 시행하면 거의 대부분은 빠르게 체중이 증가되어 호전되는데, 하루 권장 칼로리의 150%를 제공해야 한다. 영아는 강화 조제유, 유아는 치즈 등 지방을 제공하여 칼로리 섭취를 증가할 수 있다. 그러나 아동학대나 방임과 같은 비기질적인 원인으로 인한 성장장애 아동의 대부분은 진단과 치료를 위하여 부모로부터 격리할 필요가 있으며, 병원에 입원한 경우 아동에게 주는 고통을 최소화하기 위해 꼭 필요한 검사 외에는 보류하는 것이 좋다.

생후 초기 아동의 심각한 성장장애는 적극적으로 치료되어야 하는데, 그대로 방치하는 경우 필수 아미노산의 부족과 뇌의 대사 장애로 인해 영구적인 신경학적 손상이나 인지장애를 초래할 수 있기 때문이다.

(1) 적절한 영양공급

섭취량과 배설량을 철저한 기록하여 매일 소비되는 열량을 정확히 확인한다. 아동이 적절히 영양분을 흡수하는지를 확인하기 위하여 대변의 pH와 영양물질(포도당)의 잔존 여부를 검사한다. 만약 대변 검사(clinistix test)에서 5.5 이하의 산도와 포도당 양성반응이 나왔다면, 탄수화물이 제대로

간호사례 / 성장장애 아동 간호

6개월 된 남아의 어머니가 소아청소년과 외래에 방문하였다. 어머니는 아동의 체중이나 신장이 다른 또래에 비해 작다고 말했다.

사　　정 : 6개월 된 남아의 체중과 신장은 표준성장곡선에서 3%(3백분위수) 이하였다. 어머니는 "아이가 젖병을 물려도 잘 빨지 않아요. 수유 한번 하는 데 너무 오래 걸려서 팔도 아프고 힘들어요. 왜 이렇게 힘들게 하는지 모르겠어요. 그래서 지금은 눕혀 놓고 베개나 수건에 젖병을 올려서 먹이고 있어요."라고 호소하였다.

간호진단 : 부모-자녀의 애착장애로 인한 부적절한 식이섭취와 관련된 영양부족

간호목표 : 부모-자녀의 애착이 형성되고, 아동은 성장에 필요한 적절한 영양을 섭취할 수 있다.

평　　가 : 어머니는 아동을 직접 수유하는 데 어려움이 없다고 말한다. 아동의 체중이 증가한다.

계획 및 중재

1. 부모-자녀의 애착 수준을 사정한다. 만약 애착장애가 있다면, 부모 측과 아동 측의 요인을 확인한다.
2. 부모-자녀 애착장애를 정신건강전문가에게 의뢰한다.
3. 어머니와 아동의 수유행동을 관찰하여 바람직한 수유방법을 교육한다.
4. 섭취량과 배설량을 포함한 아동의 식이력을 작성한다.
5. 아동의 체중과 신장을 정기적으로 측정한다.
6. 아동에게 생화학적 검사(헤모글로빈, 헤마토크릿, 트렌스페린, 알부민, 크레아티닌, 질소 등)를 실시한다.
7. 아동의 운동 및 사회성 발달을 정기적으로 사정한다.

흡수되고 있지 않음을 의미한다. 아동이 젖병을 잘 빠는지, 음식물을 잘 받아먹고 잘 삼키는지도 평가해야 한다. 또한 위장장애가 있는 아동은 섭식 후 울거나 다리를 내뻗치는 등의 증상을 나타낼 수 있기 때문에 이러한 증상도 사정해야 한다.

(2) 양육

성장장애 아동은 정서적 박탈로 고통을 겪고 있기 때문에 간호사는 이들을 효과적으로 양육해야 한다. 그러므로 아동을 돌보는 간호사는 입원기간 동안 아동의 부모로서 행동하여야 한다. 담당 간호사는 아동을 안아주고 목욕을 시키며 이야기를 나누고 장난감을 갖다 주는 등 양육자의 역할을 해야 한다. 이 역할을 맡은 간호사는 자신의 역할을 수용하여야 하며 아동과의 관계가 능동적이어야 함을 알고 있어야 한다. 아동에게 말을 거는 등의 관심을 보이지도 않고 단지 아동을 기계적으로 안고 있는 것은 아동이 집에서 부모로부터 받은 양육행동과 별로 다를 것이 없다.

(3) 부모에 대한 지지와 격려

성장장애 아동의 부모에게 입원한 아동을 자주 방문하도록 격려하여야 한다. 격려하지 않는다면 이런 부모들은 병원을 거의 방문하지 않을 수도 있다. 방문 시 부모가 원한다면

아동에게 직접 음식을 먹이고 아동과 함께 지내도록 한다.

사람들은 타인의 도움 없이 자신의 감정을 변화시키기가 어렵다. 수유가 비효과적일 때 아동을 더 많이 안아주라고 말하는 것보다는 아동과 의사소통하는 방법에 대해 다음처럼 어떤 제안을 해주는 것이 보다 효과적일 수 있다. "아기가 젖을 빠는 것을 멈추었다면 그것이 무엇을 의미하는지 알고 계신가요?" 부모에게 반응하는 아동의 능력을 부모에게 가르쳐주는 것도 도움이 될 수 있다. "아기가 엄마의 목소리가 들리는 쪽으로 머리를 돌리는 것을 보세요. 아기는 당신의 존재를 이미 알고 있어요."라는 말이 그 예가 될 수 있다.

만약 아동이 부모와 함께 퇴원한다면 부모의 양육행동이 잘 유지되는지를 알아보기 위하여 몇 달간은 추후간호를 받도록 하는 것이 필요하다. 성장장애 아동과 학대 아동 간에는 유사한 점이 많다. 따라서 성장장애 아동 중 일부는 안전과 적절한 간호를 제공받기 위하여 위탁가정과 같은 곳에서 지내는 것이 필요할 수도 있다.

(4) 평가 및 추후 관리

성장장애는 생리적 측면에서 교정이 용이한 간호문제이다. 적절한 음식물을 공급한다면 아동은 빠르게 체중 증가를 보인다. 그러나 아동의 정서적 욕구와 신체적 욕구가 계

속하여 충족되는지에 대한 적절한 추후관리가 더욱 중요한데, 이는 성장장애는 치료에 중점을 두기보다는 예방에 중점을 두는 것이 효과적이기 때문이다. 양육행동에 문제가 있을 수 있는 부모는 임신 중 정기검진 시에 세밀한 임신력을 사정하여 양육행동에 영향을 줄 수 있는 정신사회적 특징을 확인하여 산후에 면밀한 추후관리를 받도록 하는 것이 필요하다. 어떤 부모는 양육문제로 당황할 때 휴식기간을 필요로 할 수 있으며, 보다 심각한 문제를 예방하기 위하여 면담을 요구할 수도 있다. 간호사는 이 모든 경우에 그들에게 도움을 줄 수 있어야 한다.

확인문제

1. 성장장애란?

02 / 단백질 부족증

단백질 부족증인 콰시오커(kwashiorkor)는 열량 부족상태로 소개되기도 하지만 단백질 결핍의 주 증상이다. 모유에서 탄수화물 식이로 이유하는 시기이며 고단백질 섭취가 필요한 1~3세 아동에게 주로 나타나며 특히 아프리카, 아시아, 라틴 아메리카 아동에게서 많이 발생한다.

임상증상으로는 주 증상인 성장지연과 함께 부종, 근육위축, 홍반부터 과색소 침착, 낙설 등의 피부변화 등도 나타난다. 전신 부종이 있는 경우의 아동은 체중이 반드시 감소하지는 않으며 부종으로 인해 심한 근육위축이 나타나지 않을 수도 있다. 부종은 저단백증의 결과이며 복수를 야기한다. 이것은 신장증을 가진 아동의 증상과 같은 현상이다. 부종은 아동의 하지에서 처음 나타나는 경향이 있으며 설사, 철결핍성 빈혈, 간비대 증상 등이 동반되기도 하고 정서적인 증상으로는 불안, 초조, 주변환경에 대한 무관심 등이 있다.

치료적 관리로는 단백질 부족의 원인을 규명하여 교정하는 것과 함께 고단백 식이가 필요하며 비타민과 무기질도 적절히 보충할 필요가 있다. 단백질 부족 상태임에도 적절한 치료를 받지 못하게 되거나 치료시기를 놓친다면, 인지적·신체적 성장 지연이 초래될 수 있다.

03 / 소모증

소모증(marasmus)은 모든 영양분의 부족으로 생기는 질환으로 보통 개발도상국가에서 볼 수 있는 영양실조이지만, 근본적으로는 식사를 굶거나 식습관이 나쁜 아동에게서도 발병한다. 주로 1세 미만의 영아에게 나타나며, 임상증상으로는 성장부진, 근육약화, 설사, 철결핍성 빈혈 등 단백질 부족증 아동과 비슷한 증상을 보인다. 단백질 부족증인 콰시오커 아동은 식욕 감퇴 증상이 있는 반면, 소모증 아동은 손가락이나 옷과 같이 주는 물건마다 빨려고 하고 배고픔을 느낀다. 치료적 관리는 영양이 풍부한 음식을 제공하는 것이다.

표 14-2	비타민 결핍증		
비타민		**함유식품**	**질환 및 증상**
수용성	아스코르빈산(C)	감귤류, 오렌지, 브로콜리, 양배추	괴혈병(상처치유지연, 잇몸출혈, 점상출혈)
	티아민(B1)	돼지고기, 곡물 배아, 땅콩	각기병(식욕부진, 다리감각 상실, 부종)
	리보플라민(B2)	쇠고기, 유제품, 간, 시금치	갈라진 입술, 구내염, 설염
	니아신	땅콩, 닭고기, 간	펠라그라(설사, 피부염, 치매)
	피리독신(B6)	육류, 바나나, 연어	피부염, 신경염, 구토, 두통
	엽산	간, 내장육, 시금치, 아스파라거스	거대적아구성 빈혈, 성장장애
	코발라민(B12)	달걀 노른자, 동물성 제품	악성 빈혈
지용성	비타민 A	간, 당근, 시금치	야맹증, 안구건조증, 피부 이상
	비타민 D	달걀, 생선간유	구루병, 골연화증, 골다공증
	비타민 E	식물성 기름, 녹황색 채고	적혈구 용혈, 빈혈
	비타민 K	녹황색 채소, 간, 곡류	출혈, 응고지연

표 14-3	무기질 결핍증	
무기질	함유식품	질환 및 증상
칼슘	유제품, 뼈째 먹는 생선	뼈성장 저하, 골다공증
인	유제품, 어육류	골격손상 가능성
나트륨	식염, 가공식품	근육경련, 식욕감퇴
칼륨	시금치, 바나나, 오렌지, 육류	불규칙한 심박동, 근육경련
마그네슘	코코아, 견과류, 녹황색 채소	근육통, 신경장애, 심장기능저하
요오드	해조류, 요오드화 소금	갑상선기능저하(기초대사율 저하, 피로), 갑상선비대, 크렌틴병 (성장지연)
철분	육류, 어패류, 녹황색 채소	철겹핍성 빈혈
구리	육류(간, 내장), 어패류(굴, 가재), 코코아	빈혈, 골격형성의 이상, 성장지연
불소	해조류, 불소화된 물	충치
아연	어패류, 육류, 우유, 달걀	성장지연, 식욕감퇴, 성적 성숙의 지연, 우울증, 면역기능의 저하, 상처치유 지연
망간	견과류, 곡물, 콩류	성장지연, 골격이상

04 / 비타민과 무기질 결핍증

음식을 통해 공급되는 필수 영양소 중의 하나인 비타민과 무기질이 부족하게 되면 질병이 유발된다. 영양소 결핍은 음식을 통해 영양소를 적절히 섭취를 하지 못할 경우, 신체가 영양소를 흡수할 수 없는 흡수장애, 흡수된 영양소를 신체가 이용할 수 없는 대사 장애가 원인이다.

비타민 결핍증(vitamin deficiencies)은 [표 14-2], 무기질 결핍증(mineral deficiencies)은 [표 14-3]와 같다.

1) 비타민 D 결핍증

비타민 D는 장관에서 칼슘과 인의 흡수를 촉진하고 신장에서 인의 재흡수를 촉진하여 혈중 칼슘과 인의 농도를 정상적으로 유지함으로써 뼈에서 무기질 침착과 흡수 대사에 관여한다. 비타민 D3(cholecalciferol) 는 자외선에 의해 피부에서 합성되는 것이며 비타민 D2(ergocalciferol)는 채소에서 얻어지는 것으로 2가지 모두 생리적 기능은 유사하다.

비타민 D 결핍증은 자외선 노출 부족이나 비타민 D 섭취 부족, 비타민 D나 칼슘의 흡수장애가 있는 아동에게 발생하며 이로 인해 구루병(rickets)이 나타난다.

(1) 사정

비타민 D 결핍에 의한 구루병의 증상으로 가장 먼저 나타는 것은 머리의 두개로(craniotabes)이다. 이는 두개골

이 물러지고 전두골이 돌출되어 머리가 상자 모양으로 변형되며 천문이 늦게 닫히는 것을 말한다. 흉부에서는 늑골과 연골 접합부(costochondral junction)가 염주 모양으로 튀

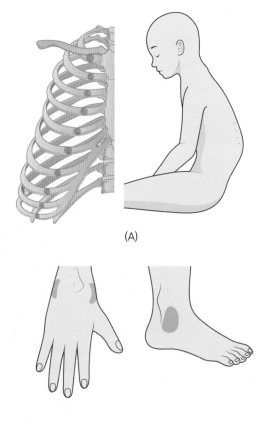

(A)

(B)

| 그림 14-1 | 구루병의 골격 증상 |

(A) 구루병 염주   (B) 손목과 발목의 골단 비후화

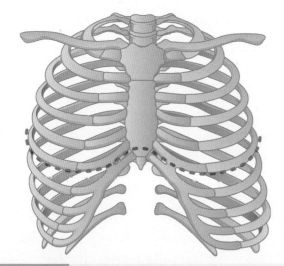

그림 14-2 Harrison groove

어나오는 구루병 염주(rachitic rosary)가 나타나고[그림 14-1(A)], 흉곽이 앞으로 돌출되어 새가슴 모양이 되며 횡격막 부위가 움푹하게 들어간 홈이 관찰된다(Harrison groove, [그림 14-2]). 그 밖의 척추가 변형되어 전만증, 후만증, 측만증 등이 나타나기도 한다.

사지의 손목과 발목에 골단의 비후화가 촉진되고[그림 14-1(B)], 다리변형으로 내반슬, 외반슬, 내반고 등의 증상이 있을 수 있으며 골 발육부전으로 왜소증이 일어나기도 하고 불완전 골절이 있을 수 있다. 기타 치아 발육부진과 골반뼈의 기형 등이 있기도 한다. 특히 심한 경우에는 경련을 일으킬 수도 있다.

구루병을 확인하기 위해 비타민 D 섭취에 대한 식이력과 임상증상을 사정하고 혈액검사와 방사선검사를 실시한다. 혈청 칼슘 수치는 정상이거나 약간 감소되어 있으며 혈청 인은 감소되어 있고 X-ray상 골 간의 음영이 연하며 간혹 불완전 골절이 확인되기도 한다.

(2) 치료적 관리

구루병 아동에게 자외선을 충분히 쬐도록 하고 비타민 D가 풍부한 음식섭취를 격려하며, 필요시 비타민 D 보충제를 복용하도록 한다. 모유수유 아동의 경우에는 수유 중인 어머니에게 비타민 D 보충제 복용을 권장한다. 구루병 아동은 신체선열을 곧게 유지하고, 골절 예방을 위해 의학적 처치는 부드럽게 해야 하며 호흡기 감염과 욕창을 예방하기 위해 체위변경을 수시로 적용한다. 경련을 하는 경우

에는 칼슘 글루코네이트를 투여하기도 한다.

확인문제

2. 구루병이 발생하는 원인은?

Ⅳ 식품 알레르기

01 / 유당 불내증

유당 불내증(lactose intolerance)은 유당 분해효소인 락타아제(lactase)가 결핍되어 나타나는 것으로 선천성(congenital) 유당 불내증과 후천성(late-onset) 유당 불내증이 있다.

선천성 유당 불내증은 신생아가 유당이 함유된 우유나 모유를 섭취하였을 때 발생한다. 후천성 유당 불내증은 선천성과 유사하지만 락타아제가 점차 줄어들면서 신생아기 이후에 증상이 나타난다.

1) 사정

유당 불내증의 주된 증상으로는 유제품 섭취 후 설사, 복통, 복부팽만, 헛배부름 등이 있다. 유당 불내증은 병력을 기초로 하여 진단하는데, 영아의 경우는 호흡할 때 내쉬는 호흡의 수소농도를 확인하는 수소호흡검사(hydrogen breath test)가 흔히 사용된다. 유당 불내증 아동의 대장에서는 소화되지 않는 유당 때문에 박테리아가 수소가스를 생성하기 때문이다.

2) 치료적 관리

유당 불내증 아동의 증상은 유당을 함유하지 않는 식이(lactose free diet)를 섭취하거나 락타아제를 첨가한 식품을 섭취함으로써 호전될 수 있다.

간호는 우유 알레르기의 간호중재와 유사하다. 가족들에게 제한 식이에 대해 설명하고 요구르트와 같은 대체 식이를 교육한다. 또한 증상을 완화할 수 있는 방법에 대해서 설명한다. 구체적인 방법으로는 우유나 모유를 대신하여 두유

를 섭취하도록 하고, 우유를 섭취할 경우는 1회 1컵만 섭취하도록 제한한다. 또한 마시는 우유를 대신하여 치즈나 요구르트 등의 유제품을 섭취하도록 하는데, 유제품은 성장기 아동의 필수 영양소인 칼슘과 비타민 D의 주된 공급원이기 때문이다. 특히, 요구르트는 비활동성 락타아제가 함유되어 있으며 이는 십이지장의 온도와 산도(pH)에 의해 활성화된다. 요구르트의 락타아제 활성화는 내신성 락타아제 효소의 부족을 보완할 수 있다. 우유에 혼합할 수 있는 락타아제 보충제의 사용에 대해 설명하며, 유당의 소화를 돕는 장내 박테리아의 활성화를 위해 매일 소량씩 유제품을 섭취하도록 한다. 칼슘과 비타민 D 보충제의 중요성을 강조하고 유당이 포함되어 있는 약물이 있을 수 있으므로 약물을 복용하기 전에 유당 함유 여부를 반드시 확인하도록 교육한다.

확인문제

3. 유당 불내증 영아에게 모유나 우유 대신 제공할 수 있는 식이는?

02 / 식품 과민증

식품 과민증(food sensitivity)은 식품에 있는 단백질이나 기타 물질에 대한 비정상적인 또는 과민한 면역반응에 의한 것으로, 주로 IgE 매개성인 경우가 흔하지만 IgE 비매개성 반응도 있다.

1) 사정

식품 과민증 증상으로는 두드러기, 혈관부종, 가려움증, 위통, 산통, 경련, 설사, 호흡기계 증상, 아토피 피부염이 흔하다.

두드러기 증상은 원인이 되는 음식을 먹은 후 수 분 이내에 나타나며 다른 증상들은 그 이후에 나타난다. 즉각적인 알레르기 반응은 모든 단백질이 원인이 될 수 있으며 지연된 반응은 어떤 단백질의 부산물에 대한 과민반응으로 나타난다.

특정 알레르겐을 확인하기 위해 혈액검사나 피부검사를 시행하기도 하지만, 식품에 존재하는 모든 단백질을 검사하는 것은 어렵기 때문에 식품 과민증 검사로서는 적합하지 않을 수 있다.

음식 알레르기가 있는 아동은 자주 '까다로운 식성을 가진 아동'으로 여겨진다. 어린 아동은 자신이 왜 해당 음식을 먹을 수 없는지 말로 표현하기가 힘들다. '두통, 복통, 가려움증'과 같은 단어를 사용하기 어렵기 때문에 자신에게 좋지 않은 영향을 미치는 음식을 단지 거부하려고 한다. 그러나 이것은 유아기 반항의 한 형태로서 음식을 거절하는 경우일 수도 있으며 부모들은 자녀가 먹는 것보다 더 많이 먹기를 원할 수도 있다. 그러므로 아동이 음식을 거부하는 현상만을 보고 식품 과민증이라고 진단할 수는 없다.

알레르기를 유발하는 음식을 사정하는 방법으로는 식사 일지가 있다. 아동 또는 부모가 식사 일지에 매일 아동이 먹는 것을 모두 기록하는 것은 아동에게 자극이 되는 음식을 발견하는 가장 좋은 방법이다. 매일 증상이 없는지 평가해야 하며 증상이 심한 날도 기록해야 한다. 증상이 거의 사라졌을 때 식사 일지에서 확인된 음식들을 아동에게 추천할 수 있다. 그러나 아동의 증상이 악화된 날에 섭취한 음식은 알레르기 유발음식으로 의심해 보아야 한다.

제거 식단법(elimination diet)은 음식 알레르기를 확인하기 위한 또 다른 방법이다. 이를 위해서 부모에게 알레르기를 거의 유발하지 않는 음식물의 목록(쌀, 양고기, 당근, 완두콩, 감자)을 준다. 그리고 아동에게 약 7일 동안 단지 이 음식만을 먹을 것을 교육한다. 한 번에 한 가지씩, 2~3일 간격으로 알레르기가 의심 되는 음식을 아동의 식단에 추가한다. 이와 같은 방법으로 아동에게 음식물이 소개될 때 그 음식의 충분한 양을 먹도록 아동을 격려한다. 증상이 나타나면 그 음식물을 아동의 식단에서 제외한다. 만일 증상이 발생하지 않는다면 아동은 그 음식물을 계속 먹을 수 있다.

2) 치료적 관리

식품 과민증의 치료는 아동의 식단에서 원인이 되는 음식을 제거하는 것이다. 따라서 아동이 아주 적은 수의 음식에만 알레르기를 보인다면 비교적 쉽게 치료할 수 있다. 그러나 우유, 밀가루, 달걀 등과 같은 많은 종류의 음식에 과민반응을 보인다면 매우 어려운 일이다. 식품 과민증이 있는 아동의 부모들은 식품을 선택할 때 함유된 성분을 주의 깊게 확인해야 한다. 학령기 아동은 학교 식당 메뉴에서 안전한 음식물을 선택하도록 교육받아야 한다.

즉각적인 알레르기 반응을 유발하는 가장 흔한 음식은 달걀 흰자, 어류와 해조류, 딸기류, 견과류 등이 있다. 지연된 식품 과민증은 주로 씨리얼(밀과 옥수수), 우유, 초콜릿, 돼지고기, 콩류, 감자, 쇠고기, 음식 첨가제와 색소, 오렌지 등에 의해 발생한다. 아동이 우유에 알레르기가 있다면 모든 유제품에 알레르기 반응을 보이므로 유제품을 먹지 않아야 하며 달걀에 알레르기가 있는 아동은 푸딩과 쿠키, 케이크 등 달걀이 들어간 음식을 먹지 말아야 한다.

일부 논문의 연구결과에 의하면 식품 과민증이 있는 아동에서 알레르기 음식을 먹은 후에 다소 과잉행동(이야기하는 동안 또는 식사시간 동안 계속 앉아있지 못함)이 관찰된다고 한다. 일부 아동은 알레르기 음식을 먹은 후에 학교에서 공격적인 행동문제를 일으킬 수도 있다. 행동에 변화를 유발할 수 있는 음식으로는 설탕, 우유, 밀가루, 색소가 사용된 음식 등이 있다. .

03 / 우유 알레르기

우유 알레르기(milk allergy)는 아동의 식품 알레르기 중에서 가장 흔하게 나타나는 것으로 우유 단백질에 대한 과민반응이다. 우유 알레르기가 있는 아동은 체중 감소, 설사, 구토, 복통을 호소한다. 위장염이나 산통 (심한 복통, 대변이나 체중에는 변화가 없음)과 락타아제 결핍증(우유의 락토스를 소화시킬 수 없음) 등은 우유 알레르기와 유사한 증상을 보이므로 우유 알레르기로 잘못 진단될 수 있다.

일단 우유 알레르기가 의심되면 우유의 주된 단백질인 카제인을 가수분해한 카제인 조제유, 가수분해 처방유과 같은 카제인가수분해물(casein hydrolysate) 식이를 주어야 한다. 이 식이를 제공하면 증상이 놀랍게 호전되는 것을 볼 수 있다. 문제의 원인이 확실히 우유인지 아닌지를 알기 위해서 그 후 다시 우유를 아동에게 준다. 만일 아동이 우유 알레르기가 있다면 우유를 먹은 후 증상이 다시 발생한다.

확인문제

4. 우유 알레르기가 의심되는 아동에게 제공되는 식이로 적절한 것은?

비만

비만(obesity)은 전 세계적으로 아동에게 나타나는 가장 흔한 영양장애로서 매년 그 빈도가 증가하고 있다. 체질량지수{체중(kg)/{키(m)×키(m)}}가 $23kg/m^2$ 이상 과체중, $25kg/m^2$ 이상이면 비만으로 정의한다. 다른 질병이 있어 비만이 생기는 경우를 병적 비만, 질병과 관계없이 생기는 경우를 단순 비만이라고 한다. 또한 비만 자체는 당뇨병, 고혈압, 고지혈증, 심혈관질환 등을 유발하여 이차적으로 심각한 건강장애를 초래한다.

단순 비만의 원인은 소모되는 열량보다 더 많은 칼로리를 섭취하는 것이다. 그러나 이 외에도 다양한 요인들이 비만에 영향을 준다. 예를 들면 TV 시청, 컴퓨터 게임/작업, 비디오 게임, 인터넷 등 비활동성 생활습관으로 칼로리 소모량이 줄어드는 반면, 고지방, 고칼로리, 저섬유 식이, 불규칙한 식사, 잦은 외식 등에 의한 고칼로리 섭취가 원인이 될 수 있다. 또한 아동에서의 비만은 부모의 비만과 연관이 있다. 유전적 영향으로 지방축적 성향이 높은 아동은 오히려 정상이나 여윈 체형의 아동에 비해 어느 시기에서나 비만해질 가능성이 내재되어 있으며, 비만한 부모의 자녀들도 역시 비만이 될 가능성이 높다. 환경적 영향으로 부모가 영양이 과다한 식사를 하는 경우라면 그들의 자녀도 비슷한 식습관을 갖게 되며, 가족의 잦은 외식도 비만을 유발한다.

병적 비만은 두뇌 손상, 특정 호르몬 이상(성장호르몬 결핍, 갑상선기능저하증, 부신피질호르몬과다증), 특수 질환(프레더-윌리 증후군, 다운 증후군) 등의 질병으로 인해 발생한다. 대부분의 비만은 질병이 없는 단순 비만이며, 이 경우에는 키가 정상적으로 성장하는 것이 특징적이다.

1) 사정

비만은 신장과 체중을 측정해 표준성장곡선과 비교하여 95% 이상이거나 체질량지수를 계산하여 $25kg/m^2$ 이상이면 비만으로 진단한다. 다만, 병적 비만이 의심되면 관련 질병을 확인하기 위한 진단검사를 실시한다.

비만 아동은 같은 연령의 다른 아이들에 비해 키가 약간 크지만, 사춘기가 빨리 오면서 성인기의 키는 일반인과 큰 차이가 없다. 남아나 여아에서 가슴 부위에 지방이 축적되면서 유방이 나오는 것처럼 보이기도 하며 남아에서는 치부에 지방이 많이 쌓이면서 음경이 실제에 비해 작아 보이기도 한다.

아동 비만은 고혈압, 당뇨, 고지혈증 등의 생리적 건강문제를 유발함과 동시에 정신사회적 건강도 문제가 된다. 비만 아동은 몸의 크기 때문에 또래 친구들로부터 놀림을 당하기도 하며 이로 인해 우울과 사회활동 위축, 자존감 저하, 사회적 부적응 증상 등이 나타나기도 한다.

2) 치료적 관리

비만 아동이 정상 체중이 되기 위한 근본적인 방법은 비만의 원인인 과다한 열량을 줄이는 것이다. 이를 위해 소모되는 열량을 증가하는 운동요법이나 섭취하는 열량을 줄이는 식이요법을 실시한다.

학령기 아동의 체중 감소 프로그램은 다음과 같은 사항을 포함하여 삶의 장기적인 변화를 강조한다.

- 1,200 칼로리 이하로 지방을 섭취하고 체중 감량을

간호사례 / 비만 아동 간호

12세 된 남아의 어머니가 소아청소년과 외래에 방문하였다. 어머니는 아동이 다른 또래에 비해 뚱뚱하다고 말했다.

사   정 : 12세 된 남아의 체중과 신장은 표준성장곡선에서 95%(95백분위수) 이상이었고, 체질량지수를 계산한 결과 $25kg/m^2$ 이상이었다. 어머니는 다음과 같이 얘기하였다. "아동이 세 끼의 식사 외에도 자꾸 군것질을 하려고 해요. 가족들이 야식을 좋아해서 밤에도 많이 먹는 편이에요. 게임하는 것을 좋아해서 거의 방에만 있는데, 아무리 운동하라고 얘기해도 말을 듣지 않아요."

간호진단 : 체중 감소 동기결여와 관련된 체중 감소 계획의 불이행

간호목표 : 식이조절, 규칙적인 운동과 체중 감량의 중요성을 이해하고 체중 감량 계획을 세운다.

평   가 : 아동이 적절한 식이, 운동 및 체중 감량의 목표를 설정한다. 과체중일 때의 느낌과 친구들의 반응을 간호사와 함께 상담하고 자기가치에 대해 긍정적은 느낌을 표현한다.

계획 및 중재

1. 아동의 체중과 신장, 체질량지수를 정기적으로 측정한다.
2. 아동의 음식섭취에 대한 일지를 작성하도록 격려한다.
3. 아동의 과식을 유발하는 요인을 사정한다.
4. 아동의 체중조절을 방해하는 요인이 있는지 확인한다.
5. 아동의 음식 선택 능력을 사정한다.
6. 어머니를 포함하여 아동의 영양상담을 영양사에게 의뢰한다.
7. 체중 감량의 장점을 아동과 가족에게 지속적으로 교육한다.
8. 장·단기적인 식이 및 운동, 목표 체중을 스스로 계획하도록 격려한다.

위한 계획을 세운다.

- 활동적인 운동 계획을 세운다.
- 자기상(self image) 제고나 체중 감소를 위해 동기부여를 할 수 있는 상담 프로그램을 제공한다.

아동은 성장을 위한 새로운 조직 형성에 많은 열량이 필요하기 때문에 현재 섭취하는 총 열량을 무리하게 감소하기는 어렵다. 만일 탄수화물을 현저히 감소하면, 단백질이 탄수화물을 대신하여 열량을 만들기 위해 파괴되고 이로 인해 질소의 역균형이 발생한다. 아동은 일시적인 고단백 식사를 하지 않도록 해야 하는데, 이런 식사는 충분한 탄수화물을 공급하지 못하고, 신장에 과중한 부담을 주기 때문이다. 아동은 일 년에 걸쳐 20kg을 줄이는 것보다는 단기간에 2kg을 감량하는 것을 목표로 하는 것이 더 좋은데, 단기간의 목표가 근면성을 기르는 데 더 효과적이기 때문이다.

비만 아동에게 장관우회술(intestinal bypass)과 같은 외과적 중재는 지나치게 극단적인 방법으로 아동에게는 적합하지 않지만, 경우에 따라서는 장기간에 걸친 식이요법이 아동을 너무 지치게 하기 때문에 사전에 장관우회술에 대해서 심사숙고해 볼 필요도 있다.

나이 어린 아동에게 체중 감소의 동기를 부여하는 일은 쉽지 않다. 이 시기의 아동은 비만한 사람이 일반인에 비해 심장질환의 발생률이 높고, 일찍 사망한다는 얘기를 들었을 때도 크게 자극받지 않지만, 자신의 문제를 함께 공감해주는 성인에 대해서는 존경심을 갖는다. 아동은 날씬한 친구들이 대체로 인기가 있다는 것을 알고 있고 그래서 자신도 날씬한 몸매를 갖고 싶어 하며, 사회적 관계에서 고립되는 것에 대한 두려움이 있을 경우에 식이요법을 잘 따르게 된다.

과체중 아동이 식이용법을 하는 사람들의 모임에 참여한다면 좀 더 잘해낼 수 있을 것이다. 지루하고 단일한 식이요법을 따르는 데 있어서 다른 친구들의 구체적인 도움이 큰 영향을 미치기 때문이다. 건강한 식이요법을 가르쳐 식습관을 바꾸도록 하는 것이 중요하다.

청소년기에는 매일 운동량을 늘리는 방법으로 공식화된 운동 프로그램에 참여하는 것이 친구들의 지지를 받을 수 있어 효과적이다. 등·하교 시에 걸어서 다닐 것을 권장한다. 그리고 가능하면 스포츠 팀의 일원으로 참여하게 함으로써 열량을 소모하고, 친구들과 운동을 즐기는 동안 먹는 시간을 줄일 수 있게 해 준다. 대부분 비만은 가족의 문제이기 때문에 가족 모두의 생활습관을 바꾸는 것이 좋으며 이를 위해 가족의 영양교육과 지지, 상담 등이 필요하다. 또한 비만한 청소년을 위해 특별 식사를 준비하는 것보다는 가족 전부가 먼저 건강한 식사를 하는 것이 좋다. 왜냐하면 청소년기에는 스스로 식사를 준비하는 경우보다는 체중을 줄이는 데 필요한 정보를 알아야 할 부모가 식사를 준비하는 경우가 많기 때문이다. 아동이나 다른 가족 구성원들은 자신에게 필요한 적당량만큼만 먹도록 해야 하며, 가정에서의 운동의 필요성도 다시 한 번 강조되어야 한다. 가족 구성원들은 비만 아동에게만 운동하도록 강요하지 말고, 자신들도 함께 운동을 하도록 한다. 청소년에게 비만하다는 사실을 지적하면 체중 감량의 부작용으로 인한 비만이나 식욕항진증, 거식증 등을 유발할 수 있으므로 피하도록 하고, 대신 '더욱 건강해지자.' 또는 '체력을 기르자.'라는 말로 식이조절을 하도록 격려하는 것이 훨씬 좋다.

요 점

※ 성장장애란 아동의 신장과 체중이 표준성장곡선에서 3percentile 이하인 경우이다.

※ 식품 과민증을 일으키는 음식을 확인하는 방법으로는 식사 일지에 매일 아동이 먹는 음식을 모두 기록하는 방법과 제거 식단법을 적용하는 것이다.

※ 우유 알레르기가 의심되면 우유의 주된 단백질인 카제인을 가수분해한 카제인가수분해물 식이를 제공한다.

※ 유당 불내증의 주된 증상으로는 유제품 섭취 후 설사, 복통, 복부팽만, 헛배부름 등이 있다.

※ 신장과 체중을 측정해 표준성장곡선과 비교하여 95percentile 이상이거나 체질량지수[체중(kg)/{키(m) × 키(m)}]가 25kg/m² 이상이면 비만으로 정의한다.

확인문제 정답

1. 성장장애란 아동의 신장과 체중이 표준성장곡선에서 3백분위수 이하인 경우이다.
2. 비타민 D 결핍증
3. 두유
4. 카제인 가수분해물(casein hydrolysate) 식이

CHAPTER 15

순환기능 장애 아동의 간호

심맥관계는 아동을 위한 체액을 공급하는 혈관으로 이루어진 펌프역할을 하는 심장으로 구성되어 있으며, 모든 다른 체계에 의존하는 신체체계이다. 심장의 규칙적인 펌프작용을 통해 산소와 필요한 영양분을 조직과 세포에 운반해주고 노폐물을 체외로 이동시킨다. 또한 호르몬, 효소와 항체 등과 같은 물질도 신체 체계에 운반한다. 대부분 아동의 심질환은 심장이 자궁 내에서 발달이 잘 되지 않았거나 자궁 외 생활에 적응할 수 없는 선천적인 기형으로 발생한다.

개심술은 일차적인 기형 문제를 해결하는 유일한 치료법이기도 하다. 아동들은 류마스티열이나 가와사키병 같은 후천적인 심질환을 앓을 수도 있으며, 이런 질환들은 심부전이나 부적절한 심장기능과 감염을 유발한다.

심질환은 성인과 아동 모두에게서 건강증진과 질병예방의 주요한 초점이 될 수 있다.

순환기계의 특성

01 / 심장의 구조

심장은 2개의 펌프로 구성되어 있다. 오른쪽 펌프는 혈액을 폐로 보내 심장의 왼쪽 편으로 돌아오기 전에 산소화하게 한다. 왼쪽 펌프는 산소화된 혈액을 체내 동맥을 통해서 말초조직으로 이동해준다. 심방이 수축하는 것을 수축기(systole), 이완하는 것을 이완기(diastole)라고 말한다. 정상적 심장의 해부는 [그림 15-1]에 나타나 있다.

심장은 4개의 방을 가지고 있는 근육으로 혈액을 전신으로 내보내는 기능이 있으며, 흉골의 약간 왼쪽에 위치하고 양쪽 늑막강 사이에 위치하는 종격동이라는 부위에 위치한다. 심방은 좌·우 심방으로, 심실은 좌·우심실로 나뉜다. 심장에는 4개의 판막이 있어 혈액의 역류를 예방하는 역할을 하고, 3개의 엽으로 구성된 삼첨판은 우심방과 우심실 사이에 존재하며, 2개의 엽으로 구성된 승모판은 좌심방과 좌심실 사이에 위치하고, 이 두 판막을 방실판막(atrioventricular valves)이라고 부른다.

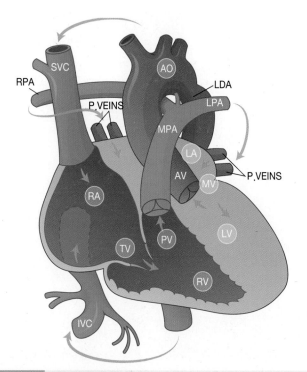

AO–Aorta(대동맥)
AV–Aortic valve(대동맥판)
IVC–Inferior vena cava(하대정맥)
LA–Left atrium(좌심방)
LPA–Left pulmonary artery(좌폐동맥)
LV–Left ventricle(좌심실)
MPA–Main pulmonary artery(폐동맥 주간부)
MV–Mitral valve(승모판)
LDA–Ligamentum ductus arteriosus(동맥관 인대)
PV–Pulmonary valve(폐동맥 판막)
P.Vein–Pulmonary vein(폐정맥)
RA–Right atrium(우심방)
RPA–Rigth pulmonary artery(우폐동맥)
RV–Right ventricle(우심실)
SVC–Superior vena cava(상대정맥)
TV–Tricuspid valve(삼첨판막)

그림 15-1 정상 심장순환

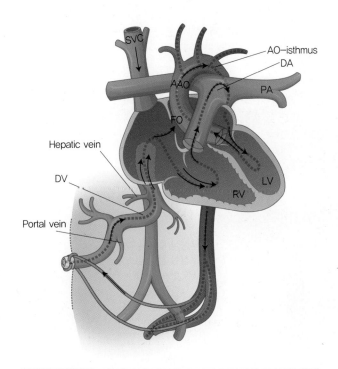

그림 15-2   태아 혈류의 경로

· 태반으로부터 산소와 영양분을 공급받은 동맥혈은 → 제대정맥
(UV) → portal vein → ductus venosus(DV) → 하대정맥(IVC) →
우심방 → 난원공(FO) → 좌심방 → 좌심실(LV) → 상행대동맥
(AAO) → 상지와 뇌 혈류 분지를 내고 → 하행대동맥(DAO) → 정맥
혈이 되어 제대동맥(UA) → 다시 태반으로 들어간다.
· 태아머리와 상반신에서 돌아온 정맥혈은 → 상대정맥(SVC) → 우심
방 → 우심실(RV) → 폐동맥(PA) → 동맥관(DA) → 제대동맥(UA) →
태반으로 들어간다.

태아의 주요 장기는 대개 임신 3주에서 8주 사이에 형성
되며 배아(embryo)에서 최초로 기능을 하는 장기는 심장으
로 임신 3주면 박동을 시작하고 혈액순환이 일어나기 시작
한다. 심장의 형태학적 발생은 수정 후 3주에 시작해서 약
8주면 이미 대부분 완성된다.

1) 태아순환

태아순환(fatal circulation)은 출생 후 순환과 다르다. 출
생 전 태아는 태반에서 가스교환과 영양공급을 받는 반면
출생 후에는 폐에서 가스교환이 이뤄진다. 태아순환에서는
태반, 정맥관, 동맥관, 난원공, 제대혈관(2개의 제대동맥과
1개의 제대정맥)과 같은 구조가 있어 출생 후 순환과 차이
가 있다.

태아순환은 중요한 기관들과 조직이 최대한의 산소화된
혈액을 공급받는데 태아의 뇌는 최고의 산소농도를 필요로
하고 있다. 그러나 기본적으로 폐는 기능하지 않고 간은 부
분적으로 기능하며 이들은 모두 혈액을 적게 필요로 하고
있다.

출생 직후 아기가 첫 번째 호흡("첫 울음")을 시작함과
동시에 호흡기계와 심혈관 계통의 중요한 변화가 일어난
다. 이 변화의 가장 핵심은 대반이 없어지면서 가스교환(gas
exchange)이 일어나는 장소가 태반에서 아기의 폐로 바뀐다
는 점이다[그림 15-3].

2) 출생 후 순환

첫 호흡과 동시에 물로 채워져 있던 폐는 공기로 대치되
며 폐혈관이 확장된다. 출생 직후에 폐혈관 저항이 급격히
감소하며 이때 가장 중요한 자극은 산소에 의한 폐혈관 확
장이다. 출생 직후 태반으로부터 오는 혈류량이 적어 하대
정맥에서 오는 혈류량이 감소하며, 폐혈류가 증가되면서 좌
심방 압력은 올라가고 우심방 압력이 낮아지며 두 심방 사
이의 압력차로 인해 난원공이 막히게 된다.

정맥관은 출생 후 탯줄이 막히면서 혈류가 없어지므로
즉시 막히나 생후 3~7일까지는 도관을 넣으면 지나갈 수
있다. 정맥관은 동맥관과 달리 산소나 혈액의 산도(pH)에
민감하지 않고 prostaglandin E_1을 주어도 열리지 않는다.

이에 반해 동맥관은 산소에 아주 예민하여 출생 후 혈
액내 산소량이 높아지면서 막힌다. 대개 24시간 안에 기
능적으로 막히고 2~3주 후면 완전히 막힌다. 2~3주 전에
prostaglandin E_1을 준다면 동맥관이 다시 열릴 수 있다.

3) 전도계

심장의 전기적인 전달체계는 혈액순환을 유도하기 위한
기계적인 수축을 시작하며 특별한 세포만으로 전기적 자극
을 유도하고 있다.

동방결절(SA node)은 우심방벽에 상대정맥 시작 부위에
있으며 심장에서 처음 자극을 유발하는 부위로서 박동을 시
작해서 탈분극의 시작인 심방으로 전달하고 방실결절로 자
극을 전달하여 심실로 전달한다.

방실결절(AV node)은 우심실 내에 있으나 중격의 끝부

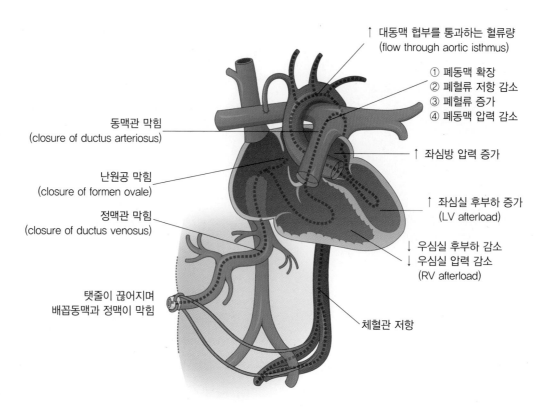

↑ 대동맥 협부를 통과하는 혈류량
(flow through aortic isthmus)

① 폐동맥 확장
② 폐혈류 저항 감소
③ 폐혈류 증가
④ 폐동맥 압력 감소

동맥관 막힘
(closure of ductus arteriosus)

↑ 좌심방 압력 증가

난원공 막힘
(closure of formen ovale)

↑ 좌심실 후부하 증가
(LV afterload)

정맥관 막힘
(closure of ductus venosus)

↓ 우심실 후부하 감소
↓ 우심실 압력 감소
(RV afterload)

**탯줄이 끊어지며
배꼽동맥과 정맥이 막힘**

체혈관 저항

그림 15-3   출생 직후 순환계의 변화

분에 있어 심방에서 심실로 자극을 전달하는 중요한 경로이다. 이 자극은 방실속(AV bundle) 방실결절로부터 심실중격을 따라 양쪽으로 뻗어가며 퍼킨제 섬유(purkinje fiber)로 전달된다.

심박출량은 일분당 심실에 의해 분출되는 혈액의 양으로, 이는 박동량(stroke volume-수축 시에 심실에서 동맥계로 분출되는 1회 박출량)과 심박동수에 의해 측정된다. 심박출량은 전부하(preload), 수축력(contracility)과 후부하(afterload)의 3가지 주요한 요소에 의해 영향을 받는다. 전부하는 확장기 말에 심실에서의 혈액량이며 심장으로 돌아오는 혈액량이 많으면 전부하가 증가되며, 후부하는 심실이 펌프질하는 것에 대한 저항이다. 말초저항의 증가로 심실 긴장도가 높아지며 후부하가 과도하게 높으면 심실을 쉽게 비우지 못하여 심박출량이 감소한다. 수축력은 심장근육에 의해 생성되는 수축하는 힘과 심실을 뻗게 할 수 있는 능력이며 교감신경계를 자극한다. 그러나 과도한 뻗침은 결과적으로 심박출량을 감소하게 한다.

심질환 치료의 대부분은 전부하와 후부하를 감소하고 수

축력을 증가하는 데 그 목적이 있다. 아동의 대부분의 심질환은 출생 시에 태생학적으로 구조가 닫히지 않았거나 심장이 부적절하게 형성되어 발생한다.

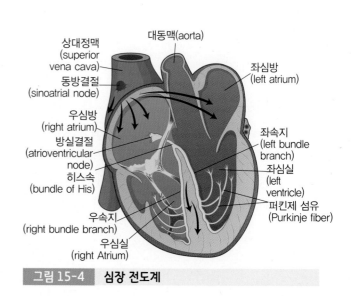

상대정맥
(superior vena cava)

동방결절
(sinoatrial node)

대동맥(aorta)

좌심방
(left atrium)

우심방
(right atrium)

방실결절
(atrioventricular node)

히스속
(bundle of His)

좌속지
(left bundle branch)

좌심실
(left ventricle)

퍼킨제 섬유
(Purkinje fiber)

우속지
(right bundle branch)

우심실
(right Atrium)

그림 15-4   심장 전도계

Ⅱ 순환기계 기능 사정

심질환 아동의 사정은 병력과 신체검진을 통해 시작된다. 심전도와 초음파 같은 좀 더 자세한 진단검사가 시행된다.

01 / 건강력

심질환은 태내 초음파를 통해 약한 심장기능이나 확대된 심장을 볼 수 있으므로 질환에 대한 인식이 높아졌다. 신생아기에는 심박동수가 너무 빨라서 비정상적인 순환의 기타 잡음을 들을 수가 없기 때문에 심질환을 발견하기 어렵다. 또한, 비교적 높은 폐저항 때문에 중격결손을 출생 시에 미리 알아채지 못할지도 모른다. 이런 영아의 1차적 간호는 출생 후 수유의 어려움으로 인해 생후 1주 내에 시행되어야

주요증상: 피곤, 청색증, 잦은 상기도 감염, 수유장애. 체중 증가 미약, 심부전
과 거 력: 임신기간 중 감염이나 출생기 소생의 어려움
가족 력: 다른 가족 구성원의 심질환

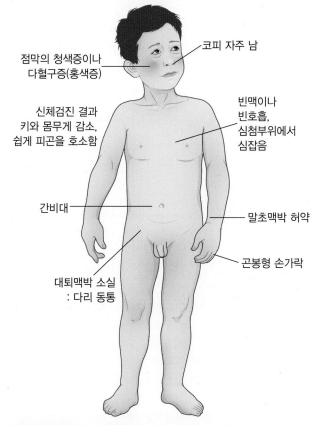

점막의 청색증이나 다혈구증(홍색증)

신체검진 결과 키와 몸무게 감소, 쉽게 피곤을 호소함

간비대

대퇴맥박 소실 : 다리 동통

코피 자주 남

빈맥이나 빈호흡, 심첨부위에서 심잡음

말초맥박 허약

곤봉형 손가락

그림 15-5 **심맥관계질환 아동 사정**

한다. 심질환이 있는 영아는 대체로 빈맥과 빈호흡이 나타난다. 빈호흡이 있는 영아는 모유나 우유를 빨기 위해 빈번한 호흡을 해야 하므로 빠는 것을 자주 멈추고 비효과적인 심장 활동 때문에 쉽게 피곤해지며, 수유가 완전히 끝나기 전에 빠는 것을 멈출 수 있다.

건강력을 사정할 때는 자궁강 내에서 문제가 발생되었는지를 결정하기 위해서 전반적인 임신력을 포함해야 한다. 어떤 심질환은 재태기간에 톡소플라스마증, CMV(cytomegalovirus, 거대세포 바이러스)나 풍진 같은 감염의 결과로 발생하기도 한다. 임신 동안에 어떤 약물을 복용했는지, 영양이 부적절한지, 또는 방사선에 노출되었는지 조사해야 하는데 이런 내용들이 선천심장병 발생의 원인이 되기 때문이다. 심질환이 있으면 나이가 많은 아동도 쉽게 피곤해진다. 병력을 조사할 때 아동에게 피곤해지기 시작 할 때는 얼마나 많은 활동을 한 다음인지 확인해야 한다. 또한 아동이 쉴 때 항상 취하는 체위에 대해 물어보아야 하는데 심질환을 가진 어떤 영아들은 슬흉위를 취하는 반면, 나이 많은 아동들은 자발적으로 쭈그리고 앉는다. 이런 체위는 무릎과 엉덩이를 빨리 구부려서 상체 쪽으로부터 쉽게 충분한 산소화된 혈액을 공급받을 수 있다. 심질환을 가진 아동은 다른 아동보다 감기에 걸리는 비율이 높으므로 감염에 대한 빈도도 확인해야 한다. 좌—우 단락을 가진 아동은 교감신경자극 때문에 과도하게 땀이 나는 경향이 있다.

부종은 심질환 아동에게서 보이는 마지막 징후이다. 만일 부종이 발생하면 안구 주위의 부종이 먼저 나타난다. 영아들은 기저귀를 잘 살피고 나이 많은 아동은 정상적으로 소변이 나오는지 물어봐야 한다. 청색증은 산소화되지 않은 혈액이 동맥계로 유입할 때 발생한다. 이런 영아는 대개 성장지연이 있고, 성장발달 기준이 정상 수준에 이르지 못한다. 대동맥 축착(coarctation of aorta)이 있는 아동은 머리와 상지 쪽의 혈압이 높아서 코피와 두통을 호소하고 하지 쪽에는 혈압이 낮아서 달릴 때는 통증을 호소한다. 심방중격 결손(ventricular septal defect) 같은 심질환이 있는 경우는 다양한 유전적 양상이 있다[표 15-1]. 그러므로 가족 중 다른 구성원의 경우도 조사해야 한다. 심질환은 인지장애나 신장질환 같은 다른 질환을 유발할 수도 있다.

표 15-1 선천심장병과 관련된 염색체 이상			
증후군	염색체 이상	심질환 빈도	동반되는 기형
Down	Trisomy21	40~50%	VSD, ASD, PDA
Edwards	Trisomy18	90% 이상	VSD, PDA, PS, COA
Patau	Trisomy13	90%	VSD, PDA, dextrocardia
Turner	45X	35%	COA, AS, ASD
묘성증후군	5P_	25%	VSD, PDA, T.O.F
태아알코올증후군			VSD, ASD, T.O.F
모체의 당뇨병			VSP, TGA
모체의 약물사용(암페타민)			VSD, PDA, ASD, TGA

02 / 신체사정

심질환이 의심되는 어린이의 신체사정은 아동의 키, 몸 무게와 정상 성장곡선차트와 비교해 보아야 한다. 전반적인 신체검진을 시행하고, 신체의 부분이나 계층에 특히 강조하여 사정한다.

1) 전체적 외모

손가락과 발가락 끝의 색깔(엄지발가락과 손가락 특히 엄지손가락)과 고상지두(clubbing finger)를 관찰한다. 손톱 끝을 눌러 보면 희게 되는데 재빨리 분홍색으로 변하면 순환과 산소화가 잘 되는 아동이다. 순환이 좋지 않은 아동은 분홍색으로 천천히 변하며 약 5초 정도 걸린다. 구강점막의 색깔과 청색증의 증거를 조사한다. 청색증은 신생아 혀의 점막 부분에서 확인이 제일 잘 된다. 출생 후 20분이 넘도록 청색증이 지속되면 심각한 심폐기능의 손상을 의미한다. 울게 되면 호흡이 더 깊어지고, 폐조직에 좀 더 산소가 요구되므로 청색증이 올 수 있다. 따라서 울 때 청색증이 증가하고, 순환요구가 증가하는 순간에 아동이 적절히 대처하지 못하는 것은 심장기능의 부전을 의미한다. 헤모글로빈이 4~6g/100mL 이하로 감소하면 심한 빈혈 때문에 청색증이 나타나지 않는다. 기면 상태, 빈호흡, 비정상적인 체위, 비효과적인 심장의 펌프작용 등을 관찰해야 한다.

심장기능을 확인하기 위해 흉부의 시진, 촉진, 청진을 포함한 신체검진을 실시하는데, 이는 매우 중요한 부분이므로 긴장을 풀게 하고 울지 않도록 도와준다. 나이에 적절한 장난감을 주고, 배고픔을 느끼는 경우에는 설탕물을 주도록 한다.

2) 활력징후(맥박, 혈압, 호흡)

빈맥이란 아동의 맥박이 160회 이상일 때를 말한다. 흥분이 제거된 수면 시에도 빈맥이 나타나는 것은 매우 중요한 의미를 가진다. 비정상적인 맥박 형태는 심장장애를 가진 아동들에게 일어날 수 있는 경향이 있으며 [표 15-2]에서 볼 수 있다.

기질적인 잡음은 '병리적인 심잡음으로 기능적이고 (functional), 무의미하거나(insignificant), 정상적(innocent)인 잡음'을 의미한다. 정상적인 잡음은 열성 질환으로 불안하거나 임신일 때 보다 명확하게 나타난다. 심잡음은 환아가 입원하면 가장 먼저 청진으로 알게 되고, 심장이나 폐동맥에서 진동의 정상적인 변화를 반영한다.

신체검진을 할 때 부모가 걱정하지 않도록 아동이 정상적인 잡음을 가졌다고 말해주고 이 잡음이 정상이며 어떠한 심질환의 징후도 없음을 설명한다. 아동의 활동 욕구를 억제하지 말고, 다른 아동과 건강을 비교하지 말아야 한다. 만약 이 잡음이 선천적 결손이나 심질환의 결과라면 기질적 심잡음을 의미한다.

표 15-2 비정상적인 맥박양상	
맥박양상	설명
Water hammer	매우 강하고 bounding pulse(Corrigan's pulse)와 말초순환이 손톱에 나타남. 심장의 불충분성, 동맥관개존증일 때
Pulses alternans	강한 맥박과 약한 맥박이 나타나면 심근이 약한 것을 의미함
Dicrotic	심첨맥박에 비해 2배로 나타나는 요골맥박은 대동맥협착의 증상임
Thready	약하고 항상 빠른 맥박은 비효과적인 심장활동을 의미함

정상적인 잡음과 기질적 잡음의 일반적인 특성을 [표 15-3]에서 볼 수 있다 .

사정단계에서 어떤 잡음이든 심장 주기(초기 수축, 중기 수축, 말기 수축 등)에서 그 위치에 따라 기술하고 기간, 특징(울리고 거칠며 덜커덕거림 등), 음의 고저, 강도, 가장 잘 들리는 위치(최대강도 지점), 진동(손으로 만질 수 있는 깨끗한 감각) 등이 있는지 자세변화나 운동으로 인한 잡음의 반응도 기술한다.

03 / 진단검사

진단검사는 광범위하고 뚜렷한 손상이 의심되는 심질환을 가진 아동에게 수행된다.

1) 심전도

심전도(electrocardiogram)는 심박동수, 리듬, 심근의 상태, 비대 유무(심벽의 비대), 허혈이나 괴사, 전도장애에 대한 정보를 제공한다. 다양한 약물과 전해질 불균형의 존재 및 영향에 대한 정보를 제공할 수 있다.

심전도는 심장 수축에 의해 전압을 발생시켜 오르고 내리는 것의 기록을 표시한다. 위쪽은 양전압, 아래쪽은 음전압을 추적하는 지표이다. 심박동은 동방결절(SA node)에

표 15-3	정상적 잡음과 기질적 잡음 비교	
특성	정상적 잡음	기질적 잡음
시간	수축	수축 혹은 이완
기간	짧게	길게
형태	부드럽고 음악적	거칠게 울림
강도	부드럽게	크게
들리는 부위	앙와위	모든 위치
운동 효과	있음	없음

의해 시삭한다. 동방결질로부터 전기적인 충격이 우심방 아래 쪽에 위치한 방실결절(AV node)로 퍼져 전달된 후 히스속(bundle of His)과 퍼킨제 섬유(purkinje fiber)와 심실 간 중격으로 퍼져 나간다. 이 지점에서 심실로 가득 차게 되고, 전기적인 흐름은 심실과 접촉을 일으켜 절정에 이른다.

정상적인 심전도는 심방파(P파)와 짧은 비활동 기간과 심실극파(QRS 극파)로 구성되어 있고 크고 느린 파동은 심실회복(T파)에 의해 일어나며 불완전하고 알 수 없는 느린 파동(U파)이 있다[그림 15-6]. P파의 연장은 동맥이 비대하고 동맥 위로 전해지는 전기적 전도가 더 긴 것을 의미한다. P-R 간격의 연장은 동방결절과 방실결절 사이에 조화가 어려움을 의미하고 높은 R파는 심실의 비대가 있음을 알려준다. R파의 높이가 증가된 것은 심실이 완전히 수축할 수 없고, 체액에 의해 둘러싸였을 때 일어날 수 있다. T파의 연장은 고칼륨혈증을 일으킨다. T파의 저하는 산소결핍

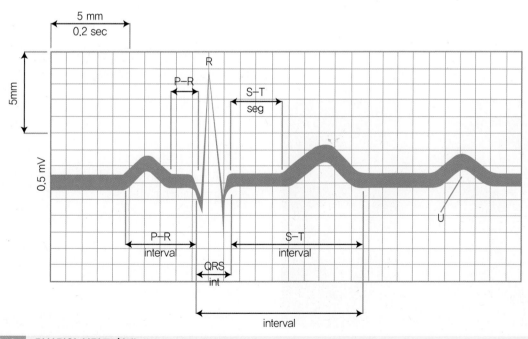

그림 15-6   정상적인 심전도 형태

증과 관련 있으며 ST 분절의 저하는 비정상적인 칼슘 수치와 관련된다.

2) 방사선 촬영법

(1) 방사선 검사

방사선 검사(X-ray)는 심장의 크기와 윤곽 및 심방 크기의 정확한 윤곽을 제공한다. 이는 심질환으로부터 폐에서 모아진 체액을 나타낼 수 있으며, 또한 심장박동조절기 유도의 위치를 확인할 때 사용할 수 있다. 전후면에서 심장 용적이 가슴 용적의 반 이상이라면 심장은 일반적으로 비대해진다. 유아의 심장은 수평 자세에서 용적 비율이 반 이상 넘게 측정되며 이 측정은 유아에게는 적용하지 않는다[그림 15-7].

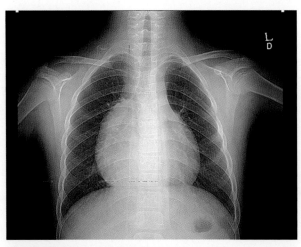

그림 15-7 방사선 검사

(2) 형광투시법

방사선 촬영의 한 형태로 심장과 거대혈관, 폐, 흉곽, 횡격막의 형태와 크기에 대한 중요한 정보를 제공한다. 형광투시법(fluoroscopy)은 활동하고 있는 심장의 움직임을 직접 보여준다. 영유아의 동맥이나 정맥비대는 X-ray만으로는 해석이 어렵다.

(3) 방사선 혈관촬영법

방사선 혈관촬영법(radioangiocardiography)은 테크네튬(technetium)과 같은 방사성 활동 물질을 혈류에서 정맥 내로 주입한다. 이 물질은 심장을 통해 순환하며 비디오 테이프로 추적하여 기록한다. 적은 용량의 방사선을 포함하고 있으며 중격문합을 설명하는 데 사용된다. 일반화된 혈관촬영법이나 염료 주입식 방사선 촬영법은 아동의 심장결손을 증명하기 어렵다. 연속적인 X-ray 필름으로 보면 명백하게 비정상인 것이 확인된다. 이 방법은 조영제의 진행 순서를 확인하여 심장과 대혈관의 연결 상태를 알 수 있으며 심장판막의 손상이나 선천성 중격결손 등의 구조적, 기능적 결함을 진단하는 데 유용하다. 조영제를 사용하는 검사는 조영제 과민반응에 의한 부작용이 있을 수 있으므로 주의 깊게 관찰하도록 한다.

3) 초음파 심장 촬영술

초음파 심장 촬영술(echocardiography)은 초음파로 하는 심장 촬영법으로 심장병을 진단하는 일차적 검사이다[그림 15-8]. 심장 구조의 용적과 심실 크기, 벽두께, 심실에서 중요 혈관과의 관계, 활동과 혈관 압력의 변화도 및 움직임 연구 등에 사용된다. 단독 광선인 M-모드는 심실 수축을 나타낸다.

두 용적은 혈관과 심실을 나타낼 때 사용한다. 도플러 기술은 혈류의 속력을 나타낸다.

이 방법은 방사선으로 인한 위험에 아동이 노출되지 않고 반복하여 검사할 수 있는 장점이 있다. Transesophageal probe는 심실을 드러내는 데 보다 나은 방법으로 사용될 수 있다.

태생기 초음파 촬영술은 임신 18주보다 일찍 심장이상을 발견할 수 있게 하였다.

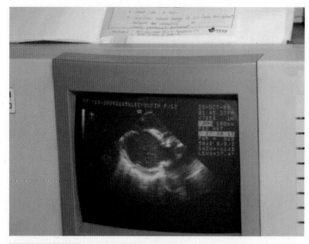

그림 15-8   초음파 심장 촬영술

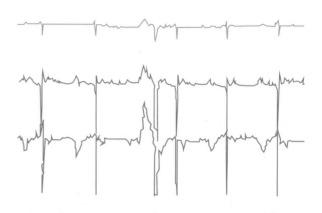

그림 15-9   심음도

4) 심음도와 자기공명영상검사

심음도(phonocardiography)는 아동의 가슴에 있는 마이크로폰(송화기)에 의해 전기적인 힘으로 심음의 도표를 해석하고 나서 심음의 도형적 표시를 기록한다[그림 15-9]. 이 기술은 직접적인 청진에 의한 방법으로 너무 빨리 발생하거나 너무 높거나 낮은 심음의 시간을 측정할 수 있다.

자기공명영상검사(MRI, magnetic resonance imaging)는 심장 구조, 혈류나 크기 등을 평가하는 데 사용된다.

5) 운동부하검사

운동부하검사(exercise testing)는 심장이 운동을 통해 증가된 순환계 요구량에 적절히 대응하는지 확인하기 위한 검사로 운동으로 심장에 부담을 주면서 심전도를 확인하는 검사이다. 심장결손을 가진 경우 폐(폐 협착)에서 혈류를 방해하고 조절할 수 없게 되어 아동들은 호흡곤란을 겪게 된다. 심장의 전기 활동을 지속적으로 관찰하거나 어지러움, 흉통, 실신, 심계항진, 빈맥 등 리듬장애의 상호관련성을 파악하고 부정맥이나 비정상적인 혈액역동, 리듬장애, 약물의 효과 등의 발생기전을 사정한다.

6) 임상병리검사

임상병리검사(laboratory tests)는 빈혈 또는 응고결손 등의 진단을 확인하는 혈액검사를 말한다. Hct나 Hb 검사는 신체에서 증가하는 적혈구 생산 비율을 사정하는 데 사용된다. 적혈구 세포가 많이 증가한다면(다혈구혈증) 혈액 용적

과 점성은 증가하게 된다. 신생아들은 정상적으로 약간 다혈구증이 있다. 다혈구혈증은 Hb 25g/100mL 이상이거나 Hct 70% 이상이고, 나이가 많은 아동들은 Hb 16g/100mL 이상이거나 Hct 55% 이상으로 정의된다.

상승된 적혈구 침강 속도(erythrocyte sedimentation rate, ESR)는 감염을 나타내고 증명하는 데 사용되며 이는 류마티스열, 가와사키병이나 심근염이 있을 때 발생한다.

검사 시 혈액가스 수치도 결정되는데 아동에게 15분 동안 100% 산소를 투여한다. 만약 투여 후에도 유아가 PaO_2를 150mmHg보다 더 적게 유지한다면 비산화된 혈류인지 의심하고, 산소포화도를 재사정한다. 산화된 단락에서 비산화된 단락을 가진 아동은 동맥혈에서 정상보다 낮은 산소포화도를 가진다. 정상적으로 동맥혈 산소포화도는 96~98%이다. 산소포화도는 정맥 내 동맥 단락이 존재할 때 92%에 도달하지 못한다.

심장 카테터나 외과수술 전에 혈액응고상태를 재사정해야 한다. 심장병으로 인한 다혈구혈증을 가진 몇몇 아동들은 혈소판 수가 감소된다(혈소판감소증). 혈소판 형성이 혈액응고를 위해 필요하므로 혈소판 수의 상태는 심장수술 전에 정확해야 한다. 이뇨제를 복용하는 아동들은 이뇨제가 몸에 칼륨을 고갈시키기 때문에 혈청 칼륨 수치를 확인해야만 하며 아동들이 투약을 받을 때 확인이 필요하다.

Ⅲ 심장장애 아동의 간호

심장결손을 갖고 태어난 영아를 집에서 간호하는 것은 대부분의 부모에게는 어려운 일이다. 부모가 아동의 장애에 대해 가능한 많이 이해할 수 있도록 돕는 것은 중요한 일이다.

간호진단 및 목표

간호진단 : 아동의 장애에 대한 지식부족과 관련된 부모의 건강 추구 행위

간호목표 : 부모들은 아동의 질병과 퇴원 전 치료계획을 완전히 이해했음을 설명할 수 있을 것이다.

예상되는 결과 : 부모들은 아동의 독특한 요구와 병의 특성을 정확히 말할 수 있다. 아동의 치료과정에 따른 1차 치료 제공자가 될 수 있고 응급 시 전환할 수 있다.

확인문제

3. 심장병 진단에 도움을 주는 혈액검사는 무엇인가?

4. 규칙적으로 혈압 관리를 시작하는 나이는 언제인가?

① 부모들이 궁금해 하는 치료에 대한 정보를 제공한다.

"아기가 울게 두어도 되나요?"

아동이 팔로네증후 또는 청색증을 지닌 소발작으로 발전할 경향이 있는 다른 심장장애를 가졌거나 심한 대동맥협착이 있다면 오랜 시간 동안 울게 두지 않는다.

우유를 데우는 몇 분 등과 같이 짧은 시간 동안 우는 것은 아동에게 해롭지 않다.

"아동에게 어떤 것을 먹이나요?"

심장장애를 가진 아동들은 일반적으로 정상 식이를 먹을 수 있다. 단지 영아는 수분 균형을 조절하기 위한 나트륨 조절이 필요하다. 어떤 영아는 모유수유를 멈췄을 때 부족한 비타민을 제공받아야 한다. 선천심장병을 가진 영아는 쉽게

지치기 때문에 보통 3~4시간마다 먹이기보다는 적은 양을 자주 먹이는 것이 필요하고 아동의 먹는 것이 너무 빈약하다면 고칼로리 처방이나 장내 혹은 위루설치술로 주입하는 것이 필요할지도 모른다.

"활동범위는 어떻게 하는 게 좋을까요?"

이는 심장장애의 정도와 유형에 따라 달라진다. 일반적으로 영아나 어린 아동 등은 자연적으로 그들이 지닌 활동력에 제한을 받는다. 그러나 활동에 따라 임상증상이 악화된다면 부모와의 상담을 통해 활동의 한계를 정하도록 한다. 부모가 영아를 관찰하도록 격려하고 아동의 활동이 초과하기 시작한 지점과 호흡하기 어려운 첫 징후를 주의 깊게 인식하는 것을 배우게 한다. 또 주의 깊게 새로운 활동을 소개하고 새로운 관심을 갖도록 하여 아동의 행동이 심장에 적응될 수 있도록 한다.

"다른 질병으로 인해 아프면 어떻게 해야 하나요?"

심장장애를 가진 아동은 대수롭지 않은 질환에도 신속한 치료가 요구된다. 감기를 동반한 열은 심한 선천적 심장결손을 가진 아동의 대사 비율을 증가시킬 수 있다. 탈수는 다혈구혈증이나 병이 진행되는 아동에게는 꼭 피해야 하는데 이는 심한 혈전이나 혈전성 정맥염을 초래할 수 있기 때문이다. 선천적 심장결손이나 류마티스열을 가진 아동이 구강 외과술(발치나 편도선제거)을 받기 전에는 예방적 항생제 치료가 필요하다. 연쇄상구균 세포가 입안에 존재해서 종종 염증성 심내막염을 수반하기 때문이다. 페니실린(penicillin)은 과민성 항생제이므로 아동이 페니실린에 민감할 때 에리스로마이신(erythromycin)을 사용한다. 선천심장병을 가진 아동은 규칙적인 면역검사를 받고 폐렴과 감기 예방접종에 신경을 써야 한다.

② 추후 간호와 응급을 위한 단계를 확인한다.

부모는 퇴원 전에 아동의 건강 요구에 질문이 생기면 도움을 줄 수 있는 사람을 알아야 한다(우선 치료제공자와 응급 시 도움을 줄 전화번호). 아동에게 슬흉위에서 청색증이 나타나면 잘 확인하여 건강요원과 연락하게 하고 부모 혼

자 해결하지 않도록 하며 부모를 안심시킨다. 심장병을 가진 영아를 치료하는 사람은 부모가 느끼는 책임감과 환아의 건강 판단을 하는 데 어려움이 있음을 이해해 준다. 또한 아동과 가족을 사정하고, 부모와 의논하는 것은 부모가 느끼는 책임감에 힘이 되며 부모는 아동 건강에 대해 또 다른 의견을 얻을 수 있다. 부모는 심폐소생술(cardiopulmonary resuscitation, CPR)과 지역사회 응급의료시스템을 활용하는 것을 배워야 한다.

01 / 심도자법을 받고 있는 아동

심도자법은 심장기능을 평가하는 데 필요하다. 그중 진단적 심도자법은 심장결손을 진단하는 데 사용된다. 중재적 심도자법은 풍선 카테터나 다른 장치를 이용하여 비정상적인 것을 교정하는 시술이다. 작은 방사선 투과성 카테터는 팔다리나 목의 주요 정맥을 통과하여 심실에서 혈류의 압력을 재고, 총박출량을 평가할 수 있게 한다. 산소포화도 수치를 결정할 수 있도록 혈액 표본을 얻고 혈관조영술로 조영제를 주입할 수 있다. 또한, 전극은 전기적 활동을 기록하고 부정맥을 진단할 수 있다.

심도자법은 외래 환자에게도 시행된다. 일반적으로 구토와 흡인의 위험을 줄이기 위해 2~4시간 동안 금식시켜야 한다. 아동의 최근 흉부 X-ray, 심전도 기록과 혈액검사 결과가 있어야 한다. 키와 몸무게는 카테터의 크기 선택에 도움을 주므로 기록해야 하고 삽입 부위는 감염되지 않아야 한다. 대부분의 아동에게 안정제를 처방해서 긴 절차가 효과적으로 유지되도록 한다.

심도자실에서 심전도와 맥박산소측정법을 유도하여 첨부한다. 삽입 부위는 EMLA 크림이나 피내 리도카인으로 국소마취하고 카테터는 대개 대퇴혈관으로 삽입하되 혈관 노출을 위해 절개를 약간 하거나 경피술로 큰 바늘에 카테터를 연결하여 혈관으로 삽입하고 피부에 봉합한다. 신생아는 제대동맥에 할 수 있다. ① 우심도자술은 우측 대퇴정맥을 사용하여 우심방으로 카테터를 유입한다. ② 좌심도자술은 정맥이나 동맥 접근에서 수행할 수 있다. 동맥에서 한다면 카테터는 대퇴나 상완동맥에서 삽입한다. 정맥 쪽은 우측 대퇴 정맥을 사용한다. 일단 카테터가 심실로 들어가면

방사선 불투과성의 염료가 주입된다.

심장 카테터시술 시 사망률이 약 0.5%로 위험이 전혀 없는 것은 아니다. 7개월 미만의 영아에서 발생하는 대부분의 합병증은 심장천공이나 부정맥이다. 일시적 부정맥은 조영제 주입하는 동안이나 심실에 카테터가 지나는 동안에 발생한다. 혈전 형성 가능성을 감소하기 위해 카테터 안으로 헤파린(Heparin)을 투여한다. 심도자법은 심장수술의 시각화를 위해 필요하지만 절차상 위험이 있을 수 있다.

간호진단 및 목표

간호진단 : 심도자법 절차와 관련된 지식 부족
간호목표 : 시술 전 증가된 지식으로 부모와 아동의 불안이 감소됨을 알 수 있다. 시술 과정과 시술 후 결과와 욕구에 대해 확실하게 표현할 것이다.
예상되는 결과 : 부모와 아동은 시술목적을 깨닫게 되고 불안상태는 교육 후 감소한다.

1) 시술 전 간호

대부분의 심도자법은 아동이 깨어있는 상태에서 클로르프로마진(chlorpromazine), 프로메타진(promethazine)과 메페리딘(meperidine) 같은 약의 혼합으로 안정시킨다. 아동은 심장수술과 시술 동안 일어나는 일에 대한 정보에 대해 궁금해 할 수 있다. 부모와 아동에게 함께 설명해 주는 것이 가장 좋으며 이는 부모가 정보를 강화하는 데 도움을 줄 수 있다.

요오드계 약물을 사용하므로 과민반응 여부를 사정하고 감염에도 주의해야 한다. 준비된 아동은 수술방에서 부모를 가능한 오랫동안 보여주고, 실제 기구를 보고 압도당할지 모르기 때문에 촬영실 밖에 작은 모형(X-ray 기계, 형광 투시 스크린, 심전도기 등)을 세워두면 도움이 된다. 모형실에 있는 동물모형이나 작은 인형은 환아에게 도움이 된다.

수술실 의료진이 사전에 동물모형에게 "무균된 옷"과 "마스크"를 씌워 보여주거나 나이가 많은 아동들은 수술실을 미리 둘러보도록 하는 것이 좋다. 시술은 2시간에서 5시간까지 걸릴 수 있음을 얘기해 준다. 완성된 모습이나 다른 스트레스 감소 기술을 이용하여 부모를 도와준다.

아동이 심장의 기능과 목적에 대해 아는 것을 과소평가하면 안 된다. 심장이 인체에서 중요한 부위인 것을 아동들도 알고 있다. 따라서, 의사는 그들의 심장을 자르거나 부분적으로 제거하는 것이 아니라 돌봐주는 것임을 알려주도록 한다.

카테터를 삽입할 때 상처는 크게 없지만 순식간에 빠르게 들어가면 불편감이 있다고 설명한다. 조영제가 스며들 때 찌르는 듯한 느낌이 든다. 수술 후 아동의 출혈 위험을 감소하기 위해 카테터를 주입한 부위에 압박 드레싱을 한다. 아동은 반듯하게 누워서 드레싱이 느슨해지는 것을 방지하도록 한다.

간호진단 및 목표

간호진단 : 심도자법과 관련된 조직관류 변화의 위험성
간호목표 : 아동은 회복기간 동안 적절한 혈액흐름이 지속될 것이다.
예상되는 결과 : 아동의 활력징후는 정상 범위 내이다. 삽입 부위에 출혈이나 혈종이 발생하지 않는다.

2) 시술 후 간호

아동이 시술을 마치고 왔을 때 조심스럽게 침대로 옮겨준다. 삽입 부위의 압박 드레싱이 깨끗하고 완전하며 출혈이 없는지 사정한다. 대퇴부나 팔꿈치에 감은 압박붕대는 혈종 형성을 예방하고 압박 드레싱을 완전하게 하기 위해 사용된 것이다.

동맥의 느슨한 드레싱은 매우 짧은 시간에 큰 혈액 손실을 일으킬 수 있다. 또 감염의 증상과 징후를 위해 삽입 부위를 확인하는 것은 피부가 드러난 곳이 세균의 출입구이기 때문이다. 사지에서 삽입 부위의 말단 맥박을 촉지한다. 삽입된 말단 부위의 색깔, 온도나 순환(발가락이나 손톱이 창백하나 즉시 바로 붉게 보이는 것)을 사정한다. 삽입 부위에서 출혈이 있다면 팔에 압박을 유지하고 바로 의사에게 보고한다.

불안을 감소하기 위해 아동이 그들의 경험을 표현할 기회를 준다. X-ray 기계 위 억압된 상태에서 심장을 관통하는 관에 대한 생각, 수술실 직원이 말한 내용에 대한 두려움을 말하게 하며 두려움이 완화되도록 돕고 수용하도록 한다. 그들이 잘 협조하면 이를 칭찬할 필요가 있다.

삼출액이 나오는 것을 막고, 오랜 시간 누워 있다가 갑자기 일어났을 때 발생할 수 있는 저혈압을 예방한다. 맥박, 혈압과 호흡은 1시간 동안 잦은 간격(매 15분마다)으로 사정한다. 방사선 불투과성 조영제의 주입하면 저혈압이 나타나는데 카테터 삽입 후 혈압은 삽입 전 수치보다 10~15% 낮다.

심장 부정맥과 서맥은 카테터의 기계적 활동이 심장의

전결절을 건드려 생긴 결과이다. 맥박과 혈압은 15분마다 사정하고, 이상을 감지하도록 1분 내내 감시해야 한다. 어린 아동은 부정맥을 느끼거나 표현할 수 없다. 나이가 많은 아동은 "심장 두근거림"이나 "가볍게 뜀"과 같이 표현한다. 부정맥은 심각한 합병증이고 즉시 보고할 필요가 있다. 또한, 시술 후 아동의 불안이 증가하므로 관찰이 중요하다. 관찰만이 아동이 느낀 감정을 알 수 있는 방법이다.

아동은 금식으로 인해 일시적인 탈수가 있을 수 있으므로 수분 보충이 필요하다. 다혈구혈증이라면 수분섭취는 혈관 혈전을 피하는데 도움이 된다. 아동의 정맥 주입 유지는 시술 동안과 시술 후 탈수 예방에 도움이 된다. 그러나 과도한 수액은 심장 합병증을 예방하기 위해 피한다. 심도자법의 부작용으로 무호흡 발작과 흉골함몰이나 호흡곤란이 나타날 수 있다. 부정맥, 호흡곤란, 서맥과 같은 혈압이상은 대부분 완화되지만 간혹 합병증이 유발될 수 있으므로 보고하도록 한다.

간호진단 및 목표

간호진단 : 심도자법 절개 부위와 관련된 감염 위험성
간호목표 : 수술 후 감염의 증상과 징후가 나타나지 않는다.
예상되는 결과 : 액와 체온은 38℃ 이하이다. 카테터 삽입 부위는 발적과 삼출액이 없다.

드레싱을 대퇴동맥이나 정맥 위에서 한다면 대소변이 묻지 않도록 한다. 합성수지 드레싱은 방수가 필수적이다. 바로 체온을 사정하고 나서 수술 후 몇 시간 동안은 매 시간 잰다. 금식으로 인한 생리적 탈수로 일시적인 체온상승이 있을 수 있으며, 염료 주입의 반응으로도 올라간다. 체온 사정을 계속하는 것은 일시적 원인과 수술 시 병원체의 노출에 의한 감염으로 상승된 체온을 구별하는 데 도움이 된다.

2~3일 동안 통목욕과 격렬한 운동을 삼가도록 교육한다. 검사 후 혈관 치유를 위해 우심도자술을 한 경우는 4~6시간, 좌심도자술을 한 경우는 6~8시간 동안 시술한 사지를 편 채로 침상안정을 유지한다.

간호진단 및 목표

간호진단 : 시술 동안의 추위와 관련된 저체온
간호목표 : 아동의 체온은 시술 후 곧 정상으로 돌아올 것이다.
예상되는 결과 : 아동의 체온은 시술 후 1시간 내 액와로 36℃ 이상이다.

특히 영아는 시술 동안 회복되지 않은 상태로 심도자법

후에 저체온이 올 수 있다. 대사 비율을 증가시키고 체온을 올려야 하므로 빠른 호흡과 증가된 심장활동이 지나치게 유도될 수 있다. 영아는 정상적인 체온유지를 위해 방사열기구를 아래에 두는 것이 필요하다.

확인문제

5. 심장에 카테터를 삽입할 때 아동이 받는 느낌은 어떠한가?

6. 심도자법 후에 심장 부정맥이 증가하는 이유는 무엇인가?

02 / 심장수술을 경험하는 아동

개방적 심장수술[그림 15-10]은 심폐측로(cardio-pulmonary bypass, CPS) 기술의 사용으로 가능해졌다. 심장에서 돌아오는 정맥은 인공적인 산소화를 하는 심폐 기계에서 상·하대정맥이나 우심방으로 전환하여 심장을 지나는 동맥측로에 의해 인체의 동맥조직으로 되돌아온다. 심장은 실제적으로는 혈액이 없고, 혈액은 동맥에서 폐의 모세혈관과 관상동맥으로 되돌아온다. 심지어 혈액은 끌어 올리지 않고, 적당한 혈액을 제공받아 통과과정 동안 스스로 유지되도록 한다[그림 15-11].

수술 동안 저체온(아동 체온이 20~26℃로 떨어짐) 상태를 유지하는 아동의 대사 요구를 감소시키기 위해 사용된다[그림 15-12]. 중증도가 높은 경우 수술 후 침상 옆에 체외막산소공급기(extra-corporeal membrane oxygenation, ECMO; 체외에서 환자의 혈액을 산소화해 순환계로 되돌려 주는 장치로 손상된 호흡기능을 보조함)를 유지한다.

1) 수술 전 간호

수술 전 활력징후(혈압, 체온, 맥박과 호흡) 측정은 기본적으로 필요하다. 혈압을 재기 전 약 15분 동안 쉬고 실제적인 측정은 누워서 한다. 맥박과 호흡은 1분 동안 확실하게 측정한다. 키와 몸무게는 약 용량과 심폐 기계의 혈액 용적 평가에 필요하기 때문에 기록하도록 한다. 또한, 몸무게는 수술 후 부종이나 혈액손실을 평가하는 데 도움이 된다. 강심제를 복용하던 아동은 강심제가 심장수술의 부정맥을 야기하기 때문에 수술 24시간 전에는 복용을 중지한다.

간호진단 및 목표

간호진단 : 심장수술 결과와 관련된 지식 부족
간호목표 : 부모와 아동은 치료팀에게 확신과 시술 전 증가된 지식을 보여줄 것이다.
예상되는 결과 : 부모와 아동은 수술 이유와 기대되는 결과를 아는 상태이다.

심장수술을 위해 병원에 데려온 아동의 부모는 아동이 인공호흡기, 심장관, IV 기구, 심장모니터와 같은 기구를 둘러보도록 준비시킨다. 대개의 부모들은 아동이 수술 후 갈 중환자실(ICU)을 방문하여 살펴본다. 간호사가 아동의 수술 전 준비를 하는 간호사와 같지 않다면 중환자실 의료진과 만날 특별한 기회를 준다.

부모와 아동에게 절차를 설명한다. 수술의 심각성이나 심장의 중요성에 대해 아동이 얼마나 아는지 과소평가하지 않도록 한다. 몇몇 부모는 아동에게 수술에 대한 설명이나 어떠한 이야기도 말하기를 원하지 않으며, 아동이 두려워한다고 믿는다. 걱정이 많은 부모에게는 아동에게 설명하듯이 친절하게 설명해 주어야 한다. 또한 이미 여러 번 심장시술인 심도자법을 경험한 아동들인 경우 이전의 경험을 이야기하도록 한다.

수술과 수술 후 치료를 위해 아동이 부모와 수술을 위한 준비를 했다면 가장 바람직하다. 부모는 수술 절차에 대해 논의하기 위한 시간을 더 필요로 하고 질문을 할 수 있다. 부모와 아동은 심도자법과 심장수술의 차이점에 대해 질문한다. 아동이 감정을 표현하도록 하고, 마취된 상태는 깨어있기 어려운 것이 아니고 특별한 수면이라고 안심시킨다. 마취의와 만날 수 있게 하고 아동이 자는 동안 도와줄 것임을 보여주어 안심시켜 준다. 심도자법 시술 시처럼 기구의 모형을 만들어 아동이 보면 도움이 된다. 나이가 많은 아동은 수술 후 돌아올 중환자실에 가보고 실제 기구를 보도록 한다.

수술 후 아동에게 기침과 깊은 호흡이 폐 확장에 도움이 된다고 가르친다. 풍선을 불게 하는 것은 깊은 호흡을 하지 못할 때 도움이 된다. 추가로 수술 후 받을 산소 치료를 소

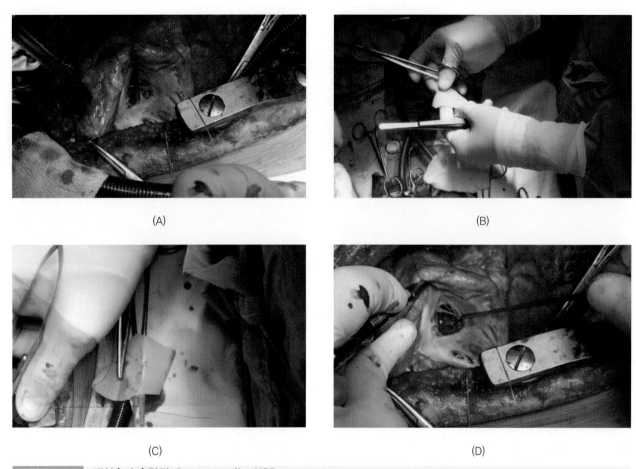

(A)   (B)

(C)   (D)

그림 15-10   **개심술 수술장면-Dextrocardia-VSD**
(A) 삼첨판막모습   (B), (C) 심실중격결손을 막기 위해 patch를 자르는 모습   (D) 심실중격결손 수술 후 확인하는 모습

개한다(마스크, 비강캐뉼라, 인공호흡기 등). 흉관을 익숙하게 다룰 수 있도록 돕는다. 아동과 부모에게 흉관이 빠졌을 때 그대로 그곳에 있도록 하고 관이 떨어졌다면 빠진 상태 그대로 관을 보관하고 도움을 요청하도록 한다. 부모는 흉관배액 저장소가 아동 가슴 아래에 있게 하고 어떤 이유로든 위로 올리지 말아야 한다. 아동이 심전도기에 익숙하지 않다면, 수술 전 준비의 한 부분으로 소개한다.

2) 수술 후 간호

수술 후 수술실을 떠나기 전 X-ray 결과를 함께 전달하고 몸무게를 잰다. 폐확장을 측정하고 몸무게는 두 측정기로 비교해 확인한다.

간호진단 및 목표

간호진단 : 심장수술과 관련된 심폐조직관류 변화의 위험성
간호목표 : 회복기간 동안 적당한 조직관류가 유지될 것이다.
예상되는 결과 : 활력징후는 정상범위 내에 있다. CVP나 폐동맥
쐐기 압력도 정상범위 내에 있다.

매 15분마다 정확하게 활력징후를 재는 것은 수술 후에 필수적이다. 계속해서 심장을 모니터하고 기관 내 삽입된 기구를 사정하는 것도 필수적이며 혈압도 기록한다. 폐동맥이나 중심정맥 카테터로 혈액 동력을 감시하는 것은 심실압력과 산소포화도 정보를 알려준다.

심장수술 후에 아동은 많은 선과 관, 모니터, 펌프, 기구들을 부착하므로 부모는 아동의 필요를 잘 파악해야 한다. 상태가 호전되면 어떤 기구들은 부착하지 않는다. 아동의 깨어있는 정도를 파악하여 적은 수의 기구들만 사용하도록 한다.

수술 후 적절한 배뇨는 신장이 잘 순환되는 것을 의미

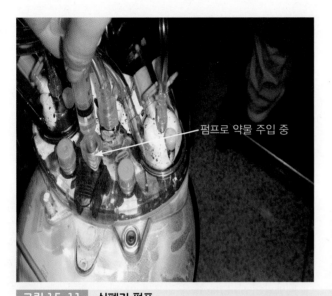

그림 15-11 심폐기 펌프

(A) 펌프로 약물 주입 중　(B) 펌프기능

한다. 수술 시에 정체도뇨관을 삽입하므로 소변 배출 양상을 주의 깊게 기록할 수 있다. 아동이 수술 후 처음 돌아왔을 때 소변 배액량의 표시가 확실해야 한다. 이는 소변 배액의 감소를 판단하지 못하거나 놓치지 않게 할 것이다(1mL/kg/hr). 또한 개인의 소변 검사물의 비중과 pH를 검사하는데 심한 산도는 대사성 산혈증을 일으킬 수 있으며, 비중이 1.010 이하라면 소변의 농축이 잘 안 되는 것으로 수술로 인한 스트레스가 원인이다.

정맥 주입 시 너무 빠르거나 수액과다는 수술 후 심장에 심한 위협을 줄 수 있으므로 수액주입펌프를 사용하도록 한다.

동맥혈가스(PaO_2와 $PaCO_2$), Hb, Hct, 응고시간과 전해질(나트륨과 칼륨) 같은 임상병리 검사는 수술 후 폐기능과 심장을 보다 근접해서 사정하고 감시하는 방법이다. 산소포화도 수치는 맥박산소측정법이나 경피성 산소모니터링에 의해 감시된다. 도파민(dopamine) 같은 약은 심박출량을 향상시키며, 이소프로테레놀(isoproterenol)은 심박수를 증가시킬 것이다.

(1) 중심정맥압을 감시한다.

중심정맥압(central venous pressure, CVP)은 상완, 경정맥 혹은 쇄골하 정맥으로 삽입되고 우심방으로 들어가는 것을 기록한다[그림 15-13]. CVP는 아동의 수액 용적 상태를 평가하는 훌륭한 지침이 된다.

(2) 폐동맥 압력을 감시한다.

폐동맥 압력은 모니터에 혈액을 운반하는 폐의 저항(폐동맥 저항)과 순환하는 수액 용적을 다루는 좌심의 능력으로 그래프로 나타난다. 카테터는 응괴가 생기지 않도록 자주 헤파린으로 세척한다. 혈액 표본은 카테터 통로에서 얻을 수 있다. 이때 입구에 공기가 들어가지 않도록 하는 것이 중요한데, 공기가 들어가면 즉시 좌심으로 흘러 들어가고 뇌동맥에 색전이 생기기 때문이다.

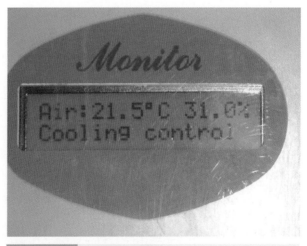

그림 15-12 저체온법 시행 중

간호진단 및 목표

간호진단 : 확장부전이 된 폐 공간과 배액물 수집과 관련된 가스 교환장애
간호목표 : 회복기간 동안 원활한 호흡 기능을 보일 것이다.
예상되는 결과 : 호흡수는 적절한 범위일 것이다. 나음이나 다른 우발적 호흡음이 없고, 흉관의 기능은 정상이다.

(3) 폐합병증을 감시한다.

기관내관이 제거되자마자 호흡기에 분비물이 모이지 않도록 한 시간 간격으로 기침과 깊은 호흡을 하도록 격려한다. 기침이나 깊은 호흡 시에 가슴에 심한 통증이 있다. 깊은 호흡을 시도하기 10~15분 전에 진통제를 주도록 한다. 잦은 심호흡은 꼭 필요하다. 풍선 부는 흉내를 내는 것은 폐 확장을 유도하는 중요한 운동이라고 부모에게 설명하여 이해시킨다. 반면 이 운동이 많이 지치게 만든다는 것을 설명하고 격려한다.

그러나 대부분의 아동과 유아는 분비물을 제거하기 위한 흡인이 필요하다. 진동법과 타진법 같은 흉부물리요법이 도움이 된다. 이때, 아동은 반좌위를 유지하는데 이 자세는 흉관배액을 용이하게 하며 복부 내용물이 폐를 압박하지 않게 하고 호흡곤란을 완화할 수 있다.

대부분의 아동에게는 2개의 흉관을 주입한다. 위쪽 관은 공기를 배액하는 것이고, 아래쪽은 체액을 배액 하는 것이다. 이들은 물로 봉인된 배액기구(Pleur−Evac; [그림 15-14])와 연결된다.

관이 막히게 되면 배액될 수 없고 폐도 확장시키지 못한다. 연결관이 느슨하거나 Pleur−Evac이 금이 가거나 깨졌다면 외부 공기는 관을 통해 흉강으로 들어갈 것이고 폐는 쪼그라들게 된다(기흉).

흉관의 목적은 폐가 재확장하도록 늑막강에서의 음압을 되찾는 것이다. Pleur−Evac은 3개의 챔버, 즉 배액수집병, 밀봉병, 흡인조절병으로 구성되어 있다.

흉관은 배액수집병과 연결된다. 배액의 양을 기록하는데 수술 후 3일 혹은 4일이 지나면 배액이 멈출 것이고, 폐가 완전히 팽창한 후 관을 제거한다.

배액량이 5mL/kg/hr을 넘으면 안 된다. 접착 테이프를 Pleur−Evac 옆에 놓고 수액 수치를 매시간 기록하고, 매시간 배액량을 확인한다. 배액이 어떤 색깔인지 혈전이 있는지 잘 기록해야 한다. 배액된 체액이 붉은색을 띄거나 혈액을 포함해서는 안 된다. 만약 그렇다면 이는 출혈을 의미할지도 모른다.

수술 후에 흉관이 빠질 수 있다. 이런 응급상황에서 긴박한 호흡곤란, 빈맥, 청색증, 날카로운 통증을 동반한 기흉이 발생할 수 있다. 단지 관이 느슨하거나 연결 부위가 샌다

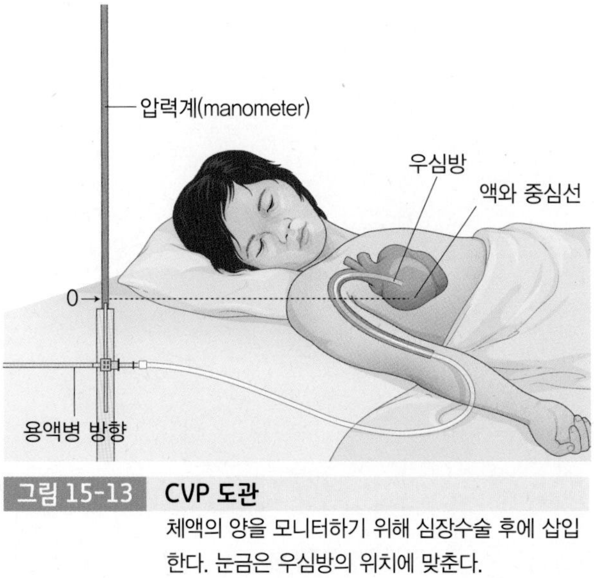

압력계(manometer)
우심방
액와 중심선
0
용액병 방향

그림 15-13 **CVP 도관**
체액의 양을 모니터하기 위해 심장수술 후에 삽입한다. 눈금은 우심방의 위치에 맞춘다.

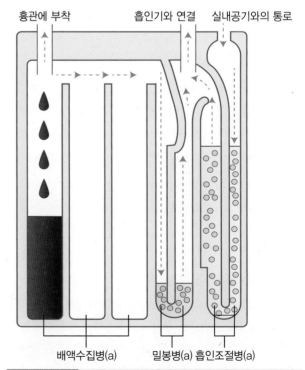

흉관에 부착
흡인기와 연결
실내공기와의 통로
배액수집병(a)
밀봉병(a)
흡인조절병(a)

그림 15-14 **흉부도관 배액을 위한 Pleur-Evac system**

면, 증상은 걱정할 만큼은 아닐 수 있다. 그러나 흉부에 공기가 들어갔다면 Rochester와 같이 큰 잠금장치로 잠가야 한다. 관이 완전히 빠졌다면 즉시 바세린 거즈를 덮어 공기가 통하지 않게 한다. 바세린 거즈가 즉시 준비되지 못한다면, 다른 의료진이 도착해서 도와줄 때까지 간호사가 장갑 낀 손으로 상처 부위에 대고 지지하고 있어야 폐확장부전증 같은 상태를 최소화할 수 있다. 아동이 조용히 있을 수 있도록 도와주어 호흡률과 산소요구가 증가하는 것을 피한다.

흉관 제거를 위해 X-ray로 폐가 완전히 확장됐는지 확인하고 외과의나 전문간호사(nurse practitioner)가 관을 제거한다. 흉관을 제거할 동안 심리적 지지를 제공해준다.

간호진단 및 목표

간호진단 : 외과적 절개나 관 부위와 관련된 감염 위험성
간호목표 : 아동에게 수술 후 감염의 증상과 징후가 나타나지 않는다.
예상되는 결과 : 아동의 체온은 액와로 38℃ 이하로 유지될 것이다. 절개 부위가 깨끗하고 건조하며, 혈종의 증거나 배액이 없다.

수술 전 광범위한 항생제를 처방받는데, 이것은 수술 후 24~48시간 동안 지속된다. 아동의 수술 절개 부위를 가능한 한 수술실에서처럼 무균적으로 하기 위해 베타딘 같은 살균제로 소독한다. 수술 후에 체온을 자주 확인하고, 배액을 위해 절개부위 드레싱과 흉관 삽입 부위를 사정한다. 절개 부위 드레싱이 병원체에 노출되는 것을 피하기 위해 엄격한 무균법을 사용해서 교환한다.

간호진단 및 목표

간호진단 : 수술 중 저체온 요법과 관련된 체온유지능력 저하
간호목표 : 아동의 체온은 수술 후 4시간 내에 정상적으로 돌아올 것이다.
예상되는 결과 : 아동의 체온은 액와로 36℃ 이상이다.

수술 동안의 저체온 요법은 수술 후 아동의 체온유지를 어렵게 하여 고체온 담요나 보온 담요 또는 방사열이 필요할지 모른다. 저체온증에서 체온이 올라가면 감염의 반응일 수 있기 때문에 체온을 정확하게 측정한다. 전신 체온은 수일 내에 점차 정상적으로 되돌아와야 한다.

간호진단 및 목표

간호진단 : 심장수술로 동반되는 수액 이동과 관련된 체액과다나 체액부족의 위험성
간호목표 : 회복기간 동안 체액과다나 체액부족의 증상과 징후가 나타나지 않을 것이다.
예상되는 결과 : 피부긴장도가 좋다. 중심정맥압이나 폐동맥압은 정상이다.

뇌하수체에 의한 항이뇨호르몬의 분비 증가와 부신에 의한 알도스테론의 생산 증가로 인해 심장수술 후 혈량과다(hypervolemia)로 발전될 경향이 있다. 둘 다 과다한 수술 쇼크로 인한 신체의 반응이다. 심폐측로를 사용했다면 수액은 수술 동안 조직으로 이동될 수 있다. 수술 후 수액은 정맥의 삼투압에 의해 되돌아오고 혈액량 과다증을 일으킨다. 반면 수술 시 사용한 헤파린으로 인해 과도하게 출혈되고 혈액량 감소증이 유발될 수 있다. 중심정맥압이나 폐동맥압은 아동의 혈액동력 상태가 올라가는 것을 감시한다. 수액 펌프를 사용하는 것은 수액과부하를 예방하는 데 도움이 된다. 일반적으로 경구 수분섭취는 적어도 수술 후 처음 24시간 동안 제한한다.

간호진단 및 목표

간호진단 : 수술 후 일상생활과 운동에 대한 정보부족과 관련된 부모의 불안
간호목표 : 가족 구성원을 수술 후 회복기간 동안 수용하며, 대처할 수 있는 행동들을 시범 보인다.
예상되는 결과 : 가족 구성원들은 수술 후 회복을 위해 정확한 상황을 계획한다. 교육과 지지 후에 불안이 감소한다.

대부분의 아동은 심장수술에서 빨리 회복된다. 수동적인 ROM 운동은 수술 당일 설명한다. 24시간 내 아동은 침상 옆 의자에 앉는다. 수술 후 기간 동안 부모를 격려해 준다.

아동에게 물 한 모금을 주거나 목욕을 시키는 등 일상적 행동을 잘 할 수 있도록 부모를 도와준다. 처음 수술 후 당일 적당한 휴식을 하도록 한다. 부모는 휴식시간에 책을 읽거나 음악을 들려주길 희망한다. 가슴 절개 부위가 당겨지기 때문에 유아의 팔이 아래로 처지지 않게 주의하고, 부모에게 엉덩이 대신에 어깨 밑에 손을 넣고 팔을 올리는 방법을 보여준다.

퇴원 시 부모가 해서는 안 될 일과 해야 할 일을 확인하고 명확하게 설명해준다. 부모는 수술 바로 전이나 수술 후에도 아동을 보호해야 하기 때문이다.

3) 합병증

대다수의 합병증은 심폐측로 사용과 수술 범위 정도에 의해 발생한다. 출혈은 헤파린 사용과 관련되며 헤파린은 심폐측로를 운영하는 동안 혈액응고 작용을 방해하는 데 사용된다. 이를 위해 프로타민(Protamine; 헤파린을 위한 해독제)이 수술 후 즉시 IV로 주입한다. 특히 아동의 응고 시간이 연장되면 출혈을 주의 깊게 돌보고 활력징후를 기록하며 흉관배액을 관찰하는 것은 수술 후 과정에서 중요하다.

저혈압, 핍뇨, 산혈증과 청색증에 의해 쇼크가 나타날 수 있는데, 이는 혈류량 감소증이나 심장압전의 결과이다. 다시 호흡이 있을 때까지 지속적으로 기계적 환기를 적용한다. 부정맥이 나타나기도 하는데 심장박동조절기가 도움이 된다. 수술 전에 심부전이 있었다면 수술 후 1주나 그 이상 동안 증상이 지속될 수 있다 새로운 심부전의 증상이 발생했다면 수술 후 협착이 일어난 것을 의미한다.

아동이 수술 동안 저산소증을 경험하였다면 경련, 뇌부종, 허혈성 뇌손상 같은 신경학적 징후가 유발된다. "관류후 증후군(postperfussion syndrome)"은 수술 후 3~12주에 일어난다. 아동은 열, 비장비대, 간비대, 전신권태와 반점상 구진이 증가되고, 백혈구 중 임파구가 두드러지게 증가한다. 대개 심폐측로 기계에서 거대 세포 바이러스 감염을 일으키는데, 질병의 지속기간이 짧다.

03 / 인공판막을 교체한 아동

선천심장병은 류마티스열이나 가와사키병과 함께 인공판막 교체술의 중요한 적응증이다. 인공판막은 합성물질이나 소나 돼지로부터 얻는다. 최근에는 합성물질을 사용하여 사용기간을 연장하고 있다. 인공 밸브 교체 후 밸브이식부위에 혈전 형성을 막도록 항응고 치료가 시행되어야 한다. 약물은 가장 일반적인 항응고 치료약물로 쿠마딘(Coumadin)이 처방된다. 약물의 용량은 혈액 분석에 의해 주기적으로 감시되어야 하고 아동이 외래 진료를 통해 유지하도록 한다. 항혈소판 치료는 대개 아스피린(Aspirin)과 디피리다몰(Dipyridamole)을 사용한다. 심내막염에 대해서는 예방적으로 항생제 치료를 한다.

청년기 소녀는 계획에 없던 임신에 대해 상담이 필요한데 이는 인공판막이 임신 시 일어나는 증가된 혈액 용적을 조정할 수 없기 때문이다. 더욱이 와파린(Warfarin)은 기형의 발생요인이기 때문에 임신 전에 변화된 헤파린 주입요법이 요구된다. 에스트로겐(Estrogen)이 기본인 피임약은 인공판막 수술을 한 소녀에게는 사용이 추천되지 않는데, 이는 혈액응고 증가와 혈전을 일으킬 가능성이 있기 때문이다. 또한 골반감염 질환의 위험성이 높은 자궁 내 장치(피임용)를 사용하지 않도록 충고한다.

확인문제

7. 심장수술 후에 아동들은 기침과 깊은 호흡을 해야 하나? 한다면 왜 그런가? 안 된다면 왜 안 되는가?

8. 관류후 증후군이 언제 발생하기 쉬운가?

9. 왜 아동에게 수술 후 혈액량 과다증이 발생할 수 있는가?

04 / 심장박동조절기를 한 아동

비효과적인 동방결절 기능을 가졌거나 동방결절로부터 자극을 전하는 데 어려움을 가진 아동은 인공적인 심장보조기를 삽입해야 한다. 심장박동조절기(pacemaker)는 전기적인 자극에 의해 심박동을 조절한다. 심장결손을 가진 아동은 태아 모니터링에 의해 자궁 내에서 발견될 수 있도록 한다. 이런 아동들에게는 심장박동조절기를 태어나자마자 이식할 수 있다.

심장박동조절기의 유형과 기능은 셋 혹은 다섯 가지의 문자 코드에 의해 기록된다. 세 문자 시스템에서 첫 번째 문자는 챔버 조절로 독립화하고 두 번째는 챔버를 감지하며 세 번째는 심장의 고유행동에 대한 심장박동조절기의 반응이다. 네 번째 문자는 비율 조절이 가능한지 여부를 나타낸다. 다섯 번째 문자는 세동을 제거하는 충격을 감소하는 항빈맥부정맥을 나타낸다.

심장박동조절기를 한 아동 부모에게 맥박을 정확하게 재는 방법을 가르쳐야 한다. 그들은 집에서 매일 맥박을 재어

의료진에게 맥박변화를 보고해야 하기 때문이다.

아동의 심장박동조절기 배터리가 갑자기 나갈 것을 걱정하는 부모는 아동과 휴가를 가거나 아동이 멀리 캠프에 가는 것을 허락하기 두려워할 수도 있다. 아연과 수은 건전지는 3~4년 정도, 리튬 건전지는 10년 이상 사용할 수 있다. 최근에는 핵충전 심박동기를 통해 20년 정도 사용이 가능하다. 심장박동조절기 배터리의 전원이 약해지는 것에 대해 부모가 안심할 수 있도록 한다. 왜냐하면 그들은 아동의 어지러움, 피로, 기절이나 낮은 맥박 비율 같은 징후를 통해 약한 배터리임을 인식할 수 있기 때문이다.

심장박동조절기를 한 아동을 위해 어떤 것이 안전한 장난감인지를 평가하는 것을 부모에게 가르쳐야 한다. 자석 계통은 피하고, 전기적 광선을 발사하는 장난감은 심장박동조절기의 작동을 방해할지도 모른다. 부모들은 장난감을 사기 전에 이런 기능에 대해 질문해야 한다.

전자레인지 사용 등은 심장박동조절기에 문제가 되지 않으며 안전하다. 병원에서는 MRI나 전기소작기 사용에 대해서 주의해야 한다.

선천심장병

01 / 원인 및 빈도

선천심장병 비율은 미숙아에서 더 높다. 이 결함은 남녀 영아가 같은 수지만 특별한 결함은 성별의 차이가 있다. 예를 들어 동맥관개존증과 심방중격결손은 대개 여아에서 더 흔하다. 대동맥판협착, 대동맥축착, 팔로네증후와 대혈관전위는 남아에게서 더 많이 발생한다.

선천심장병의 일반적 원인은 태아 발달 조기 단계에서 진행되는 심장 구조의 결손이다. 선천성 심장기형은 여러 요인들의 복합적인 원인(유전적, 환경적 요인)의 결합으로 생각되고 있다. 즉, 환경적 요인으로는 임신 초기 모체 감염(풍진, 기타 바이러스 감염), 임신 중 음주·흡연, 임신 중 질병(당뇨, 전신성 홍반성 낭창), 임신 중 약물 복용(Thalidomide, 항경련제), 임신부의 고연령(40세 이상) 등

이 있다.

유전적으로는 다운증후군, 13번, 18번 삼성체 염색체이상, 미숙아 및 동맥관개존증의 빈도가 높다. 기관식도누공(tracheoesophageal fistula, TEF), 신장의 발달 미숙, 횡격막 탈장 등과 같은 또 다른 기형을 갖고 있는 경우가 많다.

02 / 혈역학의 변화

영아의 첫 호흡 시에는 폐혈관 저항이 떨어지면서 극적으로 폐혈류의 흐름이 증가한다. 폐정맥 귀환량이 계속 증가하면서 좌심방압력이 상승하여 난원공의 개존을 막는 결과를 초래한다.

폐의 산소화가 호전되면서 심방의 산소 농축도 증가한다. 해부학적 구조에서 심장은 4개의 방으로 시작하여 시간이 지나면서 좌·우측으로 분리된다. 우심방은 신체로부터 비산화된 혈액을 받고, 우심실 펌프는 폐동맥을 통해 폐로 보내어 산소화된 혈액을 만든다. 좌심방은 폐에서 산화된 혈액을 받고, 좌심실은 대동맥을 통해 전신으로 혈액을 펌프질해서 보낸다. 좌심실은 우심실보다 압력이 높고 산화된 혈액과 비산화된 혈액이 섞이지 않는 순환을 한다.

삼첨판은 우측, 승모판은 좌측에 있는 심방-심실판막이다. 폐동맥판은 우심실과 폐동맥 사이에 위치해 있고, 대동맥판은 대동맥과 좌심실 사이에 위치해 있다.

모체의 풍진 감염은 동맥관개존증, 대동맥협착, 심방중격결손, 심실중격결손 혹은 폐협착 같은 결손과 연관된다. 동맥과 심실중격결손은 가족력과 관련이 있다. 부모가 대동맥협착, 심방중격결손, 심실중격결손 및 폐협착이 있다면 그들의 자녀에서의 발생률은 10~15%이다.

03 / 분류

전형적으로 선천심장병은 청색증이 나타나는지에 따라 청색증형과 비청색증형 결함으로 분류한다. 비청색증형 심질환은 동맥(산소화된 혈액에서 비산소화된 혈액, 좌-우단락)에서 정맥조직으로 혈액이 이동하는 단락이나 혈류에서 협착 또는 둘 다 포함하는 순환의 이상이다. 이 질환은 비효과적으로 펌프기능을 하는 심장 때문에 발생한다. 청색

증형 심질환은 혈액이 둘(비산소화된 혈액에서 산소화된 혈액; 우-좌 단락) 사이에서 비정상적 흐름의 결과로 정맥조직에서 동맥조직으로 흐를 때 나타난다.

기존의 혈액역동성과 결손에 따른 혈류의 양상에 따라 분류하였으나, 아래와 같이 좀 더 간단한 형태를 이용하여 질환을 예측할 수도 있다. 새로운 체계는 다음의 4가지 결합을 포함한다[표 15-4].

1) 비청색증형 심질환 : 폐혈류 증가

심장에서 혈액의 원래의 흐름은 좌심실에서 온몸, 우심방에서 우심실, 이후 폐를 통해 좌심방을 흐르게 된다. 여기에 포함된 결손은 좌·우 심장 사이에 있는 대동맥이나 체계 사이에 비정상적인 구멍 혹은 연결이 남아있는 것으로 좌심실 펌프질이나 온몸으로 가는 혈액이 줄어들어 우심으로 흘러가 폐혈류가 증가하여 결국 울혈성 심부전의 증상이 나타난다.

(1) 심방중격결손(atrial septal defect, ASD)

심방중격결손은 우심방과 좌심방 사이에 비정상적 개구(opening)가 존재하는 것이며, 좌심방의 혈액압력이 우심방의 혈액압력보다 낮아 혈액이 존재하는 개구로 샐 수 있다[그림 15-15]. 위치에 따라 3가지로 분류할 수 있는데, 일차공 결손(ostium primum, ASD 1)은 심방 중격 하부에 개구가 있으며 승모판 결손이 동반될 수 있다. 이차공 결손(ostium secundum, ASD 2)은 심방 중격 중앙부에 개구가 있으며, 정맥동 결손

(Sinus venousus defect)은 상대정맥이나 우심방 접합부 가까이에 결손이 있어 부분적으로 폐정맥 환류 이상이 동반될 수 있다.

심방중격결손을 가진 환아의 심장의 혈류는 좌심방에서 우심방에서 흐르게 되는데, 그 원인은 첫째 좌심방의 압력은 5~10mmHg, 우심방의 압력은 3mmHg으로 약간의 차이가 있으며, 둘째 폐혈관의 저항이 낮고, 셋째 혈류 저항을 줄이는 우심방의 높은 팽창력 때문이다. 이로 인해 우심에 산소화된 혈류가 증가하는데, 이로 인해 우심방 및 심실의 크기가 커질 수 있으나 이는 우심실이 견딜 수 있는 수준이다. 따라서 증상은 없을 수 있으며 지속적으로 우심방 및 심실로 혈액이 증가하면 울혈성 심부전이 발전될 가능성이 있으나 합병증이 없으면 드물다. 특징적인 심잡음이 있으며, 심방비대로 인해 심방성 부정맥 위험이 있을 수 있고, 만성적으로 폐혈류 증가가 지속되는 경우 폐혈관 폐쇄성 질환이나 색전증이 발생할 수 있다.

치료방법은 중간 정도의 결손은 Dacron patch로 막는 수술을 시행하고, 학령기 전에 인공심폐기 이용한 개심술을 시행할 수 있다. ASD 1의 경우에는 승모판을 교정해주거나 승모판 치환술이 필요할 수 있다. ASD 2의 경우에는 개심술을 시행하지 않고 심도자술 기구를 이용하여 폐쇄할 수 있으나 장기적 추후 결과는 충분치 않다. 정맥동 결손은 폐정맥 환류를 좌심방으로 향하도록 patch를 해주는 수술을 시행한다. 수술과 관련하여 사망률은 1% 미만으로 낮다.

(2) 심실중격결손(ventricular septal defect, VSD)

심실중격결손은 우심실과 좌심실 사이에 비정상적인 개구가 존재하는 것이며, 좌심실에서 우심실로 혈액이 흐르는 좌-우 단락이 발생된다[그림 15-16]. 발생하는 곳에 따라 2가지로 분류할 수 있는데, 80% 가량 발생하는 막양부 결손(membranous type)과 근성부결손(muscular type)이 있다. 심실중격결손은 다른 폐동맥협착, 대혈관전위, 동맥관개존증, 심방중격결손, 대동맥축착 등의 기형 및 질환과 함께 동반하는 경우가 많고, 20~60%는 자연 폐쇄 가능성이 있는데 1세 이전이거나 작거나 중간 크기인 경우 자연 폐쇄가 될 가능성이 높다.

심장의 혈류는 좌심실의 압력이 높고, 폐순환저항이 체순환저항보다 낮으므로 좌심실과 우심실 사이 결손으로 혈

표 15-4	선천심장병 분류	
비청색증형	폐혈류 증가	심방중격결손
		심실중격결손
		심방심실관결손
		동맥관개존증
	심실에서 혈류의 폐쇄	대동맥축착
		대동맥협착
		폐동맥협착
청색증형	폐혈류 감소	팔로네증후
		삼첨판폐쇄
	혈류 혼합	대혈관전위
		총폐정맥 연결 기형
		총동맥간증
		좌심형성부전증후군

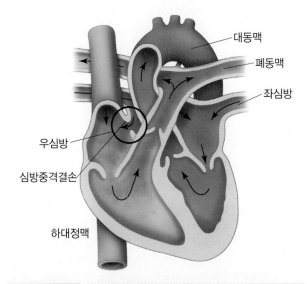

그림 15-15 심방중격결손(atrial septal defect)

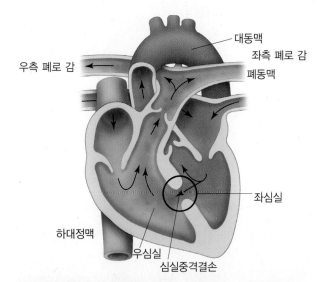

그림 15-16 심실중격결손(ventricular septal defect)

액이 흘러 폐동맥, 폐로 들어가 결국 폐순환으로 흐르는 혈액이 많아질 수 있다. 또한, 지속적으로 좌심실에서 우심실로 흐르다 보면 오히려 우심실의 압력이 높아져 폐순환의 많은 혈액으로 인해 우심실 근육이 비대해 질 수 있으며, 우심실이 과부하되는 경우 우심방이 커질 수 있다. 이것이 지속되어 심할 경우 우-좌 단락으로 Eisenmenger증후군이 발생할 수 있다. 울혈성 심부전 증상이 흔하며, 특징적 심잡음이 발생하고, 세균성 심내막염, 폐혈관 폐쇄성 질병의 위험이 증가한다.

고식적(임시적) 수술방법은 다발성 근성부 결손이 있으며 복합적 양상을 보이는 경우 영아기에 폐동맥 혈류량을 줄이기 위해 폐동맥을 묶는 폐동맥교약술(pulmonary artery banding, PAB)을 시행한다. 완전교정술 방법으로는 작은 결손의 경우 purse string을 이용하고, 큰 결손은 인공심폐기 이용한 개심술을 시행하며 Dacron patch로 결손된 부분을 막아준다. 수술 후 여전히 결손이 남아 있거나 전도장애의 합병증 가능성이 높으며, 개심술을 시행하지 않을 경우 심도자술 이용하여 근성부 결손을 폐쇄할 수 있으나 수술에 따르는 위험은 높다. 예후는 결손 위치, 수, 다른 결손과 동반되는 여부에 따라 예후 달라지는데 단일 막양부 결손은 사망률은 5% 이하이며, 다발성 근성부 결손의 경우 사망률은 20% 이상이 될 수 있다.

(3) 심방심실관결손(atrioventricular canal defect, AVCD)

심내막상이 불완전한 융합 상태로 하부 심방 및 상부 심실 중격이 결손되어 있는 상태로 승모판과 삼첨판이 균열되어 있으며, 중앙의 큰 방실 판막이 생성되어 있어 혈액이 4개 방실 사이로 흐르며[그림 15-17], 다운증후군 아동이 흔하다.

심장의 혈류는 결손 정도, 폐순환과 체순환 저항, 좌우 심실 압력 차이, 각 방실 순응도에 의해서 결정되는데 출생 직후 폐순환 저항이 높을 때는 결손을 통한 혈액 단락은 최소나, 난원공이 닫히면서 폐순환 저항이 낮아지면 좌-우 단락으로 인해 폐혈류량이 증가하여 폐혈관이 비대되며, 울혈성 심부전 증상이 나타날 수 있다.

증상이 심하고, 5kg 이하 영아의 경우 고식적(임시적) 수술방법으로 폐동맥교약술을 시행하나 영아기에 완전 교정술을 하는 것을 추천한다. 완전 교정술은 patch로 심실 중격 결손 폐쇄하고, 방실 판막을 재건하는 수술을 시행한다. 만약 승모판 결손이 심할 경우 판막 치환술을 시행한다. 수술 합병증으로는 심정지, 울혈성 심부전, 승모판 역류, 부정맥, 폐동맥 고혈압이 발생할 수 있으며 수술 사망률은 10% 이하이고, 수술 후 발생할 수 있는 잠재적인 문제로는 승모판 역류로 이로 인해 판막 대체 시술이 필요할 수 있다.

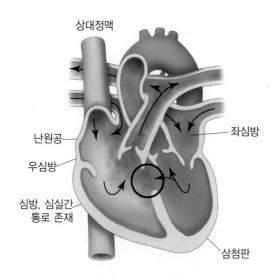

그림 15-17   심방심실관결손(atrioventricular canal defect)

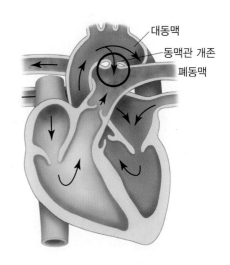

그림 15-18   동맥관개존증(patent ductus arteriosus)

(4) 동맥관개존증(patent ductus arteriosus, PDA)

동맥관개존증은 동맥관이 출생 1주일 이내 닫히지 않은 것이다[그림 15-18].

심장의 혈류는 관 크기, 순환저항 정도에 의해 결정되는데 출생 후 체순환 저항보다 폐순환 저항이 낮으므로 좌-우 단락으로 대동맥에서 폐동맥으로 추가 혈액이 폐를 다시 순환하게 된다. 이로 인해 좌심방, 좌심실을 통하여 결국 좌심의 부담이 증가하고, 폐혈관이 울혈되며 저항이 증가한다. 잠재적으로 우심실이 압력이 증가하고 비대될 가능성이 있다. 임상증상은 없거나 울혈성 심부전, 기계 소리 같은 특징적 심잡음, 맥압 넓어지는 증상이 있고, 혈액은 대동맥에서 폐동맥으로 흐르기 때문에 뛰는 듯한 맥박(bounding pulse), 세균성 심내막염 및 만성적 심한 폐혈류 증가(폐혈관 폐쇄성 질환) 위험성이 있다.

수술방법은 좌측 흉곽 절개술을 통해 동맥관 분리하거나 결찰하는 방법을 사용하거나, visual assisted thoracoscopic surgery(VATS) 수술방법을 적용한다. 이 수술은 흉강경과 기구를 이용하여 좌측 흉부 3개 절개로 들어가 동맥관을 클립으로 막는 수술로, 수술 후 빠른 회복을 보인다. 혹은 심도자법으로 코일을 이용하여 막는데, 대신 대퇴동맥 크기가 작은 어린 영아이거나 관이 크거나 특이한 동맥관 환아는 수술이 필요하다. 내과적인 관리 방법으로 신생아나 미숙아의 경우 Indomethacin(prostaglandin 억제제)을 투약하면 동

맥관이 닫힐 수 있다. 수술방법이나 비수술방법 모두 사망률은 1% 미만이다.

확인문제

10. 심방중격결손 환아에게서 혈액은 어느 방향으로 흐르는가?
11. 동맥관개존증을 치료하기 위해 사용되는 약은 무엇인가?

2) 비청색증형 심질환 : 심실에서 혈류의 폐쇄

폐색질환은 혈관이나 밸브가 좁아서 혈류의 흐름이 막히는 것이 원인이며, 주로 판막이 협착되는 경우가 많다. 폐색질환이 있는 경우 폐색되는 곳 중심으로 폐색 전에는 혈액량과 압력이 높고, 혈류류 방향의 폐색 후는 혈액량과 압력이 낮다[그림 15-19].

이는 심실의 압력이 가해져 부담이 있으며, 심박출량이 감소되어 울혈성 심부전 증상이 나타나며, 심각한 폐동맥

혈액 흐름 방향

그림 15-19   폐색질환이 있는 경우 혈액의 흐름

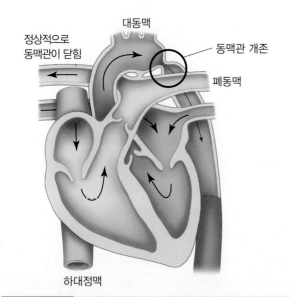

그림 15-20 대동맥축착(coarctation of the aorta)

협착으로 인해 저산소혈증이 나타날 수 있다.

(1) 대동맥축착(coarctation of aorta, COA)

대동맥축착은 동맥관 기시되는 부위가 국소적으로 좁아져 근위부인 머리와 상지의 압력이 증가하고, 원위부인 몸체와 하지는 압력이 감소한다[그림 15-20].

동맥관개존증을 기준으로 2가지로 분류할 수 있는데 전동맥관형(preductal type)은 소아형으로 대동맥축착의 70%를 차지하는데 동맥관이 열려있는 경우가 많아 동맥관을 통하여 우심실을 통해 하지로 혈액을 공급하고, 동맥관개존증과 유사하나 협착된 곳 이전의 압력이 높아 증상은 더 심하다. 후동맥관형(postductal type)은 성인형으로 태아기 동안 상행 대동맥에서 하행 대동맥으로 혈액 유지 위해 측부 순환이 발달한다[그림 15-21].

대동맥축착이 있을 경우 상지의 혈압은 높고 튀는 듯한 맥박이 있으나 대퇴는 맥박이 없거나 미약할 수 있으며 냉감이 있고 혈압이 낮다. 영아기에는 울혈성 심부전 증상이 있으며, 나이든 아동의 경우 고혈압으로 현기증, 두통, 실신, 비출혈의 증상이 있을 수 있으며 심한 경우 고혈압, 대동맥 파열, 대동맥류, 뇌졸중이 발생할 수 있다. 혈역학적 상태가 빠르게 나빠지고, 심한 산혈증, 저혈압으로 거의 죽음에 가까워 중환자실에 입원할 수 있다. 수술 전 기계적 인공환기 및 강심제(inotropic)가 필요할 수 있다.

치료방법은 축착된 부위 잘라내고 단단문합술(end to end anastomosis)을 시행하거나 성형물질을 이식하는 방

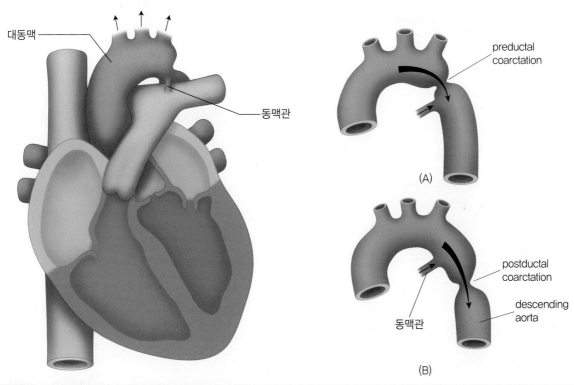

그림 15-21 대동맥축착(coarctation of aorta)-전동맥관형
(A) 전동맥관형 (B) 후동맥관형

법, 좌측 쇄골하 동맥을 이용하여 협착 부위를 확장하는 대동맥 성형술을 시행할 수 있다. 인공심폐기를 이용하는 수술은 필요하지 않으나, 흉곽 절개술은 필요하다. 수술 후 160mmHg 이상의 고혈압이 있는 경우 Sodium nitropusside이나 암리논(Amrinone)을 정맥투여 하거나, 캅토프릴(Captopril), 히드랄라진(Hydralazine), 프로프라놀롤(Propranolol)을 경구투여 할 수 있다. 수술 후 영구적인 고혈압이 있는 경우 수술 시 나이, 교정 시기와 관계가 있으므로 2세 이내 선택적 수술을 권장한다. 그러나 수술받은 환아의 15~30%는 재발의 위험성이 있다. 경피 풍선혈관성형술(percutaneous balloon angioplasty)을 시행할 수도 있는데, 아동기에 효과적이며 동맥류 형성이 드물고 7개월 이하의 영아는 재발률이 높으므로 적용을 제한한다. 대동맥축착만 있는 아동의 경우 사망률은 5% 미만이고, 다른 심장기형 동반 시에는 사망률이 증가한다.

(2) 대동맥협착(aortic stenosis, AS)

대동맥협착은 대동맥 판막이 좁아지거나 협착되어 혈액이 정체되므로 좌심실벽이 비후된다[그림 15-22]. 이는 확장기 말 압력이 증가하여 폐정맥이나 폐동맥 고혈압이 발생될 수 있다. 또 다른 측면에서 관상동맥은 대동맥에서 나오는 혈액의 5%를 사용하게 되는데 대동맥협착으로 관상동맥 관류가 방해되어 이는 심근경색을 일으키거나 좌심실 유두근 반흔으로 인해 승모판이 폐쇄부전을 일으킬 수 있다. 대동맥 판막이

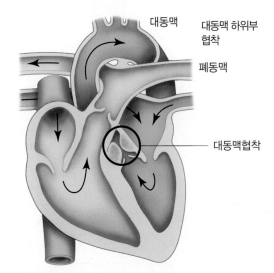

대동맥
대동맥 하위부 협착
폐동맥
대동맥협착

그림 15-22 **대동맥협착(aortic stenosis)**

좁아지거나 협착되면 좌심부전이 발생되고 좌심방 압력이 증가하고, 폐정맥압이 증가하여 폐부종이 발생될 수 있다.

대동맥협착은 좁아진 부위에 따라 3가지로 분류할 수 있는데, 대동맥판막협착(valvular stenosis)이 가장 흔하고, 대동맥판막하부협착(subvalvular stenosis)은 정상적 판막 아래쪽 섬유환에 의해 발생될 수 있으며, 대동맥판막상부협착(supravalvular stenosis)은 흔하지 않다. 대동맥협착은 심각한 결손인데, 그 이유로는 폐쇄가 점점 심해지고 심근 허혈과 심박출량 저하로 갑작스런 사망을 초래할 수 있으며, 수술로도 정상 판막과 거의 같아지지 않는다는 문제점이 있다. 대동맥협착이 있으면 심박출량 감소로 인해 미약한 맥박, 저혈압, 빈맥, 섭취부진, 활동 내구성 감소, 흉통, 오래서 있을 때 현기증, 특징적 잡음, 감염성 심내막염, 관상동맥 부전, 심실 기능부전의 위험이 있다.

치료는 대동맥판막협착의 경우 혈류 차단 하에 완화적 수술인 대동맥판막절개술(valvotomy)을 할 수 있으나 신생아나 영아의 사망률은 10~20%, 아동은 거의 0%이나 25%의 환아는 10세 이전 재수술하는 경우가 있다. 재수술은 대동맥 동종 이식을 시행하는 방법, 폐동맥 판막을 대동맥 쪽으로 이동하는 방법, 동종 판막을 이식 치환하는 판막 치환술을 시행하게 된다. 심도자법 이용하여 풍선혈관성형술로 넓히는 방법을 사용할 수 있으나 대동맥판 폐쇄부전, 판막 역류, 판막 조각이 찢어지거나 도관을 넣었던 사지의 맥박 소실 등의 합병증이 발생할 수 있다. 대동맥판막하부협착의 경우 막이나 섬유성 근육환(fibromuscular ring)을 절제하는 방법을 적용하거나 대동맥심실성형술(Konno procedure, aortoventriculoplasty)을 적용할 수 있다. 이는 좌심실 출구가 협착되거나 작은 고리 모양의 대동맥판으로 인한 폐쇄인 경우 좌심실 출구를 확대하고 대동맥 판막을 대체하는 방법이다. 이 수술의 사망률은 2% 이하이나 약 20%가 재발로 인해 재수술을 시행받게 된다.

(3) 폐동맥협착(pulmonary stenosis, PS)

폐동맥협착은 폐동맥으로 나가는 입구가 좁아져 우심실 비대되고, 폐혈류는 감소하게 된다[그림 15-23 (A)].

폐동맥폐쇄(pulmonary atresia, PA)는 폐동맥으로 가는 출구가 완전히 융합되는 경우로 폐로 가는 혈류가 없고 폐

혈류 저항이 커져, 우심실 크기가 작은 발육부전이 있다. 폐동맥협착은 우심실에 혈액이 계속 남아 있게 되어 결국 우심방의 혈액이 정체되면 정맥에 혈액이 많아 부종 증상을 보이고, 폐동맥으로는 혈액이 적게 흐르므로 폐에서 이산화탄소를 걸러주고 산소를 보내주는 역할을 제대로 하지 못하게 된다. 우심실이 비대되고 우심방의 압력이 높아지면 난원공이 다시 열려서 순환이 끝난 이산화탄소가 증가하므로 산소포화도가 낮아진다. 이 혈액은 좌심방을 통해 체순환으로 유입되어 청색증이 발생되고 심하면 울혈성 심부전과 전신적 정맥울혈 증상이 나타난다. 그러나 동맥관개존증이 동반되면 대동맥에서 폐동맥, 폐로 단락이 생겨 폐동맥 협착에 대한 보상작용을 할 수 있다. 따라서 증상은 없거나, 경한 청색증을 보이거나 울혈성 심부전 증상이 있다. 그러나 심한 협착 시에는 신생아에서도 청색증이 나타날 수 있으며, 증상 심해지면서 세균성 심내막염의 위험성이 증가한다. 특징적 잡음이 있고, 흉부 X-ray상에서 심확장이 명백하다.

치료는 영아기에는 판막절개술(closed transcentricular valvotomy, Brock procedure)을 시행하고, 아동의 경우 심폐기 이용한 개심실로 폐동맥 판막절개술을 시행한다. 때로는 심도자실에서 풍선혈관성형술[그림 15-23 (B)]을 시행할 수도 있는데 단독 결손일 경우 우선적으로 선택하며, 신생아에게도 안전하게 시행할 수 있다. 카테터를 협착된 판막으로 통과시켜 폐동맥으로 삽입하여 풍선을 부풀려 넓히는 방법을 사용하고 합병증은 거의 없으며 효과적이다. 수술 및 풍선 성형술 모두 사망률은 2% 이하이며, 폐동맥 판막의 기능이 완전하지는 않으나 임상적으로는 증상이 없고 장기적으로는 재협착 혹은 판막기능부진이 발생할 수 있는 가능성이 있다.

3) 청색증형 심질환 : 폐혈류 감소

(1) 팔로네증후(tetralogy of Fallot, TOF)

팔로네증후는 다음의 4가지 결손을 모두 포함하는 심장기형이다. (1) 심실중격결손(ventricular septal defect), (2) 폐동맥협착(pulmonary stenosis), (3) 대동맥기승(overriding aorta), (4) 우심실비대(right ventricular hypertrophy)[그림 15-24].

첫째, 심실중격결손으로 인해 우심실압력과 좌심실압력이 비슷해지고 이로 인해 우심실이 비대된다. 그러므로 단락의 방향은 폐순환, 체순환 저항에 의해 결정되며, 폐순환 저항이 체순환 저항보다 크면 우-좌 단락이 폐순환 저항보다 체순환 저항이 크면 좌-우 단락이 발생된다. 둘째, 폐동맥협착으로 인해 폐혈류량이 감소되어 이산화탄소가 많고 산소가 적은 혈액이 좌측 심장으로 돌아오므로 산소화된 혈액이 감소된다. 대동맥기승은 대동맥의 위치에 따라 좌우 심실로부터 혈액 받아 체순환으로 분산된다. 이산화탄소가 많은 혈액과 산소가 많은 혈액이 섞여 대동맥으로 흘러 온몸으로 공급되는데 산소가 부족한 혈액이 흐르고, 폐동맥협착으로 폐에서 산소가 많은 혈액을 보내주지 못하여 산소가 부족한 상태가 된다.

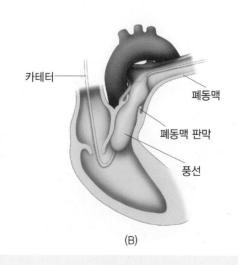

대동맥

폐동맥

우심방

폐동맥
협착

우심실

(A)

카테터

폐동맥

폐동맥 판막

풍선

(B)

그림 15-23 폐동맥협착

(A) 폐동맥 협착(pulmonary stenosis) (B) 풍선혈관성형술

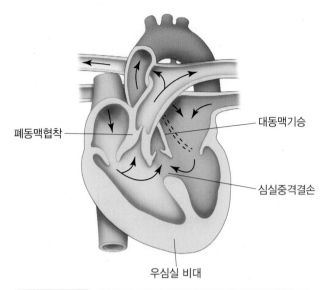

폐동맥협착 — 대동맥기승

심실중격결손

우심실 비대

그림 15-24 팔로네증후(tetralogy of Fallot, TOF)

임상증상은 출생 시 청색증을 보이거나, 폐동맥협착이 진행되어 생후 1년간 경미한 청색증을 보일 수 있다. 특징적 심잡음이 있으며, blue spell 혹은 tet spell이라 부르는 갑작스런 청색증과 저산소증이 나타난다. 무산소 발작(anoxic spell)은 혈액공급보다 산소 요구량이 많거나 울거나 수유 후 발생하는데, 발작 후 색전, 뇌경련, 의식 상실, 돌연사 위험이 있다.

치료방법으로 첫 수술로 교정이 불가한 영아에게 완화적 측로술을 적용한다. 이를 통해 폐혈류 증가, 산소포화도를 증가시킬 수 있다. Blalock-Taussig 혹은 modified Blalock-Taussig shunt[그림 15-25]를 시행하는데 이는 좌 혹은 우

쇄골하 동맥에서 폐동맥으로 혈액을 공급하는 방법이나 일반적으로 폐동맥이 꼬일 가능성 때문에 측로술을 기피한다. 완전 근치술은 생후 1년 이내에 청색증이 심하고 무산소 발작의 빈도 증가 시 수술을 적용하고, 심실 중격 결손 폐쇄, 폐동맥 판막 절제, 심막 patch를 포함하는 수술을 시행한다. 예후는 완전 교정술 후 사망률 5% 미만이나 수술 후 출혈성 심부전이 발생할 가능성이 있다.

(2) 삼첨판폐쇄(tricuspid atresia, TA)

삼첨판이 발달하지 못하여 우심방에서 우심실로 혈액이 흐르지 못하는 상태이다[그림 15-26]. 심방중격결손 혹은 난원공 통해 좌심으로 혈액이 흐르거나 심실중격결손을 통해 우심실 들어가 폐로 나가는 상태이다. 이 질환은 폐동맥협착이나 대동맥전위를 동반하는 경우가 많다. 좌측 심장 내 산소화된 혈액과 불포화된 혈액이 섞여 불포화된 체순환이 되고, 폐혈류는 감소한다. 난원공이나 심방중격결손이 있으면 좌심방으로 혈액의 흐름이 가능하다. 좌심실이 펌프를 시작하면 일부는 대동맥으로 일부는 우심실을 통해 폐동맥으로 가나 폐동맥 협착을 많이 동반하므로 폐로 들어가는 혈액은 적어진다. 이때 동맥관개존증이 있다면 폐동맥 통해 폐로 들어가 산소화된다. 심실중격결손이 있다면 적당량이 우심실로 들어가 폐동맥을 통해 산소화된다. 일반적으로는 폐동맥협착을 많이 동반하므로 폐혈류는 적다.

임상증상은 신생아의 경우 청색증, 빈맥, 호흡곤란의 증

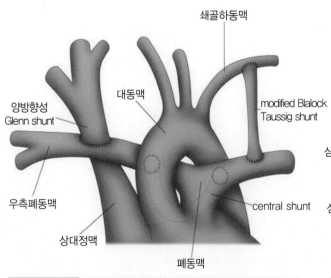

쇄골하동맥

양방향성 Glenn shunt

대동맥

modified Blalock Taussig shunt

우측폐동맥

상대정맥

central shunt

폐동맥

그림 15-25 Modified Blalock-Taussig shunt 수술

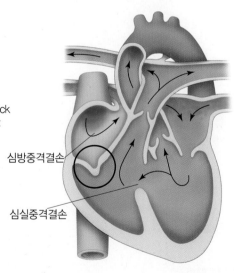

심방중격결손

심실중격결손

그림 15-26 삼첨판폐쇄(tricuspid atresia)

상이, 나이가 들면 만성 저산소증 증상으로 곤봉 모양 손가락, 세균성 심내막염, 뇌농양, 뇌졸중 위험이 있다.

치료방법은 폐-체동맥 문합술(pulmonary-to-systemic artery anastomosis)을 시행하는데 이는 폐혈류량을 증가하기 위해 시행하고, 심방중격결손이 작으면 심도자법 중 심방중격절개술(septostomy) 시행한다. 폐혈류가 증가되면 폐동맥 결찰술(banding)을 시행하여 폐로 가는 혈류량을 줄여준다. 6~9개월 사이에 2단계로 양방향성 상대정맥-폐동맥 문합술(bidirectional Glenn shunt, cavopulmonary anastomosis)[그림 15-27]을 시행한다. Modified Fontal procedure는 우심방과 폐동맥 사이에 인위적 통로를 만들어 체순환 귀환혈이 심실 수축 없이 바로 폐로 향하게 한다. 우심방에 천공 설치술로 압력을 줄일 수 있다. 정상적 심실 기능을 갖고 폐순환 저항이 낮은 환아가 성공할 수 있는 수술이다. 심장 내에서 산소화된 혈액과 불포화된 혈액을 분리하고 심실에 초과 가중되는 혈액량을 제거한다. 그러나 정상적인 해부학적 구조나 혈류학은 되지 않는다. 내과적 관리방법은 동맥관에 의존하여 폐혈류를 유지하는 신생아에게 수술 전까지 prostaglandin E1 0.1mg/kg/min를 지속적으로 주입할 수 있다. 사망률은 다양하다. 수술 후 합병증은 부정맥, 전신적 정맥 고혈압, 늑막과 심막 삼출액, 심실 기능 부전이 있고 장기적인 문제로는 단백질 소실 장증(protein-losing enteropathy), 심방 부정맥, 후기 심실 부전, 발달 지연이 있다.

4) 청색증형 심질환 : 혈류 혼합

(1) 대혈관전위(transposition of the great artery, TGA/transposition of the great vessel, TGV)

원래의 심장 위치는 우심실에서 폐동맥, 폐로 흐르고 좌심실에서는 대동맥, 온몸으로 흐르게 되는데 대혈관 전위의 경우 우심실에서 대동맥, 좌심실에서 폐동맥으로 흘러 체순환과 폐순환이 원활하지 않는 상태를 말한다[그림 15-28].

대혈관전위는 폐동맥에 산소가 많은 혈액이 대동맥에는 이산화탄소가 많은 혈액이 흐르며, 순환하는 혈액의 많은 부분이 우심으로 흐르게 된다. 또한 포화된 혈액과 불포화된 혈액이 섞여서 체순환, 폐순환으로 흐르게 되는데 대부분 난원공이 함께 있고, 심실중격결손이 있을 수 있어 결국 폐로 가는 혈액량이 증가하여 울혈성 심부전 증상이 있다. 심실중격결손이 크면 우심실에서 좌심실, 폐동맥, 폐로 가는 혈액량이 증가하여 결국 폐순환 저항이 발생한다. 그러나 동맥관개존증이 있어 이것이 클 경우 높은 압력으로 혈액이 대동맥, 폐동맥, 폐로 흘러 폐순환 저항이 발생하므로 동맥관개존증이 있는 경우 산소 문제는 심하지 않다.

임상증상은 동반하는 결손의 크기, 종류에 따라 다른데 최소한의 교통이 되는 경우 출생 시 심한 청색증과 쇠약 증상이 있으며, 중격결손과 동맥관개존증이 큰 경우 청색증이 심하지 않으나 울혈성 심부전이 있다. 결손 위치에 따른 심

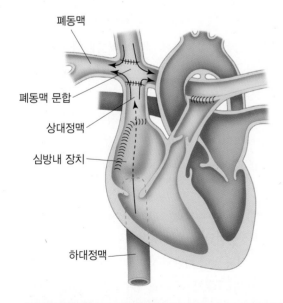

폐동맥
폐동맥 문합
상대정맥
심방내 장치
하대정맥

| 그림 15-27 | **삼첨판폐쇄(tricuspid atresia)의 수술**

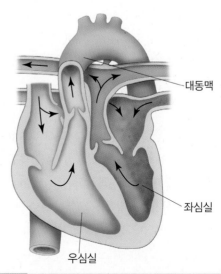

대동맥
좌심실
우심실

| 그림 15-28 | **대혈관전위(transposition of the great vessels)**

음이 발생할 수 있으며 출생 후 몇 주 후 심장 비대는 현저하게 나타난다.

수술은 동맥전환수술법(Arterial Switch procedure)을 1주 이내 시행한다. 본 수술은 대동맥 및 폐동맥 절제 후 상행성 대동맥은 폐동맥 위치에, 폐동맥은 대동맥 판막 바로 위에 연결하며, 이를 통해 정상 순환 만들어 주어 좌심실이 주역할을 하도록 한다. 더불어 대동맥으로부터 나오는 관상동맥이 꼬여 있으므로 관상동맥을 새로운 동맥에 이식하는데, 이는 영아의 생존에 중요한 영향을 미칠 수 있다. 이에 대한 합병증으로 대혈관의 문합 부위가 좁아지거나 관상동맥 부전이 있을 수 있다. 내과적 치료방법으로 심장 내 혼합의 증진을 위해 체순환과 폐순환이 혼합되어 75% 산소포화도를 보이거나, 심박출량의 유지가 부적절한 경우 prostaglandin E1을 투여할 수 있다. Rashkind procedure 심도자법을 시행할 수도 있는데, 심실 중격 결손 부위 balloon을 넣어 결손부위 넓히는(balloon atrial septostomy) 시술을 수행할 수도 있다. 이는 혈액 혼합양이 늘어나 더 오랜 기간 심박출량 유지할 수 있도록 해준다.

장기적으로 폐동맥협착(suprapulmonic stenosis), 새로 만든 동맥의 확장과 역류의 문제가 있을 수 있다. Rastelli Procedure 수술은 대혈관 전위증, 심실중격결손, 심각한 폐동맥 협착 가진 아동에게 시행하는데 심실중격결손에 조절장치를 넣어 좌심실의 혈액이 심실중격결손을 통해 대동맥으로 흐르도록 하고, 폐동맥 판막을 막고 우심실에서 폐동맥 쪽으로 심외통로(conduit)를 새로 만들면 정상적 순환이 된다. 대신 성장하면서 심외통로를 바꾸어 주어야 한다. 심방내 장치 시술의 경우 5~10%의 사망위험이 있으며, 후기에는 부정맥(동성 리듬 상실), 우심실 기능 부전, 조절 장치 폐쇄, 돌연사의 위험이 있다.

(2) 총폐정맥 연결 기형(total anomalous pulmonary venous connection, TAPVC), 총폐정맥 귀환(return) 기형(TAPVR), 총폐정맥 정맥 관류(drainage, TAPVD)

심장의 원래 위치는 폐정맥에서 좌심방으로 연결되는데, 본 심장기형의 경우 우심방 및 상대정맥과 같이 비정상적으로 우심방으로 연결되는 기형이다[그림 15-29]. 혈액이 섞여 우심방으로 흐르고, 심방중격결손을 통해 우-좌 단락이 일어난다.

정맥과 좌심방이 연결되지 않아 좌심방으로 귀환하는 모든 혈액이 우심방에서 받게 되어 우측이 비대되며 대신 좌측, 특히 좌심방은 성장을 하지 못한다. 우측이 비대되어 폐동맥으로 흐르는 혈액이 많아지고 폐정맥의 혈류가 많아지나, 그러나 폐정맥으로 흐르는 혈액은 적고 총폐정맥으로 많이 흐르게 된다. 심방중격결손이나 난원공이 있을 경우 혈액은 우심방에서 좌심방으로 흐르게 되어 산소포화도가 양쪽이 같게 된다. 폐순환량이 많아지면서 폐정맥으로 귀환하는 혈량이 증가하여 산소화된 혈액량이 증가할 수 있다. 그러나 만약 폐정맥 흐름에 폐쇄가 있을 경우 폐정맥으로 귀환하지 않기 때문에 폐정맥압이 상승하여 폐부종을 일으키며, 이는 울혈성 심부전의 원인이 될 수 있다. 이 기형은 3가지로 분류할 수 있는데, 첫째 상부심장형(supracardiac)으로 가장 많으며, 상대정맥과 같이 횡격막 위쪽 부착되는 경우이다. 둘째 심장형(Cardic)으로 우심방, 관상동(coronary sinus)에 직접 부착되는 경우이다. 셋째 하부심장형(infracardic)으로 가장 심각하며, 하대정맥과 같이 횡격막 아래에 부착되는 경우이다.

임상증상으로 출생 초기에 청색증이 발생할 수 있는데, 이는 폐혈류량과 부적 상관관계를 보인다. 비폐쇄성 총폐정맥 연결 이상을 가진 경우 영아기 동안 폐혈관 저항이 낮아 증상이 없는데, 폐혈류가 증가하면 심부전이 발생한다. 폐정맥이 막히면 청색증이 점점 심해져 중재하지 않으면 사망에 이를 수 있다.

수술은 영아기 초기에 총폐정맥을 좌심방에 문합하며 심방중격결손을 막고, 비정상적 폐정맥을 묶는다. 심장형은 가장 손쉽게 교정할 수 있으나, 하부심장형의 경우 폐정맥 폐쇄가 일어날 가능성이 높아 사망률이 가장 높다. 합병증으로는 폐쇄 재발, 출혈, 심정지, 폐동맥 고혈압, 지속적 심부전이 발생할 수 있으며 심장형의 경우 사망률은 5% 미만이나 그 외 이환율은 높고 폐정맥 폐쇄 일어날 가능성이 높다.

(3) 총동맥간증(truncus arteriosus, TA)

태생기 때 정상적인 중격의 부전과 동맥간 폐동맥과 대동맥으로 분화되지 않아 하나의 혈관으로 양쪽 심실에 걸쳐져 있는 상태이다[그림 15-30]. 혈액이 총동맥 안에서 섞여 불포화되어 저산소증을 유발한다. 심장에서 분출된 혈액은

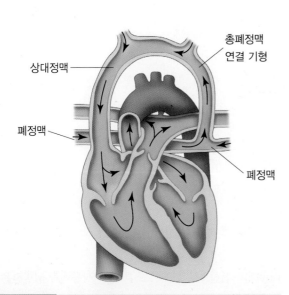

그림 15-29 총폐정맥 연결 기형(total anomalous pulmonary venous connection)

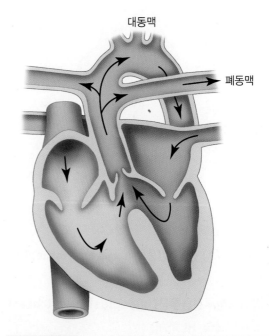

그림 15-30 총동맥간증(truncus arteriosus)

혈압이 낮은 폐동맥으로 흘러 폐혈류가 증가하고, 대신 체순환은 감소한다. 혈액이 좌우 심실을 통해 하나의 동맥간으로 흘러 혼합된 채 폐순환과 체순환으로 흐른다. 보통 폐순환 저항이 체순환 저항보다 낮으므로 폐로 많은 혈액이 흐른다. 따라서 어린 연령에서 폐혈관 질환이 발생한다. 이 선천심장병은 크게 3가지로 분류할 수 있는데, 제Ⅰ형은 하나의 폐동맥 동맥간 기저 부위에서 시작하여 좌우 폐동맥으로 나누어지고, 제Ⅱ형은 좌우 폐동맥 분리되어 시작하여 동맥간 후면에서 근접하는 형태이며, 제Ⅲ형은 폐동맥 동맥간 양측에서 독립적으로 시작하는 형태이다[그림 15-31].

임상증상으로 대부분의 환아들은 중정도에서 심각한 울혈성심부전, 청색증, 성장지연, 활동 내구성 결여, 특징적

심잡음을 보이고, 환아 35%에서 다른 결손이 있다.

치료는 출생 후 몇 개월 이내 교정해야 하는데 좌심실의 혈액을 받도록 심실중격결손을 막고, 대동맥에서 폐동맥을 절제하는 동종이식을 통해 우심실에 부착한다. 최근에는 우심실에서 폐동맥 연결 위해 인공 도관(conduit)을 사용하고 이는 성장에 따라 바꾸어 재수술이 필요하다[그림 15-32]. 합병증은 지속적 심부전, 출혈, 폐동맥 고혈압, 부정맥, 심실 중격 결손이 남을 수 있다. 사망률은 10% 이상이며, 도관 재삽입을 위한 수술이 필요하다.

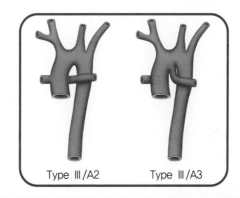

| Type Ⅰ/A1 | Type Ⅱ/A2 | Type Ⅲ/A2 | Type Ⅲ/A3 | Type A4 |

그림 15-31 Collect and Edwards (Ⅰ, Ⅱ, Ⅲ)에 의한 분류, Van Praaghs(A1, A2, A3, A4)에 의한 분류

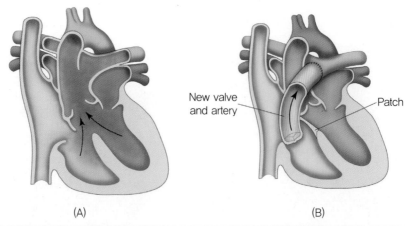

(A)   (B)

그림 15-32   (A) 총동맥간증(truncus arteriosus, TA)   (B) 총동맥간증의 수술

(4) 좌심형성부전증후군(hypoplastic left heart syndrome, HLHS)

좌측 심장의 발달이 지연되어 좌심실 형성 부전이 있으며 대동맥으로 흘러갈 혈액이 없어 대동맥폐쇄가 일어난다 [그림 15-33]. 좌심이 발달하지 않아 좌심실 펌프기능이 낮아 대동맥으로 흘러가는 혈액이 줄어들고 이로 인해 온몸으로 가는 혈액이 줄어든다. 온몸을 돌고 온 정맥혈은 우심방, 우심실을 통해 폐동맥으로 흘러가는데 일부는 동맥관개존증을 통해 대동맥으로, 일부는 폐를 거쳐 폐정맥으로 흐른다. 이후 좌심방으로 가는데 좌심실형성부전으로 인해 좌심실로 흘러가는 혈액이 줄어 우심방으로 흐르는 것이 훨씬 더 많다. 좌심방에서 난원공이나 심방중격결손을 통해 우심방으로 흐르는데 불포화된 혈액과 혼합되어 우심실로 흐르고 폐동맥을 거쳐 상행부분은 폐로 하행부분은 동맥관을 통해 대동맥과 전신으로 혈액이 흐른다. 관상동맥과 뇌혈관은 미발달된 상행성 대동맥으로부터 후행성 혈류를 통해 받는다.

임상증상은 동맥관이 닫힐 때까지는 경한 청색증, 울혈성 심부전 증상을 보이고 동맥관이 닫힌 후에는 심한 청색증, 심박출량 저하, 심혈관 허탈이 유발되어 특별한 중재가 없으면 1개월 내 사망할 수 있다.

치료는 여러 단계의 수술을 시행하는데 1단계는 Norwood procedure로 주 폐동맥을 대동맥에 문합하여 새로운 동맥을 만들고, 폐혈류 공급을 위해 전류술을 시행하며, 큰 심방중격결손을 만든다. 이로 인한 합병증은 체순환, 폐순환 간 불균형, 출혈, 심박출량 감소, 지속적 심부전이 발생할 수 있다. 2단계로는 6~9개월에 Bidirectional Glenn Shunt[그림 15-34]를 시행하게 되는데 이를 통해 청색증과 우심실에 가해지는 부하를 줄일 수 있다. 3단계는 modified Fontan

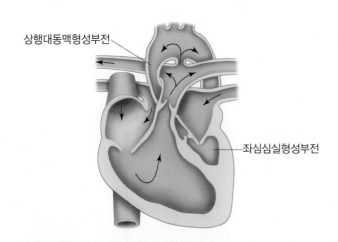

상행대동맥형성부전

좌심심실형성부전

그림 15-33   좌심형성부전증후군 (hypoplastic left heart syndrome, HLHS)

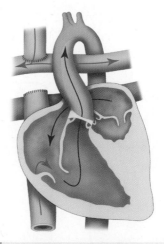

그림 15-34   좌심형성부전증후군을 위한 Bidirectional Glenn Shunt

procedure를 시행한다(삼첨판 폐쇄 참조). 신생아기 때 심장이식을 하면 좋은 결과를 얻을 수도 있으나 공여자가 적고 거부반응의 위험이 높으며, 장기적 면역 억제제를 사용해야 하며 감염의 위험이 높다. 수술 전 심근의 수축력을 유지하기 위해 prostaglandin E1를 동맥관을 개방한 상태로 적절한 체순환 혈류를 유지할 필요 있을 때 적용한다. 좌심형성부전증후군은 사망률이 높으며, 수술 후 장기적으로는 심실기능 악화, 부정맥, 발달 지연의 문제가 있다.

V 후천심장병

보통의 후천적 심질환은 선천심장병이나 류마티스열, 가와사키병이나 감염성 심내막염 같은 심질환의 결과로 발생한다.

01 / 심부전

심부전은 심장의 심근이 순환과 영양 및 산소를 제공하는 혈액을 충분히 끌어올리지 못할 때 나타난다. 심한 빈혈, 저칼슘혈증과 심내막염이 있을 경우 심장이 효과적으로 기능하지 못할 수 있다. 심부전은 1살 이하 아동에게서 자주 발생한다.

심장은 혈액을 움직이고 심박출량을 증가시키도록 여러 가지 방법으로 보상할 수 있다. 근섬유가 길어지거나 좌심실 비대 같이 좀 더 많은 혈액을 다루거나 하여 분당 심박동은 증가될 수 있다. 5살 이하 아동에게서 심박출이 증가하는 것은 거의 총체적으로 심박동수에 의존한다. 적당한 심박출량이 유지되면, 심부전의 징후는 나타나지 않는다. 그러나 유아에서 보상을 위한 심장의 역량에는 한계가 있다. 결과적으로 심장은 더 이상 보상할 수 없고, 혈액저장소에서 혈액을 효과적으로 밀어내기가 불가능해진다.

신장 혈류가 감소됨에 따라 사구체 여과 비율이 느려지고 레닌-안지오텐신 체계에 의해 수액과 염분이 축적된다. 신체는 세포들이 적절한 산소공급을 받지 못하면 부신에서 알도스테론 분비와 염분 축적이 증가되어 신장으로의 혈류량이 증가된다. 항이뇨호르몬은 뇌하수체에서 분비되어 체액이 남아 있도록 하기 위해 증가된다. 교감신경의 자극은 과다한 발한과 창백을 일으킨다[그림 15-35].

1) 사정

심부전의 첫 징후는 보다 효율적으로 기능하기 위해 심장이 빠르게 뛰는 빈맥과 빈호흡이 뒤따르는 것이다. 우심질환이 있다면 문맥 순환에서의 역압(back pressure)으로 간비대와 정맥압이 증가한다. 아동들은 간 팽창에 의해 복부 통증을 일으켜 불안정하다. 대개 성인에게서의 첫 징후는 부종이며 아동에게서는 심질환의 후반 징후로 종종 나타난다.

좌심부전은 폐 조직에 혈액을 축적한다. 호흡곤란은 앙와위로 누워 있을 때 폐울혈이 증가되기 때문에 주로 나타난다. 나음이 들리고 기침 시에 폐모세혈관이 증가된 폐혈압으로 손상되어 혈액성 객담을 배출한다. 아동은 수분 축척으로 폐부종이 발생하고 폐포의 가스교환 장애로 청색증을 보인다. 좌심부전은 결국 우심부전을 유도한다.

영아에게서 심부전은 매우 미세한 징후로 존재한다. 영아는 빠른 호흡 때문에 숨쉬기가 어려워 빨리 피곤해지고 호흡곤란이 심해지면 음식 섭취가 어렵다. 부종이 있으면 전신부종보다 안와 주위의 부종이 주목된다. 갑자기 몸무게가 늘면 가장 명백한 표시이다. 검사에서 유아는 간비대(우측 늑간 가장 자리보다 2cm 아래에서 간이 촉진됨)와 복수가 나타난다.

신체검진 시 심첨음이 측면 아래쪽에서 들린다. 제1지(모지)의 규칙에 따라 심장의 넓이가 흉부 넓이의 반 이상이라면(1살 이상 아동) 심장은 비대된 것이다. 추가로 심장음의 분마율이나 S3 심음이 들린다. 이 소리는 긴급하게 심실이 채워지는 동안의 갑작스런 확장을 일으킨 분리된 소심음보다 분명하게 발생한다. 심부전은 비대해진 심장 크기를 나타내는 초음파 심장 촬영술로 확실하게 나타나며 심실 비대는 심전도 검사로 확실해진다.

2) 치료적 관리

심부전의 치료적 관리는 혈관 확장제로 후부하를 감소하고 강심제(intropic) 같은 약을 투여하여 심장의 수축기능을 강화시키고 이뇨제를 써서 축적된 수분을 제거하여 심장의 부담을 감소하는 일이다. 대개 알닥톤(Aldactone)이나 라식스(Lasix) 등의 이뇨제를 사용한다. 대부분 강심제는 디곡신(Digoxin)을 사용한다. 하이드랄라진(Hydralazine)을 포함한 혈관확장제는 후부하를 감소하며, 동맥계 혈관확장제인 니페디핀(Nifedipine), 칼슘채널 억제제인 니트로플루시드(Nitroprusside), 직접혈관 확장작용을 차단하는 캅토프릴(Captopril)을 사용한다.

심장기능을 지지하고 아동의 심장 활동이 다시 강화될 수 있을 때까지 이 위기를 잘 다루도록 부모를 돕는 것이 중재의 초점이다.

확인문제

12. 총체적으로 비정상적인 폐정맥 연결이 있을 때, 혈액이 좌심에 도달하게 하는 방법은?
13. 팔로네증후의 4가지 결함은?

간호진단 및 목표

간호진단 : 부적절한 심장기능과 관련된 심폐조직 관류 변화
간호목표 : 아동은 병의 진행 동안 적절한 혈액의 흐름을 유지할 것이다.
예상되는 결과 : 아동의 맥박, 혈압과 호흡율은 또래 집단에 수용되는 기준 안에 있으며, 비정상적인 심음이 없다.

(1) 휴식기간을 제공한다.

휴식은 심부전을 가진 아동을 위한 치료의 중요한 부분이다. 대사 비율을 감소시켜 심근에 산소요구가 감소하고 신체에 필요한 혈액의 양을 감소한다. 심부전을 가진 아동들은 앙와위보다 반좌위가 더 편하다. 반좌위는 복부를 낮게 하고 흉강을 크게 하여 폐확장을 보다 쉽게 한다. 어린 아동들은 반좌위를 지지하는 유아의자가 가장 편안하다.

Barbiturate 같은 안정제는 침상안정이 요구될 때 필요하다. 그러나 심부전을 가진 대부분의 아동은 활동에 제한이 있으므로 안정제는 개인적 기준을 고려해야 한다.

체계적인 간호는 휴식기간에도 이루어져야 한다. 한번에 너무 많은 일을 감행하면 아동이 지치게 될 것이다. 간호사와 부모는 아동이 어떻게 하면 편하게 있을지 고려해야 한다.

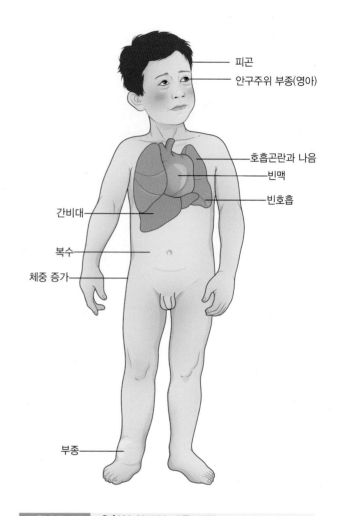

피곤
안구주위 부종(영아)
호흡곤란과 나음
빈맥
빈호흡
간비대
복수
체중 증가
부종

그림 15-35 울혈성 심부전 아동 사정

(2) 필요시에 산소공급을 한다.

환아가 호흡곤란, 저산소증, 청색증이 있으면 산소후드, 마스크, 비강으로 산소공급을 해준다. 산소공급을 하기 전에 침상 옆에 기구들을 비치한 후에 설명해준다. 산소부족이 왔을 때 산소공급을 해주면 호흡곤란이 경감된다.

(3) 심장활동을 강하게 하기 위해 처방된 약물을 투여한다.

디곡신(Digoxin)은 digitalis에서 만든 배당체(glycoside)로 심장에 직접 사용해 심근의 수축을 증가시킨다. 또한 심방의 부정맥에서 심실반응을 느리게 해준다. 디곡신의 투여량은 정확하게 준비해야 하며 안전한 처치를 위해 디곡신 준비는 mg과 mL 모두 정확하게 이루어져야 한다. 디곡신은 mg으로 처방되어야 한다(0.02mL은 20mg과 동일). 디곡신 준비는 먼저 large dose(digitalis dose)로 준비한다. 6~8시간

간호사례 / 심부전을 가진 아동

7세 나은(여아)이가 부모와 함께 응급실에 입원했다. 최근에 아이가 자주 피곤해 하고, 동네를 산책한 것처럼 숨이 차 보였다.

사   정 : 약 6주 전 류마티스열의 과거력을 가진 7세 여아가 창백, 빈맥, 호흡곤란을 호소하고, 맥박은 110회/min, 호흡은 36회/min이며, 산소 포화도는 80mmHg로 나타났다. 심첨음은 아래쪽과 측면에서 나타났다. 청진 시 폐에서 거친 건성 수포음이 들리며, 간비대를 동반한 전신부종이 나타나는 심부전으로 진단받은 상태이다.

간호진단 : 증가된 심장부담과 손상된 심장기능과 관련된 심폐조직관류 변화

간호목표 : 퇴원 시까지 적절한 심폐조직관류의 징후와 증상을 나타낸다.

평   가 : 정상범위 소아의 활력징후를 나타내고 혈색은 분홍색이고, 호흡곤란이 감소된다. S3 심음(3심음)이 없어지고, 산소포화 95mmHg 이상이며, 건성 수포음이 폐에서 들리지 않는다.

계획 및 중재

1. 처방된 산소를 공급해준다.
2. 침대 머리를 30~60° 정도로 올려주거나 앉아 있게 한다.
3. 호흡, 심박동수, 혈압을 포함한 활력증후를 측정하고 심장과 폐의 소리를 청진한다.
4. 맥박산소측정법(pulse oximetry)를 통해 산소포화도와 동맥의 혈액가스 수치를 모니터한다.
5. 지속적인 심장 모니터링을 실시한다.
6. 가슴 부위를 억압하는 옷을 벗긴다.
7. 꼭 필요한 치료만 수행하고 적절한 휴식을 제공한다.
8. Digoxin과 이뇨제 같은 약을 처방하고 digoxin 처방 전에 심첨맥박을 측정하고 처방된 혈중 digoxin 농도를 유지한다.

간호진단 : 손상된 심장 수축력과 정맥 울혈과 관련된 체액의 과부하

간호목표 : 퇴원 시까지 아동은 적절한 수액의 평형에 대한 징후와 증상을 나타낸다.

평   가 : 아동은 호흡이 훨씬 쉬워진다. 소변량, 소변 비중과 체중이 적정 범위 내에 있다. 폐는 청진상 깨끗하다.

계획 및 중재

1. 매일 몸무게를 재고 모니터하여 기본 유지선을 확립한다.
2. Furosemide 같은 이뇨제를 투여한다.
3. 혈청 전해질 수치를 확립하고 저칼륨혈증의 징후와 증상을 사정한다.
4. 섭취와 배설, 소변 비중을 모니터한다. 처방을 받게 된다면 주입펌프나 조절기를 사용해 정맥 수액요법을 실시한다.
5. 매시간마다 폐의 소리를 측정하고 수포음의 증가나 숨소리의 변화를 모니터한다. 자세를 매 두 시간마다 바꿔준다.

간호진단 : 심부전과 호흡곤란의 효과와 관련된 활동의 지속성 장애

간호목표 : 퇴원 시까지 아동은 활동량이 증가하게 될 것이다.

평   가 : 아동은 호흡이 훨씬 수월해진다. 소변량, 소변 비중과 체중이 적정 범위 내에 있다. 폐는 청진상 깨끗하다.

계획 및 중재

1. 휴식기에 활동의 균형을 제공한다. 소진을 예방하기 위해 간호중재를 한꺼번에 실시한다.
2. 산소를 보충해주고 활력징후, 산소포화도, 호흡곤란의 변화를 활동 전후에 모니터한다.
3. 적은 양으로 식사를 자주 해준다.
4. 심부전이 소실되면 의자에 앉거나 걸어다니는 등 점차 활동량을 증가시키고 스스로 활동량을 늘린다.
5. 아동과 가족 간의 접촉을 늘린다.

후 처음 투여량의 1/4을 투여하고, 다시 6~8시간 후 1/4을 투여한다. 심전도와 혈중 digitalis 수치는 두 번째나 세 번째의 digoxin을 투여하기 전에 측정한다. 하루에 일정량을 유지하게 한다.

10세 이하의 소아는 12시간 간격을 두고 2회로 나누어 투여한다. 준비한 Digitalis를 투여하기 전에 소아의 심첨맥박을 측정한다. 대체로 영아에서 100회/분 이상, 소아의 경우 70회/분 이상의 맥박일 때 투여한다. 디곡신은 심장수축의 강도를 증가시키고 신장관류를 증가시킨다. 또한 이뇨가 시작되고 부종이 경감된다. 심전도 변화는 digitalization이 확립되었다는 것을 보여준다. 효과적인 digitalization와 digitalis의 독작용은 작은 농도의 차이에서 비롯되기 때문에 혈청 내 디곡신 농도를 면밀히 측정해야 한다. 독작용의 징후는 식욕부진, 오심, 구토, 현기증, 설사, 두통과 부정맥이다.

많은 아동들이 오랜 기간 동안 디곡신을 처방받는다. 만약 아동이 병원에서 퇴원한 후에도 디곡신을 투여해야 한다면 부모가 약물의 정확한 양과 투여시기를 이해해야 하며, 간호사는 부모가 충실히 약을 투여 할 수 있는 특정시간을 선택하도록 도와야 한다.

Furosemide(Lasix) 같은 이뇨제는 폐부전의 결과로 나타나는 부종을 감소하기 위해 투여해야 한다. 어린 영아에서는 염분과 수분을 제한하는 것보다 효과적이다. 하지만 심장병이 심각하면 수분제한이 필수적으로 이루어져야 한다. 매일 몸무게를 체크하는 것이 이뇨제의 효과를 가늠할 수 있는 좋은 방법이다. 몸무게를 잴 때 같은 시간에 같은 저울로 같은 옷을 입고(또는 벗은 채로) 매일 재는 것이 정확한 몸무게의 감소를 쉽게 알 수 있게 한다. 이뇨제에 의해 다량의 체액이 소실될 경우 저칼륨혈증에 빠질 수 있다. 혈청 내 전해질 수치를 모니터 할 때 칼륨 수치도 포함한다. 만약 저칼륨혈증이 일어나면 digitalis 독성의 위험이 증가한다. 히드로클로로티아지드(Hydrochlorothiazide)(HCTZ)는 오랜 기간의 치료요법에 사용되는 전형적인 이뇨제이다.

HCTZ는 칼륨 분비를 향상시키기 때문에 칼륨 수치를 유지하기 위해 칼륨 성분을 섭취해야 한다. 액체 성분의 칼륨은 위장관을 자극하기 때문에 반드시 과일 주스와 함께 먹어야 한다. 정상적인 소변 배설량은 1~2mL/kg/hr이다.

간호진단 및 목재

간호진단 : 피로와 관련된 신체요구량보다 적은 영양 부족 위험성
간호목표 : 아동은 질병 과정에서 적절한 영양섭취를 할 것이다.
예상되는 결과 : 아동은 성장 차트에서 정상 성장곡선을 유지한다. 피부탄력이 좋다.

적당한 영양을 유지하는 것은 심장병을 가진 아동들에게 중요하다. 많은 양을 하루에 세 번 나누어 먹는 것보다 적은 양을 6~8회로 나누어 먹는 것이 피곤이 덜하다. 소량의 식사는 아동의 위가 횡격막을 압박하는 것을 방지하고 심장비대를 절충해준다. 만약 모유를 먹는 영아라면 수유 전문가는 어머니와 상담을 해야 한다. 젖을 먹는 것은 힘든 일이므로 자주 소량을 섭취할 필요가 있다. 부드러운 'preemie' 젖꼭지를 사용하는 것이 수유를 쉽게 해주기 때문에 도움이 될 것이다.

간호진단 및 목표

간호진단 : 아동의 질병 발생 및 결과와 관련된 두려움
간호목표 : 부모와 아동의 정신적인 편안함을 증가시켜야 한다.
예상되는 결과 : 부모와 아동이 두려움과 걱정에 대해 열린 마음으로 토론하며 적극적으로 질문하고, 돌봄 계획에 자신감을 보인다.

심질환을 가진 아동은 자신 상태의 심각성에 대해 잘 알고 있어야 한다. 침대 위에 계속 누워있어야 하고 움직이는 것, 심지어 책장 넘기기 같은 간단한 활동에도 심장에 무리가 가는 것을 두려워할 수 있다. 이렇듯 비록 사소한 활동 뒤에도 심장이 약해지지만 산소와 약물이 도움을 줄 수 있다고 자신감을 북돋아준다. 사람들이 아동의 상태를 자주 확인하고 치료기간 동안 가까이서 아동을 관찰하는 것은 도움이 된다. 아동이 두려움을 표현하고 말하는 시간을 갖도록 한다.

심질환을 가진 아동의 부모도 이러한 자신감이 필요하다. 부모들은 의사에게 아동의 정확한 병의 상태를 듣게 되면 놀라게 된다. 응급 시에 대비해 부모가 심폐소생술에 대해 확실하게 알아두어야 한다. 또한 퇴원 후 추후관리를 위해서 병원의 진료 약속과 전화번호를 확실히 알아야 한다.

02 / 심내막염

심내막염(endocarditis)은 심장 내막의 감염이나 판막의 염증이다. 이는 팔로네증후, 심실중격결손, 대동맥축착 같은 선천심장병의 합병증으로서 발생한다. 감염은 연쇄상구균에 의해 일어난다. 연쇄상구균 감염은 치과치료 같은 구강 수술기간에 체내로 침투하는 경향이 있다. 또한 농가진 같이 요로 감염이나 피부감염에 의해 올 수도 있다. 발병과정에서 심방과 판막의 심내막에서 혈액, 피브린, 세균으로 이루어진 증식증이 일어난다. 심장 결함이 있다면 염증은 결함 부위에서 시작되지만 보통 심장의 왼쪽 부위에서 자주 일어난다. 시간이 지나면 침투과정이 심장의 심내막을 파괴하고 근육과 판막이 손상된다.

가장 흔한 원인균은 녹색연쇄상구균(streptococcusviridans), 황색포도상구균(staphylococcus aureus), 캔디다균(candida albicans), 그람음성균 등이다.

1) 사정

발병은 천천히 나타나며 원인불명의 미열이 있고 잠행성이다. 아동은 식욕이 감퇴하고 창백하게 보이며 몸무게가 감소한다. 밤에는 관절통, 불쾌감, 오한, 발한 등이 일어나며 청진 시 잡음이 들리고, 심부전의 징후가 나타난다. 손톱과 발톱의 출혈이나 접합 부위 또는 구강점막이나 결막의 점상출혈이 나타난다. 아동은 처음 비장의 경색에서 오는 좌상복부 부위의 통증을 호소하게 되고, 신체검진에서 비장이 비대되어 있다. 검사결과상 단백뇨나 혈뇨가 보이며 정상 색소성이나 정상 혈구성 빈혈이 나타난다. 백혈구와 ESR 증가가 나타나며, 혈액 배양을 통해 세균의 종류를 확인할 수 있다.

2) 치료적 관리

선천심장병을 가진 모든 아동들과 류마티스열을 가진 아동들은 감염성의 심내막염을 방지하기 위해 귀, 코, 목, 편도선, 구강의 외과치료 전에 Ampicillin이나 Amoxicillin을 예방적으로 투여한다. 만약 심내막염이 발병하면 집중적인 항생제 치료가 이루어져야 한다. 치료요법은 진행되는 감염에 직접적으로 시행하고, 심질환을 억제하기 위한 적절한 방법을 병행한다. 침입한 물질이 거의 연쇄상구균이기 때문에 페니실린을 정맥주사로 투여한다. 약을 큰 혈관 내로 투여하는 것은 빠르게 희석되어 퍼지게 하기 위함이다. 장기적이고 지속적인 간호가 병균의 침입을 감소하고 질병의 진행을 막기 위해 필요하다.

표 15-5 **영유아 경구용 Digoxin 용량**

연령	Digoxin 용량	일일 유지 용량
미숙아	20	5
만삭아	30	8~10
< 2세	40~50	10~12
> 2세	30	8~10

확인문제

14. 심부전 환아의 심장수축을 강하게 하기 위해 가장 일반적으로 쓰이는 약물은 무엇인가?

15. 심부전 환아가 Furosemide를 투여받고 있다. 가장 주의를 기울여야 할 사항은 무엇인가?

| 표 15-6 | 울혈성 심부전에 사용되는 약물 | | | |

약물	용량	작용	부작용	간호중재
강심제				
디지털리스배당제 Digoxin	[표 15-5] 참조	심실 수축력 저하 심박동수 저하	서맥 심정지 구역 구토	• 혈청 칼륨 수준이 정상 범위일 때 Digoxin을 투여한다. • PR 간격이 ECG상 2를 초과하거나 연령에 따른 심박동수가 정상보다 느리면 투약하지 않는다. • 투약하기 전에 반드시 심박동수를 측정한다.
교감신경계 약물 Dopamine	1~20μg/kg/min	심박출량 상승 신혈류 상승 혈압 상승 심박동수 상승 체혈관 저항 상승(고용량)	빈맥 부정맥 IV로 약물 투여 시 침윤되면 조직괴사 고혈압	• 심박동수와 혈압을 측정하여 부정맥, 고혈압이 발생하는지 모니터한다. • 부정맥과 고혈압을 예방하기 위해 약물을 천천히 주입한다. • 침윤이 발생하면 피하로 Phenolamine을 투여한다.
Dobtamine	2~20μg/kg/min	심박출량 상승 혈압 상승 체혈관 저항 상승	부정맥 빈맥	• 심박동수와 혈압을 측정하여 부정맥, 고혈압이 발생하는지 모니터한다. • 부정맥과 고혈압을 예방하기 위해 약물을 천천히 주입한다.
Epineprine	0.05~0.3μg/kg/min	심박출량 상승 혈압 상승 신혈류 체혈관저항 상승(고용량)	빈맥 고혈압 소변배설량 감소 혈관수축	• 심박동수와 혈압을 측정한다. • 부작용을 예방하기 위해 천천히 약물을 투여한다. • 중탄산나트륨과 혼합하지 않는다.
이뇨제				
Furosemide (Lasix)	1~2mg(6~8시간마다) PO/IV	근위세뇨관에서 나트륨과 수분의 재흡수 차단	저혈량 저칼륨혈증 대사성 알카리증	• I/O와 전해질을 관찰한다. • 전해질 수치가 낮아지면 보충한다. • 과용량일 때 저혈압이 초래되므로 소변배설량이 많은 경우 혈압을 측정한다.
Spironolactone (Aldactone)	1~3mg/kg/day PO (위 용량을 하루 2회 투여)	칼륨보존 이뇨제	저혈량 고칼륨혈증 신부전 시 금기	• Furosemide 간호와 동일하다. • 고칼륨혈증 시 투약을 중지한다.
혈관이완제				
Bumetanide (Bumex)	0.015~0.1mg/kg PO (하루 한 번 투여)	Furosemide와 유사한 Loop계 이뇨제	Furosemide와 유사	• Furosemide 간호와 동일하다.
ACE 억제제 Captopri (Capoten)	0.05~0.5mg/kg (하루 3번 투여)	체혈관 저항과 폐혈관 저항 저하 나트륨 배설	저혈압 발진 복통	• 약물을 처음 투여하기 시작할 때 혈압을 자주 특정한다. • 저혈압이 발생하면 다음 투약을 하지 않는다. • 칼륨과 함께 투약하지 않는다.
Nitrrates Nitroprusside (Nitropress)	0.05~10μg/kg/min	동맥과 정맥의 직접적인 확장 체혈관 저항 저하 후부하 저하 심박출량 저하	저혈압 혈소판감소증 빈호흡 빈맥 Nitroprussides는 cyanide와 thiocynate로 대사되므로 cyanide 독성 확인(ex 대사산증)	• 저혈압 발생 여부를 확인하기 위해 혈압을 관찰한다. • 장시간 투여할 경우 cyanide와 thiocynate 수치를 관찰한다. • 대사산증이 발생하면 투약을 중지한다.

요점

※ 아동의 심혈관 질병은 선천심장병이나 심내막염이나 류마티스열 같은 후천적인 것으로 나뉜다.

※ 심질환의 사정은 과거력이나 신체검진을 포함한다. 심초음파와 심도자법은 주로 진단에 사용되는 방법이다.

※ 심질환을 가진 아동은 성장과정이 지연될 수 있는데, 이는 아동이 일반적인 아동기 놀이를 할 만큼 에너지가 없기 때문이다. 부모는 신체적으로 피곤하지 않으면서 정서적, 신체적 자극이 될 만한 놀이를 생각하도록 도와주어야 한다.

※ 염분과 포화지방의 섭취를 제한하는 것은 심장병을 예방하는 중요한 전략이 된다.

※ 심장질환 아동에게 가능한 처치방법은 여러 가지이다. 예를 들면, 중격결손으로 태어난 아동의 경우는 심장수술을 하거나 동방결절의 기능 이상이 있는 경우에는 인공심박조절기를 사용할 수 있다. SA node의 기능에 이상이 있을 경우는 심장기능을 증가시키기 위해 심박조율기 이식이 필요하다.

※ 심장수술을 한 아동의 가족이 아동을 위해 효과적인 방법을 선택할 수 있도록 교육과 지지가 필요하다.

※ 선천심장병은 증가된 폐혈류량, 감소된 폐혈류량, 혈류협착과 혼합혈류로 분류한다.

※ 아동들에서의 심부전의 일반적인 징후는 빈맥, 빈호흡, 간비대, 호흡곤란과 청색증이다. 이런 징후는 영아들에서는 희박한 경향이 있고, 호흡곤란과 피곤함 및 수유곤란의 경우로 나타난다.

확인문제 정답

1. 심질환을 갖고 있는 영아는 대개 빈맥과 빈호흡이 있다.

2. 기질적인 심잡음은 심질환의 결과를 나타나는 심잡음이다.

3. 혈액검사는 심질환의 진단을 제시하거나 빈혈이나 혈액응고 결함 여부를 알아보는데 도움이 된다.

4. 보통의 혈압측정은 3세부터 시작한다.

5. 심장의 두근거림이나 가볍게 뛰는 증상을 호소할 수 있다(부정맥의 증상). 그러므로 심도자법을 시행한 후에는 매 15분마다 맥박과 혈압을 측정한다.

6. 심장의 부정맥은 심장의 유도전극(conduction nodes)에 도관이 닿아서 나타나는 기계적인 활동의 결과로 나타난다.

7. 심장수술 후에 호흡기계에서 분비물이 고이는 것을 방지하기 위해 기침과 심호흡을 해야만 한다.

8. 관류후 증후군은 대개 수술 후 3~12주에 나타나는 경향이 있다.

9. 심질환 수술 후에 알도스테론의 생성이 증가하고 항이뇨호르몬 분비가 증가하기 때문에 혈류과다상태로 되기 쉽다.

10. 심방중격결손에서는 혈액이 왼쪽에서 오른쪽으로 흐른다.

11. Indomethacin은 동맥관개존증을 치료하는 데 사용된다.

12. 폐정맥 환류가 비정상적일 경우, 혈액은 난원공개존증이나 동맥관개존증을 통해서 왼쪽에 도달하기 위해 단락이 되어야 한다.

13. TOF에서 나타나는 4가지 결함은 폐동맥협착, 심실중격결손, 대동맥우위, 우심실 비대이다.

14. 심장수축력을 강화하기 위해 Digoxin을 처방한다.

15. Furosemide를 받는 아동에게는 간호사는 저칼륨혈증에 대해 경계해야 한다.

혈액기능 장애 아동의 간호

주요용어

골수천자(bone marrow aspiration)
재생불량성 빈혈(aplastic anemia)
철결핍빈혈(iron deficiency anemia)
특발혈소판감소자색반병(Idiopathic thrombocytopenic purpura)
혈우병(hemophilia)

학습목표

01 아동기 혈액의 특성을 설명한다.
02 혈액기능을 사정한다.
03 철결핍빈혈 아동에게 간호과정을 적용한다.
04 재생불량빈혈 아동에게 간호과정을 적용한다.
05 혈우병 아동에게 간호과정을 적용한다.
06 특발혈소판감소자색반병 아동에게 간호과정을 적용한다.

I 혈액계의 특성

01 / 조혈계의 발달과 혈액 특성

태아의 조혈은 성인과 차이가 있다. 태아는 배아기 때부터 빠른 신체 성장속도에 따라 많은 양의 적혈구가 필요하고 이러한 신체적 요구에 의해 적혈구 조혈이 왕성하게 이루어진다. 조혈은 최초 중배엽의 난황낭(yolk sac)에서 임신 2주째부터 형성되기 시작된다. 임신 6~8주부터 20~24주까지는 간에서 주로 조혈이 이루어지고 골수에서도 조혈이 확인된다.

태아의 혈액 세포 종류 또한 성인과 차이를 보이는데 양수로 가득 찬 자궁은 무균적 환경이므로 호중구의 비율이 상대적으로 낮다. 적혈구와 백혈구 수는 임신 중반기부터 증가하기 시작하며 출생 당시 신생아의 신체 혈액량은 80~90mL/kg, 생후 6개월에는 75mL/kg, 1년 후에는 70mL/kg 정도가 된다. 출생 시 적혈구용적률(hematocrit, Hct; 전체 혈액량 중에 적혈구가 차지하는 부피를 백분율로 표시하여 나타낸 적혈구 용적률)은 55%, 평균 적혈구 용적(mean corpuscular volume, MCV)은 110fl 정도이며 출생후 1년까지 지속적으로 변화한다.

02 / 혈액의 구성요소와 기능

1) 적혈구

적혈구(erythrocytes)는 적골수의 혈구모세포(hemocytoblast)로부터 생성되며 정상적혈모구(normoblast)와 그물적혈구(reticulocyte) 단계를 거쳐 핵이 없는 적혈구로 성숙된다. 그물적혈구 단계에 머무는 적혈구는 전체의 약 1% 정도이며 아동에게서 그물적혈구 수가 증가한다는 것은 적혈구의 생성이 빠르다는 증거이기도 하다.

적혈구는 신장에서 생성되는 호르몬인 적혈구생성소(erythropoietin)의 자극을 받아 형성된다. 신장에 문제가 있는 아동은 적혈구생성소(erythropoietin)의 분비가 충분하지 않아 적혈구 생성이 적절하지 않을 수 있다.

영아의 경우 장골은 적혈구를 활발하게 생성하는 적색

골수로 채워져 있다가 아동이 성장함에 따라 황색골수가 이 역할을 대신하게 된다. 골수의 위치는 갈비뼈(늑골), 어깨뼈(견갑골), 척수, 머리뼈(두개골)로 점차 옮겨가게 된다. 출생 시 영아의 적혈구 수는 대략 $5 \times 10^6/mm^3$ 정도이며 출생 1개월 동안 빠르게 감소되어 3~4개월 때에는 $4.1 \times 10^6/mm^3$로 감소된다. 이후 성인이 될 때까지 서서히 증가한다.

적혈구의 주된 기능은 혈색소(헤모글로빈)를 운반하는 것이며 혈색소는 세포에 산소를 제공하는 역할을 한다. 조직에 저산소증이 유발되면 적혈구생성소(erythropoietin)이 증가되고 조직에 산소공급이 적절하면 적혈구생성소(erythropoietin)의 생산은 중단된다. 만성적으로 저산소증이 있는 아동은 적혈구증가증(erythrocytosis)이 유발되기 쉽다. 조직에 산소를 운반하는 것은 적혈구의 수뿐만 아니라 적혈구 세포 내의 혈색소에 따라 영향을 받는다.

적혈구의 수명은 한정적이며 평균적으로 수명은 120일 정도로 이 기간이 지나면 결국에는 파괴된다. 파괴된 적혈구 세포의 잔해는 혈관을 순환하다가 비장, 간, 골수에서 세망내피세포의 식작용으로 탐식된다.

적혈구의 생산과 파괴는 항상성에 의해 균형을 이루며 이를 통해 조직에 적절한 산소공급이 이루어지고 혈액의 점도도 유지된다.

(1) 혈색소

혈색소(hemoglobin, Hb)는 조직에 산소를 공급해 주는 산소운반 복합단백성분이라 할 수 있다. 그 밖에 산-염기의 평형을 유지하는 작용을 한다.

한 분자의 혈색소는 철분이 포함된 4개의 헴(heme)과 단백질 성분인 1개의 글로빈(globin; 4개의 폴리펩티드 사슬 구조로 모인 단백질)으로 구성되어 있다. 헴은 철(iron)과 프로토포피린(protoporphyrin)의 결합체로 산소와 결합하여 이산화탄소를 배출하는 역할을 한다. 각 혈색소 분자는 최대 4개의 산소와 결합할 수 있고 결합 정도는 약해 혈류를 따라 이동하다가 산소가 필요한 조직에서 해리된다[그림 16-1]. 태아의 적혈구 내 혈색소는 출생 후에 형성된 혈색소와는 다르다. 태아 혈색소(Hb F)는 태아가 자궁 내 낮은 산소분압에서 산소를 잘 흡수하도록 되어 있다. 태아 혈색소는 태아기 8주 이후부터 주요한 혈색소로 자리 잡고 있다가 출생 직후 70% 정

그림 16-1 **혈색소의 구조**

도이던 것이 이후에 급격히 감소하여 12개월이 되면 흔적만 남게 된다. 태아 혈색소에서 성인 혈색소(Hb A)로 변환되는 기전은 확실히 밝혀지지 않고 있다.

혈색소(hemoglobin)는 철(iron)이 포함된 4개의 색소(heme)와 단백질 성분인 글로빈(globin)의 복합체로 1개의 글로빈은 4개의 폴리펩티드 사슬 구조(α chain과 β chain)로 되어 있다.

혈색소 수치는 적혈구 수와 각각의 혈구가 포함하는 혈색소의 양에 따라 달라지며 아동의 연령에 따라 수치가 변화한다. 혈색소 수치는 출생 시에 가장 높고, 3개월에 가장 낮으며, 학령기 이후까지 점차 상승한다.

(2) 적혈구의 파괴

적혈구는 120일 정도의 평균 수명을 다하면 파괴된다. 적혈구의 80~90%는 간, 비장, 골수 등의 망상내피세포(reticuloen dothelial cell)에 의해 파괴되고, 10% 정도는 혈관 내에서 용혈된다. 이때 적혈구 내에 있던 혈색소는 헴과 글로빈으로 분리되며 헴은 다시 철(Fe^{2+})과 프로토포피린(protoporphyrin)으로 분리된다. 철은 혈장의 트렌스페린(transferrin)과 결합하여 골수에서 새로운 적혈구 생성을 위한 혈색소 합성에 재이용되거나 간이나 비장 등에 페리틴(ferritin) 형태로 저장된다. 프로토포피린은 빌리버딘(biliverdin)을 거쳐 간접 빌리루빈(indirect bilirubin)으로 분해된다. 간접 빌리루빈은 지용성으로 신장에서는 배출될 수 없으며 간 효소인 glucuronyl transferase에 의해 직접 빌리루빈(direct bilirubin)으로 전환된다. 직접 빌리루빈은 수용성으로 담즙과 결합 후 소장을 거쳐 대변으로 배설되며 일부는 신장을 통해 소변으로 배출된다. 글로빈은 아미노산으로 분해되어 철과 함께 체내 비장, 간에 저장되었다가 골수의 적골수 내에서 조혈에 재이용된다.

신생아는 간기능이 성숙하지 못하여 간접 빌리루빈에서 직접 빌리루빈으로 전환하기 어렵다. 간접 빌리루빈의 혈중 농도가 7mg/100mL 이상으로 상승될 경우 생리적 황달이 유발될 수 있다. 적혈구가 과도하게 파괴(용혈)되는 상황에서도 황달은 나타난다.

2) 백혈구

백혈구(leukocytes, white blood cell, WBC)는 핵이 있는 세포이며 적혈구에 비해 수가 매우 적다. 백혈구는 주로 항원이 체내에 침범하였을 경우 이에 대항하는 기능을 한다.

백혈구는 크게 과립구(granulocytes)와 무과립구(agranulocytes)의 형태로 분류될 수 있다. 과립구는 호중구(neutrophil), 호염구(basophil), 호산구(eosinophil)로 구성되는데 이는 염색 특성에 따른 것이다. 염기성구는 메틸렌블루(methylene blue) 염료에서 자주색으로 변하고, 호산구는 산성인 에오신(eosin) 염료에 붉은색으로 염색된다. 호중구는 염료에 중성적으로 반응한다. 무과립구는 림프구(lymphocytes)와 단핵구(monocytes)로 나누어진다. 무과립구는 림프기관으로부터 발달하기 때문에 림프성 백혈구(lymphogenous leukocytes)라 할 수 있다. 특히 림프구는 아세포(blast) 또는 조혈모세포(stem cell)로부터 발달하기 시작하여 T세포와 B세포로 분화된다. 단핵구는 혈관을 빠져 나가 강력한 대식세포(macrophage)로 성장한다.

신생아기의 전체 백혈구 수는 출생 시 약 20,000/㎣로 많고 과립구가 차지하는 비율이 높지만, 생후 2주에 4주가량이 되면 12,000/㎣로 수치가 감소하면서 림프구가 주를 이루게 된다. 만 4세가 되면서 백혈구 수는 성인과 비슷한 수준이 되며 대부분이 과립구의 형태로 구성된다.

백혈구는 필요시 생성되고 수명은 평균 10일 정도이다. 말초순환에서 미성숙 호중구의 수가 증가하는 것은 세균성 감염의 대응과 같은 생리적 요구 때문이라 할 수 있다. 신체가 세균성 감염에 대항할 수 있는지 판단하기 위하여 절대 호중구 수(absolute nerutrophil count, ANC)를 검사할 수 있는데, ANC 수치가 500/㎣ 미만일 경우 심각한 감염의 위험을 고려해야 한다.

3) 혈소판

혈소판(platelets)은 골수에서 거대핵세포(megakaryocyte)의 세포질 일부가 떨어져 나와 형성된 핵이 없는 조직으로 2~4㎛ 정도 크기의 불규칙한 원판 모양이다. 주요 기능은 말초 혈액응고(capillary hemostasis)와 1차 응고에 관여하는 것이다. 생후 1년 정도가 되면 혈소판의 수는 150,000~300,000/㎣ 정도가 된다. 평균 수명은 약 1주일 정도이며 간, 폐, 비장에서 파괴된다. 혈소판의 대부분은 혈청에 존재하며, 이는 혈소판이 빠르게 생성되는 것을 의미한다.

혈소판은 세로토닌(serotonin), 히스타민(histamine), 아데노신이인산(adenosine diphosphate, ADP), 프로스타글란딘(prostaglandin)을 비롯하여 혈액응고인자인 Ca^{2+}, K^+, thromboxane A_2을 가지고 있다 .

혈소판은 지혈작용과 혈액응고와 같은 주요한 기능을 한다.

(1) 지혈작용 및 혈액응고

혈관벽이 손상되면 출혈이 발생하지만 수 분 이내에 지혈이 되고 혈액응고가 이루어진다. 효과적인 혈액응고(blood coagulation)는 혈장 및 손상된 조직에서 방출된 여러 인자들이 합성되는 과정에 의해 이루어진다.

① 국소적 혈관수축

혈관이 손상되면 손상부위 양쪽 방향에서 국소적인 혈관수축이 발생하고 이로 인해 혈관이 좁아지면서 손상범위가 감소하게 된다. 혈관이 수축하는 것은 신경의 흥분이나 혈관벽 근육의 수축, 손상된 혈관에 부착되어 있던 혈소판에서 세로토닌과 트롬복산(thromboxane) A2 같은 물질 때문이다. 혈관손상이 크면 혈관이 수축하는 정도도 올라간다.

② 일시적 지혈

혈관이 손상되면 내면이 거칠어지고 내피세포가 파괴되면서 아교질(collagen)이 노출된다. 아교질에 혈소판이 부착되는데 이때 혈소판은 과립이 소실되면서 혈관수축물질인 세로토닌과 아데노신이인산을 방출한다. 세로토닌에 Ca^{2+}이 작용하여 국소적 혈관수축이 일어나고, 혈관 표면의 점도를 높이는 아데노신이인산에 의해 다른 혈소판들이 손상부위에 부착된다. 이러한 과정에 의해 혈소판 마개(platelet plug)가 생성되어 일시적인 지혈작용이 이루어지게 된다.

③ 혈액응고

혈소판 마개에 적혈구가 엉성하게 응집되고 나면 섬유소(fibrin)에 의하여 손상된 혈관이 단단하게 폐쇄된다. 혈액응고에 관여하는 것으로 알려진 혈액응고인자와 항응고인자는 50여 종으로 다양하며 이 중 국제적으로 인정되는 것

표 16-1	혈액응고인자
I	fibrinogen
II	prothrombin
III	thromboplastin
IV	calcium
V	labile factor(platelet phospholipids)
VII	stable factor
VIII	antihemophilic factor
IX	Christmas factor, antihemophilic factor B; plasma thromboplastin component
X	Stuart factor
XI	plasma thromboplastin antecedent(antihemophilic factor C)
XII	Hageman factor
XIII	fibrin stablizing factor

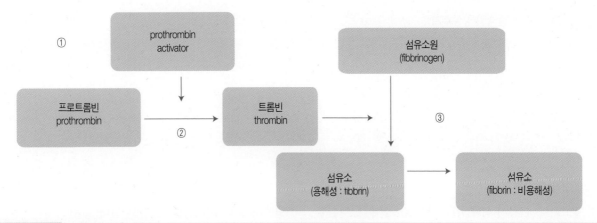

그림 16-2 혈액응고의 3단계

은 13여 종 정도이다[표 16-1].

혈액응고는 혈액 자체의 손상에 의한 내인성 기전 (intrinsic system)과 출혈 시 주변 조직으로부터 첨가된 외인성 기전(extrinsic system)에 의해 시작된다. 혈액응고는 크게 다음과 같은 3가지 단계에 의해 이루어진다[그림 16-2].

첫 번째 단계에서는 내인성 기전과 외인성 기전에 의해서 응고 인자 X가 활성화되어 프로트롬빈 활성제(prothrombin activator)(converting factor)를 형성한다. 내인성 응고기전에서는 혈관손상 시 노출되는 아교질에 의해 응고인자 XII가 활성화되고, 이는 응고인자 XI를 활성화하는 데 매개체로 작용한다. 이때 혈소판에서는 인지질이 유리되어 응고작용을 촉진하며 응고인자 IX 및 X을 차례로 활성화한다. 한편 외인성 응고기전에서는 트롬보플라스틴(thromboplastin)이 혈장에 있는 응고인자 VII를 활성화 시키고 Ca^{2+}과 인지질 등의 작용에 의해 응고인자 X을 활성화한다. 이처럼 내인성 기전과 외인성 기전에 의해 응고인자 X가 활성화되며 이후 Ca^{2+}과 인지질의 도움을 받아 프로트롬빈 활성제를 형성하게 된다. 두 번째 단계에서는 프로트롬빈 활성제에 의해 프로트롬빈(prothrombin)이 트롬빈(thrombin)으로 전환된다. 마지막 과정은 트롬빈의 효소작용에 의해 혈장 단백질인 섬유소원(fibrinogen)이 응고의 최종산물인 섬유소(fibrin)로 전환하는 단계로 이 과정을 통해 단단한 보호막인 혈괴가 형성된다.

확인문제

1. 적혈구의 주된 기능과 적혈구 생성을 자극하는 주요 호르몬은 무엇인가?

Ⅱ 혈액계 기능 사정

01 / 아동과 가족의 건강력

아동의 혈액계 질환은 선천적, 유전적 요인과 관계가 되는 경우가 많다. 따라서 개인과 가족의 과거와 현재의 건강력뿐만 아니라 양쪽 부모의 가계력도 확인해야 한다. 가족력 질환은 흔히 유전성 질환과 혼동되기도 한다. 유전성 질환이 다음 세대에 특정 유전 정보가 전달되는 1가지 기전으로 질병이 발생하는 반면, 가족력 질환은 다양한 유전 정보의 전달과 환경 요인이 함께 작용하는 복합적 요인에 의해 발생하는 질환을 말한다.

아동의 에너지 결핍, 철분이 부족한 식생활, 빈번한 감염 등에 대해 부모가 제공하는 정보는 혈액에 영향을 줄 수 있는 일반적인 질환에 대한 단서를 제공한다. 아동이 복용하고 있는 약물을 확인하여 혈액계 질환을 일으키는 종류가 있는지 확인한다. 혈액계 질환의 임상증상은 다양하고 광범위한 질병과 병리적인 상태를 포함할 수 있다. 아동의 신체

표 16-2	아동 혈액의 정상수치							
연령	혈색소 (g/dL)	헤마토크릿 (%)	평균 적혈구 용적(fL)	백혈구 (mm³)	호중구(%)	림프구(%)	호산구(%)	단구(%)
생후 2주	16.5	50		12,000	40	63	3	9
3개월	12.0	36		12,000	30	48	2	5
6개월~6세	12.0	37	70~74	10,000	45	48	2	5
7~12세	13.0	13.0	76~80	8,000	55	38	2	5

는 혈액장애에도 불구하고 상당히 잘 적응하므로 세심한 관찰이 필요하다. 아동이 허약, 열감, 피로감, 권태감, 나른함 등을 호소하는지 파악하고, 발열은 혈액계 질환에서 자주 나타나며 두통, 시력장애, 현기증, 감각장애 등의 신경계 변화, 호흡기계, 심혈관계, 위장관계 변화 등도 관찰한다. 타박상, 혈종, 점상출혈, 비출혈, 잇몸출혈, 토혈이나 흑색변, 혈뇨 등의 증상을 파악한다.

02 / 혈액검사

1) 전혈구검사

가장 일반적인 검사로는 전혈구검사(complete blood count, CBC)는 적혈구 수, 혈색소(hemoglobin)와 적혈구용적(hematocrit)을 검사한다. 적혈구 지수는 빈혈의 종류를 감별하기 위해 시행하며 평균 적혈구 용적(mean corpuscular volume, MCV), 평균 적혈구 혈색소량(mean corpuscular hemoglobin, MCH), 평균 적혈구혈색소 농도(mean corpuscular hemoglobin concentration, MCHC)가 있다. 백혈구와 혈소판 수를 측정한다. 아동은 출생 후부터

성인이 되기까지 혈액의 생리적 수치 변동이 크므로 연령별 혈액의 정상 수치를 알고 있어야 한다[표 16-2].

혈액응고의 한 단계에서 응고인자가 불충분할 경우 혈액응고 문제가 발생하며 혈액응고에 대한 일반적인 검사는 [표 16-3]과 같다.

2) 말초혈액도말검사

말초혈액을 슬라이드에 도말하여 현미경으로 혈구를 검사한다. 혈구의 크기와 모양을 관찰할 수 있다.

3) 골수천자

골수천자(bone marrow aspiration)는 골수 채취를 통해 세포의 형태와 양을 확인하여 여러 가지 혈액계 질환을 진단하는 데 유용하게 사용되고 있다. 골수는 조혈기관 전체의 상태를 대표하며 비교적 간단하고 안전한 방법으로 소량의 골수액을 흡인하여 검사할 수 있다.

안전하고 효율적인 골수 검사 부위로 이용되는 곳은 영아기에는 경골 근위부와 후방 엉덩뼈능선(posterior iliac crest)이고 영아기 이후에는 후방 엉덩뼈능선(posterior iliac

표 16-3	혈액응고의 일반적인 검사		
검사항목	방법	의미	정상치
Prothrombin time(PT)	완전한 thromboplastin을 시험관 혈액에 첨가 후 prothrombin의 작용을 측정	prothrombin, 인자 V, VII, X의 결핍 확인	11~13초
Partial prothrombin time(PPT)	불완전한 thromboplastin을 시험관 혈액에 첨가 후 thromboplastin의 기능 측정	인자 I, II, V, VIII, IX, X, XI, XII의 결핍 확인	30~45초
Bleeding time	귓불에서 상처를 내 지혈되기까지 걸리는 시간을 측정	혈소판 형성과 혈관수축 능력의 결핍 확인	3~10분
Tourniquet	지혈대를 아동의 전완에 5~10분 정도 묶은 후 조직의 반응 관찰	모세혈관의 강도와 혈소판 기능 측정	2cm 범위에 petechiae 0~2개
Plasma fibrinogen	혈액에서의 fibrinogen 수치	fibrinogen에서 fibrin으로 전환 단계 측정	200~400mg/100mL plasma

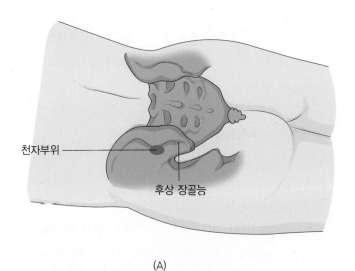

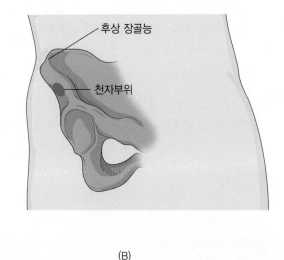

(A)　　　　　　　　　　　　　　　　　　　(B)

그림 16-3　　**경골 근위부와 후상 장골능**
(A) 영아기에 흔한 골수천자 부위는 후상 장골능 부위이며,　(B) 영아기 이후에는 후상 장골능이나 전상 장골능 부위이다.

crest)이나 전방 엉덩뼈능선(anterior iliac crest)이다. 성인의 경우에는 일반적으로 흉골이나 척추가 사용된다[그림 16-3].

검사 시 아동은 엎드린 자세로 취하며 천자 부위를 povidone-iodine(betadine)으로 소독한 후 멸균된 방포로 덮는다. 아동의 불안을 감소하기 위해 진정제를 선택할 수 있다. 피부에 국소 마취제를 투여하고, 몇 분 후 골수천자용 바늘을 삽입한다. 이때 상당한 압력이 필요하므로 검사용 테이블은 바닥이 단단한 것을 선택한다. 바늘이 골수강에 도달하면 주사기를 통해 골수를 흡인하고 주사기를 제거한다. 출혈 방지를 위해 수분 동안 천자 부위에 압력을 가하고 이후 압박 드레싱을 실시한다. 흡인된 검체는 슬라이드 위에 도포하여 말린 후 보존액을 뿌려 검사실로 보낸다.

천자 후 처음 1시간 동안은 15분마다 드레싱을 관찰하여 출혈을 확인하고 아동이 조용한 환경에서 안정을 취할 수 있도록 해준다. 감염의 가능성을 확인하기 위해 검사 후 12시간, 24시간에 체온을 측정한다.

아동은 이러한 과정 자체와 통증에 대하여 두려워할 수 있다. 따라서 검사 전에 침습적인 과정에 대한 아동의 감정을 표현할 수 있도록 격려하고 발달 단계에 따라 인형이나 주사기를 이용한 치료적 놀이를 격려한다. 진정제를 투여한 경우 아동이 완전히 깨어날 때까지 활력징후를 확인한다.

확인문제

2. 골수천자를 실시하는 목적과 아동기에 골수천자 시 주로 사용하는 부위는?

Ⅲ　적혈구 이상

01 / 빈혈

대부분의 적혈구 이상 질환은 빈혈(anemia)이며, 빈혈은 그 자체가 특수한 질병을 나타내는 것이 아니라 적혈구 생성이 감소되거나 혈색소(hemoglobin, Hb) 수치가 연령별 정상 수치보다 낮은 상태를 의미한다. 또한 적혈구의 모양이나 크기, 색과 같이 형태적 측면에서 이상이 발생한 경우에 발생할 수 있다. 이로 인해 혈액 내 산소 운반 능력이 감소되거나 조직의 산소 요구량에 비해 공급량이 부족해지는 현상이 발생한다.

1) 분류

빈혈을 보통 적혈구의 크기와 혈색소의 함량을 기준으로 분류한다. 적혈구의 크기가 크고 혈색소 함량이 많은 것은 대적혈구 고색소빈혈(macrocytic hyperchromic anemia), 적혈구의 크기가 작고 혈색소 함량이 적은 소적혈구 저색소빈혈(microcytic hypochromic anemia), 적혈구의 크기와 혈색소 함량이 정상적혈구 정상색소빈혈(normocytic normochromic anemia)라 한다.

2) 임상증상

빈혈이 천천히 발생할 때 아동은 감소하는 혈색소 양에 적응하게 된다. 혈색소 수준이 임상증상을 나타낼 만큼 낮아지면 조직 저산소증에 의한 여러 증상이 발현된다. 조직 내 산소 부족으로 전신이 피로해지고 근육이 쇠약해진다. 동맥혈 내에서 산소와 결합하지 않은 혈색소가 증가할 경우 청색증이 나타날 수 있다.

순환계 증상으로 만성적인 중증 빈혈의 경우에 적혈구 농도가 감소 됨에 따라 혈액의 점도는 감소하고 이는 말초혈관 저항력을 저하시켜 심장으로 귀환하는 혈액량을 증가시킨다. 또한 혈액의 산소운반 능력 감소로 인한 보상기전으로 심박동수와 심박출량이 증가하여 빠르고 거친 혈액 흐름에 따라 심잡음(murmur)이 나타날 수 있다. 이러한 순환계 증상은 아동이 운동을 하거나 스트레스를 받을 때, 감염이 되었을 때 심장 부하가 증가하여 심부전증으로 악화될 수 있다.

만성적인 중증 빈혈에서는 세포의 대사가 감소하고 식욕부진에 따른 영양 섭취불량 등으로 아동의 성장이 지연된다. 이는 사춘기에 이르러 2차 성징과 성적 성숙도를 지연시킬 수 있다.

3) 진단검사

일반적으로 아동이 쉽게 피로감을 느끼며 창백증이 나타나는 경우 빈혈을 의심해 볼 수 있다 .

전혈구검사(CBC)를 통해 적혈구 수와 혈색소 수치, 적혈구 용적률이 감소되어 있는 것을 확인한다. 아동의 연령에 따라 위 항목의 정상 수치는 차이가 있으므로 해당 연령별 정상 수치를 고려하여 진단에 활용한다.

적혈구에 대한 신체 요구도가 증가할 경우 그물적혈구 수가 증가하는 것을 볼 수 있으며, 말초혈액 도말(peripheral blood smear) 검사를 통해 겸상적혈구(sickle-shaped cell)와 같이 적혈구의 형태가 변화된 것을 확인할 수 있다. 골수검사를 통해 정상 혈액세포를 생산하는 기능을 평가하는 데 활용할 수 있다.

4) 치료적 관리

빈혈의 치료적 관리에서 가장 중요한 것은 빈혈의 근본원인을 알아내서 이를 교정하는 것이다. 신체 기능을 정상화하기 위하여 부족한 혈액과 혈액 성분을 공급하도록 한다. 보조적인 치료로 산소요법과 정맥 내 수액 공급, 침상안정 등을 제공할 수 있다.

5) 간호

건강사정을 통해 빈혈의 원인과 심각성을 파악할 수 있다. 아동의 연령은 빈혈의 원인을 파악하기 위한 중요한 자료를 제공한다. 생후 12~36개월 된 유아와 성장이 빠른 청소년의 경우 철결핍빈혈이 흔히 발생할 수 있다. 또한 아동의 영양 섭취가 불량하거나 편식을 하는 경우, 영아기에 우유를 많이 마시는 경우, 이미증(pica) 등의 식습관이 있는 경우 빈혈이 발생할 가능성이 높다. 장 배설 습관을 파악하는 것은 빈혈을 확인하는데 중요한 요소로서 우유를 먹은 뒤 설사를 하는 아동은 보통 유당분해효소인 락타아제가 부족한 경우가 많다. 이로 인해 위장관 내 출혈이 발생하여 만성적인 빈혈로 이환될 수 있다. 출혈 여부는 대변 잠혈검사를 통해 확인할 수 있다.

혈액검사를 위해 아동을 준비하는 것은 간호사의 중요한 임무 중 하나이다. 우선 아동과 가족에게 검사의 중요성을 설명한다. 특히 아동의 경우에는 연령별 인지능력을 고려하여 인형과 검사도구를 통해 검사하는 방법을 보여주거나 이러한 도구를 직접 만져보게 하여 심리적 불안이 감소될 수 있도록 한다. 바늘천자와 같이 침습적 검사를 수행할 때 아동이 느끼는 통증을 감소하기 위하여 국소적 마취크림을 도포할 수 있다.

빈혈이 있는 아동은 혈액 내 산소운반 능력이 감소되거나 조직의 산소 요구량에 비해 공급량이 부족해지기 쉽다.

따라서 아동의 에너지 수준과 피로 정도를 사정한 후에 운동이나 놀이 시에 아동에게 무리가 가지 않는 범위 내에서 적정한 활동 수준을 정하는 것이 필요하다. 중증 빈혈의 경우 입원 치료가 필요할 수 있으며 이때 아동의 조직 내 저산소증을 예방하기 위해 산소요법을 고려할 수 있다. 이러한 아동은 감염에도 매우 취약한 상태이므로 각종 감염관리를 통해 감염에 노출되지 않도록 해야 한다. 철저한 손씻기와 방문객 관리, 적절한 영양섭취를 도모하고 발열이나 백혈구 증가 등의 감염증상을 주의 깊게 사정한다.

02 / 철결핍빈혈

철결핍빈혈(iron deficiency anemia)은 어느 지역에서나 가장 흔히 볼 수 있는 영양결핍으로 아동기에 빈번하게 발생한다. 신생아는 0.5g의 철을 가지고 출생하며 성인은 체내에 약 5g의 철을 가지고 있다. 철분이 체내에서 소실되는 양과 성장에 필요한 양을 고려하면 아동기에는 충분한 양의 철분을 흡수해야 한다. 1세 영아는 성장속도가 빨라 체내 철분의 70%를 재사용하고, 30%는 음식물을 통해 섭취해야 한다. 보통 식품에 함유된 철 가운데 약 5~10% 가량이 흡수된다.

1) 원인

태아는 태반을 통해 철분을 공급받는데 모체의 빈혈 여부와는 관계없이 충분한 양의 철을 체내에 저장한다. 이는 주로 임신 3기에 일어나므로 재태기간이 짧은 미숙아의 경우에는 철 저장량이 부족하다. 신생아는 생후 6~8주까지 적혈구 조혈이 거의 중단되어 만삭아는 생후 5~6개월, 미숙아는 2~3개월 동안 저장된 철을 사용한다. 따라서 저장된 철이 소진되는 시점에서 음식을 통한 철분 공급이 충분하지 못할 경우 철결핍빈혈이 초래되기 쉽다. 특히나 미숙아는 저장된 철이 부족할뿐만 아니라 성장속도가 빨라 생후 2개월부터 철분이 보충되어야 한다.

모유와 분유의 철분 함유량은 0.3~0.7mg/L로 비슷하지만 모유에 함유된 철은 체내 흡수율이 높아 분유를 먹는 아기보다 철결핍의 위험이 감소한다. 그러나 오랫동안 모유 수유만을 할 경우 섭취하는 철분의 양이 영아의 요구량에 비해 부족해 철결핍이 초래될 수 있다. 한편 생우유(cow milk feeding)는 철분 함유량이 적고(0.5mg/L), 흡수율도 모유보다 떨어지므로 만 1세 이전에는 주지 않는 것이 좋다.

위식도역류나 유문협착과 같은 구조적 문제를 가지고 있는 아동의 경우에는 음식을 통해 충분한 철분이 공급되더라도 이를 소화흡수하지 못해 철결핍빈혈로 이어진다. 또한 만성 설사나 소장 내 흡수 장애를 가진 아동 역시 철이 결핍되기 쉽다. 3세 이상이 되면 음식 섭취 부족으로 인한 철결핍은 드물고, 만성적인 출혈이 철결핍의 주요 원인이 된다. 만성적인 출혈은 소화성 궤양, Meckel 게실, 용종(polyp), Chron's disease, 대장염 등의 위장관 문제로 인하여 발생하는 경우가 많다. 청소년기에 이르러 다시 철결핍빈혈이 증가할 수 있는데 이는 아동의 성장속도가 빠른 데 반해 철분 섭취가 불충분하거나 여아의 경우 월경으로 인해 실혈이 발생하기 때문이다.

2) 사정

철결핍빈혈이 있는 아동은 피부와 점막이 창백(pallor)하다. 그러나 창백한 증상은 서서히 나타나고 혈색소가 6~10g/dL 정도로 떨어졌을 때 발현되어 빈혈이 어느 정도 진행되고 나서야 관찰될 수 있다. 아동의 근육 긴장도가 떨어지고 쉽게 피로해하며 운동 및 활동 능력이 떨어진다. 조직 내 산소 부족으로 인해 혈액을 더 공급하기 위해 심장 활동이 증가되어 빈맥이나 기능성 심잡음이 들리고 심한 경우 방사선 사진상에 심비대를 보인다. 약 10~15%에서 비장이 약간 비대되는 것을 볼 수 있다. 아동의 손톱은 스푼 모양이거나 함몰되어 있다.

빈혈이 심해지면 아동은 밤에 잘 깨고 자주 보챈다. 자극에 대한 반응이 감소되는 경우도 있다. 주위에 대한 관심이 줄어들고 주의력, 학습능력이 떨어지기도 한다. 이러한 인지기능 및 정신운동 장애는 빈혈이 치료된 이후에도 지속될 수 있다. 면역기능 저하로 인해 감염에 취약해지고 식욕부진으로 철분섭취가 더욱 부족해져 성장속도가 지연된다. 일부 아동에서는 흙, 종이 등을 강박적으로 먹는 이미증(pica)을 보이며, 이로 인해 구강 상피세포가 손상되거나 염증이 발생하고 철결핍이 더욱 심해진다.

철분이 부족할 경우 납의 장내 흡수가 증가하여 납중독

으로 인한 신경학적 결함으로 이어질 수 있다. 중추신경계 성숙에 중요한 효소인 monoamine oxidase(MAO)는 철과 결합되어 기능하므로 철분이 부족할 경우 중추신경계 성숙에도 부정적인 영향을 준다.

3) 진단

혈액검사를 통해 혈색소 수치가 11g/dL 이하, 적혈구용 적률이 33% 이하로 감소하는 것을 확인할 수 있다. 적혈구는 소구성(microcytic), 저색소성(hypochromic)이며, 모양이 불규칙하게 변형되어 있는 것을 쉽게 확인할 수 있다.

평균 적혈구 혈색소량(mean corpuscular hemoglobin, MCH) 및 평균 적혈구 용적(mean corpuscular volume, MCV)도 낮다. 철분의 저장 정도를 반영하는 혈청 ferritin의 농도는 10g/100mL 미만으로 정상수치인 35g/100mL에 비해 부족하다. 골수에서는 적혈모구가 증가되어 있는 것을 확인할 수 있다.

4) 치료적 관리

철분제를 투여하여 빈혈을 교정하고 빈혈이 발생하는 원인을 찾아 치료한다. 위장관 출혈이 빈혈의 원인이라면 이를 교정하고 철분이 풍부한 음식 및 철분의 흡수를 돕는 비타민 C를 섭취한다. 분유를 먹는 영아는 1년 동안 철분이 강화된 제품(iron fortified milk)을 선택하여 먹인다. 아동의 철분 권장량은 6개월에서 10세 사이에는 1일 10mg이고 청소년은 1일 16mg이다.

(1) 경구적 철분치료

경구적 철분치료(oral iron therapy)는 경제적이고 안전하며 비교적 효과적인 방법이다. 경제적 측면과 효과를 고려하여 보통 황산철(ferrous salt)를 선택하여 투약하며, 이를 통해 적혈구 형성을 증가시키고 철분의 체내 저장을 유도한다. 철분제는 식사 사이에 복용하는 것이 중요한데 음식물과 함께 섭취할 경우 흡수가 제한된다. 혈색소 수치가 상승함에 따라 적혈구 생성소(erythropoietin)의 자극이 감소하고 흡수되는 철의 양 또한 감소한다. 따라서 혈색소뿐 아니라 저장된 철분의 양을 증가시키기 위하여 혈색소 수치가 정상으로 돌아온 뒤에도 2~3개월 가량 철분제 복용을 유지

하도록 한다. 경구용 철분제를 복용할 경우 다양한 정도의 부작용을 경험할 수 있다. 복통이나 변비, 위장 불편감, 더부룩함 등의 위장 장애가 나타나고 치아가 변색될 수 있다.

경구용 철분제의 흡수를 증가시키기 위해서는 비타민 C와 함께 복용하는 것이 좋다. 그러나 칼슘염이 포함된 종합비타민이나 미네랄을 철분제와 같이 복용할 경우 흡수율이 저하된다. 또한 우유를 하루 500mL 이상 섭취하지 않는 것이 바람직하다.

(2) 비경구적 철분치료

경구용 철분제를 흡수하지 못하거나 철분의 신속한 교정이 필요할 경우에는 정맥이나 근육주사를 통해 철을 투여한다. 정맥주사의 경우 투여하는 용량이 많을 경우 5% 포도당이나 0.9% 식염수에 희석하여 60~90분에 걸쳐 주입한다. 투약 시 흉통이나 천명(wheezing), 혈압강하 등의 증상이 나타나면 즉시 주입을 중단한다. 근육주사의 경우에는 피부착색이나 발진, 통증, 조직 괴사, 아나필락시스, 쇼크 등의 부작용의 위험이 있어 신중하게 선택하여 투여한다.

5) 간호

모유는 분유보다 철분의 흡수가 잘 되므로 가급적 모유수유를 권장한다. 모유만 먹는 영아는 생후 4개월부터 철분을 보충해 주는 것이 필요하다. 분유를 먹는 영아의 경우 곡분이나 철분이 강화된 분유(iron fortified milk) 제품을 선택하도록 한다. 철의 흡수를 돕기 위해 과일이나 과즙, 육류, 철분이 첨가된 곡분으로 만든 이유식이 도움이 된다. 또한 정기적으로 혈색소의 수치를 확인하여 영아의 빈혈을 예방하는 것이 바람직하다. 큰 아동이나 청소년의 경우 철분이 풍부한 음식을 섭취하도록 하고 위장관 출혈을 예방하기 위해 우유의 과도한 섭취는 줄인다.

철결핍빈혈 아동의 피로도를 사정하여 이를 감소하기 위해 격렬한 활동을 줄일 수 있도록 계획하고 충분한 휴식을 취하도록 격려한다.

경구용 철분제 치료가 처방될 경우 위장 장애와 같은 부작용에 대하여 아동과 부모에게 알리고 이를 최소화할 수 있도록 한다. 또한 투약의 이행도를 높일 수 있는 방법을 모색한다. 비경구용 철분제를 근육 주사할 경우 피부 착색이

간호사례 / 철결핍빈혈 아동

4세 민철이가 건강검진을 위해 소아과를 방문하였다.

사   정 : "가끔이지만 하루에 3번 코에서 피가 날 때가 있어요. 잘 먹지도 않고 성격이 예민한 편이에요." 민철이의 어머니로부터 아동의 상태를 듣게 되었다. 민철이의 체중은 15kg으로 연령별 남아 체중의 25백분위수(percentile) 정도이며 점막과 결막이 창백하고 피로해 보인다. 혈액검사 결과 Hb 9g/100mL, Hct 30%, 혈청 철분농도 50g/100mL, 혈중 ferritin 농도 10g/100mL로 확인되어 담당 의사는 경구적 철분제재인 액상 황산철을 6주 동안 하루 3회 복용하도록 처방하였다. "우리 아이는 약을 잘 먹지 못해서 약을 먹이는 것이 너무 힘들고, 어떻게 복용하는지도 잘 모르겠네요." 민철이의 어머니는 투약에 대하여 걱정스럽게 이야기한다.

간호진단 : 철결핍빈혈 치료와 관련된 지식부족

간호목표 : 철결핍빈혈 아동의 부모는 치료의 필요성과 과정을 이해하고 처방에 따른 투약을 이행한다.

평   가 : 민철이의 어머니는 경구적 철분제재 투여의 필요성을 설명하고 민철이에게 하루 3회 투약을 실시한다. 철분이 많이 함유된 식품을 확인하여 민철이에게 제공한다. 투약 부작용에 대하여 확인하고 의료진에게 보고할 수 있다.

계획 및 중재

1. 철결핍빈혈에 대한 부모의 지식 정도를 사정한다.
2. 철결핍빈혈과 관련된 요인을 확인한다.
3. 철분이 풍부한 식이에 대한 정보를 제공하고 아동이 이러한 음식을 선택할 수 있도록 도와준다.
4. 액상 철분제를 식사 1시간 전이나 2시간 후 투여하도록 교육한다(빨대를 이용할 수 있음).
5. 주스와 함께 투여할 수 있다.
6. 복통, 위장 불편감, 더부룩함, 변비, 흑변과 같은 부작용이 발생할 수 있다고 교육한다.
7. 처방된 용량을 준수하도록 하며 오심이나 구토, 복통, 대변에 혈액이 섞여 나오는 증상이 있을 때 보고하도록 교육한다.
8. 처방된 기간을 준수하도록 교육하고 4주 이내 혈액검사를 실시한다.

나 통증 등이 발생하는 것을 예방하기 위해 z-track 방법을 사용하도록 한다. 철분치료가 시작되고 보통 일주일이 지나면 그물적혈구(reticulocyte) 수치를 확인하여 투약의 효과를 사정하게 된다. 수치의 상승은 아동이 철분제를 처방에 따라 잘 섭취하고 있다는 것을 의미한다. 철분의 체내 저장을 증가시키기 위하여 혈액 내 철분 수치가 정상으로 돌아온 후에도 4~6주 동안 철분 복용을 지속하도록 한다.

확인문제

3. 경구용 철분제의 흡수율을 높이기 위한 방법에는 무엇이 있는가?

4. 비경구용 철분제 근육주사 시 피부착색이나 통증 등이 발생할 수 있으므로, 이를 예방하기 위해 사용하는 주사법은 무엇인가?

IV 재생불량성 빈혈

재생불량성 빈혈(aplastic anemia)은 골수의 기능 저하로 모든 혈구의 생산이 감소되거나 결여되는 질환이며 말초혈액의 범혈구 감소증이 특징적이다. 발생 원인에 따라 선천성 재생불량성 빈혈(congenital aplastic anemia, Fanconi syndrome)과 후천성 재생불량성 빈혈(acquired aplastic anemia)로 구분할 수 있다. 선천성 재생불량성 빈혈은 대개 상염색체 열성유전으로 발현되는 질환으로 범혈구 감소증이 특징적이다. 혈액학적인 이상은 생후 수년에서 수십 년까지 나타나지 않을 수 있다.

후천성 재생불량성 빈혈은 약물이나 화학물질, 독소, 감염, 방사선 조사, 면역질환으로 인해 직접적인 골수 파괴나 면역 매개체의 손상으로 범혈구 감소증이 나타나는 것을 말한다.

01 / 증상

선천성으로 범혈구 감소증과 함께 다양한 신체적 이상 내지는 기형이 동반된다. Fanconi 빈혈이 나타나는 아동은 피부에 멜라닌의 과도한 착색과 밀크커피색 반점 등이 피부에 나타난다. 또한 근골격계 다양한 정도의 근육발달 저하, 골격이상을 보이고 비뇨생식기계 관련 문제로 신장이 없거나 기형이 동반되는 등의 증상이 나타난다. 이러한 특징적 증상이 나타날 경우 혈액검사상 이상이 없을 지라도 선천성 범혈구 감소증의 진단을 고려해야 한다.

후천성 재생불량성 빈혈의 경우 아동이 특정 약물이나 독성 물질, 방사선 등에 노출되었거나 감염, 면역질환 등에 이환되었는지 면밀히 알아보아야 한다. 골수를 억제하는 물질로 알려진 것에는 화학요법제, 살충제, 항생제, 항경련제, 비스테로이드성 소염제, 항히스타민제, 진정제, 금속, 벤젠, 클로람페니콜, 금 등이 있다.

02 / 진단

혈액검사상 범혈구 감소증으로 인해 심각한 빈혈과 백혈구 및 혈소판 감소로 인해 감염과 출혈이 발생할 위험이 높다. 혈소판 감소에 의한 출혈은 대개 가장 먼저 나타나는 임상증상이다.

말초혈액도말검사로 혈구의 형태와 선천성 범혈구 감소증의 가능성과 염색체 파열 존재 여부를 확인한다. 확정적 진단은 골수흡인검사와 골수조직검사에서 적골수가 황골수로 대치되고 골수의 지방침윤이 있다. 더불어 골수조혈기능 장애와 백혈병, 간질환 등의 합병증이 동반될 수 있다.

03 / 치료적 관리

치료의 목적은 골수의 기능을 회복하는 데 있으며 재생불량성 빈혈을 지속되지 않도록 면역억제요법을 실시하거나 골수이식을 고려한다.

고식적인 방법으로 스테로이드와 androgen(oxymetholone, nandrolone)을 이용한 치료가 실시되었다. Androgen을 사용할 경우 증상이 호전될 수 있으나 재발의 가능성이 높고 간질

환이 동반될 수 있다.

면역억제요법으로 항림프구 글로블린이나 항흉선세포 글로블린 등을 사용하여 자가면역 반응을 억제하는 치료가 실시된다.

골수이식을 통해 완치를 기대할 수 있다. 성공률을 높이기 위해서는 잦은 수혈 치료가 이루어지기 전에 골수이식을 실시해야 한다. 수혈로 인해 백혈구나 HLA 항체에 민감한 반응을 보이기 시작하면 성공률은 떨어지게 된다. 선천성 재생불량성 빈혈이 있는 아동은 암 발생의 위험이 높고 골수이식 전에 실시하는 화학요법이 암 유발인자로 작용할 수 있다. 또한 HLA가 일치할 확률이 높은 형제 역시 상염색체 열성유전으로 인해 세포 동일 질병을 가질 확률이 25%이므로 공여자를 찾는 것이 쉽지 않다.

04 / 간호

재생불량성 빈혈 아동은 백혈병 아동 간호와 비슷하다. 면역억제요법을 실시할 때 중심정맥을 통해 약을 주사하며 투약 시 혈관 밖으로 약물이 유출되지 않도록 주의한다. 모든 침습적 처치 과정은 아동과 가족에게 통증과 심리적 두려움과 같은 스트레스를 안겨 준다. 따라서 혈액 채취 및 침습적인 처치 시 EMLA 크림이나 국소마취제를 사용하여 통증을 감소하거나 심상요법과 같은 이완요법을 제공할 수 있도록 한다. 스테로이드요법이 실시될 때 얼굴부종이나 다모증, 여드름 등의 증상이 나타날 수 있다는 것을 알려주고 신체적 변화를 받아들이기 어려워할 경우 이에 대한 심리적 지지와 자존감 증진을 위한 방법을 모색하도록 한다.

화학요법 시 자주 동반되는 구토, 위장관 자극, 식욕부진 등에 대하여 부드러운 음식을 제공하거나 세심한 구강간호 등이 이루어질 수 있도록 한다.

부모에게 유전상담이 필요하다는 것을 알리고 이후 임신을 계획할 때 산전 검사에 대한 정보를 제공한다. 후천성 재생불량성 빈혈은 독성물질이나 화학물질에 노출되었을 때 발생되므로 아동이 유해한 물질에 노출되지 않도록 부모교육을 실시하여 예방하도록 한다.

혈우병

혈소판은 혈액응고에 주요한 기능을 하며 정상적인 수치는 150,000/㎣이다. 혈소판 수가 40,000/㎣ 이하로 떨어지는 혈소판 감소증(thrombocytopenia)이 나타나면 혈액응고의 효율성이 감소하고 이로 인해 다양한 정도의 출혈이 발생하게 된다.

01 / 혈우병 A와 B

혈우병(hemophilia)은 혈액응고에 필요한 인자가 결핍되었을 때 나타나는 응고장애를 말한다. 대부분 X-연관 열성유전(X-linked recessive)으로 발생하여 남아에게서 나타나는 빈도는 출생아 5,000명에 약 1명 정도로 보고된다. 여러 인자 중 제Ⅷ인자 결핍이 85%, 제Ⅸ인자 결핍이 10~15%이며 인종적인 차이는 없다.

혈우병 A는 제Ⅷ인자가 결핍되는 경우에 발생하며 혈우병 B는 제Ⅸ인자가 결핍되었을 때 발생한다. 두 질환의 출혈 증상은 동일하며 제Ⅷ인자와 제Ⅸ인자는 지혈 기전에서 인지질, Ca^{2+}과 함께 제Ⅹ인자를 활성화하기 위해 복합체를 구성한다.

1) 증상

제Ⅷ인자와 제Ⅸ인자는 태반을 통과하지 못하여 아동이 출생한 직후부터 출혈증상이 나타날 수 있다. 출혈경향은 보통 아동이 기거나 걸어 다니기 시작할 때 자주 발생한다.

혈관절증(hemarthrosis)은 혈우병의 특징적 증상으로 가벼운 외상에 의해 발생할 수도 있으나 특별한 외상없이 자연 출혈로도 발생한다. 일반적으로 발목에서 나타나기 시작하여 점차 무릎과 팔목관절 내 출혈로 이어진다.

근육 내 출혈이 발생하는 경우, 대량 출혈이라면 혈액량 감소에 의한 쇼크를 유발한다. 두개 내 출혈이 발생하는 경우는 매우 심각한 상태로 이로 인해 사망할 수도 있다. 후복막강에서 출혈이 발생하면 혈액이 넓은 공간으로 빠져나가 치명적인 결과로 이어진다.

2) 진단

혈우병의 진단은 보통 출혈경향, X-연관유전자검사, 검사소견에 따른다. 혈액검사에서 혈소판 수, 출혈시간, 프로트롬빈 시간(PT), 트롬빈 시간(TT)은 정상이지만 활성화 부분 트롬빈 시간(aPTT)은 연장되어 있음을 확인할 수 있다. 확진은 혈액 내 제Ⅷ 또는 제Ⅸ인자의 정량검사에 의한다.

초음파 검사나 컴퓨터 단층 촬영술로 출혈이 발생한 위치와 범위를 진단할 수 있다. 중추신경계나 상기도 출혈이 발생한 경우 방사선검사 전에 신속히 혈액인자를 보충해 주어야 한다.

3) 치료적 관리

출혈의 가능성을 줄이기 위해 아동의 외상을 막는 것이 중요하나 특별한 외상 없이도 출혈이 발생할 수 있다. 혈소판 기능을 감소시키는 아스피린이나 비스테로이드성 소염제는 사용할 수 없다.

자연출혈과 조기 관절변형을 막기 위해 제Ⅷ인자 농축액이나 DDAVP(deamino-8-d-arginine vasopressin)을 사용할 수 있다. 혈우병 A 경우에서는 DDAVP가 제Ⅷ인자를 증가시킬 수 있으나 혈우병 B 와 중등도 이상의 혈우병 A에서는 효과가 없다.

반복되는 수혈로 인해서 각종 전염성 질환에 노출될 수 있다. 이를 예방하기 위해 고도 정제품이나 유전자 재조합 제품을 선택할 수 있으나 HIV나 B형 및 C형 간염의 위험성이 높다.

4) 간호

외상에 따른 출혈을 예방하고 근육과 관절을 강화하기 위해 연령에 적합한 운동을 격려한다. 걸음마를 배우는 단계에서 유아는 수없이 넘어지거나 부상을 입는다. 운동발달 단계에 따라 과업을 달성하도록 격려하되 안전한 환경을 제공함으로써 손상의 위험을 감소한다. 학령기가 되면 학교 활동에서 가능한 신체적 활동을 격려하되 격렬하거나 사람과 부딪히는 운동은 피하도록 한다. 제한적인 활동으로 인해 아동의 자존감이 저하되거나 무력감을 느끼지 않도록 지지적인 돌봄이 계속적으로 필요하다. 구강출혈을 예방하기 위해서는 부드러운 칫솔모를 선택하도록 한다.

자연출혈이나 외상으로 인해 출혈이 발생한 경우에는 신속히 휴식을 취하고 환부에 얼음을 적용하며 부종 감소를 위해 손상된 부분을 올려준다.

반복적인 혈관절증으로 인해 관절 내 혈액이 고이게 되면 근육이나 골격에 변화를 주고 관절경축 증상이 나타날 수 있다. 관절기능의 악화를 막기 위해 석고붕대나 견인, 고인 혈액을 흡인하는 치료가 필요할 수 있다. 아동이 비만일 경우에 관절에 무리를 주므로 식이요법이나 운동요법 교육을 통해 이상적인 체중을 유지하도록 도움을 줄 수 있다. 혈우병은 일생 동안 지속되는 건강문제이므로 아동 스스로 질병을 관리할 수 있도록 준비시키고, 아동과 가족에게 유전상담을 한다.

간호진단 및 목표

간호진단 : 손상 예방과 관련된 건강추구행위
간호목표 : 아동과 부모는 손상을 예방하기 위한 방법을 계획하고 이를 실천한다.
예상되는 결과 : 아동의 피부에 반상출혈이나 혈관절증 등의 출혈증상이 관찰되지 않는다.

02 / 혈우병 C

제 XI인자 결핍으로 발생하며 혈우병 A 및 B에 비하여 발생 빈도가 낮다. 유대인에서 발생하며 그 외 국가에서의 발병률은 매우 낮다. 상염색체 열성유전으로 남아 및 여아 모두에서 발생한다.

1) 사정
PT는 정상이지만 aPTT가 현저히 연장된다. 출혈경향이 일반적으로 경미하여 질환에 대해 모르고 지내다가 수술이나 외상, 발치 후 출혈이 지속되어 발견되는 경우가 흔하다.

2) 치료적 관리
신선냉동혈장으로 부족한 제 XI인자를 공급하며 대부분 1회의 수혈로 지혈이 가능하다.

확인문제

5. 혈우병 A와 혈우병 B는 어떤 응고인자가 결핍되어 발생하는가?

특발혈소판감소자색반병

특발혈소판감소자색반병(Idiopathic Thrombocyto-penic Purpura)은 평소 건강해 보이는 아동에게 갑자기 혈소판 감소증이 발생한 것으로 과거에는 원인이 불확실하다고는 뜻으로 특발성(idiopathic)이라 하였으나 현재는 자가면역(autoimmune) 기전에 의해 발생하는 것으로 본다. 특발성 혈소판감소자색반병은 대부분 바이러스와 관련하여 발생한다. 상기도 감염과 같은 바이러스 감염에 의해 혈소판 표면에 대한 자가항체가 생기며 이는 혈액을 따라 이동하다가 비장 대식세포와 같은 세망내피계통(reticuloendootelal system, RES)에 탐식되어 혈소판이 감소하게 된다.

01 / 증상

건강하던 아동에게 갑자기 전신적으로 반상출혈(ecchymosis)과 같은 증상이 자연적으로 발생하는 것이 특징이다. 혈소판 수가 10,000㎣/dl 이하로 매우 낮아질 경우 잇몸이나 점막에서 출혈이 흔히 발생한다. 일부 아동에게는 비장 비대가 있을 수 있다.

02 / 진단

혈액검사상 혈소판 수가 20,000㎣/dl 이하로 감소되어 있다. 혈색소나 백혈구 수는 정상이나 심한 비출혈이나 월경과다가 동반될 경우 빈혈이 있을 수 있다. 골수검사를 실시한 경우 적혈구계와 과립구계는 정상이나 거대핵세포는 정상 또는 증가되어 있다. 혈소판의 전환이 빨라져 미숙한 거대핵세포도 볼 수 있다.

혈소판 기능에 의존하는 토니켓 검사(tourniquet test), 출혈시간고응고퇴축시간(clot retraction time)과 같은 검사들의 결과는 비정상이다.

03 / 치료적 관리

특발혈소판감소자색반병은 예후가 좋고 대부분의 경우 6개월 이내에 자연치유된다. 혈소판 수치가 낮거나 급성 출혈 시니 증상이 악화되는 동안에 신체적 활동을 제한한다.

급성기 치료에는 prednisone, 정맥투여용 면역글로불린(IV Immunoglobulin, IVIG), 항D항체(anti-D antibody) 등이 있다. 드물게 두개 내 출혈 등의 심각한 증상을 막기 위해 혈소판 수를 20,000 이상으로 상승시키기 위해 수혈을 실시할 수 있다.

Immunoglobulin 정주(IVIG)를 1~2일간 주입 시 대부분의 아동에서 혈소판 수가 대개 $20,000mm^3/dl$ 이상으로 증가된다. 그러나 비용과 시간이 소요되고 무균성 뇌수막염과 같은 부작용이 발생할 수 있다. 스테로이드 요법으로 prednisone을 경구투여할 경우 혈소판 수는 빠르게 증가하나 장기적으로 사용할 경우 성장장애, 당뇨, 골다공증 등의 부작용이 발생할 수 있다. 항D항체의 주입은 환자에게 일시적인 용혈성 빈혈을 유발한다. 혈소판 수는 항D항체의 주입 후 48시간까지는 증가하지 않으므로 출혈이 있는 환자에게는 적절한 요법이 아니다.

관절 통증이 발생한 경우 salicylate와 같이 출혈 부위의 혈소판 응집을 방해하여 약물을 투여하지 않도록 한다.

6세 이상의 아동에서 1년 이상 질환이 지속되고 다른 치료 방법이 효과가 없을 때 비장 적출술을 고려할 수 있다.

04 / 간호

출혈의 원인이 될 수 있는 손상을 예방하기 위해 안전한 환경을 만들어 준다. 등산, 달리기, 축구, 보드 타기 등의 격렬한 운동은 제한하고 가급적 몸을 적게 움직이는 활동을 하도록 교육한다. 심각한 증상인 두개 내 출혈의 가능성을 염두에 두고 지속적인 두통이나 목강직, 기면과 같은 증상을 세심하게 관찰한다.

진통제가 필요할 경우 aspirin은 출혈을 증가시켜 치명적인 부작용을 초래할 수 있으므로 acetaminophen만 사용하도록 교육한다.

갑작스럽게 발생한 상황에 대한 대처능력을 증진시키기 위해 아동과 가족에게 필요한 정보를 제공하고 정서적 지지를 해주도록 한다.

요점

※ 태아의 조혈 및 혈액 세포의 종류는 성인과 차이를 보인다. 태아기 동안에 혈구는 간과 비장에서 주로 생성되며 출생 이후에는 골수세포에서 형성된다.

※ 아동은 출생 후 성인이 되기까지 혈액의 생리적 수치 변동이 크다.

※ 골수천자 시행 후 출혈을 방지하기 위해 수 분 동안 천자부위에 압력을 가하고 이후 압박 드레싱을 적용한다. 천자부위 드레싱을 자주 관찰하여 출혈을 확인하고 감염 가능성을 확인하기 위해 체온을 측정한다.

※ 철결핍빈혈은 흔한 아동기 혈액 질환으로 혈색소 생성을 위한 철분 섭취가 충분하지 않을 때 발생한다. 철결핍빈혈 아동은 신체 조직 내로 산소를 효율적으로 운반하지 못해 쉽게 피로해지고 창백해 보인다. 이러한 아동을 위해 경구적 철분제재 투여 및 철분이 풍부한 음식 섭취를 격려하고 충분한 휴식을 제공하도록 한다.

※ 재생불량성 빈혈은 골수의 기능 저하로 범혈구 감소증이 특징이며 혈소판, 적혈구 수혈과 면역억제요법, 골수이식을 치료 방법으로 고려한다.

※ 혈우병 A는 주로 제Ⅷ인자가 결핍되는 경우에 발생하며 혈우병 B는 제Ⅸ인자가 결핍되었을 때 발생한다.

※ 혈액응고 장애를 가진 아동의 출혈 위험성을 감소시키기 위해 외상을 막는 것이 중요하다. 이를 위해 안전한 장난감을 제공하고 침대에 부드러운 패드를 적용하며 침상 옆에 안전대를 설치한다. 특별한 외상 없이도 출혈경향이 증가할 수 있으므로 아스피린이나 비스테로이드성 소염제는 사용을 피한다.

확인문제 정답

1. 적혈구의 주된 기능은 혈색소(헤로글로빈)를 운반하는 것이며 혈색소는 세포에 산소를 제공하는 역할을 한다. 적혈구는 신장에서 생성되는 호르몬인 erythropoietin의 자극을 받아 형성된다.

2. 골수는 조혈기관 전체의 상태를 대표하기 때문에 채취한 골수를 통해 세포의 형태와 양을 확인하여 여러 가지 혈액 질환을 진단하는데 사용한다. 안전하고 효율적인 골수검사 부위로 이용되는 곳은 영아기에는 경골 근위부와 후상 장골능이고 영아기 이후에는 후상 장골능이나 전상 장골능이다.

3. 경구용 철분제의 경우, 비타민 C와 함께 복용 시 흡수가 증가되고 공복 시에 흡수율이 높기 때문에 식사 1시간 전이나 2시간 후여 투여하는 것이 도움이 된다.

4. 비경구용 철분제를 근육주사할 경우 피부착색이나 통증 등이 발생하는 것을 예방하기 위해 z-track 방법을 사용하도록 한다.

5. 혈우병 A는 제 Ⅷ인자, 혈우병 B는 제 Ⅸ인자가 결핍되었을 때 발생한다.

면역기능 장애 아동의 간호

면역은 내 몸과 내 몸이 아닌 것을 구별하여 내 몸이 아닌 것을 거부하고 공격하는 기능, 즉 침범된 유기체(항원)로부터 신체를 보호하는 기능을 한다. 많은 질병이 면역계의 역기능에 관련되어 있으므로 안전한 간호돌봄을 위해서는 면역계가 건강과 질병에 어떻게 작용하는지 이해하는 것이 필수적이다.

면역기능장애는 이물질에 대해 비정상적으로 과다한 면역반응을 보이는 알레르기질환, 자기에 대해 비정상적인 과다한 면역반응이 나타나는 자가면역질환, 그리고 감염에 대해 저항할 수 있는 신체의 능력에 영향을 미치는 면역물질과 그 기능에 결핍이 있는 면역결핍질환으로 나누어진다. 알레르기질환과 면역결핍질환은 이 장에서 설명하고 있으며, 여러 신체계통에 영향을 미치는 광범위한 질환을 포함하는 자가면역질환인 소아류마티스관절염, 중증 근무력증은 운동기능장애 아동의 간호에서 다루고 있다.

I 면역계의 특성

면역(immunity)이란 면역계가 바이러스, 세균, 세균성 독소, 기생충 및 균류, 유해한 화학물질 등 모든 이물질(항원, antigen)을 인식하고 제거하여 신체를 질환이나 손상으로부터 보호하고 방어하는 능력을 말한다. 면역계는 백혈구와 림프조직으로 이루어져 있으며, 비특이적 면역과 특이적 면역으로 나뉜다.

01 / 면역계 구조

백혈구는 외부 다양한 공격상황에 특이적으로 방어하기 위한 것으로, 우리 몸을 보호하는 방어기능 및 면역기능을 하고 있다.

백혈구는 다섯 종류로서, 세포질 내에 분비물질이 들어있는 과립을 갖고 있는 과립백혈구(granulocyte)인 호중구(neutrophils), 호산구(eosinophils), 호염기구(basophils)와 세포질 내에 과립을 갖고 있지 않은 무과립백혈구(agranulocyte), 즉 단핵구(monocyte), 림프구(lymphocyte)가 있다[표 17-1].

1) 식세포

호중구, 호산구, 단핵구는 모두 이물질을 혈액이나 조직에서 삼킬 수 있는 식세포(phagocyte)이다. 백혈구 중에서 가장 많은 호중구는 세균 탐식능력이 매우 강한 백혈구로서 혈액 내 호중구 증가는 임상에서 세균감염의 지표로 이용하며 급성 염증이 있을 때 현저하게 증가한다. 호산구는 식균작용이 아주 약한 백혈구로 주로 기생충 감염, 알레르기 반응 때 증가한다. 단핵구는 식균작용이 가장 강한 백혈구로서 혈액에서는 식세포이지만, 조직에서는 대식세포(macrophage)로 분화되며 주로 만성 염증의 방어역할을 담당한다. 대식세포는 크기가 단핵구의 5~10배이며, 활동성도 강하다. 호염기구는 강력한 항응고제인 헤파린을 방출하여 혈액의 응고를 방지하는 기능을 갖고 있으며, 염증반응 시 혈관확장을 위한 히스타민을 분비하여 염증부위의 치유를 촉진하는 데에도 관여한다.

2) 림프구

림프구는 식균작용은 없으나, 침범된 유기체를 인식하고 특정항원을 공격한다. 전체 백혈구의 약 20~40%를 차지하고, 무과립백혈구 중 가장 많은 수를 차지하며, B림프구(B세포), T림프구(T세포)와 B세포 및 T세포에 있는 세포막 성분이 결핍된 영림프구(null cells)가 있다[그림 17-1]. 대부분의 영림프구는 자연살해세포(natural killer cell, NK cell)

표 17-1	백혈구의 종류와 기능		
과립백혈구 (granulocyte)	염색성에 따라	호중구(neutrophil)	세균 탐식 능력 강함
		호산구(eosinophil)	알레르기 반응 때 증가
		호염기구(basophil)	Heparin 함유, 혈액응고 방지, 염증치유 촉진
무과립백혈구 (agranulocyte)		림프구(lymphocyte)	림프선에서 생성, 면역글로불린 생산, 체액성 면역 형성
		단핵구(monocyte)	식균 작용 가장 강함, 만성 염증의 방어역할

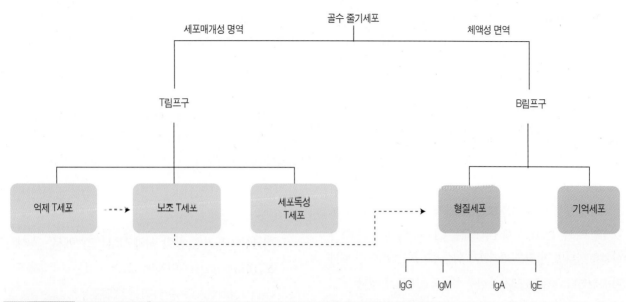

| 그림 17-1 | 림프구 생성 |

골수줄기세포에서 T세포와 B세포가 형성된다. T림프구는 세포매개성 면역을 유도하며, B림프구는 체액성 면역을 담당한다.

이며, B림프구와 T림프구보다 크고 과립을 가지고 있다. 림프구는 T림프구가 70~75%, B림프구와 자연살해세포가 25~30%를 차지한다.

(1) B림프구

골수에서 생성된 B림프구(이것이 B림프구라고 명명한 이유임)는 항원에 노출될 때, 형질세포(plasma cells)와 기억세포(memory cells)로 나뉜다. 형질세포는 많은 양의 면역글로불린 또는 항체를 분비하며, 이 항체는 특정한 항원에 결합되어 이를 파괴한다. 특정한 항원에 반응하여 항체가 형성될 때, 항체는 그 항원에 대해 특이적이다(ex 백일해 항원에 대한 항체는 파상풍 항원에 대해 효력을 갖지 못함).

기억세포는 특이적 면역글로불린을 생성하기 위한 능력 또는 구조식을 보유하고 있는 세포이다. 즉, 기억세포는 림프절에 저장되어 있으면서 이전에 만난 항원을 기억하고 있다가 다음번에 똑같은 항원이 인체에 들어오는 경우, 곧 형질세포로 변화되어 빠르게 더 많은 양의 항체를 형성한다. 면역글로불린은 G, A, M, E로 분류되며, 면역과 관련된 것에는 면역글로불린 G, A, M이 있다. 면역글로불린 M은 1세경, 면역글로불린 G는 4세경, 면역글로불린 A는 사춘기에 성인 수준에 이른다. 특히, 면역글로불린 E은 주로 알레르기 또는 과민감성 반응에 반응하며 영아기 초기의 심한 알레르기 반응과 관련되어 있다. 면역글로불린의 기능은 [표 17-2]에 요약되었다.

| 표 17-2 | 면역글로불린의 종류와 기능 |

면역글로불린	기능
IgM	응집원뿐 아니라 용해세포벽에 효과적; 감염과정 초기에 혈류 내에서 발견됨
IgG	대부분 혈장에서 항체로 활동함; 2차 반응 동안 합성되는 주요 면역글로불린임. 항원과 접촉하기 위하여 혈관 밖의 공간으로 자유롭게 확산됨; 태아기에 태반을 통하여 확산되며 태아의 수동면역 및 영아기에 자신의 면역글로불린을 효과적으로 생성할 때까지 수동면역을 갖게 됨; 박테리아 독소를 중화하고, 식균작용을 활성화하는(박테리아의 파괴) 주된 기능을 함
IgA	타액, 땀, 눈물, 점액, 담즙, 초유 등과 같은 외분비액에서 발견됨; 노출된 표면에 있는 병원체를 방어함. 특히 소화관과 호흡기 등의 점막에 부착된 병원체를 예방함
IgD	혈장에서 발견됨; 림프구 표면의 항원에 결합하는 수용체
IgE	즉각적인 과다민감성 반응에 관여; 조직 표면에서 비만(mast) 세포와 결합되어 존재함; 항원에 접촉했을 때 세포과립을 방출함; 알레르기 및 기생충 감염에 관여함

(2) T림프구

T림프구는 골수에서 생성되어 흉선의 영향 아래 성숙된다(그러므로 T세포라고 부름). 흉선에서 성숙된 T림프구는 대부분의 흉선 의존성 기관인 림프절과 비장으로 들어간다. 또한 항원과 반응하기 위해 혈관과 혈관 밖의 공간으로 이동한다. T림프구는 바이러스, 진균류, 기생충에 특이적으로 반응하지만 모든 항원에 대해서도 효력이 있다. T세포는 표면에 특유한 marker를 지니는데, 이를 cluster determinant(CD)라고 하며 2, 3, 4, 8이 있다. CD2, 3은 모든 T세포가 함께 지니고 있고, 보조 T림프구는 CD4, 억제 T림프구는 CD8을 지닌다. T세포가 항원을 만나면, 항원을 파괴하기 위한 충분한 세포가 될 때까지 분열한다. T세포는 3가지 하부 형태로 분화될 수 있다.

첫 번째 유형은 세포독성 T세포로서 항원표면에 특정한 형태로 결합하며, 세포막, 즉 세포를 직접 공격하는 T세포이다. 이 과정에서 세포독성 T세포는 림포카인(lymphokine)을 분비한다. 이 물질은 항원의 이동을 막거나 저지하는 물질이다. 인터페론은 바이러스의 전파를 예방하며, 이 영역으로 림프구를 호출하는 것을 돕는 [화학주성(chemotaxis)의 특성] 중요한 림포카인의 한 종류이다.

두 번째 유형은 보조 T세포(CD4세포)이며, 이 세포는 B림프구가 형질세포로 나뉘고 성숙하여 면역글로불린을 분비하도록 자극한다. 보조 T세포는 표면의 특이한 표시(CD4)로 인해 혈액 내에서 확인될 수 있다. 이 CD4 수치는 면역능력사정에 매우 중요하다.

세 번째 유형은 억제 T세포이다. 이 세포는 특이성 항원 반응에 대해 면역글로불린 생성을 감소하거나 과다생성을 예방하는 기능을 한다.

(3) 영림프구(자연살해세포)

자연살해세포는 림프구 중에서 가장 낮은 비율을 차지하지만, 바이러스에 감염된 세포나 종양세포를 파괴하는데 핵심적인 기능을 한다. 특히 바이러스 감염 시 항원특이적인 면역반응이 활성화되기 전에 비자기세포를 찾아내어 파괴하는 1차적인 방어역할을 한다.

3) 림프조직

백혈구를 포함한 적혈구, 혈소판 등 혈구세포는 골수의 줄기세포(stem sell 또는 간세포)에서 분화된다. 과립백혈구와 B세포는 골수에서 완전히 성숙하는 반면, T세포는 성숙하기 전에 이동하여 흉선에서 성숙한다. 성숙한 B세포와 T세포는 비장, 림프절, 편도선, 인두, 맹장, 소화관의 림프소결절, 페이에르판(Peyer's patch, 소화관의 표피에 있는 림프절) 등 림프조직으로 이동하여 침범된 유기체를 인식하고 특정항원을 공격한다.

확인문제

1. 식균작용이 가장 강한 백혈구로서 혈액에서는 식세포(phagocyte)이지만 조직에서는 대식세포(macrophage)로 분화하는 백혈구는?

2. 식균작용은 없으나 침범된 유기체를 인식하고 특정항원을 공격하는 백혈구는?

02 / 인체의 방어기전

인체는 병원성 미생물과 유해한 화학 물질로부터 조직을 보호하는 방어능력이 있으며, 이는 비특이적 방어(nonspecific defense)와 특이적 방어(specific defense) 2가지로 나뉜다[표 17-3].

1) 비특이적 방어기전

비특이적 방어는 인체에 해로운 모든 이물질에 대해 그 물질의 정확한 물성에 관계없이 즉각적으로 방어하는 것이다.

1차 방어선은 표면장벽에 의한 물리적, 화학적 장벽이다. 피부, 섬모, 점막(점액 분비)과 같은 신체 표면은 물리적, 화학적인 1차 방어벽으로 눈물, 침, 땀, 위산, 기관지 점액 등과 기침이나 재채기를 통한 반사작용이 있다. 2차 방어선은 내적 방어기전에 의한 염증반응, 식작용, 발열, 자연살해세포 반응이다. 침범된 이물질이 물리적, 화학적 보호벽을 뚫고 신체 내로 들어왔을 때는 손상에 대한 반응으로 염증이 유발된다. 상해에 반응하여 히스타민(histamine), 브래디키닌(bradykinin), 프로스타글란딘 (prostaglandin) 등의 화학물질이 방출되어 염증반응이 조절된다. 세균감염 시

표 17-3　면역기전

	방어선	형태/종류			
비특이적 방어체계	1차 방어선 (물리적, 화학적 장벽)	상피성 장벽 신체 분비물 위산 재채기, 기침			
	2차 방어선 (염증반응)	세포	식세포 자연살해세포	거식구(대식세포) 호중구 호산구	
		화학물질	보체 인터페론		
특이적 방어체계	3차 방어선 면역계	〈형태〉	자연면역		
		〈형태〉	획득면역	능동면역 수동면역	
		〈종류〉	체액성	B림프구	IgG IgM IgA IgE IgD
		〈종류〉	세포성	T림프구	

염증반응을 살펴보면, ① 가시에 찔리면 표면장벽이 뚫리고 세균이 손상부위를 공격하고 ② 상주하는 대식세포가 세균을 잡아먹고 ③ 비만세포에서 히스타민 분비로 모세혈관이 확장되고 투과성이 증가되어 백혈구가 혈관 밖으로 빠져나와 세균부위로 이동할 수 있게 된다. ④ 염증시작 후 30~60분 내에 혈액 속의 호중구가 염증부위에 모인다. 호중구에 뒤이어 약 10시간 정도 후에 단핵구가 염증이 발생한 조직으로 이동하여 대식세포로 분화한다. 이때 백혈구가 염증조직에서 방출되는 화학물질에 이끌려 염증부위로 이동하는 과정을 화학주성(또는 화학물질쏠림성, chemotaxis)이라 하며, 염증조직에서 유리되어 화학주성을 일으키는 물질을 화학주성인자(chemotaxin)라고 한다. 화학주성에 의해 염증부위로 이동한 식세포는 세균과 찌꺼기를 삼키게 된다. 이를 식세포작용(또는 식균작용, phagocytosis) 이라고 하며 식세포작용은 세균과 결합, 식세포 안으로 끌어들임, 분해, 세포외배출의 단계를 거친다.

염증의 특징은 히스타민 분비로 인한 혈관확장과 혈액 증가로 조직이 붓고 붉어지며, 열이 나고 아파지는 것이다. 발열은 대식세포와 면역세포들이 세균을 없애는 과정에서 발열물질을 분비하고 시상하부의 체온조절중추를 자극하여 체온을 상승시킴으로써 면역기능을 강화하여 세균증식을 억제한다. 면역에서 발열은 유익한 반응이지만 고열은 뇌손상을 유발할 수 있다.

자연살해세포는 바이러스나 종양세포에 대하여 세포독성을 가지고 있으며, 세포독성 T세포와는 달리 항원에 특이적으로 반응하지 않고 혈액과 림프 내에 있는 모든 감염세포나 암세포의 자살을 유도하는 비특이적 작용을 한다. 자연살해세포의 세포독성은 식작용에 의한 것이 아니고, 여러 화학물질을 분비하여 표적 세포막과 핵을 파괴한다.

03 / 특이적 방어기전: 면역반응

체내에 침범한 이물질이 비특이적 방어기전으로 완전히 제거되지 못했을 때 보다 정교한 방어체계가 작용하게 된다. 즉, 이물질에 대해 각각 특정한 방어세포가 작용하여 항원을 제거하는 반응이 나타나는데, 이를 특이적 방어기전이라고 한다. 특이적 방어기전은 ① 림프구의 항원 인지, ② 림프구의 활성화, ③ 림프구의 항원 공격의 단계로 나타난다. 이때 림프구가 항원을 공격하는 것을 면역반응이라고 하는데, 체액성 면역과 세포성 면역반응이 있다. 즉, 림프구가 항원을 공격할 때, B림프구는 항체를 생산하여 공격하게 되고(체액성 면역), 세포독성 T림프구는 항원보유세포를 직접 공격한다(세포성 면역 또는 세포매개성 면역).

1) 체액성 면역

체액성 면역(humoral immunity)은 B림프구에 의해 유도된 면역을 의미하며, 항원에 대한 항체를 생산하여 항원을 공격하는 반응으로 주로 박테리아의 파괴에 관여한다. 보조 T세포는 항원을 인식하고 B림프구의 활성화를 유도한다. B세포는 형질세포로 분화되어 항원을 파괴하기 위한 면역글로불린(또는 항체)을 분비하기 시작한다[그림 17-2(A)].

형질세포는 1초에 수천 개의 항체를 생산하고 하루 만에 죽는다. 일부 항원(ex 대장균)은 보조 T세포의 인식 없이 바로 B세포 반응을 활성화할 수 있다.

(1) 1차 면역반응

첫 번째로 특정한 항원이 신체에 들어가면, B세포의 분화와 성장이 시작된다. 6일 내에 항원에 특이적인 면역글로불린 M 항체가 혈류 내에서 검출된다. 면역글로불린 M 항체 생성은 14일에 최고치에 도달하고, 그 다음 수 주 동안 점차

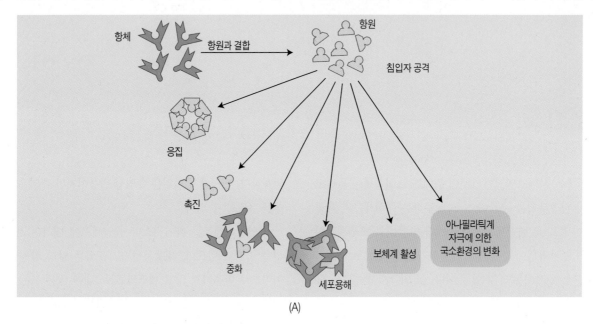

(A)

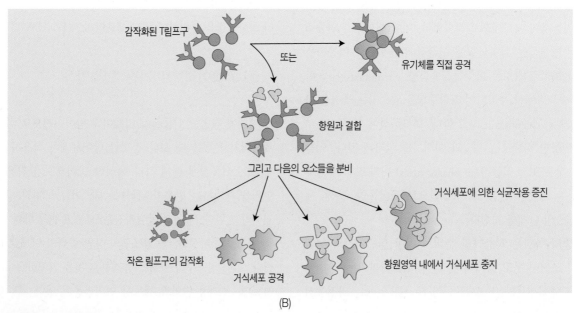

(B)

그림 17-2　면역반응기전

(A) 체액성 면역　(B) 세포매개성 면역

감소하여 소량이 남는다. 약 10일경에는 면역글로불린 G 생성이 시작되어 수 주 동안 최고치를 보인다[그림 17-3].

(2) 2차 면역반응

특정한 항원이 두 번째 또는 처음 침범 후 연속해서 신체에 들어갈 경우, 기억세포로 인해 항체형성이 곧 바로 시작된다. 두 번째 반응에서 주로 생성되는 항체는 면역글로불린 G이다[그림 17-3].

(3) 보체활성

보체는 혈장단백질로 20가지가 알려져 있다. 이 단백질은 정상 시에는 기능하지 않으나, 항원-항체접촉에 의해 활성화된다. 보체가 항원-항체작용의 효과를 증진시키는데, 즉 보체에 의한 매개반응은 다음과 같다. 모세혈관의 투과력 증가, 평활근 수축, 화학주성(염증부위로 백혈구 이동), 식작용 증진, 이물질인 항원의 세포막 파괴 유도. 이로 인해 염증 부위에 종창과 발적이 있으며 열감이 있다(염증반응). 염증반응은 항원 주위조직의 국소적 손상의 원인이 될 지라도 항원을 제거하기 위한 반응이므로 전체적으로 볼 때 신체에 유용한 반응이다. 억제되지 않고 계속되는 보체반응은 여러 자가면역질환의 원인이 될 수 있다.

2) 세포매개성 면역

세포매개성 면역(cell-mediated immunity)은 T림프구 활동에 기인된 면역반응 유형이다. 세포독성 T세포는 항원의 세포막에 화학적 복합물을 방출하거나, 항원에 직접 독성을 주입 또는 림프카인(lymphokines)을 분비함으로써 침범한 항원을 공격하고 파괴한다. T림프구는 바이러스, 결핵균, 나균과 같은 박테리아, 진균 및 이물질의 파괴에 관여한다. 팽륜과 발적(wheal and flare) 반응은 작은 혈관주위에 림프구가 축적될 때 일어나는데, 이는 국소적인 혈관파괴에 기인한 것이다[그림 17-2(B)]. 이 반응이 T세포 활동이 체액성 반응과 같이 수반되지 않고 단독으로 일어날 경우, 지연된 과민감성이라고도 부른다. 이식거부반응의 원인이 되는 것이 바로 이 반응이다.

확인문제

3. 인체에 해로운 모든 이물질에 대해 그 물질의 정확한 물성에 관계없이 즉각적으로 방어하는 인체의 반응을 무엇이라고 하는가?

4. T림프구 활동에 의해 침범한 항원을 직접 공격하여 파괴하는 것은 어떤 면역반응인가?

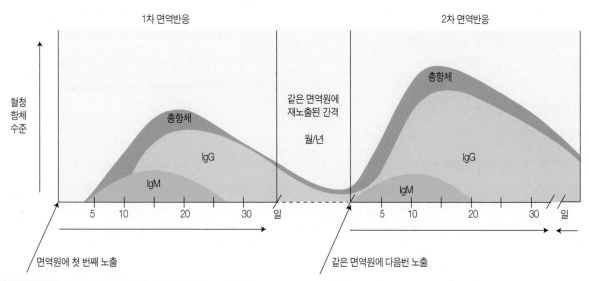

그림 17-3 1차, 2차 체액성 반응
면역글로불린 M은 혈청에 나타나는 첫 번째 면역글로불린이다.

04 / 과민성 면역반응과 알레르기

1) 과민성 면역반응의 종류

병원체에 대하여 인체를 보호하는 면역반응이 과도하여 신체조직을 파괴하는 것을 과민반응(hypersensitivity reaction)이라고 한다. 과민성 면역반응은 그 작동세포의 기전(effector mechanism)에 따라서 4가지 형태로 분류한다. 제1형, 제2형, 제3형 반응은 항체에 의해 매개(체액성 반응)되는 반면, 제4형은 감작된 T세포의 작용으로 생긴다(세포매개성 반응)[표 17-4].

(1) 제1형: 아나필락시스(또는 즉시형 과민반응)

알레르기는 제1형 즉시형 과민반응에 해당하고, 면역글로불린 E가 대부분 관여한다. 아토피질환은 유전되는 과민감성 상태이며, 여러 특정질환(천식, 알레르기비염, 아토피피부염, 두드러기 등)으로 나타난다. 아토피질환에서 면역반응은 비만세포 표면에 부착된 면역글로불린 E 항체가 항원에 결합될 때 활성화된다. 비만세포는 결합조직, 점막, 피부에서 발견된다. 면역글로불린 E 분자는 세포가 세포내과립을 방출하도록 촉진한다. 세포내과립에는 히스타민, SRS-A(a slow-reacting substance of anaphylaxis)와 화학주성인자(백혈구를 이 영역으로 이끄는 물질)가 포함되어 있다. 히스타민은 말초혈관을 이완시키고 혈관의 투과력을 증가시킨다. 이 결과 혈관충혈과 부종이 발생된다. SRS-A는 심한 기관지수축을 유발하며, 혈관이완과 투과력을 감소한다. 아나필락시스는 순환성 쇼크를 유발하는 심한 혈관이완을 특징으로 하는 급성 반응이다.

(2) 제2형: 세포독성 반응

세포독성 반응에서는 이물질과 면역글로불린이 주변조직의 손상 없이 세포를 직접 공격하고 파괴한다. 종양세포는 이 과정에서 파괴될 수 있다. 악성 세포가 증식하기 시작할 때, 이 면역반응이 일어나지 않는 이유는 아직 밝혀지지 않고 있다. 최근 연구에서는 악성세포를 파괴하는 방법으로, 이 자연면역반응을 활성화하는 다양한 방법을 연구하고 있다.

(3) 제3형: 면역복합성 반응

제3형 반응은 항원-항체 복합반응을 중개하는 면역글로불린 G 또는 E가 관여한다. 이것은 보체를 활성화하고 염증반응을 유발한다. 정상적인 억제이상으로 지속되는 보체반응은 사구체신염, 전신홍반루푸스와 같은 많은 자가면역질환의 원인이 된다. 혈청병은 면역복합성 반응의 결과로 발생하는 질환이다.

(4) 제4형: 지연반응(또는 세포-매개형 반응)

제4형인 지연반응에서 T세포는 항원과 반응하여 거식세포를 염증반응 부분으로 유인하기 위해 림포카인을 분비한다. 염증반응이 발생하여 이물조직이 파괴되는 것을 돕는다.

투베르쿨린(tuberculin) 검사는 이것의 한 예이다. 주사부위의 발적과 경결은 처음에 발생하지 않고 주사한 지 거의 12시간 후에 발생한다. 이 반응은 24시간에서 72시간 후에 최고치에 달한다(지연된 반응).

접촉성 피부염은 지연된 과민감성 반응의 또 다른 예이다. 화장품, 가정용품, 가죽제품 등은 피부세포의 단백질에 변화를 가져오는 항원으로 작용하게 되거나 또는 이물질이 단백질과 결합해(합텐 형성) 항원단백이 된다. 림프구와 대식세포가 이 부분에 침윤되어 항원단백을 파괴하기 시작한다. 발적과 수포가 발생하며, 심한 가려움증이 있다.

표 17-4   과민성 면역반응의 종류

종류	연관세포	기전	효과
I. 아나필락시스	IgE	비만세포 표면에 붙은 IgE는 항원에 접촉될 때 비만세포로부터 세포내과립의 방출을 촉진함	알레르기비염, 천식, 아토피피부염, 아나필락시스
II. 세포독성	IgG 또는 IgM	항원파괴를 이끄는 항원항체반응; 보체가 활성화됨	용혈성 빈혈, 수혈반응, 태아적아구증
III. 면역복합성	IgG 또는 IgE	항원항체 복합성이 유발됨; 보체가 염증반응을 유발하면서 활성화됨	류마티스관절염, 전신홍반루푸스
IV. 지연반응	T림프구	항원과 결합된 T세포는 직접적으로 또는 림포카인을 방출하므로 세포염증반응을 유발함	접촉성 피부염, 이식거부반응

2) 알레르기질환의 증상발현 형태

알레르기반응은 유전이나 환경적인 요인과 연관이 있으며, IgE(allergen carrier), 비만세포 등 알레르기 활동세포가 관여하고, 표적기관이 결정되는 특성이 있다. 알레르기증상은 다음과 같은 4가지 형태로 발현된다.

- 증상이 유발되는 특정한 환경이 있다. 알레르기는 주변환경(꽃가루, 집먼지 진드기, 동물의 비듬이나 털, 급격한 기온변화, 대기오염 등)이나 식품환경(특정 음식)에 노출될 때 증상이 나타나지만, 이러한 환경에서 벗어나면 증상이 사라지는 특성이 있다.
- 특정인에게서만 발생한다. 동일한 알레르기 유발원인에 노출되어도 특정인(유전적 요인으로)에게만 증상이 나타난다.
- 알레르기 유발인자는 달라도 나타나는 증상은 비슷하다. 표적기관이 결정되기 때문에 알레르기 유발원인은 달라도 비슷한 증상이 반복해서 나타난다.
- 만성화되는 경향이 있다. 과다한 면역반응으로 손상된 조직은 더욱 쉽게 알레르겐에 노출되어 만성화됨으로써 표적기관의 조직은 알레르기 반응의 전형적인 외관을 띠게 된다.

3) 아동기 알레르기의 특성

알레르기질환은 다른 연령군에 비해 아동기에 자주 발생하는데, 아동 5명 중 1명은 어떤 형태의 알레르기로 고통받는다. 알레르기 증상은 계절성 비염과 같이 만성적이며 경미할 수도 있고, 아나필락시스 반응과 같이 심하고 급성으로 올 수도 있다. 알레르기로 인해 아동의 성장과 발달 및 가족생활에 장애가 생길 수 있다. 알레르기 반응의 원인이 명확하지 않을 때 아동과 부모들은 종종 좌절하게 되며, 아동의 알레르기 원인을 알고 있는 경우에도 증상은 경미한 것에서부터 심각한 양상까지 다양하며, 가족기능에 장애를 초래한다. 성인 알레르기와 다른 아동기 알레르기의 특성은 다음과 같다.

첫째, 영·유아기는 알레르기 발생 위험이 매우 높은 시기이다. 예를 들어, 집먼지 진드기 알레르기의 80~90%가 5세 미만의 영·유아기에 시작된다. 어린 아동에게 알레르기 발생이 높은 현상은 미숙한 점막, 억제 T림프구의 미성숙 등에 기인한다. 따라서 주변환경과 식품환경에 각별한 주의가 필요하다.

둘째, 성장하면서 알레르기 증상이 사라지기도 하고, 선행증상이 사라지면서 다른 증상이 나타나기도 하거나, 선행증상이 후발증상과 함께 동반되어 지속되기도 한다. 이러한 현상을 '알레르기의 자연 경과' 또는 '알레르기 행진'이라고 한다. 예를 들어, 생후 1개월경 우유로 인한 설사와 구토 및 복통을 호소하고, 생후 2개월경 아토피피부염 증상이 나타나기 시작하며, 6개월경 세기관지염, 12개월 이후 천식기관지염, 4세경 천식, 그 후 알레르기비염의 증상을 보이게 된다.

셋째, 진단을 내리기 어렵다. 영·유아기는 호흡기 및 소화기계 감염에 자주 노출되는 시기이므로 알레르기 증상과의 감별이 쉽지 않다. 왜냐하면, 알레르기 진단을 위한 검사들은 4세 이후에 정확한 결과를 얻을 수 있기 때문이다.

넷째, 성인에 비해 증상이 심하게 나타난다. 좁은 기도와 같이 구조적인 미성숙으로 인해 같은 정도의 유발요인에 노출되어도 증상은 성인에 비해 매우 심하게 나타날 수 있다.

다섯째, 치료약물 사용에 여러 제한이 있다. 간기능의 미성숙으로 인해 장기간 약물사용에 제한이 있으며, 영·유아기의 경우 흡입제 사용에 어려움이 있다.

확인문제

5. 알레르기는 어떤 유형의 과민성 면역반응인가?

6. 알레르기 발생 위험이 매우 높은 발달단계는?

II 면역계 기능 사정

01 / 아동의 알레르기 사정

1) 병력

알레르기 아동의 병력 작성은 많은 요인들을 파악해야 하기 때문에 시간이 걸린다. 알레르기의 진단은 병력이 중심이 되고, 다른 진단검사는 이를 확인하는 객관적인 과정이므로 병력 사정은 중요하다.

- 가족력: 알레르기질환은 유전 및 가족적인 경향이 있기 때문에 알레르기증상이 나타나지 않을 경우에도 가족력은 세밀히 조사해야 한다.
- 특징적인 증상: 알레르기의 정확한 증상은 알레르겐을 확인하는 데 도움이 되므로 중요하다. 증상이 원인물질 또는 환경에 노출될 때마다 비슷한 증상이 만성적으로 반복되면 표적기관의 과민성이 초래된 경우이다[표 17-5], [그림 17-4].

과다면역반응에 의해 말초모세혈관이 확장되면 부종이 초래되고 대부분 가려움증을 동반한다. 피부에 나타날 경우에는 두드러기와 가려움증이 있으며, 코에 부종이 초래될 경우 코막힘과 가려움증으로 인한 재채기가 동반된다. 결막은 충혈되고 가려우며, 이물감을 느끼게 되고 기관지의 부종으로 기도가 좁아지면서 가려워 기침을 하게 된다. 위장관의 부종이 초래될 경우, 장운동에 이상이 오며 복통을 호소하게 된다. 또한, 분비샘이 자극되면 콧물과 눈물이 심하게 흐르고 기관지에서는 가래가 많이 나오며 설사를 동반하게 된다. 기관지 평활근육이 수축되면 천명과 호흡곤란이 동반되고, 위장관을 싸고 있는 근육이 수축하면 구토와 복통 증상이 수반된다.

급성 증상이 없을 지라도 여러 증상들이 함께 아동의 안위, 학교생활, 장기적인 건강에 영향을 미칠 수 있으므로 주의 깊은 관찰이 요구된다.

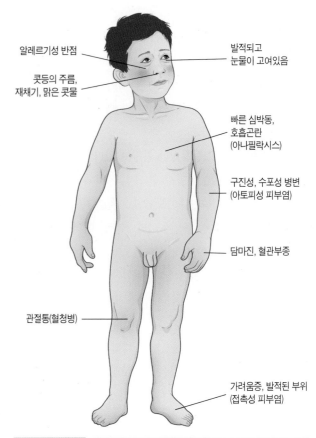

알레르기성 반점
발적되고 눈물이 고여있음
콧등의 주름, 재채기, 맑은 콧물
빠른 심박동, 호흡곤란 (아나필락시스)
구진성, 수포성 병변 (아토피성 피부염)
담마진, 혈관부종
관절통(혈청병)
가려움증, 발적된 부위 (접촉성 피부염)

그림 17-4 면역계 질환 아동 사정

표 17-5 대표적인 알레르기 증상

표적기관	병리	증상
말초혈관확장	부종/가려움증	피부: 두드러기/가려움증 비강: 코막힘/재채기 결막: 충혈/가려움증 기관지: 기도내경 감소/기침 위장관: 장운동 저하/항진
분비샘 자극	과다분비	비강: 콧물 눈: 눈물 기관지: 가래 위장관: 설사
평활근 수축	폐쇄	기관지: 천명, 호흡곤란 위장관: 장폐쇄, 구토와 복통

- 발생 시기: 알레르기 발생 시기는 알레르기의 원인을 파악하는 데 도움이 된다. 아동의 알레르기가 일년 내내 발생할 경우, 그 항원은 연중 계속해서 있는 것(집먼지, 애완동물의 비듬, 음식 등)이며, 실내에서 주로 증상이 나타난다. 만일 알레르기가 봄철에 발생한다면 꽃가루에 의한 것일 수 있고, 여름에는 풀가루,

가을에는 국화꽃가루가 주된 알레르기원으로 주목되고 있다.

또한 비염증상은 아침에 심해지며 천식증상은 야간에 악화될 수 있다. 기온의 일교차가 심할 때, 운동 시, 미세분진이 많은 공기나 담배 연기에 노출 시, 감염 질환을 앓고 있거나 스트레스가 심할 때 증상이 악화되거나 유발되는 것도 알레르기의 특징이다.

부모는 아동의 증상이 시작될 때(ex 일어날 때, 학교에 도착한 후), 증상이 심해지거나 호전될 때를 기록하도록 교육하는 것은 종종 특정한 알레르기원을 확인하는 데 도움이 된다. 예를 들어, 알레르기비염(고초열) 아동은 바람이 없는 날보다 바람이 부는 날에 증상이 더 심해질 수 있으며, 비가 오기 전과 비교했을 때 비가 온 후에 증상이 거의 사라지는 것을 볼 수 있다(비가 공기 중의 꽃가루를 씻어 내림).

• 치료에 대한 반응: 알레르기 반응은 아동의 생활 및 식품, 환경이나 계절이 바뀔 경우에 증상이 빠른 속도로 호전되거나, 항히스타민과 기관지 확장제 치료로 빨리 호전되는 경우가 많다.

2) 임상검사
알레르기 진단에 사용되는 임상검사는 다음과 같다.

(1) IgE 혈청항체 수준 측정
면역글로불린 E는 주로 알레르기 또는 과민성 면역반응에서 증가하므로 대부분 알레르기질환 아동의 경우 혈청 IgE 값을 확인해야 하며, 이 수치는 임상적으로 중요한 의미를 갖는다. 알레르기 진단을 위해서 혈청 IgE를 측정하는 방법은 총 IgE(total IgE)를 검사하는 방법과 알레르겐 특이 IgE(specific IgE) 항체를 측정하는 방법이 있다.

• 총 IgE 값: IgE는 출생 후 서서히 증가하여 10세경에 최고치에 도달하고, 그 이후 서서히 감소하여 성인 수준에 도달한다. 그러나 유전, 인종, 성별, 알레르겐의 노출 정도에 영향을 많이 받는다. IgE 값은 국제단위(international unit, IU)를 사용하며, 1IU는 2.4ng에 해당한다. IgE 수치는 아토피피부염에서 가장 높

고, 천식과 알레르기비염의 순으로 높게 측정되며 알레르겐이 많이 발생하는 계절에는 총 IgE 값이 평소의 2~4배로 증가한다. 그러나 알레르기 환아 중 IgE 값이 정상인 경우도 있으므로, 총 IgE 값만으로 알레르기를 확진할 수는 없다.

• 알레르겐 특이 IgE 값: 특이 IgE 항체를 측정하기 위해 RAST(radioallergosorbent test)를 흔히 사용한다. 이 검사는 동위원소를 이용하여 아동의 혈청 IgE가 특정한 항원과 반응하는지 알아보는 간접적인 방사선 면역검사로서, 검사결과는 피부반응검사 결과와도 밀접한 상관관계를 보인다. 피부검사에 비해 안전하고 피부질환이나 약물복용에 영향을 덜 받는다는 장점이 있으나, 민감도가 낮고 가격이 비싸 많은 종류의 알레르겐을 검사할 수 없는 단점이 있다.

(2) 호산구 검사
알레르기가 있는 대부분의 아동은 호산구 수치가 증가되어 있다. 말초혈액 호산구 수는 백혈구의 감별계수로 측정하는 것보다 전체 호산구 수를 측정하는 것이 더 정확한 방법이다. 일반적으로 호산구 수가 450/μL 이상이면 호산구 증가증이라고 정의한다. 호흡기 분비물(콧물, 가래)에서 측정한 호산구 수가 10세 미만 아동의 경우 4% 이상, 사춘기와 성인에서는 10% 이상 증가되면 알레르기질환을 생각해야 하지만, 호산구 수는 알레르기질환 외에도 감염, 종양, 면역질환, 내분비, 심혈관, 위장관질환이 있을 경우도 증가하기 때문에 감별이 필요하다.

(3) 생체반응검사
인체에 알레르겐 또는 특정 조건을 직접적으로 주어 증상을 유발시키는 검사방법으로 피부반응검사와 증상유발검사가 있다.

① 피부반응검사
IgE 매개성 알레르기질환을 진단하는데 매우 유용한 검사이다. 피부반응검사 전 일반적인 주의사항으로, 약물 중에 비만세포에서 히스타민을 유리하거나 피부반응을 억제하는 약물들은 검사 전에 사용을 중단하여야 한다. 대표적

인 약물로는 항히스타민제, 에피네프린, 에페드린 등이 있으며, 1세대 항히스타민제는 검사 전 3~4일, 2세대 항히스타민제는 5~7일, 에페드린은 12시간 동안은 사용하지 말아야 한다. 스테로이드제는 장기간 사용한 경우를 제외하고는 알레르기 피부반응검사에 특별한 영향을 미치지는 않는다.

피부검사법으로는 단자검사(prick test), 소피검사(scratch test)와 피내검사(intradermal test)가 있다. 이 중 단자검사가 간편하고 통증이 적으며 안전하고 일정한 결과를 얻을 수 있어 가장 많이 사용되고 있다. 알레르겐 간의 거리는 3~5㎝ 간격을 유지해야 하므로 아동은 성인에 비해 검사할 수 있는 알레르겐 수가 상대적으로 적다. 5세 아동의 경우, 등에서는 30~40종의 알레르겐을 검사할 수 있고, 전박에서는 8~10종의 알레르겐에 대한 피부반응을 검사하는 것이 바람직하다. 피부반응검사에서 검사시약으로 주로 사용하는 알레르겐은 집먼지 진드기, 애완동물의 털이나 비듬, 나무, 잡초, 꽃가루, 달걀, 우유, 대두 등이 있다.

- 단자검사: 환아의 등이나 팔 전박부의 앞면에 시행한다. 검사 부위를 먼저 알코올 솜으로 닦고 건조한다. 약 3㎝ 간격으로 표시된 부분에 알레르겐 검사시약을 한 방울씩 떨어뜨린 후, 26~27gauge 주사침이나 란셋을 사용하여 검사시약을 통해 피부를 얇게 찌른 후, 살짝 들어 올리는 느낌으로 단자를 시행한다. 알레르겐이 아동의 피부에 접촉하면 아동은 그 항원에 민감해지고, 그 검사부위에 팽진(wheal) 또는 발적(erythema)이 나타난다. 피부반응은 20분 뒤에 가장 크게 나타난다[그림 17-5].

단자검사를 시행할 때는 양성 대조액(히스타민 1㎎/mL)과 음성 대조액(생리식염수)에 대한 검사를 동시에 시행해야 한다. 단자검사 시행 후 15~20분이 경과하면 팽진과 발적의 크기를 자로 측정하여 기록한다. 피부반응의 크기는 장축과 단축의 길이의 평균값으로 측정한다. 대표적인 판독방법은 양성 대조액으로 사용한 히스타민에 의한 팽진의 크기를 기준으로 평가한다[표 17-6].

- 소피검사: 단자검사와 동일한 부위에 시행한다. 떨어

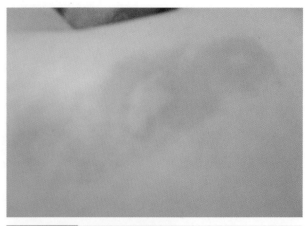

그림 17-5 **알레르기 피부반응**
양성 반응에 주의한다.

뜨린 알레르겐 검사시약 방울 속으로 3~5㎜ 길이로 피부를 긁는다. 피부를 먼저 긁은 후, 검사시약을 떨어뜨려도 된다. 결과 판정은 15~30분 후에 시행한다. 판정방법은 단자검사와 동일하다.

- 피내검사: 팔의 전박부의 앞면 또는 상완부의 측부 위(lateral surface)에 시행한다. 0.5~1.0mL 주사기와 26~27gauge 바늘로 피내에 0.01~0.05mL의 검사시약을 주사하여 4~6㎜ 크기의 수포를 만든다. 판독은 15분 뒤에 시행하며, 판정방법은 단자검사와 동일하다.

② 증상유발검사

여러 검사를 해도 원인을 알기 어려울 때 시행하는 검사로 신체를 알레르겐 또는 특정 조건에 직접 노출한 후 알레르기현상, 특히 표적기관의 과민반응성을 확인하기 위한 검사이다. 대표적인 검사로는 첫째, 메타콜린 또는 히스타민 유발시험이 있다. 메타콜린 등의 약물을 낮은 농도부터 단계적으로 농도를 높여 가면서 흡입시키고, 기관지 수축 정도를 평가하여 기관지의 과민반응성을 검사하는 방법이다.

표 17-6 **피부 단자검사 등급 판정기준**

등급	팽진(wheal) 비율	발적(erythema) 크기
음성(negative)	0	0
1+	R<1/2	<21㎜
2+	1/2≤R	≥21㎜
3+	1≤R<2	≥21㎜
4+	2≤R<3	≥21㎜
5+	3≤R<4	≥21㎜
6+	R≥4	≥21㎜

둘째, 운동유발시험이다. 운동유발성 천식(exercise induced asthma, EIA)을 진단하는 데 사용되는 방법으로 6~8분 정도 아동을 달리게 한 후, 폐기능을 검사한다. 마지막으로 식품유발시험이 있다. 식품 알레르기를 일으키는 원인 식품을 찾아내는 검사로 경우에 따라 아나필락시스 반응을 일으킬 수 있으므로 응급소생장비가 갖추어진 장소에서 주의 깊게 검사를 시행해야 한다.

확인문제

7. 알레르기 증상으로 부종과 가려움증이 나타날 경우, 과민성이 발현된 표적기관은?

8. 피부반응검사로 가장 흔히 사용되는 검사는?

02 / 아동 알레르기질환의 치료적 관리

아동 알레르기질환의 치료적 관리의 목적은 첫째, 아동이 알레르겐에 노출되는 것을 줄인다. 둘째, 약물로 알레르겐에 대한 아동의 반응을 완화한다. 셋째, 아동에게 특정 알레르겐에 대해 증가된 임상적 내성 상태(반응하지 않는 상태)가 생기게 하도록 저감작시키는 것(면역요법)이다.

1) 환경적 통제

환경적 통제는 거의 모든 장소에서 발견되는 가능한 많은 알레르겐을 아동의 환경으로부터 제거한다는 것을 의미한다. 그리고 환경적 통제가 아동의 증상에 놀랄 만한 차이를 가져올 수 있다는 것을 부모에게 교육시킬 필요가 있다. 실내 및 실외환경 통제방법을 [표 17-7]에 제시하였다. 실내환경에서 알레르겐이 되는 주요 원인은 집먼지 진드기, 애완동물, 바퀴벌레, 먼지, 담배연기, 향수나 스프레이 사용 등이다. 화분과 곰팡이는 주요한 실외 알레르겐이지만, 유행시기에는 실내에서도 증가해 있다. 실내와 실외환경을 통제하는 것 외에도 식품 알레르기 예방을 위해 원인 식품을 피하는 것과 감염 예방 또한 중요한 환경적 통제방법이다. 감염은 알레르기질환을 쉽게 유발하거나 증상을 악화시키는 요인이므로 철저한 이닦기와 손씻기를 강조하고, 독감 예방접종을 하도록 교육해야 한다.

2) 약물치료

몇 가지 약물이 아동기 알레르기질환에 사용된다. 이러한 약물은 알레르겐에 대한 민감성을 변화시키지는 못하며, 단지 증상을 경감시킬 뿐이다. 대표적인 약물로는 항히스타민, 에피네프린, β2-아드레날린, 항콜린 약제, 데오필린, 스테로이드 등이 있다.

(1) 항히스타민제

히스타민은 H_1, H_2 또는 H_3 수용체에 부착하여 각각 독특한 증상을 나타낸다. H_1 수용체에 히스타민이 부착하면 혈관확장, 모세혈관 투과성의 증가, 평활근 수축, 점액 분비의 증가, 심박동수의 증가와 CNS 전달물질 증가 등의 알레르기 증상이 나타난다. 항히스타민제는 히스타민이 수용체에 결합하는 것을 억제 또는 차단함으로써 알레르기 증상을 경감한다.

H_1형 항히스타민은 혈액-뇌 장벽(blood brain barrier, BBB)을 통과하는 정도에 따라 1세대와 2세대 항히스타민으로 구분한다[표 17-8]. 1세대 항히스타민은 지방 친화성이 있어 혈액-뇌 장벽을 통과하여 CNS 억제작용인 졸림 또는 진정작용이 주요 부작용으로 나타난다. 어린 아동의 경우, 자극(불안 또는 흥분) 증상이 나타날 수 있다. 수용체에 히스타민과 경쟁적으로 결합(competitive binding)하기 때문에 혈중 농도가 낮아지면 약효가 소실되므로 자주 투여해야 한다. 2세대는 지방 친화성이 없고, 크기와 전하가 혈액-뇌 장벽을 통과하기에 적당하지 못하여 진정이나 졸림 증상이 적다. 수용체에 히스타민과 비경쟁적 방식으로 결합(non-competitive binding)하여 혈중 농도와 무관하게 비교적 오랜 기간 약효가 지속된다.

(2) 아드레날린 약물

아드레날린 약물(adrenergic agents)는 표적기관의 세포 표면에 있는 α와 β아드레날린 수용체를 자극하여 생물학적 효과를 나타내는 약물이다. α아드레날린 수용체가 자극되면 혈관수축이, β아드레날린 수용체가 자극되면 기관지 확

표 17-7	알레르겐의 환경적 통제방법
영역	**방법**
실내환경 통제방법	
아동의 침대	• 침대 매트리스를 없애거나 사용할 경우는 튼튼한 합성수지 커버로 된 알레르겐 방지용 덮개로 매트리스와 베개를 산다. 그 다음 지퍼를 채우고 접착용 테이프를 붙인다(집먼지 진드기가 서식하기 좋은 사람과 동물의 피부 부스러기가 있는 환경을 없앰). • 담요는 모제품을 피하고 정전기 발생이 적은 합성수지로 된 담요를 사용한다. • 침대 천장과 장식용 물건은 없앤다.
거실과 방	• 모든 카펫은 없애고 깔개가 필요하면 스펀지 고무패드로 바꾼다. • 푹신한 소재를 없애고 나무의자로 바꾼다. • 두꺼운 커튼이나 블라인드를 없애고, 빨기 쉬운 커튼으로 바꾼다. • 푹신한 재료로 채워진 인형, 수족관, 화분을 치운다. • 서랍을 깨끗하게 하고, 최근에 사용한 물건만 넣어둔다.
그 외 집안환경	• 실내 습도를 50 이하로, 온도를 25℃ 이하로 유지한다(집먼지 진드기는 춥고 건조한 곳에서는 생존율이 낮음). • 아동의 옷장에서 동물의 털이나 모제품은 없앤다. • 침구나 의류는 55℃ 이상 더운물로 주 1회 세탁하도록 하고, 자주 햇빛에 말린다(집먼지 진드기는 고온에서는 생존율이 낮음). • 가습기를 사용하되, 자주 청소하여 청결을 유지한다. • 난방장치와 청소기에 HEPA 필터를 사용한다. • HEPA 필터백이 장착된 진공청소기로 청소한 후에 방바닥, 벽, 가구 등 집안을 물걸레로 닦는다(진드기는 줄어도 알레르겐은 오랜 기간 가구에 붙어있을 수 있기 때문임). • 청소를 하는 동안 창문을 열어 환기를 해준다. • 애완동물을 키우지 않는다. • 바퀴벌레를 집안에서 없애도록 한다(바퀴벌레는 천식의 주요원인이 될 수 있다). • 실내에서는 절대 금연하도록 한다. • 강한 냄새를 풍기는 향수나 스프레이 사용을 줄이도록 한다. • 가스레인지, 연탄가스, 석유난로의 사용을 가급적 줄이거나 통풍이 잘 되도록 한다.
학교 교실	• 칠판, 수족관, 새장 및 동물을 키우는 곳으로부터 멀리 떨어져서 앉는다. • 학교 로커(locker)에 물건을 넣지 않는다.
실외환경 통제방법	
꽃가루(화분)	• 실외활동을 줄이도록 한다. • 마스크를 사용하고 운전 중에는 창문을 닫고 운전한다. • 외출 후 귀가 시에는 손을 씻고 집에 들어오도록 한다. • 저녁에 샤워를 하여 꽃가루로 침대가 오염되지 않도록 한다. • 낮에는 침대를 천으로 덮도록 한다.
곰팡이	• 꽃가루에 비해 비거리가 짧아 실외뿐 아니라 실내에서도 문제가 된다. • 실내 습도를 50% 이하로 유지한다. • 화분, 어항과 같이 습기가 있는 것을 실내에 두지 않도록 한다.

장이 일어난다.

• 에피네프린: 교감신경의 α 및 β아드레날린 수용체에 작용하는 교감신경 흥분제이다. 또한 기관지 평활근을 이완시키며 아나필락시스 증상 치료를 위해 흔히 사용된다.

• α항진제: 충혈 제거 효과가 있어 알레르기비염 치료에 자주 사용된다. Pseudoephedrine, phenylpropanolamine, phenylephedrine이 임상에 널리 사용된다. 혈관수축 효과가 있어 고혈압, 녹내장, 당뇨, 갑상샘과 다증 환아에게는 투여하지 말아야 한다.

• β항진제: 강한 기관지 확장 효과가 있어 천식에 널리 사용된다. 내복약과 흡입제로 개발되어 있고, 대표적인 약물로는 albuterol(Ventoline), terbutaline(Bricanyl),

표 17-8	H₁ 항히스타민제의 종류
구분	일반명(상품명)
1세대 또는 전통적 항히스타민제	Diphenhydramine(Benadryl) Chlorpheniramine(Chlor-Trimeton) Hydroxyzine(Vistaril) Meclizine(Antivert) Azatadine(Optimine)
2세대 또는 non-sedating 항히스타민제	Loratadine(claritin) Cetirizine(zyrtec) Foxofcnadine(allegra) Astemizole(hismanal)

formoterol, metaproterenol(Alupent) 등이 있다.

(3) 항콜린 약제

항콜린 약제(anticholinergic agents)는 미주신경 반사를 억제하여 기관지를 확장하는 기능이 있다. 약물작용이 β항진제보다 서서히 나타나므로 급성 증상 치료에는 적합하지 않다. Ipratropium bromide가 대표적인 약물이다. 흡입제로 개발되어 있고, 혈액-뇌 장벽을 통과하지 않는다.

(4) 데오필린

기관지 확장효과가 있어 천식의 조기와 후기 반응에 모두 사용된다. β항진제와 병용 치료제로도 사용된다.

(5) 스테로이드

알레르기질환에 필수적으로 사용되는 항염증 치료제이다. 급성 증상의 치료 효과뿐 아니라, 염증의 진행을 막아주어 장기적 알레르기 관리에 널리 사용하고 있다.

3) 면역요법

면역요법(또는 저감작화 요법)은 아동의 알레르기 증상이 알레르겐을 피하거나 약물치료를 해도 조절되지 않을 때 적용할 수 있는 치료방법이다. 또한 피부검사, RAST 및 병력으로 알레르겐이 명확히 확인된 경우에 적용이 가능하다. 집먼지 진드기와 화분에 의한 알레르기 비결막염(rhinoconjunctivitis)과 중등증 천식 및 벌독 알레르기에서 면역치료의 안전성과 효과가 증명되어 사용되고 있으나, 아토피피부염, 두드러기, 식품 알레르기 및 라텍스 알레르기에서는 효과가 입증되지 못하여 면역요법을 권하지 않는다. 보통 환경적 통제와 약물치료를 시도한 후에 적용하며, 장기간 치료를 받아야 하므로 치료비가 비싸다. 그러나 적절히 이용하면, 병의 진행을 막고 치료기간을 줄이는 효과를 얻을 수 있다.

저감작화는 IgG 항체의 혈장농도를 증가시킨다. IgG는 알레르겐에 접촉할 때 생기는 IgE 항체생성을 방해하거나 차단한다. 그러므로 면역요법은 알레르기 현상의 일부인 알레르겐과 IgE 항체의 결합을 억제하는 과정에서의 효과이기 때문에 다른 장기적 알레르기 관리와 반드시 병행해야 한다.

피부검사를 통해 특정한 알레르겐이 파악되면, 임상적 증상이 발현되지 못하도록 충분히 희석된 적은 양의 알레르기 추출물을 3~5일 간격으로 피하주사한다. 항원의 양은 최고 농도치에 이를 때까지 매번 그 양을 증가한다. 최고량은 주사 후 임상적 증상이 나타나지 않는 최고 강도를 말한다. 저감작화가 이루어진 후, 그 다음 아동은 이 알레르겐에 대한 저감작화를 유지하기 위해 매 3~4주 간격으로 주기적인 주사를 맞아야 한다. 주사된 알레르겐에 대한 아나필락시스 반응은 보통 주사 후 30분 내에 증상이 발현되므로, 주사 후 30분 동안은 의료진의 돌봄하에 있어야 한다.

면역요법은 일반적으로 3~5년 동안 계속한다. 치료를 오래할수록 치료 중지 후 증상의 경감기간을 오래 지속할 수 있다. 면역요법은 아동을 완치하는 치료가 아니라 원인 항원을 일정 간격으로 소량씩 환아에게 주사함으로써 면역학적 변화를 유도하는 방법이라는 것을 치료 시작시기에 부모에게 교육하도록 한다. 아동이 치료를 위해 충분한 준비를 하도록 해야 하며, 계속적인 반복주사의 중요성을 이해하도록 돕는다.

4) 예방요법

알레르기 가족력이 있는 가정의 영아는 모유수유를 권장하며, 이유시기에는 알레르기성이 강한 식품은 6개월 이후에 시작하며, 알레르기 환경을 조기에 피하도록 한다.

확인문제

9. 1세대 항히스타민제의 주요 부작용은?

10. 아동에게 특정 알레르겐에 대해 증가된 임상적 내성 상태(반응하지 않는 상태)가 생기도록 저 감작화하는 알레르기질환의 치료방법은?

Ⅲ 아토피피부염(영아습진)

아토피피부염(atopic dermatitis)은 태열이라고도 부르며, 심한 가려움증(pruritus)을 동반한 만성 염증 피부질환으로 영·유아기의 대표적인 알레르기질환의 하나이다. 주로 생후 2~3개월에 시작되며 환아의 60% 이상은 1세 이전에, 30% 정도는 1~5세 사이에 증상이 시작된다. 아토피피부염 영아의 80% 정도에서 알레르기비염 또는 천식으로 진행한다.

아토피피부염의 직접적인 원인이 명확히 밝혀지지 않았지만 유전적 소인, 집먼지 진드기, 세균(포도상구균, staphylococcus)과의 연관성이 추정되고 있다. 주로 모유영양아보다 인공영양아에게서 더욱 심하며, 이유식을 시작하는 시기인 6개월 후에 더욱 증상이 심해지는 것으로 보아 음식 알레르기와 밀접한 관련이 있다고 본다. 발한, 열, 쪼이는 옷, 비누와 같은 접촉성 자극물로 인해 가려움증이 심해진다. 겨울철에 더욱 심해지며, 여름철에는 증상이 눈에 띄게 호전된다.

01 / 사정

아토피피부염 영아의 경우, 모세혈관의 투과력이 증가되어 조직 내로 장액성 삼출물이 흘러나온다. 홍반과 함께 구진성, 수포성 피부발진을 보인다. 수포가 터지면 노랗고 끈적끈적한 분비물이 스며 나오고, 이 삼출물이 마르면 딱지가 된다. 이 병변은 가려움증이 심하므로 얼굴을 침구의 한쪽 면에 비비거나, 자주 긁게 되면서 병변이 더욱 자극되어 선상 표피박리(linear excoriation)의 원인이 된다. 이때 개방성 병변의 2차 감염이 일어날 수 있다. 감염된 병변이 치유되면 피부는 차츰 두꺼워지고 주름이 뚜렷해지는 태선화(lichenification) 현상이 생기며 거칠고 건조해진다. 2차 감염이 생길 경우, 국소 림프절 종창과 미열 및 호산구 증가가 있다.

흔한 병변부위는 두피, 앞이마, 뺨, 목, 귀 뒤, 사지의 마찰부위[그림 17-6]이며, 굴곡부 침범은 나중에 나타난다. 손과 발바닥은 병변이 발생하지 않는다. 병변이 가렵고 불편감을 초래하기 때문에 아토피피부염을 가진 아동들은 대부분 심하게 보채고 잘 먹지 않는다.

아토피피부염은 일반적으로 가족력 조사(가족 중 다른 알레르기질환을 가진 사람이 있는지 확인함)와 심한 가려움증과 특징적인 피부병변이 만성적으로 재발하고, 혈청 IgE 및 호산구 증가 소견 등이 있으면 진단을 내린다[표 17-9].

영아에서는 지루피부염과의 감별진단이 필요하다. 지루피부염과 아토피피부염의 특성을 [표 17-10]에 비교·제시하였다. 지루피부염은 영아에게 나타나는 명백한 양성 상태이며, 병변부위를 미네랄 오일 또는 미네랄 오일이 함유된 오일에 담그거나 머리를 감는 정도 이외에 다른 치료는 필요하지 않다. 반면, 아토피피부염 영아의 경우 이와 같은 치료로는 치유가 되지 않고 다른 부가적인 치료가 필요하다. 또한 페닐케톤뇨증 환아의 경우, 자주 아토피피부염을 동반하기 때문에 아토피피부염 아동은 페닐케톤뇨증을 확인하기 위한 재검사가 필요하다.

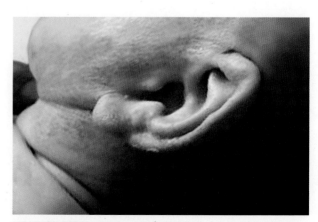

그림 17-6 **아토피성 피부염 영아**

표 17-9	아토피피부염 진단기준
주증상	**부증상**
심한 가려움증 만성 및 재발 경과 아토피성 질환(알레르기비염, 천식)의 과거력 및 가족력 특징적 발진모양 및 호발부위: 급성기 증상이 반복하면서 만성화하는 특성이 있다. 영 · 유아기 급성기 병변: 홍반성 구진, 수포, 장액성 삼출액과 부종, 딱지(뺨에서 시 작하여 얼굴외 나머지 부분, 목, 손목, 복부, 사지의 신전부위로 퍼짐) 아급성기 병변: 인설과 표피박리를 동반한 홍반성 구진 만성기 병변: 태선화 현상, 섬유화를 동반한 구진 학령기/청소년기 신체 굴곡부위의 태선화 현상, 인설을 동반한 건성 피부	피부건조증(xerosis) 심한 각질과 거친 피부 모공각화증(닭살, keratosis pilaris), 잔주름이 많은 손바닥 잦은 피부감염 구순염(cheilitis) 눈 주위 색소침착, Dennie lines 창백한 얼굴, 목주름, 마른 버짐 음식, 환경, 감정의 변화에 의한 증상악화 혈청 IgE 증가, 피부반응검사 양성

표 17-10	지루피부염과 아토피피부염의 비교

결과	지루피부염	아토피피부염
전구기 연령	0~6개월	2~6개월
질병기간	1년, 드묾	2~3년
아동의 정서	평온, 부모도 평온함	과민, 부모는 지침
병변부위	두피, 귀 뒤, 제대 부근	뺨, 마찰부위, 겹쳐지는 부위
병변유형	주름진 각질 및 홍반성 병변	구진수포성 홍반성 병변, 딱지, 장액성 삼출물
가려움증	없음	심함
탈색	없음	있음
태선화	없음	있음
백색피부묘화증(white dermographism)	없음	있음
호산구 증가	비점액 또는 혈액 호산구 증가 없음	비점액 또는 혈액 호산구 증가
IgE 혈청수준	낮음	높음

영아 아토피피부염의 원인이 되는 알레르겐은 보통 음식물이지만 꽃가루, 집먼지 진드기, 포자와 같은 것이 원인이 될 수도 있다. 이러한 이유 때문에 원인이 되는 알레르겐을 확인하기 위한 피부검사가 필요하다.

02 / 치료적 관리

아토피피부염은 증상의 정도에 따라 단계적인 치료적 접근이 필요하다. 첫 번째 단계의 관리는 가려움증과 피부건조증 및 인설을 동반한 홍반과 같이 초기 증상의 경우, 약물의 도움 없이 자극성 물질과 식품 등 알레르겐의 회피와 보습 및 피부위생 관리를 철저히 함으로써 증상이 호전될 수 있다. 두 번째 단계는 첫 번째 단계 관리에도 호전 없이 증상이 악화되었을 경우이다. 피부병변 치료를 위해 국소약물 치료를 받아야 한다. 주로 스테로이드 연고와 국소 면역조절제를 사용하며, 합병증으로 동반된 피부감염 치료를 위해 항히스타민제와 항균제를 복용하도록 한다. 두 번째 단계 관리에서도 호전이 없을 경우, 스테로이드와 면역조절제의 전신투여를 시도할 수 있으나, 부작용이 많으므로 극히 사용을 제한해야 한다.

• 알레르겐의 회피: 알레르겐이 확인될 수 있는 경우에 아토피피부염의 치료 목적은 알레르겐에 노출되는 양을 줄이거나 피하는 것이다.

영아에게 알레르기를 유발할 수 있는 물질로는 우유, 대두, 달걀흰자, 밀, 초콜릿 등이 있다. 어린 아동의 음식물 알레르기를 확인하기 위한 방법으로는 아동 또는 부모가 음식물 일지에 매일 아동이 먹는 것을 모두 기록하게 하는 것이다. 이것은 아동에게 자극이 되는 음식을 발견하는 가장 좋은 방법이다. 매일 증상이 없는지 평가해야 하며, 증상이 심한 날도 기록해야 한다. 증상이 거의 사라졌을 때 음식물 일지에서 확인된 음식물은 아동이 우울한 날을 제외하고, 아동에게 추천할 수 있는 것들이다. 그러나 아동의 증상이 악화된 날의 음식물은 알레르기 유발 음식으로 의심해 보아야 한다.

제거 식단(elimination diet)은 음식알레르기를 확인하기 위한 또 다른 방법이다. 이를 위해서 부모에게 알레르기를 거의 유발하지 않는 음식물의 목록(쌀, 양고기, 당근, 완두콩, 감자)을 준다. 그리고 아동이 약 7일 동안 단지 이 음식만을 먹을 것을 교육한다. 한 번에 한 가지씩, 2~3일 간격으로 알레르기가 의심되는 음식을 아동의 식단에 추가한다. 식단에 음식물이 추가할 때, 그 음식을 충분히 먹도록 아동을 격려한다. 증상이 발생하면, 그 음식물을 아동의 식단에서 제외한다. 만일 증상이 발생하지 않는다면 아동은 그 음식물을 계속 먹을 수 있다.

또한 음식알레르기가 있는 아동의 부모는 식품을 선택할 때 함유된 성분을 주의 깊게 확인해야 한다. 학령기 아동들은 학교식당 메뉴에서 안전한 음식물을 선택하도록 교육받아야 한다. 소수의 연구결과에 의하면, 음식알레르기가 있는 일부 아동은 알레르기 유발 음식을 먹은 후에 다소 과다 활동적(이야기하는 동안 또는 식사시간 동안 계속 앉아있지 못함)이 된다는 보고가 있다. 일부 아동은 알레르기 음식을 먹은 후에 학교에서 공격적인 행동문제를 보일 수도 있다. 행동에 변화를 유발할 수 있는 음식으로는 설탕, 우유, 밀가루, 염료가 사용된 음식 등이 있다.

식품환경 외에도 주거 및 생활환경을 개선해야 한다. 집 먼지 진드기가 없는 환경과 기온이 높을 경우, 자극에 의해 피부병변과 가려움증이 더욱 심해질 수 있으므로 습도는 50%, 실내 온도는 20℃ 정도를 유지하는 것이 좋다.

• 피부관리: 보습, 피부감염 및 자극을 예방하는 것은 아토피피부염 관리에 중요한 부분이다.

보습은 피부에 수분을 공급하고 습도를 유지하는 것을 의미한다. 젖은 드레싱(Burrow 용액)을 사용하여 피부를 수화하는 것은 도움이 된다. 신체의 광범위한 부분에 적용할 경우, 아동이 오한을 느끼지 않도록 주의한다. 젖은 드레싱 위에 마른 거즈를 함께 놓는다. 눈, 코, 입에 구멍을 낸 스타킹을 아동의 머리에 씌우면 얼굴과 목에 적용한 젖은 드레싱을 고정시키는 데 도움이 된다. 각막자극을 예방하기 위해서 이 드레싱이 눈에 닿지 않도록 주의한다. 병변이 치유되기 시작했을 때, Eucerin과 같은 피부보습제 또는 Alpha-Keri와 같은 피부연화제를 사용하도록 한다. 보습제는 피부 표면에 막을 형성하는 기름을 기본적으로 포함하고 있고, 수분을 지속적으로 보유할 수 있는 습윤제가 첨가되어 있어 피부가 과도하게 건조하게 되는 것을 막는다. 약 15분 정도만 영아를 이 용액에 담근 다음, 병변이 악화되지 않도록 문지르지 말고 가볍게 두드려서 물기를 말린다. 지나친 비누 사용을 금지하고 보습비누를 사용하도록 한다. 비누에 과민한 환아를 위해 Cetaphil 크림과 같은 피부청결제가 처방될 수도 있다. 긁었을 때 피부에 상처를 내지 않도록 하기 위하여 영아의 손톱을 짧게 깎아준다. 면장갑으로 손을 싸주는 것도 긁는 것을 방지하는 데 도움이 된다. 이는 아동의 병변을 자극시키지 않고 피부를 긁음으로써 생기는 2차 감염을 방지할 수 있다. 또한 피부에 흔히 서식하는 포도상구균으로부터 피부감염을 예방하기 위해 손을 자주 씻고 정기적으로 샤워를 하도록 한다. 목욕 후에는 마른 수건보다는 젖은 수건으로 닦도록 하고, 피부가 건조되기 전에 바로 보습제를 충분히 발라주어야 한다.

정전기가 발생하는 천은 집먼지 진드기의 먹이가 되는 피부 부스러기 또는 음식 찌꺼기가 쉽게 달라붙기 때문에 정전기를 발생하는 모든 침구류나 의복은 피하도록 한다. 아동의 옷은 부드러운 면제품을 선택하도록 한다.

• 약물치료: 아토피피부염 환아를 위한 약물치료 방법으로 국소약물치료와 전신약물치료가 있다.

널리 사용되는 국소약물로는 스테로이드 연고 또는 로션과 국소 면역조절제가 있다. 1% hydrocortisone cream과 같은 스테로이드 연고는 병변의 치유와 불편감을 줄이는 데 효과가 있다. 만일, 병변이 건조할 경우는 corticosteroid 연고가 가장 효과적이다. 병변에 습기가 있을 경우는 로션이 가장 효과적이다. 크림이나 로션을 바른 후에 그 부위를 밤 동안 플라스틱 랩과 같은 밀폐 드레싱으로 덮어두는 것이 치유과정을 빠르게 할 수 있다. 만일 병변에 2차 감염이 있다면, 항생제(일반적으로 neomycin)가 섞인 hydrocortisone 과 그 외 적합한 약물이 처방된다. 부모에게 cortisone 크림 사용을 갑작스럽게 중단하지 않도록 주의를 준다. 스테로이드 연고의 국소적 사용으로 인한 흡수는 제한적이나 부신기능 저하와 같은 부작용이 발생할 수 있다. 갑작스럽게 사용을 중단할 경우, 응급상황에서 영아의 부신 반응(에피네프린 생성능력)에 제한이 올 수 있다. 또한 cortisone 크림을 과량사용하지 않도록 부모에게 주의를 준다. 과량사용 시 전신흡수 가능성의 위험이 증가할 수 있다.

국소 면역조절제는 tacrolimus와 pimecrolimus가 있다. T세포의 활성화를 억제하여 알레르기 염증반응을 줄여주는 효과가 있다. 국소도포로 전신흡수가 거의 없고 피부와 눈의 부작용이 거의 없는 장점이 있다. 국소약물치료에 호전이 없을 경우, 항히스타민제와 스테로이드의 전신투여를 시도할 수 있다. 항히스타민제는 diphenhydramine(benadryl) 과 hydroxyzine(atarax)가 주로 사용되는 약물로서 가려움증과 불편감을 경감시키는 데 효과가 있다. 전신 스테로이드는 일단 투여하면 빠른 속도로 증상이 호전되지만, 스테로이드 의존성과 부작용이 있으므로 부득이한 경우에 단기간 사용하고 중단할 경우는 용량을 서서히 줄이도록 한다.

간호진단 및 목표

간호진단 : 영아 아토피 피부염과 관련된 피부손상
간호목표 : 영아는 2주 이내로 호전된 피부상태를 보일 것이다.
예상되는 결과 : 영아는 병변을 긁지 않는다. 부모는 영아가 덜 까다로우며 돌보기 쉬워졌다고 말한다. 병변에 치유 증상이 보인다.

아토피피부염 영아의 부모는 질병의 전 과정 동안 가족의 많은 지지가 필요하다. 영아는 지속적인 가려움증 때문에 예민하고 까다롭다. 부모의 여러 노력에도 불구하고 그들은 자신의 아동을 편안하게 해주지 못한다는 무력감을 느낀다. 부모에게는 "들어주는 사람"이 필요하다. 이를 통해 자신들의 관심사를 서로 공유할 수 있고, 부모로서 자아존중감을 유지

할 수가 있다. 지지그룹 또한 도움이 될 수 있다.

간호진단 및 목표

간호진단 : 영아의 만성 아토피피부염에 대한 2차적인 부적절감과 관련된 부모역할 장애 위험성
간호목표 : 부모는 질병의 전과정에 걸쳐 긍정적인 애착행위를 보일 것이다.
예상되는 결과 : 부모는 제안된 치료를 수행하는 능력에 자신감을 보인다. 부모는 영아에 대해 긍정적으로 말한다. 부모는 영아를 가까이 안고 웃으며 이야기한다.

대부분 영아의 경우, 3세경까지 영아 아토피피부염이 거의 사라진다. 2차 감염으로 인한 상흔이 초래되지 않는 한, 피부는 흉터 없이 치유된다. 그러나 거의 80%에서 성장하면서 다른 알레르기질환이 유발된다. 학령전기 아동의 부모는 자녀가 알레르기비염이 있다고 보고한다. 학령기 초기에 천식증상을 보이는 아동들도 있다.

03 / 나이 많은 아동(학령기 아동 및 청소년)의 아토피피부염

학령기 아동 및 청소년은 예민하게 자신의 외모를 받아들이므로 아토피피부염은 그들에게는 매우 심각한 질환이다.

1) 사정

이 연령층에 나타나는 아토피피부염은 사지의 굴곡 부위와 손목과 발목의 돌출 부위에 심하다. 눈썹 부위에도 자주 생기며 긁었을 경우 눈썹이 탈모된다. 탈색과 과착색반응이 나타나며 태선화 현상이 현저하다. 손톱은 긁고 문지름으로 인해 번질번질하게 윤이 난다. 어떤 경우, 가렵고-긁는 순환과정으로 인해 증상이 더 악화될 수 있다. 예를 들어, 학교에서 스트레스를 받거나 친구들에게 따돌림을 받아서 화가 났을 때 스트레스를 완화하기 위한 방법으로 가려운 피부를 긁는다. 이렇게 문지르고 긁음으로 인해 병변이 생기고, 그 병변이 가렵기 때문에 더 심하게 긁는다. 심하게 긁을수록 병변은 더 악화되며, 병변의 부위가 커질수록 더 긁게 되는 악순환이 계속된다.

2) 치료적 관리

비누를 쓰지 않도록 하고, 꼭 처방된 비누만을 사용하도록

한다. 수영장 물은 피부를 건조하게 할 수 있으므로 가능한 한 다른 여름 스포츠를 하도록 격려한다. 학교에서 수영이 요구되는 경우에는 수영 후 피부에서 chlorine 성분을 제거하도록 샤워를 잘 하도록 하며, Eucerin과 같은 피부보습제를 반드시 바르도록 한다. 땀 흘리는 운동을 한 후에는 땀이 피부에 자극이 되므로 바로 샤워하도록 한다. 사지의 굴곡된 부위에 꼭 끼는 옷을 입지 않도록 한다. 또한 아토피피부염의 병변부위에 난 여드름을 가리기 위해 약물이나 화장품을 사용하지 않도록 하는데, 이는 피부를 건조하게 하기 때문이다.

의학적인 치료는 기본적으로 아토피성 영아의 치료와 같다. 가렵고-긁는 순환을 유발하는 알레르겐 및 정서적 문제를 확인 하는 것이 중요하다. Hydrocortisone cream을 사용하면 병변이 잘 치유된다(간호사례 참조).

아토피피부염 학령기 아동 및 청소년을 위한 간호중재의 평가에는 병변 통제와 학교와 가정에 어떻게 적응하는지가 포함된다. 아동기의 만성 알레르기질환으로 인해 낮은 자아존중감을 가지고 성인기를 맞이하는 청소년은 최적의 안녕상태를 갖지 못할 수 있다.

확인문제

11. 영아의 아토피피부염의 가장 주된 원인은 무엇인가?

12. 학령기 아동 및 청소년의 경우, 어떤 신체 부위에 특징적인 아토피성 피부병변이 나타나는가?

Ⅳ 알레르기비염

알레르기비염(allergic rhinitis, 고초열)은 즉각적인 과민성 면역반응에 의해 야기되며, 15~20%의 아동에게서 발생한다.

01 / 사정

- 원인: 알레르기비염의 원인이 되는 알레르겐은 일반적으로 집먼지 진드기, 꽃가루, 곰팡이, 애완동물 등이다. 집먼지 진드기가 원인인 경우는 일년 내내 증상을 보이지만, 계절성 알레르기비염 아동의 경우는 꽃가루가 많이 날리는 계절에 병원을 자주 방문하게 된다. 처음에 부모들은 자녀가 "여름 감기"에 걸렸다고 생각하기 쉽다. 그러나 상부호흡기계 감염은 비점막이 창백하기보다는 충혈되는 경향이 있고, 코에서 흘러나오는 분비물은 알레르기비염에서는 맑고 물 같은 분비물인데 반해 상부호흡기계 감염의 경우는 진한 하얀색이거나 노란색이다. 상부호흡기계 감염이 있는 아동은 자주 열감이 있으나, 알레르기비염은 그렇지 않다. 상부호흡기계 감염 아동은 인후통과 경부림프절 비대가 있으나, 알레르기비염의 경우는 드물다. 계절성 알레르기비염이 있는 아동들은 대부분 아토피피부염 또는 천식의 가족력이 있다.

- 증상: 알레르기비염은 코가려움증, 발작적인 재채기, 코막힘, 비강충혈, 계속 흐르는 맑은 콧물을 주증상으로 한다. 알레르기결막염이 자주 동반되는데, 매우 가려울 수 있고 맑은 눈물이 계속 고여 있다. 코가려움증, 발작적인 재채기, 코막힘은 부종에 의한 증상들이며 아침에 더 심하다. 아동은 코를 계속해서 문지르는데, 이러한 행동을 allergic salute라고 한다. 장시간 동안 이렇게 코를 비비면 콧등에 알레르기주름(transverse nasal crease)이 나타나고, 비출혈의 원인이 되기도 한다. 코의 충혈로 인해 안와 주위 정맥순환의 후부압력이 증가할 수 있으며, 이것은 눈 밑의 피부색이 검푸르게 착색됨(allergic shiners)의 원인이 된다. 그리고 눈 비빔으로 눈 밑에 여러 겹의 주름(Dennie's line)이 생기기도 한다 [그림 17-7]. 코의 점막은 일반적으로 정상보다 창백하고 비강충혈과 함께 부종이 있다. 인후 주위 부종으로 인한 코막힘으로 중이염과 부비동염의 발생 가능성이 높아지고 두통을 호소할 수 있다. 6세 이상의 아동(전두동이 형성되는 시기)은 머리 앞쪽 전체에 두통을 호소할 수 있다. 이 증상은 사춘기 때 더 심해질 수 있

간호사례 / 청소년의 아토피피부염

13세의 미희가 팔과 발목에 심한 가려움증으로 병원을 방문하였다. "이 상처는 너무 흉하지만, 저는 가려워서 긁는 것을 멈출 수 없어요."

사　　정 : 13세의 미희에게 양쪽 팔의 겹쳐진 부분과 양쪽 발목의 튀어나온 부위에 발적된 구진수포성 병변이 있는 것이 관찰되었다. 노란 삼출물이 있는 4개의 병변이 팔에 있으며, 다소 과다한 색소침착과 태선화 현상이 있고 손톱과 발톱은 번질번질 윤이 난다. 심한 가려움증으로 긁는 것을 참을 수가 없는 상태이며, 이러한 악순환이 반복되고 있다. 미희는 자주 밤에 깬다고 한다. 면담 도중 다른 친구들은 응원단원이 되어 응원복을 입을 수 있지만, 자신은 흉한 피부를 드러내기 싫기 때문에 응원단원이 될 수 없다며 화를 내었다. 가려움증이 조금 후 다시 시작되었다.

간호진단 : 가려움증과 긁어서 생긴 병변으로 인한 피부손상

간호목표 : 미희는 2주 이내에 병변의 치유증상을 경험할 것이다.

평　　가 : 병변의 수가 감소되고 삼출물이 없어진다. 새로운 병변이 생기지 않으며 가려움증이 경감되고 긁지 않는다. 미희는 적절한 피부관리 방법을 실천한다.

계획 및 중재

1. 병변의 수, 색깔, 부위, 분포, 삼출물을 사정한다.
2. 미희가 긁는 것을 피하도록 격려한다.
3. 미희에게 가려움증을 경감시킬 수 있는 방법을 교육한다(냉찜질, 가볍게 두드림, 주의를 다른 데로 돌리는 법).
4. 미희에게 젖은 드레싱을 적용하는 방법과 밤에 코티코스테로이드 연고를 사용하기 위한 밀폐드레싱 방법을 교육한다.
5. 미희에게 일반 비누사용을 피하도록 하며, 처방된 비누만을 사용하도록 교육한다.
6. 미희에게 chlorinate를 사용한 수영장에서 수영을 하거나 운동으로 땀을 흘린 후에는 반드시 샤워를 하도록 교육한다. 그리고 샤워 후 보습크림을 사용하도록 한다.
7. 미희가 병변부위에 꽉 끼는 옷을 입지 않도록 권장한다.
8. 2주 후에 병원을 재방문하도록 시간을 정한다.

간호진단 : 부적절감과 창피함으로 인한 자긍심 저하

간호목표 : 미희는 자신에 대한 긍정적인 정서를 표현할 것이다.

평　　가 : 미희는 병변의 영향과 외모로 인해 응원단원이 되지 못한 것을 말하며 자아존중감을 표현한다; 자신의 감정과 관심에 대해 활발히 토론한다; 간호관리에 적극적으로 참여한다; 가려움을 어느 정도 통제할 수 있음을 보인다.

계획 및 중재

1. 응원단원이 되는 의미, 외모, 병변유무를 확인한다.
2. 미희가 자신, 외모 그리고 응원단원이 되지 못하는 것에 대한 감정과 생각을 표현하도록 돕는다.
3. 미희와 함께 긍정적인 자아에 대한 속성을 검토하고 강화한다.
4. 미희가 자신의 외모, 병변에 대해 가질 수 있는 잘못된 생각이 무엇인지 확인한다. 치료를 받으면 병변이 치료될 것이라고 알려준다.
5. 미희에게 안위를 증진하고, 가려움증을 완화하며 치유를 촉진시킬 수 있는 방법에 대해 교육한다.
6. 독립적인 역할기능을 증진하도록 돕고, 의사결정 시에 적극적으로 참여하도록 격려한다.
7. 미희가 응원단원에 견줄 수 있는 적절한 대안적 활동을 찾도록 돕는다.

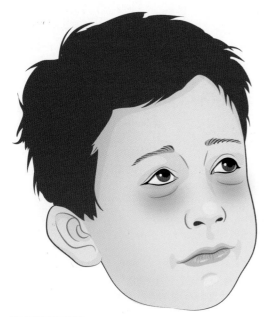

그림 17-7 **알레르기성 비염 아동의 얼굴**

알레르기성 비염으로 인해 안와 주위 혈류의 후부 압력 상승은 눈 아래 피부를 어둡게하거나(allergic shiners), 하안검의 특유한 수평주름(Dennie's line)을 생기게 한다.

다. 일부 아동들은 지치고 머리가 몽롱하여서 학교생활을 잘 수행하지 못한다.

분비샘의 자극으로 감기 때와는 달리 맑은 콧물이 갑자기 쏟아지고 곧 사라지는 양상을 보인다.

- 임상검사: 피부반응검사(꽃가루, 동물털, 집먼지 진드기), IgE 혈청검사, 호산구 검사를 수행한다. 또한 비즙도말검사(nasal smear)는 알레르기비염과 감염성 비염의 감별 진단에 유용한 방법이다. 비강분비물을 채취해서 도말검사를 시행하여 호산구 수가 전체 백혈구세포 수의 5~10% 이상이면 진단이 가능하다. RAST 분석을 통해서도 중요한 알레르겐을 확인할 수 있다.
- 합병증: 비강충혈로 인해 유스타키오관이 폐쇄되고, 이로써 중이의 음압 상태가 지속되어 삼출성 중이염이 잘 발생하며, 코막힘으로 인한 구강 내 기류변화로 부비동염의 빈도가 높다. 또한 알레르기비염의 약 60%에서 천식을 동반한다. 비염 증상이 악화될 경우, 천식도 악화되는 현상을 자주 볼 수 있다.

02 / 치료적 관리

알레르기비염은 알레르겐을 피하고 약물치료 및 면역요법을 함으로써 조절된다. 우선 치료의 방향설정을 위해 개인환경을 조사해야 한다.

- 환경적 통제: 일 년 내내 집먼지나 애완동물의 털과 같이 아동에게 영향을 미치는 알레르겐이 있을 때 연중 계속해서 알레르기비염이 초래될 수 있다. 계절성 알레르기비염에서 볼 수 있는 명백한 증상이 없을지라도 아동에게 지속적으로 증상이 발현되기 때문에 환경적인 통제가 이 질병을 관리하는 데 가장 중요하다. 아동이 일 년 중 특정기간에 항상 이 증상을 보인다면, 부모들은 이 기간 동안 환경적인 통제를 시도해야 한다. 알레르기비염이 있는 일부 아동은 냉방기가 가동되는 건물에서 증상이 완화되는 것을 느낄 수 있다. 또 다른 아동들은 냉방기가 있을 경우에 증상이 더욱 심해질 수 있고, 이로 인해 학교에서 심한 두통을 호소할 수 있다.

알레르기비염은 종종 부모들이 아동이 성장하면서 나아질 거라고 가볍게 생각할 수 있다. 그러나 아동들에게는 이것이 사소한 질환이 아니며, 일 년 중 특정기간 동안 증상 악화로 인해 다른 아동들과의 상호작용에 지장이 초래될 수 있다. 부모에게 알레르겐을 피하는 것의 중요성과 비충혈 완화를 위해 가습효과를 높이고 코막힘 증상을 완화하기 위해 직립자세를 취해주거나 식염수를 비강에 점적해줘야 함을 교육한다. 비강 내 코티코스테로이드와 항히스타민제 복용의 필요성에 대해서, 그리고 부작용을 잘 관찰하도록 교육한다.

- 약물요법: 알레르기비염의 치료를 위한 약물요법은 증상치료와 증상조절치료로 구성된다. 증상치료에는 항히스타민제, 국소 스테로이드 분무제 및 충혈제거제가 사용되며, 증상조절치료에는 분무형 스테로이드와 비만세포 안정제, 면역요법 등이 사용된다.

항히스타민제는 콧물이나 재채기 증상은 완화시키지만 코막힘에는 효과가 없으므로, 이 경우에는 단기간 동안 충혈제거제와 국소 스테로이드제를 사용하는 것이 도움이 된다. 최근에는 졸음이 적고 비교적 장기간 약효가 지속되는 2세대 항히스타민제를 많이 사용하고 있으며, levocabastine, azelastine과 같은 코문부형 항히스타민제도 개발되었다.

스테로이드는 급성 증상 치료뿐 아니라, 증상조절제로도 가장 효과적인 약물이다. 대부분 비강분무제이며, budesonide, fluticasone, beclomethasone, triamcinolone, mometasone 등이 있다.

충혈제거제는 급성 증상치료에 자주 사용된다. 비점막 혈관수축과 혈류감소 작용이 있어 코막힘 현상을 일시적으로 호전시키고 점액 배출을 용이하게 해준다. 사용 중지 후 비점막의 부종이 경감되기보다는 더욱 심해지는 반동현상으로 증상이 더 심해질 수 있으므로, 4일 이상 사용하지 않도록 한다.

비만세포 안정제는 주로 증상조절제로 사용된다. 스테로이드보다는 염증치료 효과가 적으나, 부작용이 적어 장기간 사용할 수 있으며 특히 계절성 알레르기비염의 예방치료에 많이 사용되고 있다.

- 면역요법: 알레르기비염은 다른 알레르기질환보다 면역요법에 대한 효과가 좋다. 치료기간은 최소 3~5년 정도 소요된다.

 # 천식

천식(asthma)은 제1형 과민성 면역반응으로 표적기관이 기관지인 알레르기질환이다. 'Asthma'라는 단어는 'panting'의 그리스어에서 유래되었으며, 천식은 어느 연령에서나 발병하지만 약 80% 이상이 6세 이전에 처음 나타나며, 약 30%는 1세 이전에 발병한다. 소아 천식의 특성은 ① 해부학적(기도 안의 지름이 작음), 생리적(다량의 분비물, 기도의 평활근 발달 미약) 특성에 의해 패쇄가 잘 일어나며, ② 성인보다 증상이 심하고, 기관지확장제에 대한 반응이 뚜렷하지 않으며(특히 2세 미만) ③ 면역학적으로 미숙하여 호흡기 감염이 자주 발생하고, ④ 천명증상이 3세 이후 폐기능이 회복되거나 성인까지 증상이 이어지는 경우이다. 초기에는 천식보다는 오히려 세기관지의 잦은 발병으로 진단된다. 따라서 세기관지염, 폐렴과의 감별진단이 필요하다[표 17-11].

01 / 질환의 기전

천식의 발병기전은 복합적이고 유전적·환경적 특성과 질병기간에 따라 다양하지만, 천식증상이 진행되는 과정은 기도의 과민성, 기관지 경련과 폐쇄, 혈액가스교환 변화의 특성을 보인다.

- 기도의 과민성: 천식 아동은 정상 아동에 비해 알레르

사정	천식	세기관지염	폐렴
원인	type Ⅰ 면역 과민반응	대개 RSV	박테리아(pneumococcal, H. influenzae), 바이러스, mycoplasmal: 흡인에 의해 발생할 수 있다.
연령	1~5세	2세 이하	아동기 전체
시작 양상	알레르겐 노출 후	상기도 감염 후	상기도 감염 후
외모	천명음, 지침, 놀램	피로, 불안, 얕은 호흡	피로, 불안, 얕은 호흡
기침	끈끈한 점액을 생산 하는 발작성 기침	발작성, 마른 기침	많고 거친 기침
열	없음	미열	열이 올라감
청진음	천명음	간신히 들을 수 있는 호흡음, 나음, 호기 시 천명음	호흡음 감소, 나음

표 17-11 천식, 세기관지염, 폐렴과의 감별진단

겐에 노출될 때 매우 쉽게 기도의 과민반응이 유발되는 특징적인 소견을 보인다.

- 기관지 경련과 폐쇄: 기관지 경련과 폐쇄 증상은 기도 전체에서 일어날 수 있지만, 직경이 2~5㎜ 크기의 기관지에서 가장 심하게 나타나며 진행과정은 다음과 같다.
- 기관지 점막의 염증과 부종: 기관지 주변의 모세혈관의 투과력이 증가하면서 부종과 과다 염증반응이 발생한다.
- 기관지 평활근의 수축: 비정상적으로 심하게 수축되어 호흡기능에 장애를 가져온다.
- 진하고 끈적이는 점액전(mucus plug) 형성: 기도 내의 배상세포(goblet cell)와 점막하 분비샘(submucosal gland)에서 분비되는 진한 점액 분비물이 혈청 단백질, 상피세포, 죽은 염증세포, 호산구에서 나온 단백성분과 합쳐져 비정상적으로 끈적이는 점액전을 형성한다.
- 기도개형(remodeling): 반복되는 천식발작으로 인해 기도의 탄력성이 떨어지고 기도벽이 두꺼워지는 현상이 생긴다. 이것은 기도폐쇄의 회복을 어렵게 하는 원인이 된다.
- 혈액가스 교환의 변화: 기관지는 정상적으로 흡기 시에는 넓어지고 늘어나며, 호기 시에는 수축하고 짧아지기 때문에 천식 아동은 호기 시에 호흡곤란이 분명하게 나타난다. 또한 폐에 축적된 공기로 인해 점점 폐 용적은 높아져서 숨쉬기가 힘이 들고, 그 결과 공기를 흡입하기 위해 많은 노력이 요구된다. 호흡의 어려움은 호흡의 효율성 감소, 피로, 산소소모가 증가하는 원인이 된다. 힘든 흡기과정 동안 폐포는 더욱 과다팽창되고, 기도폐쇄가 심해짐에 따라 폐포 환기가 줄어들어 이산화탄소가 정체되고, 저산소증과 호흡성 산혈증이 발생하며 결국 심한 호흡부전이 초래된다.

02 / 사정

- 원인: 심한 기관지수축은 대기환경(찬 공기, 저기압, 높은 습도, 황사, 매연, 공해 등), 연기와 같은 자극적

인 냄새, 알레르겐의 흡입, 심한 운동에 의해 유발될 수 있다. 담배연기와 같은 공기오염은 과민반응에 있어 낮은 역치를 나타내고 상태를 악화시킨다. 천식이 있는 대부분의 아동들은 꽃가루, 곰팡이, 집먼지 진드기와 같은 항원을 흡입하거나 특정식품에 노출될 때 과민반응을 보이게 된다. 비록 계절적인 요소가 아동의 증상에 영향을 주지만, 이러한 아동의 대부분은 다양한 과민성을 가지고 있고 오랜 기간 지속된다. 호흡기 감염으로도 증상이 나타나는데, 천식증상을 유발하는 원인균은 대표적으로 RSV(respiratory syncytial virus)와 rhinovirus가 있으며 그 외에도 adenovirus, influenza virus, Mycoplasma pneumoniae균 등이 유발 요인으로 추정되고 있다. 지나친 웃음이나 갑작스런 심리적 변화로도 증상이 유발될 수 있다.
- 병력: 아동의 증상 발달의 병력, 발작 전의 활동, 최근 발작의 원인이 된 유발인자, 그 외 알레르겐 등을 확인한다. 급성 발작이 끝났을 때 부모와 아동에게 애완동물, 아동의 침실, 집안의 난방형태, 야외에서의 놀이공간, 교실환경 등을 질문하여 환경적인 유발요인을 사정하도록 한다. 이 밖에 치료에 대한 반응, 다른 알레르기질환의 동반 유무, 가족력 등도 병력사정에 포함되어야 하는 요소이다.
- 신체사정: 신체사정은 병력에서 얻은 정보를 기초로 천식의 특별한 증상을 검사하는 것이다. 청진 시 천명음(작은 기관지 폐쇄로 인해 들리는 고음)과 다른 합병증 유발 가능성을 확인한다. 천식은 모든 폐엽에 영향을 주므로 천명음은 폐의 모든 영역에서 청진되며 증상이 경증일 때는 호기 시에 나타나지만, 기도폐쇄가 진행되면 흡기 시에도 들을 수 있고 중증일 때는 청진기 없이도 들을 수 있다.

호기가 길며 기도폐쇄로 인하여 배출되지 못한 공기로 인해 타진 시 과도공명음이 들린다. 천식발작 동안에 아동은 흡기 시보다 호기가 길어지므로 공기 배출을 위해 노력하게 된다. 기도폐쇄가 아주 심한 경우에는 천명이 들리지 않고 오히려 빠른호흡, 코를 벌렁거림(nasal flaring), 흉곽함몰, 견축증상 등의 호흡곤란 증상을 관찰할 수 있다. 저산

소혈증과 청색증이 심해지고 혈액가스검사 결과 이산화탄소압의 증가가 있다. 기관지수축은 이산화탄소 정체를 유도하여 천식발작이 심할수록 낮은 산소포화도를 보인다. 아동은 창백해지고 급격한 호흡곤란으로 인해 무서워하며 놀란 표정을 짓는다. 만성 상태가 되면서 말초부위 산소부족으로 곤봉형 손톱, 무기폐로 진행된 경우 그 부위의 호흡음이 감소한다.

- 증상: 천식의 특징적인 증상은 기도 자극을 유발하는 모든 조건에서 나타나는데, 기관지 점막의 과도한 염증반응과 부종으로 인한 기침과 천명음, 점액의 과다분비로 인한 가래와 기침, 평활근 수축으로 인한 호흡곤란 등의 특징적인 증상을 보인다. 이른 아침과 밤에 증상이 심하며, 어린 아동일수록 기도폐쇄가 더욱 심하여 무기폐와 폐기종이 자주 동반된다. 유전 및 환경적 유발요인으로 인해 과민성이 있는 특정인에게 증상이 반복하여 나타나며, 기도개형으로 만성적 경과를 보인다. 알레르기비염, 아토피피부염 등 다른 알레르기질환이 자주 동반된다.
- 임상검사: 혈청 IgE, 특이 IgE 값, 호산구 검사, 피부반응검사와 증상유발검사 등 일반적인 알레르기 검사를 해야 하며, 호기 상태를 측정하기 위해 폐기능검사를 수행한다. 폐기능검사는 천식의 진단, 경과관리, 치료에 대한 반응을 평가하는 데 유용한 검사이다. 폐활량 측정, 최대호기 속도, 기관지유발검사가 포함된다. 폐기능이 적절한 것은 좋은 환기, 즉 충분한 공기를 폐속으로 유입하고 폐포 모세혈관 막의 확산을 통해 적절한 가스가 이동하며, 호기를 통해 다시 배출하는 것을 의미한다.
- 폐활량 측정법(spirometry): 단위시간당 들이마시고 내쉬는 공기의 양을 측정한다. 천식의 상태를 평가하는 기본적인 방법으로 기도가 좁아졌는지, 기관지확장제와 같은 특정 치료가 효과적인지를 보는 데 이용되지만, 만 6세가 되어야 정확한 결과를 얻을 수 있다. 예측 정상값(predicted norms)에 비해 낮은 FEV1(forced expiratory volume in one second, 초간노력성 호기량), FEV1/FVC(forced vital capacity, 노력성 폐활량)가 0.8 이하, 기관지확장제 치료에 FEV1이 12% 증가한 경우, 기도폐쇄로 진단할 수 있다.
- 기관지유발검사(bronchial challenge test): 기관지 과민성을 측정하는 가장 좋은 방법으로 알레르겐을 직접 기관지에 투여하여 증상이 나타나는지 관찰하는 특이적 검사와 메타콜린이나 히스타민 같은 기도수축제, 운동과 같은 생리적 자극, 찬 공기, 증류수, 고삼투액 등의 비특이적 자극을 이용한 검사가 있다.
- 최대호기속도 측정법(peak expiratory flow rate): 간단하고 저렴하여 가정에서도 호흡기능을 측정하기 좋은 방법이다. 최대호기속도의 전체적 변화 측정을 위해 날마다 가정용 peak flow meter를 사용하여 측정결과를 기록하는 것은 천식아동의 적당한 치료 계획에 도움을 줄 수 있다[그림 17-8]. 4세 이상이면 측정이 가능하다. Peak flow meter를 효과적으로 사용하기 위해 아동은 숫자로 표시된 척도의 하부에 indicator를 놓는다. 입에 meter를 위치시키고, 할 수 있는 만큼 힘차고 빠르게 분다. 이것을 세 번 이상 반복하고 가장 높게 나온 수치를 기록한다. 최대호기속도는 하루 중에도 변동이 있을 수 있으며, 아침에 낮고 오후에 높기 때문에 가장 높이 측정된 최대호기속도 값과 하루 중 변동률을 기준으로 평가한다. 최대호기속도 결과는 다음과 같이 평가한다.

1) 개인 최대값 80% 이상, 하루 중 변동률 20% 이하

현재 천식 증상이 없고 천식이 잘 관리되고 있음을 의미한다. 정기적으로 약을 복용해야 한다.

2) 개인 최대값 60~80%, 하루 중 변동률 20~30%

주의 신호, 천식이 시작될 수 있다.

3) 개인 최대값 60% 이하, 하루 중 변동률 30% 이상

중증 천식발작으로 진단하고 즉시 치료해 주어야 한다.

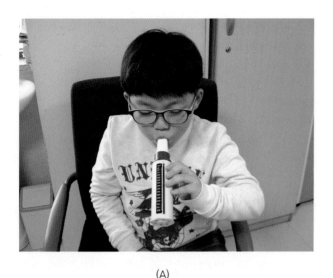
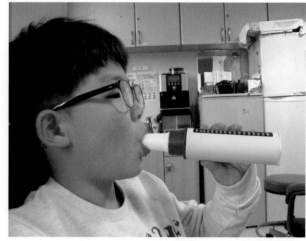

(A)   (B)

그림 17-8 **천식 아동의 peak flow meter 사용**

(A), (B) 천식아동은 집에서 peak flow meter를 사용하여 매일 또는 매주마다 호기량을 확인하고 기록하도록 한다.

03 / 치료적 관리

천식 아동을 위한 치료적 관리의 목적은 ① 환경통제에 의한 알레르겐 제거, ② 알레르겐을 밝히기 위한 피부검사와 면역요법, ③ 약물 사용에 의한 증상 경감이다.

약물치료는 천식발작의 치료에 사용되는 증상 완화제와 증상의 재발을 억제하는 증상조절제 치료로 구분된다[표 17-12].

아동이 간헐적으로 경한 증상이 있다면 매일 약물복용을 할 필요는 없으며, 증상이 발생할 때 albuterol 과 같은 흡입용 단기작용 β2항진제를 흡입하도록 한다. 만약, 일주일에 두 번 이상 약물이 요구되면 장기간 치료가 필요하다.

경증 증상을 보이며 천식이 지속되면 날마다 흡입용 스테로이드가 처방된다. 중등증 정도의 증상을 보이면, 매일 흡입용 스테로이드와 기관지 확장효과가 있는 지속성 β2항진제가 처방될 수 있다. 중증 천식증상이 지속되는 아동은 매일 고용량의 흡입용 스테로이드와 취침 시 기관지 확장제 및 구강용 코티코스테로이드를 복용한다. 계속된 증상으로 병원에 입원할 경우 데오필린(theophylline), methylxanthine 을 투여할 수도 있다. 데오필린의 부작용(구토, 심한 위장장애, 부정맥과 같은 증상)을 확인해야 한다. Cromolyn sodium은 기관지 경련을 완화하여 천식증상을 예방할 수 있는 증상조절제이다. 만약 아동이 흡입제에 의해 약물치료를 받는다면, 투입되는 약물의 복용 형태와 용량을 확인하여 과용량이 투여되지 않도록 주의해야 한다. 계량화된 용량의 흡입은 호흡하는 동시에 흡입기를 당겨야 한다[그림 17-9(A), (B)]. 천식발작 동안, 구강섭취 감소로 아동은 쉽게 탈수되며 과호흡으로 불감성 손실이 증가한다. 만약 데오필린이 처방될 경우, 이뇨 효과로 체액손실이 가중될 수 있다. 탈수는 점액의 점도를 높여 기도협착을 유발하고, 그 결과 기도폐쇄가 발생할 수 있다. 아동이 가장 좋아하는 음료를 지속적으로 마시도록 하여 구강섭취를 증진하도록 한다. 우유, 유제품, 탄산음료는 피하도록 하고, 필요시 정맥주사를 하여 수분 전해질 균형을 유지하도록 한다.

표 17-12 **천식 치료약물**

분류	대표적 약물
증상완화제	흡입용 단기작용 β2항진제(adrenergic agonist): Albuterol(Ventoline), terbutaline, metaproterenol(Alupent)
	흡입용 항콜린제: Ipratropium(Atrovent), atropine
	Short-course systemic glucocorticoid: Prednisone, methylprednisolone
증상조절제	비스테로이드 항염증제: Cromolyn, Nedocromil
	흡입용 스테로이드
	서방형 데오필린(theophylline)
	지속성 β2항진제: salbutamol, formoterol
	류코트리엔 수용체 길항제(leukotriene modifier): Montelukast(Singulair), zafirlukast(Accolate), zileuton, Pranlukast(onon)
	경구용 스테로이드: Prednisone, methylprednisolone

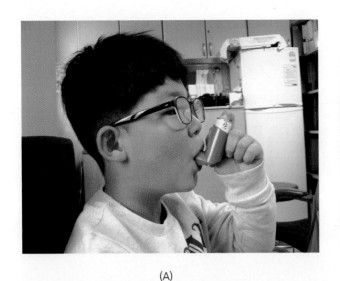
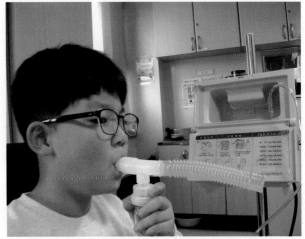

(A)   (B)

| 그림 17-9 | 천식 아동의 흡입용 기관지확장제 사용 |
(A), (B) 천식 아동은 스스로 흡입용 기관지확장제를 사용할 수 있다.

간호진단 및 목표

간호진단 : 갑작스런 천식발작과 관련된 두려움
간호목표 : 부모와 아동은 한 달 이내에 갑작스런 발작을 다루기
　　　　　 위한 방법을 설명할 수 있을 것이다.
예상되는 결과 : 부모와 아동은 천식발작을 예방하기 위한 능력
　　　　　 이 있다고 자신감을 표현한다.

천식은 두려운 질환이다. 아동은 학교에 있는 동안 발작이 일어날 것을 두려워하여 학교 출석을 겁낼 수 있다. 부모 또한 아동을 베이비시터에게 맡기거나 아동 곁을 떠나는 것을 두려워한다. 아동과 부모에게 천식발작 시 대처방법에 대해 충분히 교육하도록 하고, 아동이 성장과 발달시기 동안 개인시간을 가질 수 있도록 부모를 돕는다.

간호진단 및 목표

간호진단 : 천식발작 치료 및 예방과 관련된 건강추구 행위
간호목표 : 부모와 아동은 빠른 시일 내에 발작 예방법을 이해하
　　　　　 고 발작에 대처할 수 있을 것이다.
예상되는 결과 : 부모와 아동은 천식발작 시에 대처행동을 정확
　　　　　 히 수행할 수 있다. 아동은 정확하게 호흡운동을 하고
　　　　　 흡입제와 PEFR meter를 사용한다.

아동은 가능한 유발요인을 피하는 방법을 배워야 한다. 만약 음식이 유발요인이라면 피할 수 있도록 해야 하는데, 6세 정도의 어린 아동은 먹으면 안 되는 음식을 배울 수 있고, 개나 고양이와 같은 유발요인을 피할 수 있다. 만약, 생일파티에 간다면 친구의 부모나 학교교사에게 아동이 먹을 수 없는 음식에 대해 말하도록 한다.

계량화된 흡입제 사용방법을 배우도록 하며, 매일 호흡운동을 하도록 한다. 이것은 호기기능을 증가시키는 데 도움을 준다(횡격막 또는 측면팽창호흡). Incentive spirometer는 아동이 호흡운동을 하는 데 효과적일 수 있다. 호흡운동은 취침 시 또는 하교 후에 적절하다. 팔을 위로 곧게 펴고 좌우로 구부리거나 앞으로 구부리고, 오른쪽 팔을 왼쪽 발에 접촉하고, 그 다음 반대 동작을 반복하며 율동적으로 팔을 움직이는 것도 상체근육 발달에 도움이 된다.

천식 관리를 시작하는 시기가 어릴수록 또는 증상이 초기일수록 염증과 기도개형으로의 진행을 막을 수 있지만, 스테로이드 같은 약물의 부작용이 발생할 수 있다. 부모에게 천식에서 완전히 회복된다는 표현은 하지 않도록 한다. 천식 아동은 지속적인 환경통제, 감시 및 평가, 교육 등 장기적 관리가 필요하다.

간호사례 / 아동의 천식

재영이는 10살 된 남아로 부모와 함께 병원에 내원하였다. 부모는 재영이가 4일 전부터 기침을 했으며 주로 밤에 심하고 기침횟수가 증가했다고 하였다. 재영이는 짧은 호흡을 하고 매시간 흡입기가 필요하였다. 약물의 용량은 확실하게 알지 못했다. 숨을 쉬기 위해 4, 5마디 정도의 문장으로만 말을 하였다.

사　　정 : 활력징후는 분당 호흡수 36회이고, 호흡하기 위해 호흡보조근을 사용하고 있으며 청진 시 천명음이 들렸다. 체온 38.3℃, 심박동수 분당 124회, 산소포화도 90%였다. 얼굴색은 창백하고 소화장애로 이틀간 음식섭취를 못했으며 주말 캠핑에서 막 돌아온 상태이다 . 재영이는 공기오염과 먼지에 민감한 것을 알고 있었으며 흡입기를 집에 두고 캠핑에 참여하였다.

간호진단 : 기관지 염증 , 기관지 경련, 점막부종과 관련된 비효율적인 기도청결

간호목표 : 재영이는 짧은 호흡양상이 없이 분당 호흡수가 24회보다 감소하여 기도청결이 증가될 것이다.

평　　가 : 적절한 기관지 확장제를 투여하여 환기를 증진시키고 급성 염증의 과정을 치료한다. 호흡노력이 감소하고 간헐적 약물투여가 가능해지고 증상은 호전된다.

계획 및 중재
1. 호흡기 상태와 활력징후를 자주 사정한다.
2. 속효성 기관지 확장제를 투여한다.
3. 정맥주입을 통한 스테로이드를 투여한다.
4. 앉는 자세를 유지하고 편안하게 있도록 격려한다.

간호진단 : 천식 유발요인과 예방적 약물에 대한 정보부족과 관련된 지식결핍

간호목표 : 재영이는 약물투여 기계인 계량흡입기의 적절한 사용법을 보여줄 수 있다. 재영이는 적정 약물을 복용할 수 있으며 흡입약물 사용 후 적절한 구강위생을 시행할 수 있다.

평　　가 : 천식을 위한 약물투여 기구를 사용할 수 있으며 예방적인 약물을 복용한다. 호흡기 상태는 안정적이며 퇴원 후 천식증상이 호전된 것을 알 수 있다.

계획 및 중재
1. 재영이와 부모에게 계량적 흡입기와 분무기의 적절한 사용법에 대해 교육한다.
2. 재영이는 치료에 적극적으로 참여한다고 말할 것이다.

확인문제

13. 눈 밑의 피부색이 검푸르게 착색(allergic shiners)되고, 눈 비빔으로 눈 밑에 여러 겹의 주름 (Dennie's line)이 생기기도 하는 알레르기 질환은 무엇인가?

14. 천식 아동의 폐 청진 시 들을 수 있는 특징적인 소견은?

15. 아동이 간헐적으로 경한 천식발작을 보일 때 흔히 사용하는 증상완화 약물은 무엇인가?

류마티스열

　류마티스열은 A군 β hemolytic streptococcus의 감염에 대한 반응으로 일어나는 자가면역질환이다. 류마티스 관절염처럼 관절을 침범해서 명명된 이름이다. 최근 들어서 류마티스열(rheumatic fever)의 발생은 많이 감소하였지만, 아직도 몇몇 지역에서는 발생하고 있다. 6~15세 이상의 아동에게 주로 발병하지만, 약 8세경에 가장 많이 발생한다. 도회지에서 인구가 많은 곳이나 사회 · 경제적으로 어려운 집단에서 가장 빈번하게 나타난다[그림 17-10].

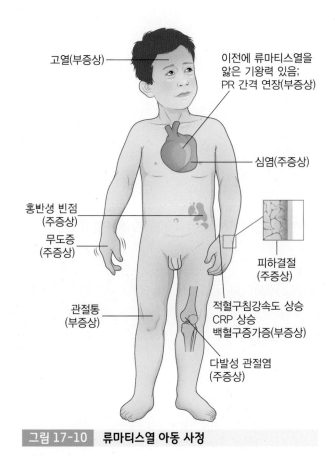

고열(부증상)

이전에 류마티스열을
앓은 기왕력 있음;
PR 간격 연장(부증상)

심염(주증상)

홍반성 빈점
(주증상)

무도증
(주증상)

피하결절
(주증상)

관절통
(부증상)

적혈구침강속도 상승
CRP 상승
백혈구증가증(부증상)

다발성 관절염
(주증상)

그림 17-10 **류마티스열 아동 사정**

01 / 사정

- 원인: A군 β hemolytic streptococcus 감염이 있은 지
  약 1~3주간의 잠복기가 지난 후 발병하므로 인두염,
  편도염, 성홍열, 목감기 또는 농가진과 같은 1차 감염
  에 대한 자가면역반응으로 발생하는 것으로 보고있
  다.
- 증상: 한 가지 특징적인 소견이 없이 여러 비특이적
  증상을 보이므로 류마티스열의 진단은 Jones Criteria
  (1992년 개정)에 따르며, 주증상과 부증상으로 나뉜
  다[표 17-13].
- 심염: 발열 정도에 비례하는 빈맥과 심막염, 심근염,
  심내막염을 포함하는 전층심염(pancarditis)을 보인다.
  심잡음이 흔히 있는데, 이는 승모판막 역류와 대동맥
  판막 역류에 의한 것이다.
- 다발성 관절염: 침범된 관절이 붓고, 발적과 열감이
  있고 통증이 있다. 1~2일 후에 다른 관절로 이동하는
  특징이 있다. 주로 무릎, 팔꿈치, 엉덩이, 어깨, 손목

과 같은 큰 관절에 호발한다.
- 무도증: 아동이 불안해하고 좌절하게 되는 가장 큰 원
  인이 되는 증상이다. 수의근 조절력 상실로 인해 몸
  통과 사지의 불수의적으로 반복되는 운동장애 증상이
  다. 남아보다 여아에게서 더 빈번히 일어난다. 무도증
  으로 인한 언어장애는 아동이 빨리 수를 세어보게 함
  으로써 알 수 있다. 제대로 말하다가도 갑자기 혼동된
  소리를 내거나 수 초 동안 말을 하시 못한다. 손은 꽉
  쥐는 것이 힘들거나, 연축성 수축과 이완이 반복된다.
  혀를 내밀게 하면, 파동치는 듯한 모양을 만들고 경련
  성 움직임을 보인다. 팔을 앞으로 내밀게 하면, 손목
  과 손가락이 과신전된다. 수면 중에는 증상이 소실되
  고 흥분 시에 악화된다.
- 피하결절: 드물게 나타나지만 심한 심염이 있을 때 자
  주 동반된다. 딱딱하고 통증이 없는 0.5~2㎝의 작은
  결절로 염증은 동반되지 않으며, 관절과 뼈의 외측면
  (extensor surface) 피하부위에 호발한다.
- 홍반성 반점: 일시적으로 나타나며, 크기는 다양하고
  중심부가 맑고 경계가 분명하다. 소양감은 없으며 주
  로 몸통과 사지 안쪽에 생긴다.
- 임상검사: 인후배양검사와 A군 β hemolytic
  streptococcus 항원 신속검사에서 양성 소견을 보인다.
  가장 자주 이용되는 A군 β hemolytic streptococcus 항
  체가 측정검사는 ASO(antistreptolysin O) 역가 측정
  으로 A군 β hemolytic streptococcus 감염의 80% 이상
  에서 의미 있는 반응을 보인다. ASO 역가의 정상 상
  한치는 소아에서 320 Todd units이다. ESR과 CRP가
  상승되어 있고, 심전도상 PR 간격과 QT 간격 연장,
  부정맥 등의 소견을 보인다.

02 / 치료적 관리

류마티스열의 진행과정은 약 6~8주이다. ESR이 감소하
고, CRP 수치와 맥박수가 정상으로 돌아올 때까지 침상안
정을 취해야 한다. 침상안정은 2주 내에 심부전과 심장염의
정도에 따라 조절된다. 맥박수는 증상 호전의 중요한 신호
이기 때문에 급성기 동안의 활력징후를 모니터하는 것은 필

표 17-13	류마티스열의 진단 기준(Jones Criteria, 1992)
분류	**증상**
주증상(major manifestation)	심염(carditis) 다발성 관절염(polyarthritis) 무도증(chorea) 피하결절(subcutaneous nodule) 홍반성 반점(erythema marginatum)
부증상(minor manifestation)	임상증상: 관절통, 발열 검사소견: 적혈구침강속도(ESR) 상승, C-Reactive Protein(CRP) 양성, PR 간격 연장
선행 A군 β beta hemolytic streptococcus 감염	인후배양검사 양성 또는 A군 β hemolytic streptococcus 항원 신속검사에 양성 높은 A군 β hemolytic streptococcus 항체가 또는 연속적으로 검사하여 증가된 항체가

진단기준
- 선행된 A군 β hemolytic streptococcus 감염의 증거가 있는 경우
  - 2개 이상의 주증상이 있거나 1개의 주증상과 2개 이상의 부증상이 있을 때
  - 위의 Jones Criteria가 만족되지 않아도 류마티스열이나 류마티스 심질환의 과거력이 있는 환아가 재발했을 때
- 선행된 A군 β hemolytic streptococcus 감염의 증거가 없는 경우
  - 다른 원인이 없는 무도증이 있을 때
  - 류마티스열 발병 후 수개월이 지나 다른 것으로는 설명이 되지 않는 심염이 왔을 때

수적이다. 60초 동안 심장박동수를 측정한다.

아동의 신체에서 A군 β hemolytic streptococcus를 완전히 제거해야 한다. Penicillin V를 125~250mg 씩 1일 3회 10일간 투여하거나, 체중 30kg 이하 환자는 benzathine penicillin 60만 U, 30kg 이상은 120 만 U를 1회 근육주사한다. Penicillin 과민반응이 있으면 erythromycin, clindamycin을 사용한다.

Salicylates 제제의 경구투여는 동반증상으로 인한 고통과 염증 감소에 효과가 있다. 오심, 구토, 두통, 흐린 시력 같은 아스피린 부작용을 관찰해야 하며, 투여 후 자반병(purpura)이 있을 경우는 과다투여로 인한 prothrombin 합성 장애로 볼 수 있다. 아스피린 투여용량은 90~120mg/kg/일을 1일 4회 분할하여 복용한다.

코티코스테로이드 제제는 중등도 또는 심한 심염 환자에서 증상 호전에 효과가 있다. 코티코스테로이드요법의 부작용으로 다모증이나 둥근 얼굴이 나타날 가능성이 있다.

아동들은 무도증 때문에 스스로 음식을 먹는 것이 어렵고 정서적으로 불안해서 자주 운다. 아동에게 무도증이 있으면, 정교한 조절이 필요 없는 장난감이나 게임을 제공한다. 무도증이 있는 아동들은 격한 움직임 으로 스스로 다치는 일이 없도록 침대에서 활동하게 한다. Phenobarbital은 무도증의 움직임을 억제하는 데 효과가 있다.

간호진단 및 목표

간호진단 : 류마티스열에 의한 무도증과 관련된 자긍심 저하
간호목표 : 아동은 무도증의 발병 동안 자가간호에 자신감을 보인다.
예상되는 결과 : 활동을 조절하는 것이 불가능할 때 아동에게 좌절감을 표현하게 하고, 식사와 옷 입기에 도움을 준다.

류마티스열의 예후는 심근의 침범 정도에 따라 달라진다. Aschoff 결절이 형성되어 판막에 변형이 올 경우, 특히 승모판막의 영구적인 판막기능장애가 초래될 수 있다. 만성 판막질환이 올 수 있는 심손상을 막기 위해 류마티스열 재발 방지를 위한 예방요법이 중요하다.

1) 초기 발병예방

류마티스열 발생은 상기도 감염 발병 후 A군 β hemolytic streptococcus 를 제거함으로 감소될 수 있으며, 이를 위해 A군 β hemolytic streptococcus에 의한 상기도 감염 증상이 나타난 후 조기에 항생제를 투여하면 예방할 수 있다. Amoxicillin이나 penicillin이 사용되며 초기 발병예방을 위해 약 10~14일 정도의 항생제 치료가 요구된다. 보통 항생제 투여 후 2~3일이면 증상이 사라지게 되어 약물복용을 중단할 수 있으므로 부모와 아동에게 정해진 기간 동안 약물을 복용해야 하는 중요성에 대해 반드시 교육해야 한다.

간호진단 : 장기간 치료의 중요성에 대한 지식부족과 관련된 약
물치료 불이행의 위험성

간호목표 : 아동은 처방된 기간 동안 재감염에 대해 예방을 해야
한다.

예상되는 결과 : 아동은 매일 penicillin을 투여한다. 인후염의 징
후가 없어야 한다. 활력징후는 나이에 적당한 기준 내
에 있어야 한다.

2) 재발 예방

류마티스열을 앓았던 아동들은 재발에 주의해야 한다.
항생제를 예방적으로 투여하는데 Benzathine penicillin G를
한 달에 한번 120만 U(체중 30kg 이하 환자는 60만 U)을
근육주사할 수 있다.

Ⅶ 가와사키병

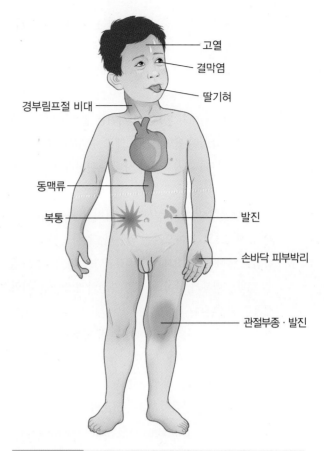

그림 17-11 가와사키병 아동 사정

가와사키병(Kawasaki disease)은 급성 전신성 혈관염
(acute systemic vasculitis)이다. 전 세계적인 발병 분포를 보
이며, 발병의 80%가 5세 미만의 아동에게서 발생한다. 발
병은 지역적·계절적 요인과 관련이 있으며, 주로 늦겨울이
나 초봄에 발생하는 것으로 보고되고 있다. 치료하지 않는
경우 동맥류를 포함한 관상동맥 합병증이 약 20% 정도에
서 발생하며, 심근경색증 또는 급사의 원인이 되기도 한다.
1세 미만의 영아인 경우 치명적인 영향이 있으며 심장질환
발병의 위험이 가장 높다[그림 17-11].

01 / 사정

* 원인: 정확한 원인은 아직 밝혀지지 않았다. 특정 연
령층에 이환되고 지역적·계절적인 소인이 있어 감염
관련성이 있을 것으로 보고 있으며, 유전적 소인이 있
는 아동에게서 감염에 의해 유발되는 면역학적 반응
으로 추정하고 있다.
* 임상증상: 가와사키병은 급성기(acute stage), 아급성
기(subacute stage), 회복기(convalescent stage)로 구분

된다.

* 급성기는 항생제와 해열제에 반응하지 않는 급성 고
열(38.9~41.4℃)로 시작된다. 열은 치료하지 않으면,
1~2주 동안 지속될 수 있으며 오랜 발열은 관상동맥
합병증의 위험요인이 된다. 아동은 심하게 보채고 손
과 발에 부종이 있으며 손바닥과 발바닥이 붉어진다.
양쪽 눈의 결막에 충혈 현상, 딸기 모양의 혀, 구강 점
막의 발적, 붉고 갈라진 입술, 부정형 발진, 경부림프
절 비대가 있다. 내부장기의 림프절이 부으면 복통,
식욕부진, 설사, 복통을 호소한다. 관절이 붓고 붉어
지는 관절염 증상을 보이며, 급성기의 심장 침범 시
심근염, 판막역류 등의 증상이 관찰될 수 있다. 백혈
구와 ESR이 상승한다. 급성기는 약 1~2주 동안 진행
된다.
* 아급성기는 발병 후 약 1~2주가 지나면 시작된다. 이
때는 고열을 비롯한 급성기 증상들은 사라진다. 이 시
기에는 특징적으로 손바닥과 발에서 피부낙설이 나

타나고, 혈소판수가 증가한다. 이는 적절한 혈액공급을 받지 못하여 세포괴사가 일어나는 것이며, 특히 손가락 끝에서 심하게 나타난다. 관상동맥류(coronary artery aneurysm)는 발병 1~2주부터 나타나기 시작하여 4~8주에 최대가 된다. 이 시기는 관상동맥류 파열로 인해 갑작스런 돌연사를 초래할 수 있는 위험한 시기이다. 심근과 관상동맥의 상태를 관찰하기 위해 심장초음파를 시행한다.

- 회복기에는 모든 임상증상이 사라지지만 검사소견도 같이 정상으로 돌아오지는 않는다. 검사소견이 정상범위로 돌아올 때 회복기가 종료된다(발병 후 약 6~8주 경과). 회복기 말에 아동은 자신의 평소 에너지와 식욕을 되찾는다.
- 진단 및 임상검사: 가와사키병은 특징적인 임상증상에 의하여 진단한다[표 17-14]. 급성기에는 백혈구 증가, ESR 상승, CRP 양성, 단백뇨, 경도의 AST, ALT의 상승이 있고, 아급성기에는 혈소판 수가 증가한다. 성홍열, Epstein-Barr virus 감염, Steve-Johnson 증후군과의 감별진단이 필요하다.

02 / 치료적 관리

급성기에는 salicylate(aspirin)와 함께 고용량의 면역글로불린을 사용한다. 면역글로불린을 발열 시작 10일 이내에 투여한 경우, 관상동맥 합병증 발생빈도를 감소하는 것으로 나타났다. 고열과 관상동맥류 형성을 감소하기 위해 고용량 면역글로불린 2g/kg을 10~12시간에 걸쳐 서서히 정맥 내 주사한

표 17-14	가와사키병의 진단기준

아래의 6가지 기준 중 5일 이상 지속되는 발열을 포함한 5가지 증상이 있을 때 가와사키병으로 진단한다.

1. 5일 이상 지속되는 발열
2. 화농성 삼출물이 없는 양쪽 눈의 결막충혈
3. 입술, 구강의 변화: 붉고 갈라진 입술, 딸기모양의 혀, 구강 및 인두점막의 발적
4. 사지말단의 변화: 손발의 부종, 손바닥과 발바닥의 홍반, 손·발톱 주위의 피부낙설
5. 부정형 발진
6. 경부림프절의 비대(1.5cm 이상)

다. 정맥주사 시 부작용으로 심한 발열이 발생할 경우에는 일시적으로 중단하고 증상이 완화되면 다시 주사한다.

급성기에 염증 감소와 혈소판 응고를 예방하기 위해 아스피린을 면역글로불린과 함께 투여한다. 미국 순환기학회에서는 아스피린을 항염 목적으로 투여할 경우에 100mg/kg/일을 권장하고 있으나, 면역글로불린과 함께 쓸 경우에는 30~50mg/kg/일로 줄이기도 한다.

염증 억제를 위한 스테로이드 사용은 관상동맥 합병증을 증가시킨다는 보고가 있어 사용하지 않는다.

발병 후 1~2주 동안은 반드시 심초음파 검사를 하여 관상동맥 합병증 발생을 관찰해야 한다. 관상동맥 합병증이 없을 경우, 아급성기에 접어들면 저용량 아스피린(3~5mg/kg/일)을 항혈소판 효과를 위해 6~8주간 ESR이 정상이 될 때까지 투여한다.

빈맥, 호흡곤란, 수포음과 부종 같은 심부전의 증상을 관찰한다. 말초조직의 관류상태를 평가하기 위해 사지의 피부색과 온기를 관찰한다. 만약 심근염이 발생할 경우, 가슴통증과 부정맥, 심전도 변화를 보인다. 이러한 모든 현상을 보고하고 기록해야 한다. 고용량의 면역글로불린으로 치료한 경우, 생백신(MMR, 수두) 접종은 투여 후 11개월 다음으로 연기한다.

간호진단 및 목표

간호진단 : 혈관의 염증과 관련된 말초조직 관류변화의 위험성
간호목표 : 아동은 질병과정 동안 적절한 조직관류가 유지되어야 한다.
예상되는 결과 : 아동의 맥박, 혈압, 호흡수는 정상범위에 있어야 하고 모세혈관 축적시간은 5초 이하여야 한다.

관절 침범부위, 부종, 발진, 복부의 불쾌감을 느끼는 가와사키병 아동은 자주 혈소판 수를 관찰해야 한다. 안아주거나 흔들어 주어 안정감을 갖게 하고, 부종이 있는 부위는 압력을 가하지 말고 무거운 옷이나 담요에 눌리지 않게 해준다. 발진이 있는 부위는 의복이 조이거나 자극하지 않도록 해준다.

간호진단 및 간호중재

간호진단 : 림프절의 부종 및 관절의 염증과 관련된 통증
간호목표 : 아동은 발병기간 동안 참을 만한 고통을 겪게 된다.
예상되는 결과 : 아동은 고통의 단계를 표현한다.

고열이 나면 입술이 마르고 갈라진다. 바세린을 발라주어 입술이 마르는 것을 방지한다. 고열이 계속되면 수분섭취를 격려하고 수액을 보충해준다. 이때 수액이 과다주입되지 않도록 주의한다. 가와사키병을 가진 아동은 입이 균열과 상처로 식욕이 없어지므로, 젤라틴 같이 무자극성이고 부드러운 음식이 좋다. 구강점막에 자극이 가지 않도록 부드러운 칫솔로 양치질하도록 한다. 섭취와 배설량을 자세히 모니터하고 기록한다.

Ⅷ 헤노흐-쇤라인자색반

헤노흐-쇤라인자색반(Henoch-Schönlein purpura, anaphylactoid purpura, allergic purpura)은 세동맥, 세정맥, 모세혈관과 같은 소혈관에 염증이 오는 전신혈관장애로서 자반증(purpura), 복부증상 (Henoch에 의해 처음 관찰됨), 관절증상(Schönlein에 의해 처음 관찰됨) 및 신장증상의 특징적인 증상을 보이는 질환이다. 대부분 2~8세 사이에 발생하며, 여아보다 남아에게 빈도가 약간 높고 겨울에 잘 발생한다.

01 / 사정

- 원인: 정확한 원인은 알려져 있지 않지만 일반적으로 알레르겐에 대한 과민반응으로 여겨지고 있으며, 약 50%의 환자에서 증상이 발생하기 전 상기도 감염 병력이 있다.
- 증상: 특징적인 증상이 동시에 나타날 수도 있고, 수 주 또는 수개월에 걸쳐 점진적으로 나타나는 경우도 있다.
- 피부증상: 발진은 두드러기로 시작하여 붉은 반점구진(maculopapules)으로 변하고 점차 퇴색하여 적갈색

이 되어 수 주 동안 지속된다. 자반성 발진(purpural rash)은 전형적으로 엉덩이, 허벅지 뒤 그리고 팔과 다리의 외측 부위, 귀 끝에 대칭적으로 나타난다. 얼굴, 복부, 손바닥, 발바닥 등에는 거의 나타나지 않으며, 간혹 두피에 심한 부종이 있을 수 있다.

- 복부증상: 환아의 2/3에서 제대 주위에 심한 산통(colicky pain)이 많이 오며, 구토나 위장관 출혈증상 및 혈변이 동반될 수 있나. 피부증상보다 먼저 나타날 수도 있으며 복통이 심할 경우 장중첩증이나 충수염으로 오인될 수 있다.
- 관절증상: 환아의 약 2/3에서 무릎과 발목관절의 압통과 부종이 있으며 후유증은 없다.
- 신장증상: 신장에 침범했을 경우 육안으로 혹은 현미경상으로 혈뇨와 단백뇨가 보인다(환아의 25~50%). 생검상 소동맥 혈관벽에서 과립구가 나타난다. 심한 경우 핍뇨, 고혈압, azotemia가 초래될 수 있다.
- 신경계 증상: 드물게 경련, 마비, 의식장애 등의 증상이 나타나기도 한다.
- 임상검사: 혈소판 기능은 정상으로 응고시간, 프로트롬빈 시간, PTT는 모두 정상으로 나타난다. 적혈구 침강률(sedimentation rate), 백혈구 수, 호산구 수는 상승된다. 신장에 침범한 경우 소변검사에서 적혈구, 백혈구, cast, 알부민 등이 발견된다.

02 / 치료적 관리

구체적인 치료법은 없으며, 충분한 수분공급과 통증 조절 등의 대증요법을 실시한다. 심한 관절통과 복통, 두피 부종, 중추신경계 합병증이 있을 경우에는 prednisone(1~2 mg/kg/일)이 증상 완화에 도움이 되지만, 스테로이드는 2주 이상 사용하지 않도록 한다.

비강과 인후배양검사로 상기도 감염으로 인한 원인균을 확인하고, 신장침윤을 확인하기 위해 소변검사를 통해 단백질과 당을 사정한다. 전형적으로 이 질환은 4~6주 동안 지속된다. 합병증으로 만성 신우염, 신부전이 올 수 있다.

부모는 아동의 피부를 청결하게 유지하며, 관절통과 출혈예방을 위해 조용한 놀이활동을 권장해야 한다. 피부 자

반에 대한 정서적 지지를 위해 긴소매 등 긴 옷을 입히고 대소변의 잠혈반응과 신장증상에 대해 세심히 관찰하고 조심스럽게 움직이고 적절한 자세를 유지시켜준다.

확인문제

16. 류마티스열 발병과 가장 밀접한 관련이 있는 병원균은?

17. 가와사키병의 급성기 단계에서 나타나는 일차적인 증상은?

18. 알레르기와 관련된 자반병은?

요 점

※ 항원은 면역반응을 자극하는 이물질이다. 면역반응은 백혈구의 활동을 통해 이물질의 침입에 대해서 신체를 보호한다.

※ 체액성 면역은 항체생성에 의해 이루어지는 면역을 의미한다. B세포는 이러한 유형의 면역에 관여한다. 세포중개성 면역은 T세포와 관련된다.

※ 자가면역은 자기와 비자기를 구분하는 능력이 없기 때문에 발생한다. 이것은 면역계가 정상세포에 대해서 면역반응을 일으키는 원인이 된다.

※ 알레르기질환은 비정상적인 항원-항체 반응의 결과로 초래될 수 있다. 약 5명의 아동 중 1명이 어떠한 형태의 알레르기질환으로 고통받고 있다.

※ 면역계 질환은 만성 질환이며, 아동이 이 질환에 잘 적응하기 위해서는 자신을 위한 자가관리에 참여해야 한다 (알레르겐을 피하는 것, 항히스타민을 복용하는 것 등). 치료 초기부터 아동이 같이 참여하도록 하는 것은 아동이 자신의 건강관리에 적극적인 역할을 하도록 돕는다.

※ 아나필락시스 쇼크는 극심한 혈관이완과 순환성 쇼크의 특징을 보이는 급성 과민감성 반응이다. 만일 치료가 즉각적으로 일어나지 않는다면 결과는 치명적이다.

※ 환경 통제는 아동에게 노출되는 알레르겐의 수를 줄이는 방법을 말한다. 저감작화는 면역글로불린 E 항체 형성과 알레르기 증상을 예방하거나 차단하기 위해서 면역글로불린 G 항체의 혈장농도를 증가시키기 위한 방법이다.

※ 아토피성 질환은 알레르기비염(고초열), 아토피피부염과 천식을 포함한다.

※ 모유수유를 증진하고 적어도 6개월까지는 고형음식을 아동에게 섭취시키지 않는 것이 알레르기 경향을 지닌 가족을 위한 중요한 예방법이다.

확인문제 정답

1. 단핵구
2. 림프구
3. 비특이적 방어기전
4. 세포매개성 면역
5. 제1형: 아나필락시스(또는 즉시형 과민반응)
6. 영·유아기
7. 말초모세혈관
8. 단자검사
9. 졸림 또는 진정작용
10. 면역요법
11. 음식 알레르기
12. 사지의 굴곡 부위, 손목과 발목의 돌출 부위
13. 알레르기비염
14. 천명음
15. Albuterol 과 같은 흡입용 단기작용 β2항진제
16. A군 β 용혈성 연쇄상구균
17. 해열제와 항생제에 반응하지 않는 고열
18. 헤노흐-쇤라인자색반

CHAPTER 18

피부기능 장애 아동의 간호

학습목표

01 아동기 피부의 특성을 설명한다.
02 접촉 피부염 아동에게 간호과정을 적용한다.
03 기저귀 피부염 아동에게 간호과정을 적용한다.
04 농가진 아동에게 간호과정을 적용한다.
05 옴 아동에게 간호과정을 적용한다.
06 머릿니 아동에게 간호과정을 적용한다.
07 화상 아동에게 간호과정을 적용한다.
08 칸디다증 아동에게 간호과정을 적용한다.
09 혈관종 아동에게 간호과정을 적용한다.
10 여드름 아동에게 간호과정을 적용한다.

I 피부계의 특성

피부는 아동의 전신 건강의 지표로서 통증, 소양감, 부분적 감각 변화에 주의하여 관찰할 필요가 있다. 피부는 5가지 주요한 기능이 있다. 첫째, 상해, 건조, 이물질의 침입으로부터 심부조직을 보호한다. 둘째, 체온을 조절한다. 셋째, 수분의 배출을 돕는다. 넷째, 비타민 D의 생성을 돕는다. 다섯째, 촉감, 통증, 열감, 냉감을 느끼게 한다.

성인의 피부와 달리 아동의 피부는 다음과 같은 특성이 있다.

- 미숙아의 체표면적은 영아나 아동보다 커서 피부를 통한 증발로 인한 수분 소실이 증가하고, 세포 부착력이 약해 수포가 더 잘 생긴다.
- 신생아의 표피는 성인보다 더 얇아 국소 약물에 대한 투과성과 수분 소실이 증가한다.
- 신생아와 아동의 신체용량에 대한 체표면적의 비율이 성인보다 커서 피부를 통한 흡수량이 더 많아지므로, 의사의 처방 없이 국소 약물을 사용하지 않아야 한다.
- 소한선(eccrine gland)의 기능은 2~3살이 될 때까지 성숙되지 않아서 영아나 어린 유아는 체온조절이 잘 되지 않는다.
- 점막의 상피세포에서 분비되는 IgA는 2~5살이 될 때까지 성인수준에 도달하지 않으므로 영아의 손이나 입을 통해 들어오는 미생물에 대한 저항력이 낮다.
- 청소년기 호르몬의 변화로 피지 생산이 증가하여 여드름이 나타난다.

피부장애는 겉보기에 좋지 않으므로 아동과 가족에게 정서적, 심리적 스트레스가 될 수 있으며, 영아 습진은 스트레스를 주고, 청소년 여드름은 정서적 혼란을 주어 아동의 정신적, 사회적 발달에 영향을 줄 수 있다. 아동을 돌보는 간호사는 아동의 피부 상태를 사정하여 아동과 가족이 피부장애를 극복할 수 있도록 도와주어야 한다. 또한, 아동과 가족에게 건강한 피부를 유지하고 피부 문제를 예방하도록 돕는 중요한 역할을 수행해야 한다.

II 피부계 기능 사정

01 / 건강력 사정

피부는 아동의 발달단계에 맞지 않거나 특이한 부위에 멍이 있는지 사정한다. 아동은 활동량이 많아지면서 다리나 얼굴에 멍이 자주 들 수 있는데 위팔, 등, 엉덩이, 복부 등에 멍이 드는 것은 비정상이고, 색깔이 다른 멍이 여러 개 있다면 학대 가능성을 배제하기 위해 추가검진이 필요하다. 청소년의 경우 피부에 땀과 기름이 많아지고, 피지선 활동으로 여드름이 생길 수 있다. 청소년에게 가장 흔하고 신경을 많이 쓰는 피부 이상은 여드름으로 대부분 얼굴에 생기지만 가슴, 등, 어깨에도 발생할 수 있다.

어린 아동에게 자주 보이는 병변의 경우 수두, 풍진, 홍역, 돌발피진(장미진), 몸 백선, 농가진, 몸 이, 옴 등의 전염병이나 세균감염 때문에 생길 수 있으므로 이를 확인할 필요가 있다.

어린 아동이 아픈 경우 탈수가 되었는지 검사한다. 눈이 푹 꺼지거나 점막건조, 소변량 감소 이외에도 피부 긴장도를 검사하여 체중의 3~5% 이상 탈수가 된 경우 텐트모양이 된다.

어린 아동은 얼굴이나 몸통에 털이 거의 없고, 아동은 주로 머리카락을 잡아당기거나 꼬거나 탈모증, 머릿니, 옴, 서캐가 머리와 두피관련 문제가 있을 수 있다. 청소년의 경우 체모의 큰 변화가 있으면서 남학생의 경우 수염이 생기는 등의 변화가 있다.

손·발톱은 손톱을 물어뜯는 비정상 행동이 있는지 확인하고, 손톱에 청색증이나 곤봉 모양이 있는 경우 심장이나 호흡기 문제를 확인하도록 한다.

02 / 진단적 검사

1) 피부 반응 검사

피부 반응 검사(skin test)는 알레르기 질환의 원인 항원을 찾는 가장 기본적인 검사로 피부 반응 검사는 예민도가 높고 간편하며 짧은 시간에 결과를 판독할 수 있는 장점을 가지고 있어 널리 이용한다.

환자의 등이나 팔의 전박 안쪽 부위에 검사하고자 하는 알레르겐과 양성 대조액, 음성 대조액을 한 방울씩 떨어뜨린다. 보통 양성 대조액은 히스타민을 사용하며 음성 대조액은 생리식염수를 사용한다. 검사액을 떨어뜨린 부위를 주삿 바늘으로 살짝 찔러 검사액이 표피까지 도달하도록 한다. 바늘로 찌른 후 1분이 지난 후 서로의 알레르겐이 섞여 묻지 않도록 하면서 떨어뜨린 항원을 닦아낸다. 검사 후 15~30분이 지난 뒤 팽진과 발적을 측정하여 결과를 판독한다.

2) 피부 생검

피부 생검은 피부의 조직학적 검사를 위한 것으로 소파 채취, 면도날 생검, 천자 생검, 외과적 절제 생검 등이 있다. 피부에 발생한 조직을 떼어내어 피부병변의 상태(악성종양 여부 등)를 파악하기 위해 실시한다.

3) 미생물학적 검사

직접 도말검사와 Tzanck 도말 검사가 있다. 직접 도말검사의 경우 진균에 감염된 피부를 유리 슬라이드로 부드럽게 찰과시켜 채취한 다음 10% potassium hydroxide(KOH) 한 방울을 넣어 현미경을 통해 관찰한다. Tzanck 도말 검사는 수포로부터 세포 또는 체액 성분을 채취하여 단순포진, 대상포진 등의 바이러스 감염을 파악하기 위해 적용한다. 표본을 채취한 환부는 청결하고 건조하게 유지하고 가피가 형성될 때까지 느슨한 멸균드레싱을 적용한다.

4) 진단보조기구 이용검사: wood light 검사

긴 파장의 자외선을 반사하는 고압의 수은 램프를 이용하는 것으로 방안을 어둡게 하여 검사한다. 진균 및 세균의 형광 검사, 색소 소실의 정도 확인, 색소 침착의 깊이를 추정하여 진단을 내릴 목적으로 사용한다.

Ⅲ 접촉 피부염

접촉 피부염(contact dermatitis)이란 자극성 물질이 직접 피부에 닿아서 나타나는 피부염증이다. 접촉 피부염이 발생하는 원인으로 고무제품, 의류염료, 니켈(장신구, 브래지어 호크, 바지 지퍼), 식물성 기름(plant oil) 등이 가장 흔한 원인이고, 강한 향의 알칼리성 비누, 피부 로션, 화장품, 모직 의류 등도 원인이 될 수 있다. 3~18개월 사이에 나타나고, 8~10개월 사이 가장 흔하며 발생 빈도는 점점 증가하고 있다.

증상은 자극물질에 접촉한 피부표면에 병변이 발생하는데, 피부건조, 염증, 소양증이 발생하고 염증 부위에 수포, 진물(weepinmg), 가피, 인설이 발생할 수 있다. 옻 피부염(rhus dermatitis)의 경우 심한 전신적 반응이 나타날 수 있다.

진단은 자극물에 노출된 병력이 있는지 확인하고 접촉 피부염의 특징적 병변이 있는지 확인한다. 피부염이 지속되거나 재발 시에는 피부 알러지 검사를 시행한다.

치료는 자극물의 피부에 접촉되지 않는 것이 가장 중요한데, 접촉성 피부염의 경우 치료하지 않아도 10~14일이면 치유가 된다. 피부에 남아 있는 자극물을 철저하게 씻고 찬물 찜질이나 Burrow 용액을 적용하거나 스테로이드 크림(0.1% triamcinolone, 0.025% fluocinolone)을 찬물 찜질 후 하루에 여러 번에 걸쳐 얇게 발라준다. 증상이 심한 경우 구강으로 스테로이드 치료가 필요할 수 있다.

간호는 접촉 피부염을 일으키는 원인, 상태, 증상 등에 대해 사정하는 것이 필요한데, 자극물이 될 수 있는 모든 물질을 조사하고 피부 병변의 분포, 모양, 소양증 정도를 조사한다. 간호 중재의 목표는 가려움증을 완화시키고 2차 감염을 예방하며 자극물을 확인하여 제거하는 것이다. 또한 찬물 찜질, 미지근한 오트밀(Aveeno) 목욕은 소양증을 완화시킬 수 있으며, Antihistamines (diphenhydramine(Benadryl), hydroxyzine(Atarax) 등을 적용할 수 있다. 조용한 활동을

간호진단 및 목표

간호진단 : 피부 염증과 관련된 급성 통증
간호목표 : 아동은 피부 자극이 감소되어 찰과상이 감소하고 치유가 증진된다. 또한, 아동은 피부 벗겨짐이 감소하여 긁지 않고 수면 중 깨는 일이 없다.

간호진단 : 병변의 긁는 것과 관련된 감염 위험성
간호목표 : 아동은 이차 세균감염의 징후가 없고 깨끗하고 온전한 피부를 유지한다.

간호진단 : 치료의 불완전한 이해와 관련된 지식부족
간호목표 : 아동과 가족은 자극물을 확인하고 피할 수 있으며 처방된 치료를 올바르게 수행한다.

권장하고 실내 온도를 낮추어 가려움증을 완화시켜 준다. 접촉성 피부염은 다른 사람에게는 전파되지 않으나, 긁거나 다른 곳을 접촉할 때 피부나 손톱, 의류에 옻 식물 수지가 남아 있어서 새로운 병변이 나타날 수 있으므로 깨끗이 유지하도록 하고 긁지 않도록 교육한다. 열이 나거나 병변에서 화농성 분비물 나타나는 경우에는 병원 진료가 필요할 수 있다. 만약 옻 식물에 접촉한 경우에는 15분 이내로 즉시 차가운 물로 헹궈내고 뜨거운 비눗물로 옷을 세탁한다. 식물에 있는 oleoresin은 직접 식물에 접촉하여 전파하거나 잎을 태우는 연기나 식물에 접촉한 동물을 만져도 옮을 수 있다. 또한 화장품, 보석, 운동화 등의 자극을 일으키는 물질을 유의하도록 한다.

 ## 기저귀 피부염

영아의 피부는 매우 민감하여 기저귀 발진(diaper dermatitis)이 생길 수 있는데, 이는 습기, 마찰, 화학물질 같은 자극물에 의해 나타나는 접촉 피부염의 일종으로 소변의 암모니아, 대변의 세균(bacteria)에 의한 요소 분해산물이 피부를 자극하여 일어날 수 있다.

부모가 기저귀를 자주 교환하지 않을 경우 소변과 대변에 계속 접촉하여 피부를 자극한 결과로 손상될 수 있다. 또한 부적절한 수분섭취, 열(heat), 기저귀에 남아있는 세제도 상태를 악화시킬 수 있다.

항문주위 홍반(erythema)으로 시작하여 반점(macule)과 구진(papule)로 되어 이후에는 미란(erosion)과 가피(crust)가 될 수 있다. 추가적으로 기저귀를 차는 부위가 전체적으로 홍반성이고 피부 위에 기저귀 윤곽선을 따라 자극이 나타날 경우 기저귀에 의한 알레르기를 의심할 수 있는데, 이때에는 집에서 세탁하는 기저귀를 사용하거나 기저귀 회사나 종류를 바꾸거나 세탁용액을 바꿔 문제를 경감시킬 수 있다. 기저귀 부위가 분비물이 있거나 없을 수 있는데, 만약 밝은 적색의 병소로 되고 최소 3일 이상 계속되는 붉은색 병소가 나타난다면 진균(모닐리아균, 캔디다균) 감염이 의심된다.

이를 해결하기 위해 피부손상과 감염의 기회를 줄이는

것이 중요한데, 특히 피부가 겹치는 부위나 주름진 곳은 주의가 더 필요하다. 기저귀를 자주 교환해주고, 배뇨와 배변 후 물과 중성비누로 철저하게 깨끗이 씻어 암모니아를 제거한다. 또 부드러운 천으로 피부를 가볍게 두드려 건조시키고, 건조 시 공기 중에 피부를 노출시켜 준다. 기저귀 발진이 심할 경우 낮잠 자는 동안에는 기저귀를 하지 않도록 하는 것도 도움이 될 수 있다. 무자극성 보호 연고(바셀린·A&D, Balmex, Desitin, zinc oxide)를 바르되 염증이 있는 피부는 적용하지 않는데, 연고를 바름으로써 피부에 습기가 있게 하기 때문이다. 스테로이드 크림도 적용하지 않는다. 천으로 된 기저귀를 사용하는 경우 순한 비누를 사용하고, 뜨거운 물로 세탁하며 충분히 헹구도록 하거나 마지막 헹구는 물에 식초를 1/4컵 넣어 세탁할 수도 있다. 세탁 후 기저귀의 ammonia 잔여물이 없도록 한다.

피부의 발진이 붉은 색으로 변하거나 단단해지거나 출혈, 수포 생기는 경우, 치료를 하고 3일이 지나도 좋아지지 않는 경우, 열이 나는 경우에는 병원을 방문하도록 한다. 또한, 기저귀 발진으로 병원을 방문하는 경우 간호사는 기저귀 부위를 시진하고 병변 종류와 범위를 관찰하는 것이 필요하다. 기저귀 발진이 다시 생기지 않도록 영아의 위생 상태와 부모의 피부에 대한 지식을 사정하는 것이 필요하고, 어떤 종류의 기저귀를 사용하는지 세탁 방법과 새로운 음식이나 새로운 비누, 세제, 로션 사용 등에 대해 조사할 필요가 있다.

 ## 농가진

농가진(impetigo)은 감염성이 매우 높은 표재성 세균 피부감염으로 표피에서의 국소 염증과 감염을 보이며, 피부 손상을 입은 곳에 균이 침입하여 염증과정을 통해 농포성 병변이 발생한다. 벌레 물림과 같은 다른 피부 병변에서 2차적으로 발생하기도 하고, 감염성이 높으며, 보육시설, 학교, 야영장 같은 장소나 운동 시에도 위험성이 높다. 다른 쪽 피부로 퍼지거나 다른 아동이 환부를 만지거나 같은 수건을 사용하거나 같은 컵을 사용할 때에도 감염될 수 있다.

또 나쁜 위생 상태, 인구 밀집 환경, 뜨겁고 습한 환경은 감염의 확산을 촉진시킬 수 있다.

원인은 황색포도상구균(일차적 병원균), group A beta-hemolytic streptococci에 의해 발생할 수 있다. 수포성 농가진(bullous impetigo)은 일부 포도상구균 균주에서 생산되는 표피 탈락성 독소에 의해 발생하는 수포성 장애의 약한 상태이고, 포도상구균성 열상성 피부증후군(staphylococcal scalded skin syndrome)은 가장 심각한 상태이다. 잠복기는 7~10일이며, 12~14일간 치료하면 병변이 회복될 수 있다. 주로 뜨겁고 습한 여름에 자주 발생하고 유아와 학령전기 아동이 자주 발생하며, 때로는 상기도 감염이 회복될 때 나타나기도 한다.

농가진은 수포성 농가진과 가피성 농가진으로 크게 나눌 수 있는데, 수포성 농가진은 소수포(vesicle)로 시작하여 수포(bullae)로 진행되는데, 처음에는 장액성 액체로 가득 차 있고 나중에 농포로 바뀐다. 수포는 빠르게 터지고 가장자리가 인설로 둘러싸인 반짝거리며 윤이 나는 병변으로 남는다. 가피성 농가진은 처음에는 소수포나 농포로 나타나 꿀 색깔의 가피로 덮인 미란이 발생되고, 가피가 떨어질 때 쉽게 출혈이 나타난다. 약간 가려운 증상이 있으며 병변을 잡아 뜯거나 긁으면 상흔이 발생한다. 염증 후에 후유증으로 피부가 검은 아동에게 과색소 침착이 나타날 수 있다. 입과 코 주위에 흔한데, 신체 어느 부위에도 나타날 수 있다.

농가진을 진단하기 위해서는 특징적 병변의 출혈이나 배양검사로 진단을 확정하게 되는데, 만약 치료에 반응하지 않은 경우에는 메티실린 저항성 황색포도상구균(community-acquired Methicilin-resistant Staphylococcus aureus(CA-MRSA) 감염을 암시할 수 있다.

간호진단 및 목표

간호진단 : 세균 감염과 관련하여 이차적으로 발생하는 피부통합성 장애

간호목표 : 감염이 일차 부위에 국한되었다고 증명되면 아동의 피부 통합성이 유지될 것이며, 그 부위는 상흔이나 더 이상의 감염 없이 치유된다.

간호진단 : 항생제 투약, 농가진 관리와 관련된 지식 부족

간호목표 : 아동과 가족은 감염전파 예방법을 잘 지킬 것이며 병변을 관리하고 약물을 올바르게 투약할 수 있다.

치료 및 간호는 국소나 경구 항생제 치료를 시행하는데 Mupirocin(Bactroban)나 Bactitracin(Baciguent)를 8~10일간 국소적으로 연고를 도포하거나 광범위한 농가진의 경우 정맥주사를 통한 항생제 치료를 시행한다. 농가진이 심한 경우나 입 주위의 농가진은 포도상구균, 연쇄상구균 모두 효과적으로 경구 항생제를 통한 치료가 가능하다.

농가진 피부는 따뜻한 물이나 비누 묻힌 수건으로 1일 3회 부드럽게 씻어주고, 기피는 물에 불려 조심스럽게 제거한다. 농가진을 진단받은 경우 혼자서 자도록 하고, 매일 따로 항균비누를 사용하고 씻도록 한다. 또한, 올바른 손 씻기를 교육하고 위생 상태를 확인하며 아동은 보육시설이나 학교에 가지 않도록 하여 감염 전파를 예방하는 것이 필수적이다. 항생제는 처방된 대로 투약을 지켜서 복용하도록 교육하고, β-용혈성 연쇄상구균에 의해 발생한 농가진의 경우 혈뇨나 눈 주위 부종 증상 등을 확인하여 급성 사구체신염으로 합병되지 않았는지 관찰할 필요가 있다.

VI 옴

Sarcoptes scabiei이 침입하여 발생되는데, 감염된 사람과 밀착된 접촉에 의해 전파되거나 침대를 같이 사용하거나 밀집된 상태로 사는 경우 옮기기 쉽다. 침구류나 옷을 통해서는 잘 전파되지 않는데, 인간의 피부에서 떨어지는 경우 3일 이상 생존하기 어렵기 때문이다. 다양한 사회경제적 수준에서 발생할 수 있다.

암컷 옴이 피부 표피 속에 굴을 파서 알을 낳고 4~5주 후 굴 속에서 죽는다. 알은 3~5일 후 부화하여 유충이 피부 표면으로 이동하여 성장하고, 생활주기를 끝낸다. 옴, 알, 배설물은 심한 소양증을 일으켜 아동이 긁으면 농가진을 일으킬 수 있다.

특히 밤에 활동하여 아동은 자주 보채고 깨며 손과 발을 문지르는 증상을 보인다. 미세하고, 회색 빛의 실 같은 선인 Burrows는 보통 찰과상과 염증 같은 이차적 변화에 의해 희미해져 알아보기 힘들 수 있다. 구진, 소수포, 소결절이 흔하게 나타나고, 주로 손목, 손금, 팔꿈치, 배꼽, 액와, 서혜

부, 둔부에서 볼 수 있는데 영아의 경우 머리, 손바닥, 발바닥에서도 나타난다.

옴을 확인하기 위해서는 특징적인 피부 발진과 특히 밤에 심한 소양증 증상을 통해 진단할 수 있으며, 현미경 검사로 옴의 성충이나 유충 등을 확인할 수 있다.

치료 및 간호로는 Permethrin 5%(Elimite)을 도포한다. 또한 Lindane 크림 1%(Kwell, Scabene)도 국소도포 할 수 있는데, 2세 이하 아동이나 임산부의 경우 신경독성의 위험성 때문에 쓰지 않는다. 약을 바르고 있는 동안은 옷을 입혀두는데, 눈과 입을 제외한 온몸과 머리에 바른다. 약 도포 후 8~14시간 동안 유지해야 하므로 취침시간에 사용하는 것이 가장 효과적이며, 7일 후 재치료가 필요하다. 소양증은 corticosteroid cream이나 경구용 항히스타민제를 사용하여 증상을 조절하고, 아동의 침구와 옷은 뜨거운 물로 세탁한다. 임산부를 제외하고는 증상이 없어도 나머지 가족들도 모두 치료하며, 이 기생충과 비슷하게 환경을 관리한다.

 VII 이 기생충

이(lice)는 약 2~4mm의 크기로 피를 빨아먹는 곤충으로 오직 인간에서 살고, 감염자와 직접적 접촉이나 감염된 물건과의 간접적 접촉에 의해 전파된다. 발생빈도는 여아가 남아보다 2배 많이 발생하며 모든 사회경제적 수준에서 감염이 될 수 있다. 학령전기 아동과 저학년 아동에게 빈도가 높고, 치모 이(lice)의 경우 청년기나 성인 초기에 대개 성적 접촉으로 전파된다.

발생되는 부위에 따라 크게 3가지로 나뉠 수 있다. 두발 이 기생충(머리 이)의 경우 서캐훑이 빗으로 빗으면 눈으로 확인할 수 있으며, 주로 모발에서 두피 가까이에 붙어 있고 귀 뒷부분과 목덜미 부분에 흔히 발견된다. 작고 비듬과 닮은 은색, 회색빛 혹은 백색의 작은 반점과 같은데, 활동적인 이는 두피 표면에서 대략 1cm 정도 떨어져 있다. 성숙한 이는 빛을 피하기 위해 매우 빨리 움직여 보기 힘들다. 두피 위, 귀 뒤, 목 뒤에 흩어져 있는 병변은 심한 소양증 때문에 발생되는데 심한 경우 후경부림프선증도 나타날 수 있으

며, 긁을 경우 2차 두피 감염이 발생될 수 있다. 체부 이 기생충(몸 이)은 심한 소양증을 나타내는 구진이나 장미색 피부염이 나타나는데, 꽉 조인 옷 아래 피부에서 주로 발견되고 아동의 옷이나 침대의 솔기 등에 단단히 붙어 있다. 치모 이 기생충은 치모, 얼굴털, 액와, 신체 표면에서 볼 수 있는데, 심한 소양증이나 증상이 심한 경우 대퇴와 몸통에 청반(maculae ceruleae)이 나타날 수 있다. 또한 이의 배설물이 속옷과 침대보에 암갈색 반점으로 나타날 수도 있다. 만약 사춘기 이전 아동에게서 눈썹이나 속눈썹에서 발견되는 경우 성적 학대를 암시할 수도 있으므로 간호사는 다른 학대 증상이 없는지 주의 깊게 살펴볼 필요가 있다.

이(lice)를 확인하는 방법은 머리 이의 경우 두피에서 확인하는데 밝은 빛이나 햇빛 아래서 특별히 주의 깊게 검사한다. 비듬은 머리에서 잘 떼어지지만 서캐의 경우 제거하기 쉽지 않다. 치모 이의 경우에는 증상과 시진을 통해 진단한다.

치료 및 간호로는 활동하는 이와 서캐를 제거하는 것이 필요하다. Permethrin 1%(Nix, Elimite, Acticin)를 적용한다. 이 약은 한번 투여하는데 머리 이, 치모 이, 서캐를 죽이며 10일간 작용한다. Nix 크림 린스의 경우 린스가 함유되지 않은 샴푸로 머리를 감은 후 머리에 바른다. 치모 이에는 로션으로 사용할 수 있는데, 10분 후 헹구어 내고 모발의 경우에는 치료 후 24시간 동안 머리를 감지 않는다. 7~10일 후 한 번 더 사용한다.

간호진단 및 목표

간호진단 : 염증 반응, 소양증과 관련된 급성 통증
간호목표 : 아동은 안정되며 더 이상 긁지 않을 것이다.

간호진단 : 소양증과 관련된 감염 위험성
간호목표 : 아동은 이차 세균감염 징후가 없으며 정상적인 피부와 경부림프절을 보일 것이다.

간호진단 : 이 기생충의 치료와 재발 방지에 대한 지식 부족
간호목표 : 아동과 가족들은 처방된 치료방법을 올바르게 수행하고, 재감염을 예방하는 방법을 설명할 수 있을 것이다.

간호진단 : 이 기생충으로 인한 사회적 오명과 관련된 자존감 저하 위험성
간호목표 : 아동과 가족은 자기를 수용한다는 표현을 하고 일상 사회활동에 참여할 것이다.

Pyrethrins(RID, Triple X, R & C, Pronto)는 치료 후 모발에 남는 잔류 활동이 짧으므로 처음 치료 7~10일 후 다시 한번 반복하여 사용한다. 서캐를 죽이는 약은 2세 이하 아동에게는 사용하지 않는다. 린스를 하고 젖은 상태에서 서캐훑이 빗으로 2주에 걸쳐 적어도 4번 정도 빗어준다.

Cetaphil gentle cleanser는 사용 후 드라이기를 사용하여 바람으로 머리를 말리는데, 이것은 suffocation-based therapy로 이를 질식시키는 치료방법이다. 어린 아동에게 안전한 대안으로 적용할 수 있다.

체모 이는 petroleum jelly로 하루에 2~4번 정도 치료한다. 치모 이의 경우 치모 이가 있는 사람과 성 접촉을 한 사람도 함께 치료 받아야 하고 다른 성병도 있는지 확인하는 검사도 실시한다. 몸의 이는 옷과 침구를 뜨거운 물로 빨고 뜨거운 건조기로 20분간 건조시켜 환경을 관리한다.

Malathion 살충제(ovide)는 6세 이상 아동에게 치료할 수 있으나 8~10시간 동안 지속적으로 접촉해야 효과가 있으며, 이것은 가연성이어서 치료 하는 동안 헤어드라이기, 불, 난로를 가까이 하면 안된다.

서캐훑이 빗으로 빗질하기 전 식초와 물을 1:1로 혼합한 물이나 상품화된 제품(Clear, Step 2 등)으로 머리카락을 적셔 서캐가 잘 떨어지도록 하는데, 이(lice)는 머리카락이 축축할 때 더 쉽게 제거 된다.

소양증으로 수면이 방해되거나 1주일 후 깨끗하지 않거나 두피 병소가 감염된 경우 병원 진료가 필요하다.

의복과 침구를 깨끗이 하고 감염된 아동을 포함하여 가까이 접촉한 사람과 가족을 함께 검사하고 치료하는 것이 필요하다. 모자, 빗, 머리 장신구를 다른 아동과 같이 쓰지 않도록 하며, 학교나 유치원에서 전파되지 않도록 유의하는 것이 필요하다.

 화상

화상은 주로 열에 의해 피부와 피부 부속기에 생긴 손상을 의미하는데, 치유될 때까지 국소적 통증을 동반하는 정도부터 몸 대부분이 화상을 입어 심한 외상이나 죽음을 초래하는 경우까지 다양하다. 아동의 경우에는 안전에 민감하지 않으므로 화상을 입을 가능성이 높다. 특히 전기화상의 경우 눈에 띄는 화상 병변이 작아도 근육, 혈관 및 신경과 같은 내부조직이나 장기의 손상, 심지어는 심장의 부정맥을 일으킬 수도 있으므로 반드시 의사의 진찰을 필요하다.

피부는 열이나 빛, 외상, 감염 등으로부터 우리 몸을 지켜주는 역할과 함께 땀 분비를 통한 체온 조절 기능을 가지고 있다. 피부는 약 2.7kg의 중량이 나가는 우리 몸의 가장 바깥을 싸고 있는 기관으로, 인체와 환경 사이의 경계면이므로 다른 어떤 장기보다 물리적 요인에 의해 직접 손상 받는 경우가 많다.

피부는 크게 직접 외부와 맞닿는 표피(epidermis)층과 모낭, 땀샘, 피지샘 등의 표피 부속기(epidermal appendage), 그리고 혈관, 림프관, 신경을 포함하고 있는 진피층으로 나뉜다. 표피층과 표피 부속기는 외배엽에서 발생하였으며, 상피세포로 쌓여있는데 이 상피 세포는 각질 세포, 멜라닌 세포, 랑거한스 세포 등으로 구성되어 있다. 표피층의 바닥층인 기저층에는 분화력이 강한 어린 상피세포들이 있어 지속적으로 분화가 일어나며 조금씩 표피 바깥쪽으로 이동한 후 결국 '때'가 되어 떨어진다.

찰과상이나 2도 화상을 입으면 표피층이 손상 받게 되는데, 재상피화를 담당하는 표피의 세포들이 모두 손상 받더라도 표피 부속기는 대부분 진피층에 위치하고 있기 때문에, 표피 부속기의 상피 세포들에 의하여 재상피화를 이루어 상처가 치유된다. 진피층은 표피층의 아래에 위치하고 중배엽에서 발생하였으며, 콜라겐과 같은 물질로 구성되어 피부의 탄력성과 신축성을 담당한다. 진피층이 전층 파괴되는 3도 화상의 경우에는 표피 부속기도 없기 때문에 더 이상 재상피화가 일어나지 못해 상처 주변에서 밀고 들어가며, 치유가 되는 수축(contracture)에 의해 자연치유가 유도되기 때문에 상처 치유에 매우 오랜 시간이 소요될 수 있어 피부 이식술 등의 수술적인 치료가 필요하다.

화상 손상에서 성인과 비교하여 아동의 차이점은 다음과 같다.

- 심하게 화상을 입은 아주 어린 아동은 큰 아동이나 성인보다 사망률이 높다.

- 피부가 얇기 때문에 낮은 온도와 짧은 노출에도 심한 화상이 유발될 가능성이 높다.
- 체표면적이 더 커서 열소실의 위험성이 증가하며, 탈수와 대사성 산증에 대한 위험성 또한 증가한다.
- 체액량의 비율이 높아 혈관 내 용적의 변화에 대한 반응으로 심혈관 문제의 위험성이 증가한다.
- 전체 체표면적의 10% 이상 침범한 화상의 경우 체액 보충이 필요하다.
- 성인에 비해 근육량, 체지방이 적어 단백질과 칼로리 결핍에 대한 위험성이 증가한다.
- 비후성 반흔은 더 심각하고 반흔은 더 오래 지속한다.
- 미숙한 면역체계로 인해 감염 위험이 증가한다.
- 광범위한 화상으로 성장 지연의 가능성이 있다.
- 화상 후 3~4주에 아동에게 curling ulcer(화상 후 발생하는 위장관 출혈)이 유발되는데, 이는 성인보다 더 늦게 나타날 수 있다.

화상이 발생하는 원인은 여러 가지가 있는데, 주로 가정에서 아동의 호기심과 움직임이 증가하면서 통제하지 못한 환경에서 우발적으로 발생할 수 있으며, 때로는 의도적인 학대로 인해 고의적인 화상을 입을 수도 있다. 따라서 화상 부위의 위치, 화상이 발생하게 된 원인(전기 화상, 흡입 화상 등), 선행하는 질병이 있는지의 여부 등을 파악하는 것이 필요하다.

화상이 발생하면 세포 단백질을 변성시키고 결합조직에 연결된 콜라겐을 파괴한다. 결국 삼투압과 정수압의 변화로 인해 혈관 내 체액은 간질강으로 이동한다. 상해 입은 세포에서 염증성 화학물질을 유리하고 모세혈관 투과성이 증가하여 체액이 더 많이 이동한다. 화상은 깊이나 조직손상의 범위와 상해의 심각도에 따라 분류할 수 있으며, 이러한 요소들에 따라 치료 관리 방향을 결정하게 된다.

중증 화상에는 복합적인 병리적, 생리적 변화가 동반되는데, 이 경우 화상은 전신적인 대사장애를 초래하는 전신 질환의 일종으로 간주하여 치료한다. 중증 화상(major burn injuries)이란 다음과 같은 경우로 정의한다.

- 10세 이하, 그리고 40세 이상의 환자에게 2도 이상의

화상이 전체 체표면적의 20% 이상을 점유할 때
- 10세와 40세 사이의 연령에서 2도 이상의 화상이 전체 체표면적의 25% 이상일 때
- 안면, 손, 발, 생식기, 회음부 또는 주요 관절 부위에 발생한 화상
- 전층 화상이 전체 체표면적의 10% 이상을 차지할 때
- 경증을 제외한 전기, 화학 화상

화상의 증상은 화상을 입은 직접적인 부위의 깊이에 따라 나뉠 수 있다. 조직 손상의 깊이에 따라 표피층만 손상된 경우를 1도 화상, 표피 전부와 진피의 대부분을 포함한 손상을 2도 화상, 표피, 진피의 전층과 피하 지방층까지 손상된 경우를 3도 화상으로 구분한다[그림 18-1].

1도 화상은 표피층만 손상된 상태로, 화상을 입은 부위에 홍반이 발생한다. 대개 직사광선에 장시간 노출된 경우나, 고도의 발열에 순간적으로 접촉 또는 노출이 원인일 수 있는데, 이때 약간의 통증과 부종이 나타난다. 이러한 증상

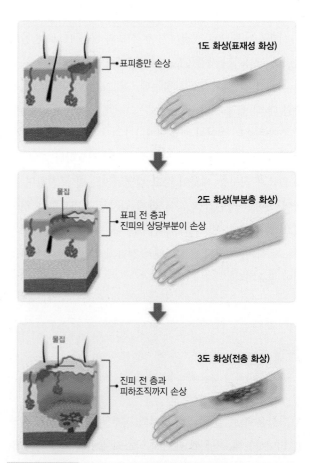

그림 18-1 손상 깊이에 따른 화상의 분류

은 약 48시간 후에 거의 없어지며, 피부의 감염에 대한 방어력은 유지되어 자연적으로 치유되는 것이 대부분이다. 화상을 입은 후 5~10일 사이에 비늘모양으로 표피가 벗겨지면서 반흔(Scar)을 남기지 않고 치유되는데, 치유 시기는 통상적으로 3~6일 정도이다.

2도 화상은 끓는 물이나 섬광, 화염, 기름 등에 의해 생기며 표피 전부와 진피의 일부를 포함하는 화상으로, 대부분 물집이 생기고 피하조직의 부종을 동반한다. 물집을 제거하면 삼출액이 나오고 적색의 윤기 있는 진피가 나타나는데, 이 상처 부위는 공기에 노출될 경우 깊어지고 감염의 위험성이 높아지므로 물집을 그냥 두거나 안의 액체만 제거하고 병원을 바로 방문한다. 표재성 2도 화상의 감염이 없는 경우에는 10~14일 이내에 치유가 되는데, 심재성 2도 화상의 경우 통증을 느끼지 못하고, 압력만 느끼는 상태가 된다. 적절한 치료를 받으면 3~5주 이내로 치유되지만, 감염이 되면 3도 화상으로 이행하여 심한 흉터가 남을 수 있다. 대개 표재성 화상의 경우 압력을 가하면 화상을 입은 부위가 창백해지고 비교적 심한 통증을 느끼는 것에 반해, 심재성 화상의 경우는 압력을 가해도 창백하지 않고 오히려 약한 통증이나 약간의 압력만 느끼게 된다.

3도 화상은 화염, 증기, 기름, 화학물질, 고압 전기에 의해 생길 수 있는데, 표피, 진피의 전층과 피하지방층까지 손상이 파급된 상태로서 창상 부위의 조직괴사가 심해 부종이 심한 편이지만 신경말단이 파괴되어 오히려 통증은 별로 없다. 한편 괴사된 피부는 죽은 조직(가피, eschar)를 형성하는데, 2~3주가 지나면 가피가 녹아 내리며 탈락되고 육아조직이 생긴다. 때로는 두꺼운 가피 밑으로 감염이 되기도 하므로 주의해야 하고, 전층 화상은 가피를 제거하고 피부이식을 하지 않으면 완전히 치유되지 않는다.

한편 학자에 따라 1도 화상을 표재성 화상, 2도 화상을 부분층 화상, 3도 화상을 전층 화상으로 분류하기도 하고, 부분층 화상을 세분하여 표재성과 심재성으로 나누기도 한다.

표재성 부분층 화상은 표피와 진피층 일부의 조직손상을 일으킨 것으로서, 표피 부속기 일부분이 진피에 남아있는 상태이므로 표피 부속기에서 상피 세포가 자라나와 상처를 치유한다. 진피 손상이 심한 심재성 부분층 화상의 경우 반

흔이 심하게 생길 수 있기 때문에 수술적 치료도 고려한다. 전층 화상은 표피와 진피 모두 손상된 상태로 피부 이식술 등 수술적인 치료가 필요하다.

신체 각 부위의 피부 두께가 다르므로 같은 강도의 열에 동일한 시간 동안 노출이 되었다고 하더라도 화상의 정도와 깊이가 다르게 나타나고, 피부가 미성숙한 유년층의 경우는 같은 강도의 열이라도 일반 성인보다 더 깊은 화상을 입게 된다.

화상의 진단은 먼저 화상을 입은 피부의 손상된 깊이와 신체부위의 면적을 평가하는 데에서 시작되는데, 이는 치료와 예후에 있어서 매우 중요한 문제가 될 수 있다. 화상의 넓이는 Pullaski와 Tennison에 의해 고안된 9의 법칙(rule of nine)에 따라 표현하는 방법으로 우리 몸의 체표면적을 9% 혹은 그의 배수로 표현하는 방법으로 두경부를 9%, 체부 전면을 18%, 체부후면을 18%, 상지를 9%, 하지를 18%, 회음부를 1%로 계산한다[그림 18-2].

비록 화상넓이 계산법이 편리한 방법이긴 하지만, 정확성에 문제가 있고 소아의 경우는 어른과 체표면적의 분포 상태가 다르고 피부 발육도 떨어진 상태여서 소아에게 그대로 적용하기에는 문제가 있다. 이를 보완하기 위해 Lund와 Browder는 유아기로부터 성년기에 이르기까지 신체발육에 따른 각 부분의 발육특성을 고려해서 표면적 비를 계산하는 방법을 고안하였다. 다음은 화상범위를 평가하는 Lund and Browder chart로서 연령이나 화상을 입은 위치에 따라 화상

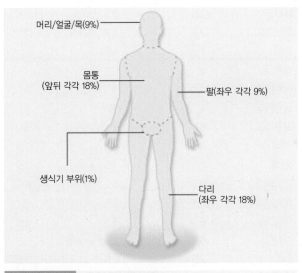

머리/얼굴/목(9%)

몸통
(앞뒤 각각 18%)

팔(좌우 각각 9%)

생식기 부위(1%)

다리
(좌우 각각 18%)

그림 18-2 화상의 넓이 계산

을 분류할 수 있다[표 18-1].

그러나 실제 화상을 진단할 때는 화상의 정도와 넓이 뿐만 아니라 환자의 나이, 화상의 부위, 몸통이나 사지를 두르는 화상이 있는지, 원인이 전기나 화학 화상인지 확인하고 흡입손상, 기타 동반되는 다른 증상의 여부 등을 고려한다.

미국 화상학회에서는 화상의 정도에 따라 경증, 중등도, 중증의 화상으로 구분하고 그에 따른 치료방침을 구분하였는데, 경증의 경우는 가까운 병원에서 외래 통원 치료를 할 수 있지만, 중등도 및 중증 화상은 반드시 입원 치료가 필요하다. 또한 심한 2도 화상과 3도 화상은 구분하기가 어렵기 때문에 체표면적의 3% 이상의 심한 2도 화상은 화상 전문의에게 치료를 받는 것이 필요하다[표 18-2].

화상의 치료는 대개 급성기와 관찰기로 구분하는데, 초기에는 화상의 피해를 최소로 줄이는 것이 중요하며 상처회복을 촉진시키고 통증을 줄이며 감염을 예방하는 데 치료의 초점이 맞추어져 있고, 후기에는 흉터, 기능장애, 구축등의 후유증을 줄이는 데 중점을 둔다.

초기 치료는 첫째, 이물질을 제거하는 것으로 시작한다. 심한 화상이 아니라면 화상 부위에 입었던 옷을 손상이 되지 않도록 바로 벗겨낸다.

화상을 입은 즉시 화상부위를 수돗물로 약 10~20분간 차갑게 만들어 준다. 화상을 입은 직후 몇 시간 동안 효과적인 냉각을 할 경우 통증을 줄일 수 있다. 멸균한 거즈에 생리식염수를 섭씨 12도 정도로 냉각시켜 화상부위에 대는데, 이때 얼음이 직접 환부에 닿지 않도록 주의한다. 광범위 화상의 경우에는 체온 저하가 발생할 수 있으므로 지체없이 병원으로 환자를 이송한다.

물이나 자극성이 적은 비누로 먼저 깨끗이 씻고 잘 건조시켜 화상 부위를 깨끗하게 한 후, 깨끗하고 건조한 시트로 화상 부위를 덮어준다. 이는 환부에 공기가 닿으면서 생기는 통증을 줄일 수가 있으며, 만약 상비약으로 습윤드레싱제품(습윤폼 혹은 습윤콜로이드)이 있는 경우에는 세척 후부착하고 병원을 방문한다. 만약 소독할 때 통증이 심하다면 미리 진통제를 투여할 수 있는데, 이때 화상 부위에 직접진통제를 바르거나 주사하지 않고, 이미 터진 수포라면 소독 후 항생제 연고를 바른다.

경도의 화상의 경우 감염의 위험이 찰과상보다 크지 않기 때문에 굳이 항생제가 필요 없다. 화상부위에 국소화학

| 표 18-1 | 화상범위를 평가하는 Lund and Browder chart |

Area	0~1세	1~4세	5~9세	10~14세	15세	성인
머리	19	17	13	11	9	9
목	2	2	2	2	2	2
몸통(앞)	13	13	13	13	13	13
몸통(뒤)	13	13	13	13	13	13
둔부(우)	2.5	2.5	2.5	2.5	2.5	2.5
둔부(좌)	2.5	2.5	2.5	2.5	2.5	2.5
성기	1	1	1	1	1	1
상완(우)	4	4	4	4	4	4
상완(좌)	4	4	4	4	4	4
하완(우)	3	3	3	3	3	3
하완(좌)	3	3	3	3	3	3
손(우)	2.5	2.5	2.5	2.5	2.5	2.5
손(좌)	2.5	2.5	2.5	2.5	2.5	2.5
대퇴부(우)	5.5	6.5	8	8.5	9	9.5
대퇴부(좌)	5.5	6.5	8	8.5	9	9.5
다리(우)	5	5	5.5	6	6.5	7
다리(좌)	5	5	5.5	6	6.5	7
발(우)	3.5	3.5	3.5	3.5	3.5	3.5
발(좌)	3.5	3.5	3.5	3.5	3.5	3.5

표 18-2	화상 정도에 따른 구분과 치료 방침(American Burn Association)	
화상 정도	기준	치료 방침
경증	체표면적의 10% 미만의 화상(성인) 체표면적의 5% 미만의 화상(어린이, 노인) 체표면적의 2% 미만의 전층화상	외래 치료
중등도	체표면적의 10~20% 화상(성인) 체표면적의 5~10% 화상(어린이, 노인) 체표면적의 2~5%인 전층화상 고압손상 흡인성 손상이 의심 몸이나 팔다리 전체를 둘러싸는 화상 감염에 걸리기 쉬운 동반질환이 있을 때(당뇨 등)	입원 치료
중증	체표면적의 20% 이상의 화상(성인) 체표면적의 10% 이상의 화상(어린이, 노인) 체표면적의 5% 이상인 전층화상 고압전기 화상 흡인성 손상이 있는 화상 얼굴, 눈, 귀, 성기, 관절부위 화상 골절과 같은 주요 손상이 동반될 경우	화상센터로 이송

요법을 시행함으로써 충분히 감염과 패혈증이 예방된다. 일반적인 항생제들은 화상부위에 도포하더라도 상처를 침습해 들어간 세균에 대한 효력을 나타내지 못하고, 항생제를 전신에 투여하더라도 화상 부위의 혈류가 충분치 못하기 때문에 치료가 어렵다. 따라서 화상 부위를 직접 뚫고 들어가 세균에 대항할 수 있는 약품들이 개발되었는데, 이들의 공통적인 장점은 항세균성이 강하고, 화상 부위 깊이까지 침습이 가능하며, 사용이 편리하고, 패혈증 등 합병증의 빈도를 감소시키며, 부패성 악취를 제거하며, 2도 화상이 2차 감염에 의해 3도 화상으로 진행되는 것을 줄인다.

국내에서 실버 설파다이아진(Silver sulfadiazine)이 많이 사용되며, 항균 작용으로 그람 양성균과 그람 음성균, 슈도모나스 균과 칸디다 진균에도 효과가 있다. 안전하고 사용하기 편리해 많이 사용되고 있으나 얼굴이나 설폰아마이드(sulfonamide) 과민성이 있는 환자에게는 사용하지 않고, 임신한 여성, 신생아, 2개월 미만의 아기에게 수유하는 여성에게는 사용하지 않는다. 베타딘(Povidone-iodine)연고는 항균작용으로 그람 양성균과 진균에 효과가 있으며, 가피에 흡수도 잘 되고 배설도 빠르므로 전신적인 독성이 적다. 가피를 빨리 마르게 하기 때문에 침습 감염을 예방할 수 있는 장점도 있다. 단점으로 도포 시에 동통이 있고, 신독성

이 보고된 적이 있으며, 상처의 회복을 느리게 한다는 보고도 있다.

경도의 화상은 공기에 노출 시키고 피부 보습제를 바르는 것으로 대신할 수 있다. 그러나 2도나 3도 화상은 화상 부위를 깨끗하게 하고 항균제를 바른 뒤에 거즈를 덮어 두거나 습윤 드레싱하여 멸균 드레싱을 적용한다. 드레싱의 교환은 매일 하는 것이 좋고, 삼출액이 많으면 더 자주 교환한다. 드레싱을 교환하기 전에 감염의 증거가 있는지 잘 관찰하고, 문지르거나 날카로운 물건으로 상처부위를 제거하지 않는다. 최근에는 항생 기능이 있는 습윤 드레싱제가 많이 개발되어 보다 용이하게 화상치료를 할 수 있다.

심하지 않은 화상의 경우 통증 조절이 필요 없지만, 필요 시 acetaminophen이나 ibuprofen, naproxen, ketoprofen 등과 같은 비스테로이드성 소염진통제 계열 진통제를 복용할 수 있다. 통증이 매우 심한 경우 마약성 진통제가 필요할 수도 있다.

심한 경우 국소 화학요법을 중증화상환자의 상처 감염에 의한 패혈증을 예방하기 위해 괴사조직 절제술을 시행한 후에 동종 피부를 이식하는 방법을 사용한다. 보통 3주 뒤에 육아조직을 만들어 스스로 떨어지게 되며, 그 부위에 자가 피부이식술을 시행함으로써 상처를 영구적으로 덮는다.

3도 화상의 경우에도 가피(eschar)를 제거한 후 될 수 있는 한 빨리 피부이식수술을 시행한다. 피부 이식은 개방성 창상을 폐쇄하는 유일한 방법으로, 대개 2cm 이상 직경의 전층 화상에 적용되지만 화상을 입은 부위에 따라 손, 손가락, 발 등은 적은 결손에도 이식이 필요할 수 있다.

화상을 입은 피부에 대한 기본적인 처치가 이루어지면 발생 가능한 합병증을 예방하고 관리하는 노력이 필요하다. 파상풍 예방 주사나 파상풍 면역 글로불린 주사를 전층 화상환자의 경우 반드시 시행한다. 몸이나 팔 다리를 둘러싸는 화상의 경우 혈액 순환이 막히는 문제가 생길 수 있으므로 이 경우 최대한 빨리 가피를 절제한다. 흡입 화상을 입은 후에 염증반응이 진행하면서 기도가 폐쇄될 수도 있으므로 기도삽관 및 기관절개가 필요할 수 있다.

대개 화상의 범위가 체표면적의 20% 이상(소아는 15%)의 경우, 지속적으로 수액 요법이 요구된다. 적절한 수액 요법이 이루어지지 않으면 쇼크가 생길 수 있는데, 화상을 입은 순간부터 8시간 사이에 체액의 손실이 가장 심하며 이후 48시간 동안 수액 손실량이 서서히 감소한다. 한편 고압 전류화상을 입은 경우 소변 내에 마이오글로빈(myoglobin)의 양이 많아지면서 급성 신부전증으로 이행될 가능성이 많으므로, 따라서 이 경우 시간당 소변량이 75~100mL가 유지되도록 수액을 공급한다. 중증 환자는 처음 48시간 동안 장마비로 인한 구역질과 구토 등으로 음식을 먹기 힘들고, 대개 3~4일 후부터는 유동식을 섭취하게 되는데, 가능한 한 정맥 영양보다 경장 영양이 원칙이다. 환자의 폐부종이나 폐렴과 같은 흉부 합병증의 발생을 미리 알기 위해 흉부 엑스선 검사는 중증화상환자에게는 초기에 매일 촬영한다. 생화학적 혈청검사, 혈액가스분석이나 환자의 체중 측정도 필요하다.

화상 치료 후 피부의 원활한 기능이 완전히 회복될 때까지 보습제를 바르는 것이 좋다. 화상을 입은 피부는 과색소화가 생길 수 있는데, 정상 피부색이 돌아올 때까지는 약 1년 동안 일광 차단제(선크림, 선블록)를 사용하는 것이 필요하다. 또한 회복기에 활동을 많이 하거나 스트레스를 받으면 화상 상처 부위에 흔히 가려움증이 생기는데, 보습제를 바르거나 헐렁하고 부드러운 면 소재 옷을 입는 것이 도움이 될 수 있다.

심한 화상은 신체적인 문제 외에도 환아나 가족에게 심리적인 문제를 일으킬 수 있는데, 불안이나 우울증, 외상후 스트레스 장애 등이 생길 수 있으며, 가족들은 죄의식으로 가족 역동의 변화가 일어날 수 있다. 심리적 문제가 생기면 이에 대한 적절한 치료가 필요하다.

Ⅸ 칸디다증

칸디다알비칸스(Candida albicans)는 아구창의 병원균으로 곰팡이균에 해당한다. 칸디다는 많은 성인 여성의 질에서 자란다. 신생아는 질강으로 분만되므로 입 안의 점막에 감염된다(아구창 칸디다감염). 아구창은 볼점막과 혀에 홍반이 있고, 그 위에 흰플라그가 형성된다. 이것은 우유를 먹고 나서 우유가 응고된 것이 남아있는 것과 같다. 아구창의 플라그는 벗겨내지 못한다. 그러나 우유가 응고된 것이면 가능하다. 염증이 있는 동안에 잘 먹지 못하고 부분적 통증이 있다. 성인이 된 여자아이는 칸디다 질염에 걸릴 수 있다. 칸디다알비칸스는 심하고, 밝은 적색이며, 날카롭게 원을 그리듯이 나타나는 기저귀 발진의 원인이 되기도 한다. 이 외에 부수적인 손상도 있으며, 발진은 색이 매우 짙게 나타난다. 보통 기저귀 발진은 개선 되지 않으므로, 자주 기저귀를 갈아 주고, 공기에 노출시켜 주어야 한다.

Nystatin은 효과적인 항균 치료제이다. 아구창 치료를 위해서 일반적으로 하루에 4시간 간격으로 구강에 발라준다. 이것은 젖을 먹이고 나서 입안으로 떨어뜨려야 한다. 그래서 젖을 먹일 때, 약이 씻겨 내려가지 않게 하여 약이 병변에 남아 있게 하여야 한다.

기저귀 발진은 Nystatin연고를 도포하여 준다. 성인의 칸디다성 질염은 Nystatin 좌약으로 사용한다. 성인은 생리주기에도 계속 사용하여야 함을 가르쳐 주고, 부부간에도 재감염을 피하기 위하여 콘돔을 사용하게 한다. 또한, 감염이 오래 간다면, Itraconazole을 사용한다.

칸디다증(Candidiasis)은 특히 신생아에게 있어서 일반적인 감염으로 본다. 아구창은 영아들의 보통 질병으로 생각되는 경향이 있다. 그러나 이것은 심각한 전신적인 병이 되

간호사례 / 경층 부분층 화상 아동

사   정: 4세 남아 아동이 뜨거운 물이 끓고 있는 주전자에 수증기가 나오는 것을 보고 신기하여 뜨거운 주전자를 만져 물이 몸에 쏟아졌다. 어머니와 함께 응급실로 방문하였다. 손, 상완, 대퇴부까지 붉게 변하였고, 표피 전층과 진피의 상당부분이 손상되었다.

간호진단: 열성 상해와 관련된 피부통합성 장애

간호목표: 화상은 감염 없이 치유되고, 정상 체온과 정상 육아조직, 상피층이 회복될 것이다.

평   가: 화상 상처는 치유가 진행되는 징후를 보여준다. 조직은 분홍색이고 삼출물이 없다. 아동에게 열이 없고 다른 감염 징후가 없다.

계획 및 중재

1. 매일 처방에 따라 상처를 세척하고 괴사조직을 제거하며 항균연고를 도포하고 드레싱한다. 그 부위를 사정하고 결과를 기록한다.
2. 보호장구를 착용하고 철저한 손씻기를 통해 상처 관리를 위한 무균술을 유지한다.
3. 적절한 체액과 영양 섭취를 증진한다. 부모에게 고칼로리, 고단백 식사와 간식을 제공하며 아동이 좋아하는 음식을 준다.
4. 아동의 화상 부위에 능동적, 수동적 관절가동범위 운동을 시행한다.
5. 아동에게 파상풍 톡소이드 예방접종을 한다.
6. 아동의 감염징후와 증상을 관찰한다.
7. 처방에 따라 비타민과 미네랄을 투여하고 부모에게 교육한다.
8. 최소한 일년은 치유된 화상 상처가 태양에 노출되지 않도록 교육한다.

간호진단: 열성 상해로 인한 급성 통증

간호목표: 아동은 처치를 받는 동안을 제외하고 나이에 맞는 통증사정도구에 의해 통증이 감소한다고 말할 것이다.

평   가: 아동은 처치를 받을 때를 제외하고 통증이 없다. 통증사정점수가 낮아지고 정상적인 활동으로 입증이 된다.

계획 및 중재

1. 나이에 맞는 사정도구로 아동의 통증 수준을 결정한다.
2. 요구가 있기 전 계획에 따라 통증 완화법과 투약을 시행한다.
3. 상처를 조작하고 노출하는 시간을 최소화한다.
4. 비약물적 통증 완화법을 사용한다.
5. 수동적, 능동적 관절가동범위 운동을 실시한다.

간호진단: 화상 조직의 체액 이동과 관련된 체액 부족 위험성

간호목표: 아동은 정상 체액과 전해질 균형을 유지하며 섭취량, 배설량과 전해질이 정상으로 측정되고 점막이 축축하고 화상을 입지 않은 부위의 정상 피부긴장도로 입증될 것이다.

평   가: 아동의 소변 배설량이 나이에 적합하다. 혈청전해질 수치는 정상범위이다. 아동의 수화상태를 평가하면 축축한 점막과 좋은 피부긴장감으로 나타난다. 아동이 물을 적절하게 잘 마신다.

계획 및 중재

1. 처방대로 구강이나 정맥주사로 수액을 투여한다.
2. 부모에게 아동의 섭취량과 배설량을 자주 체크하도록 교육한다.
3. 입원한 아동은 매일 체중을 측정한다.
4. 전해질이나 헤모글로빈 수준이 증가하였는지 임상검사 결과를 파악한다.

므로 예방하기 위해서 꼭 치료를 받아야 한다.

 혈관종

혈관반점은 혈관 기형과 혈관종(hemangioma)으로 나뉜다. 혈관종은 다시 국소, 부분(segmental), 혹은 다발성으로 나눌 수 있다. 국소 상피 혈관종은 초기 영아기에 나타나고 특별한 치료를 하지 않아도 수년 내에 사라진다. 반면 부분 혈관종(segmental hemangioma)은 궤양 혹은 중요 장기 침범이나 발달장애를 야기할 수 있다. 다발성 혈관종은 부분 혈관종에서 나타나는 것만큼 합병증이 많지 않다. 혈관기형은 출생 시에 나타나는 영구적인 병변으로 처음에는 편평한 홍반성 변병으로 시작하여, 모세혈관, 정맥, 동맥 또는 림프관들 중 어떤 혈관에도 나타날 수 있다. 가장 흔한 혈관 기형은 화염상(포도주) 모반(nevus flammeus 혹은 port wine stain)과 미간 및 목덜미에 나타나는 일과성 모반(transient macular stain)이 있다. 화염상 모반은 모세혈관이 확장되어 발생하며, 경계가 명확한 분홍색, 붉은색 또는 보라색으로 한쪽 얼굴에 가장 흔히 발생하며, 흔히 성장하면서 점차 두꺼워지고 색이 짙어지며 커진다.

화염상 모반은 녹내장이나 연수막 혈관종증(지주막의 혈관이나 림프관 종양 또는 Sturge-Weber syndrome), 뼈와 근육의 과도 성장(Kippel-Trenaunary-Weber syndrome)과 같은 구조적인 기형과 관련이 있을 수 있다. 안검, 이마, 볼, 사지에 화염상 모반이 있는 경우에는 주기적으로 안과검진, 신경계 촬영, 팔다리 관찰을 통해 이러한 질환과 관련이 있는지를 검사해야 한다. 화염상 모반의 치료에는 레이저가 선택적으로 사용되며 병변의 색깔을 아주 연하게 하거나 거의 흉터 없이 깨끗하게 치료할 수 있다.

영아 혈관종(infantile hemangioma)은 딸기 혈관종 또는 모세혈관종(strawberry 또는 capillary hemangioma)으로 불리는데, 모세혈관에만 침범하는 양성 피부 종양이다. 혈관 내피 세포의 증식으로 붉은색의 경계가 명확하고 표면이 거친 종양으로 얼굴, 등, 두피에 호발하고 출생 시에는 분명하게 나타나지 않을 수 있으나, 몇 주 내에 나타나서 수개월

간 또는 1년 정도까지 커지다가 이후 차차 소실된다. 자연 퇴축률은 5~7세까지 75~95%로서, 자연 소실되는 비율이 높기 때문에 부모를 안심시키고 기다려 보는 것이 좋다. 그러나 호흡이나 섭취 등 기능 장애가 있으면 절제하거나 스테로이드를 경구나 국소 주사한다.

해면상 혈관종(cavernous hemangioma)은 진피 또는 지방층 혈관에 생기고, 표재성은 붉은 색이나 깊은 것은 푸른 빛이 도는 붉은색 결절이다. 피부 하부에 위치하여 가장자리는 뚜렷하지 않다. 해면상 혈관종은 자연 소실되는 경우가 드물고 불완전하므로 적극적인 치료가 필요하나 결과는 만족스럽지 않다.

출생 시 얼굴에 나타나는 반점은 부모에게 매우 충격적으로 보일 수 있다. 따라서 가족에게는 병변의 특성과 치료에 대해 설명해 주어야 하는데, 치료된 신생아의 치료 전후 사진을 비교해서 설명하면 효과적이다. 병변이 없어지는 과정의 사진을 보여주면 부모들은 안심하게 된다.

레이저 치료가 시행되면 병변은 7~10일 동안 검은 자주 빛을 띠게 되고 이후 색이 옅어지게 된다. 치료기간 동안 부모는 영아의 병변에 손상을 입히지 않도록 주의해야 하며, 딱지를 떼지 않도록 한다. 손톱을 짧게 잘라주고 끝을 다듬어 준다. 치료 부위는 물로 부드럽게 씻어주고 가볍게 두드려서 말리는 것이 좋다. 치료과정 동안에는 치료 효과를 감소시키는 salicylates 계열의 약물을 사용해서는 안 된다. 영아는 몇 주 동안 햇빛에 노출되지 않도록 해야 하며, 그 이후에는 SPF 15 이상의 선크림을 발라 자외선으로부터 보호해야 한다. 레이저 치료는 감염, 켈로이드화나 화농성 육아종 형성, 피부염, 과다 색소침착 또는 색소침착 저하증 등의 합병증이 있을 수 있다.

XI **여드름(심상성 좌창)**

여드름(acnes)은 청소년기의 가장 흔한 피부질환으로 여아보다는 남아에게 더 호발한다. 남아는 16~19세에 발생하는데 반해 여아는 14~17세가 절정기이다. 발생원인은 아직까지 정확하게 규명되지 않았으나 가장 유력한 원인은 사

춘기에 접어들면서 피지선의 증대 및 활성화가 일어나 피지가 과다 분비되고, 각화과정의 이상이 생겨나 각질형성세포의 이각화증 혹은 과각화증(keratinization)이 발생한 것으로 추정된다. 표피세포의 과각화증으로 인해 피지가 자연스럽게 분비되지 못하고 각질과 괴사된 세포 찌꺼기 등이 모낭 내에 축적되면서 여드름의 특징적 병변인 면포(comedo)가 발생하게 된다. 면포의 형태에 따라서 개방면포(blackhead comedo)와 폐쇄면포(whitehead comedo)로 나누어진다. 면포에 Propionibacterium acnes(P. acnes) 등의 세균이 증식하면서 염증성 병변을 만들어 육안으로 보이는 붉거나 곪은 여드름 병변, 즉 구진, 농포, 결절 등이 만들어진다. 사춘기의 여드름 발생기전은 다음과 같다.

- 남녀 모두에게서 안드로겐 분비가 증가하여 피지선 기능이 활성화된다.
- 피지선의 비정상적인 과각화증 현상이 생기면서 피지선은 폐쇄된다.
- 피지선의 폐쇄로 주로 지방산으로 구성되어 있는 피지는 피부 밖으로 배출되지 못하고 모낭 내에 축적된다.
- 이로 인해 피지선은 커지고 약간 배출된 피지는 피부 표면에 하얀 부분으로 보이고 막힌 여드름의 원인이 된다(폐쇄면포).
- 배출된 피지는 멜라닌 색소의 축적과 공기에 노출된 지방산 성분의 산화로 색이 진해져서 끝부분이 검어지거나 열린 형태의 여드름이 생성된다(개방면포).
- 균(일반적으로 P. acnes)의 침입으로 인한 염증반응에 의해 뾰루지와 같은 농포가 만들어진다.
- 만일 피지선이 파열되면 피지는 붉은 염증성 농포를 만들어 인접한 피부로 밀려나면서 농포보다 크기가 커져 낭종, 결절 등 심한 형태가 된다.

여드름은 흔히 얼굴, 목, 등, 상완, 가슴 등에 나타나며 정서적 스트레스, 월경, 화장품의 사용 등의 사용으로 악화될 수 있다. 여드름은 표피의 박피를 증가시키는 태양에 노출되는 여름철에 오히려 호전되는 특징을 보인다. 치료의 목적은 피지형성을 감소시키고 세균의 감염을 최소화하며 악화요인을 차단하는 데 있다. 이를 위한 치료방법은 약물

요법과 악화요인 차단법이 있다.

확인문제

1. 여드름의 피부병변인 과각화증이란 무엇인가?

2. 여드름 발생과 관련된 호르몬은 무엇인가?

01 / 약물요법

여드름 치료제는 국소 도포제(외용제)와 경구 투여제로 구분된다. 오늘날 국소 도포제 중 가장 많이 사용되는 약물은 retinoid이다. 바르는 rertinoid 도포제(비타민 A 크림)는 과각화증을 교정함으로써 면포 발생을 최소화하는 데 효과가 있다. 청소년이 비타민 A 크림을 사용할 경우, 피부가 자외선에 민감해질 수 있으므로 햇빛에 오래 노출되는 것을 피해야 하고 SPF 15 이상의 자외선 차단제를 사용해야 한다. 또한 치료를 받기 시작한 지 첫째 주나 둘째 주까지는 박피과정이나 산화과정으로 인하여 오히려 피부색이 더 나빠 보일 수 있다는 사실을 주지시켜야 한다. 일반적으로 세수하고 나서 수건으로 닦고 난 후에 바로 바르는 것이 효과적이다.

Benzoyl peroxide는 과거부터 널리 쓰이는 국소 치료제로 피부에 흡수되어 강력한 살균 효과를 갖는다. P. acnes의 수를 감소시키는 효과가 있어서 항생제 내성이 우려되는 청소년에게 사용되기도 한다.

여드름 국소치료제로 항생제 역시 사용된다. clindamycin, erythromycin 등이 널리 쓰이며 여드름에 있어 가장 문제시되는 P. acnes를 억제하는데 효과가 있다. 보통 2주 이상 도포 시 효과가 나타나지만 피부자극 증상이 유발되어 오래 사용하는 데 한계가 있다. 항생제를 사용해도 반응이 없고 새로운 염증성 병변이 계속되는 경우는 오랜 기간 동안 항생제 사용결과 생긴 내성균의 출현을 생각해보아야 한다. 그러므로 여드름 환자에게 있어서 항생제 선택은 신중하게 이루어져야 한다.

경구 투여제는 병변이 악화된 농포성 여드름이나 낭포성

여드름에 적용하는 치료법으로 흔히 경구용 항생제가 도움이 된다. 흔히 tetracycline을 사용하게 되는데 효과로는 P. acnes에 대한 억제 작용과 강력한 항염 효과가 있어서 복용 수주 내에 피지 내에 지방산이 줄어들게 된다. 치료 후 2주간은 별로 개선되는 것 같지 않지만, 효과가 나타날 때까지 계속 복용하도록 격려해야 한다. 철분 혹은 칼슘이 포함된 약제와의 혼용은 피해야 하고 수명증(photosensitivity) 발생 가능성이 있음을 설명해야 한다. 12세 미만의 아동에게는 치아에 영구적인 착색이 될 가능성이 있으므로 처방하지 않는다.

만일 여드름에 염증반응이 심해지면, prednisone과 같은 corticosteroid나 비스테로이드성 항염제를 사용하기도 한다. 성장하는 청소년에게 스테로이드는 조심스럽게 사용해야 하는데 그 이유는 스테로이드 장기 사용은 뼈 성장을 저하시킬 수 있기 때문이다.

02 / 악화요인 차단법

여드름을 악화시킬 수 있는 요인은 여러 가지가 있다. 악화요인을 차단함으로써 청소년기 동안 주로 발생하는 여드름을 흉터 없이 효과적으로 관리할 수 있다. 여드름 치료와 관련된 가이드라인은 다음과 같다.

- 음식은 여드름에 크게 영향을 주지 않으므로 건강하고 균형 잡힌 식사를 하도록 한다.
- 피지선이 파열되면 피지가 피부로 스며들게 되고 이로 인해 증상이 악화되므로 여드름을 짜거나 떼어내지 않도록 한다. 특히 스트레스를 받을 때 병변에 손을 대는 경우가 많으므로 얼굴에 손이 자주 갈 경우 깍지를 낀다거나 다른 일에 몰두하도록 한다.
- 화장이나 기름진 모발제품을 사용하거나 머리를 세게 잡아당겨 묶는 행동은 피지선의 관을 막아 여드름 생성을 증가시키므로 가능한 이러한 행동을 피하고 화장품은 자극이 적은 의료용 화장품을 사용하도록 한다.
- 국소 도포제는 효과가 있을 때까지 지속적으로 사용하도록 하고 등교 전이나 하교 후 저녁시간에 잊지 않고 바르도록 한다.

- 자극적인 지방산을 제거하기 위해 날마다 씻는 것이 중요하다. 그러나 과도하게 씻을 경우 피지선이 오히려 파열되어 치유기간이 연장될 수 있으므로 하루 세 번 정도 세심하게 세안하는 것이 중요하다.
- 경구 투여제는 피지 생성을 줄이거나 세균의 침식을 막아주므로 꾸준하게 복용하는 것이 중요하다. 복용을 잊지 않도록 주위에 메모를 해 두거나 알람을 맞춰 두는 것이 좋다.
- 경구 투여제나 비타민 A 크림은 모두 피부를 햇빛에 매우 민감하게 만든다. 햇빛에 오래 노출되는 것을 피하고 햇빛으로 인한 화상에 대비해야 한다.
- 즉시 효과가 나타나는 여드름 치료제는 없다. 병변이 치료되는 동안 새로운 활동을 시작해서 치료에 몰입하지 않도록 하고 인내를 가지고 치료에 적응할 수 있도록 한다.

간호진단 및 목표

간호진단 : 청소년기 동안 여드름의 발생과 가능한 치료방법에 대한 지식부족과 관련된 자존감 저하
간호목표 : 청소년은 추후 건강유지를 위한 방문시 자존감을 긍정적으로 표현할 것이다.
예상되는 결과 : 청소년은 여드름의 발생과 가능한 치료방법을 말할 수 있고, 긍정적인 자존감을 갖는다고 표현한다.

※ 아동의 피부는 성인의 피부와 달리 피부를 통한 수분 소실이 많고 약물 흡수량이 더 많다.

※ 자극성 물질이 직접 피부에 닿아서 나타나는 접촉성 피부염, 기저귀 피부염이 발생할 수 있는데 자극성 물질이 닿지 않게 하고 깨끗하고 청결하게 유지하는 것이 필요하다.

※ 농가진은 감염성이 매우 높은 표재성 세균 피부감염으로 항생제 치료가 필요하다.

※ 옴, 이 기생증은 전파되지 않도록 하는 것이 필요하다.

※ 아동의 경우 화상의 위험성이 높고 화상 후 영향이 성인에 비해 크므로 예방하는 것이 가장 중요하다.

※ 칸디다증은 Nystatin을 도포하여 치료한다.

※ 혈관반점은 혈관 기형과 혈관종으로 분류된다.

※ 여드름은 청소년기의 가장 흔한 피부질환으로 폐쇄면포와 개방면포로 나뉘고 상태에 따라 적절한 치료가 필요하다.

1. 피지선의 증대 및 활성화가 일어나 피지가 과다 분비되고, 각화과정의 이상이 생겨나 고도의 각화층이 형성되는 것이다.

2. 안드로겐

CHAPTER 19

뇌기능 장애 아동의 간호

주요용어

간대 근경련 뇌전증(myoclonic seizure)
거짓발작(pseudoseizure)
결신 발작(absence seizure)
경련(convulsion)
결핵성 수막염(tuberculosis meningitis)
글라스고우 혼수척도(glasgow coma scale, GCS)
긴장간대발작(generalized tonic-clonic seizure)
뇌실천자(ventricular puncture)
뇌척수액(cerebrospinal fluid, CSF)
뇌혈관조영술(cerebral angiography)
단순 부분발작(simple partial seizure)
무균성 수막염(aseptic meningitis)
무긴장성 발작(atonic seizure)
미주신경 자극(vagal nerve stimulation)
바이러스성 수막염(viral meningitis)
발작(seizure)
복합 부분발작(complex partial seizure)
부분발작(partial seizure, focal seizure)
세균성 수막염(bacterial meningitis)
심인성발작(psychogenicsiezure)
열발작(febrile convulsion)
영아 연축(infantile spasm, west syndrome)
요추천자(lumbar puncture, LP)
의식수준(consciousness)
자동증(automatism)
전신발작(generalized seizure)
제뇌경직(decerebrate rigidity)
척수 두통(spinal headache)

학습목표

01 아동기 뇌의 특성을 설명한다.
02 뇌기능을 사정한다(병력, 신체사정, 진단검사).
03 수막염(meningitis) 아동에게 간호과정을 적용한다.
04 열발작(febrile seizure) 아동에게 간호과정을 적용한다.
05 뇌전증(epilepsy) 아동에게 간호과정을 적용한다.

Ⅰ 뇌의 특성

아동의 신경계 질환은 선천성 질환, 후천적 기능장애, 감염이나 외상으로부터 발생하는 광범위한 건강 문제를 모두 포함한다. 아동은 신경계의 구조적, 발달적 영역에서 성인에 비해 미숙하여 외상 및 다른 신경계 질환에 이환되기 쉽다. 그러나 한편으로는 성인보다 더 빠르고 완전하게 회복될 수 있다는 특징이 있다. 신경조직은 재생능력을 가지고 있지 않기 때문에 손상이나 퇴행이 초래될 경우 영구적인 손상문제를 유발한다. 또한 경미한 질환일 경우에도 아동의 생명에 위협적인 합병증을 가져올 수 있으므로 예방이 건강을 유지하는 최선의 방법이라고 할 수 있다. 신경계 손상이나 퇴행이 발생한 경우 아동과 가족이 신체적, 인지적, 정신적 기능 상실과 관련된 문제를 극복해 나갈 수 있는 전략을 마련할 수 있도록 도움을 주어야 한다. 또한 아동의 성장발달을 돕고 자아존중감을 증진시킬 수 있도록 간호를 제공해야 한다.

01 / 신경계의 해부 생리

신경계는 중추신경계와 말초신경계로 나뉘며, 생후 12년 동안 계속적으로 성숙한다. 중추신경계(central nervous system, CNS)는 크게 뇌와 척수로 구성되며 이러한 조직은 두개골과 척추, 뇌막, 뇌척수액과 같은 구조물에 의해서 보호된다.

뇌는 경막, 지주막, 연막과 같이 세 개의 막으로 덮여져 있어 섬세한 뇌조직을 보호한다. 경막은 많은 혈관이 분포되어 있는 단단한 섬유성 결합조직이다. 지주막은 섬세한 장액성 막으로 지주막 하강에는 뇌척수액이 있고, 뇌에 영양을 공급하는 굵은 혈관이 있다. 연막은 혈관막으로 이루어져 있다[그림 19-1].

뇌척수액은 지주막하강에 있는 체액으로서 뇌로 전달되는 외부의 충격을 완충하여 뇌를 보호하는 역할을 한다. 뇌척수액으로 가득 찬 네 개의 뇌실은 뇌 중심부에 놓여 있다. 뇌척수액은 연막의 맥락막총 안에 있는 두 개의 측뇌실에서 생성되어 몬로공(foramen of Monro)을 거쳐 제3뇌실로 흘러가고, 좁은 통로인 중간뇌수도관(cerebral aqueduct, sylvius duct; 실비우스관)을 지나 제4뇌실로 간다. 그 다음 제4뇌실 정중구(Magendie's foramen)와 두 개의 루시카공(foramen of Lushka)을 지나서 지주막하강으로 나오며, 상시상 정맥동(superior sagittal sinus) 속의 거미막융모(arachnoid villi)를 통하여 정맥으로 주입된다. 뇌척수액은 하루에 100(신생아)~500(성인) ml씩 생성되며 위와 같은 순환과정을 통해 생산량과 흡수량이 동일하게 이루어진다[그림 19-2].

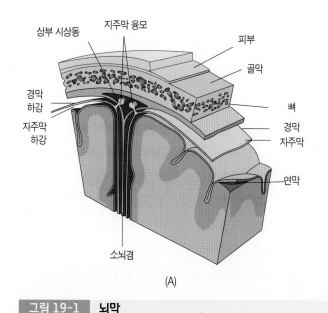

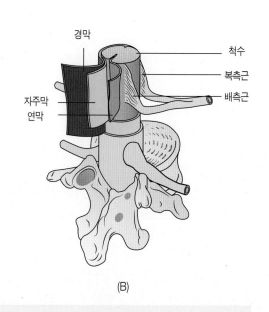

(A)　　　　　　　　　　　　　(B)

그림 19-1　뇌막

(A) 뇌 부분　　(B) 척수와 뇌막

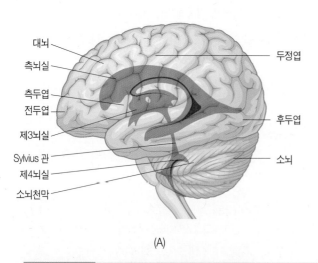

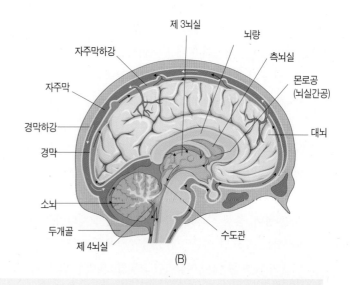

그림 19-2 **뇌실계와 뇌척수액의 흐름양상**
(A) 뇌실계 (B) 뇌척수의 흐름양상

신경세포(neuron, 신경원)는 신경계 조직의 기본단위로 다른 신체세포와 달리 신경세포체(nerve cell body)와 돌기(process)로 구성되어 있다. 돌기는 세포질이 길게 연장된 하나의 축삭(axon)과 여러 개의 수상돌기(dendrite)로 이루어져 있다. 수상 돌기는 신경세포체의 자극(정보)을 받아들이고, 축삭은 신경세포체에서 자극(정보)을 신체기관(말단)으로 전달한다. 신경세포는 그 길이가 다양하며 길이가 긴 신경세포는 운동과 감각기능에 필수적인 역할을 하지만 다른 신체세포보다 손상에 취약하다. 신경세포를 지지하고 보호하는 신경아교세포(glial cells, neuroglia)가 중추신경계의 약 90%를 차지한다. 신경아교세포에는 슈반세포, 희돌기아교세포, 미세아교세포, 뇌실막세포, 별아교세포 등 다섯 가지가 있다.

척수(spinal cord)는 척주관 속에 위치하며, 척수를 가로로 자르면 H자 모양의 회백질과 이를 둘러싸고 있는 백질이 보인다. 척주(spinal column)는 7개의 경추와 12개의 흉추, 5개의 요추, 각 1개의 천골과 미골로 구성되어 있다. 척수신경(spinal cord)은 경추신경 8쌍(C1~C8), 흉추신경 12쌍(T1~T12), 요추신경 5쌍(L1~L5), 천추신경 5쌍(S1~S5), 미추신경 1쌍으로 구분된다. 척수는 신경자극을 뇌로 보내거나 뇌로부터 신경자극을 신체 각 부위로 전달한다. 말단조직에서 감지된 감각정보는 말초신경을 통해 척수신경으로 가서 뇌의 특정 부위로 전달된다. 반면, 대뇌 피질에서 시작된 운동반응은 연수를 지나 척수의 전각세포를 통해 근섬유로 가서 움직임을 유발한다.

말초신경계(peripheral nervous system, PNS)는 체성신경계(somatic nervous system)와 자율신경계(autonomic nervous system)로 구분된다. 체성신경계는 12쌍의 뇌신경과 31쌍의 척수신경으로 구성되며, 골격근의 수의적인 운동과 피부 및 감각기의 감각을 지배한다. 자율신경계는 수의적인 통제 하에 있지 않은 신체 내부의 기관과 땀샘과 혈관의 기능을 무의식적이고 반사적으로 조절한다. 자율신경계는 교감신경과 부교감신경으로 구분할 수 있다.

Ⅱ 뇌기능 사정

아동은 신경계 질환이나 손상에 대해 다양한 반응을 보인다. 두개내압 상승이나 의식변화, 반사반응, 뇌기능 검사 등은 신경 기능을 평가하는 중요한 부분이다. 더불어 모체의 임신력, 가족력 등은 아동의 신경계 사정에 필수적인 요소라 할 수 있다. 아동의 연령별 성장발달 특성을 알고 적절한 의사소통 방법과 검사 기술을 바탕으로 신경계 문제를 사정할 수 있어야 한다.

01 / 건강력

아동의 병력은 신경계 질환을 사정하는 데 매우 중요한

단서를 제공한다. 처음 병원을 방문했을 때 아동의 연령에 맞는 발달지표를 확인하기 위해 어머니로부터 아동에 관한 정보를 얻는 다. 아동의 신경계 문제와 관련된 어떠한 특징적 호소가 있을 경우 증상의 발현 시기, 지속시간, 빈도, 관련 증상 등을 빠짐없이 청취한다. 의사소통이 가능한 아동이라면 부드럽고 친밀한 태도로 관련 정보를 파악하도록 한다.

분만 전 어머니가 가지고 있던 질환, 감염, 흡연이나 음주, 약물 사용 여부, 재태 기간, 임신 중이나 분만 시 합병증, 분만 형태, 출생 시 체중, 수유, 수면 등 모체의 임신력을 파악하는 것 또한 아동의 신경계 사정에 중요한 요소이다. 더불어 가족 중 대사 이상이나 고혈압, 퇴행성 질환, 경련 질환, 편두통 등이 있었는지 가족력을 확인한다.

02 / 신경계 기능 검진

신경계는 대뇌, 뇌신경, 소뇌, 운동, 감각, 반사기능 등 여섯 가지 영역으로 평가할 수 있다. 신경계 관련 문제를 사정하기 위해 아동을 다루기 위한 기술과 인내가 요구된다.

1) 대뇌기능

일반적인 대뇌기능은 의식수준(consciousness), 지남력(orientation), 장기적 및 단기적 기억력, 기분, 언어발달, 학습능력, 지능검사(intelligence test), 일반적 동작이나 행동 등에 의해서 평가된다.

의식수준은 아동의 신경학적 상태가 악화되거나 호전되는지를 알 수 있는 초기 지표로서 아동의 반응을 관찰함으로써 파악할 수 있다. 아동의 의식저하 정도를 표준화하여 기술하기 위해 영아와 아동을 위한 글라스고우 혼수척도(glasgow coma scale, GCS)를 활용할 수 있다[표 19-1]. 지남력은 자신이 누구이고 어디에 있으며, 오늘이 며칠인지 인식하는 것으로 아동의 연령과 발달에 맞는 질문을 하도록 한다. 일반적으로 아동이 주변에 대한 인식을 가지고 있는지, 자신에 대한 분명한 인식을 가지고 있는지 물어보는 것이 중요하다.

장기적 및 단기적 기억력은 즉각적인 회상(immediate recall)이나 과거기억(remote memory)을 통해 알아볼 수 있다. 가령 학령전기 아동에게 어떠한 물체를 보여주고, 약 5분 후에 보여준 것이 무엇이었는지 질문하여 물체를 기억하

표 19-1	영아와 아동을 위한 Glasgow 혼수 척도	
영역	**내용**	**점수**
눈뜨기	자발적으로 눈을 뜸	4
	지시를 듣고 눈을 뜸	3
	통증 자극에 대하여 눈을 뜸	2
	반응 없음	1
언어적 반응	미소를 짓거나 옹알거림	5
	달랠 수 있는 짜증스러운 울음	4
	지속적인 울음	3
	신음소리, 안절부절	2
	반응없음	1
운동반응	정상적이고 자연스러운 움직임	6
	통증자극에 대하여 위촉반응	5
	통증자극에 대하여 굴곡반응	4
	비정상적인 굴곡	3
	비정상적인 신전	2
	반응없음	1
최대총점		15

는지 확인한다던지 학령기 아동에게 이전의 담임선생님 이름을 묻는 질문을 통해 확인한다.

2) 뇌신경 기능

뇌신경 기능 검사는 각 쌍의 뇌신경을 구분해서 사정하는 것으로 제1뇌신경부터 제12뇌신경까지 모두 계통적으로 실시한다[표 19-2].

3) 소뇌기능

소뇌기능 검사는 정상적인 균형과 근육의 조정능력을 검사하는 것이다. 아동의 걸음걸이를 관찰하여 자연스럽고 안정감 있게 걷는지, 아동이 한 발로 서 있을 수 있는지 확인한다. 보통 4세 아동은 5초 동안 한 발로 설 수 있다. 아동에게 앞으로 똑바로 걷도록 하는데 그려진 선을 따라 걷게 해보고, 한 발이 바로 앞 다음 발에 놓이게 걷도록 해본다(tandem gait)[그림 19-3(A)]. 4세 이상의 아동은 네 발짝을 연속해서 걸을 수 있다. 검사자가 아동 앞 45cm 정도에 떨어져 서서 아동에게 자신의 코와 검사자의 손가락에 차례로 자신의 손가락을 닿아보라고 한다(finger to nose)[그림 19-3(B)]. 보통 아동은 검사자의 손가락에 잘 접촉한다. 아동에게 손바닥으로 한쪽 무릎을 두드리도록 하고 재빨리 손을

표 19-2　뇌신경 기능과 사정방법

뇌신경	기능	사정
Ⅰ. 후각신경(Olfactory nerve and tract)	후각	• 눈을 감고 흔한 냄새를 인식하는 아동의 능력을 사정
Ⅱ. 시각신경 및 망막(Optic nerve and retina)	시각 및 시야	• 시야와 시력, 망막을 사정
Ⅲ. 동안신경(Oculomotor nerve)	눈 운동 동공반응 및 눈꺼풀 상승	• 모든 방향으로 물체를 따라가며 안구를 움직일 수 있는 능력 사정, 안구진탕증 확인
Ⅳ. 활차신경(Trochlear nerve)		• 안구진탕증 확인
Ⅵ. 외전신경(Abducens nerve)		• 동공 및 반응, 크기, 대칭성 사정
Ⅴ. 삼차신경(Trigeminal nerve)	씹기 얼굴감각	• 저작근 근육을 검사하기 위해 씹는 힘과 대칭성 사정 • 가벼운 접족을 구별할 수 있는 능력 사정
Ⅶ. 안면신경(Facial nerve)	얼굴표정 맛	• 아동의 눈을 감게 하고 검사자는 눈을 뜨게 하려고 시도하면서 운동근육의 힘 사정 • 얼굴표정과 움직임의 대칭성 사정 • 아동이 소금과 설탕의 맛을 아는지 확인
Ⅷ. 청신경(Vestibulocochlear nerve)	청력 공간지각	• 속삭이는 소리 – Weber, Rinne 검사
Ⅸ. 설인신경(Glossopharyngeal nerve)	인두, 흉곽, 복부기관의 감각	• 구토반사 사정 • 목젖이 정 가운데에 있는지 확인
Ⅹ. 미주신경(Vagus nerve)	삼키기 음성 구토	• 수유 등 삼키는 능력 사정 • 울음소리 • 구토반사 확인
Ⅺ. 부신경(Accessory nerve)	목과 어깨 횡문근 힘	• 검사자의 손에 반하여 아동이 머리를 측면으로 돌릴 수 있는지 확인 • 검사자의 손에 반하여 아동이 어깨를 올릴 수 있는지 검사
Ⅻ. 설하신경(Hypoglossal nerve)	혀운동	• 아동에게 혀를 내밀도록 하여 떨림이 있는지 확인 • 아동에게 혀로 한쪽 뺨을 누르도록 하여 힘을 사정

(A)　　　　　　　　　　(B)

그림 19-3　아동의 소뇌검사

(A) 아동이 똑바로 걸을 수 있는지 관찰한다.　(B) 코 손가락 검사(finger to nose)

뒤집어서 손등으로 무릎을 두드리게 한다. 학령전기 아동은 움직이지 않는 쪽 손도 같이 움직이면서 따라하지만 학령기 아동은 지시에 맞게 동작을 할 수 있다. 아동이 똑바로 누워있는 동안 한쪽 다리의 위쪽을 다른 쪽 다리의 뒤꿈치로 위에서 밑으로 훑어 내려가게 한다.

4) 운동기능

근육의 크기, 강도, 근긴장도는 운동기능을 사정하는 부분으로 양쪽 사지를 비교하여 검사한다. 기능 저하가 의심이 될 경우 양측 사지 둘레를 측정하여 비교해 본다. 수동 관절범위 운동으로 근력을 확인하며 양측이 대칭적인지 유연한지, 강직이 있는지를 평가한다. 아동에게 앞으로 팔을 뻗게 한 후, 검사자가 아동의 팔을 밀어 저항성을 사정하며 같은 방법으로 하지도 검사한다.

5) 감각기능

감각기능 검사는 가벼운 접촉, 통증 등의 촉각과 온도감각, 진동감각에 대한 능력을 확인하는 것이다. 아동이 눈을 감고서 검사자가 솜과 같은 것을 이용해 가벼운 접촉이나 손가락으로 압박을 할 때 정확한 지점을 맞출 수 있는지 관찰한다. 같은 방법으로 안전한 핀과 온·냉감이 있는 물체로 아동의 감각기능을 검사한다. 진동감각은 장골능이나 팔꿈치, 무릎뼈 돌출부에 진동하는 음차를 댐으로써 검사한다.

6) 반사검사

심부건반사 검사는 일차적인 신체검진의 한 부분으로 신경계 사정의 기본 부분이다. 특히 신생아의 경우에는 검사자의 말에 반응하여 행동을 나타낼 수 없기 때문에 반사검사를 통해 중요한 정보를 확인할 수 있다.

확인문제

1. 아동의 걸음걸이와 한 발로 설 수 있는 능력, tandem gait 검사나 finger to nose 검사 등을 실시하는 것은 어떤 것을 확인하기 위해서인가?

03 / 진단검사

건강력, 신경계 기능검진에서 파악된 비정상적 결과에 대하여 좀 더 정확한 정보를 얻기 위해서 다양한 진단검사가 수행될 수 있다. 진단검사를 실시하기 전 검사 절차에 대해 아동과 가족을 준비시키는 것은 간호사의 중요한 역할이라 할 수 있다. 검사에 대한 설명을 할 때 아동의 연령과 인지 수준을 고려하는 것이 중요하며 부모의 요구수준을 파악하여 쉽고 친근한 태도를 취한다. 또한 아동이 안전하고 조금 더 편안하게 검사를 받을 수 있도록 체위를 취해주고 통증감소를 위한 간호 중재를 수행한다.

1) 요추천자

요추천자(lumbar puncture, LP)는 뇌척수액 검사를 위해 실시하는 것으로 영아는 요추 3~4번 사이, 아동은 요추 4~5번 사이 지주막하강으로 바늘을 삽입한다. 이 검사는 지주막하 출혈, 수막염이나 뇌염 등의 감염성 질환, 뇌척수액 흐름의 폐쇄 등을 진단하기 위해 비교적 자주 시행된다. 또한 치료적으로는 약물을 주사하거나 척추마취시, 사용된다. 그러나 바늘 삽입 부위가 감염되었거나, 두개내압의 상승 징후가 있을 때, 심한 혈소판 감소증이 있을 때에는 검사를 실시하기 어렵다.

검사 전 간호: 검사 전 동의서를 받고 아동에게 요추천자 검사절차와 불편감에 대하여 사전에 설명 해준다.

아동에게 요추천자 검사절차와 불편감에 대하여 사전에 설명 해준다. 검사 시 아동의 통증과 불편감을 감소시키기 위해서 EMLA 크림을 검사 1시간 전에 천자 부위에 바른다. 검사를 위한 체위가 매우 중요한데, 영아의 경우 똑바로 앉은 자세에서 머리를 앞쪽으로 구부리는 자세를 취한다[그림 19-4(A)]. 유아기 이후에는 침대 위에 아동을 측면으로 눕히고 머리는 앞쪽으로 무릎은 복부 쪽으로 구부리게 하여 등을 가능한 한 활처럼 휘게 한다[그림 19-4(B)]. 이러한 자세는 요추 사이의 공간을 개방시킴으로서 바늘 삽입을 쉽게 할 수 있게 한다.

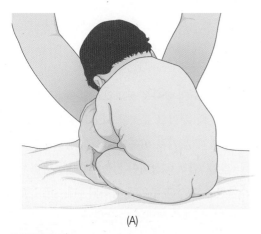
(A)

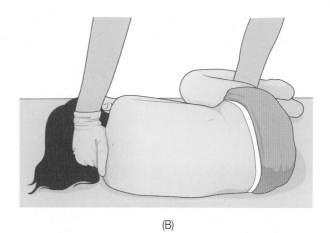
(B)

그림 19-4 **요추천자 시 체위**

(A) 영아 (B) 아동

간호진단 및 목표

간호진단 : 침습적인 검사와 관련된 통증
간호목표 : 아동은 검사 시 큰 통증을 경험하지 않을 것이다.
예상되는 결과 : 아동은 검사에서 잘 협조하며 요추천자 시 큰 통증을 호소하지 않는다.

검사 중 간호: 철저한 무균법을 적용하며 수집된 뇌척수액은 포도당, 단백질, 적혈구세포 등을 측정하기 위해서 검사실로 보낸다. 뇌척수액의 특징은 [표 19-3]과 같다.

검사 후 간호: 일부 아동은 두통을 호소할 수 있는데 1시간 가량 똑바로 누워 있도록 하여 지주막하강에 공기가 들어가서 유발되는 뇌자극을 예방하고. 수분을 섭취시킴으로

써 척수 두통(spinal headache)을 감소시킬 수 있다. 통증이 지속되거나 심한 경우 진통제를 사용할 수 있다. 만일 뇌척수액 압력이 천자시기에 약간 증가한다면, 요추천자 후 수질 압력으로부터 오는 호흡 및 심장 증상을 예방하기 위해서 세심한 관찰이 요구된다. 수 시간 동안 매 15분마다 활력징후를 측정하여 혈압의 증가 또는 맥박, 호흡의 감소와 같은 두개압박의 중요 증상을 확인한다.

2) 뇌실천자

뇌실천자(ventricular puncture)는 수두증 등의 원인으로 뇌압이 상승되었을 때 뇌실에서 뇌척수액을 직접적으로 제

표 19-3 **뇌척수액의 특징**

사정	정상치	중요점
압력/개방 시 압력 (opening pressure)(mmH₂O)	50~80/100~280	· 낮은 압력: 척수관 내 지주막하 폐쇄가 있음 의미 · 상승된 압력: 두개 내 압박, 출혈 또는 감염 의미 · 아동이 기침을 하거나 울거나 심하게 보챌 때, 외경정맥에 압력이 주어진 경우, 압력이 실제보다 높게 나타남
색깔	무색, 투명	· 혼탁할 경우, 백혈구 수치의 증가와 감염 의심 · 색이 붉은 경우, 출혈 의미
백혈구 수(/μL)	미숙아: 0~10 0~1년: 0~10 1~3년: 0~8 이후: 0~5 백혈구 분포: 림프구(≥75%)	· 과립구는 뇌척수액 감염을 의미 · 림프구는 뇌막자극과 감염을 의미 · 소량의 적혈구와 백혈구 세포는 출생 시 손상을 받은 신생아에게서 나타남
단백질(mg/dL)	신생아: 40~80 영아: 10~25 소아: 15~45	· 수치의 증가(45mg/dl 이상)는 적혈구가 있을 때 발생 · 단백질과 적혈구 수치가 모두 올라가면 뇌막 또는 지주막하 출혈이 의심 · 단백질 수치만 상승될 경우 다발성 경화증과 같은 퇴행성 과정이 의심
포도당(mg/dL)	혈당치의 60~80%	· 현저한 뇌척수액 포도당 감소는 박테리아성 뇌수막염 의미 · 뇌척수액 포도당 수치 정상이나 약간 상승 시 바이러스 감염 의미

거하기 위한 목적으로 시행한다. 영아의 경우, 뇌실천자는 관상봉합 또는 대천문을 통해 측뇌실에 천자바늘을 삽입하며 검사 시 아동이 머리를 움직이지 않도록 단단히 붙잡아 지지해야 한다. 검사 후 천자부위에 압박드레싱을 실시하고, 반좌위를 취하게 하여 천자 부위에서 뇌척수액이 흐르는 것을 예방한다. 검사 후 아동이 울 경우 두개내압이 증가할 수 있으므로 아동을 달래고 편안하게 지지한다.

3) 방사선 검사

두개골 단순촬영은 두개골절, 두개골 조기봉합, 두개 내 석회화, 뇌압상승, 선천성 기형 등을 진단하기 위해 실시한다. 급성 두개내압 상승이 있을 때에는 봉합선이 분리되지만, 만성적으로 뇌압상승이 있을 경우 터어키안(sella turcica)이 편평해지거나, 뇌회흔적(convolutional marking)이 증가하는 등 미묘한 변화가 있을 수 있다.

뇌혈관조영술(cerebral angiography)은 외측 뇌혈관으로 방사성 조영제를 주사하여 뇌혈관의 영상을 관찰하는 검사로 혈관의 기형 또는 폐색, 정맥 내 혈전 등의 병변 확인에 유용하다. 조영제가 대뇌의 혈관을 통해 흘러갈 때 연속해서 방사선촬영이 시행되며 대퇴동맥이나 경동맥을 주로 사용한다.

척수조영술은 척수의 공간성 병변 유무를 확인하기 위해 시행되는 검사로 요추천자에 의해 조영제가 뇌척수액속으로 주입된다. 검사 후 조영제가 머리로 들어가는 것을 예방하기 위해 반좌위를 취해준다.

컴퓨터 단층촬영술(computer tomography, CT)은 뇌조직의 구조와 밀도를 보여주는 방사선 검사로 수두증, 선천성 뇌기형, 두개내출혈, 뇌종양, 뇌부종, 뇌경색 등의 병변을 확인하는 매우 유용하다. 조영제를 정맥 내로 주입하여 혈액-뇌 장벽(blood- brain barrier, BBB)에 장애가 생긴 병변이나 비정상 혈관도 확인할 수 있다. 단일광자 방출 전산화 단층촬영(single photon emission computed tomography, SPECT)은 국소 뇌혈류를 측정할 수 있는 검사이다. 국소 뇌전증 발작의 시작 부위를 찾거나 뇌혈관 질환과 뇌종양 재발의 진단에 유용하다.

4) 자기공명영상 검사

자기공명영상 검사(magnetic resonance image, MRI)는 뇌종양, 뇌부종, 선천성 기형, 척수병변 등 CT 스캔에서 확인이 힘들었던 신경계 질환의 진단에 매우 유용한 검사이다.

5) 핵의학 검사

뇌 스캔(brain scan)은 방사성 동위원소(technatum, Tc)를 정맥으로 주입한 후, 주입된 물질이 뇌조직에 침전되는 동안 일정한 시간 후에 두개골 위쪽의 방사성 동위원소 수준을 측정한다. 만일, 혈액 뇌장벽이 기능하지 않는다면 방사성 동위원소물질은 특정한 부위에 축적되는데, 이는 종양, 경막하혈종, 농양, 뇌염을 의미할 수 있다.

양전자방출단층촬영(positron emission tomography, PET)은 CT 또는 MRI와 유사한데, 뇌의 당 소비나 산소 이용, 혈류 등을 측정하여 뇌전증, 대사 질환, 신경 행동 질환 등에 대한 정보를 얻을 수 있다.

6) 초음파 검사

뇌초음파 검사(cranial ultrasound)는 초음파 진동을 이용하여 뇌출혈, 뇌실내출혈, 수두증, 경막하삼출액 등의 병변을 진단하는 데 사용한다. 천문이 닫히기 전에 시행할 수 있는 검사로서 비침습적이며 불편감과 합병증이 없다.

7) 뇌파검사

뇌파검사(electroencephalogram, EEG)는 뇌신경세포의 전기적 활동패턴을 알게 해주는 검사로서 뇌전증 유무를 진단하는 데 매우 유용한 검사이다. 아동의 두피에 전극을 부착하여 전기적 변화를 포착, 증폭하여 연속적으로 기록한다. 눈, 머리, 근육의 움직임이 기록계에 영향을 미치는 것을 줄이기 위해서 아동을 안정시키는 것이 중요하다. 검사실은 휴식을 위해 어두울 것이라고 설명하고 검사는 아프지 않다는 것을 설명한다. 3세 정도의 아동은 전기에 대하여 위험하다고 생각할 수 있으므로 검사를 설명할 때 직접적으로 전기라는 단어는 사용하지 않는다. 아동이 협조적이지 못할 경우 진정이 필요하나 이 경우 피질의 전기 패턴이 변화되므로 가능한 아동을 안정시켜 검사를 진행하는 것이 좋다. 항경련제를 복용하는 아동의 경우 뇌파검사 당일 아침 약물 투여를 금지해야 하는지 확인한다. 뇌파검사가 뇌의 전기적 활동에 대하여 중요한 정보를 제공하지만 임상적으로 정상인 약 15%의 아동에서도 약간의 비정상은 나타날 수 있다.

III 수막염

수막염(meningitis)은 뇌막에 염증이 생기는 것으로 다양한 미생물에 의해 발생하며 세균성 감염, 바이러스성 감염, 결핵성 감염으로 구분할 수 있다.

01 / 세균성 수막염

세균성 수막염(bacterial meningitis)은 뇌막과 뇌척수액에 발생하는 급성 중추신경감염증으로 신생아 및 영아에게 호발하는 질환 중 하나이다. 진단이 늦어지거나 적절한 치료를 하지 않으면 합병증 및 장기적 후유증이 동반되고 사망의 위험성이 높다.

수막염은 연령에 따라 원인균과 증상도 상이하게 나타나는데 1개월 이후부터 12세까지의 소아에게 흔하게 나타나는 세균성 수막염은 일반적으로 다양한 박테리아에 의해 발생할 수 있다. 가장 흔한 원인균은 B형 헤모필루스 인플루엔자(haemophilus influenzae type B, Hib)이고, 수막염균(neisseria meningitis, meningococcal meningitis), 폐렴연쇄상구균(strepto- coccus pneumoniae)이다.

신생아 세균수막염은 혈행성으로 발생하고 흔히 패혈증과 연관되어 발생한다. 원인균은 그룹B군 용혈성연쇄상구균(group B β−hemolytic streptococcus)과 대장균(escherichia coli), 리스테리아 모노사이 토제니스(listeria monocytogenes)이다.

1개월 이후부터 12세까지의 소아에게 흔하게 나타나는 세균수막염은 H. influenzaetype b (Hib), Streptococcus pneumoniae(pneumococcus) 및 Neisseria meningitidis가 가장 흔한 원인균이다[표 19-4].

세균성 수막염은 연중 발생하지만 Hib는 주로 가을이나 초겨울에 발생하고 수막염균과 폐렴구균성 감염은 늦겨울이나 초봄에 흔히 발생한다.

수막염을 유발하는 감염균의 흔한 경로는 혈행을 통한 확산이다. 상부호흡기계 감염이나 신체감염으로부터 원인균이 혈행으로 전파되어 패혈증을 선행하거나 동반하기도 한다. 또는 원인균이 기저 혈관에 침입 후 뇌혈류로 유입되거나 감염성 색전이 혈류로 방출되는 경우에 전파 가능하다. 요추천자나 이물질 삽입, 두개골 골절이나 관통상, 이분척추와 같은 해부학적 기형 등에 의해 감염균이 직접적으로 침투하기도 한다.

감염균이 뇌막강에 들어가면 빠른 증식을 통해 뇌척수액으로 전파되고 염증반응을 통해 농과 끈적한 섬유성 삼출물을 생산하여 뇌척수액 흐름에 차단을 가져온다. 감염이 뇌실로 확산되면서 좁은 실비우스 수도관(aqueduct of sylvius)이 폐쇄될 경우 뇌수종으로 발전할 수 있다. 뇌막을 통해 감염균이 뇌조직으로 침범하여 뇌조직에 충혈과 부종이 발생할 수 있다. 이때 뇌하수체를 압박할 경우 항이뇨호르몬 생성을 증가시키는 원인으로 작용할 수 있다. 뇌신경이 감염될 경우 시력이나 청력의 상실, 안면 마비가 초래된다. 뇌압상승은 세포사로 인한 세포독성 뇌부종, cytokine에 의한 모세혈관 투과성 증가로 인한 척수액 재흡수 저하 및 뇌부종으로 인한 수압 상승에 기인한다. 또 뇌압이 300mmH$_2$O를 넘어서면 뇌관류가 더 위축되고, 부적절한 항이뇨호르몬 분비 등으로 뇌압 상승이 유발될 경우 뇌 관류가 저하되어

표 19-4	연령에 따른 세균성 수막염의 원인균
연령	**원인균**
신생아	대장균, 헤모필루스 B형 인플루엔자, B군 연쇄상구균, 수막염균, 폐렴 연쇄상구균, 헤르페스 바이러스
영아 & 아동	B형 헤모필루스 인플루엔자, 수막염균, 폐렴 연쇄상구균, 장내바이러스, 이하선염 바이러스
청소년	수막염균, 폐렴 연쇄상구균, 헤르페스 바이러스, 아데노바이러스, 아르보바이러스

뇌 세포외 공간에 체액이 저장되어 세포 독성 부종이 발생할 수 있다.

1) 사정

세균성 수막염의 임상양상은 아동의 연령, 원인균의 종류와 이전의 질환에 대한 치료효과, 합병증 등에 따라 차이를 보인다. 임상양상은 심한 경우 갑자기 기면상태, 심혈관계 쇼크, 자반병 및 파종혈관 내 응고, 경련, 무호흡 등이 나타나며, 24시간 내 혼수 혹은 사망이 발생할 수 있는데 흔하지는 않다. 일반적으로는 2~3일 전에 상부호흡 기계 감염이 되어 상기도 증상, 위장관 증상을 동반한 며칠간의 발열 후 급작스럽게 수막염 증상이 발생하는 경우가 흔하다. 열과 오한, 구토, 두부경직, 심한 두통으로 과민해지고 경련이 나타날 수 있다. 점차로 뇌막 자극증상이 나타나는데 Brudzinski s sign과 Kernigs sign 양성 반응이 나타난다 [그림 19-5]. 또한 등이 아치 모양으로 휘고 목은 과다 신전되는 후궁반장을 보인다.

12~18개월 미만의 유아에서는 수막 자극 징후인 경부강직, 요통, Kernig 징후와 Brudzinski 징후가 나타나지 않을 수도 있다. 뇌신경 마비가 있을 수 있으며 이때 제3신경, 제6신경이 가장 흔하게 침범되어 모든 시야방향으로 빛을 따라가며 볼 수 없게 된다. 천문이 아직 닫히지 않은 경우에는 천문이 팽창되고, 천문이 닫힌 경우는 유두부종이 발생한다. 수막염의 원인균이 H. influenzae인 경우 아동은 패혈성 관절염이 생기고, N. meningitis가 원인균인 경우에는 자주빛의 점상 피부발진이 생긴다.

요추천자는 세균수막염이 의심되면 반드시 실시해야 하는 검사로 요추천자를 통한 뇌척수액 검사는 세균성 수막염을 진단하는 데 유용하다. 세균수막염의 경우 뇌척수액은 육안으로 쌀뜨물 같은 혼탁함을 볼 수 있으며, 가만히 두면 부유물을 볼 수 있는데 이것은 강한 염증 반응에 의해 생성된 섬유성 삼출물을 의미한다.

그러나 다음과 같은 경우에는 요추 천자를 금기한다.

- 의식 저하를 동반한 제3뇌신경 및 제6뇌신경 마비
- 호흡 이상을 동반한 고혈압 및 서맥,
- 즉각적인 소생술이 필요한 심폐 기능 악화
- 천자 부위에 피부감염
- 요추천자 전 안저검사에서 유두부종이 있는 경우(뇌 탈출 우려가 있음)

수막염이 의심되는 경우 모든 아동에서 혈액 배양 검사를 실시하는 것이 추천되며 세균성 수막염 환자의 80~90%에서 원인균이 발견된다. 수막염으로 인해 패혈증이 유발될 수 있으므로 혈액도말 검사를 시행한다. 심한 수막염일 때는 백혈구 감소증이 초래될 수 있는데 예후는 좋지 않다.

뇌척수액과 혈청 내 당 수치의 관계를 평가하는 것이 수막염을 구분하는 데 중요하며 건강한 아동의 경우 뇌척수액의 포도당 수치는 혈청 내 수치와 동일하다. 그러나 세균성 수막염은 박테리아의 생존을 위해 포도당이 사용되므로 뇌척수액 결과에서 당 수치가 떨어지고 백혈구(특히 다형핵백혈구)와 단백질 수치는 증가한다[표 19-5].

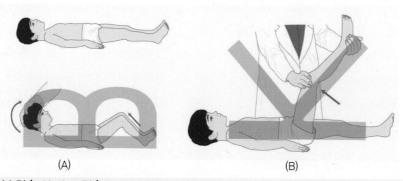

(A) (B)

그림 19-5 Brudzinski 징후, Kering 징후

(A) Brudzinski 징후. 간호사는 아동의 목을 앞으로 굴곡시킨다.
　　양성반응: 양쪽 엉덩이, 무릎 그리고 발목의 굴곡은 뇌막자극을 의미한다.
(B) Kernig 징후. 간호사는 아동의 엉덩이와 무릎을 90도로 굴곡시킨다.
　　양성반응: 다리가 신전되어질 때 통증, 저항, 강직이 관찰되며 이것은 뇌막자극을 의미한다.

표 19-5	수막염의 분류에 따른 뇌척수액 특징			
구분	정상	세균성	무균성(바이러스성)	결핵성
색깔	무색	혼탁	무색이거나 약간 혼탁	
압력	50~180	100~300	80~150	대개 상승 100~300
백혈구 수	<5	300~2,000	≤1,000	10~500
백혈구 분포	림프구≥(75%)	다핵구(75~95%)	림프구	림프구
단백질	10~50	100~500	50~200	100~3,000
포도당	>50(혈당치의 75%)	<40(혈당치의 50%)	대개 정상	<50
그람염색 세균배양	음성	양성	음성	
증상	무	고열, 두통, 구토, 커니스 징후	발열, 구토, 두통, 경부강직, 피부발진	

아동이 결핵균에 감염된 사람과 가까이 했다면 결핵성 수막염을 확인하기 위해 튜베르크린 피부검사를 해야 한다. 뇌압 상승이나 농양을 확인하기 위해 CT 스캔을 실시할 수 있으며 필요시 MRI나 초음파 검사를 시행하기도 한다.

2) 치료적 관리

수막염은 심각한 질환으로 급격한 속도로 진행되어 치명적인 결과를 발생시킬 수 있어 조기 발견을 통한 신속한 처치가 무엇보다 중요하다. 치료적 처치는 격리, 항생요법 시작, 수화 및 환기 유지, 상승된 두개내압 감소, 전신쇼크관리, 발작조절, 체온유지, 합병증 치료이다.

1차로 실시되는 치료는 항생제 요법이다. 두개내압 상승에 따른 증상이 나타나지 않으면 뇌척수액을 채취한 후 즉시 항생제를 투여한다. 뇌압 상승이 의심될 경우 요추천자 전에 항생제를 투여하고 뇌압 상승에 대한 처치를 즉각적으로 시행한다. 원인균이 밝혀지기 전에 항생제 선택은 감염의 가능성이 가장 높은 세균에 대한 감수성에 기초한다. 일반적으로 빠른 효과를 위해 정맥 내로 약물을 투여하며, 혈액뇌관문(blood-brain barrier, BBB)으로 약물이 통과되는데 제한이 있다고 판단될 경우 뇌척수액으로 직접 약물을 주사할 수 있다. 원인균이 H. influenzae로 확인된 경우 일반적으로 ampicillin을 선택한다. 항생제 치료에 있어 원인균에 따른 항생제 감수성을 고려해야 하며 국내에서는 penicillin 내성 폐렴연쇄상구균(Streptococcus pneumoniae)의 비율이 매우 높게 보고되고 있다.

이때 vancomycin, cefotaxime, ceftriaxone 투여를 선택할 수 있으며 그 밖에 chloramphenicol, gentamycin, tobrammycin이 사용될 수 있다. 치료는 최소 10일에서 14

일 동안 지속한다. 뇌척수액 내 원인균을 신속히 사멸하나 세포 용해로 분비되는 독성 물질이 염증 반응을 촉진시켜 신경 손상과 중추 신경계 증상을 악화시킬 수 있다. 이러한 염증 반응을 감소시켜 발열 및 청신경 손상을 예방하기 위한 목적으로 Hib. 수막염 치료에 dexamethasone을 사용할 수 있다. 그러나 Hib. 이외의 수막염에 있어서 코르티코스테로이드의 효과는 확실하지 않다. 또한 위장관 출혈이나 이차감염의 징후가 있을 때 스테로이드의 투여는 어려울 수 있다. 항생제 치료 시 정맥염, 발진, 구토, 구강칸디다증, 설사 등의 부작용이 발생할 수 있다.

치료 기간 중 신경계 평가와 두개내압에 대한 감시가 지속적으로 이루어져야 한다. 뇌압이 상승된 경우에는 기도 삽관을 하여 과다 환기를 유도하고 furosemide나 mannitol을 정맥주입한다. 항이뇨호르몬 분비이상 증후군(syndrome of inappropriate secretion of antidiuretic hormone, SIADH)이 없고 혈압이 정상이면 수액 요법을 통해 체액부족을 교정하고 수화를 유지한다. 쇼크의 위험이 있을 때에는 수액 제한을 하지 않고 순환 혈액량과 전해질 균형에 치료를 실시해야 한다. 치료 과정에서 발작이 발생할 수 있으므로 항경련제 사용을 고려하고 발작 발생 시 적절한 대처를 할 수 있어야 한다. 수막염이 조기에 발견되어 효과적인 치료를 실시한다고 해도 아동의 회복과정이 일정하지는 않다. 따라서 가능한 빠른 진단과 치료가 실시되어야 할뿐만 아니라 회복된 후에도 신경학적 평가, 학습장애, 경련, 청각손상, 인지장애 등을 지속적으로 사정하도록 한다.

세균성 수막염 발생을 최소화하기 위해 예방접종을 실시할 것을 권장하며 감수성 접촉자에서는 예방적 항생제 요법을 실시하도록 한다. 특히 긴밀한 접촉을 한 가족이나 아동

보호시설, 보육시설, 구강 분비물에 직접 노출된 의료기관 종사자는 예방적 항생제를 투여해야 한다.

3) 간호

수막염 치료 과정에서 요추천자와 지속적인 정맥주입 등 많은 침습적 절차를 경험하는데, 이는 아동이 감당하기에 어려운 과정이며 입원이라는 낯선 환경으로 인해 매우 예민해질 수 있다. 아동의 통증을 감소하고 안위감을 증진시킬 수 있도록 지지한다. 간호할 사항은 통증간호, 안위간호, 뇌압상승징후 관찰 및 간호, 전해질불균형 간호, 신경학적 징후 및 활력징후 간호, 체온유지 간호, 발작 간호, 보호자 정보제공 및 지지 간호 등이다[표 19-6]. 보통 아동은 목의 경직 때문에 머리를 구부릴 때 통증이 유발되므로 베개를 적용하지 않은 상태에서 침상머리를 약간 상승시키거나 옆으로 눕는 자세를 편안해한다. 이러한 자세를 유지할 수 있도록 도와주고 통증이 유발되는 체위가 취해지지 않도록 주의한다. 통증이 심한 경우에는 진통제로 acetaminophen을 사용하거나 비스테로이드성 항염증제를 사용하고, 통증이 심하지 않을 때에는 장난감을 가지고 놀게 하거나 그림을 그림으로써 아동의 느낌을 표현하도록 격려한다.

간호진단 및 목표

간호진단 : 내막자극과 관련된 통증
간호목표 : 치료과정에서 뇌막을 자극하는 행동을 최소화한다.
예상되는 결과 : 아동의 얼굴에 찡그림이나 불편감이 관찰되지 않을 것이다.

병실은 조용하고 자극을 최소화하는 환경으로 조성하고 아동이 편안하게 휴식을 취할 수 있도록 한다. 뇌압 상승의 증상이 있는지 주의 깊게 관찰하고 수액의 과잉주입을 예방한다. 뇌압상승을 예방하기 위해 뇌압상승을 유발하는 자세나 경정맥을 압박하는 자세, 목의 굴곡 과신전 및 통증을 유발하는 활동을 금하고 침상머리를 15~30도 정도 상승시켜 정맥혈의 순환을 준다.

또한 뇌하수체 압박으로 인한 항이뇨호르몬 분비이상 증후군(SIADH)을 확인하기 위해서 요비중을 확인하고 아동의 두위와 체중을 매일 측정한다. 뇌부종이나 경막하삼출물과 같이 수분축적이 증가하는지 섭취량과 배설량을 주의 깊게 살핀다. 경막하삼출물 암시징후는 다음과 같다[표 19-7].

활력징후 측정 및 신경학적 평가를 자주 시행하고 쇼크나 호흡 장애를 관찰한다. 제8뇌신경 압박 시 청력 감소가 있을 수 있으므로 아동에게 질문하거나 영아가 음성에 따른 반응을 하는지 관찰한다.

자녀가 수막염에 이환되었을 때 부모들은 큰 책임감과 죄책감을 느낀다. 수막염이 급작스럽게 발생한다는 것을 설명하고 부모의 자기비난을 최소화할 수 있도록 그들의 감정을 표현하도록 격려한다. 아동에게 진행되고 있는 치료과정이나 주의사항을 잘 설명해주고 회복된 후에도 지속적으로 상태를 평가하고 관리해야 한다는 것을 알려준다. 치료의 전 과정 동안 부모가 아동을 좀 더 편안하고 안전하게 간호하고, 아동의 불안을 관리할 수 있도록 돕는다.

표 19-6	수막염 치료 및 간호
항생제요법	• 뇌압상승이 의심될 경우 요추천자 전에 항생제 투여 • 감염가능성이 높은 세균에 기초하여 정맥투여 또는 뇌척수액으로 직접 주입 • 원인균에 따른 항생제 감수성을 고려하여 선택하며 8–10일간 지속 • 정맥염, 발진 구토, 구강칸디다증, 설사 등 부작용 발생가능
두개내압 감시	• 뇌압이 상승된 경우 기관 내 삽관을 통해 과다환기 유도 • furosemide, mannitol 정맥주입 • 머리 상승
수화 유지	SIADH(항이뇨호르본비이상증후군)이 없고, 혈압이 정상이면 수액요법을 통해 수화유지
쇼크관리	쇼크 위험이 있을 때 수액제한 없이 순환혈액량과 전해질 균형 치료
발작조절	발작 시 항경련제 사용을 고려하며 적절한 대처
자극예방	광선예방 및 조용한 환경조성
발열 및 통증간호	acetaminophen, NSAID제 사용
안위간호	장난감이나 그림그리기를 통해 격려

표 19-7	경막하삼출물 암시징후

- 72시간 동안 항생제를 포함한 적절한 치료에도 발열이 지속될 경우
- 72시간 동안 적절한 항생제 치료에도 뇌척수액 배양검사가 양성일 경우
- 국소적 혹은 지속적 발작이 발생할 경우
- 구토가 지속적이거나 반복적으로 발생할 경우
- 국소신경학적 징후가 발생할 경우
- 임상경과가 좋지 않을 경우, 특히 72시간 동안 적절한 항생제 치료에도 뇌압상승의 증거가 있는 경우

02 / 무균성 수막염

무균성 수막염(바이러스성 수막염, Aseptic(Viral) meningitis)은 다양한 바이러스에 의해 발생하며 가장 흔한 원인균은 장바이러스(enterovirus)로 전체 발생의 90% 이상을 차지한다. 여름이나 가을에 호발하며 주로 세균성으로 인한 질환 치료가 부적절했거나 부분적이었을 때 발생하며 대부분 큰 합병증 없이 자연적으로 회복되나, 심한 경우 신경계 후유증이나 사망을 초래하기도 한다.

1) 사정

무균성 수막염의 원인이 같다 하더라도 아동에게 나타나는 임상증상이 다양하고 모호하며 세균성 수막염에 비해 일반적으로 경미한 증상을 보인다. 영유아는 보채거나 돌보기 어려워진다. 좀 더 나이가 든 아동은 초기에 두통, 발열, 구토, 위장관 증상을 보이다 광선공포증, 경부강직, 감각과민, 목과 다리에 통증 등 뇌막자극 증상이 나타난다. 체온상승으로 인해 열발작이나 의식 변화가 올 수 있다.

뇌척수액에서 포도당과 단백질이 정상이고 림프구(백혈구)가 증가하는 것을 볼 수 있다. 또한 증상 전에 피부발진이 선행되기도 한다.

2) 치료적 관리

무균성 수막염으로 확진되기 전까지는 항생제 투여가 필요할 수 있으며 세균성 수막염의 발생 가능성을 고려하여 격리치료가 실시될 수 있다. 무균성 수막염으로 진단된 이후에는 일반적으로 대증요법을 실시하고 면역글로불린을 투여하기도 한다. 두통이나 근육통에 acetaminophen을 사용하고 salicylic acid는 피한다. 뇌압이 상승된 경우 이를 위한 처치가 요구된다. 수분-전해질 균형, 수화 유지, 영양공급 등의 지지적인 치료가 필요하다.

3) 간호

바이러스성 수막염은 보통 큰 후유증 없이 완전히 회복되지만 체온조절, 안위제공 등의 간호를 적절히 제공해야 한다. 안정을 취할 수 있도록 편안한 자세를 유지하고 조용하고 약간 어두운 환경을 제공한다. 부모에게 의식 변화나 경련 등의 합병증에 대한 교육을 실시하여 퇴원 후 아동을 잘 관리할 수 있도록 돕는다.

03 / 결핵성 수막염

결핵성 수막염(tuberculosis meningitis)은 소아결핵의 합병증으로 주로 항산성균인 결핵균, M. tuberculosis에 의해 수막염이 초래된다. 일반적으로 6개월에서 4세 아동에게 호발하며, 결핵균 초기 감염 후 2개월에서 6개월 이내에 주로 발생하고, 약 25~50%에서는 속립결핵(miliary tuberculosis)이 동반된다. 나이 든 소아에서는 전신 결핵의 합병증으로 발생한다.

결핵균이 기도로 침입해 폐에 원발소를 만들고 근처 림프절에 종창을 만들어 초기감염군을 형성한다. 이때 결핵균이 혈류나 림프를 통하여 전신의 장기에 퍼지고, 대뇌 피질이나 수막에 침입해 전이성 건락 병소를 형성하고, 커지면서 적은 수의 결핵균이 거미막 밑으로 들어가 수막염 증상을 일으킨다. 결핵성 수막염에 이환된 아동을 적절하게 치료하지 않으면 3주 이내에 사망한다.

1) 사정

아동의 연령이 낮을수록 임상 증상이 빠르게 진행되며 수일 이내에 수두증, 경련, 뇌부종이 나타나며 일반적으로 수주 이내에 다음의 3단계 증상을 보인다.

제1기에는 명확한 신경학적 증상 없이 발열, 두통, 보챔, 기면, 권태감과 같은 비특이적인 증상이 1주에서 2주 동안 지속되며 영아들은 이 기간 동안 열발작이 나타나거나 성장발육이 지연된다.

제2기는 급진적으로 시작되는데, 뇌자극 증상이 나타나

는 시기로 기면, 경부강직, 경련, Kernig 징후, Brudzinski 징후, 구토, 뇌신경 마비(Ⅲ, Ⅵ, Ⅶ 신경) 등의 증상이 나타난다. 이는 수두증, 뇌압 상승, 혈관염이 진행되는 것과 관련되며, 심한 경우 의식장애, 지남력 상실, 언어 및 운동장애가 발생한다.

제3기에는 혼수, 편마비, 양측마비, 고혈압, 제뇌경직(decerebrate rigidity) 및 활력징후의 문제와 사지경직 등의 문제가 나타나고 악화될 경우 사망에 이를 수 있다.

결핵성 수막염에 이환된 경우, 3주 이상 지속되면 60-70% 정도는 수두증이 발생한다. 또한 튜베르쿨린 반응검사상 약 절반가량 음성이 나타나고, 흉부 방사선검사 결과 20~50%는 정상 소견을 보인다. 이처럼 결핵성 수막염을 조기에 진단하기는 어렵기 때문에 뇌척수액 검사가 진단에 중요한 지표가 된다. 이 외에도 위 흡인물과 소변 배양검사가 진단에 도움이 된다.

조기진단이 중요하며, 아급성의 수막염 증상, 결핵에 노출한 병력, 결핵 피부 반응 검사 양성, 뇌척수액 소견과 배양으로 진단한다.

2) 치료적 관리

적절한 화학요법, 수분과 전해질 교정 및 뇌압의 조절을 목표로 하며 우선 약물복합요법이 원칙이며 일반적으로 항결핵제를 일차적으로 투여하고 치료 기간이 길어 투약을 꾸준히 실시하는 것이 중요하다. 항결핵제에 내성을 보이는 경우 이차 약제로서 뇌척수액 공간으로 이동할 수 있는 항생제를 선택하며 염증이 심한 경우 스테로이드 치료를 병행하기도 한다.

결핵성 뇌수막염의 예후는 치료의 시작 시기와 밀접한 관련이 있으며, 연령이 낮을수록 예후가 나쁘다. 제1기에 적절한 치료가 시작될 경우 예후가 비교적 좋지만, 제3기 환아는 치료 이후에 영구적인 합병증(실명, 청력장애, 양측마비, 요붕증, 정신 지체)이 초래된다.

3) 간호

세균성 수막염 아동 간호와 유사하다.

간호사례 1 / 뇌수막염 환아

사　정 : 12세 찬우는 학교에서 현장학습을 다녀온 날 저녁부터 간헐적인 열과 인후통이 있어 다음날 소아과를 찾아 상기도감염 진단을 받은 후 3일분 경구투약을 하고 있었으나 오늘아침부터 눈이 빠지는 것처럼 아프고 머리가 심하게 아프다고 호소하는 등 증세가 호전되지 않았으며 오늘저녁부터 또 고열이나고 복통과 구토를 계속하여 엄마가 찬우를 데리고 상급병원 응급실로 내원하였다. 활력징후를 측정 한 결과 BT: 38.9도, 맥박은 86회, 호흡은 20회로 측정 되어 해열제가 처방 되었다. 피부는 탄력이 없으나 안구함몰은 보이지 않았다. 의사가 신체검진을 하던 중 경부 강직증상을 보였고 Kernig sign 음성으로 나타나 뇌수막염으로 유추하고 혈액검사와 요추천자가 실시되었다.

간호진단 : 뇌수막염과 관련된 고체온
간호목표 : 정상체온을 유지한다.
평　가 : 체온이 정상적으로 안정되었다.

계획 및 중재
1. 체온을 자주 측정하고 기록한다.
2. 미온수 마사지방법에 대해 교육하고 시행한다.
3. 상의를 탈의하거나 창문을 열어 시원한 환경적 중재를 적용한다.
4. Ice Bag을 적용한다.
5. 수분섭취를 권장한다.
6. 수분 섭취량과 배설량을 사정한다.
7. 침상안정을 취할 수 있도록 보호자에게 교육한다.
8. 처방에 따라 수액 및 항생제와 해열제를 투여한다.

간호사례 / 뇌수막염 환아 (계속)

간호진단 : 두개 내 염증과 관련된 두통
간호목표 : 통증이 조절되어 편안해 진다.
평   가 : 두통이 조절되어 편안히 쉴 수 있다.

계획 및 중재

1. 적절한 통증도구를 사용하여 통증수준을 측정한다.
2. 처방된 진통제를 투여한다.
3. 뇌내압을 낮추는 처방된 약물을 투여한다.
4. 안정적이고 조용한 환경을 제공한다.(밝은 빛, 소리)
5. 두통의 원인에 대해 설명한다.

간호진단 : 구토와 관련된 체액부족
간호목표 : 수분의 균형을 이룰 수 있다.
평   가 : 탈수증상이 사라지고 수분과 전해질의 균형을 이루었다.

계획 및 중재

1. 수분 섭취량과 배설량을 사정한다.
2. 피부의 탄력성과 구강점막 등 탈수증상을 사정한다.
3. 혈중 전해질 수치를 사정한다.
4. 매일 같은 시간에 대상자의 체중을 측정한다.
5. 처방된 수액과 전해질 용액을 투여한다.

확인문제

4. 세균성 수막염에 이환되는 위험 인자는 무엇인가?

5. 뇌막 자극 증상을 확인하는 방법에는 어떤 것들이 있는가?

Ⅳ 열발작

발작(seizure)이나 경련(convulsion)은 대뇌의 비정상적인 전기활동에 의해 갑작스럽게 불수의적인 근육 수축, 감각이나 행동 변화가 발생하는 것을 말한다. 비정상적인 전기활동이 뇌 중심부에서 일어날 경우 의식에 영향을 미칠 수 있고, 대뇌피질의 특정부위에서 발생할 경우 해당 부분과 관련된 증상이 나타날 수 있다. 또한 대뇌피질의 일부 영역에서 시작하여 다른 부위로 확대될 수도 있다.

발작은 아동에서 비교적 흔한 증상으로 발열이나 감염, 두부 외상, 뇌 탈수, 저산소증, 심각한 저혈당, 내분비 변화, 종양, 중독과 같은 원인에 의해 발생되는 경우가 많다. 호흡중지(breath-holding spell)나 실신(syncope)과 같은 갑작스러운 상황이 발작과 혼동될 수 있으며 일부 아동에서는 심리적 원인에 의해 심인성발작(psychogenicsiezure)이나 거짓발작(pseudoseizure) 증상이 발생하기도 한다.

열발작(febrile seizure)은 아동기 발작성 질환 가운데 가장 흔하게 발생하며 보통 3개월에서 5세 사이 남아에게 호발한다. 중추 신경계 감염이나 대사 질환과는 별개로 고열(38.9~40.0℃ 또는 102~104°F)로 인해 유발되는 발작을 말한다. 70% 정도가 바이러스성 상기도 감염인 편도염, 인두염 및 폐렴 그 외 중이염이나 요로감염 및 수막염에 의한 열성질환이다.

발생 빈도는 전체 아동의 3% 정도이며 보통 열이 내려가면 발작이 빨리 사라지고 특별한 후유증 없이 회복한다. 가족 구성원 가운데 열발작 병력이 있는 경우 발생률이 높다. 열발작이 발생한 아동 가운데 약 30~50% 정도가 재발할 수 있으므로 처음으로 발작이 발생한 아동의 경우에는 예방을 위한 관리가 중요하다.

01 / 사정

단순 열발작은 아동의 심부 체온이 39℃ 이상으로 갑작스럽게 상승할 때 발생할 수 있다. 발작의 양상은 긴장 간대성 형태로 전신에 걸쳐 나타난다. 발작시간은 평균 15~20초 동안이나 10분까지 지속되는 경우도 있고, 보통 발작 이후에 일시적인 졸림 증상이 나타난다. 복합 열발작은 발작 시간이 15분 이상 지속되거나 하루 2번 이상 부분적인 발작 내지는 발작 이후에 국소적인 징후가 동반되는 경우를 말한다.

단순 열발작을 경험한 아동이 뇌전증으로 악화되는 경우는 약 1% 정도에 불과하지만 1세 이하에서 발작이 시작되거나 뇌전증의 가족력이 있거나 부분 발작증상이 있는 경우, 또는 발달이 늦거나, 신경학적 문제가 동반된 경우, 복합 열발작이 있는 경우 뇌전증으로 이행되는 확률이 높아진다.

02 / 치료적 관리

열이 나는 원인이 무엇인지 사정하는 것이 매우 중요하며

수막염과 구별이 필요한 경우에는 요추 천자를 시행한다. 균이 발견된 경우에는 감염의 원인에 따라 적절한 항생제 치료를 실시한다. 그 밖에 혈당, 전해질 등의 검사를 시행할 수 있다. 보통 열발작의 경우 뇌파 검사나 방사선 검사를 시행하지 않지만 뇌전증으로 이행할 가능성이 있는 경우나 비정형적인 증상이 나타나는 경우에는 진단에 도움이 될 수 있다.

열발작의 경우 열을 38.4℃(101℉) 이하로 떨어뜨리는 것이 중요하며 이를 위해 아동 연령과 체중에 따른 충분한 양의 acetaminophen을 투여하는 것이 효과적이다.

열발작은 보통 일시적으로 나타나므로 항경련제를 사용하지 않는 것이 바람직하다. 그러나 발작이 지속적일때는 항경련제로 diazepam이나 lorazepam을 사용하는데 열발작 재발빈도를 낮추는 데 비교적 안전하고 효과적인 약물로 알려져 있다. 이에 열발작이 자주 재발하거나 심한 발작이 있는 아동에게서 열이 오르기 시작하는 단계에서 해열제와 함께 투여하는 것을 고려할 수 있다. 그러나 기면이나 과민성, 조화운동 불능과 같은 부작용이 동반될 수 있으므로 투약 시 주의를 기울여야 한다.

간호사례 2 / 열발작 환아

사　　정 : 22개월 남아는 어제 고열과 함께 1분이내의 짧은 발작이 있었는데 괜찮아져 관찰 중에 오늘 오전 다시 고열과 함께 2분정도의 발작을 하여 병원을 내원하였다. 아동에게는 형이 있는데 형도 어렸을 때 열 발작을 했던 경험이 있어 가족력이 있음을 확인하였으며 집에서 해열제를 먹이고 온 상태로 현재 아동은 37도로 체크되었으며 발작증상은 보이지 않았다. 부모는 다시 발작할까봐 불안해하고 있으며 환아는 가족력이 있는 열발작으로 진단을 받았다.

간호진단 : 열발작에 대한 지식부족과 관련된 부모불안

간호목표 : 열발작에 대해 알고 설명할 수 있으며 불안해하는 모습이 관찰되지 않는다.

평　　가 : 열 발작에 대해 알고 설명할 수 있으며 대처방법에 대해서도 말 할 수 있다.

계획 및 중재

1. 열발작에 대한 원인과 질병과정에 대한 정보를 제공한다.
2. 부모의 불안을 말로 표현하도록 격려한다.
3. 1~2시간 간격으로 체온을 측정한다.
4. 고열예방을 위한 방법에 대해 교육한다.
5. 고열이 있을 때 대처법과 발작 시 대처하는 방법에 대해 교육한다.

간호진단 : 열발작과 관련된 신체상해 위험성

간호목표 : 열 발작하는 동안 신체손상을 입지 않는다.

평　　가 : 열 발작으로 신체손상을 입지 않는다.

계획 및 중재

1. 열발작 전구증상 등에 대해 교육한다
2. 침상 난간을 올려준다
3. 주변에 위험한 물건을 치워둔다
4. 고열이 나는 경우 대처법에 대해 교육한다.

03 / 간호

열발작은 일반적으로 아동에게 신경학적 후유증을 남기지 않고 증상이 호전된다는 것을 부모에게 설명해 준다. 또한 고열에 따른 발작의 재발을 방지하기 위해 부모 교육이나 상담을 실시하는 것이 중요하다. 열발작이 사라진 이후에 열을 빨리 효과적으로 낮추기 위해 스펀지에 미온수를 적셔서 아동을 닦아주도록 한다. 과거에는 아동의 이마나 액와, 서혜부를 찬 수건으로 해주었으나 최근에는 미성숙한 신경계 쇼크나 불쾌감을 유발한다는 연구 결과가 나와 찬물이나 알콜사용은 권하지 않는다. 얇은 옷을 입혀 의료기관으로 방문하도록 교육한다. 통목욕은 아동에게 추가적인 손상을 유발할 수 있으므로 실시하지 않는다.

발작 후에는 졸음이 올 수 있어 흡인의 위험성이 증가되므로 acetaminophen과 같은 약물을 구강을 통해 투여하지 않도록 주의한다.

Ⅴ 뇌전증

뇌전증이란 두 번 이상의 이유없는 발작이 적어도 24시간 이상의 간격으로 발생하는 경우를 말한다. 아동에게 발생하는 발작 가운데 1/3 정도는 뇌전증에 의해 발생하며 아동기에 발생한 대부분의 뇌전증은 성장하면서 회복되는 경우가 많다. 뇌전증 아동의 예후는 비교적 좋지만 10~20%는 약물 치료에 반응하지 않고 일부는 중추 신경계에 심각한 이상에 의해 발작이 발생하기 때문에 철저한 검사와 적극적인 치료가 필요하다.

아동이 발작을 보일 경우 뇌전증의 국제 분류법에 의해 일시적인 발작과 뇌전증을 구별하고 뇌전증의 유형과 원인, 중증도를 구분해야 한다. 이는 약물 선택이나 치료의 방향을 결정하고 예후를 예측하는 데 매우 중요한 요소라 할 수 있다. 뇌전증 발작은 크게 부분발작과 전신발작, 미분류 뇌전증발작으로 구분되며 임상 양상에 따라 유형을 명확히 구분하기가 쉽지 않기 때문에 뇌파검사나 동반된 다른 증상을 잘 사정하는 것이 중요하다[표 19-8].

01 / 부분발작

부분발작(partial seizure, focal seizure)은 전체 뇌전증 발작 아동 가운데 약 40%를 차지하며 발작 중에 의식이 유지되는 단순 부분발작(simple partial seizure)과 의식이 소실되는 복합 부분발작(complex partial seizure)으로 구분할 수 있다. 국소운동발작이나 체감각적발작, 정신발작 등이 특징적으로 나타낸다.

단순 부분발작은 평균 10~20초 정도 유지되며 발작이 있는 동안 의식이 있고 말을 할 수 있다. 2~14세 사이 발달장애가 없는 소아에서 발생하는데, 특히 9~10세에 가장 많이 나타나고 15세경에 소실된다.

발작은 수면 중, 특히 아침에 일어나기 1~2시간 전과 잠이 든 직후에 잘 발생하는데 일측의 입언저리, 목, 얼굴 등에 국한되어 경련과 감각이상이 나타나 과도한 침분비 증상이 나타날 수 있다. 발작 이후에 아동이 피로해 하거나 잠이 들거나, 발작 후 증상이 없는 경우가 많다. 운동증상을 동반한 발작이 가장 흔하게 나타나며 대게 얼굴이나 목, 사지에 간대

표 19-8	발작 유형에 따른 특성			
	부분발작		전신발작	
임상증상	단순 부분발작	복합 부분발작	결신발작	강직-간대성발작
연령	2~14세	3세 이후	5~10세 여아	7~18세
빈도	10~20초	60초 이상	30초 이내	10~30초/30분
전조증상	있음(특이한 감각)	항상	없음	없음
의식소실	없음	있음	있음	있음
자동증	없음	있음	있음	없음
발작 후 기억상실	없음	있음	있음	있음
강대성 발작	있음	가끔	있음	있음

성이나 긴장성 움직임을 보이는 것이 특징적이다. 저림, 통증, 따끔거림, 감각이상, 무감각 등의 다양한 감각 증상이 동반될 수 있고, 흉통과 두통 증상을 경험하기도 한다.

복합 부분발작은 모호하고 불쾌한 느낌, 공포감, 특히 위로부터 목으로 올라오는 듯한 느낌이 있고, 두려움, 눈을 깜박이거나 하던 일을 갑자기 멈추는 등의 전조증상이 동반되는 경우가 많으며 항상 의식 소실이 있다. 의식 소실 이후부터 발작 후 기간까지는 본인의 의지와 상관없이 이루어지는 자동증(automatism)을 보이는 경우가 흔하다. 유아에서는 입맛을 다시거나 삼키는 행위, 씹는 행위, 다량의 침 분비 등이 나타날 수 있고 조금 더 큰 아동에서는 물체를 만지작거리거나 문지르는 행위, 방향 없이 걷는 행동이 자동증 양상에 포함된다. 발작 후에는 보통 기억상실을 경험하고 졸음이 몰려온다. 이 복합 부분발작 중에는 뇌전증파가 확대되어 이차적으로 대발작이 유발될 수 있다.

02 / 전신발작

전신발작(generalized seizure)은 부분발작과는 달리 전조증상이 없고 의식소실이 되면서, 움직임을 조절할 수 없고 양측성이며 대칭적인 특징이 있다.

1) 결신 발작

결신 발작(소발작, absence seizure)에는 갑자기 하던 행동을 멈추는 행위가 나타나는 것이 특징적이다. 전조증상과 발작 후 증상은 없고 발작 시간은 20~30초를 넘지 않는다. 주로 5~10세 여아에게서 많이 볼 수 있고, 5세 이전에 나타나는 것은 흔하지 않으며 여아에서 발생 빈도가 높다. 자동증이 동반되는 경우가 많은데, 멍을 때리거나 입술을 씰룩거리거나 입맛을 다시거나, 안검하수증을 보이면서 눈이 뒤집어지기도 한다. 비정형적인 결신 발작에서는 간대 근경련 발작이 동반되거나 근긴장도 소실이 나타나 고개를 떨구거나 손에 있던 물건을 놓치는 증상도 보일 수 있다. 치료로는 약물을 사용하여 대발작으로의 이행을 예방하는것이 필요하다.

2) 긴장간대발작

긴장간대발작(generalized tonic-clonic seizure)은 심한발작으로 인해 과거에는 대발작으로 불리었으며 발작이 갑작스럽게 발생하여 1~3분간 지속되며 아동은 완전히 의식을 잃고 쓰러지게 된다. 긴장기(tonic phase)에는 의식소실과 함께 근육 수축이 동반되는데 이때 혀를 깨물거나, 청색증이 나타날 수 있는데, 기도폐쇄의 위험성이 있으므로 주의깊은 관찰이 필요하다. 간대기(clonic phase)에는 근육수축과 이완이 동반되는데, 아동이 혀를 깨물 수 있고 괄약근 조절 능력이 소실되어 대소변 실금을 경험할 수 있다. 발작 후에도 대개 의식이 없고 30분에서 2시간 정도 깊이 잠들게 되고 기억상실을 초래한다.

3) 간대 근경련 뇌전증

간대 근경련 뇌전증(myoclonic seizure)은 경련 시 근긴장도가 소실되고 동시에 머리나 몸통, 사지근육에 반복적으로 아주 짧은 불수의적 근수축이 나타난다. 이로 인해 아동이 갑자기 쓰러지면서 외상이 발생하기도 한다.

4) 무긴장성 발작

무긴장성 발작(atonic seizure)은 갑작스럽게 근긴장이 소실되어 아동이 몇 초 동안 머리를 앞으로 떨어뜨리는 모습을 보인다(drop attacks). 이로 인해 아동이 갑자기 쓰러지면서 얼굴 및 두부외상이 발생하기도 한다. 기억상실이 동반되거나 하루 중에 여러 번 발작이 반복될 수 있다. 보통 기상 후 발생하는 경우가 많다.

5) 영아 연축

영아 연축(Infantile spasm, West syndrome)은 보통 4개월에서 8개월 사이 영아에서 나타나며 2~3세경 소실된다. 목이나 몸통, 사지에 수축이 짧은 간격을 두고 수분에 걸쳐 대칭적으로 수축과 이완이 반복적으로 발생한다. 영아가 잠들기 전이나 잠에서 깰 때 발작을 보이며 인지기능 발달 장애가 동반된다.

03 / 신생아기 발작

신생아 발작은 뇌전증성 나타나는 경우도 있지만 대부분 저산소-허혈 뇌증, 두개강 내 출혈, 뇌경색증, 분만 중 발생하는 뇌 좌상, 두개강 내 감염증, 대사 질환, 약물 독성 등의 뇌병증이나 중추신경계 기형 때문에 발생하므로 원인에 대한 확인이 매우 중요하다. 신생아의 뇌는 아직 미숙한 상태로 수초화(myelination)가 잘 되어 있지 않아 발작이 전신성으로 나타나는 경우가 드물고, 발작 자체를 오래 지속시킬 수 있는 능력이 부족하다. 또한 발작에 따른 신체 증상이 잘 나타나지 않아 무증상 발작이 발생하는 경우가 많고 뇌간에서 방출되는 여러 돌발 행동들이 발작으로 오인될 수 있다. 무증상 발작은 심박수만 증가한다거나 혈압만 일시적으로 상승하는 자율신경증상 변화가 흔하며 그 외 머리, 팔, 눈을 씰룩거리는 듯한 경련, 미약한 청색증 등이 나타날 수 있다. 특별한 이유 없이 위와 같은 증상이 반복될 경우 정확한 진단을 위해 뇌파 검사를 실시해 본다.

04 / 사정

아동에게 발작이 발생 시 확실한 발작이 있었는지에 대한 평가를 실시할 필요가 있다. 또한 수막염, 패혈증, 두부외상, 아동 학대, 약물 또는 독성 물질 섭취 등 발작이 일어난 원인과 발작의 유형을 밝히는 것이 매우 중요하다. 발작에 대한 진단을 내리는 것은 아동의 치료 방향을 계획하고 예후를 결정하는 데 주요한 요소가 된다. 이를 위해 발작 전에 발생하는 이상 증상, 발작의 형태나 지속기간, 발생시간, 의식상태, 발작 후 상태 등을 포함한 포괄적이고 철저한 병력 조사가 필요하다. 병력은 부모나 아동의 양육자, 발작 시 목격자로부터 청취할 수 있으며 과거 질병 유무, 투약력, 입원 경험, 이전의 발작 경험, 가족력에 대하여 임상전문가가 실시한다. 발작 전 촉발요인은 무엇인지 상복부 불편감, 통증, 고열, 공포감, 전구(aura)증상, 행동변화 등이 동반되었는지 확인한다. 발작 시 아동의 자세변화, 청색증, 소리지름, 팔약근 조절 장애 등이 있었는지 발작 후 수면이나 두통 등이 동반 되었는지를 파악한다.

병력 청취 후에는 신체 검진을 실시하는데, 아동의 머리둘레, 신장과 체중을 측정하여 성장표에 기록 후 이전의 발달 양상과 비교할 수 있도록 한다. 의식상태, 반사 및 감각 운동, 언어, 학습, 행동 및 운동 능력 등 신경학적 평가와 함께 발달적 사정을 실시한다. 혈액 검사를 통해 수막염이나 뇌염 등의 감염성 질환을 판단하고 납 수치, 혈중 요소질소, 칼슘 수치 등을 확인한다. 저혈당과 같은 대사장애 유무, 수막염이 의심될 때 요추천자를 통한 뇌척수액 검사 역시 의미 있는 검사이다. 구조적인 이상이나 뇌출혈을 확인하기 위해 CT, MRI 등의 방사선 촬영이 시행될 수 있고, 필요시 혈관 조영술을 시행한다. 뇌의 비정상적인 전위를 확인하고 발작의 유형과 병소에 대한 정보를 얻기 위해 뇌전도 검사(EEG)를 실시하는 것은 매우 유용하다. EEG는 아동이 유해한 자극을 받는 동안이나 깨어있는 동안, 취침 시 실시할 수 있다. 뇌에 이상이 있는 부분을 확인하기 위해 양전자방출 단층촬영법(positron emission tomography, PET)을 고려할 수도 있다.

05 / 치료적 관리

뇌전증 치료는 아동의 발작이 뇌전증성인지를 확인하는 것으로부터 시작하여 발작을 일으키는 원인을 찾고 가능한 문제점을 교정하는 것에 초점을 둔다. 아동기에는 뇌전증과 유사한 양상을 보이는 질환이 다양하므로 감별 진단이 쉽지 않다. 뇌전증 치료의 목적은 뇌전증 발작을 완전히 조절하거나 빈도를 감소시켜 아동의 신체적, 정신적 안녕과 사회적으로 정상적인 생활을 영위하도록 돕는 데 있으며 치료 및 간호는 다음과 같다[표 19-9].

1) 약물 치료

항경련제는 발작의 형태에 따라 가장 효과적이고 부작용이 적은 약물로 선택한다. 처음에는 1가지 약(단일요법)으로 시작해야 하며 발작이 조절되지 않을 경우 서서히 증량한다. 단일요법은 복합요법 보다 약물의 독성과 상호작용을 감소시키고 부작용의 원인을 명확히 알 수 있게 한다. 약 용량을 변경시킬 때에는 5~7일 이상을 두고 서서히 해야 한다. 일차 약물의 효과가 없을 때 두 번째 약으로 변경하는데, 이때 약물의 효과는 감소하며 부작용이 나타날 확률이 증가한다. 발작이 조절되어도 투약을 지속하는 것이 중요하고 일반적으로 2년 이상 발작이 없고 뇌파가 정상이 될 때까지 약물요법을 실시한다.

항경련제 가운데 phenobarbital, phenytoin, valproic acid

표 19-9	발작치료 및 간호
기도확보	옷을 느슨하게 한 후 턱을 밀어 올려 기도를 확보하고 옆으로 눕히고 필요시 흡인
산소공급	산소공급
안전한 환경유지	옆에서 관찰하면서 위험한 물건 제거
발작증상 관찰 및 모니터링	의식변화, 발작 시작 시간과 지속시간, 발작 후 상태 등
약물치료	1가지로 시작하고 서서히 증량 발작 조절되어도 2년 이상 지속적 복용필요, 혈중농도 감시 항 경련제 투여 전 후 활력징후 측정
케톤식이 제공	고지방식이, 저탄수화물, 저단백식이
부모교육	약물복용의 중요성과 정기적 혈중농도 측정 필요성에 대해 교육
정서적 지지	감정이나 좌절감을 표현하도록 격려 및 지지
미주신경 자극	아동의 왼쪽 가슴에 전기 발생기를 이식하여 미주신경자극
외과적 수술	병소 제거수술

등의 약물은 혈중 농도를 측정하도록 권장한다. 이는 독성 증상의 원인을 밝히고 약물의 유효 치료 농도를 결정하는 데 도움이 되기 때문이다. 발작이 잘 조절될 경우 약물 농도를 측정해야 하는지 논란의 여지가 있으나 성장하는 아동은 대사의 변화 가능성이 있으므로 정기적인 측정이 도움이 될 수 있다.

주로 사용되는 항경련제의 종류에 대한 설명은 [표 19-10]과 같다.

2) 케톤생성 식이요법

케톤생성 식이요법(Ketogenic diet)은 대뇌의 에너지 공급원을 포도당에서 케톤체(ketone body)로 대체하는 방법으로 난치성 뇌전증 발작의 치료법 중 하나로 각광받고 있다. 작용 기전은 정확히 알려져 있지 않으나 지방 농도의 변화, 체액과 전해질 변화, 발작 역치의 조정, 중추신경계 안정 등이 발작에 영향을 미치는 것으로 추측하고 있다. 본 식이요법에서는 단백질과 탄수화물의 섭취를 극히 제한하여 공급하는 열량의 80% 이상을 지방으로 대체한다(지방:탄수화물=4:1). 무기질과 비타민 부족이 초래될 수 있으므로 보충제를 통해 부족한 영양분을 별도로 공급해야 한다. 발생 가능한 부작용은 체중 감소, 신결석, 고지혈증, 고요산혈증, 간 기능 이상, 심근병증, 골밀도 저하로 인한 병적 골절 및 발육 이상, 면역 기능 저하로 인한 감염 등이다

3) 뇌전증 수술

뇌전증 수술은 난치성 발작에서 고려되는 외과적 방법으로 뇌전증 병소를 제거하기 위한 절제술과 발작 전파를 차단하는 차단술로 구분할 수 있다. 발작이 혈종이나 종양 등에 의해 발생하는 경우 병소를 제거하기 위한 수술적 방법이 선택된다. 뇌전증 수술의 적응증을 확인하기 위해 뇌파검사, MRI, SPECT, PET 등을 실시하며 뇌전증 병소의 정확한 국소화가 어려울 경우 두개강 내 경막하에 전극을 삽입한 후 비디오-뇌파를 시행한다. 아동의 발작을 감소시키고 지적, 행동적 수준을 향상시킬 목적으로 수술을 시행하지만 수술 후 운동이나 감각장애, 인지장애가 동반될 수 있다.

간호진단 및 목표

간호진단 : 긴장간대성발작과 관련된 신체손상의 위험성
간호목표 : 발작 동안 신체적 손상이 없을 것이다.
예상되는 결과 : 발작 동안 아동의 두부나 주요 신체 부위에 손상의 징후가 관찰되지 않는다.

4) 미주신경 자극

미주신경 자극(Vagal nerve stimulation)은 뇌전증 수술을 시행할 수 없고 약물 치료에도 효과를 얻지 못한 난치성 뇌전증 발작에 고려될 수 있다. 정확한 치료 기전은 밝혀지지 않았지만 동물 실험에서 미주신경을 자극했을 때 발작이 완화된 경험적 사실에 근거하여 시도되었다. 아동의 왼쪽 가슴에 전기 발생기를 이식하여 좌측 미주신경에 전기적 충동을 보내 뇌전증을 조절한다[그림 19-6].

표 19-10 항경련제의 종류와 주의사항

종류	특성	주의사항
benzodiazepines(diazepam, lorazepam)	보통 뇌전증 발작 치료 시 우선 선택되는 약물로 정맥주사 한다.	투약 후 무호흡증이 발생할 수 있으므로 약물 주입 시 심폐기능을 모니터링 한다.
phenobarbital(luminal)	• 전신 긴장간대발작과 단순 부분 발작 에 효과적이다. • 4~5mg/kg/일을 2회로 나누어 투약 한다. • 유효 혈중 농도: 15~40μg/mL	• 주된 부작용은 졸림, 행동과다, 주의력 결핍이다. • 장기간 사용 시 약 25%에서 거친 행동 등 이상 행동이 보고되었고 인지기능 저하가 초래될 수 있다.
phenytoin(dilantin)	• 전신 긴장간내발작이나 부분 발작에 효과적이나. • 3~9mg/kg/일을 2회로 나누어 투약 한다. • 유효 혈중 농도: 10~20μg/mL	• 혈중 농노가 15~30μg/mL 일 때 눈떨림이 발생할 수 있고, 30μg/mL 이상에서 조화운동 불능이 나타난다. 40μg/mL 이상으로 증가 시 발작이 악화된다. • 발진이나 Stevens-Johnson 증후군이 나타날 수 있다. • 장기간 사용 시 잇몸 비후, 다모증, 얼굴 변형, 빈혈의 위험이 증가한다. • 약물 주입 시 고혈압, 부정맥의 위험이 있다.
valproic acid	• 전신 긴장간대발작, 결신발작, 간대 근경련 발작 및 부분 발작에 효과가 있다. • 최초 용량은 10~15mg/kg/일을 2~3회 로 나누어 투약하며 1주일 단위로 증량 한다. • 유지 용량: 30~60mg/kg/일	• 흔한 부작용은 위장관 장애, 체중증가, 탈모이다. • 간 기능에 영향을 미치고 특이 반응으로 간부전이 초래될 수 있다. • 고암모니아혈증, 혈소판 감소가 있을 수 있다.

06 / 간호

발작이 있는 아동은 신속한 관리가 필수적이다. 특히 긴장간대발작이 있는 경우 연하반사가 사라지고 타액분비가 증가하므로 턱을 밀어 올려 기도를 확보하고 아동을 옆으로 눕혀 필요 시 흡인을 실시해야 한다. 발작 시 흉곽과 횡격막 근육이 굳어져 적절한 환기가 어렵기 때문에 별도의 장치를 이용하여 산소를 공급해야 한다. 아동의 순환을 돕기 위해 옷을 풀어 주는 것이 좋다.

발작 시 아동이 외상을 입지 않도록 환경을 안전하게 관리해야 할 책임이 있다. 발작을 멈추려하지 말고 아동의 옆에서 보호해야 한다. 아동이 침대에 있는 경우 난간을 올리고 침대 가장자리에 넓은 패드를 적용한다. 서 있거나 앉아 있는 경우라면 즉시 조심스럽게 바닥에 눕히고 주위에 놓여 있는 물건을 치워준다. 발작이 자주 일어나는 아동의 경우 헬멧이나 보호장구를 착용하는 것도 도움이 된다.

발작이 멈추면 발작 전에 보인 감각이나 행동변화, 전조, 의식변화, 발작 시작 시간과 지속시간, 발작 후 상태 등을 자세하게 기록한다. 발작의 유형을 밝히려 하기 보다는 관찰한 사항을 그대로 기술하는 것이 중요하다.

항경련제 등의 약물이 처방되었을 경우 간호사는 약물의 특성과 잠재적인 부작용을 알고 주입 속도를 맞추어 투약한

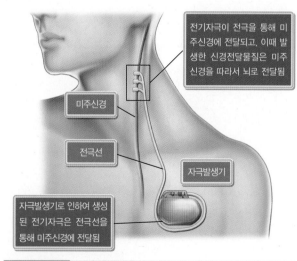

전기자극이 전극을 통해 미주신경에 전달되고, 이때 발생한 신경전달물질은 미주신경을 따라서 뇌로 전달됨

미주신경

전극선

자극발생기

자극발생기로 인하여 생성된 전기자극은 전극선을 통해 미주신경에 전달됨

그림 19-6 미주신경자극기

다. 투약 전후로 활력징후를 확인하고 심폐기능을 감시해야 하는 경우 모니터 장비를 통해 아동의 상태를 확인한다. 가정에서 항경련제를 꾸준히 복용해야 한다는 것을 부모와 아동에게 설명하고 주기적으로 약물의 혈중 농도를 검사하도록 교육한다.

간호진단 및 목표

간호진단 : 항경련제 투약과 관련한 부작용의 위험성
간호목표 : 투약 후 약물에 대한 부작용이 발생하지 않을 것이다.
예상되는 결과 : 투약 이후 아동의 활력징후와 심폐상태가 안정적이다.

뇌전증 발작을 하는 아동과 가족은 질환에 대한 부정적인 정서와 반복적인 발작에 대한 두려움, 정상적인 생활을 영위할 수 없다는 절망감, 소외감, 죄책감 등으로 고통받기 쉽다. 따라서 이들의 감정이나 좌절감을 표현하도록 격려하고 실질적인 어려움이 무엇인지 사정하여 문제 해결을 위한 도움을 제공해야 한다.

확인문제

6. 아동에게 열발작이 발생하는 이유는 무엇인가?

7. 뇌전증 아동을 위해 선택할 수 있는 치료 방법에는 어떤 것이 있는가?

요점

※ 아동은 신경계는 구조적, 발달적 영역에서 성인에 비해 미숙하여 외상 및 다른 신경계 질환에 이환되기 쉽다. 신경조직의 손상이나 퇴행이 초래될 경우 영구적인 문제를 유발시키고 경미한 질환인 경우에도 아동의 생명에 위협적인 합병증을 가져올 수 있으므로 예방이 건강을 유지하는 최선의 방법이라고 할 수 있다.

※ 신경계는 대뇌, 뇌신경, 소뇌, 운동, 감각, 반사기능 등 여섯 가지 영역으로 평가할 수 있다.

※ 대뇌기능은 의식수준, 지남력, 장기적 및 단기적 기억력, 기분, 언어발달, 학습능력, 지능검사, 일반적 동작이나 행동 등에 의해서 평가되며 뇌신경기능 검사는 제1뇌신경부터 제12뇌신경까지 계통적으로 실시한다. 소뇌기능 검사는 정상적인 균형과 근육의 조정능력을 확인함으로써 평가하고 운동기능 검사는 근육의 크기, 강도, 근긴장도를 통해 확인한다. 감각기능 검사에서는 촉각과 온도감각, 진동감각에 대한 아동의 능력을 평가한다.

※ 요추천자는 지주막하출혈, 수막염이나 뇌염 등의 감염성 질환, 뇌척수액 흐름의 폐쇄 등을 진단하기 위해 아동에게 비교적 자주 시행된다.

※ 수막염은 세균성 감염, 바이러스성 감염, 결핵성 감염으로 구분할 수 있다.

※ 세균성 수막염의 임상양상은 아동의 연령, 원인균의 종류와 이전의 질환에 대한 치료효과, 합병증 등에 따라 차이를 보인다.

※ 세균성 수막염의 경우 뇌척수액 검사 결과에서 당 수치가 떨어지고 백혈구와 단백질 수치는 증가하는 특징을 보인다.

※ 수막염은 급격한 속도로 진행되어 치명적인 결과를 발생시킬 수 있어 격리, 항생요법, 수화 및 환기 유지, 상승된 두개내압 감소, 전신 쇼크관리, 발작조절, 체온유지, 합병증 관리가 매우 중요하다.

※ 열발작은 일반적으로 아동에게 신경학적 후유증을 남기지 않고 호전되나 고열에 따른 경련의 재발을 방지하기 위해 부모 교육이나 상담을 실시하는 것이 중요하다.

※ 뇌전증의 발작의 유형은 부분발작과 전신발작으로 구분된다.

※ 긴장간대발작이 있는 경우 아동의 기도를 확보하고 옆으로 눕혀 필요시 흡인을 실시한다. 발작 시 적절한 환기가 어렵기 때문에 산소를 공급하고 순환을 돕기 위해 옷을 풀어 주는 것이 좋다.

※ 간호사는 발작 시 아동이 외상을 입지 않도록 환경을 안전하게 관리해야 할 책임이 있다. 약물이 처방되었을 경우 안전하게 투약을 실시하고 아동의 활력징후와 심폐기능을 모니터링한다.

확인문제 정답

1. 정상적인 균형과 근육의 조정능력을 확인하기 위해 실시하는 소뇌기능 검사이다.

2. 뇌파검사

3. 천자 부위에 압박드레싱을 실시하고, 반좌위를 취하게 하여 천자 부위에서 뇌척수액이 흐르는 것을 예방한다. 검사 후 아동이 울 경우 두개내압이 증가할 수 있으므로 아동을 달래고 편안하게 지지한다.

4. 세균성 수막염의 이환되는 위험 인자는 특정 병원균에 대한 아동의 면역력 저하 때문이다. 또한 병원균이 집락화되어 있는 환경에 노출되거나 감염자와의 긴밀한 접촉, 빈곤, 아동 보호시설 등의 밀집된 환경에서 생활하는 것이 위험 요소로 작용한다.

5. Brudzinski 징후와 Kernig 징후에서 양성 반응이 나타나는지 확인한다.

6. 열발작은 아동기 발작성 질환 가운데 가장 흔하게 발생하며 중추 신경계 감염이나 대사 질환과는 별개로 고열로 인해 유발되는 경련을 말한다. 보통 열이 내려가면 발작이 빨리 사라지고 특별한 후유증 없이 회복한다.

7. 가장 일반적인 치료는 약물요법으로 발작의 형태에 따라 가장 효과적이고 부작용이 적은 항경련제를 선택하여 투약한다. 이외 대뇌의 에너지 공급원을 포도당에서 케톤체로 대체하는 케톤생성 식이요법을 난치성 뇌전증 발작의 치료법으로 선택할 수 있다. 뇌전증 수술은 난치성 발작에서 고려되는 외과적 방법이며 수술을 시행할 수 없고 약물치료에도 효과가 없을 때 미주신경 자극을 고려할 수 있다.

운동기능 장애 아동의 간호

학습목표

01 아동기 근골격의 특성을 설명한다.

02 근골격기능을 사정한다(병력, 신체사정, 진단검사).

03 근골격 질환의 치료적 관리를 설명한다.

04 골절 아동에게 간호과정을 적용한다.

05 척추만곡아동에게 간호과정을 적용하고 설명한다.

06 근(육)디스트로피 아동에게 간호과정을 적용한다.

07 뇌성마비 아동에게 간호과정을 적용한다.

08 소아 류마티스 관절염 아동에게 간호과정을 적용한다.

Ⅰ 근골격계의 특성

01 / 해부생리

뼈는 모양에 따라 장골, 단골, 편평골, 불규칙 뼈로 분류된다. 장골은 손가락과 발가락을 포함한 사지를 이루는 뼈로서, 아동의 골격계 건강문제가 주로 발생하는 곳이다. 단골은 발목과 손목을 구성하는 뼈이다. 편평골은 두개골, 늑골, 견갑골, 쇄골을 구성하는 뼈이고 불규칙 뼈는 척추, 골반, 두개골의 안면골을 형성하는 뼈이다.

장골은 중앙부의 골간(diaphysis, 골체부), 원형으로 된 뼈의 끝부분인 골단(epiphysis), 골단 사이의 얇은 면인 골간단(metaphysis)으로 구성된다[그림 20-1]. 장골의 길이가 길어지면 연골 마디인 골단판이 생기며 골단판의 연골세포인 결체조직은 아동이 성장함에 따라 골간의 뼈로 대체되며, 이로 인해 뼈의 길이가 길어진다. 아동기에 골단판이 손상되면 아동은 절름발이로 성장할 수도 있고, 비정상적이거나 불규칙한 성장을 초래할 수도 있다.

뼈는 견고하고 단단한 구조로 생각하기 쉽지만, 사실상 뼈는 살아있는 조직이므로 성장을 위한 영양분을 충분히 공급받아야 한다. 뼈의 주요 구성성분의 하나인 칼슘은 뼈의 형성, 즉 노화된 뼈조직으로부터 새로운 뼈조직이 대체되는 재구성과 뼈의 파괴에 따른 재흡수를 위한 중요한 요소이다. 이러한 과정은 부갑상선호르몬, 칼슘, 비타민 D, 미네랄, 영양분, 효소 등에 의해서 영향을 받는다.

"뼈의 나이"는 손목의 X-ray에 의해 뼈의 골화단계를 확인함으로써 알 수 있다. 장골의 중심 내부는 황골수와 적골수로 차있으며, 이것은 적혈구, 백혈구, 지방세포 형성을 담당한다. 적골수는 적혈구를 주로 생성하는 반면, 황골수는 지방세포를 형성한다.

아동의 뼈는 성인의 뼈보다 더 탄력적이다. 이로 인해 성인의 경우 심각한 손상을 초래하는 사고가 아동에게는 약한 손상이나 비틀어지는 정도만을 초래하게 된다. 아동의 뼈는 성인보다 더 빨리 치유되는 경향이 있어 아동은 손상에 대해서 짧은 기간 동안만 활동의 제약을 받는다.

근육은 횡문근과 평활근으로 구분된다. 횡문근은 대부분

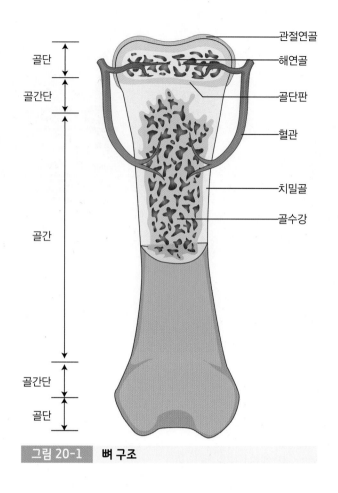

그림 20-1 뼈 구조

의 근육을 차지하고 몸의 형태 유지와 움직이는 데 사용된다. 평활근은 위장의 연동운동을 담당한다.

Ⅱ 근골격계 기능 사정

01 / 병력 및 신체검진

아동과 가족의 면담을 통해 아동의 전반적인 건강상태와 건강문제에 대한 정보를 수집하고, 신체검진을 통해 근골격계 질환 관련 증상(안검하수, 빨기장애, 관절통, 관절의 부종 및 강직, 반복골절, 휜 다리, 근력약화, 척추만곡 등)을 사정한다[그림 20-2].

1) 단순 방사선 검사

단순 방사선 검사(X-ray)는 근골격계의 상태를 파악하

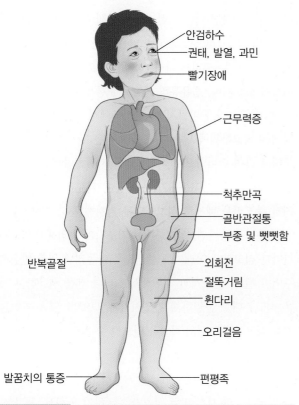

안검하수
권태, 발열, 과민
빨기장애
근무력증
척추만곡
골반관절통
부종 및 뻣뻣함
반복골절
외회전
절뚝거림
흰다리
오리걸음
발꿈치의 통증
편평족

그림 20-2 **근골격 질환 아동 사정**

기 위해 시행되는 가장 일반적인 진단 검사로서 특히, 골절의 유무와 유형, 관절의 이상, 연조직 구조, 부종, 석회화 등에 관한 정보를 제공해준다. 연골, 건, 인대에 대한 문제를 확진하기 위해서는 추가적인 진단적 검사가 필요할 수 있다.

2) 뼈 스캔

뼈 스캔(Bone Scan)은 정맥 내로 방사선 물질을 주입하여 뼈 속 흡수 정도, 방사선 물질의 분포와 농도 등을 확인한다. 대사활동이 증가된 부분, 악성 암이나 골수염, 골다공증, 병리적 골절에 대한 정보를 제공한다.

3) 근전도 검사

근전도 검사(Electromyogram, EMG)는 근육과 신경의 전도에 따른 골격근의 전기적 활동을 측정하여 중증근무력증, 근디스트로피, 하위운동신경원과 말초신경장애 등의 원인과 위치를 진단할 수 있다. 검사방법은 침전극을 근육에 꽂고, 휴식과 운동 시 근육의 전기적 활동을 저주파증폭기와 역전류검출관에 의해 감지하여 오실로스코프

(oscilloscope)에 기록한다. 아동은 바늘에 대한 통증으로 이 검사를 두려워 할 수 있으므로, 친밀한 사람이 옆에서 지지를 하도록 하며 검사 전후의 불안과 느낌에 대해 표현할 수 있도록 치료적 놀이의 기회를 제공해야 한다.

4) 생검

생검(Biopsy)은 근육이나 뼈의 조직표본을 채취하여 감염, 골종양이 성장, 염증, 부분저 장애에 관한 정보를 제공해준다. 근육 생검은 일반적으로 국소마취 하에서 시행하지만, 아동의 경우에는 검사에 대한 협조가 잘 되지 않으므로 전신마취를 하게 된다. 검사 직후 생검 부위의 출혈 증상에 대해 확인해야 하며, 감염과 통증에 대해 사정해야 한다.

아동에게 바늘이나 절개침에 의해서 아동의 근육에서 조직을 실제로 떼어내는 양이 연필의 심이나 생검 바늘의 내경 보다 크지 않다는 것을 확인시켜 주면서 공포를 줄여주어야 한다.

5) 관절경 검사

관절경 검사(Arthroscopy)는 관절내시경을 통해 관절을 직접적으로 관찰하는 검사방법으로, 보통 국소마취 하에서 시행한다. 주로 운동성 손상의 진단 및 급·만성 관절 질환의 감별 시에 사용하고 있다. 검사 전 금식이 필요하며, 검사 후에는 검사 부위를 고정하고 과다한 움직임을 피하도록 한다.

6) 컴퓨터 단층촬영

컴퓨터 단층촬영(Computerized Tomography, CT)은 방사선과 컴퓨터를 이용하여 검사부위의 삼차원적인 시각적 영상을 보여 준다. 아동의 검사과정 협조 여부에 따라 진정제를 경구로 투여하기도 한다.

7) 자기공명영상

자기공명영상(Magnetic Resonance Imaging, MRI)은 신체를 강한 자기장에 노출시켜 세포의 밀도를 사정하는 방법으로 뼈, 골수, 연조직의 종양 및 근육, 인대, 뼈의 해부학적 구조를 시각적으로 확인할 수 있는 검사이다. 금속 이식기나 심박동기 등이 몸 안에 있는 경우에는 검사할 수 없으

며 기계장치에서 발생하는 소음으로 인해 아동은 공포감을 느낄 수 있으므로 경우에 따라서는 검사 전 진정제를 투여하기도 한다.

확인문제

1. 장골에 있어서 뼈의 길이를 증가시키는 부분은?

2. 근육-신경 전도의 확인을 목적으로 하며 골격근의 전기적 활동을 측정하기 위해 시행하는 진단적 검사는?

Ⅲ 근골격 질환의 치료적 관리

근골격 장애로 인한 골절 아동을 위한 치료로는 석고붕대, 견인, 내부고정, 개방정복 등 다양한 방법이 있다.

01 / 석고붕대

석고붕대는 기형을 교정하거나 뼈의 치료를 위한 해부학적 자세를 유지하기 위해 사용되는 것으로서 사지의 단순한 골절에서부터 선천적인 구조적 근골격 장애의 치료까지 다양하게 적용된다.

1) 석고붕대의 적용

석고붕대는 소석고나 합성물질인 섬유유리에 의해 만들어진다. 섬유유리는 가볍고 색깔이 있으며 방수처리가 되어있기 때문에 주로 사용되지만 가격이 비싼 단점이 있다

석고붕대를 적용하는 동안 아동의 보호자는 아동이 불안하지 않도록 아동의 손을 잡아주거나 함께 이야기해 준다.

석고붕대를 적용하기 전에 면 스타킹으로 환부를 감싸고, 뼈 돌출 부위에 부드러운 솜을 대 주어야 한다. 면 스타킹은 충분히 길어서 석고붕대의 거친 부분을 감싸주어 부드럽고 편평하게 표면을 형성하여야 한다.

소석고는 적용 직후 열이 발생하므로, 만약 전신 석고붕대를 적용한다면 아동은 불편함을 느낄 것이다. 이러한 느낌은 일시적인 것으로 화상을 입을 만한 것은 아님을 설명한다. 소석고는 크기에 따라, 석고를 건조시키는 데 10~72시간이 소요되며, 섬유유리 석고는 보통 5~30분 정도 소요된다. 석고붕대가 마르지 않은 상태에서 아동을 이동시킬 때에는 석고부위에 닿는 간호사의 손은 항상 손가락을 편 상태로 하여 손바닥으로 석고붕대를 지지하면서 아동을 이동시켜야 한다. 석고붕대가 움푹 들어가는 것을 피하기 위해서 부드러운 베게로 석고붕대를 지지해 준다. 만약 소석고로 붕대를 했다면, 석고붕대를 건조시키기 위해서 약 2시간마다 석고붕대 아래가 노출되도록 아동의 체위를 변경해 주어야 한다. 건조시키기 위해서 히터나 팬을 사용하는 것은 석고붕대를 균일하게 건조시키지 않으며, 열을 가하는 것은 석고붕대 부위의 화상을 일으킬 수 있으므로 피하도록 한다.

석고붕대의 창구(window)는 개방성 골절 부위의 관찰이나 감염증상의 사정 또는 상처간호를 하기 위해서, 체간 석고(body cast)나 고관절 석고붕대(hip spica cast)의 경우는 아동의 복부팽만감의 불편함을 줄이기 위해서 만들어 진다.

간호진단 및 목표

간호진단 : 석고붕대의 압박과 관련된 말초조직관류 변화
간호목표 : 석고붕대가 적용된 부위에서는 적절한 조직관류의 증상과 징후를 나타낼 것이다.
예상되는 결과 : 아동은 사지의 마비나 통증이 없음을 말한다. 손톱이 창백해질 때까지 압력을 가한 후, 5초 이내에 정상 색깔로 되돌아온다. 발의 맥박이 촉진된다. 석고붕대 주위의 피부가 따뜻하고 선홍빛을 띤다.

석고붕대를 사지에 적용했다면, 부종을 예방하기 위해서 석고붕대 부위를 상승시킨다. 첫 한 시간 동안은 매 15분마다, 그 후 24시간 동안은 한 시간마다, 그 이후에는 4시간마다 순환상태를 확인한다. 색깔, 온도, 말초부위의 맥박, 둔감함이나 저림감 같은 감각상태에 대해서 사정한다. 창백, 맥박의 부재, 석고 붕대 부위의 통증, 마비증상이나 저림감 같은 감각이상 등은 신경혈관 기능의 손상을 나타내는 증상이다. 석고붕대 부위를 상승시켰는데도 호전되지 않는 부종 또한 주요한 이상증상이다. 석고붕대 부위의 신경혈관 손상은 신경의 허혈이나 파괴, 사지의 영구적인 마비를 초래할 수 있으므로 주의 깊게 관찰해야 한다.

간호진단 및 목표

간호진단 : 석고붕대의 압박과 관련된 피부손상 위험성
간호목표 : 석고붕대 적용부위의 피부는 적절한 상태를 유지할
것이다.
예상되는 결과 : 아동은 석고붕대 부위에 통증이 없음을 이야기
한다. 석고 붕대는 건조하고 이상 증상이 없다. 석고
붕대의 가장자리와 접촉한 피부는 청결하고 건조하
며, 발적 등의 증상이 없다.

만약 회음부에 석고붕대를 적용해야 한다면, 수변으로
인해 석고붕대가 오염되는 것을 예방하기 위해서 플라스틱
이나 방수처리 된 물질로 석고붕대의 가장자리를 감싸야 한
다(petaling) [그림 20-3].

소변으로 오염된 석고붕대는 악취가 제거되지 않을 뿐만
아니라, 석고 붕대 아래로 욕창이 생길 수 있다.

아동에게 음식을 먹이거나 그들 스스로 먹을 때에 석고
붕대 안으로 음식이 들어가지 않도록 하고, 작은 조각의 장
난감도 석고붕대 안으로 들어간다면 피부 자극이나 궤양의
원인이 되므로 주의하도록 한다.

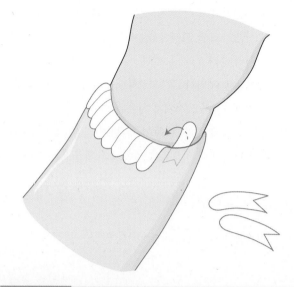

그림 20-3 **Petaling**

접착성테이프로 석고붕대의 가장자리를 감싸 환
아의 피부 자극을 줄여준다.

2) 석고붕대 제거

석고붕대는 대부분 4~8주 동안 착용한 후 제거하며, 아

간호진단 및 목표

간호진단 : 석고붕대를 한 아동의 가정간호와 관련된 부모의 건
강추구 행위
간호목표 : 부모들은 석고붕대를 적용하는 아동을 간호하는 것에
대해서 설명할 수 있을 것이다.
예상되는 결과 : 부모들은 집안환경이 석고붕대를 한 아동에게 도움
이 될 수 있도록 생활방식을 변화시킬 계획을 진술한다.
부모들은 신경혈관의 상태를 점검하는 기준을 설명한다.

아동이 퇴원하기 전에 부모가 석고붕대를 하고 있는 아
동의 이동 방법이나 체위 유지 등에 대하여 알고 있는지 확
인해야 한다.

석고붕대를 적용한 지 일주일 정도가 되면, 석고의 건조
작용으로 인하여 피부가 건조해져 대다수의 아동들은 가려
움증을 호소한다. 보호자에게 석고붕대의 가장자리 안쪽에
손을 넣어 부드럽게 마사지를 해주거나 로션을 발라주고 시
원한 바람을 쐬어주면 불편감이 조금은 완화될 것이라고 교
육한다.

석고붕대 아동의 보호자에게 가정에서 주의할 점에 대해
서도 퇴원교육을 실시한다[표 20-1].

표 20-1 **가정에서의 석고붕대 간호**

· 석고붕대 적용 첫날, 부종 감소를 위해 석고붕대 부위를 베개를
이용하여 상승시킨다.
· 석고가 움푹 들어가는 것을 방지하기 위해 완전히 건조될 때까지
손바닥이 아닌 다른 물체가 석고붕대에 닿는 것을 피한다.
· 석고붕대를 한 부위의 말초 부위에서 부종이나 청색증을 관찰하
고, 첫 24시간 동안 약 4시간마다 신체 각 부위를 움직이도록 아
동에게 권장한다. 만약 아동이 스스로 움직일 수 없거나 부종, 청
색증, 통증이 있다면 보건의료인에게 전화를 한다(이것은 석고붕
대가 신경 이나 혈관을 압박하는 것을 의미할 수 있다).
· 실내에서 석고붕대를 한 채로 격렬한 행동을 하는지 관찰한다.
그러나 일상적인 활동은 아동의 활동력을 위해 격려한다.
· 아동이 석고붕대를 하고 있는 동안 학교생활에서 식사나 수업 등
의 활동이 어려울 수 있다는 것을 알려주고, 이런 문제들을 어떻
게 해결할 수 있는지 생각하도록 한다.
· 아동에게 석고붕대 안으로 어떤 것이라도 넣어서는 안 된다는 것
을 확인시킨다. 만약 가려움증이 생긴다면, 헤어드라이기의 시원
한 바람을 통과시켜 완화될 수 있음을 설명한다.
· 아동에게 샤워 시 비닐 팩을 덮음으로써, 석고붕대가 젖지 않게
하도록 교육한다. 그러나 수영은 허용되지 않는다.
· 추후 경과를 평가하기 위해 병원 방문일을 약속한다. 왜냐하면
아동은 빠르게 성장하기 때문에 석고붕대가 맞지 않을 수 있다.
석고 붕대가 맞지 않을 경우 신경을 압박하거나 영구적인 불구를
초래할 수 있다.

동에게 석고붕대 조각을 자르는 동안, 요란한 소리, 열감, 그리고 신체에 해를 끼치지 않는다는 것을 설명하여 두려움을 감소시켜 준다.

석고붕대를 제거한 후, 석고붕대를 했던 팔이나 다리를 조심스럽게 사용하고 사지가 치유된 후에는 골절 전처럼 강해진다고 설명해 준다. 아동이 두 번째 골절로부터 사지를 보호하기 위해서 다친 부위를 계속 주의할 필요는 없다.

확인문제

3. 석고붕대의 창구(window)를 만드는 목적은?

02 / 견인

견인은 탈구나 골절을 치료하기 위해 신체 각 부분이 당겨지는 방향의 반대방향으로 당기는 것이다. 견인에는 피부에 상대적인 힘을 적용하는 피부견인과 뼈에 상대적인 힘을 적용하는 골격견인이 있다. 피부견인은 최소한의 견인이 필요할 때 사용되며 아동의 피부는 이 절차를 시행하기 위해서 좋은 조건을 유지하고 있어야 한다. 골격견인은 견인기간이 길거나 견인 시 더 큰 무게로 당겨야 할 때 사용된다. 견인의 종류는 다음과 같다.

1) 피부견인

피부견인의 예로서 Bryant 견인은 어린 아동(2세 이하, 12~14kg 이하)의 대퇴골 골절과 발달성 고관절 이형성증 같은 선천적 장애의 교정을 위해 사용한다[그림 20-4]. 이 견인의 형태는 사지를 상승시켜 골반에 혈액의 울혈을 초래할 수 있기 때문에 주의해서 적용해야 하며 한쪽 다리만 골절되었을 때에도 양쪽 다리를 모두 견인한다. 견인 시 무릎은 편 상태로 고관절이 90도로 굴곡되도록 하며 둔부는 침대에서 약간 들리는 자세가 유지되도록 한다.

Buck's 견인은 좀 더 나이가 많은 아동의 하지 골절 시 고정을 위해 적용되고, 아동의 신체 무게와 반대방향으로 당겨진다[그림 20-5(A)]. 평형현수견인은 신체 한부분이 삼각건에 의해 매달리게 되며, 반대로 당기는 힘과 신체에 처음 당겨지는 힘이 도르래와 체중에 의해 조화를 이루어 사

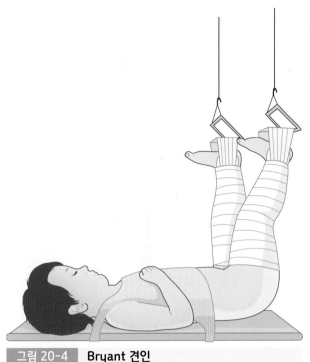

그림 20-4 **Bryant 견인**

용된다[그림 20-5(D)].

Dunlop 견인은 상지를 고정하기 위해서 피부견인이나 골격견인 모두 사용할 수 있다[그림 20-5(F)]. 경부견인은 등의 근육경련을 감소시키기 위해서 사용될 수 있다. 이 견인의 경우에는 견인띠(halter)를 사용하며 역견인을 위해 침대머리는 상승시킨다[그림 20-5(E)].

2) 골격견인

골격견인은 피부를 통해서 장골 끝을 통과시킨 핀이나 철사 등을 이용하여 뼈를 직접 당기는 것이다. 핀이나 철사는 아동이 완전히 움직이지 않고 견딜 수 있다면 응급실에서 국소마취 하에 삽입하고, 그렇지 않으면 보통은 수술실에서 전신마취 하에서 시행한다. 골격견인은 도르래에 줄을 연결하여 핀이 삽입된 부위에서 사지를 잡아 당겨서 체중을 지지하게 하고, 면 거즈를 핀 삽입 부위 주위에 대준다.

핀 주위의 감염증상을 매일 사정해야 한다. 핀 주위의 분비물의 악취, 과도한 분비물, 발적 등은 핀 부위의 감염 증상을 나타내는 것이다(간호사례 참조).

3) 견인 간호

견인을 한 아동은 석고붕대를 한 아동과 같이 신경혈관

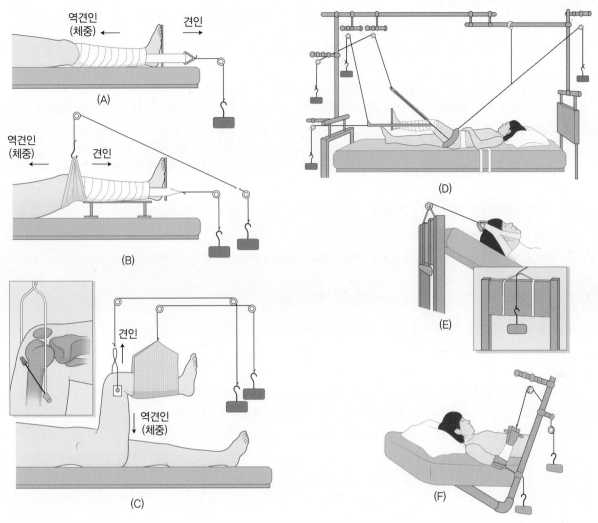

그림 20-5 **견인의 종류**
(A) Buck's 견인 (B) Russell 견인 (C) 90° 견인 (D) 평형현수견인 (E) 경부견인 (F) Dunlop 견인

계 손상 유무에 대한 주의 깊은 사정이 요구된다. 견인을 한 사지는 창백, 냉감, 얼얼함 또는 말초맥박의 부재, 부종, 통증, 마비 등의 증상을 관찰하기 위해서 주의 깊게 사정해야 한다. 견인은 하지보다 머리를 더 낮추는 체위를 취하기 때문에 고혈압을 초래할 수 있으므로 하루에 한 번 이상 혈압을 사정해야 한다.

아동의 체위 변경 시 견인 장치가 계속 유지되도록 주의하고, 아동의 등, 팔꿈치, 발꿈치 등에 피부간호를 제공해야 한다.

견인아동은 다리나 팔의 교정 자세를 제외하고는 건강한 상태이므로 아동은 건강한 아동과 같은 자극이 필요하며, 연령에 적절한 활동을 할 수 있도록 해주는 것이 중요하다.

03 / 외부고정

외부고정은 뼈를 분리된 바깥쪽에서 외부 틀을 사용함으로써 새로운 뼈의 성장을 증진시킨다. 한쪽 사지가 다른 쪽보다 짧을 때, 짧은 다리의 길이를 다른 다리와 같게 하는 데 사용할 수 있다. 또한 뼈가 뒤틀렸거나 어긋났을 때 결손을 교정하거나 골절을 교정하기 위해 사용할 수 있다.

Ilizarov 외부고정장치[그림 20-6]는 뼈에 삽입된 철사들로 구성된다. 이 장치는 뼈가 완전히 단단해지고 통증, 절뚝거림 및 부종이 없을 때까지 유지시켜야 하고, 장치를 유지하는 동안 부분적인 체중부하는 가능하지만 뼈가 완전히 붙을 때까지 완전한 체중부하는 금지한다.

간호사례 / 골격견인을 한 아동

왼쪽 대퇴골이 골절된 10살 남아는 2일 전 골격견인을 했다. 이 아동은 2주 동안 입원하도록 계획되어 있다.

사 정 : 10살 남자 아이는 자전거를 타다가 자동차에 부딪쳐서 왼쪽 대퇴골에 골절을 입어 입원하였다. 아동은 대퇴골의 끝 부분에 핀을 박은 평형현수견인을 했다. 핀 삽입부위 주위의 피부는 약간 붉은 빛으로 번져 있고, 핀 부위에 소량의 장액혈액성 분비물이 관찰되었으며, 견인 추는 잘 매달려 있었다. 왼쪽 발은 맥박이 촉진되며 창백한 핑크빛이고 따뜻했다. 모세혈관 재충전(capillary refil)은 3초였으며, 발가락은 명령에 따라 움직일 수 있고 둔감함이나 얼얼한 느낌은 없는 상태이다. 오른쪽 하지는 정상 가동범위 내에 있었고, 활력징후는 정상 범위 내에 있었다. 아동은 약간의 통증이 있고, 1~10(통증 없음~심한 통증)까지의 통증 척도 점수는 4점이었다. 통증 경감을 위해 codeine과 acetaminophen이 처방되었다. 복부는 부드럽고 팽만 증후는 없었다. 장음은 활동적이었지만 느렸고 2일 전에 배변하였으며, 소변은 적절한 양으로 맑은 노란빛을 띄고 있었다. 아침 사정 동안, 아동은 "나는 지루해요. 2주 동안이나 머물러 있어야 하나요? 너무 지루해요."라고 말했다. 소년은 친구들과 야구 경기를 하는 것을 즐긴다.

간호진단 : 골격견인에 따른 부동 및 입원과 관련된 여가활동 부족

간호목표 : 아동은 입원기간 동안, 나이 또래에 맞는 적절한 활동에 참가할 것이다.

평 가 : 아동은 지루함을 덜 호소한다. 아동은 친구들과의 통화나 방문을 통해 대화한다. 아동은 제공된 활동에 참여한다.

계획 및 중재

1. 아동이 좋아하고 싫어하는 일반적인 흥미거리, 취미, 활동에 대해서 확인한다.

2. 아동과 함께, 간호수행 범위 내에서 적절하게 휴식시간과 활동시간에 대해 계획한다.

3. 연령에 맞는 놀이, 즉 비디오 게임, 미술, 공예, 음악 등을 제공한다. 치료적 놀이를 사용한다.

4. 부모에게 집에서 아동이 좋아하는 것을 가져오도록 한다. 아동과 부모에게 자신의 느낌을 말로 표현할 수 있도록 한다.

5. 아동의 병실은 같은 연령, 성별, 신체적 활동 능력을 가진 다른 아동과 함께 하도록 계획한다.

6. 아동이 친구와 적절한 전화통화를 하도록 격려한다. 부모에게 아동의 친구가 방문할 수 있도록 알려준다.

간호진단 : 골격견인과 관련된 말초신경손상 위험성

간호목표 : 아동은 말초 신경혈관계 손상의 증상이나 징후가 없을 것이다.

평 가 : 아동의 사지는 핑크빛으로 따뜻하고 건조되어 있다. 또한 족배맥박이 촉진되며, 모세혈관 재충전(capillary refill)은 양쪽에서 3초 이내에 회복된다. 아동은 사지에서 어떤 둔감함이나 얼얼함 등의 이상감각이 없다.

계획 및 중재

1. 왼쪽 하지의 온도, 색, 족배맥박, 부종, 모세혈관 재충전(capillary refill)과 같은 신경혈관계 상태를 적어도 4시간마다 사정한다. 건강한 쪽 다리와 비교하여 확인한다.

2. 아동의 왼쪽 발가락의 움직임과 감각 정도를 확인한다.

3. 견인 중인 왼쪽 하지의 적절한 신체배열을 유지한다.

4. 아동에게 둔감함, 얼얼함, 통증증가 및 냉감 등의 이상증상이 있을 때 알리도록 교육한다.

간호사례 / 골격견인을 한 아동 (계속)

간호진단 : 골격견인에 따른 부동과 관련된 비사용 증후군의 위험성

간호목표 : 아동은 부동에 대한 합병증의 증상과 징후가 없을 것이다.

평   가 : 아동의 피부 통합성은 유지된다. 청진 시 폐음은 정상이다. 아동은 적절한 양의 소변을 본다. 적어도 하루에 한 번 배변한다. 건강한 쪽 사지의 가동범위(ROM)가 유지된다. 적절한 말초혈액의 흐름이 유지된다.

계획 및 중재

1. 적어도 8시간마다 피부 발적, 자극성, 압박 증상을 사정한다. 잦은 피부간호, 뼈 돌출 부위의 패드 적용, 피부 압박을 감소시킬 수 있도록 신체 체중부하를 줄일 수 있는 침상 위에 사각대를 걸어주어 사용할 수 있도록 권장한다.

2. 적어도 4시간마다 호흡기능의 상태를 사정한다. 폐청진을 통해 우발음의 유무를 청진하며 적어도 매 2시간마다 기침과 심호흡, inspirometer를 사용하도록 격려한다.

3. 소변량, 섭취량과 배설량을 사정한다. 제한된 칼슘 섭취와 적어도 하루에 2ℓ 정도의 수분섭취를 격려한다.

4. 장음과 배변양상을 사정한다. 고섬유질 식이와 적절한 수분섭취를 격려한다. 3일간 배변이 없다면, 장배설 프로그램이 필요하다.

5. 건강한 쪽 사지의 적극적인 관절범위 운동(ROM)을 수행한다. 손상된 다리에 등척성 운동(isometric exercise)을 하도록 격려한다.

6. 건강한 쪽 다리에는 항색전스타킹(antiembolism stocking)이나 간헐적 공기 압축장치가 필요하다.

7. 활력징후와 혈청 칼슘수준, 혈액 응고시간, 백혈구 수치 등을 확인한다.

8. 간호계획 시 아동이 적극 참여하도록 한다. 일상적인 신체적 환경의 다양화는 언제든지 가능하도록 한다.

간호진단 : 핀 삽입 부위의 개방상처와 관련된 감염 위험성

간호목표 : 아동은 감염 증상이 없을 것이다.

평   가 : 핀 부위는 화농성 분비물 없이 깨끗하고 건조하다. 체온은 연령에 맞는 적절한 범위 내에 있다.

계획 및 중재

1. 활력징후, 특히 체온을 적어도 4시간마다 사정한다.

2. 핀 삽입 부위의 발적, 부종, 분비물 등의 증상을 사정하기 위해 적어도 8시간마다 관찰한다. 핀 삽입 부위에 처방된 배양검사를 실시한다.

3. 핀 삽입 부위 간호는 기관의 표준예방지침과 감염관리 정책에 따른다.

4. 적절한 단백질과 열량이 포함된 균형식이를 제공한다. 처방에 따라 칼슘섭취는 제한한다.

5. 균배양 결과에 따라 처방된 항생제를 투여한다.

위의 창백이나 냉감 등의 국소증상을 관찰한다.

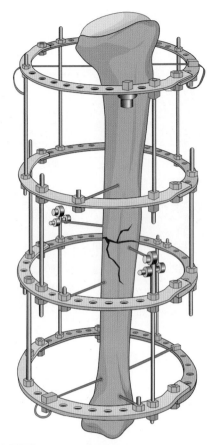

그림 20-6 외부고정장치

아동과 부모에게 조절용 막대 조정에 대한 교육 및 외부 고정장치의 삽입부위에 대한 간호, 감염 증상의 사정 및 활동 제한에 대해서도 교육을 한다. 추후 간호는 아동의 최적의 상태를 보장하기 위해서 필수적이다.

04 / 개방 정복

개방식 정복은 뼈의 배열과 교정을 위해 사용되는 수술법이다. 만약 척추골절이나 전완이나 하지의 골절이 있다면, 개방식 정복은 뼈의 고정을 위해 필수적이라고 할 수 있다.

개방식 고정을 한 후, 그 부위를 지지하기 위해서 석고붕대를 적용하기도 한다. 개방식 고정 부위에서 장액혈액성 분비물이 계속 스며나온다면, 석고붕대로부터 스며나오는 삼출물의 양이 어느 정도 증가되는지 알아볼 수 있도록 볼펜으로 삼출물의 가장자리에 윤곽을 그려놓는 것이 도움이 될 수 있다. 아동에게 맥박과 체온 상승, 의식저하 등의 전신증상과 수술부위의 부종, 통증, 얼얼함, 사지의 말초 부

 골절

01 / 골절의 종류와 특성

골절은 뼈의 연속성이나 구조의 파괴이다. 낙상으로 인한 장골 골절은 유년기에 흔히 발생하는 외상이다. 아동의 뼈는 성인에 비해 탄성력이 크기 때문에 아동기 골절은 뼈의 한쪽 면은 부러지고 다른 쪽은 구부러지는 생목골절(greenstick fracture)이 주로 일어난다. 생목골절은 불완전골절이므로 통증, 부종, 기형 등의 골절 증상이 나타나지 않을 수 있다. 골절의 종류에는 부러진 골편이 완전히 분리된 완전 골절, 부러진 골편이 완전히 분리되지 않고 연결되어 있는 불완전골절, 골편이 다른 기관이나 조직을 손상시키는 복합골절이 있으며 개방성 상처의 유무에 따라 개방성 골절(복합골절)과 폐쇄성 골절(단순골절) 등이 있다. 그 외 아동에서 흔히 볼 수 있는 골절의 다양한 형태는 [표 20-2]와 같다.

아동기 골절은 다음과 같은 특성으로 인해 성인의 골절과는 다른 차이를 보인다.

- 아동의 뼈는 뼈가 부러지기보다는 구부러진다.
- 골막이 두꺼워 생목골절이 된다.
- 골단판은 뼈가 부러지지 않도록 뼈에 가해지는 충격을 완화시키는 쿠션역할을 한다.
- 전반적으로 뼈의 성장이 빠르므로 골절 치유기간이 짧다.
- 아동기 골절은 뼈의 성장을 담당하는 골단판 골절이 흔히 일어난다. 골단판의 손상은 성장지연, 비대칭적인 성장 및 그 결과로 인한 굴곡화를 초래하는 등의 다양한 합병증을 초래할 수 있다.

아동에게 심한 외상을 초래할 수 있는 자동차 사고는 개방상처를 동반한다. 심한 뼈 손상은 신경과 혈관을 파열시키기 때문에 심각하며, 동반되는 개방상처는 감염을 일으킬 수 있다. 높은 곳에서의 낙상이나 질주하는 자동차와 부딪

표 20-2	아동 골절의 종류
유형	특징
요곡골절(Bend fracture) 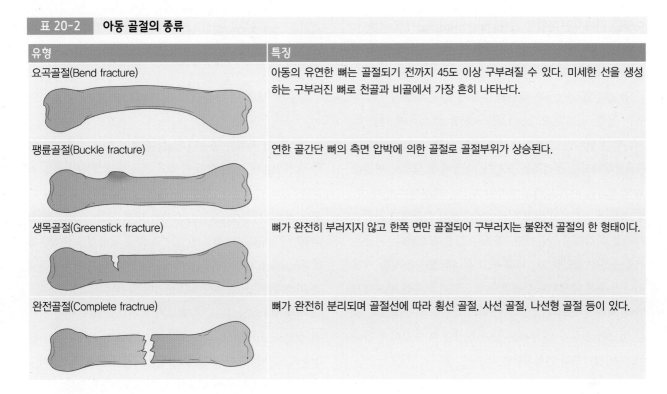	아동의 유연한 뼈는 골절되기 전까지 45도 이상 구부려질 수 있다. 미세한 선을 생성하는 구부러진 뼈로 천골과 비골에서 가장 흔히 나타난다.
팽륜골절(Buckle fracture)	연한 골간단 뼈의 측면 압박에 의한 골절로 골절부위가 상승된다.
생목골절(Greenstick fracture)	뼈가 완전히 부러지지 않고 한쪽 면만 골절되어 구부러지는 불완전 골절의 한 형태이다.
완전골절(Complete fractrue)	뼈가 완전히 분리되며 골절선에 따라 횡선 골절, 사선 골절, 나선형 골절 등이 있다.

히는 굉장한 힘에 의해 유발된 골절이라면 복합골절이나 분쇄골절이 발생한다.

골절 치유단계로는 골절을 당한 직후, 손상된 부위에서 혈종이 형성되며, 혈종은 며칠 후 모세혈관에 의해 과립조직으로 흡수된다. 다음 몇 주 동안 골모세포는 새로운 조직으로 스며들고, 칼슘은 가골이라고 하는 새로운 뼈를 형성한다. 가골이 광범위하게 형성되었을 때 치료적 융합이 일어난다.

외상성 골절의 합병증으로, 첫 번째는 색전증이 있다. 이는 파괴된 뼈로 부터 지방이 혈류로 유출되어 지방색전이 뇌로 흘러들어 가면 혼란이나 환각 등을 일으킬 수 있으며 폐혈류를 막게 되면 호흡곤란, 빈맥, 청색증 등의 증상이 나타날 수 있는 폐색전을 유발할 수 있다. 두 번째 문제는 구획증후군(compartment syndrome)으로 외상 주위에 발생한 과도한 부종이 압력을 증가시켜 미세순환을 저해하는 것이다. 침범 부위를 수동적으로 신장시킬 때 통증은 더 악화되지만, 사지의 색깔과 온도는 정상적일 수도 있다. 아동은 구획 내의 압력을 감소시키기 위해서 석고붕대 제거와 같은 압박장치의 조절이 필요하다. 마지막으로 뼈의 골단판이 손상되었다면 성장 장애가 나타난다. 이런 아동은 추후에 뼈를 길게 하거나, 짧게 하는 의료적 처치가 필요할 수도 있다.

1) 사정

골절이 의심되거나 골절되었다면 사고 상황에 대한 자세한 간호력을 조사한다. 그리고 신체검진을 통해 골절 부위를 확인하고 골절 증상을 사정한다. 골절 증상으로는 골절부위의 부종, 동통 또는 압통, 손상부위의 기능저하, 타박상, 근육강직, 골편의 마찰음, 골절로 인한 기형 등이 있다. 골절된 말초 부위의 통증, 맥박, 창백, 감각이상, 마비 증상 등을 사정하여 혈액순환 및 감각 상태를 확인한다.

골절의 확인과 골절된 파편들의 부착과 신체선열 정도를 확인하기 위해서 X-ray촬영이 필요하다.

아동기에 발생하는 골절 중 아동학대에 의한 경우도 있을 수 있으므로 모든 사고에서 아동학대의 가능성을 염두에 두고 사정한다.

2) 치료적 관리

만약 골절이 의심된다면, 더 심한 손상 방지와 골편의 움직임으로 인한 통증을 경감하기 위하여 부목을 적용한다. 골절이 확인되면 석고붕대, 견인, 외과적 교정 등의 적절한 치료를 실시한다.

개방성 상처가 동반되었다면, 아동은 파상풍 예방접종이 필요하다. 혈액손실을 평가하기 위해 Hct 검사가 필요하며,

수혈을 위해서는 혈액형 검사(cross-matching)가 필요하다. 수액공급과 수혈, 개방상처의 감염 예방을 위한 정맥 내 항생제 투여를 위해 정맥관을 미리 확보하여야 한다.

골절이 있는 아동은 약간의 통증이 있다. 일반적으로 아동은 통증, 골절된 모습, 사지를 사용할 수 없음에 대한 두려움뿐만 아니라 골절을 초래한 상황(낙상, 오토바이 사고 등)에 대해서도 두려움을 느낀다. 아동에게 심리적 편안함과 안정감을 주기 위하여 충분한 시간을 제공해야 한다. 만약 그들이 움직이지 않고 누워있어 충분히 이완되고 골절된 사지를 움직이지 않는다면, 통증은 훨씬 감소된다. 아동은 복합골절을 입었을 때, 피를 보고 두려워했던 것처럼 기형이나 통증에 대해서도 두려워한다. 그러나 아동과 부모에게 만약 뼈가 분쇄되지 않았다면, 뼈의 파편들은 정상으로 될 수 있으며 치유가 된 후에는 사고 전처럼 뼈가 강하게 된다는 것을 알려주어 안심시킨다.

02 / 쇄골골절

아동이 떨어지면서 팔을 바닥에 닿은 채 떨어진다면, 충격의 힘이 쇄골로 이동하여 팔보다는 쇄골골절이 초래된다. 또한 쇄골골절은 출생과정에서도 발생될 수도 있다. 쇄골이 부러진 부위에서 종종 부종이 생기며, 신체 검진 시에도 부러진 느낌을 알 수 있다(쇄골을 만져보아도 알 수 있음, X-ray 검사 결과에 따라서, 골절된 팔의 팔꿈치를 90° 이상 굴곡시켜 가슴에서 팔이 교차되도록 하여 골절된 부위를 고정(8자 bandage 함)시킨다.

확인문제

4. 뼈가 완전히 부러지지 않고 구부러지는 아동에서 흔히 나타나는 골절의 형태는?

V 척추만곡

01 / 척추측만증

정상적인 척추는 경추의 전굴, 흉추의 후굴, 요추의 전굴 만곡이 있는데, 정상적인 만곡의 문제가 발생하는 것을 척추만곡증이라고한다. 척추만곡증에는 흉추가 45도 이상 후굴된 척추후만증(kyphosis), 요추가 비정상적으로 전굴된 척추전만증(lordosis), 척추가 옆으로 10도 이상 만곡된척추측만증(scoliosis)이 있다. 아동에게 주로 발견되는 척추만곡증은 척추측만증으로 흔히 청소년기에 발견된다[그림 20-7].

척추측만증(Scoliosis)은 척추가 측면으로 10도 이상 만곡된 것으로, 10도 미만의 만곡은 정상으로 간주한다. 이것은 척추의 일부분 또는 모든 부분에서 나타날 수 있으며, 기능적 척추측만증과 구조적(특발성) 척추측만증이 있다.

기능적 척추측만증은 다리 길이가 다른 아동이나, 머리를 계속해서 옆으로 기울이는 시각굴절 이상을 가진 아동에서 보상반응으로 나타난다. 골반의 기울어짐은 똑같지 않은 다리 길이나 척추의 이탈에 따른 목의 기울어짐에 의해 나타난다. 척추모양은 기능적 척추측만증에서는 C형 모양으로, 구조적 척추측만증에서는 S형 모양(두개의 분리된 곡선으로 구성된)으로 나타난다.

기능적 척추측만증을 교정하기 위해서 척추굴곡의 원인을 교정해야 한다. 신발 안에 발꿈치를 높이기 위한 장치를 삽입하여 다리 길이를 똑같이 하거나 시각굴절 이상의 교정으로 머리가 기울어지는 문제를 개선할 수 있다.

아동은 일상생활 중에서 좋은 자세를 유지해야 한다. 10분 동안 머리 위에 책을 얹고 걷거나 창문틀을 붙잡고 등을 똑바로 펴고 있는 것도 도움이 된다. 꼿꼿하게 앉아 있거나 팔굽혀 펴기를 하는 것도 좋은 운동이며, 수영도 교정에 도움이 된다.

부모와 아동에게 기능적 척추측만증은 교정될 수 있다는 것을 알려주어 아동의 자존감과 신체상과 관련된 문제를 예방할 수 있다. 좋은 자세유지와 운동의 중요성에 대해 아동과 부모에게 강조하며 특히 부모에게는 아동이 운동을 하거나 좋은 자세를 유지할 수 있도록 격려할 것을 교육한다.

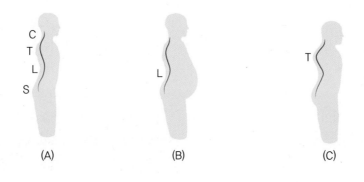

그림 20-7　척추만곡증

(A) 정상 척추만곡　(B) 척추전만증　(C) 척추후만증　(D) 정상(후면)　(E) 척추측만증(후면)　(F) 정상(전방굴곡검사)
(G) 척추측만증(전방굴곡검사)

구조적 척추측만증은 특발성으로 척추의 손상을 동반한 척추의 영구적 굴곡 장애이다. 굴곡된 척추는 첫 번째 곡선 부분에서 외측으로의 굴곡을 볼 수 있다. 아동이 서 있을 때 보상적으로 두 번째 굴곡이 드러나서 S형 모양의 척추가 된다[그림 20-8(A)].

척추측만증은 청소년기에서 가장 흔히 나타나며, 소년보다는 소녀에서 4~7배 정도 더 많이 나타난다. 아동이 성장함에 따라서 척추의 측만이 더욱 심해지기 때문에 성장이 급속한 시기 인 사춘기 전기에 주로 나타난다.

1) 사정

10세 이상의 모든 아동에게 척추측만증을 사정해야 한다. 사춘기 전기와 사춘기에는 프라이버시를 중요시 여기기 때문에 척추측만이 잠재적으로 악화되는 경우가 있다.

구조적 척추측만증의 진단은 선 자세 상태의 아동의 뒤에서 다음의 증상을 관찰하거나 아동에게 앞으로 구부리도록 하는 신체검진인 전방굴곡검사(forward bending test)에서 등 높이의 차이로 확인할 수 있다[그림 20-8(B)].

신체검진 시 척추측만증의 임상증상은 다음과 같다[그림

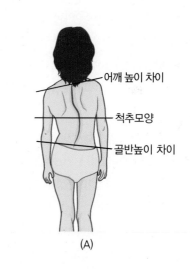

— 어깨 높이 차이

— 척추모양

— 골반높이 차이

(A)

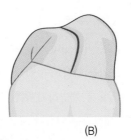

(B)

그림 20-8　척추측만증

(A) 직립상태　(B) 전방굴곡검사상태

20-8(A)].

- 척추가 C 또는 S자 모양
- 양쪽 어깨 높이의 차이
- 양쪽 겨드랑이 높이의 차이
- 양쪽 골반 높이의 차이
- 양쪽 팔 길이의 차이
- 한쪽 견갑골과 유방의 돌출

X-ray 검사는 측만 정도를 확인할 수 있는 기초자료이다. 만약 늑골의 불균형이 척추의 회전을 유발시켰다면, 폐 기능 검사와 흉부 X-ray 검사를 실시한다. 만약 성장이 거의 끝나가는 시기이거나 성장이 완성되는 시기, 또는 측만 정도가 심하지 않다면 특별한 교정은 필요하지 않다. 그러나 아동의 뼈 성장이 앞으로 1~2년 동안 계속되거나 측만 정도가 심하다면, 특별한 교정을 해야 한다.

2) 치료적 관리

척추측만이 10도 이상, 20도 이하인 경우는 아동이 18세가 될 때까지 자세한 관찰을 제외한 아무런 치료도 필요하지 않다. 척추만곡이 20도 이상이면, 치료는 보조기나 견인 등의 보존적 비수술적 방법이나 수술, 또는 두 방법의 병행법이 필요하다.

선택된 치료법에도 불구하고 아동은 장기간의 치료를 위해 준비되어야 한다. 수술이나 기계적인 보조기의 목적은 척추의 안전성과 뼈의 성장이 완성될 때까지 기형으로 덜 진전되도록 예방하는 것이다. 사춘기 전기와 사춘기 동안, 아동은 자신의 신체상에 관심이 많은 시기이므로 치료과정에 대한 자세한 설명과 많은 지지가 필요하다.

(1) 보조기 착용

측만이 20도 이상, 40도 이하이며 아동의 골격 성장이 아직 진행 중이라면, 보조기를 착용해야 한다. 보조기는 측만이 더 이상 진행되지 않도록 예방하기 위한 목적으로 착용되며 측만의 교정을 기대하기는 어렵다. 보조기는 올바른 신체배열을 유지하기 위해 3개월마다 조정된다. 일반적으로 처음 사용되는 보조기는 Milwaukee 보조기이며 그 밖의

Wilmington, Boston, Charleston 보조기가 있다. 아동에게 Boston 보조기는 헐렁한 옷 아래 숨길 수 있어 외형적으로 더 받아들이기 쉽다[그림 20-9].

아동과 부모에게 보조기 착용법에 관하여 교육해야 한다. 장골능과 같이 돌출된 부위의 마찰 없이 몸에 꼭 맞게 착용하도록 하며 보조기 착용 시 문제가 생긴다면, 의료인에게 알리도록 설명한다. 불편함을 감소시키기 위해서 헐렁하게 끈을 매지 않도록 해야 하는데, 이는 보조기 착용을 헐렁하게 하면 보조기가 적절하게 압박할 수 없으므로 보조기의 효과를 기대할 수 없기 때문이다.

일반적으로 보조기는 측만 정도와 아동의 연령, 잠재적

(A)

(B)

그림 20-9 보조기

(A) Milwaukee 보조기 (B) Boston 보조기

인 건강문제에 따라서 하루에 착용하는 시간이 다를 수 있다. 예를 들어, Milwaukee 보조기는 최대한의 교정을 위해 일주일 동안 하루 23시간을 착용하도록 한다. 가죽 끈은 땀에 노출되었을 때 끈의 상태가 안좋아질 수 있으며, 피부가 가죽이나 플라스틱에 장기간 노출되는 것은 피부 손상을 일으킬 수 있기 때문에 가죽 끈이나 플라스틱이 피부표면과 직접 접촉되는 것을 예방하기 위해 면 T셔츠 위에 착용하도록 한다. 아동은 샤워나 목욕할 시, 하루에 한 번 보조기를 벗을 수 있다. 또한 수영은 근육을 강화시킬 수 있으므로 수영을 하는 동안에도 보조기를 벗을 수 있다

간호진단 및 목표

간호진단 : 척추측만증 보조기 착용과 관련된 자긍심 저하
간호목표 : 아동은 1주일 이내에 긍정적인 자아상을 진술할 것이다.
예상되는 결과 : 아동은 자신의 긍정적인 측면을 말한다. 활동에 참여한다. 또래 친구와의 우정관계를 형성한다.

만일 보조기의 효과가 없다면, 아동은 척추배열을 위한 융합수술을 해야만 한다.

보조기는 일반적으로 척추 X-ray 상에서 아동의 척추 성장이 멈출 때까지 착용하도록 한다. 아동은 필요시 밤에는 보조기를 지속적으로 착용할 수 있다.

(2) 수술

수술적 교정은 측만 정도가 40도 이상일 때 시행한다. 곧은 막대, 나사, 철사 같은 기구들을 사용하여 굽은 부위를 단단히 교정하기 위해서 척주 아래 부분에 삽입한다. 척주는 교정된 위치에서 융합된다. 장골능의 뼈는 융합과정을 강화하기 위해서 사용된다.

① 수술 전 간호

수술 전 척추 X-ray는 곧은 막대의 정확한 위치를 계획하기 위해서 촬영한다. 아동에게 수술 후 폐 기능을 증가시키기 위해서 수술 전 심호흡 운동과 폐 강화계(incentive spirometer)의 사용법에 대해 설명한다. 특히 심호흡 운동은 심폐기능이 감소될 수 있는 척추측만증 아동에게는 중요하다.

아동에게 수술은 뼈 파괴에 따른 통증을 동반하며, 큰 수술이므로 수술 후 피곤함을 느낄 수 있다는 사항에 대해 미리 설명한다. 국소마취는 통증 경감에 많은 도움을 줄 수 있

으며, 아동에게 자가조절용 진통제를 이용하여 통증을 경감시켜 스스로 통증을 통제하도록 한다.

② 수술 후 간호

수술 후에 곧은 막대(rods)가 설치되는데[그림 20-10], 척추가 융합된 상태이기 때문에 아동의 침대 높이를 조정해서는 안 되며 아동의 등이 구부려져서도 안 된다. 아동에게 수술 후 stryker frame이 적용될 경우에는 수술 전에 frame에 대해서 소개한다.

비위관은 수술 후 마비성 장폐색과 장의 긴장도 감소로 인한 복부팽만을 예방하기 위해 수술 전에 일반적으로 삽입된다.

첫 24시간 동안은 하지의 신경혈관계 기능을 한 시간마다 사정해야 한다. 하지가 따뜻한지 확인하여야 하며, 발을 만졌을 때 감각이 있는지도 아동에게 물어보아야 하고, 아동의 발가락을 꿈틀거리도록 해보아야 한다. 신경계의 이상은 척추가 융합되는 동안, 뼈가 약간 밀려나서 생기는 출혈이나 압박에 의해 발생할 수 있다. 활력징후는 주의 깊게 기록되어야 한다. 흉부의 재배열과 척추 회전 감소의 결과에 따른 순환압박의 변화는 순환장애를 유발할 수 있다. 척추골융합술은 흔히 혈액손실이 동반되어 쇼크를 일으킬 수 있다. Hemo-vac과 같은 배액체계는 축척된 분비물 배액을 위해 삽입된다.

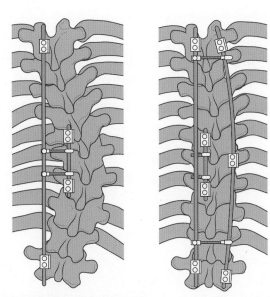

그림 20-10 **척추측만증 수술**
척추측만을 교정하기 위한 Cotrel-Dubousset rods

아동은 장음이 돌아올 때까지는 금식해야 하며 지속적인 수평 자세 유지와 하부 척수 신경의 부종으로 인한 배뇨곤란을 위해서 유치도뇨관을 삽입하기도 한다.

수술 후 부동을 유지해야 하기 때문에 뼈로부터 칼슘의 급속한 감소가 있다. 칼슘섭취는 신결석을 예방하기 위해서 과다한 섭취보다는 적정량을 섭취하는 것이 좋다.

일부 아동은 확실하게 척추융합을 유지하도록 하기 위해 퇴원하기 전에 체간 석고붕대를 적용할 수도 있다.

아동은 척추융합술 이후 정상적으로 움직이거나 행동하는 것을 두려워하는데, 이는 그들이 장시간동안 억제장치를 하고 있었기 때문이다. 그들은 정상적으로 자유롭게 움직일 수 있는 것에 대한 재적응 시간이 필요하다.

확인문제

5. 척추측만증의 2가지 종류는?

6. 척추측만증 아동에게 척추융합술을 시행하게 되는 경우는?

근(육)디스트로피

근(육)디스트로피는 근수축에 필수적인 단백질의 부족으로 인하여 유발되는 골격근의 퇴행성 질환이다. 이것은 근섬유의 점진적인 퇴행을 초래하는 질환으로 유전에 의한 것이다. 근(육)디스트로피는 근육 약화 정도와 유전 형태에 따라 선천성 근(육)디스트로피, 안면견갑상 완형 근(육)디스트로피, 가성비대형 근(육)디스트로피로 구분된다.

01 / 근디스트로피의 유형

1) 선천성 근디스트로피

선천성 근디스트로피는 상염색체 열성 유전 질환이다. 이 질환은 자궁 내에서부터 이환되어 출생한 신생아는 심한

근강직 증상을 보이고 근육 퇴행은 호흡근육의 활동을 힘들게 한다. 혈청 효소 측정과 근생검에 의해 진단되며, 이 질환의 신생아 대부분은 생후 1년이 되기 전에 호흡부전으로 사망한다.

2) 안면견갑상완형 근디스트로피

안면견갑상완의 근디스트로피는 4번 염색체 이상으로 유발되는 것으로 우성 유전 질환이다. 이 증상은 아동의 연령이 10세 이후에 나타나며, 안면근의 약화가 주증상이다. 아동은 이마를 찡그릴 수 없고, 휘파람을 불 수도 없다. 혈청효소 분석과 근생검으로 진단한다. 증상의 진행 과정이 매우 느리므로 정상적인 수명유지가 가능할 수도 있다.

3) 가성비대형 근디스트로피

가장 흔한 근디스트로피의 형태인 가성비대형 근디스트로피(Duchenne's Disease)은 반성 열성 유전 질환이므로 남아에게만 나타난다.

02 / 사정

근디스트로피 아동은 대체로 다른 정상 신생아보다 앉기, 걷기, 서기와 같은 운동발달이 조금 느린 과거력을 보인다. 약 3세경에 증상이 갑자기 발병하고 증상이 분명하게 된다. 아동의 견갑근이 이완되어 있어 아동의 겨드랑이 밑에 손을 넣어 아동을 옮기기가 상당히 어렵다. 대조적으로 비근은 상당히 비대되어 있는데, 근육이 너무 퇴행되어 있어 근육의 변성으로 지방과 결체조직이 침착하여 있기 때문이다.

근디스트로피 아동은 어기적거리며 걷고 계단을 오르는 것이 어렵다. 진행성 근디스트로피 아동은 하지근력의 감퇴로 인해 앉은 자세에서 일어설 때 손을 발목, 무릎, 대퇴, 허리로 옮기며 자기 몸을 스스로 일으켜 세우는 독특한 기립자세(Gower자세)를 취한다. 아동은 발가락으로 걸으려고 하는데, 이로 인해 종건이 짧아지게 된다. 말하기와 삼키는 것이 어렵다.

질환이 진행됨에 따라 비정상적인 근육 긴장과 근육 지지 부족으로 척추측만증과 장골골절이 나타날 수도 있다. 18세경 대부분 소년들은 휠체어로 움직이며 스스로 걸을

수가 없다. 심근의 약화와 심비대로 빈맥이 나타난다. 아동의 기침반사가 약화되므로 폐렴이 쉽게 걸리게 된다. 약 20세 정도에서 심부전으로 인해 사망할 수 있다.

진단은 과거력과 신체검진, 근생검 시 근육 섬유의 퇴행과 지방의 축적, 근전도 검사상의 운동단위전위(moter unit poten- tials) 진폭과 지속 시간 감소, 혈청검사 상 creatine phosphokinase(CPK)의 증가로 확인한다.

03 / 치료적 관리

근이양증은 특별한 치료법이 없으며 상태에 따라 보전적인 요법을 적용해야 한다. 근디스트로피 아동에게 가능한 한 오랫동안 보행이 유지되도록 격려해야 한다. 능동적·수동적 관절범위 운동 프로그램을 계획하여 수행하도록 해야 하며 부목과 보조기 착용은 하지의 안정성을 유지하고 수축을 피하기 위해서 필요하다. 아동이 과체중이라면, 보행을 유지하는 것이 훨씬 더 어렵다.

비만을 예방하기 위하여 저칼로리, 고단백식이를 섭취하도록 해야 한다. 변비를 예방하기 위해서 고섬유질과 고용량의 수분섭취를 포함한 식이를 할 수 있도록 해야 하며, 필요하다면 변완화제도 처방한다.

이 질환은 진행성이므로, 아동의 한계 내에서 최상의 활동을 할 수 있도록 보조해 준다. 아동이 대응할 수 있도록 지지와 교육을 제공하며, 부모지지그룹을 연결해 준다.

확인문제

7. 근디스트로피의 가장 흔한 형태는?

뇌성마비

뇌성마비(Cerebral palsy)는 상위운동신경원 손상으로 운동 기능상실이 초래된 비진행성 질환이다. 아동에게는 언어와 안구운동, 경련, 인지손상 및 과다행동 등의 증상이 따른다.

뇌성마비의 정확한 원인은 알려져 있지 않다. 그러나 다양한 원인이 연관되어 있다. 뇌성마비는 출생 전, 분만 도중, 출생 후에 초래될 수 있고, 세포파괴의 원인이 되는 뇌의 무산소증과 자주 연관되어 있다. 만일 자궁 내 무산소증이 어떤 이유(전치태반 또는 태반조기박리)로 인해 발생된다면, 그 결과 뇌세포 기능 상실이 발생한다. 영양결핍, 약물 또는 모체감염(cytomegalovirus 또는 toxoplasmosis) 또한 자궁내 상해의 원인이 될 수 있다.

뇌성마비는 출생아 1,000명당 약 2명꼴로 발생한다. 그리고 저체중 출생아 또는 미숙아에게서 매우 흔하게 발생한다. 뇌성마비가 있는 영아의 20~25%는 출생 시 체중이 2,500g 이하이다.

오늘날 저체중 출생아의 생존율이 증가함으로 인해서 뇌성마비의 발생률 또한 증가하고 있다.

01 / 유형

뇌성마비는 일반적으로 신경근육의 침범 정도에 기초하여 추체성(pyramidal) 또는 강직성(손상 아동의 50%)과 추체외성(exprapyramidal)의 범주로 구분된다. 추체외성은 운동실조성(ataxic, 약 5%), 무정위운동성(dyskinetic 또는 athetoid, 약 20%) 그리고 혼합형(mixed, 약 25%)으로 다시 구분된다.

1) 강직성 뇌성마비

강직성 뇌성마비가 있는 아동은 근육의 과다긴장, 비정상적인 근육의 간헐성 경련, 과다한 심부건반사, 바빈스키반사의 양성과 같은 비정상적인 반사 그리고 긴장성 경반사와 같은 신생아기 반사가 사라지지 않고 지속되는 양상을 보인다. 뇌성마비 영아를 똑바로 누운 자세로 들어 올리면 등이 활처럼 휘고 팔과 다리가 비정상적으로 신전되며 머리지체가 나타난다. 그리고 갑자기 내려놓을 때 낙하산 반응(parachute reflex)은 나타나지 않으며 팔로 무언가를 잡으려고도 하지 않는다.

강직성 침범현상은 한쪽 사지(편마비), 양측 사지 모두(사지마비) 또는 주로 하지(양측마비)에 영향을 미칠 수 있다. 아동이 편마비가 있을 경우 다리보다 주로 팔에 자주 나타난다.

사지마비 아동은 항상 언어장애가 따른다(가성 연수성마비, pseudobulbar palsy). 침을 삼키는 것이 어렵기 때문에 아동은 계속해서 침을 흘리며 음식 또한 삼키기 힘들다. 인지손상 또한 사지마비와 함께 수반된다. 양측마비는 저체중 출생아에게서 더 자주 발생되는 경향이 있다. 상지의 침범은 비정상적이며 어색한 손동작과 같은 제한이 있을 수 있다. 팔에 전혀 침범되지 않은 경우는 진성 강직성 양측마비로 대뇌보다는 척수에 비정상이 초래된다.

2) 무정위 운동성 뇌성마비

이 유형의 뇌성마비는 비정상적인 불수의적 움직임과 관련된다. 어릴 때 아동의 몸은 유연하고 절뚝거리며 성장한 후에는 수의적인 움직임을 할 때 느리고 몸이 뒤틀린다. 이러한 증상은 얼굴, 목, 혀를 포함한 모든 사지에 나타난다. 혀의 움직임과 삼키는 운동이 느리기 때문에 아동은 침을 흘리며 말하는 것을 알아듣기 힘들다. 정서적인 스트레스와 더불어 불수의적 운동은 불규칙적이고 몸이 반사적으로 움직여지며(무도병 모양의) 근긴장성에 손상이 있다(운동이상).

3) 운동실조성 뇌성마비

이 유형의 아동은 다리를 옆으로 벌린 채 어색한 걸음을 걷는다. 이 경우 대뇌보다는 소뇌질환이 있는 것이다.

4) 혼합형 뇌성마비

일부 아동에서 강직성과 무정위 운동성 움직임을 모두 관찰할 수 있다. 운동실조성과 무정위 운동성 또한 함께 나타날 수 있다. 이러한 복합성 병변은 심한 손상이 있을 때 발생한다.

02 / 사정

뇌성마비 진단은 병력과 신체검진 결과에 기초한다. 병력에서 태아기와 출생 시 가능한 무산소증의 원인과 발생유무를 기록해야 한다. 영아기에 침범 정도를 결정하는 것은 어렵다. 그러나 사소한 증상이라 할지라도 잘 관찰하여 세밀한 검사와 사정을 받을 수 있도록 하기 위하여 모든 영아는 생우 첫 1년 동안 주의 깊은 신경학적 사정이 필요하다. 뇌성마비의 중요한 신체적 결과는 [표20-3]에 제시되어 있다.

뇌성마비 아동은 사시, 굴절성 질환, 시력 및 시야장애 그리고 비정상적인 억양 및 발음과 같은 언어장애 등의 감각변화가 있다. 또한 집중력 결핍 질환을 보일 수 있으며 핵황달에 의한 난청은 무정위 운동성 뇌성마비와 관련되어 나타난다.

뇌성마비의 75% 중 25%는 인지손상을 보이며 강직성 또는 혼합형 유형에서 가장 빈번하게 발생한다. 뇌성마비 아동의 20~25%에서 재발성 경련 증상을 보인다.

03 / 치료적 관리

뇌성마비 아동을 간호할 때, 손상되지 않은 기능을 증진하고 앞으로 발생될 수 있는 기능상실을 예방하는 것이 중요하다. 여기서 강조되는 중요 영역은 자기간호, 의사소통, 걷는 것, 교육, 안전, 영양, 부모의 지지 그리고 아동의 자아존중감 확립 등이 포함된다.

1) 운동 기능

걷는 것을 배우는 것은 자기간호 영역의 중요한 부분인데 아동이 얼마나 독립적이 될 수 있는지를 결정하는 데 영향을 미치기 때문이다. 이것은 또한 근육조정 결핍으로 인해서 성취하기가 어려운 일이기도 하다. 발뒤꿈치 건(tendon)을 확장하는 수술은 지속적으로 다리보조기구를 사용한 후에도 필요할 수 있다. Wheeled walkers 또는 scooter board와 같은 다른 보조장치도 사용된다. Baclofen(Lioresal)이 일부 아동의 운동기능을 향상시키기 위해서 처방되지만 이러한 강직성을 줄이기 위한 약물은 거의

표 20-3	뇌성마비의 신체적 증상
증상	설명
지연된 운동발달	이 질환이 있는 아동은 일반적으로 일정시기에 앉고, 걷고, 문장을 말하며 또는 한손에서 다른 손으로 물건을 옮기는 것과 같은, 특히 인지손상이 있을 경우 정상적인 발달적 지표를 이행하지 못한다.
비정상적 두위	아동의 두위는 정상연령보다 작다. 왜냐하면 머리는 뇌 성장에 비례하기 때문이다. 만일 대뇌피질에 심각한 손상이 있다면 정상보다 좀 더 서서히 성장한다.
비정상적 자세	영아가 등으로 누울 때, 보통 다리를 구부린다. 뇌성마비 아동은 이때 다리를 뻗고 있거나 가위모양을 한다. 그리고 종종 발모양은 족저굴곡된 형태를 취한다(발가락이 밑으로 향함). 가위모양의 다리형태를 취하는 것은 영아가 서서 체중부하를 하려고 할 때 명백하게 나타난다. 복위에서 영아는 등이 휘었기 때문에 정상보다 머리를 더 위로 올리려고 힌다. 아동은 싱체 밑으로 팔과 다리를 비정상적으로 굴곡시킨다.
비정상적 반사	신생아기 반사는 원시반사가 사라지는 시기에도 없어지지 않고 오래 지속되는 경향이 있다. 긴장성 목반사 또는 파악반사는 5개월 이상, 모로반사는 6개월 이상 지속된다. 또한 과다반사(심한 반사) 현상이 있다. Ankle clonus 반사(검사자가 반복해서 발목을 굴곡시킨 후에 나타나는 지속적인 발목의 움직임)는 자주 일어난다.
비정상적 근육활동과 긴장성	영아는 자주 비정상적인 근육사용을 나타낸다. 몸을 움직일 때 복부로 기어다니려 하지 않고 등으로 껑충거리는 모습을 보인다. 걷기 시작할 때 엄지발가락을 먼저 땅에 대고 걷는다. 엉덩이의 단단한 내전근육은(가위모양 걸음걸이의 원인이 됨) 대퇴두부를 관골구 밖으로 당기게 되며 이로 인해서 불완전한 골형성 때문이 아닌 근육강직성으로 인한 고관절의 부전탈구가 발생하게 된다.

효과가 없다. 소뇌 pacemaker는 일부 아동의 긴장성을 줄일 수 있다.

경축을 예방하는 것은 중요한 일이다. 과거에는 아동에게 신장성 보조기구를 착용하도록 하였다. 그러나 이 기구의 무게로 인해 오히려 근육의 움직임이 방해가 되고 아동이 걷는 것을 배우는 데 지장을 주어 장애를 부추기는 결과가 되었다. 부분적인 다리 보조기는 아동이 발뒤꿈치를 아래로 향하도록 돕는 데 사용된다. 만일 다리보조기가 처방된다면 부모는 자녀가 보조기를 착용하도록 지지하고 돕도록 격려해야 한다. 부모에게 발뒤꿈치 근육을 신전시키기 위한 부분적 다리 보조기는 효과가 나타날 동안 장기간 착용해야 한다는 점을 교육시킨다.

수동 또는 능동적 근육운동 또한 경축을 예방하는 데 중요하다. 부모는 수동적 근육운동법에 대해서 교육받아야 하고 아동이 능동적 운동을 하도록 격려해야 한다. 추후 관리 방문 시 마다 부모에게 이 운동은 아동 치료의 중요한 부분이라는 점과 매일 지속해야 한다는 점을 상기시킨다.

2) 자기간호

아동은 옷입고 이를 닦고 목욕하고 배변보는 것과 같은 자기간호수행법을 배울 필요가 있다. 이를 통해서 자아존중감을 획득할 수 있다. 부모에게 항상 아동이 목욕하는 동안

관찰하도록 교육하는데, 이는 아동이 조정능력의 결핍으로 인해서 물밑으로 빠져서 익사할 수 있기 때문이다. 그러나 아동이 스스로 몸을 문지르고 머리를 감도록 격려할 필요가 있다. 배변훈련은 어려운 부분 중의 하나이다. 섬유질 식이는 변비를 예방한다. 소변가리기 또한 아동의 수의근 조절이 충분히 되지 않기 때문에 어려운 일이 된다.

아동의 부모는 사려 깊은 지지와 인내가 필요하다. 자기간호 활동과 더불어 아동을 도울 때 아동이 끝까지 그 일을 성취하도록 지켜보는 인내가 요구된다. 이것은 아동이 확신을 가지고 자아존중감을 갖도록 하는데 중요하다.

간호진단 및 목표

간호진단 : 뇌성마비로 인한 이차적인 활동제한으로 인한 성장발달 장애위험성
간호목표 : 아동은 질병의 제한된 한도 내에서 나이에 적합한 발달과업을 나타낼 것이다.
예상되는 결과 : 아동은 환경적인 자극을 받는다. 아동은 주변의 사람들과 활동에 대한 관심을 표현한다. 가능한 한 제한 없이 자유롭게 학교수업에 참석한다.

3) 놀이와 운동

뇌성마비 아동은 스스로 놀이와 운동을 수행하는 것이 불가능하므로 이러한 자극들이 주어져야 한다. 일부 아동들은 다른 아동들보다 좀 더 자극적인 활동이 필요한데 이

는 일정 시간 동안 한 가지 활동에 집중하는 것이 어렵기 때문이다. 뇌성마비 아동에게 있어서 놀이와 운동은 너무 어려워서도 안되지만 너무 쉽지도 않아야 한다. 아동의 지적, 운동발달 수준에 적합한 장난감과 활동을 선택한다.

유아원 경험은 아동에게 외부세계를 보여 주는 좋은 기회가 된다. 가능하다면 학령기 아동은 정상 아동과 같이 보통 학급에서 공부하도록 해야 한다. 그러나 만일 인지손상이 있다면 정신적, 신체적인 결함으로 인해서 정규 학교교육을 받는 것은 많은 어려움이 따른다. 이와 같은 경우는 특수 학교교육을 통해서 지적 능력을 점차적으로 개발해 갈 수 있도록 해야 한다.

4) 영양

뇌성마비 아동에게 적절한 영양을 섭취하도록 하는 것은 어려운 일이다. 영아의 경우 혀, 입술, 턱의 협응작용이 잘 이루어지지 않아서 음식물을 입 밖으로 밀어내기 때문에(원시반사가 지속됨) 수유곤란을 겪는다. 약한 턱 근육으로 인해서 입술과 혀의 협응이 잘 되지 않는다. 아동기 때는 숟가락을 쥐고 조절하는 데 어려움이 있어서 음식을 입으로 잘 가져갈 수 없다. 강직상태는 아동이 음식을 한입 먹기 위해서 앞으로 구부릴 때 머리가 과다신전되는 원인이 되며 먹는 동안 편안함을 느낄 수 없다. 부모는 아동을 위한 식이패턴을 찾는 방법에 대한 도움과 교육이 필요하다. 손으로 턱을 조절하는 것은 머리를 조절하고, 목과 몸통의 과다신전을 교정하며 턱을 안정시켜서 식사를 돕는 데 도움이 된다. 아동이 잘 씹고 삼킬 수 없다면 유동식이나 연식이 필요하다. 고형식을 먹을 수 있는 아동이라 할지라도 정상 아동보다 먹는 데 시간이 걸린다. 식사 시간 동안 아동의 옷에 턱받이나 바닥에 깔개가 필요하다. 식사 시간이 많이 걸리기 때문에 아동이 다 먹을 때까지 인내심을 가지고 기다리는 것이 요구된다.

과다한 구토반사는 아동이 식사 후에 토하는 원인이 된다. 영아는 식사 후에 기관지 흡인을 예방하기 위해서 측위나 좌측위를 취하도록 한다.

간호진단 및 목표

간호진단 : 강직성 근육과 관련된 비사용 증후군 위험성
간호목표 : 아동은 아동기 동안 가능한 최대 운동성을 회복할 것이다.
예상되는 결과 : 아동은 최소한의 지지와 장비를 의지해서 걷는다. 피부와 조직은 그 탄력성을 유지한다.

5) 언어치료

대부분의 뇌성마비 아동에게 언어치료가 요구되는데 이 치료는 아동이 천천히 말하는 것과 발음할 때에 입술과 혀를 잘 협응하도록 하는 법을 배우도록 돕는다. 아동에게 인내심을 갖도록 하며 그들이 신중하게 단어 하나하나를 말하도록 격려한다. 만일 아동이 부모나 치료자를 기쁘게 하기 위해서 빨리 말하려고 한다면 아동의 말은 덜 분명해지고 의사소통에 어려움이 따른다. 명확하게 말할 수 없는 아동은 다른 대체방법을 사용하여 의사소통을 하도록 한다. 터치스크린 컴퓨터 프로그램은 아동의 의사소통을 돕기 위해서 학교에서 자주 사용된다.

6) 장기간호

뇌성마비는 항상 영아기에 조기진단되지 않기 때문에 부모는 자신의 자녀가 2세에서 4세 이후까지도 만성질환을 가졌다는 사실을 모를 수도 있다. 부모는 자신의 슬픔에 대처하고 아동간호에 대한 좌절과 어려움에 적응하도록 돕기 위해서 많은 정서적 지지와 교육이 필요하다.

부모에게 뇌성마비가 있는 자녀가 질병의 제한 내에서 최대 잠재력에 도달하도록 격려하도록 한다. 건강관리 방문 시 평가는 아동이 목적을 성취하는 것뿐 아니라 아동과 가족의 성취에 대한 만족과 수용에 대한 평가도 포함되어야 한다. 건강관리 방문 시 부모의 말을 경청하고 그들이 식이문제와 같은 매일의 삶에서 겪는 어려움을 이야기하도록 한다. 부모는 자녀가 자신들이 기대했던 중요한 모든 것들을 할 수 없는 것에 대해서 슬퍼할 수 있고 아동의 여러 요구를 충족시켜주고 간호할 때 오는 긴장으로 인해서 좌절을 경험할 수 있다.

Ⅷ 소아 류마티스 관절염

소아 류마티스 관절염은 일차적으로 경우에 따라서 혈관
이나 다른 결체조직에도 영향을 미친다. 소아 류마티스 관
절염(Juvenile Rheumatoid Arthritis)은 16세 이전의 아동에
게서 최소 6주에서 3개월 이상 지속되는 관절염 증상이 나
타나며, 관절염을 초래할 수 있는 다른 질환을 제외할 때 진
단이 내려진다. 호발 연령은 1~4세와 8~12세이지만 6개월
된 영아에게서도 나타날 수 있으며, 소년보다는 소녀에게서
흔히 발병한다.

소아 류마티스 관절염의 원인은 알 수 없지만, 최근에는
자신의 체세포에 대한 순환항체가 증가하는 자가면역과정
으로 항핵 항체 단계에서 나타나는 것으로 추측하고 있다.
유전적 소인이 있는 경우에는 발병의 위험이 증가된다.

01 / 사정

증상으로는 활액막과 관절막의 염증증상으로 인한 관절
종창과 통증, 지속되는 염증과정으로 인한 관절 파괴와 연
축에 의한 관절 강직과 운동제한, 전신적인 증상이 나타난
다. 소아 류마티스 관절염 형태의 차이점에 대한 비교 내용
은 [표 20-4]를 참조한다.

전신성 소아 류마티스 관절염을 가진 아동은 관절의 침
범이 나타나기 전에 지속적인 열과 발적이 나타나기 때문에
진단을 위해 종종 병원에 입원하게 된다[그림 20-11].

가정에서는 아동의 치료와 자가간호(먹는 것, 옷 입기,
보행, 화장실 사용에 대한 도움 여부)에 대한 사정 및 간호

계획에 대해 이해할 수 있도록 교육받아야 한다.

소수형 관절염이 있는 아동은 포도막염으로 인한 실명이
초래될 수 있으므로, 매 6개월마다 포도막염(홍채, 모양체,
맥락막의 염증)에 대한 선별검사가 필요하다.

02 / 치료적 관리

소아 류마티스 관절염은 장기적인 경과를 가지는 질병이
기 때문에 치료는 운동, 휴식 및 약물관리가 균형 있게 조화
를 이루어 구성되어야 한다.

1) 운동과 휴식

관절염의 급성 염증기간 동안은 활동제한과 적극적인 휴
식이 필요하다. 휴식기간 동안에도 근력을 유지하기 위해서
등척성 운동(isometric exercise)을 수행해야 하며 염증이 있는
관절에는 부목이나 베개 등으로 지지하여 관절의 수축을 예
방한다. 아동에게 엎드려 자도록 교육하고, 하루에 2회 이상
관절의 전가동범위 운동을 실행하도록 한다. 학령기 아동의
활동을 제한하기 위해서는 신체적 활동을 대신할 수 있는 흥
미로운 대체활동을 고안해 내야 한다. 수영이나 자전거 타기
는 부드러운 관절운동을 제공하기 때문에 좋은 활동이다. 옷
입기나 양치질하기와 같은 일상생활에서의 움직임은 관절 운
동을 자연스럽게 할 수 있게 하므로 아동에게 그들이 할 수
있는 범위 안에서 스스로 할 수 있도록 격려해야 한다.

만약 학교 일과를 조정할 수 있다면, 활동 시작 시간을
오전 늦게 하는 것이 더 효과적이며, 아동이 학교에 가기 전

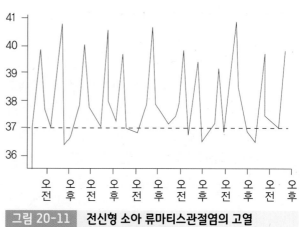

그림 20-11 전신형 소아 류마티스관절염의 고열
(spiking fever)

표 20-4	소아 류마티스 관절염 형태의 차이점 비교		
특성	다수 관절형	소수 관절형	전신성
침범된 관절의 수	5개 이상	4개 이하	다양함
영향받는 관절	어느 관절이나 가능, 대칭	큰 관절(무릎, 발목, 손목), 비대칭	어느 관절이나 가능
체온	미열	미열	수 주, 수개월 동안 지속되는 고열
기타 증상	관절의 경축과 강직 아침에 강직이 심함 류마티스 결절(+) 류마티스성 인자(+) 항핵항체(+)	홍채모양체염 류마티스성 인자(−) 항핵항체(+)	발진(주로 몸통, 대퇴, 상완) 림프절, 간, 비장의 비대 심장과 폐의 염증 류마티스성 인자와 항핵항체 양성 반응은 거의 없음

에 따뜻한 물로 샤워함으로써 통증이 완화되고 관절의 움직임이 증가될 수 있다. 손가락 관절통이 있는 아동은 아동 스스로 옷을 입을 수 있는 편한 옷을 선택하고, 아동 스스로 일상생활에 참여할 수 있도록 격려한다.

2) 열적용

열은 관절의 통증을 완화시키고 염증을 감소시키며, 편안함과 움직임을 증가시킨다. 열은 따뜻한 물로 20~30분 동안 적용할 수 있다.

더운 물 샤워는 관절의 이완을 돕고, 아침에 활동을 용이하게 할 수 있도록 돕는다.

3) 부목

부목은 좋은 신체선열상태에서 관절을 고정시키기 위해 이용한다. 활동성 염증기 동안 지속적으로 적용할 뿐만 아니라 수면 중에도 적용된다. 그러나 장기간 부목을 사용한 경우에 관절의 굴곡과 경축, 기형이 초래될 수 있으므로 부목은 염증기 동안에만 한시적으로 적용하는 것이 좋다.

4) 영양

소아 류마티스 관절염 아동은 식욕부진, 관절통과 피로로 인해 영양섭취가 어려울 수 있으므로 부모는 하루 중 아동이 식사하기 가장 좋은 시간에 식사할 수 있도록 도와야 한다. 그러나 활동제한과 대사 요구 감소로 인해 체중이 증가될 수 있으므로 적절한 영양 관리가 중요하다.

5) 약물

소아 류마티스 관절염 아동을 위해 사용되는 주된 약물은 비스테로이드성 항염제(NSAIDs)이다. 12세 이상의 아동에게는 tolmetin, naproxen, ibuprofen을 포함한 약물이 사용되며 하루 4회 섭취하는 NSAIDs계 약물은 관절의 부종과 불편감 및 아침에 관절의 뻣뻣함을 완화시키고 통증과 염증의 조절을 위해서 사용된다. NSAIDs계 약물의 치료 효과가 나타나기 위해서는 적어도 6~8주간은 섭취해야 한다. NSAIDs계 약물은 위장관계 장애와 출혈을 일으킬 수 있으므로 부모에게 음식과 함께 약을 주도록 교육한다. 아동에게 치료기간 동안 통증이 나타나지 않더라도, 이 약물은 지속적으로 주어야 함을 교육 한다.

Cyclophosphamide, azathioprine, hydroxychloroquinin, chlorambucil, methotrexate 같은 면역억제제는 NSAIDs계 약물에 반응하지 않는 아동에게 사용할 수 있으며 다른 항염증제에 반응하지 않으며 질환이 심해져서 생명을 위협하거나 심각한 전신성 질환 시에 prednisone과 같은 스테로이드제를 사용하기도 한다. 스테로이드의 장기간 복용은 많은 부작용이 있기 때문에 가능한 가장 적은 용량을 단기간 사용하는 것이 좋다.

간호진단 및 목표

간호진단 : 질환의 치료적 관리 및 간호와 관련된 지식부족
간호목표 : 부모와 아동들은 1주일 이내 간호에 관한 증가된 지식을 나타낼 것이다.
예상되는 결과 : 부모와 아동들든 운동과 약물에 관한 지침대로 수행한다.

부모와 아동은 적극적으로 치료를 이행해야 할 필요성을 이해한다. 학교와 다른 활동에서도 그들이 운동과 약물 프로그램을 계획할 수 있도록 돕는다.

소아 류마티스 관절염 아동은 질환의 진행에 대해 지속적으로 추후관리를 받아야 한다. 관절 경축이 생긴 아동에게는 경축 감소와 건의 재건, 활막절제술, 다리 길이의 동일화나 사지성형술 등의 정형외과적 수술이 요구될 수 있으나 이러한 수술은 뼈의 성장이 완전해질 때까지 연기될 수 있다.

소아 류마티스 관절염 아동에게 운동하는 것, 부목 착용, 매일 처방된 약물을 복용하는 것은 매우 중요하다.

확인문제

10. 소아 류마티스 관절염 치료를 위해 일차적으로 선택되는 약물은?

※ 뼈와 근육장애는 장기간 동안 장애가 지속되는 경향이 있다. 아동과 그들의 가족에게 석고붕대나 보조기를 적용할 때, 아동이 잘 적응하도록 돕기 위해 일상 생활에서 석고붕대나 보조기가 어떻게 영향을 미치는지 생각하도록 한다. 아동이 석고붕대나 견인을 하고 있는 동안, 아동의 성장과 발달에 필수적인 자신의 여가활동에 대해서 계획할 수 있도록 한다.

※ 석고붕대나 견인장치가 적용되는 부위의 혈액순환 및 신경손상을 사정하기 위해 말초부위의 통증, 창백, 맥박 부재, 감각 이상, 마비 증상 등을 확인해야 한다.

※ 골절이나 연조직의 타박상은 아동학대를 포함한 특정한 외상의 결과로 나타날 수 있다. 과거력과 손상의 정도가 일관성이 있는지 확실히 하기 위해서 손상의 세부적인 과거력을 자세히 조사한다.

※ 많은 아동에게 골절된 뼈를 치유하기 위해서 석고붕대를 적용하며, 만약 골절된 뼈가 쉽게 정렬되지 않는다면 견인도 적용된다.

※ 척추측만증은 척추의 측면으로의 굴곡을 뜻하며, 보조기 착용이나 수술을 통해 치료한다.

※ 근디스트로피는 근골격계의 유전성 점진성 퇴행 질환으로 선천성, 안면견갑상완형, 가성비대형 등의 형태로 구분할 수 있다. 아동과 부모는 장기간의 질환에 따른 지지가 필요하다.

※ 뇌성마비는 상위운동신경원 손상으로 운동기능 상실이 초래된 비진행성 질환으로 자기간호, 의사소통, 걷는 것, 교육, 안전, 영양 등의 관리가 중요하다.

※ 소아 류마티스 관절염은 다양한 형태인 다발성 관절염과 전신성으로 발생한다. 치료는 운동, 열적용, 부목 적용 및 NSAIDs계, methotrexate, aspirin 같은 약물투여로 한다.

확인문제 정답

1. 골단판
2. 근전도검사
3. 감염증상 확인, 개방골절 관찰 및 상처 부위의 간호를 위해 필요하다.
4. 생목골절
5. 기능적 척추측만증과 구조적 척추측만증
6. 외과적 교정은 일반적으로 40도 이상일 때 적용된다(척추측만의 굴곡이 20도 이상, 40도 이하이고, 아동의 골격계 성장이 진행 중이라면 보조기 착용으로 상태를 관찰할 수 있다).
7. 가성비대형근디스트로피
8. 강직성, 무정위운동성, 운동실조성, 혼합형 뇌성마비
9. 수동 또는 능동적 근육운동
10. NSAIDs

비뇨생식기능 장애 아동의 간호

주요용어

네프론(nephron)
방광요관역류(vesicoureteral reflux)
비뇨기계 진단적 검사(diagnostic test of urinary system)
사구체신염(glomerulonephritis)
신장증(신증후군, nephrotic syndrome, nephrosis)
요도하열(hypospadias)
요로감염(urinary tract infection, UTIs)
음낭수종(hydrocele)
잠복고환(cryptorchidism)

학습목표

01 아동기 비뇨생식기의 특성을 설명한다.
02 비뇨생식기능을 사정한다(병력, 신체사정, 진단검사).
03 비뇨기계 기형(요도기형, 잠복고환, 염전 등) 아동에게 간호과정을 적용한다.
04 배뇨장애 아동에게 간호과정을 적용한다.
05 요로감염 아동에게 간호과정을 적용한다.
06 방광요관역류 아동에게 간호과정을 적용한다.
07 사구체신염 아동에게 간호과정을 적용한다.
08 신증후군 아동에게 간호과정을 적용한다.

I 비뇨생식기계의 특성

[그림 21-1]은 비뇨기계의 구조를 나타낸다. 아동의 신장은 늑골의 약간 아래에 위치하고 있으며, 신장 주위에 지방이 많지 않기 때문에 외상을 받을 가능성이 어른보다 높다.

01 / 네프론

네프론(nephron)은 신장의 기능단위로서 사구체를 포함하며, 혈액공급을 수반하는 관의 복합체이다[그림 21-2]. 보우만 주머니(Bowman's capsule)라고 불리는 이중벽으로 된 게실로 둘러싸인 사구체는 큰 구심성(들어오는)과 작은 원심성(나가는) 세동맥에 의해 공급을 받는 모세망이다. 이것은 근위와 원위 부분과 함께 세뇨관 안에 함입된다. 사구체 안에는 혈액으로부터 나온 수분과 용질로 채워져 있는 통로가 있는데, 이 통로는 세뇨관에 흐르는 동맥의 압력보다 강한 사구체 동맥에서 흐르는 압력에 의해 더 큰 영향을 받는다. 만약 사구체의 혈압이 세뇨관압보다 떨어지거나 세뇨관압이 세동맥압보다 올라가면 여과는 거의 일어나지 않는다. 이러한 이유로 출혈이 있거나 저혈압으로 쇼크에 빠져 있는 아동의 신기능은 주의 깊게 사정해야 한다.

이러한 여과된 용액은 근위세뇨관(proximal tubule), 헨

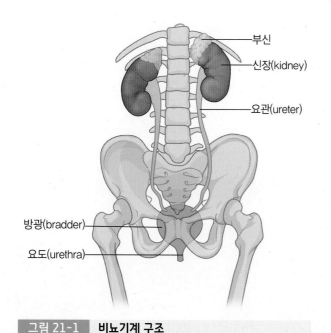

Child Adolescence Health Nursing

레고리(Henle's loop, 신세뇨관의 U자형 부분), 그리고 원위세뇨관(distal tubule)을 통과한다. 여기에서 모세혈관으로 다시 확산되어 수분과 전해질이 약 90%의 여과시킨다.

사구체 여과액은 1분에 약 120mL씩 근위세뇨관으로 들어간다. 그리고 이 양만큼 재흡수되어 마지막 산물인 소변은 1분에 약 1mL씩 분비된다. 근위세뇨관은 수분, 당, 염화나트륨(sodium chloride), 인산염(phosphate, PO_4), 황산염(sulfate, SO_4), 중탄산염(bicarbonate, HCO_3)이온을 재흡수한다. 이는 특별히 신체의 요구에 의해서 영향을 받지 않는 수동적인 과정이다. 필요한 경우에는 나트륨과 중탄산염이온, 증가된 수분이 재흡수된다. 만약 자궁이나 골반의 억압에 의해 세뇨관압(tubular pressure)이 증가되면, 사구체압(glomerular pressure)보다 더 커져서 소량의 재흡수가 일어난다. 네프론 구조의 기능은 [그림 21-3]에 요약되었다.

02 / 소변

24시간 동안 분비되는 소변(urine)의 양은 수분의 섭취, 신장의 건강상태, 연령에 따라 영향을 받는다. 아동의 연령에 따른 소변 배설량은 [표 21-1]에 나타나 있다.

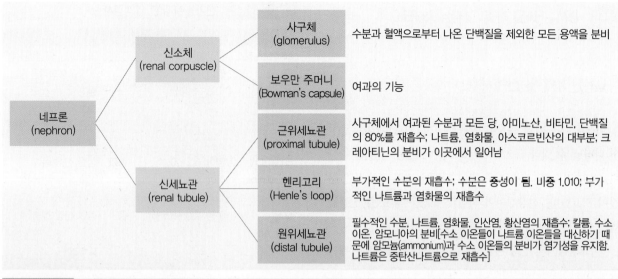

그림 21-3 네프론(nephron)의 기능

소변 생산양의 두드러진 감소는 핍뇨라고 하고, 소변 생산량이 없는 것은 무뇨라고 한다.

신장질환이 발생할 때 사구체나 세뇨관의 기능은 약화되고, 과량 분비된 크레아티닌(creatinine), 요소(urea), 암모니아(ammonia), 퓨린(purine)과 같은 비단백질 질소성분인 물질은 혈액 속에 남는다. 요소는 간에 있는 암모니아 산의 파괴로 형성된다. 소변에 있는 요소의 양을 측정하는 것은 간접적으로 간 기능을 측정하는 것이다.

creatinine은 phosphocreatine[단백질 대사로 생긴 creatinine이 인(phosphorus)과 결합한 물질로 분해되면서 ADP와 결합하여 강력한 에너지를 생성하는 ATP를 생성한다]의 분해로 유리된 골격근의 대사노폐물이다. 이 creatinine은 전적으로 신장에서 배설되므로 신기능을 평가하는 의미있는 소견이다.

BUN 수치는 탈수, 영양불량, 간기능 등의 영향을 받지만 혈청 creatinine 수치는 다른 변수의 영향을 받지 않으며,

오직 신기능장애만이 creatinine의 비정상적인 상승을 초래한다. 그러므로 신기능을 사정하는데 BUN 수치보다 더 정확하다.

신장기능이 손상을 받으면 물질들이 정체해 있을뿐만 아니라 정상적으로 정체해 있는 소량의 구성 요소들이 소변의 성분이 된다. 이러한 것에는 알부민, 당, 혈액, 담즙색소, 원주(casts)등이 있다. 담즙색소는 아동의 혈장 속에 있는 간접 또는 직접 빌리루빈(indirect or direct bilirubin)이 증가할 때 소변에 나타나는데, 적혈구 세포의 용혈과 폐쇄성 황달이 이것을 일으킨다. 담즙색소는 소변을 녹색을 띤 황갈색을 띠게 한다. 소변이 비정상 상태일 때 형성되는 원주는 단단하게 굳어지는 물질로 선을 형성하여 신세뇨관 내부에 틀을 형성한다. 소변이 원주를 씻어낸 후에는 소변의 현미경 검사로 검출된다. 원주는 적혈구와 백혈구로 형성되며, 상피세포와 지방세포는 여과를 느리게 한다. 소변의 정상 성분들은 [표 21-4]에서 설명해 놓았다.

확인문제

1. 신장의 기능적 단위는?

표 21-1 아동의 연령에 따른 일 소변 배설량

연령	소변양(mL)
6개월~2세	540~600
2~5세	500~780
5~8세	600~1200
8~14세	1000~1500
14세 이후	1500

Ⅱ 비뇨생식기계 기능 사정

01 / 병력 및 신체사정

아동은 비뇨기계 증상이 있을 시 연령별로 다양한 증상이 나타날 수 있다[표 21-2]. 비뇨기계 질환은 현병력, 출산력, 과거 건강력, 가족력 등 발달 단계에 따라 포괄적인 문진이 필요하다. 신장질환이 의심되는 경우 방사선, 신생검법 등을 이용하여 신장기능을 평가할 수 있다.

비뇨생식기의 건강문제 사정은 기능의 변화를 나타내는 증상이나 징후를 관찰함으로써 시작할 수 있다. 간호사는 건강문제를 가진 아동과 신장의 합병증이 발생할 수 있는 아동의 몸무게, 섭취량, 배설량, 혈압이 정확하게 유지되도록 하는 것이 중요하다.

02 / 진단적 검사

비뇨기계 질환을 확인하기 위해 외래나 입원 환자를 중심으로 진단검사가 다양하게 이루어진다. [표 21-3],[표 21-4]는 비뇨기계 질환을 확인하기 위한 혈액 및 요검사이며, 외래나 입원 환자를 중심으로 이루어지는 방사선 및 진단검사는 [표 21-5]와 같다.

표 21-2 연령별 요로장애 임상증상

신생아(출생~1개월)	영아기(1~24개월)	아동기(2~14세)
구토	구토	구토
빈뇨	빈뇨	부종
황달	발열	창백
탈수	창백	피로
간질발작	탈수	혈뇨
수유부족	수유부족	고혈압
호흡곤란	과도한 갈증	테타니(tetany)
빠른 호흡(산증)	소변의 악취	간질발작
불충분한 체중증가	신장이나 방광비대	성장부진
다른 기형이나 증상	지속적 기저귀 발진	식욕부진
신장이나 방광 비대	불충분한 체중증가	안면부종
자연 기흉이나 종격동	배뇨 시 긴장이나 날카	과도한 갈증
기흉	로운 울음	배뇨 시 통증
(pneumomediastinum)		유뇨증, 실금, 빈뇨
빈약한 요 흐름		복부와 등의 통증
배뇨 시 날카롭게 울음		

표 21-3 신기능에 대한 혈액검사

검사	정상범위(mg/dL)	이상	이상요인
혈액요소질소 (BUN)	신생아: 4~18 영아, 아동: 5~18	상승	급성 혹은 만성 신장병 단백질 이화작용 증가 탈수 출혈 많은 양의 단백질 섭취 부신피질호르몬 요법
크레아티닌 (creatinine)	영아: 0.2~0.4 아동: 0.3~0.7 청소년: 0.5~1.0	증가	심한 신장 손상
요산 (uric acid)	아동: 2.0~5.5	증가	심한 신장 질병

1) 요분석

요분석(urinalysis)은 배뇨 후 30분 이내에 검사를 시행하고, 이른 아침 농축된 첫 소변이 가장 좋다. 실온에서 일정 기간 동안 보관한 소변은 그 성분이 변한다. 소변 검체물을 수집하기 위해 소변 수집기와 기저귀에서 소변을 수집하는 방법은 3장에서 설명이 되었다. 당잠혈과 단백잠혈이 있으면 확인이 되며, 산도측정은 화학적 시약 막대를 사용한다. 소변의 비중은 굴절계를 사용하면 가장 잘 확인이 된다.

2) 사구체 여과율

사구체 여과율(glomerular filtration rate)은 신장에 있는 혈액으로부터 여과되는 물질의 비율이다. 이는 근육 수축 시 크레아티닌 산물이 파괴되므로 24시간 동안 분비되는 크레아티닌 양에 의해 측정되며, 크레아티닌 청소율 검사(creatinine clearance test)로 알려져 있다. 방사성 동위물질을 정맥으로 주사한 후 24시간 동안 수집한 소변의 크레아티닌의 양과 정맥혈의 크레아티닌의 양을 비교하여 알아본다. 정상 크레아티닌 청소율은 100mL/min이다. 부모와 아동은 검사 시 사용되는 방사성 동위체의 양이 소량이며, 즉시 제거되므로 부모들은 자녀에게 방사성 물질이 남아있다고 두려워 할 필요가 없다.

표 21-4 신기능에 대한 소변검사

	정상범위	이상	이상요인
물리적			
요량(volume)	• 연령에 따라 다름 • 신생아: 30~60mL • 아동: 방광용적[약 30gm=연령(year)+2]	• 다뇨증 • 핍뇨증 • 무뇨증	• 당뇨병에서 요당치와 관련한 삼투성 요인 • 폐쇄성 질환에 의한 요정체 • 요로폐쇄로 인한 급성 심부전 • 신경성 방광이나 폐쇄성 장애로 방광을 완전히 비움
비중 (specific gravity)	• 정상적 수분섭취: 1,016~1,022 • 신생아: 1,001~1,020 • 영아 이후: 1,001~1,030	• 높다 • 낮다 • 1.010에 고정	• 탈수 • 단백질, 포도당 존재 • 방사선 검진 후에 조영제 존재 • 많은 양의 수분섭취 • 원위세뇨관 기능부전 • 항이뇨호르몬 부족 • 이뇨 • 만성 사구체 질환
삼투성(osmolality)	• 신생아 : 50~600mOsm/L • 영아 이후: 50~1400mOsm/L	• 높거나 낮다.	• 비중보다 더 민감한 지표로 비중의 이상요인과 같음
외양(appearance)	• 맑고 엷은 황색에서 짙은 황금색	• 탁함 • 탁한 연분홍부터 다갈색 • 옅은색 • 어두운 색 • 붉은 색	• 침전물 함유 • 손상이나 질병으로 생긴 혈액 • 근육의 심한 파괴로 생성된 마이오글로빈(myoglobin) • 희석 • 농축 • 손상
화학적			
pH	• 신생아: 5~7 • 영아 이후: 4.8~7.8 • 평균: 6	• 약산이나 중성 • 알카리	• 대사성 산성증이 동반되면 세뇨관 산성증 시사 • 대사성 알칼리증이 동반되면 칼륨 결핍증 • 요로감염 • 대사성 알칼리증
단백질(protein level)	• 없음	• 존재	• 사구체 투과성의 이상 • 대부분의 신장질병 • 개인에 따라 기립성
포도당(glucose level)	• 없음	• 존재	• 당뇨병 • 농축된 포도당 수액제 주입 • 사구체신염 • 신세뇨관 재흡수
케톤(ketone level)	• 없음	• 존재	• 급성 대사성 요구가 있는 상태 • 당뇨병성 케톤산증
백혈구 가수분해 효소 (leukocyte esterase)	• 없음	• 존재	• 효소 검출법으로 용해된 백혈구와 온전한 백혈구를 확인
아질산염(nitrites)	• 없음	• 존재	• 요에서 대부분의 세균이 질산을 아질산염으로 변화
현미경 검사			
백혈구수 (white blood cell count)	• ≤ 1 or 2	• 다형핵 백혈구 50이상/field • 림프구(lymphocytes)	• 요로의 염증성 과정 • 동종 이식체 거부, 악성 종양
적혈구수 (red blood cell count)	• ≤ 1 or 2	• 4~6/원심분리한 검사물	• 외상, 결석, 사구체 손상 • 감염, 신생물
세균 (presence of bacteria)	• 없거나 조금	• 100,000 이상 원심분리한 시료 mL	• 요로감염
원주 (presence of casts)	• 가끔 있음	• 과립성 원주 • 새포성 원주, 백혈구, 적혈구 • 초자양 원주	• 신세뇨관이나 사구체 장애 • 진행된 신장 질환에서 퇴행성 과정 • 신우신염 • 사구체신염 • 일시적 단백뇨

표 21-5 **신기능에 대한 방사선 및 기타검사**

검사	목적	검사절차	간호
요배양과 민감성 (urine culture and sensitivity)	· 병원체의 확인 및 민감한 약물을 결정	· 무균상태의 검사물 수집	· 금식은 필요 없음 · 검사물은 즉시 검사실로 보냄 · 깨끗한 검사물 채취, 도뇨, 치골 상부에서 방광천자하여 요 수집
신장/방광초음파 (renal/bladder ultra sound)	· 외부 방사선이나 방사성 동위원소의 노출 없이 신실질, 신우, 확장된 요관, 방광벽 확인 가능	· 방광 위쪽과 요관을 따라 신실질에 초음파 투과	· 비침습적인 과정
고환(음낭)초음파 (testicularscrotal ultrasound)	· 고환을 포함한 음낭 내용물 및 크기 확인 · Dopplerenhanced 초음파는 염전에 의한 허혈과 고환, 부고환염에 의한 충혈 구별 위해 사용	· 음낭 내용물과 고환에 초음파 투과	· 비침습적인 과정
정찰사진(scout flim)	· 신장의 윤곽, 결석 유무, 방광의 이물질 존재 유무 확인	· 복부, 신장의 신우, 요관, 방광 (KUB)에 대한 평면 방사선 사진을 찍음	· 일반 방사선 사진 촬영과 같음
배뇨 방광요도촬영술 (voiding cystourethrogram,VCUG)	· 방광 및 요도의 윤곽 확인, 요관 역류 및 배뇨 기능 확인	· 도뇨관을 통해 방사선 불투과 물질을 주입한 후 배뇨 전, 배뇨 중, 배뇨 후 사진 촬영	· 도뇨에 대한 준비
방사성 핵종 방광 조영술 (radionuclide cystogram)	· 방사성 불투과 물질에 알레르기가 있는 아동에게 VCUG를 대신하여 적용함 · 요관 역류를 확인 가능 · 상대적으로 해부학적 결함 확인은 미비	· 방사성 핵종을 함유한 액체를 도뇨관을 통해 주입한 후 배뇨 전, 배뇨중, 배뇨 후 사진 촬영	· 도뇨에 대한 준비 · 방사성 핵종을 조영제 대신 사용하는 것에 대한 정보 제공
방사성 동위 원소 영상검사 (radioisotope imaging study)	· DTPA 방사선 동위원소를 사용 · 사구체 여과율을 측정함 · 상부요로 폐쇄 유무와 위치를 판단하기 위해 다양한 신기능과 신장배설 능력을 추정함 · DMSA 방사선 동위원소로 신장반흔과 다양한 신기능을 관찰 가능 · MAG3 DTPA(상부요로 패쇄평가) 소견과 DMSA(다양한 신기능 진단) 소견을 통합한 것	· 정맥 내로 방사성 불투과 물질을 주입: 신기능을 평가하기 위하여 흡수 및 배설상태를 컴퓨터로 분석함	· 정맥주입을 시행하거나 보조함 · 정맥주입상태를 감시함 · DTPA 방사선 동위원소 스캔의 경우 도뇨가 필요할 수 있음
경정맥성 신우촬영술 (intravenous pyelogram, IVP)	· 요로관찰 · 신장, 요관, 방광의 통합성에 관한 정보 제공 · 후복강의 신생물이 요관의 위치를 변경시킬 때 관찰	· 방사성 불투과 물질을 정맥으로 주입 · 세뇨관으로 분비되고 농축 · 주입 후 5, 10, 15분에 X-선 촬영 · 요로폐쇄가 의심되면 30, 60분 후에 추가 X-선 촬영	· 검사준비 · 2세 이하: 고형식이를 주지 않고 검사 당일 아침 모유나 조제유를 평상시보다 적게 수유 · 2~14세: 밤12시부터 금식
단층촬영 (computed tomography, CT)	· 신장의 수직이나 수평의 단면을 보여주며 특히 낭종과 종양을 구분하여 보여 줌	· narrow-beam X-선 컴퓨터 분석으로 부위에 대한 정밀한 구조를 보여 줌	· Noncontrast scan은 비침습적 · Contrast-enhanced CT scan 준비는 IVP와 비슷
방광경 검사 (cystoscopy)	· 방광과 하부 요로의 병소를 검사함, 요관 개구부, 방광벽, 삼각근, 요도 관찰	· 요도를 통해 삽입한 작은 방광경을 통해 방광과 하부요로를 관찰	· 밤 12시 이후 금식 · 수술 전 준비
역행성 신우 조영술 (retrograde pyelography)	· 신배, 요관, 방광을 관찰함	· 요관 도관을 통해 방사성 불투과 물질을 주입	· 방광경 검사에 대한 준비

표 21-5	신기능에 대한 방사선 및 기타검사 (계속)		
검사	목적	검사절차	간호
신혈관 조영술 (renal angiography)	· 신장 혈관을 관찰함 · 특히 신동맥 협착을 관찰하기 위함	· 대퇴동맥(신생아는 제대 동맥)에 위치한 도관을 통해 신동맥으로 방사성 불투과 물질을 주입하고 신동맥으로 진행	· 지시가 있을 경우 하제를 투여함 · 수술 전 투약 · 방사성 불투과 물질에 대한 반응을 관찰함, 검사 후 활력증상을 감시함
관류 검사 (Whitaker perfusion test)	· 상부요로 확장을 일으키는 폐쇄 유무를 파악	· 신우와 요관에 조영제 주사 · 신우와 방광의 압력을 측정	· 척수 주사바늘이나 관류 카테터 삽입에 대해 준비시킴
신생검 (renal biopsy)	· 사구체와 세뇨관의 조직학적 소견을 제공하며 신증후군의 유형을 구별하는 데 도움이 됨	· 개방성 혹은 경피로 신장조직을 채취	· 1~6시간 전부터 머이지 않음 · 처방에 따라 사전 투약 · 절차에 따라 준비하고 보조 · 활력징후를 측정 · 압박붕대, 모래주머니로 부위를 압박 · 24시간 동안 침상 안정을 취함 · 복통, 압통을 관찰 · 섭취, 배설량을 모니터링
요역학 (urodynamics)	· 배뇨장애 특성을 파악 · 실금이나 요정체 유형을 파악 · 요로감염, 요정체나 신경성 방광 장애로 합병되는 배뇨장애를 파악하는데 도움이 됨	· 방광의 용적, 보유 능력, 배설 기능을 측정 · uroflowmetry: 배뇨의 효율성을 측정 · cystometrogram: 방광의 용적 기능을 파악하고자 방광 압력 을 비교 · sphincterelectromyogram: 방광이 충만되어 있고, 배설하는 동안 골반근 기능을 검사 · voiding pressure study: 수축	· 도뇨에 대한 준비 · 직장관 삽입은 직장 충만감이나 압박감을 가져옴 · 괄약근 EMG를 측정하기 위해서는 주사 바늘을 삽입가능

3) 요배양

비뇨기계의 감염 유무는 요배양(urine culture)으로 확증이 된다. 박테리아가 방광으로 침입할 가능성이 있는 도뇨는 통증을 수반하고 관을 삽입해야 되므로, 아동들에게 시행하는 대부분의 소변검체들은 청결뇨 방법이나 무균적 치골상부 방광천자로 수집한다. 소변에 박테리아가 있으면 검사물의 현미경 검사로 확인이 된다.

4) 혈액검사

혈중요소 양을 측정하는 혈액요소질소(BUN) 검사는 사구체의 기능을 검사하는 혈액검사(blood studies)이다. 사구체가 약 25% 파괴될 때까지는 혈액요소질소 수치는 증가하지 않는다.

혈청 크레아티닌은 사구체의 기능을 측정하는 데 유용하다. 요소와 같이 크레아티닌은 완전히 신장에서 분비되고, 이것의 양은 신장의 배설기능과 정비례한다.

5) 초음파와 자기공명영상

초음파와 자기공명영상(sonography and magnetic resonance imaging)은 신장 또는 요관의 크기를 알아내고, 신장의 종양이 고형인지 낭포성인지를 구분한다. 이러한 검사들은 방사선 촬영을 사용하지 않고, 아동에게 위험한 방사선 노출이 없어서 규칙적으로 자주 반복해서 추후 검사를 할 수 있다.

6) 단순 방사선 촬영

단순 방사선 촬영(X-ray studies)은 신장의 크기와 윤곽에 대한 정보를 제공한다. 이 검사에서 나타나는 작은 신장은 일반적으로 기관의 형성부전이거나 발육부전이다. 큰 신장은 수신증이나 다낭포성 신장을 나타낸다. 이러한 촬영은 신장, 요관, 방광촬영술(KUB)과 관련이 있다.

(1) 경정맥성 신우촬영술

경정맥성 신우촬영술(intravenous pyelogram, IVP)은 상부 비뇨기계의 방사선 촬영 검사이다. 방사성 불투과 염료는 말초 정맥주사로 주입되면 혈류를 통해 순환해서 신장에서 이물질로 확인이 되며, 사구체에서 여과되어 소변으로 빠져나온다. 반복적으로 찍은 방사선 촬영 필름은 신장의 신우와 요관의 외형을 나타낸다.

경정맥성 신우촬영술을 준비하고 있는 아동에게 정맥주사를 할 것이라고 설명해주며, 어떤 아동은 투여되는 물질에 대해 잘못 이해하는 경우도 있기 때문에 "염료"가 아니라 "약물"이라고 말해야 한다. 이 주사 후에 아동은 모든 사진을 다 찍을 때까지 누워있어야 한다는 것을 주의시킨다. 방사선 촬영 검사대가 딱딱하고 차며, 카메라가 아동에게 위협적이므로 검사가 매우 어려울 수 있다. 이러한 공포를 감소시키기 위해서 방사선 촬영 기계를 카메라와 비교해서 설명해 준다. 아동은 염료 주사 후에 얼굴의 홍조, 열감, 입 안에서 짠맛을 경험할 것이다. 사용된 염료가 요오드이기 때문에 아동이 요오드 알레르기 반응을 보인 적이 있는지를 부모에게 질문해야 한다.

(2) 배뇨방광요도 촬영술

배뇨방광요도 촬영술(voiding cystourethrogram, VCUG)은 요도와 방광, 요관으로 역류된 상태를 보여주는 하부 비뇨기계 검사이다. 방광에 삽입된 카테터를 통해 방사선 불투과 염료가 주입되고, 염료 주입 후에 관은 제거된다. 계속적으로 방사선 촬영 사진을 하는 동안 아동에게 배뇨를 하게 한다. 카테터가 불편하고 방사선 촬영을 하는 동안 계속적으로 소변을 보게 하는 것은 많은 스트레스를 줄 수 있다. 검사하기 전에 아동들에게 검사를 위해 배뇨를 하는 것과 카테터 제거 후 첫 번째 배뇨에서 통증이 있을 수 있다는 것을 아동에게 교육시킨다. 몇몇 아동은 이후의 배뇨에서도 찌르는 듯한 통증이 있을 것이라고 걱정을 하기 때문에 배뇨에 어려움을 느낄 수 있다. 이런 경우 검사 후 변기에 앉아 있는 동안 따뜻한 물을 회음부 부위에 붓거나 따뜻한 물이 있는 욕조에 앉아 있거나, 물속에서 배뇨를 하면 통증이 감소된다. 대부분의 아동들은 두 번째 배뇨를 하고 난 후에 통증이 없다는 것을 알게 되면 더 이상의 어려움은 없다.

만약 아동에게 급성 비뇨기계 감염이 있으면 방광으로 주입된 방사성 불투과 물질이 감염으로 인해서 생긴 박테리아와 함께 요관과 신장으로 퍼져서 위험하므로 배뇨방광요도 촬영술을 수행해서는 안 된다. 빈뇨가 있거나, 배뇨 시 통증이나 하부 요통과 같은 요로감염의 증상들은 보고해야 한다. 배양검사를 위해 깨끗하게 받아야 하는 소변검체는 감염을 예방하기 위해서 배뇨방광요도 촬영술을 하기 전에 해야 한다.

(3) 컴퓨터 단층촬영

컴퓨터 단층촬영(computed tomography)은 신장구조의 크기와 밀도를 보여주며, 소변의 흐름을 보기 위해서 사용된다. 아동은 검사를 진행하는 동안에 장시간 누워있어야 하고, 아동을 둘러싸고 있는 커다란 기계가 어린 아동에게는 공포를 줄 수 있기 때문에 진정제를 반드시 준비를 해야 한다. 소변 흐름의 윤곽을 잘 관찰하기 위해서 검사 전에 염료를 주입한다. 또한 충분한 준비가 되었는지를 확인하기 위해서 사전에 점검해야 한다. 검사를 하는 동안에 환자를 지지하는 사람이 방에 있지 않기 때문에 아동을 완전하게 준비시켜야 아동 스스로가 검사 동안에 안전하게 대처할 수 있다.

7) 방광경 검사

요도에 방광경을 넣어서 직접 검사하는 방광과 요관의 개방성 검사인 방광경 검사(cystoscopy)는 방광요관의 역류 또는 요도협착을 검사하기 위한 것이다. 방사성 불투과 염료가 방광 속으로 주입되므로 방광이 방사선 촬영 상으로 보여 진다(방광 조영술). 또한 방광의 윤곽을 나타내기 위해서 작은 카테터는 요관을 관통하고 염료는 요관으로 주입된다(역행성 신우조영술). 검사 과정이 아프고 검사하는 동안에 장시간 누워 있어야 하므로 일반적으로 마취상태에서 이루어진다. 검사 후에 첫 배뇨는 통증을 수반할 수 있다. 한번 소변을 보게 한 후, 검사 동안에 유입될 수 있는 병원체를 씻어내기 위해서 아동에게 많은 양의 물을 마시게 한다.

8) 신생검

신장의 표피를 지나서 신장 안으로 삽입하여 가는 생검 바늘로 검사를 하는 신생검(renal biopsy)은 광범위한 신장 질환을 진단하므로 질환의 발생이나 진행, 신장 이식의 초기 부작용을 예측하는 데 이용된다. 신생검은 고학년 아동에게는 부분 마취를 하고, 쉽게 치료를 받아들이지 못하는 어린 아동에게는 전신 마취나 진정제 투여가 필요하다. 초음파는 생검의 위치를 정확하게 찾아내도록 도와준다. 아동의 자세를 고정시키기 위해서 모래주머니를 복부 밑에 두

고 복와위로 눕힌다. 만약 검사가 부분 마취일 경우 마취를 할 때 아동에게 바늘로 찌르는 느낌이 있음을 말한다. 그 이후에는 아동은 다른 어떤 통증을 느끼지 않을 것이다. 생검 검체가 수집될 때까지 누워 있도록 아동에게 주의를 시켜야 하는데, 만약 아동이 갑자기 움직이면 바늘은 신장 동맥이나 정맥을 관통하거나 사구체를 찢을 수 있다. 반드시 이 검사를 할 때 아동과 함께 옆에서 지지하는 사람이 있어야 하며 아동의 손을 잡아 주어 편안함을 느끼게 해주 어야 한다.

생검 후에 출혈을 멈추도록 하기 위해서 소독된 사각거즈로 약 15분 동안 생검 부위를 눌러준 다음, 압박드레싱을 한다. 아동에게 많은 양의 거즈가 사용되지만, 제거된 조직의 양은 아주 적은 양으로 거즈의 양은 검체가 수집된 크기를 의미하는 것이 아니라는 것을 알려준다. 생검 후에 소변은 붉은색이며, 아동을 24시간 동안 관찰하면서 혈뇨가 없어질 때까지 확인한다. 계속적으로 소변검체를 수집해서 각각의 검체를 그전의 것과 비교하여 혈뇨가 계속되는지 확인한다. 소변에서 더 이상의 혈액이 나오지 않으면, 출혈이 완전히 멈추었는지를 확인하기 위해서 잠혈검사를 한다. 최소한 1시간 동안에는 매 15분마다 활력징후를 측정하고 생검부위를 관찰하되 출혈을 사정하기 위해서 압박 드레싱을 들어 올리지 않는다. 소변이 계속적으로 자연스럽게 흐르도록 하고 신세뇨관에서 혈액 응고와 소변 흐름의 방해를 예방하기 위해서 첫 24시간 동안에 아동에게 많은 양의 물을 마시도록 격려한다. 많은 양의 수분섭취를 격려하기 위해서 아동과 게임놀이를 하게 하여 아동에게 자신의 차례가 돌아오면 매번 물을 마시게 한다. 지혈에 대한 부가적인 정보를 제공하기 위해서 일반적으로 검사 24시간 후에는 헤마토크릿(hematocrit) 검사가 이루어진다.

확인문제

2. 소변에서 거품이 관찰되는 경우에 의심되는 상태는?

3. 배뇨 시 방광요도 촬영술을 시행하면 안 되는 경우는?

Ⅲ 요도기형

01 / 비뇨기계의 구조적 이상

1) 요도하열

요도하열(hypospadias)은 요도구가 음경의 끝에 있는 것이 아니라 음경의 아래, 음낭부 또는 회음부에 개구하는 것을 말한다[그림 21-4]. 즉, 요도구(meatus)는 음경 귀두 가까이나 음경의 중간 또는 기저에 있을 수 있다. 250명의 남자 신생아들 중에서 약 1명 발생할 정도로 드문 일이다. 이것은 가족력이 있고 다요인적인 유전병소(multifactorial genetic focus)가 있다. 요도구가 음경의 위에 있는 요도상열과 비슷한 결함이다[그림 21-4(B)].

(1) 사정

모든 남자 신생아들은 태어날 때 요도하열이나 요도상열(epispadias)을 관찰해야 한다. 요도하열이 있는 신생아들은 음경을 아래로 굽도록 하는 섬유대(fibrous band)가 있는 음경 굽음(chordee)을 동반한다. 이는 주로 코브라 머리모양이라고 부른다[그림 21-4(D)]. 요도하열 남아를 관찰할 때 요도하열의 결합 부위에서 주로 발견되는 잠복고환을 주의 깊게 관찰해야 한다.

만약 음경결함이 있어 성적결정(sex determination)이 불분명할 가능성이 있는 경우 성세포 핵형판별(karyotyping)이 이루어질 수 있다. 대부분의 부모들은 요도하열을 받아들이기 어렵고, 이러한 결함에 대해 친척이나 건강관리 전문가와 함께 이야기하는 것을 두려워할 수 있다. 간호사는 부모들에게 장애에 대해서 이야기를 하도록 해주고 부모들의 질문에 대답함으로서 지지해준다.

(2) 치료적 관리

요도하열이 있는 아동에게 인공교정을 할 때 음경 외피(foreskin)의 부분을 사용할 수도 있으므로 포경술을 해서는 안 된다. 신생아의 경우에 비뇨기계 기능을 좋게 하기 위해서 초기에 외요도구절개술(meatotomy)중 요도를 정상범위까지 확장시키는 외과적인 과정을 시행할 수 있다. 아동이 12~18개월 정도 되면 유착된 음경굽음(chordee)이 분리될 수 있다. 만약 교정의 범위가 넓어질 경우 모든 수술은 아동이 3~4살 될 때까지 보류시킨다. 음경이 자라는 것이 잘 이루어지도록 하기 위해서 남성 호르몬 크림을 음경에 바르거나 남성호르몬 주사를 매일 맞도록 해야 한다. 학령기가 되기 전에 요도하열을 교정해서 아동이 정상인 것처럼 보이고 느끼게 해주는 것은 매우 중요하다. 만약 교정을 하지 않은 채로 둘 경우 음경의 앞부분에서 개구부(meatal)가 개방된 상태로 성교 시 여성의 경부 가까이에 정액을 방출하지 못하므로 생식능력에 지장을 줄 수 있다. 따라서 반드시 성인기 전에 교정을 해서 불임을 예방해야 한다. 교정술 후에 치골결합이나 요도 봉합부위에 압력이 가해지지 않도록 소변배출을 위해 요도구에 카테터를 삽입해야 한다. 카테터가 삽입되어 있는 1주~10일 동안 아동은 통증을 동반한

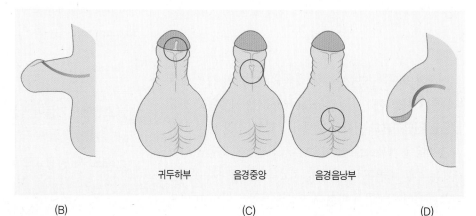

귀두하부   음경중앙   음경음낭부

(A)   (B)   (C)   (D)

그림 21-4 요도하열의 분류 및 위치
(A) 요도하열   (B) 요도상열(epispadias)   (C) 요도하열의 위치   (D) 음경 굽음(chordee)이 있는 요도하열

방광경련을 느낄 수 있는데, Propantheline bromide(Pro-Banthine)와 같은 항경련제는 통증완화를 위해 처방될 수 있다. 음경이상이 없다면 요도하열 교정 후 정상적인 비뇨기계와 생식기계 기능을 기대할 수 있다.

02 / 잠복고환

잠복고환(cryptorchidism)은 하나 또는 두 개의 고환이 복강으로부터 음낭까지 내려가지 않은 것이다[그림 21-5]. 고환은 태아시기 7~9개월 사이에 음낭으로 내려간다. 고환은 태어난 후 6주 이내에 내려가고, 6주 이후에 음낭으로 내려가는 것은 드물며 그 이유는 분명치 않다.

서혜륜(inguinal ring)에 있는 섬유성 밴드(fibrous bands) 또는 정자관(spermatic vessels)의 부적절한 길이가 하강을 막을 수 있다. 고환은 테스토스테론의 자극으로 하강하는 것이기 때문에 정상보다 낮은 남성호르몬(testosterone)의 양은 고환의 하강을 억제할 수 있다. 약 3~4%의 정상분만 신생아가 잠복고환을 가지고 태어나며 미숙아이거나 체중이 적을수록 발생 빈도가 높다.

1) 사정

잠복고환이 있다면 복강 내의 온도로 인해 고환의 성장을 방해하고, 정자의 생성에 영향을 미칠 수 있기 때문에 초기에 발견하는 것이 중요하다. 사춘기 이후에 정자의 생산은 잠복고환에 의해서 빠르게 약화되며, 고환은 만성적인 이상증세를 보이게 된다. 오른쪽 고환이 왼쪽보다 잠복고환이 더욱 흔하며, 약 20%는 양쪽 고환 모두 불하강 상태일 수 있다. 고환이 움추려 있는 것을 잠복고환이라고 잘못된 진단을 내릴 수도 있으므로 올바른 사정이 필요하다. 아동이 앙와위로 눕거나 검사하는 방이 추우면, 음낭이 없는 것처럼 보일 수도 있고 강한 촉진이나 대퇴 내부의 타진이 거고근 반사를 자극해서 고환을 움츠러들게 할 수 있다. 이러한 경우에는 아동이 일어나거나 따뜻한 목욕을 하면 고환이 강하한다.

서혜륜에 있는 완전한 잠복고환의 경우에 복강에 있을 수 있다. 이때에는 복강경 검사가 잠복고환을 진단하는 데 효과적이다. 고환이 신장과 같은 배아조직에서 발생하기 때문에 비정상적인 위치의 고환을 가진 아동의 경우에는 신장기능 평가도 필요하다. 잠복고환과 불분명한 성기와 같은 요소들이 아이의 성에 의문이 들 때에는 핵형(karyotype) 검사가 행해질 수 있다. 보통 때는 고환이 음낭 내에 위치하나 자극을 받으면 상부로 이동하는 이동성 고환과 감별을 요한다.

2) 치료적 관리

생후 3개월에 테스토스테론 혈중 농도가 급속하게 상승하여 이 시기에 하강될 수 있으므로, 치료는 대개 6~18개월까지 연기된다. 아이들에게 계속적으로 성선 자극 호르몬을 투약할 수 있으나, 성공률은 약 20% 정도이다. 필요하면 유아기 때에 복강경을 이용하여 고환 고정술(orchiopexy)로 교정할 수 있다. 만약 고환 고정술을 계획한다면 간호목적은 부모와 아이의 교육, 수술 전 준비, 수술 후 간호에 초점을 맞춘다.

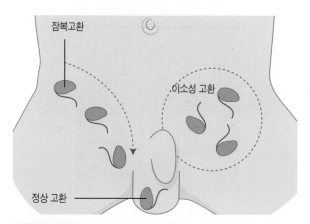

잠복고환
이소성 고환
정상 고환

그림 21-5 **잠복고환의 분류 및 위치**
(A) 잠복고환의 위치 (B) 잠복고환

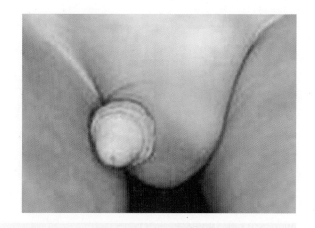

간호진단 : 수술절차와 수술 후 치료 계획에 대한 경험 부족과 관련된 지식 부족

간호목표 : 부모와 아이(충분한 나이가 들었다면)가 수술허락 전까지 수술절차에 대한 지식수준의 증가를 보여 주어야 할 것이다.

예상되는 결과 : 부모와 아동이 수술 기간 동안에 무엇이 행해질 것이라는 것을 진술한다.

이해를 할 수 있는 나이의 소년들은 수술의 유형에 대하여 충분한 준비를 할 필요가 있다. 수술을 시행할 부위를 가리키기 위해 정확한 해부 그림이나 사진을 사용한다. 아동이 성기가 잘려지는 것에 대한 두려움(거세공포)을 보이지 않더라도 특히 취학 전 아동에게 두려움이 존재할 수 있으므로 잘려지지 않는다고 확신시키고 안정시킨다.

수술 동안에 고환을 정상 위치에 고정시키기 위해 내부 봉합을 할 수도 있다. 아동이 수술한 날 바로 퇴원을 할 수 있어도 수술 다음 날까지는 활동을 제한해야 한다.

간호진단 : 외관의 변화와 관련된 신체상 장애

간호목표 : 아동이 수술하는 동안에 적정한 수준의 자기 수용을 보여줄 것이다.

예상되는 결과 : 아동이 스스로를 건강한 인간으로 보고, 심한 부끄러움이나 망설임없이 동료들과 상호작용을 한다.

수술 후 평가는 수술부위가 잘 치료되고, 두 개의 고환이 음낭에서 느껴질 수 있는지 식별하는 것이다. 또한 수술과

신체적 변화에 대한 감정을 아동이 표현하는 것이다. 수술 후 인형 놀이를 함으로써 성기 절단과 거세에 대한 두려움을 표현하는 기회를 주어야 한다. 아동이 사춘기에 이르렀을 때, 종양의 초기증상을 발견하기 위한 고환 자가검진 방법을 가르치는 것 또한 필요하다.

03 / 고환 염전

고환 염전(testicular torsion)이란 혈액공급을 방해하는 고환의 비틀림을 말하며, 영아와 사춘기에 흔하고 빨리 교정하지 않을 경우 회복될 수 없는 고환 손상을 유발할 수 있다. 고환 염전은 갑자기 고환의 통증이 발생하는 데 통증이 점점 더 심해질 수 있으며, 홍반과 부종이 동반될 수 있다. 치료 및 간호는 외과적인 응급상황으로 이환된 고환을 똑바로 하고 고정시킨다. 반대편 고환도 염전 방지를 위해 수술을 시행하고, 이환 된 고환이 괴사되면 제거한다.

04 / 음낭수종

남자 신생아의 1~2%에서 볼 수 있을 정도로 흔하다. 고환이 복강에서 음낭으로 내려갈 때, 조직이 접히는 초상돌기(processus vaginalis)가 선행된다[그림 21-6(A)]. 음낭수종(hydrocele)은 출생 전의 초음파에 의해서 진단될 수 있다. 아기가 태어났을 때 음낭이 커져 있는 것처럼 보인다. 음낭

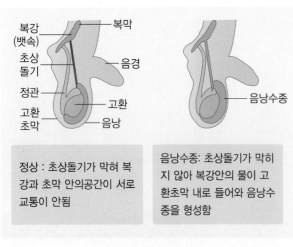

복강(뱃속) — 복막
초상돌기 — 음경
정관 — 고환
고환초막 — 음낭

초상돌기 — 음경
음낭수종

정상 : 초상돌기가 막혀 복강과 초막 안의공간이 서로 교통이 안됨

음낭수종: 초상돌기가 막히지 않아 복강안의 물이 고환초막 내로 들어와 음낭수종을 형성함

(A)

(B)

그림 21-6 **음낭수종**

(A) 정상과 음낭수종의 비교 (B) 투시법을 이용한 음낭수종 진단

을 통해 빛을 통과시키는 투시법 검사를 이용하면 음낭 안에는 물과 빛 또는 운광(glows)이 있는 것으로 보인다[그림 21-6(B)]. 음낭수종이 심하지 않으면 그 액체가 점차적으로 몸에 흡수되므로 치료가 더 이상 필요하지 않다. 12개월까지는 보통 자연소실 될 가능성이 많으므로 관찰하나 만약 크기가 크고 수종 내 압력이 높아 보이면 외과적 교정을 해준다. 부모는 음낭수종이 단순히 과도한 액체일 뿐이고 비정상적인 고환, 종양 또는 탈장으로 인한 것이 아니라는 확신을 가지도록 교육한다.

성장을 한 후에 복부 내용물이 액체를 동반하여 서혜륜(inguinal ring)을 통해 음낭으로 흘러 들어오는 서혜부 탈장으로 인한 음낭수종이 발생할 수 있는데, 음낭수종의 재흡수를 위해 탈장을 치료해야 한다. 액체생성을 감소시키기 위한 경화요법(sclerotherapy)이 효과적일 수 있다.

 IV 배뇨장애

01 / 유뇨증

유뇨증(enuresis, 야뇨증)은 방광기능의 조절을 획득한 연령의 어린이가 밤에 자면서 무의식적으로 오줌을 싸는 것을 말한다. 유뇨증 진단을 위해서는 아동의 나이가 최소한 만 5세이어야 하고, 3개월 이상 1주일에 최소한 2회 이상 증세가 계속되어야 한다. 만 5세 이전에는 이러한 증상이 있을 경우 병적인 것으로 보지 않는다. 전체 유뇨증의 80%가 야간성으로 보통 만 2세를 전후해서 대소변을 가리는 데 밤에 소변을 가리는 것은 힘들어서 아동 10명 중 1~2명 정도는 5세가 되어도 밤에 이불에 소변을 적시는 경우가 자주 있다.

유뇨증은 1차 유뇨증과 2차 유뇨증으로 구분되는 데, 1차 유뇨증은 기질적인 원인이 있는 경우로서 아동이 밤에 소변을 가려야 할 나이가 되었는데도 태어나서 현재까지 지속적으로 소변을 가리지 못하는 경우이다. 소아당뇨가 있으면 유뇨증이 잘 생길 수 있고, 신장과 방광 등 비뇨기계와 척수에 문제가 생기는 신경계 이상이 있어도 유뇨증이 생길 수 있다. 많은 수의 유뇨증 아동에게서 방광 용량의 감소

가 있으며, 이는 부적절한 소변 훈련의 결과이거나 유전일 수 있으며 기질적 질환이 있는 경우는 아주 극소수이다. 또한 유뇨증 아동은 일반 아동에 비해 요로 감염률이 높으므로 세밀한 진찰과 소변검사, 소변배양검사, 혈청 항이뇨호르몬 수치, 초음파 검사들이 필요하며, 기질적 원인이 의심될 때는 요로 조영술(urography)과 방광경(cystoscopy) 같은 검사가 요구된다.

2차 유뇨증인 경우는 심리적, 환경적 요인이 많이 작용하는 데, 일단 어느 시점에서 소변을 가리다가 소변을 가린 지 적어도 1년이 지난 뒤 심리적, 환경적인 스트레스 등으로 다시 소변을 가리지 못하는 증상을 말한다. 가장 중요한 원인은 대소변 훈련과정에서 발생된 스트레스인 경우가 많다. 인지적으로 충분히 발달되지 않은 상태에서 배변 훈련을 강요한 경우나, 이와 반대로 부모의 무관심으로 전혀 훈련을 시키지 않은 경우이다. 다른 원인으로는 동생의 출생, 유치원 입학, 이사, 비일관된 훈육으로 갑자기 심하게 야단을 맞은 경우, 낮 시간에 흥분된 사건(신나는 야외 놀이, 생일 잔치 등), 부모의 갈등 또는 이혼 등이 있다.

유뇨증이 어떤 특정한 원인에 의한 것일 경우 그 원인에 따른 치료를 하면 되지만, 대부분의 경우 유뇨증은 구체적인 원인을 밝힐 수 없는 복합적인 경우가 많으므로 적절한 치료방침을 세워야한다. 처음부터 약물 치료를 시도하는 것보다는 행동요법을 시도하는 것이 권장된다.

행동요법에는 다음의 3가지 방법이 있다.

첫째, 방광조절 훈련이다. 낮시간에 정해진 시간 동안 소변을 참게하여 방광 용적을 늘리며 배뇨감을 조절하는 방광조절 훈련을 하면 도움이 된다.

둘째, 강화(reinforcement) 프로그램이다. 밤에 소변을 싸지 않은 날은 달력에 별표를 하거나 스티커를 붙여서 긍정적인 강화를 해주도록 한다. 또한 적신 침구나 의류를 아동 스스로 정리하여 세탁기에 넣는 임무를 부여하는 책임 강화를 하도록 한다.

셋째, 유뇨증 알람장치를 사용하는 방법이다. 아동의 요 또는 기저귀에 아동이 소변을 보면 알람이 울리게 되는 전자경보장치(bell and pad)를 설치하여 알람이 울리면 깨워서 소변을 다시 보게한다. 유뇨증 알람을 사용하여 치료할 경우 50% 이상에서 2~3개월 후에 치료효과를 보는 경우가

있어 임상에서 많이 쓰이고 있다.

행동요법들로 조절이 되지 않을 때 약물치료가 시도된다. 유뇨증을 치료하는 대표적인 약물은 항우울제, 소변의 생성을 줄이는 항이뇨호르몬제, 방광의 용량을 늘리는 효과가 있는 방광조절제가 있다. 삼환계 항우울제인 imipramine은 반응이 있는 경우 대개 1주일 이내에 증상호전을 보인다. 합성 항이뇨제인 desmopressin acetate(DDAVP)가 유뇨증에 일시적인 효과가 있음이 밝혀졌으며 대개 비강 내로 투여하거나 경구투여 한다.

유뇨증을 치료하기 위한 부모교육 내용은 다음과 같다.

- 밤에 소변을 가려야 할 나이가 되었는데도 못가리는 경우 방치하지 말고 바로 소아과를 방문하도록 한다.
- 아동이 밤에 소변을 이불에 누었을 경우 야단을 치거나 벌을 주지 않도록 한다.
- 낮 동안 소변을 참게 하여 방광 조절 훈련을 시행하거나, 저녁 식사 후에 수분 섭취를 줄이도록 한다.
- 유뇨증이 있는 아동에게는 탄산 음료, 카페인이 함유된 음료, 초콜릿, 코코아, 다량의 주스 등은 유뇨증이 악화될 수 있으므로 피하도록 한다.
- 잠자리에 들기 전 반드시 소변을 보게 하고, 밤중에 화장실을 쉽게 찾을 수 있도록 불을 켜두거나, 간이변기를 아동 방에 놓거나, 화장실이 가까운 곳에 아동의 방을 배치하는 등 밤에 소변을 쉽게 눌 수 있는 환경을 마련한다.
- 잠잘 때 아동 옆에 갈아입을 수 있는 옷을 미리 준비해두어 아동이 오줌을 싸면 스스로 갈아입을 수 있도록 배려한다.
- 요 위에 깔 수 있는 깨끗한 시트도 한 장 준비하여 오줌을 누었을 경우 마른 자리에서 편안하게 잠을 잘 수 있도록 한다. 벌을 주는 의미로 젖은 이불에서 아동을 재우는 것은 아동의 성격형성에 좋은 않은 영향을 미친다.
- 침대는 비닐커버를 씌우고 이불은 소변냄새가 나지 않도록 세탁이 쉽고 잘 마르는 이불을 사용하여 부모의 스트레스를 줄이도록 한다.
- 놀이방, 유치원, 학교에 가기 전 꼭 샤워를 하도록 하

여 아동의 몸에 밴 지린내 때문에 친구들에게 놀림을 당하지 않도록 한다.

유뇨증은 완전하게 치료하는 방법은 없으므로 위에서 제시한 행동요법과 약물치료와 부모교육 내용에 있는 일반적인 지침을 병행하도록 한다.

 ## 요로감염

요로에 세균이 감염되어 염증을 일으키면 침범부위와 증상에 따라 요도염(urethritis), 방광염(cystitis), 요관염(ureteritis), 신우신염(pyelonephritis)으로 분류하며 대부분의 경우에 정확한 위치나 감염의 범위가 밝혀지지 않으므로 단순하게 요로감염(urinary tract infections, UTIs)이라 부른다. 소아에서 흔한 세균성 질환 중에 하나이며 여아의 경우 3~5%, 남아는 1%에서 요로감염을 경험한다. 신생아기부터 영아기에는 남아가 높으나 그 이후에는 여자아이에게 높다. 병원체는 주로 상행성 감염으로 비뇨기계에 침입하며, 원인균은 대장균(E.coli)이 가장 흔하고 여아의 경우 75~80%를 차지한다. 여아의 경우 남아의 비해 요도가 짧고 질과 항문에 가깝게 위치하기 때문에 질염에 의한 전파나 대장균에 의한 전파로 더욱 쉽게 요로감염이 일어날 수 있다. 남아의 경우 포피에 존재하고 있는 세균에 의해 요로감염이 일어나기도 한다.

충분한 수분 섭취와 규칙적 배뇨가 중요하며 요로감염을 예방하기 위해서 배뇨나 배변 후에 앞에서 뒤로 닦는 교육을 배뇨 훈련을 받을 때부터 해야 한다. 또한 오염을 막기 위해 기저귀를 자주 교환해 주면 감염을 줄일 수 있다. 여아의 경우 거품목욕이나, 여성용 위생용품, 통목욕의 경우 요로감염과 상관관계가 있다는 것을 교육시켜야 하며 성교 후 감염이 일어날 수 있으므로 성교 후 배뇨를 통해 요로의 역행성 감염을 줄이도록 교육시켜야 한다. 요로감염을 예방하기 위한 방법들은 '가족지지'에 요약되어 있다.

1) 사정

신생아나 영유아의 경우 요로감염에 대한 증상은 일반적으로 분명하지 않다. 고열, 보챔, 설사, 구토 및 저체온 등의 비특이적인 반응이 보인다. 나이가 많은 아동의 경우에는 배뇨 시 통증, 빈뇨, 작열감, 혈뇨와 같은 대표적인 증상이 나타난다.

만약 감염이 방광에만 있으면 아동은 미열, 경미한 복통, 요실금(이불에 오줌 싸기)과 같은 증상을 나타낼 수 있다. 감염이 신우신염이면 일반적인 증상은 고열, 복부나 늑골의 통증, 구토, 권태감을 동반하며 더 빨리 급성으로 진행된다. 고열이나 신체검사로 원인이 밝혀지지 않은 증상이 있는 아동은 요로감염 검사를 해봐야 한다.

배양을 위한 소변은 청결 채취 중간뇨, 무균 채뇨, 카테터 채뇨, 방광 천자뇨로 수집되어야 외음부나 포피로부터 나온 박테리아가 검사물을 오염시키지 않는다. 방광 천자뇨(치골상 흡인뇨)의 경우 비교적 안전한 침습적 검사이나 실제적으로 감염을 일으킬 수 있고 또한 나이 많은 아동에게 공포감을 주므로 영아에게만 시행한다.

청결뇨로 받은 소변검체에서 만약 100,000/mL보다 더 많은 단일 세균이 배양되면 90% 이상 진단된다. 증상이 있는 경우에는 10,000/mL에서도 진단할 수 있지만 증상 없이 10,000/mL 이하이거나 혼합 세균의 배양은 오염된 검체일 가능성이 높으므로 다시 검사해야 한다. 박테리아의 번식으로 단백뇨가 관찰되는 것이 일반적이며, 종종 현미경적으로나 육안으로 혈뇨가 관찰될 수 있고 백혈구, 박테리아가 소변을 알칼리화시키는 경향이 있어 pH가 7 이상 올라가기도 한다.

2) 치료적 관리

요로감염에 대한 치료는 항생제를 구강으로 투여하는 것이다. 또한 요로의 감염을 씻어내기 위하여 많은 양의 수분을 마셔야 한다. 크랜베리 주스(Cranberry juice)는 소변을 산성화시키며, 박테리아 성장을 억제하는 데 큰 효과가 있다. 만약 아동이 배뇨 시에 심한 통증이 있어 배뇨를 하지 않으려고 하는 경우에는 따뜻한 물이 담긴 목욕통에 앉히고 물속에서 배뇨를 시키면 통증감소에 도움을 줄 수 있다. 소량의 진통제도 통증을 감소시켜 배뇨를 하는 데 도움을 준다.

처음으로 요로감염이 발생했으면, 아동의 증상이 1~2일 안으로 경감된다고 해도 10일 동안은 계속적으로 항생제 치료를 해야 한다. 치료 48시간 이후에도 치료에 대한 반응이 없는 경우 저항성 세균감염이나 요로계 이형이 동반될 가능성이 있으므로 신초음파 검사를 시행하고, 감수성이 있는 항생제로 교환을 해야 한다.

항생제 투여는 정확한 복용이 필수적이므로 외래의 경우 보호자에게 철저한 투약교육을 해야 한다. 반복적인 청결뇨 채취는 항생제 치료의 효과를 사정하기 위해서 일반적으로 72시간까지 수집한다(간호사례 참조). 항생제 치료를 멈춘 후에는 적어도 3개의 멸균된 소변 검체물을 수집하여 박테리아가 존재하지 않는 것을 확인한다. 급성 신우신염의 재발이나 신반흔의 위험 요소가 있는 경우에는 예방적 항생제를 처방하며 요로감염이 재발한 아동에게는 약 6개월~1년간 동안 예방적 항생제를 처방하는 것이 일반적이나 여러 치료방법들이 제시되고 있다.

가족지지 / 여성의 요로감염 예방

- 날씨가 덥거나 운동을 하는 동안에 소변이 요관에 정체되는 것을 막고 자유롭게 배출되도록 하기 위해서 하루 종일 물을 정기적으로 마신다.
- 소변이 방광에 정체되는 것을 막기 위해 적어도 매 4시간마다 배뇨를 한다.
- 거품목욕이나 여성용 위생분무기(feminene hygiene sprays)는 외음부와 요도를 자극하기 때문에 사용하지 않는다.
- 배변이나 배뇨를 한 후에 항문감염이 요도 쪽으로 옮겨지는 것을 예방하기 위해서 앞에서 뒤로 닦는다.
- 성교를 한 후에는 압력으로 인해 요도로 들어가는 세균을 제거하기 위해서 즉시 배뇨를 한다.
- 회음부의 자극을 감소시키기 위해 합성섬유보다는 면으로 된 속옷을 입는다.
- 회음부에 있는 세균 수를 감소시키기 위해서 매일 회음부를 씻는다.
- 요도 근처에 세균이 성장할 수 있는 가능성을 감소시키기 위해서 생리 기간에는 생리대를 적어도 매 4시간마다 교환해 준다.
- 만약 비뇨기계 감염의 증상들(배뇨 시 통증, 빈뇨, 혈뇨)이 발생하면 일차 보건의료 요원에게 의뢰를 한다. 만약 항생제가 처방되면 처방된 모든 약을 투약하여 세균이 완전하게 박멸되도록 한다. 그렇게 하지 않으면 빠른 시간 내에 세균이 번식하여 감염이 다시 일어날 수 있다.

간호사례 / 요로감염(UTI) 아동

사　정 : 어머니가 검사를 위해서 4살된 여아를 병원으로 데리고 왔다. "최근에 애기의 침대가 젖기 시작했고 약간의 미열이 있어요" 영양상태가 매우 좋은 4살 된 여아이다. 키와 몸무게는 그 여아의 연령에 맞으며 어머니는 의료적인 문제가 없었다고 한다. 배 뇨훈련은 약 2년 6개월에 마쳤다고 한다. 체온은 37.7℃고 다른 활력징후는 정상이다. 아동은 약간의 복통이 있다고 말했다. 요 분석 결과 세균뇨와 단백뇨가 나타났다. 소변의 pH는 7.50이다. 요로감염이 진단되었고 아동에게 항생제 요법이 처방되었다. 어 머니는 많은 질문을 했다. "왜 이런 병이 일어났어요? 매일 목욕을 하는데 최근에 생일선물로 받은 어떤 거품 목욕제를 사용하 기 시작했어요."

간호진단 : 요로감염의 원인과 치료에 대한 지식부족

간호목표 : 부모는 요로감염에 대한 정확한 정보를 말로 표현할 것이다.

평　가 : 부모는 요로감염과 관련이 있는 가능한 원인과 유발요인들을 말한다. 요로감염을 예방하기 위한 방법들을 규명한다. 항생제 치 료요법을 설명한다.

중재

1. 요로감염과 요로감염의 원인에 대한 어머니의 지식정도를 사정한다.
2. 비뇨기계의 구조 및 기능과 요로감염의 진행과정을 조사한다. 어머니가 잘못 알고 있는 것들을 규명한다.
3. 거품목욕제의 사용과 배뇨와 배변 후의 잘 닦지 않는 것과 같은 요로감염을 일으킬 수 있는 유발요인에 대해서 어머니와 상담한다.
4. 적절한 수분과 잦은 배뇨, 배설 후에 잘 닦는 것, 자극적인 물품들을 피하는 것, 면으로 된 속옷을 착용하는 것 등을 포함하여 어머니 에게 요로 감염을 예방하기 위한 방법들을 교육한다.
5. 처방된 항생제 요법과 최소한 10일 동안에 항생제를 계속적으로 복용해야 되는 것에 대해 교육한다. 비록 아동의 징후와 증상들이 1~2일 후에 감소되어도 처방된 항생제를 모두 투여해야 한다는 것을 어머니에게 상기시킨다.
6. 어머니가 항생제 투여에 대한 계획을 세우는 데 도움을 준다.
7. 많은 양의 수분섭취를 권장하도록 어머니를 교육한다. 아동이 좋아하는 수분을 제공하기 위해서 수분 선택을 위한 제안을 한다.
8. 아동에게 실시하는 모든 교육들은 아동의 이해수준에 알맞게 하도록 강화한다.
9. 질문과 관심들을 위한 충분한 시간을 제공한다.
10. 청결뇨를 수집하기 위한 과정을 시범 보이며 인쇄된 교재를 어머니에게 제공한다. 어머니와 아동 모두에게 시범을 보인다.
11. 2주 후에 추후 방문을 위한 계획은 청결뇨 검체의 재수집을 포함한다.

Ⅵ 방광요관역류

방광요관의 역류(vesicoureteral reflux)는 배뇨 시 방광의 요가 요관으로 다시 역류하는 현상을 말한다. 요관은 방광 에 비스듬하게 기울어진 상태로 연결되어 있고, 역류하는 것을 막기 위해서 방광의 "판막"이 요관의 끝 부분을 덮고 있다.

원발성 역류의 원인은 소변이 방광에서 요관으로 들어가 는 것을 막는 기능을 하는 판막이 태어날 때부터 없거나 방 광이 수축해도 배뇨근이 약해서 요관이 완전히 닫히지 않는 경우이며, 속발성 역류는 잦은 비뇨기계 감염으로 상처를 입었거나, 상부 요로의 기형, 하부 요로의 폐쇄, 신경성 방 광 등이 원인이다.

역류가 일어나면 배뇨 후에도 소변이 요관에 잔류하게 되고 이는 감염을 일으킨다. 또한 역류는 신장에 역압(back pressure)이 가해져 네프론을 파괴하여 수신증을 일으켜 심 각한 상태가 되며, 역류로 남아있는 잔류소변은 박테리아를 용해하는 정상적인 방광조직의 용적을 감소시킨다.

1) 사정

역류가 있는 아동은 일반적으로 요로감염 검사 중에 발 견된다. 이 경우 80%는 여아이고, 연령은 2~3세이다. 산전 수신증 검사로 원발성역류를 발견하게 되는 경우 80%는 남 아이며, 요로감염으로 인해 증상이 나타나고 여아에 비해서 심각하다. 조영제를 사용하는 배뇨 방광요도 X-ray 사진 (voiding cystourethrogram), CT scan, 방광경 검사, 방광촬 영법으로 진단할 수 있다. 진단적 검사를 기초로 역류의 정도

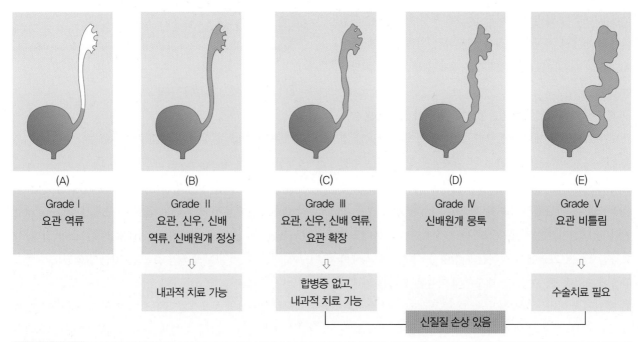

(A)	(B)	(C)	(D)	(E)
Grade I 요관 역류	Grade II 요관, 신우, 신배 역류, 신배원개 정상	Grade III 요관, 신우, 신배 역류, 요관 확장	Grade IV 신배원개 뭉툭	Grade V 요관 비틀림
⇩		⇩		⇩
내과적 치료 가능		합병증 없고, 내과적 치료 가능		수술치료 필요

신질질 손상 있음

그림 21-7 **방광요관역류의 정도**

(A) Grade I (B) Grade II (C) Grade III (D) Grade IV (E) Grade V

에 따라 I~V단계 로 나누어지고, V단계는 가장 심각한 상태이다[그림 21-7].

2) 치료적 관리

많은 경우 보존적이고 비수술적 요법으로 관리가 가능하며 1~3단계의 경우 내과적 치료만으로 치유가 가능하며, 개복 수술의 경우 보통 5단계에서 시행한다.

역류는 사구체의 감염이나 역류압으로 손상 받을 가능성이 있으므로 완전하게 치료해야 한다. 배뇨를 하고 몇 분 후에 다시 배뇨를 시도하여 중복 배뇨를 시행하는 것은 방광을 비워 소변 정체로 인한 감염의 재발을 방지하기 위해 도움이 된다. 몇몇 아동은 방광 감염을 막기 위해서 예방적 항생제를 투여한다. 또한 외과적 절차로 인한 신장의 손상을 감소시키기 위해서 항생제를 장기간 동안 복용하는 것도 효과적인 중재이다.

만약 역류가 처음 발견되었을 때 경미하면 방광경 처치로 교정될 수 있다. 방광경 검사를 시술할 때 전신마취 상태에서 Polytetrafluoethylene(Teflon)제제를 멸균된 요관판막으로 주입한다. 요관의 위치를 교정하기 위한 복강경 수술은 정상적인 판막의 기능을 위해서 최대한 비스듬한 각도로 요관에 재삽입해야 한다.

수술 후에 방광을 비워 수술 부위의 저항압을 예방하기 위해서 치골상부 삽관을 한다. 두 개의 요도관(two ureteral catheters, stents)은 신우에서 직접적으로 소변을 배출시키기 위해 요관을 관통하여 치골상부에 튜브를 설치하고, 소변을 수집하기 위한 백을 연결시킨다. 멸균된 거즈 드레싱과 항생제 크림은 튜브 주입부위에 도포한다. 비록 튜브가 주입되어 있더라도 아동이 수술 후에 곧 걸어 다닐 수 있도록 하며 소변 수집백은 반드시 아동의 방광 위치보다 아래로 유지하고, 아동이 침대에서 일어날 때 소변 수집백을 들어 올리지 않도록 주의하도록 반드시 교육한다.

수술 후 첫 24시간 동안에는 배액관을 매시간마다 주의 깊게 관찰하며 그 이후에는 적어도 4시간마다 관찰한다. 배액되는 소변의 색깔과 양을 주의 깊게 관찰한 후 정확하게 측정하여 기록한다. 초기에는 배액에 혈액이 섞여서 나오지만 1~2일 안에 깨끗하게 된다. 배액에 응혈이 있는지 사정하는데, 응혈의 크기가 반점보다 크지 않아야 한다. 신장기능이 양쪽 모두 동일하다는 것을 확인하기 위해서는 요도관 카테터(ureteral catheters, stents)의 배액양이 동일한 것으로 알 수 있으며, 수술 후 대략 첫 3일 동안에 소변이 요도관 카테터로 나온다.

감염이 되면 수술 부위나 신장으로 염증이 전파되기 때

문에 카테터의 끝이 감염되지 않도록 주의해야 한다. 수집되는 소변에서 세균의 성장을 억제하기 위해서 배액 백에 Povidone-iodine(Betadine)과 같은 용액을 바르도록 처방해야 한다.

요도관 카테터로 배출되는 소변과 혈액이 감소하는 즉시 요도관 카테터를 제거해야 한다. 소변에 혈액이 감소한 것을 확인하기 위해서 멸균된 소변 검체물을 담고 있는 수집 백을 매시간 비운 후 라벨을 붙여 시간을 기록한다. 검체물들의 색깔을 비교해서 소변에 혈액이 비치지 않는 것을 확인한다. 학령기 아동에게 수집하는 용기에 라벨을 붙이도록 교육함으로써 그들에게 성취감과 상황을 극복하는 자제력 향상에 도움을 줄 수 있다. 대부분의 아동은 요도관 카테터가 제거될 것이라는 정보를 들을 때 공포감을 느낄 수 있는데, 이 처치는 통증이 없기 때문에 전신마취를 하지 않은 상태에서 외래에서 할 수 있다고 알려준다.

절개통과 통증을 동반한 방광경련은 수술 후 첫 3일 동안 발생할 수 있는데, 항경련제가 처방 될 수도 있다. 치골상부 방광 튜브를 만지지 않거나 옮기지 않으면 방광을 자극하지 않으므로 경련이 감소될 수 있다. 치골상부 방광 튜브는 수술 후 약 7일 째 제거한다. 튜브 제거 후 1~2일 동안에는 튜브의 관통 부위로부터 약간의 소변이 새어나올 수도 있으므로 멸균드레싱을 한다. 치골상부 방광 튜브의 부위가 완전히 닫힐 때까지는 통목욕을 피해야 한다. 요관 재이식 후에도 극소수의 아동은 계속적으로 방광역류를 가지고 있다. 수술 후에 효과적으로 역류를 멈추도록 하기 위해서는 모든 아동에게 수술 후 경정맥성 신우촬영술(IVP)이나 배뇨방광요도촬영술(VCUG)과 같은 추후 검사가 필요하다.

확인문제

4. 요로감염이 의심될 때 시행하는 진단 검사는?

5. 방광요관 역류가 있는 아동에게서 나타나는 일반적인 증상은?

사구체신염

01 / 급성 사구체신염

사구체신염은 신장에 있는 사구체의 염증이다. 원인균은 연쇄상구균 중 streptococcus 또는 group A beta-hemolytic streptococci가 가장 일반적이며, 이러한 균의 감염 후에 면역 복합질환으로서 발생하는 급성 사구체신염(acute post streptococcal glomerulonephritis, APSGN)은 소아 급성 사구체 질환 중 가장 대표적인 것으로, 최근 발생빈도가 감소되었다.

사구체에서의 보체결합 작용으로 인한 조직손상과 단백질 보체인 항원-항체 복합체가 전색(plugs)으로 작용되어 염증이 발생하여 사구체를 폐쇄한다. 연쇄상구균에 대항하는 IgG 항체들이 급성 사구체신염을 가진 아동의 혈류에서 발견되면 연쇄상구균 감염을 의미한다.

미세한 신장 혈관들에서 혈관 내 응혈이 발생하며, 이로 인한 허혈성 손상은 상흔을 일으켜 사구체 기능을 감소시킨다. 사구체 여과율의 감소로 혈류에서 나트륨과 수분의 축적이 증가된다. 사구체 감염은 사구체 모세혈관막의 투과성을 증가시켜 적혈구와 혈장 단백질이 소변으로 과다하게 배설되도록 한다.

1) 사정

급성 사구체신염은 연쇄상구균 감염에 잘 걸리는 5~10세 아동에게 많이 발생되며, 여아보다 남아들에게 2배 정도 더 많이 발생한다. 전형적으로 연쇄상구균 감염 후 7~14일 후에 임상적인 증상을 나타나는데 인두염이 선행되는 경우에는 온대나 한대 지방의 봄이나 겨울에 발생하는 경우가 많고 농가진과 같은 피부염이 선행되는 경우는 열대성으로 늦여름이나 초가을에 발병하는 경우가 많다[그림 21-8]. 그러므로 연쇄상구균 감염으로 인한 인후염, 편도선염, 중이염, 또는 농가진을 앓은 모든 아동은 감염 후 2주일이 되면 소변검사를 해야 한다. 부모들에게 소변검사가 매우 중요한 추후검사라는 것을 알려준다.

정도에 따라서 증상이 다양하며 인후 감염으로는 1~2

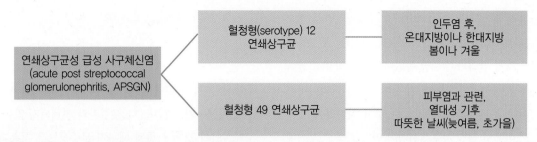

그림 21-8 급성 사구체신염의 분류

주, 피부감염으로는 3주 정도의 잠복기 후에 증상이 나타나기 시작한다. 수분 정체로 인해 아침에 얼굴과 눈 부위에서 부종이 시작되어 점차 복부와 사지로 확산된다. 아동의 소변 색은 홍차 색깔, 붉은 갈색, 탁한 색 등으로 다양하며 소변 침전물은 백혈구, 상피세포, 초자질(hyaline), 과립(granular), 적혈구 세포 원주들(red blood cell casts)을 함유한다. 이러한 초기의 변화들이 일어난 후에 핍뇨가 발생하며 소변의 비중은 증가하고, 과량의 혈장 부담으로 인한 심혈관 문제로 기좌호흡, 심장 비대, 간 비대, 폐부종 그리고 심잡음(galloping heart rhythm)의 징후 및 고혈압이 발생한다. 심부전은 순환의 과부하로 나타날 수 있다. 만약 심장의 문제가 나타나면 T-wave의 역위와 PR 간격의 증가와 같은 심전도의 변화가 나타난다. 아동은 복부 동통, 미열, 식욕부진, 구토, 두통의 증상을 호소할 수도 있다.

만약 갑작스럽게 혈압이 160/100㎜Hg까지 올라가면 두통, 불안, 경련, 구토, 혼수 또는 기면, 일시적인 마비 증상을 동반하는 뇌질환이 나타날 수 있다. 뇌압을 감소시키기 위해 뇌혈관이 수축하면 뇌허혈로 인한 뇌증상이 나타난다.

혈액검사에서 과다한 단백뇨로 인한 저알부민혈증이 나타날 것이다. 혈액량이 증가하기 때문에 저혈청 보체가 나타날 것이고 경미한 빈혈이 발생한다. 모든 감염성 질환과 같이 적혈구 침강 속도(ESR)가 증가할 것이다. 사구체가 요소(urea concentration), 비단백질성질소(nonprotein nitrogen), 혈액요소질소(BUN), 혈청 크레아티닌을 완전하게 여과하지 않기 때문에 증가한다.

항연쇄상구균에 대한 antistreptolysin O titer(ASO: 항연쇄상구 균용해소 O역가) 또는 항체의 전반적인 상승은 최근에 용혈성 연쇄상구균 감염이 발생했다는 것을 나타내며 감염 후 약 10일 후에 혈청에서 발견할 수 있다. 단, 피부감염의 경우에 피부 내에서 Steptolysin O를 불활성화하여

ASO 상승이 별로 없을 수 있다. 이 경우에는 anti-DNase 항체 측정이 가장 유용하다.

2) 치료적 관리

급성 사구체신염의 진행과정은 1~2주이다. 급성 사구체신염의 원인이 활동성 감염이 아니고 과거에 대한 항원-항체의 염증성 반응이기 때문에 항생제요법은 일반적으로 효과가 없으며, 이때의 항생제 요법은 전파를 차단시키기 위한 것으로 신염의 경과와는 무관하다. 응혈된 사구체 기저들(plugged glomeruli bases)이 기능을 하지 못하므로 이뇨제는 약간의 효과만 있다. 만약 심부전이 발생하면 아동을 반좌위로 눕히고, 디기탈리스요법(digitalization)을 하고, 산소요법을 수행해야 한다. 만약 이완기 혈압이 90mmHg보다 높을 경우 빠른 효과가 있는 혈관확장제를 투여하는 항고혈압 치료가 필요하다. Diazoxide 또는 hydralazine은 일반적으로 사용되는 제제이다.

아동은 조용한 놀이 활동에 참여하라는 주의를 받은 경우라도 급성기를 제외하고는 활동을 제한할 필요가 없다. 아동은 1~2주 후에 학교에 갈 수 있고 정상적인 활동을 할 수도 있지만, 신장기능이 정상적으로 돌아오기 전까지는 경쟁을 유발하는 놀이 활동에 참여해서는 안 된다. 식이 요법의 경우 핍뇨와 고혈압, 부종 등의 급성 증상이 있는 경우에만 수분 및 염분을 제한하며, 단백질의 경우 신부전이 아주 심한 경우가 아닌 이상 제한할 필요가 없다. 대부분의 아동은 정상적인 나트륨과 단백질의 섭취로 그들의 연령대에 알맞는 정상적인 식이를 잘 섭취하고 있다. 매일 아동의 몸무게를 측정하고 섭취량과 배설량을 측정하는 것은 질환의 진행과정을 위한 사정에 중요하다. 급성기는 1~4주 이내이며, 95% 이상 완전하게 회복한다. 혈뇨는 보통 6개월 이내에 소실되며 1년 이상 지속되는 경우도 있다. 대부분의 증

상들이 사라진 후에도 단백뇨, 요소 및 크레아티닌의 청소율의 증가는 2달 동안이나 지속적으로 남아있다. 부모들에게 뇨단백질 검사 결과가 수주일 동안에 비정상적으로 남아있기 때문에 비정상적인 뇨단백 검사의 결과가 나타나더라도 재감염이나 추후 질환을 유발하는 것이 아니라는 것을 알려준다. 소아에서 급성 사구체신염이 만성 신염으로 이행하는가에 대해서는 아직 많은 논란이 있다.

간호진단 및 목표

간호진단 : 심각한 질환의 진행에 대한 책임감과 관련된 자긍심 저하

간호목표 : 아동(부모)은 1달 안에 자아와 적절한 상호작용에 대한 긍정적인 측면들을 말로 표현할 것이다.

예상되는 결과 : 아동(부모)은 질환을 앓고 있는 것에 대한 감정을 표현한다. 건강유지를 위한 추후계획과 방법들에 대해서 논의하고 간호에 참여한다.

사구체신염은 아동이나 부모에게 공포감을 주는 질환이다. 아동은 초기에 나타나는 혈뇨에 놀라거나, 거울에 비친 얼굴모습에서 안와주위 부종(periorbital edema)의 증상으로 당황할 수 있다. 초기 학령기의 아동은 신장이 생명유지를 위해서 꼭 필요하다는 것을 알고 있고, 질환의 심각성을 인식하고 있다.

만약 아동에게 신장염으로 진행되기 2주일 전에 인두염 때문에 항생제가 처방되었으나 약을 투여하지 않았다면 신장염의 원인이 항생제를 섭취하지 않았기 때문에 생겼다고 할 수 있다. 이로 인해 부모들은 아동에게 규칙적인 약복용을 하지 않았다는 죄책감을 느낄 수 있다. 부모는 아동이 만성 사구체신염으로 진행되거나 사망할 수도 있다는 것을 염려할 수 있으므로 간호사는 그들의 감정에 대해서 자주 이야기하며, 아동의 상태에 대한 세심하고 긍정적인 변화를 보고한다.

간호사는 부모들이 아동이 조용하게 놀 수 있는 활동에 대한 정보나 추후 간호를 위해서 방문해야 하는 날짜와 장소에 대해서 교육해야 하며, 급성 사구체신염은 합병증을 유발하기 때문에 만약 아동의 간호나 상태에 대해 질문이 생겼을 때 전화상담을 할 수 있는 전화번호를 알려 주어야 한다. 급성 사구체신염은 연쇄상구균 감염의 효과적인 조기 치료로 예방할 수 있다.

02 / 만성 사구체신염

만성 사구체신염(chronic glomerulonephritis)은 급성 사구체신염이나 신증후군 후 발생하거나, 경미한 사구체신염 후에 발생하기도 하며, 다른 질환과 연계되지 않은 만성 사구체신염의 경우 악화될 때까지 무증상으로 지속되는 경우도 있고 이런 경우는 청소년기에 흔한 편이다. 또한 Alport's syndrome은 상염색체 우성으로 발생하는 유전적인 진행성 만성 사구체신염이다. 건강검진에서 단백뇨를 발견할 수 있고 추후 검사에서는 고혈압과 소변에 적혈구 또는 백혈구, 원주(casts)와 잠혈이 나타난다. 아동의 소변 비중은 1.003보다 낮으며, 혈액검사에서 증가된 혈액요소질소 또는 청소율이 나타날 수 있다. 신장 생검에서 사구체막의 영구적인 파괴가 나타난다.

만성 사구체신염은 확산이나 부분적인 네프론의 손상으로 생긴다. 남아있는 네프론의 기능은 손상된 네프론의 기능을 보충하기 위해서 사구체 여과율을 증가시킨다. 이러한 만성질환의 파괴과정에서 보상기전이 파괴되면 신부전이 나타난다.

병을 앓고 있는 동안 만약 아동이 부종, 혈뇨, 고혈압, 또는 핍뇨의 급성 증상을 보이면 침상안정을 시킨다. 만약 아동이 단지 단백뇨와 같은 만성적인 증상을 가지고 있고 별로 불편한 것이 없다면 학교에 가는 것은 물론 정상적인 활동을 할 수 있지만, 신장 외상(kidney injury)의 위험이 있는 몸을 부딪치는 운동과 같은 활동은 참가하지 않아야 한다.

질환의 원인이 알려지지 않았기 때문에 치료는 대증요법을 중심으로 한다. Hydralazine(Apresoline)과 같은 항고혈압제 또는 Thiazides와 같은 소변 배출량을 증가시키는 이뇨제 치료가 요구된다. Corticosteroid 요법이 염증을 감소시킴으로써 질환의 진행을 감소시키거나 정지시킨다. 장기간의 Corticosteroid요법은 달덩이 얼굴(월상안, moon face), 과다한 체모 등의 Cushing's syndrome과 같은 부작용이 있으므로, 아동의 신체적 변화에 대해 잘 관찰하고 지지와 격려가 필요하며 약을 먹지 않을 때에는 다시 원상태로 돌아갈 것이라는 확신을 해준다. 또한 아동은 감염 위험이 높은 환경으로부터 보호되어야 하므로 부모들은 아동의 체온을 측정하고 기록하는 것에 대해서 배워야 하고 감염의 초기증

상을 발견 후 보고해야 한다.

일반적으로 만성 사구체신염을 가진 아동의 예후는 나쁘다. 질환이 장기간으로 진행이 된 후 결국에는 신부전으로 진행된다. 아동은 장기간 복막투석 또는 혈액투석을 해야 하며 건강을 되찾기 위해서는 신장이식이 필요하다.

학령초기의 어린 아동도 신장기능이 생명을 위해서 중요하다는 것을 잘 알고 있기 때문에 만성 신장 질환을 앓고 있는 대부분의 아동은 이 질환의 결과에 대해서 대체적으로 잘 알고 있다. 질환이 진행되어 말기 단계가 되기 전에 이미 대부분의 아동은 사춘기이거나 초기 성인기이다. 아동이 만약 생명을 연장시킬 수 있는 신장이식이 이루어질 수 없다면 건강관리 전문가가 이러한 결과에 대해서 솔직하게 얘기해 주는 것이 필요할 수 있다.

 ## Ⅷ 신증후군

신증후군(nephrotic syndrome, nephrosis)은 사구체 막표면(glomeruli membrane surfaces)의 장애로 사구체 투과성의 비정상적인 증가로 소변으로 단백질을 배출하게 하여 발생한다.

4가지 특징적인 증상은 단백뇨, 부종, 저알부민혈증, 그리고 고지혈증이다. 아동의 경우 신증후군은 3가지 형태로 발생하는데 ① 1차성(특발성), ② 2차성, ③ 선천성으로 나눌 수 있다. 특발성의 경우 소아 신증후군의 90%를 차지하며 다시 미세변화형(85%), 국소성 분절성 사구체 경화증(10%), 메산지움 증식성 사구체신염(5%)으로 분류된다.

미세변화 신증후군(minimal change nephrotic syndrome, MCNS)은 질환명이 의미하는 것과 같이 사구체

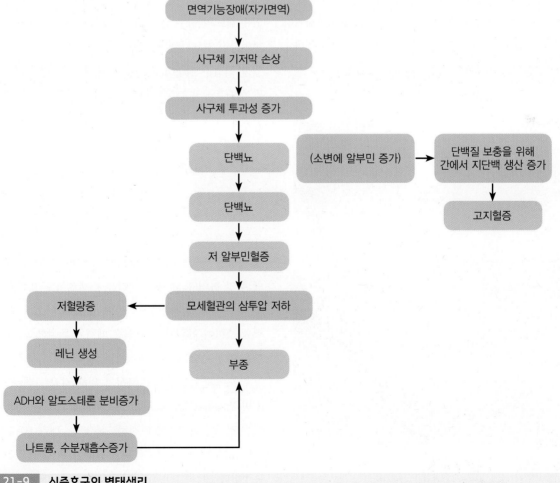

그림 21-9 신증후군의 병태생리

에 작은 상흔이 발생한다. 이 정도의 상흔을 가지고 있는 아동은 치료에 잘 반응한다. 다른 형태인 국소성 분절성 사구체 경화증(focal glomerulosclerosis, FGS), 과메산지움 증식성 사구체신염(membranoproliferative glomerulonephritis, MPGN)으로 분류할 수 있는데 이 두 유형 또한 사구체의 상흔을 가지고 있으나 스테로이드의 반응성은 미세변화형에 비해 떨어진다.

신증후군의 병태생리는 사구체 기저막 장벽의 이상으로 주로 알부민이 배출되며 T-cell의 기능이상으로 혈관 투과성이 증가되는 것으로 알려져 있다[그림 21-9]. 특발성 신증후군의 호발 연령은 2~3세이고, 여아보다 남아에게서 더 많이 발생한다. 원인은 알려져 있지 않으나 바이러스성 상기도 감염이 4~8일 전에 선행되는 경우가 많다.

01 / 사정

증상은 일반적으로 잘 모르게 시작된다. 아동은 안와부종이 나타나고 점차 전신적 부종이 나타나며 복수가 차기 시작한다. 이러한 첫 증상을 상부 호흡기계 감염이나 영아 또는 학령 전기의 정상적인 "올챙이 배(paunchy belly)"로 잘

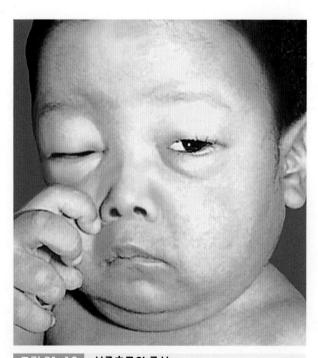

그림 21-10 **신증후군의 증상**
신증후군을 앓고 있는 2살 어린이

못 알고 무심코 넘기기 쉽다. 부종이 진행될 때 아동의 피부는 창백해지고, 당기고(stretched), 팽팽하게 되며 남아에서 음낭부종은 심하게 두드러진다. 복수가 심해져서 위를 압박하여 식욕부진이나 구토를 유발한다. 아동은 내장부종(intestinal edema)과 부종성 점막(edematous membrane)으로 인한 흡수부전으로 설사를 할 수 있으며, 영양부족으로 성장이 멈출 수도 있다. 아동은 점점 영양 불량 상태가 되지만 과다한 부종 때문에 외관상으로는 비만인 것처럼 잘못 보이기도 한다[그림 21-10]. 복수의 증가로 폐 확장이 감소되고 횡격막을 누르면 아동은 호흡곤란을 호소한다. 부모들은 아동의 짜증을 신경질적이라고 말하는데 이것은 복부 포만감과 전신적인 부종이 원인이다. 감소된 체외액량으로 인한 응고의 위험도 증가한다.

소변검사상 거품뇨를 보이며 +3이나 +4의 단백뇨를 보인다. 24시간 소변검사에서 최고 15g 단백질이 나타난다. 사구체신염의 단백뇨와는 달리 신증후군으로 인한 단백질의 소실은 거의 대부분이 알부민이다. 신증후군을 가지고 있는 혈뇨의 경우 급성 사구체신염과 비교하면 소량이여서 현미경적 혈뇨가 발견된다. 사구체 막의 염증을 확인할 수 있는 적혈구 침강속도(ESR)가 증가한다. 급성 사구체신염과 신증후군의 특징은 [표 21-6]에서 비교하였다. 신생검은 사구체 막의 상흔유무를 확인하기 위해 할 수 있다.

02 / 치료적 관리

신증후군을 가진 아동의 의학적 치료는 스테로이드 요법으로 부종을 감소시키는 것과 면역체계가 약해져 있는 동안에 아동을 감염으로부터 보호하는 것이다. 대부분의 아동에게 구강 Prednisone을 투여하는 스테로이드 요법은 단백뇨와 부종을 빨리 감소시킨다. Prednisone의 초기 용량은 단백뇨 소실이 없는 이뇨가 있을 때까지 투여한 후 감소된 용량을 약 1~2달 동안 계속적으로 유지한다.

부모에게 단백질을 검사하기 위해 시약 막대로 아침 첫 소변 검체물을 검사하도록 교육시키고 단백질 소실 정도에 대한 정확한 보고서를 작성하도록 한다. 대략 1주일에 한번 정도 24시간 소변 검체물을 수집하여 총 단백질 소실량을 측정한다.

표 21-6	급성 사구체신염과 신증후군 특성 비교	
사정요소	급성 사구체신염	신증후군
원인	group A beta-hemolytic streptococcal 감염에 대한 면역반응	특발성; 자가면역
발생	급성	잠행성
혈뇨	다량	희박
부종	약간	심함
고혈압	현저함	경미
고지혈증	희박하거나 경미함	현저함
유발연령	5~10세	2~3세
중재	제한된 활동; 필요하면 항고혈압제; 급성기 심부전증에 대한 대증요법	Corticosteroid 및 Cyclophosphamide 투여 이뇨제와 칼륨 보충제의 투여
식이	정상	부족 시, 저염식이 수분제한
예방	group A beta-hemolytic streptococcal 감염의 예방이나 완전한 치료	알려지지 않음

첫 4주일 후에 Prednisone은 이틀에 한번 정도 투여하나, 잠정적으로 성장을 멈추게 하고 부신(adrenal gland)의 분비를 억제한다. 그러나 약을 격일제로 투여할 때에는 성장이 중단되지 않으므로 부신 호르몬(adrenal steroid) 생성의 이상을 예방한다. 부모들이 격일로 구강 약을 투여할 수 있도록 돕기 위해서 투여 날짜를 쉽게 기억할 수 있는 그림이 있는 달력이나 홀수 날짜가 적힌 달력을 사용하여 상기할 수 있는 기록지를 만들 수 있도록 도와준다. Prednisone의 맛이 쓰기 때문에 부모들에게 사과 주스와 약을 섞는 것과 같이 쓴 맛을 감출 수 있는 방법을 알려준다.

부모와 아동 모두에게 Prednisone이 달덩이 얼굴(월상안, moon face)과 같은 Cushing 외모, 목 부위의 비만(extra fat at the base of the neck), 체모 증가를 유발시킨다는 것을 알려줄 필요가 있으며, 약이 떨어져 부신기능의 급속한 저하를 초래하지 않도록 미리 챙겨야 한다는 것을 부모에게 주의시킨다.

이뇨제는 이미 감소된 혈액량을 더욱 감소시키는 경향이 있고 급성 신부전을 유발하기 때문에 부종 감소를 위해 일반적으로 사용되지 않는다. Prednisone에 부작용이 있는 아동에게만 Furosemide(Lasix)제의 이뇨 요법이 필요하다. 아동이 장기간 동안 Furosemide(Lasix)를 투여하고 있을 때에는 과량의 칼륨(potassium)이 소실될 위험이 있고 저칼륨혈증의 원인이 되므로, 잦은 혈액검사를 해야 할 필요성이 있다. 아동은 칼륨의 보충이 필요할 수 있고 칼륨 함량이 높은

식이를 섭취해야 한다. 저알부민혈증을 일시적으로 치료하기 위해서 알부민(albumin)을 정맥주사 할 수 있다. 혈청 알부민 수치가 상승할 때 수분(fluid)은 피하조직에서 혈류로 이동한다. 이때 세포외액을 빨리 제거하기 위해서 급성 이뇨제를 빨리 투여한다. 이뇨제를 투여 하지 않으면 아동은 체액이 과량으로 정체되고 그 결과 심부전이 생기기 때문에 알부민을 주입한 후 이뇨제를 투여하는 것이 중요하다.

Corticosteroid 요법에 반응을 보이지 않는 아동은 질환의 증상을 감소시키거나 추후 재발을 예방하기 위해서 면역억제 작용이 있는 Cyclophosphamide(Cytoxan) 요법이 효과적이다.

Cyclophosphamide(Cytoxan)을 주입할 때에는 방광자극과 출혈을 예방하기 위해서 충분한 수분을 섭취하도록 하는 것이 중요하다.

신증후군을 가진 아동의 예후는 다양하다. MCNS를 앓고 있는 거의 모든 아동은 초기에는 스테로이드에 반응을 보인다. 비록 재발할 수 있어도 그 질환은 치료가 된다. FGS와 MPGN types을 앓고 있는 아이들은 수년 내에 자주 재발을 하거나 또는 전혀 재발하지 않을 수 있다. 자주 재발하는 아동은 FGS와 MPGN에 걸릴 확률이 대단히 높으며, 신부전으로 발전된다. 이때는 생명을 유지시키기 위해서 신장이식이 필요하다.

표 21-7	고칼륨식품(foods high in potassium)
식품	**예**
과일	바나나, 복숭아, 자두, 건포도, 오렌지, 오렌지 주스
채소	당근, 샐러리, 강낭콩, 감자, 케일, 시금치
견과류	호두, 땅콩
육류	고기
유가공식품	우유, 전유 또는 탈지유, 저염 우유
기타	염분이 들어있는 음식, 쵸콜릿, 코코아, 밀기울

간호진단 및 목표

간호진단 : 식욕저하, 제한식, 단백 소실로 신체 요구량보다 부족한 섭취와 관련된 영양부족

간호목표 : 아동은 질환을 앓고 있는 동안에 성장에 필요한 적당한 영양분의 섭취를 보일 것이다

예상되는 결과 : 아동은 정상 성장곡선(normal growth curve)에 맞게 성장을 한다.

신증후군이 있는 아동은 식욕저하가 있기 때문에 제한식이 유지가 어렵다. 식이는 같은 연령대 아동의 정상 식이와 같으나, 급성 부종이 있을 때에는 저염식이가 필요하다. 특별히 아동이 이뇨제를 투여하고 있으면 과일과 과일주스, 특히 바나나에 들어 있는 고칼륨식이를 섭취하는 것이 충분한 혈청 칼륨 수치를 유지하기 위해서 필요하다[표 21-7]. 질환의 급성 단계 동안에 수분은 일시적으로 제한해야 하는데, 아동에게 하루에 다량의 수분을 섭취하게 하는 것보다 적은 양의 수분을 자주 섭취하는 것이 더 좋다. 아동이 매일 섭취한 수분의 양을 알 수 있도록 차트에 기록하는 것이 좋다. 수분을 줄 때 제공한 수분의 양과 일치되는 부분을 차트에 색으로 표시하게 한다. 아동은 색깔이 칠해지지 않은 부분을 보고 하루에 더 섭취해야 하는 수분의 양을 알 수 있다. 이 방법은 유아기와 학령전기 아동이 mL나 컵으로 환산하는 것보다는 쉽게 이해할 수 있다.

부모들은 수분축적을 확인하기 위해서 아동의 몸무게를 매일 같은 시간에 같은 옷을 입고 같은 저울을 사용하여 측정하며, 정확하게 섭취량과 배설량을 측정한다. 매 4시간마다 맥박수와 혈압의 측정은 과량의 수분이 간질조직으로 흘러들어가서 생기는 저혈량을 발견할 수 있다.

간호진단 및 목표

간호진단 : 부종과 관련된 피부 손상 위험성

간호목표 : 아동의 피부는 질환의 진행과정 동안에 건강하게 유지될 것이다.

예상되는 결과 : 아동의 피부는 발적없이 깨끗하고 건조하다.

신증후군이 있는 아동의 부종 피부는 쉽게 손상되는 경향이 있기 때문에 침대에 누워 있는 동안에는 자주 체위변경을 해야 한다. 바지의 허리부위에 탄력밴드나 다른 압박부위가 단단하게 묶이지 않았는지 점검한다. 남자아이의 경우 음낭부위를 확인하고, 피부 자극과 손상을 예방하기 위해서 부드러운 천을 피부 표면 사이에 끼워 놓는다. 부종성 피부는 피부가 쉽게 손상되어 치료가 잘 안되므로 이차감염을 유발한다. 대·소변 훈련이 되어 있지 않은 아동은 기저귀 부위에 있는 피부손상을 예방하기 위해서 자주 기저귀를 갈아주어야 한다.

아동은 반좌위로 머리를 약간 상승시키고 잠을 자면 가장 편안해 하는데, 이는 안와주위 부종을 감소시킨다. 만약 아동이 머리를 평편하게 하고 잠을 잔다면 아침에 부종은 더욱 심해져서 아동의 눈은 부어서 뜰 수가 없고, 아동의 혀 또한 부어있어서 말을 할 수 없게 된다. 아동의 침대에 여분의 베개를 놓거나 침대의 머리부위 밑에 판지(cardboard)를 밀어 넣어 아동이 반좌위로 잠을 자게 한다.

근육주사를 할 경우 약이 부종성 피부 부위에 잘 흡수되지 않기 때문에 가능하면 소량의 약을 투여하거나 근육주사를 피하고, 가능하다면 약을 구강으로 투여하는 것이 좋다.

간호진단 및 목표

간호진단 : 만성질환에 대한 지식 부족

간호목표 : 부모들은 1주일 안에 신증후군에 대해 증가된 지식을 보일 것이다.

예상되는 결과 : 부모들은 신증후군의 진행과정과 특성을 설명하고 집에서 아동간호를 위한 그들의 역할을 설명한다.

간호사는 집에서 부모들이 아동이 감염되지 않도록 하고, 아동이 친구들과 어울리는 것을 제한한다. Prednisone이나 구강 이뇨제, 칼륨 보충제를 투여하는 것에 대해 교육을 할 필요성이 있으며, 부모들에게 약물교육을 시킨 후에 복습을 하게 한다. 부모들에게 추후 방문을 위한 장소와 시간을 잘 알 수 있도록 하고 간호나 건강에 대한 질문이 있을 때 전화를 할 수 있는 전화번호를 알고 있는지 확인한다.

확인문제

6. 급성 사구체신염 아동에게서 특징적으로 나타나는 첫 임상증상은?

7. 신증후군의 특징적인 4가지 임상증상은?

요점

※ 비뇨기계의 선천적인 구조 이상은 요도기형(요도하열 그리고 요도상열) 잠복고환, 염전 등을 포함하며 이들 모두 외과적 교정이 필요하다.

※ 요로감염은 남자보다 여자에게서 더 많이 발생하는 경향이 있으며 주된 치료는 항생제 요법이다. 항생제 투여 후 증상이 경감되더라도 처방된 기간(약 10일)동안 항생제 치료를 하여 재발을 방지하는 것이 중요하다.

※ 방광요도 역류는 배뇨를 할 때 소변이 요관으로 거꾸로 흐르는 것이다. 이것은 요관에서 방광으로 들어가는 입구의 판막결함으로 발생한다. 반복적인 비뇨기계 감염을 예방하기 위해서 외과적 교정이 필요할 수 있다.

※ 급성 연쇄상구균성 사구체신염은 연쇄상구균 감염 후 발생하는 사구체 염증이다. 이것은 급성 혈뇨가 나타나는 특징이 있다.

※ 신증후군은 사구체 투과성 장애의 결과로 나타나는 면역 과정이다. 이와 관련이 있는 간호 진단은 영양장애, 피부 통합성 장애의 위험, 지식결핍 등이다. 신증후군 아동의 일반적인 식이는 정상식이다. 부종이 심한 경우에는 수분과 나트륨을 제한한다.

확인문제 정답

1. 네프론
2. 단백뇨
3. 요로감염
4. 요배양검사
5. 요로감염
6. 혈뇨
7. 단백뇨, 저알부민혈증, 고지혈증, 부종

내분비기능 장애 아동의 간호

I 내분비계의 특성

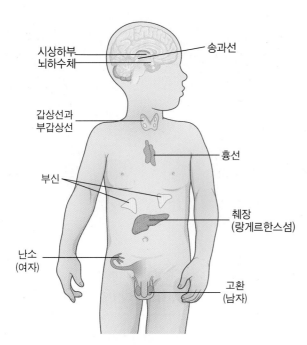

시상하부
뇌하수체
송과선
갑상선과
부갑상선
흉선
부신
췌장
(랑게르한스섬)
난소
(여자)
고환
(남자)

그림 22-1 내분비 기관의 위치

내분비계는 여러 개의 작은 분비기관으로 구성되어 있으며, 신경계와 함께 모든 신체구조를 조절하고 조정하는 역할을 한다[그림 22-1]. 내분비기관에서는 호르몬이라고 불리는 화학적 전령물질(chemical messenger)을 생산하는데, 이 호르몬들은 주변 조직으로 방출된 후에 혈류를 타고 특정 표적기관에 작용한다(호르몬이란 단어는 Greek의 hormaein에서 유래되었는데 "움직이게 하는 것" 또는 "자극한다" 또는 "박차를 가한다"를 의미한다). 내분비기관 또는 호르몬 활동의 기능장애는 정상적인 성장과 활동유형에 변화를 가져오고, 장기적인 간호가 필요한 질환의 원인이 된다.

내분비계와 신경계는 수시로 변동되는 생체의 내외환경에 대응하여 신체기능을 알맞게 조절하는 기능을 한다. 내분비계의 활동은 한 개의 내분비계가 단독으로 또는 여러 내분비계의 협동에 의해 이루어지거나 신경계와 협동하여 작용한다.

내분비계의 기능은 내분비기관에서 생산된 호르몬 분비를 통하여 성장, 수분과 전해질 균형, 에너지 생산, 성적 성숙 및 스트레스에 대한 반응 등 중요한 신체기능을 통제하고 조절한다. 내분비기관은 일반적으로 혈액의 흐름이 왕성하여 모세혈관이 잘 발달되어 있으며, 소량의 호르몬은 생성된 조직에서 별도의 수송관 없이(ductless gland) 혈액을 통해 이동하여 고유한 표적기관(target organ)에 이르고, 그 기관세포의 성장과 기능을 조절함으로써, 생리적 반응을 자극하는 촉매역할을 한다. 신경계에 비해 조절 속도는 느리지만 지속기간은 길다.

호르몬 분비는 혈중의 호르몬농도에 의해 결정된다. 즉, 각 표적기관에서 분비되는 호르몬의 농도에 따라 시상하부 및 뇌하수체에서 분비되는 호르몬의 합성 및 분비가 조절된다. 예를 들면, 높은 농도의 표적 장기 호르몬이 시상하부 및 뇌하수체에 작용하여 뇌하수체 전엽 호르몬의 분비를 억제하고, 표적 장기 호르몬이 낮을 경우에는 뇌하수체 전엽 호르몬의 분비가 증가하게 되는 것이다. 이와 같은 작용을 음성 되먹임기전이라고 하며, 대부분의 호르몬분비와 억제는 이 기전에 따라 조절된다[그림 22-2][그림 22-3]. 내분비기관에서 분비되는 호르몬과 기능은 [표 22-1]에 제시하였다.

확인문제

1. 별도의 수송관 없이(ductless gland) 혈액을 통하여 이동하여 고유한 표적기관(target organ)에 이르러 그 기관세포의 성장과 기능을 조절하는 물질은?

II 내분비계 기능 사정

01 / 병력

내분비계 질환은 아동의 정기 건강검진 시 신장과 체중을 표준치를 확인할 때 나타나므로 신장과 체중의 정확한 측정은 아동의 내분비기능을 사정하는 데 중요하다. 체중, 신장을 주의 깊게 측정하고, 적합한 성장곡선에 표시한다.

활력징후를 사정하여 혈압/맥박이 나이에 적합하게 예상되는 표준과 비교한다.

표 22-1 내분비기관에서 분비되는 호르몬과 기능

내분비기관	호르몬	표적기관	주요기능
시상하부	영양호르몬 (trophic hormone, 촉진 또는 억제 호르몬		뇌하수체 전엽호르몬 분비조절
뇌하수체 전엽	성장호르몬(growth hormone, GH)	성장조직, 뼈	성장, 대사 ; 뼈와 연조직 성장 촉진, 칼슘 흡수 증가 ; (anterior pituitary) 단백질, 지방, 탄수화물 대사조절
	부신피질 자극호르몬 (adrenocorticotropic hormone, ACTH)	부신피질	부신피질의 당질코르티코이드 분비 촉진
	갑상선 자극호르몬(thyrotropine, TSH)	갑상선	갑상선 호르몬의 분비 촉진
	유즙분비호르몬(prolactin)	유방, 난소	유방의 성장과 유즙 분비 촉진
	난포자극호르몬 (follicle stimulating hormone, FSH)	난소, 전소	여성 : 난포의 선장과 발육 및 에스트로겐 분비 촉진 남성 : 정소에서 정자생산 촉진
	황체화 호르몬(lutenizing hormone, LH)	성선(난소, 정소)	여성 : 난포에서 황체로 전환 및 에스트로겐 분비, 프로게스테론 분비 자극 남성: 정소에서 테스토스테론 분비 촉진
뇌하수체 후엽 (posterior pituitary)	항이뇨호르몬 또는 바소프레신 (antidiuretic hormone, ADH)	신장, 혈관	체액량과 소변양을 조절 : 세뇨관의 수분 흡수 촉진, 요의 생성 감소
	옥시토신(oxytocin)	자궁, 유방	여성 : 자궁수축과 유즙 분비 자극
송과선	멜라토닌(melatonin)		밤낮 주기의 생체리듬 조절
흉선	티모신(thymosin)		티모신 : T림프구의 성숙 자극
	티민(thymin)		티민 : 신경근 접합부에서 신경전도기능에 영향
갑상선(thyroid)	티로신(thyroxine, T_4)	전신대사작용	기초대사와 체세포의 성장조절
	트리요오드타이로닌(triiodothyronine, T_3)		성장과 골격근(특히 뼈, 치아) 성숙 중추신경계(뇌)발달과 기능에 관여
	칼시토닌(calcitonin)	전신대사작용	뼈에 Ca^{2+} 침착 증진 ; 혈액 Ca^{2+} 농도 감소 유도
부갑상선(parathyroid)	부갑상선호르몬 (parathyroid hormone, PTH)	뼈 신장 소화관	뼈의 Ca^{2+} 방출, 장의 Ca^{2+} 흡수 및 신세관의 Ca^{2+} 재흡수 및 인 배설 촉진; 비타민 D3 합성 촉진
부신피질 (adrenal cortex)	무기질코르티코이드(mineralocorticoid) – 주로 알도스테론(aldosteron)	신장	세포외액량과 혈압유지에 관여 • 신세관에서 Na^+ 재흡수와 K^+ 방출 촉진
	당질코르티코이드(glucocorticoid) – 주로 코르티솔(cortisol)	전신대사작용 스트레스	단백질과 지방을 당질로 전환하는 작용(gluconeogenesis); 혈당 증가 유도; 스트레스, 항염증작용, 면역기능
부신수질 (adrenal medulla)	안드로겐(androgen)	생식기관	뼈, 생식기관 발육촉진, 단백질 합성과 성장촉진
	카테콜아민(catecholamine) 에피네프린(epinephrine, adrenaline 이라고도 함) 노에피네프린(norepinephrine) 도파민(dopamine)	심장 지방조직 간	심박동과 대사율 증가, 혈당치 상승, 혈관수축
췌장(pancreas)	인슐린(insulin)–베타세포에서 분비	전신대사작용	혈당 농도 감소 유도 ; 단백질, 지방 및 당원(글리코겐)합성을 촉진하여 에너지 저장 유도
	글루카곤(glucagon)–알파세포에서 분비		혈당증가 유도 ; 글리코겐 분해와 포도당 합성을 증진시켜 에너지 생성
	소마토스타틴(somatostatin)–델타세포에서 분비		췌장호르몬 분비 억제 ; 위장관계의 소화와 흡수조절
성선또는 생식샘 (gonad, sex gland)			
정소(testis)	안드로겐(androgen), 테스토스테론 (testosterone), 안드로스텐디온(androstenedion)	생식기관 고환	정소의 정자생산에 필수 ; 남성의 2차 성징(수염, 저음)의 발달 자극
난소(ovary)	에스트로겐(estrogen)	생식기관 유선 전신대사작용	생식기관의 성장과 발달
태반(placenta) • 임신중	프로게스테론(progesterone)	자궁	수정란 착상과 임신유지, 배란 억제
	융모막 성선자극 호르몬 (human chorionic gonadotrophin, HCG)	성선	황체 유지 ; 황체에서 분비되는 호르몬 역할 강화

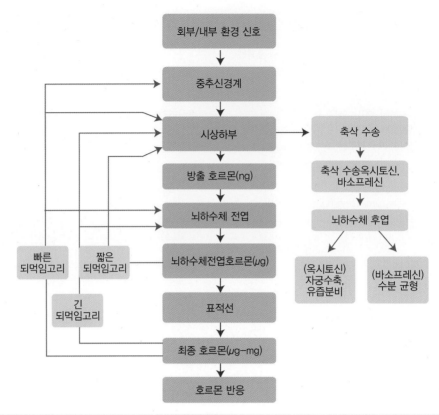

그림 22-2 시상하부-뇌하수체-표적선에서의 음성 되먹임기전

나이에 따른 측정치와 비교해서 시간 경과에 따른 성장 패턴과 성장 속도를 사정한다. 예를 들면, 비만아동은 갑상선 호르몬의 결핍이 있을 수 있고, 신장이 작은 아동은 뇌하수체 호르몬의 장애를 가질 수 있으며, 갑작스런 체중 감소

는 종종 아동기 당뇨의 첫 증상으로 나타난다. 심한 갈증 또는 갑작스런 식욕의 증가는 내분비기능 장애가 있을 때 올 수 있다. 또한 아동기의 잦은 배뇨는 대부분 요로감염을 의심할 수 있지만 뇌하수체 기능장애 또는 당뇨가 있는 경우에도 다뇨현상이 있을 수 있다.

02/ 신체사정

신체사정을 통해서 얼굴의 특징은 안검 하수 또는 안구돌출증, 불룩하게 튀어나온 혀, 달덩이얼굴, 다모증(hirsutism)과 같은 특이한 특징을 확인한다[그림 22-4].

목부위는 갑상선 비대나 갑상선종(goiter)이 있는지 확인한다.

피부는 특이한 피부반응과 피부색을 확인하며, 피부 낙설 및 건조한 피부를 사정한다.

몸에서 나는 채취는 특이한 냄새, 달콤한 냄새, 퀘퀘한 냄새, 치즈 냄새, 땀 냄새가 심한지를 확인한다.

내분비계 질환을 가진 아동은 피로에 지친 모습, 약한 근

그림 22-3 뇌하수체의 구조

뇌하수체 전엽의 동맥
뇌하수체 전엽의 정맥
전엽
들어오는 정맥
정맥
뇌하수체 후엽
뇌하수체 후엽의 정맥
중간부
뇌하수체 후엽의 동맥
나가는 정맥

표 22-2   내분비 기능 검사

검사	작용
선천성 대사이상 선별검사(neonatal screening test)	페닐케톤뇨증, 선천성 갑상선 기능 저하증, 단풍당뇨증, 갈락토스혈증, 선천성 부신 기능 항진증, 호모시스틴뇨증 확인할 수 있다.
성장호르몬검사(GH test: growth hormone)	성장호르몬의 생산 평가, 성장호르몬의 결핍 확인한다.
Cortrosyn검사(ACTH: Adrenocorticotropic hormone)	부신의 cortisol 생산 평가, 선천성 부신 과다형성증 확인한다.
Factrel검사(gonadorelin)	중추성 성조숙증 여부 평가, 유방조기 발육증 확인한다.
수분제한검사(water deprivation test)	요붕증 확진한다.
hCG검사(human chorionic gonadotrophin)	고환 기능부전 확인한다. 5-alpha-reductase의 결핍 확인한다.
당화혈색소(Hemoglobin A 1c)	적혈구 단백질에 부착하는 포도당의 양 측정한다.
IGF-1(인슐린성 성장인자, insulin-like growth factor-1)	IGF-1은 간에서 생산되어 골격의 성장이나 단백질의 합성 및 세포의 증식을 촉진시킨다.
갑상선 항체	갑상선의 만성 염증(갑상선염), 조직 손상과 기능이상을 확인한다.

력이 관찰될 수 있다. 내분비질환의 임상 증세는 호르몬의 과다 또는 부족에 대한 말초 조직의 반응과 관련이 있다.

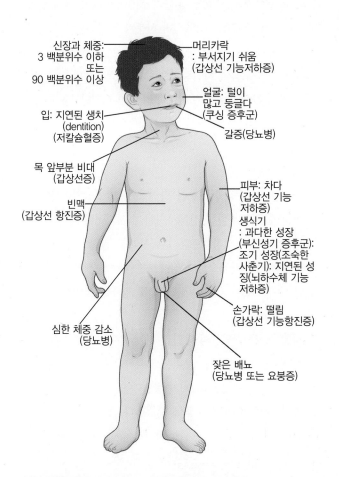

신장과 체중:
3 백분위수 이하
또는
90 백분위수 이상

머리카락
: 부서지기 쉬움
(갑상선 기능저하증)

입: 지연된 생치
(dentition)
(저칼슘혈증)

얼굴: 털이
많고 둥글다
(쿠싱 증후군)

갈증(당뇨병)

목 앞부분 비대
(갑상선증)

빈맥
(갑상선 항진증)

피부: 차다
(갑상선 기능
저하증)

생식기
: 과다한 성장
(부신성기 증후군):
조기 성장(조숙한
사춘기): 지연된 성
장(뇌하수체 기능
저하증)

심한 체중 감소
(당뇨병)

손가락: 떨림
(갑상선 기능항진증)

잦은 배뇨
(당뇨병 또는 요붕증)

그림 22-4   내분비계 질환의 아동 신체검진

03 / 임상병리검사

내분비계 기능장애의 진단을 위해서는 임상병리검사를 실시한다. 호르몬 양이 적절한지를 알기 위해 혈청 호르몬 농도를 측정하며, 선별검사는 내분비질환을 진단하거나 호르몬요법을 감시하는 데 유용하다[표 22-2].

04 / 진단검사

진단검사에는 컴퓨터단층촬영(CT)와 자기공명영상(MRI), 핵형(Karyotype)는 시상하부와 뇌하수체, 표적선 등에 영향을 주는 종양 혹은 선천 기형 유무를 확인하는 데 사용된다.

갑상선 방사선요오드 섭취(RAIU)는 방사성 요오드의 갑상선 내 축적, 호르몬 생성에의 이용(incorporation)과 분비율을 알아보는데 있다.

골 연령 촬영은 골 성숙 정도와 성장 가능성을 판단할 수 있다.

Ⅲ 성장장애

뇌하수체 전엽은 신체의 성장과 발육 및 성 발달과 대사 활동을 조절한다. 아동기에 흔한 뇌하수체 전엽 질환은 성장호르몬 결핍과 성조숙증이다.

성장호르몬결핍증(growth hormone deficiency; GHD)은 뇌하수체 전엽의 성장호르몬 분비 저하로 성장 및 대사작용에 영향을 주어 왜소증(dwarfism)을 유발하는 질병이다. 치료하지 않을 경우에 아동의 신체비율은 균형적이나, 신장은 91.44~121.92cm의 작은 신장을 갖게 된다.

01 / 사정

1) 원인

성장호르몬 결핍은 선천적, 후천적, 특발성으로 구분된다. 선천적 성장호르몬 결핍은 뇌하수체 형성저하증 또는 성장호르몬 합성을 조절하는 유전자의 결함이 원인이며, 후천적 원인은 뇌종양(두개인두종이 흔함), 감염, 시상하부의 이상, 두개강 방사선 조사 등이 있다. 대부분 특발성인 경우가 많은데, 시상하부 및 뇌하수체에 특별한 기질적 이상 없이 발생하는 경우로 둔위 분만이나 겸자 분만 등으로 인한 출생 시 손상 및 저산소증 등이 원인이 되는 것으로 추정하고 있다.

2) 병력

가족력을 사정하거나, 성장지연을 초래하는 주된 문제를 확인하도록 한다. 만일 가능하다면 부모와 형제의 성장기간 동안의 신장과 체중을 조사하도록 하는데 이는, 성장호르몬 분비 상태는 정상이나 양부모의 신장이 작은 경우 유전적으로 저신장일 수 있으며, 사춘기 발현이 늦은 체질이거나 성장지연의 가족력이 있을 수 있기 때문이다. 이러한 경우는 성장호르몬 결핍증과의 감별진단이 필요하다.

아동의 태내력과 출생력을 사정한다. 이를 통해 뇌하수체에 상해를 줄 수 있는 자궁 내 성장지연 또는 출생 시 심각한 머리손상 등을 파악할 수 있다. 성장지연을 유발시킬 수 있는 심장, 신장, 장 질환과 같은 기저 질환이 있는지 확인해야 한다. 24시간 동안의 영양력(식이 습관)을 조사하고 비뇨기 및 장 기능을 주의 깊게 사정한다.

뇌하수체 종양은 성장호르몬의 생성을 감소시키는 원인이 되므로 파악해야만 한다. 갑자기 성장이 중단된 경우는 종양을 의심해 볼 수 있으며, 점진적인 성장지연이 있는 경우는 특발성 장애를 암시한다. 시력상실, 두통, 두위의 증가, 오심, 구토는 뇌하수체 종양을 의심해 볼 수 있다.

3) 증상

성장호르몬 생성 결핍 아동의 출생 시 신장과 체중은 일반적으로 정상이다. 주로 성장지연은 1세 이후에 나타나며 신장과 체중은 성장 발육표에서 3백분위수 이하로 떨어지게 된다. 계속적인 성장속도의 감소가 있는데, 3세 이상에서 1년에 4cm 미만의 성장속도를 보인다.

외모는 전두부가 돌출되어 있고 얼굴이 둥글며, 하악골이 움푹 들어가고 제대로 성장하지 않으며 보통 코가 작다. 아동의 치아는 작은 턱 중심에 몰려난다(이가 늦게 날 수도 있다). 아동의 목소리는 고음이며 사춘기가 지연되고 생식기, 액와, 얼굴 등의 발모가 늦으며 그 외에 2차 성징 발현이 지연된다. 피하조직의 지방축적으로 특히 복부비만이 현저하다. 상체와 하체의 비율은 비교적 정상이다. 원인이 뇌종양일 경우 두통, 구토, 시력저하 등의 신경증상이 나타난다.

4) 임상검사

병변 또는 종양의 유무를 확인하기 위해 안저검사와 신경학적 검사를 포함한 신체사정이 수행되어야 한다. 24시간 동안 생리적 성장호르몬 분비상태를 관찰한다. 24시간 동안 20~30분 간격으로 성장호르몬의 농도를 측정하여 성장호르몬 분비 파장의 수와 크기 및 형태를 확인하는 방법이다.

성장호르몬 결핍증의 확진을 위한 검사는 성장호르몬 자극검사이다. 성장호르몬 분비를 자극하고 난 다음에 호르몬 수치를 측정하는 것으로 2가지 방법이 있다. 첫째는 운동 20분 후나 잠들고 난 60분 후에 측정한다. 정상적으로 성장호르몬 수치는 수면 후 또는 활동 후에 상승한다. 둘째, 만일 이 검사에서 수치가 낮다면, 인위적인 자극에 의한 성장호르몬 반응을 측정해 볼 수 있다. 예를 들어, 인슐린을 정맥주입하면 아동은 저혈당증이 된다. 저혈당증은 순환하는 성장호르몬 분비를 자극한다[그림 22-5]. 인슐린 투여 후 60~90분에 10μg/L 이하이면 성장호르몬 결핍으로 진단한다.

그 외에도 Arginine 정맥주입, Alonidine, L-dopa (levodopa)나 Propranolol을 구강으로 투여하는 것은 같은 효과를 낸다. 2가지 자극 검사 모두에서 성장호르몬의 최고 반응치가 7~10ng/mL 미만인 경우 성장호르몬 결핍증으로 진단한다.

이러한 검사를 수행할 때 세심한 주의가 필요한데, 아동이 심한 저혈당증에 빠지는 것을 예방하고, 혈액 채취 또는 정맥주사에 대한 아동의 두려움을 지지해야 한다. 혈액채취를 짧은 시간 동안 가능하게 하기 위하여 heparin lock을 사용할 수도 있고, 검사기간 동안 즐거운 활동을 유도할 수도 있다.

성장호르몬 이외의 뇌하수체 호르몬결핍 여부를 확인한다. 갑상선기능저하증, 부신기능저하증, 저알도스테론증을 확인하기 위해 혈액검사를 수행하여 TSH, ACTH의 농도를 측정해야 한다. TSH, ACTH 결핍은 아동의 성장에 영향을 미치기 때문이다.

손목 방사선촬영을 통해 골연령을 측정한다[그림 22-6]. 장골의 골단융합은 성장호르몬 결핍이 있는 경우 지연된다.

두개골 방사선촬영, 컴퓨터단층촬영술, 자기공명영상법, 초음파 등의 검사는 뇌하수체 종양을 의심할 경우 터어키안 (sella turcica) 비대의 가능성을 확인하기 위해서 수행한다.

02 / 치료적 관리

성장호르몬 결핍은 성장호르몬을 15~20U/m²/주의 용량으로 매일 나누어 피하주사 한다(주요약물 참조). 주입시간은 호르몬의 효과에 영향을 미치기 때문에 주로 취침 전에 투여한다.

다른 치료법은 뇌하수체 기능부전에 따라 달라진다. 성선자극호르몬(gonadotropin) 또는 TSH, ACTH 호르몬 치료를 병행하기도 하며, 골단융합을 지연시키기 위해서 황체호르몬-분비호르몬(leuteinizing hormone-releasing hormone)이 필요할 수도 있다.

아동은 성인이 되었을 때, 자신의 신장에 대해 이해할 수 있도록 도움이 필요하다. 특히 이 문제가 5백분위수 미만일 경우에 더욱 그러하다. 간호사는 부모가 자녀의 성숙과 자긍심을 증진시키기 위해서 아동의 연령에 따른 표준 신장을 확인해야 할 의무와 책임이 있음을 상기시켜야 한다.

만일 아동이 어렸을 때 항상 작은 신장에 머물렀을 경우, 부모는 아동이 성인이 되었을 때 신장이 작을 것이라고만 단순히 생각할 수 있다. 그러나 아동이 사춘기가 되어서 2차 성징이 발현되지 않을 때 큰 충격을 갖게 된다. 부모는 그들이 좀 더 일찍 이 문제를 발견하지 못한 것에 대해서 죄책감을 느낀다. 부모는 아동의 문제에 민감하지 못했던 것에 대해서 깊은 후회를 표현하게 된다. 간호사는 부모 자신의 감정을 표현하도록 격려하며 새로운 시각에서 아동을 수용하도록 지지한다.

간호진단 및 목표

간호진단 : 작은 신장과 관련된 자긍심 저하
간호목표 : 아동은 치료말기에 적절한 자긍심을 표현할 것이다.
예상되는 결과 : 아동은 긍정적으로 자신에 대해서 말한다. 친구들을 사귀고 그들과 같이 활동하며 어울린다.

주요약물

Somatropin(Nutropin, Humatrope)
- **분류** : 호르몬
- **작용** : 뇌하수체 호르몬 생성저하로 인한 성장부전, 신부전, 터너증후군이 있는 아동의 장기치료; 심한 화상의 치유증진에 사용되기도 한다.
- **임신 위험 등급** : C
- **용량** : Somatropin 용량은 개인마다 차이가 있다. 약물은 주사로 주입한다.
- **부작용** : 주사 부위의 통증, 글루코스 내성, 갑상선기능저하증, 뼈의 불편감(특히 장골), 혈액 비정상, 첫 치료 8주 후 드물게 두개 내 고혈압
- **간호** : ① 부모에게 치료를 시작하기 전 장골 X-ray 촬영을 하도록 권장한다. 그 후 부모에게 무릎이나 장골의 불편감을 호소하는지 주의를 기울이도록 하며 증상이 있을 경우 일차 건강관리자에게 보고하도록 한다.
  ② 아동들은 주기적인 갑상선 기능검사와 안저검사가 필요하다(드물게 있는 두개 내 고혈압을 사정하기 위해서이다).
  ③ Glucocorticoid (prednisone)는 성장호르몬과 상호작용 효과가 있으므로 성장호르몬의 효과를 저해한다는 것을 부모들에게 교육한다. 또한 모든 건강관리실무자들에게 아동이 성장호르몬 치료를 하고 있다는 것을 말하도록 부모들에게 교육한다.

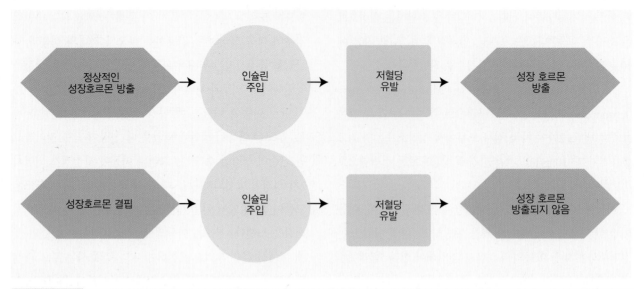

인슐린 자극 검사

Ⅳ 성조숙증

성조숙증(precocious puberty)은 2차 성징의 발달이 여아는 8세, 남아는 9세 이전에 나타나는 경우이다. 남아보다 여아에서 5배 정도 더 많이 발생한다. 성조숙증은 진성 성조숙증(true or complete precocious puberty)과 가성 성조숙증(pseudo or incomplete precocious puberty)으로 분류한다. 진성 성조숙증은 시상하부-뇌하수체-성선(생식샘)축이 조기 활성화되어 발생하는 유형으로, 성선자극호르몬-의존성인 경우이다. 즉 시상하부는 성선자극유리호르몬(GnRH)을 분비하고, GnRH는 뇌하수체를 자극하여 LH, FSH가 생성되고, 성선이 자극되어 estrogen이나 testosterone이 생성됨으로써 2차 성징이 나타나며, 성숙한 난자와 정자를 생산할 수 있다[그림 22-7]. 가성 성조숙증은 시상하부뇌하수체-성선(생식샘)축의 활성화가 없어 성선자극호르몬이 분비되지 않아 성숙한 난자나 정자가 생산되지 않으나, 종양과 같은 외인성 요인에 의해 성호르몬이 조기에 과잉 생산되어 2차 성징(유방과 음모의 발달)이 조기에 나타난다. 성선자극호르몬 비의존성인 경우이다.

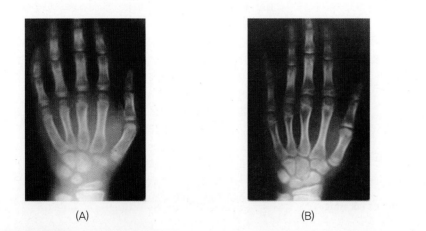

(A) (B) (C)

손목 방사선 촬영
(A) 7세 남아 성장판 사진 (B) 12세 남아 성장판 사진 (C) 16세 남아 성장판 사진

01 / 사정

1) 원인

진성 성조숙증의 원인은 특발성, 뇌의 기질적 병변(뇌종양, 결핵 뇌막염, 심한 두부외상 등), 뇌의 방사선조사, 장기간 치료하지 않은 갑상선기능저하증 등이 있다. 특발성은 기질적 병변 없이 2차 성징이 나타나는 경우로 여아에게 흔하며, 뇌의 기질적 병변은 남아에게 더 흔하다. 가성 성조숙증은 난소종양, 부신종양이나 부신과다형성증, 안드로겐이나 에스트로겐의 외인성 요인 등에 의해 성호르몬이 조기에 과잉 생산되는 것이 원인이다.

2) 증상

여아와 남아 모두 2차 성징이 빨리 나타난다. 여아는 유방 비대, 음모 발달, 월경 시작 등이 나타나며, 남아는 고환의 크기 증가, 음경 비대, 음모 출현 등의 사춘기 발달형태를 보이고, 배란 및 정자 형성이 가능하여 임신을 할 수도 있다. 골성숙 촉진으로 인한 급성장으로 신장과 체중의 증가가 있으나, 조기에 골단선 융합이 일어나므로 최종 성인기의 신장은 작은 신장에 머물게 된다. 사회 심리적 발달은 일반적으로 연령에 비해 적절하나, 감정적 불안감이나 공격적인 행동 및 기분 변화가 있을 수 있다.

3) 병력

급성장 시기를 확인하기 위해 성장증가 시기, 외인성 호르몬에 대한 노출, 두부외상이나 감염 등에 대한 과거력과 사춘기 발달에 대한 가족력을 조사한다.

4) 신체사정

신장, 체중, 상·하체 비율, 2차 성징(유방, 생식기, 음모, 음낭 등)의 성숙단계를 기록한다.

5) 임상검사

방사선촬영을 하여 골연령과 생활연령을 비교 분석한다. 골연령은 생활연령보다 앞서 있다. 여아의 경우는 골반 초음파를 통해 자궁과 난소의 크기를 측정하며, 남아의 경우는 뇌의 기질적 병변이 흔한 원인이 되므로 CT나 MRI 검사를 수행할 수 있다.

진성 성조숙증을 확진하기 위해서 GnRH를 투여하고 혈중 LH, FSH, estrogen 또는 testosterone 농도를 측정한다. 이는 시상하부의 GnRH 자극에 대한 뇌하수체-성선의 반응을 확인하기 위한 검사이다. 진성 성조숙증 아동은 GnRH의 투여에 대해 사춘기 또는 성인 수준의 호르몬 수치를 보인다.

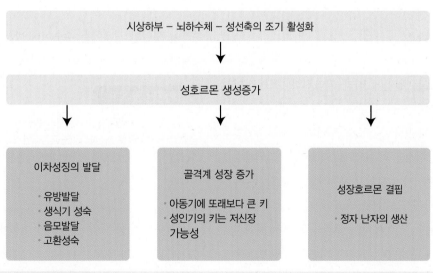

그림 22-7 **진성 성조숙증의 기전**

간호사례 / 성조숙증

8세 된 여아는 한 달 전 초경과 유방발달을 경험하여 외래에 내원하여 성조숙증을 진단받고 투약을 진행 할 예정이다. 환아는 1개월전 초경을 경험함과 동시에 유방 발달이 확인되어 병원 방문 후 방사선 검사와 골반초음파 검사 결과 및 GnRH검사 수치가 상승되어 성조숙증 진단받았다. 환아는 사춘기와 관련된 신체적 행동적 변화에 어려움을 호소하고 있었으며 그중 한 달에 한 번의 병원방문과 주사를 맞아야 함에 대한 어려움이 가장 크다고 환아와 보호자인 어머니가 호소하였다.

사 정	:	한 달에 한 번의 병원방문과 주사를 맞아야 함에 대한 어려움이 가장 크다고 여아와 보호자인 어머니가 호소하였다
간호진단	:	GnRH agonist의 투여 방법에 대한 부적절한 이해와 관련된 약물투여에 대한 지식 부족
간호목표	:	부모와 환아는 투약의 필요성을 설명하고 올바른 투약방법을 시범 보일것이다.
평 가	:	부모는 투약의 필요성을 설명하고, 올바른 투약방법을 시범 보일 것이다.

계획 및 중재

1. GnRH agonist의 투여 방법의 지식수준을 사정 한다
2. GnRH agonist의 투여 방법의 학습 요구도를 파악한다
3. GnRH agonist의 투여 방법의 중요성을 교육한다.
4. 환아와 부모에게 성조숙증 증상을 교육한다.
5. 환아와 부모의 학습능력을 강화시키기 위해 상호 신뢰하는 환경을 조성한다.
6. 환아와 부모의 학습과정에 참여하도록 용기를 준다.
7. GnRH agonist투약의 작용과 부작용에 대하여 교육한다.

사 정	:	한 달에 한 번의 병원방문과 주사를 맞아야 함에 대한 어려움이 가장 크다고 보호자인 어머니가 호소하였다.
간호진단	:	성조숙증 자녀의 돌봄에 대한 경험부족과 관련된 돌봄 제공자의 역할 긴장
간호목표	:	부모는 습득한 지식으로 자녀에게 적절한 지지와 돌봄을 제공하여 스스로 역할을 적절히 수행할 수 있을 것이다.
평 가	:	부모는 자녀에게 적절한 지지와 돌봄을 제공하여 스스로의 역할에 만족할 것이다.

계획 및 중재

1. 자녀의 질환과 관련되어진 정보의 지식수준을 사정한다.
2. 보호자가 자신의 감정을 충분히 표현할 수 있도록 격려한다.
3. 보호자에게 휴식시간을 갖도록 격려한다.
4. 자녀에게 보호자가 돌봄을 주는 것에 감사하도록 격려한다.
5. 자녀의 질병에 대한 정보와 관리전략에 대한 정보를 제공한다.
6. 외래방문으로도 간호사에게 정보를 제공받을 수 있고 도움을 받을 수 있음을 알려준다.

02 / 치료적 관리

성조숙증의 치료는 원인에 따라 달라진다. 특발성인 진성 성조숙증의 경우 GnRH agonist를 4주마다 근육 또는 피하주사 한다. GnRH agonist를 투여하여 뇌하수체의 GnRH 수용체의 감수성을 지속적으로 감소시키면, 뇌하수체에서 LH, FSH 분비가 억제되고 이차적으로 성호르몬 분비가 억제된다. 여아에서는 유방, 난소 및 자궁이 작아지며 음모 발달이 정지된다. 남아에서는 고환의 크기가 작아지고, 음모가 현저하게 감소된다. 아동이 사춘기 연령에 도달하면, 이차성징이 나타날 수 있도록 치료를 중단한다. CNS 종양이 원인인 경우에는 수술이나 방사선 및 화학 요법을 실시한다.

간호진단 및 목표

간호진단 : 2차 성징의 조기발현과 관련된 신체상 장애
간호목표 : 아동은 자신에 대한 긍정적인 느낌을 표현할 것이다.
예상되는 결과 : 아동은 신체변화에 대한 걱정을 표현하고 수용한다.

성조숙증 아동은 같은 연령의 아동에 비해 2차 성징이 조기에 발현되어 외모가 다름으로 인해서 또래집단에게 놀림의 대상이 될 수 있다. 간호사는 아동 자신이 인식하는 자

신의 외모에 대한 느낌과 불안감 및 걱정 등을 탐색해야 하는데, 여아의 경우는 울적함 등의 기분 변화를 확인하고, 남아의 경우는 공격적인 성향을 나타내는지 확인하도록 한다. 또한, 친구들과의 관계와 학교생활에서의 적응문제를 관찰하도록 한다. 아동이 연령에 비해 성숙한 외모를 지녔다 해도 실제 나이에 맞는 옷을 입고, 아동의 나이에 적합한 활동을 하도록 격려해야 한다.

> **간호진단 및 목표**
>
> 간호진단 : 성조숙증의 원인 및 치료적 관리와 관련된 지식부족
> 간호목표 : 아동과 가족은 성조숙증에 대한 신체변화를 이해할 것이다. 아동과 가족은 약물의 작용에 대해 이해하고, 올바른 투약 방법을 시범 보일 것이다.
> 예상되는 결과 : 아동과 가족은 신체변화와 약물에 대해 이해하고, 치료적 지시를 잘 이행한다.

성조숙증 아동과 가족에게 신체변화에 대한 원인과 증상에 대해 충분한 정보를 제공함으로 심리적 안정감을 갖고 치료적 관리에 적극적으로 참여할 수 있도록 도와야 한다.

약물의 작용, 준비, 투여방법을 교육함으로 아동과 가족이 치료계획을 잘 이행할 수 있도록 돕는다.

 갑상선기능저하증

갑상선호르몬은 아동의 성장 및 지능 발달에 매우 중요한 호르몬으로 결핍이 있을 때는 성장장애, 골성숙 지연, 정신지체 등의 여러 중요한 장애가 발생한다. 갑상선기능저하증은 선천성과 후천성으로 나뉜다.

01 / 선천성 갑상선기능저하증

선천성 갑상선기능저하증(congenital hypothyroidism, cretinism)은 갑상선호르몬인 T_4와 T_3의 생성 저하로 인해 기인된다. 생후 초기에는 모체의 갑상선호르몬이 출생 시까지는 태아에게 공급되었던 호르몬의 농도가 적정수준으로 유지되기 때문에 증상이 파악되지 못할 수 있다. 그러므로

인공수유 영아의 경우는 생후 첫 3개월경, 그리고 모유수유 영아의 경우는 약 6개월경에 증상이 분명해진다. 발생률은 출생아 4,000명당 약 1명의 비율이며, 여아가 남아보다 약 2배 정도 많이 발생한다. 선천성 갑상선기능저하증은 점진적인 신체적, 인지적 손상의 원인이 되기 때문에 조기진단이 매우 중요하다.

1) 사정

(1) 원인

선천성 갑상선기능저하는 약 85%가 갑상선 발생장애(무형성, 형성저하증)이며, 상염색체 열성 유전으로 인한 갑상선호르몬 합성장애가 약 10~15%를 차지한다.

(2) 증상

대부분 출생 시 체중과 신장은 정상이며, 태어날 때 임상 증상을 보이는 경우는 5%에 불과하다.

- 영아기의 가장 흔한 증상 : 부모는 자녀가 너무 많이 잠을 잔다고 보고할 수 있다. 혀는 비대 되어 있고, 이로 인해 호흡곤란과 시끄러운 호흡 또는 폐색이 나타나기도 한다. 영아는 질식으로 인해 수유에 어려움이 있을 수 있다. 사지의 피부는 차고, 전체적인 체온은 대사율 저하로 인해 저체온이다. 낮은 대사율은 서맥과 호흡률 저하에도 영향을 미친다. 간기능의 미성숙으로 인해 빌리루빈의 결합력이 저하되어 황달현상이 오래 지속될 수 있다. 빈혈은 아동의 무기력과 피로의 원인이 되며 심잡음과 심비대가 있다. 영아의 목은 짧고 두꺼워진다. 얼굴 표정은 인지기능 손상으로 인해 둔하며, 비대된 혀로 인해 영아는 숨쉬기가 곤란하고 입은 항상 열려 있다. 사지는 짧고 살쪄 있으며, 근력저하로 인해 축 쳐져 있다. 심부건 반사는 정상보다 느리다. 전반적으로 비만하며 머리카락은 건조하고 부서지기 쉽다. 생치는 지연되며, 이가 났을 때 결함이 있을 수 있다. 근력저하는 소화관에도 영향을 미치기 때문에 영아는 만성 변비를 호소하며, 복부 또한 약한 근력으로 인해 비대 되어 있다. 많은 영아에게서

제대탈장이 있으며, 전반적으로 피부는 건조하고 땀을 거의 흘리지 않는다.

- 영아기 이후의 증상 : 영아기 이후에는 성장 발달의 지연이 뚜렷해진다. 골의 발육이 늦어 작은 키, 짧은 사지와 목, 두꺼운 손과 짧은 손가락과 대천문이 크게 열려 있다. 상체와 하체의 비율이 영아기에 머물러 있으며, 나이가 들면 지능저하, 행동 및 언어장애, 떨림 등의 신경학적 증상이 나타난다. 갑상선호르몬 합성장애가 있는 경우에는 갑상선 비대가 흔하게 나타나며, 증상이 심하지 않고 늦게 나타난다.

(3) 임상검사

원인을 발견하기 위해서는 병력을 조사하는 것이 중요하다. 특징적 증상이 있는 경우에는 쉽게 진단할 수 있으며, 갑상선 기능검사로 확진할 수 있다.

- 신생아 갑상선 집단 선별검사: 선천성 갑상선기능저하증을 조기에 발견하여 정신지연과 같은 비가역적인 신경학적 합병증을 예방하기 위해 출생 시 선별검사가 수행된다. 다른 선천성 대사이상 질환(ex 페닐케톤뇨증 검사)과 함께 검사한다. 검사 시기는 생후 5~7일에 시행하는 것이 좋지만, 현실적으로 생후 48시간 이후에 시행하는 경우가 많다. TSH 또는 T_4 단독으로 또는 TSH와 T_4를 동시에 측정하는 3가지 방법이 있다. 그러나 비용문제로 TSH 또는 T_4 단독검사가 많이 시행되고 있다. 일차 검사에서 의심되는 결과(TSH 20IU/mL 이상, 총 T_4 6.5g/dL)가 나올 때는 반드시 생후 2~6주에 정밀검사를 통해 확진하여 조기치료를 시작하도록 한다. 정밀검사에는 T_4, TSH, 유리 T_4 농도, 갑상선 스캔 등이 있다.
- 갑상선 기능을 확인하기 위한 임상검사는 다음과 같다.

혈중 T_4, T_3, 유리 T_4, TSH 농도

정상치보다 T_4, T_3, 유리 T_4 (free T_4)가 낮고, TSH가 상승되어 있다(50IU/mL 이상).

갑상선 스캔

아동에게는 technetium (99mTc) 스캔이 반감기가 짧고, 해상력이 우수하여 현재 주로 사용되지만, 갑상선호르몬 합성장애의 경우, 섭취는 되나 유기화 되지 않는 단점이 있어서 감별에 이용될 수 없다.

방사성요오드 섭취검사

아동에게 방사성요오드(^{123}I)가 함유된 용액을 구강 섭취하게 한다. 갑상선에 요오드가 흡수되어 24시간 후에는 최대치에 이르게 되는데, 정상에서는 24시간에 투여량의 10~40%가 갑상선에서 흡수된다. 갑상선기능저하증인 경우에는 낮은 방사성요오드 섭취율(^{123}I uptake)을 보이는데, 보통 검사용량의 10% 이하의 섭취율을 보인다.

이 검사를 하기 위해서는 아동이 용액을 모두 마시는 것이 매우 중요하다. 영아의 경우, 일반적으로 복용량을 정확하게 하기 위해서 위관영양으로 투여한다. 아동이 이 검사용액을 섭취한 후에 구토를 한다면, 바로 기록하고 검사실에 연락한다. 이 경우 정확한 양이 섭취되지 않았기 때문에 낮은 흡수량을 보인다. 또한 아동이 검사시간 동안, 어떤 형태로든지 다른 요오드 또는 갑상선 제제를 복용하거나 섭취하지 않도록 주의해야 한다(요오드 함유 음식의 섭취를 제한한다). 왜냐하면 방사성요오드 흡수량 측정에 대한 정확한 결과가 나오지 않기 때문이다.

- 그 외 혈중 콜레스테롤 수치는 증가되어 있고, 방사선 검사에서는 지연된 골성장을 보이는데, 출생 시 60%에서 화골핵의 출현이 늦어진다. 갑상선의 모양과 크기를 진단하기 위해 갑상선 초음파나 컴퓨터단층촬영을 실시할 수 있다.

2) 치료적 관리

갑상선기능저하증의 치료법은 갑상선호르몬 제제인 sodium L-thyroxine (sodium levothyroxine)을 구강 복용하는 것이다. 투여량은 신생아 10~15g/kg, 소아 4g/kg, 성인 2g/kg이다. 처음에는 소량 투여하고 점차적으로 치료적 수준까지 양을 늘린다. 아동은 이 약을 평생 복용해야 한다.

비타민 D 보조제는 빠른 골성장이 시작될 때, 갑상선호르몬 복용으로 구루병이 생기는 것을 예방하기 위해서 투여한다. 두유나 철분 제제는 티록신의 흡수를 억제하므로 같이 투여하지 않는다.

인지손상은 가능한 한 빨리 치료를 시작함으로써 예방할 수 있지만, 이미 이루어진 손상은 회복될 수 없다.

부모가 아동에게 약물을 꾸준히 복용시키도록 돕는 것은 간호사의 중요한 역할이다. 부모가 장기투약의 원칙을 알도록 한다. 주기적으로 T_4와 T_3, TSH 수치와 체중을 측정하는 것은 적절한 투여량을 조절하기 위해 필요하다. 만약, 갑상선 호르몬의 양이 충분하지 않다면, T_4 수치가 내려가고 임상증상이 거의 호전되지 않는다. 과량투여로 인해 T_4 수치가 올라가면 아동은 불면증과 흥분, 열감, 발한, 빈맥, 구토, 설사, 체중 감소 등의 갑상선기능항진증의 증상을 보인다.

확인문제

2. 선천성 갑상선기능저하증의 가장 심각한 주요 증상은 무엇인가?

 VI **당뇨**

[표 22-3]에 나타난 것과 같이 당뇨병은 2가지 유형으로 나누어진다. I형 당뇨병(Type I diabetes mellitus)은 주로 아동기에 발생한다(유년형 당뇨병 또는 인슐린–의존성 당뇨병이라고도 한다). 아동 500명 중 1명의 발생빈도를 보이며, 점점 증가하고 있는 추세이다. I형 당뇨병 아동은 췌장이 인슐린을 생성하지 않기 때문에 반드시 인슐린을 계속 투여해야만 한다. II형 당뇨병(인슐린–비의존성 당뇨병)은

표 22-3 **I형과 II형 당뇨병의 비교**

사정	I형(인슐린 의존형)	II형(인슐린 비의존형)
전구기	5~7세 또는 사춘기	40~65세
전구기 증상	급작스런 발병	점진적 진행
HLA 연관성	있다	없다
췌장 인슐린 분비량	0~소량	>50%
섬세포 항체 검출률	85%	<5%
체중변화	현저한 체중변화가 초기증상임	비만과 관련됨
다른 증상	다갈증	다갈증
	다뇨증(다뇨로 인한 야뇨증)	다뇨증
	피로감(학교에서 심함)	피로감
	흐린 시야(학교에서 심함)	흐린 시야
	당뇨	당뇨
	다식증	
	가려움증	가려움증
	기분변화(학교에서 행동장애의 원인이 됨)	기분변화
치료	경구혈당강하제가 전혀 효과적이지 않음	식이, 경구혈당강하제 또는 인슐린에 의해 조절됨
	인슐린을 투여해야 함	
	주로 식이는 보통으로 제한됨	식이조절이 매우 엄격하게 권장됨
	아동 발육에 필요한 정도의 발간호가 요구됨	엄격한 피부와 발간호가 필요함

췌장기능이 노화로 인해 감소되어 인슐린의 분비가 적어진 경우로 매일 인슐린을 맞을 필요가 없다. 왜냐하면 이 질병은 식이와 경구 혈당강하제로 조절될 수 있기 때문이다.

01 / 원인

I형 당뇨병의 정확한 원인은 알려져 있지 않지만, 섬세포의 자가면역 파괴로 인해 기인된다고 보고 있다. 아동은 조직 적합항원(human leukocyte antigen, HLA) 수치가 높아서 만약 HLA-DR3과 HLA-DR4가 존재한다면, 아동의 당뇨병 발생률이 7~10배 정도 증가한다. 바이러스 감염과 같은 환경적 인자 또한 자가면역과정을 통해 활동성 췌장 기능부전의 유발소인이 될 수 있다.

일반적으로 증상은 유치원이나 학교에 갈 때까지 명백히 드러나지 않을 수 있으나, 6개월 된 영아에게도 나타날 수 있다. 아동기 호발연령은 5~7세 또는 사춘기이다. 만일, 가족 중에 한 아동이 당뇨병이라면, 형제자매 중 당뇨병이 발병될 위험이 정상 아동보다 높다. 왜냐하면 형제자매 또한 당뇨병의 유발소인이 되는 HLA 항원을 가지고 있는 경향이 있기 때문이다. 최근까지 이 질병 발생을 예방할 수 있는 특정한 방법은 없다.

02 / 질병의 진행

인슐린은 포도당이 세포에서 필요한 기능을 하기 위해 세포 내로 들어가도록 세포의 문을 여는 호르몬이다. 포도당이 인슐린 결핍으로 인해서 세포 내로 들어가지 못할 때 포도당은 혈류 내에 쌓이게 된다(고혈당증). 신장이 고혈당증을 감지하면(신장역치 160㎎/dL 이상), 과다한 포도당을 소변으로 배출시킴으로써 혈당을 정상치로 되돌리려고 한다. 이로 인해서 당뇨가 생기는 것이다. 이렇게 포도당을 배출시키려고 하는 동안, 신체는 동시에 많은 양의 수분을 배설하게 된다(다뇨). 이러한 수분 소실은 탈수와 전해질 불균형을 초래한다.

포도당의 세포 내 진입이 실패하면서 신체세포가 포도당을 사용할 수 없으므로 세포활동을 위해서 단백질이나 지방이 분해된다. 지방이 대사되면서 지방 분해의 최종 산성 산물인 케톤체가 혈류 내에 쌓이기 시작하고 소변으로 빠져나가 케톤뇨가 생성된다. 혈액 중 탄산염은 높은 산성농도에 효과적으로 중화작용을 계속할 수 없기 때문에 혈액의 산도는 산성화되고, 그 결과 산증에 빠지게 된다. 지방 대사산물은 또한 혈청 콜레스테롤 수치를 상승시킨다.

아동의 당뇨병을 치료하지 않을 경우, 케톤체가 혈류 내에 쌓여 산증이 초래되며 수분 고갈로 탈수현상이 나타난다. 대사성 산증이 되면 호흡기계는 이산화탄소를 배출시키기 위해 깊은 호흡과 과다호흡을 하게 되고(Kussmaul 호흡), 상태가 악화되면 혼수상태에 빠지게 된다(케톤산증 혼수).

칼륨과 인이 세포에서 혈류로 빠져나가게 된다. 고혈당으로 인한 삼투성 이뇨작용에 의해 혈류로 빠져 나온 칼륨과 인은 신장으로 배설되게 되고 전해질 결핍이 온다. 신체 내 총 칼륨은 저하되지만 순환하는 체액량의 저하로 혈액 내 칼륨수치는 증가된다. 이러한 세포 내외 칼륨수치의 변화(세포 내 칼륨수치 저하, 혈액 내 칼륨수치 상승)는 잠재적으로 심장정지를 일으킬 수 있다. 만약, 적절한 인슐린 치료와 수분과 전해질 불균형을 교정하지 않으면 탈수, 전해질 불균형, 대사성 산증(케톤산 혈증)을 일으켜 혼수에 빠지고 사망할 수도 있다.

03 / 사정

1) 증상

간혹 전구기 증상이 나타나기도 하지만 일반적으로 아동기에 발생하는 당뇨병은 전구기 없이 갑자기 나타난다. 첫번째 증상은 갈증이 심해지고(다갈), 소변양의 증가(다뇨)가 관찰된다. 증가된 소변양으로 인해 이미 대소변 훈련이 된 아동도 야뇨증 증상을 보인다. 보상작용으로 다음과 다식이 나타나지만, 결국 소실되는 양을 모두 보충할 수 없어 체중감소가 발생하고 탈수로 인해 변비가 올 수 있다. 증상 발생 후 1개월 이내에 대부분의 환자에게 진단이 가능하다.

케톤산증(ketoacidosis)이 I형 당뇨병의 초기 증상으로 나타나는 경우가 전체 환자의 20~25%가 된다. 인슐린이 적게 분비되는 상태에서 이차적으로 스트레스 호르몬(에피네프린, 노르에피네프린, 코티솔, 성장호르몬, 글루카곤)이 많이 분비되면 인슐린의 작용이 억제되면서 과도한 지방분해와 함께 케톤체(β−hydrox−ybutyrate, acetoacetate)의 형성이 증가되기 때문이다.

2) 임상검사

일부 아동에게서 당뇨병은 일반 정기검진을 하는 동안 발견된다. 혹은 질병의 증상이 갑작스럽게 나타나 발견될 당시 산증과 고혈당증으로 혼수상태가 초래될 수 있다. 채혈 시간에 관계없이 혈당이 200mg/dL 이상(정상 범위는 공복 시 혈당량 70~120mg/dL, 식후 혈당량 100~180mg/dL)이면 바로 진단할 수 있다.

전형적인 임상증상이 없으면서 혈당 농도가 높을 경우에는 당부하검사(glucose tolerance test)를 시행한다. 아동에게는 정맥 당부하검사가 구강검사보다 용이하므로 권장된다. 왜냐하면 구강 당부하검사는 고농도의 포도당(glucola)을 마신 후에 구토할 가능성이 있기 때문이다. 포도당을 공복 시 정맥으로 수분 동안 주입한다. 이때 혈액은 30, 60, 90, 120, 180분 간격으로 채혈한다. 정상 아동의 경우 정맥으로 포도당을 주입하면 혈당 수치는 바로 상승한다. 포도당은 빠르게 대사된 후 수치가 정상으로 떨어진다. 당뇨병 환아의 경우 신체세포활동을 도울 수 있는 충분한 인슐린이 없기 때문에 포도당 수치가 올라간 후 계속 그대로 머물러 있다. 당부하검사 시 2시간째 혈당이 200mg/dL 이상이 2회 이상 나오는 경우 당뇨병으로 진단한다. 정맥 당부하검사를 위해 각각 다른 편 2곳(예: 양쪽 팔)에 혈관이 확보되어야 한다. 한쪽 혈관은 포도당을 주입하며, 다른 쪽 혈관은 혈당을 측정하기 위한 채혈 목적이다. 포도당을 주입한 혈관에서는 혈액을 채혈하지 않는다. 이는 주입된 고농도의 포도당이 혈당 수치를 비정상적으로 상승되게 할 위험이 있기 때문이다.

확진을 위해 의미 있는 검사는 당화혈색소(glycosylated hemoglobin, HbA1c) 검사인데, 이는 적혈구의 단백질에 부착하는 포도당의 양을 측정하는 것이다. 혈중 포도당 수치가 높을수록 당화혈색소 수치가 높아진다. 정상 아동의 당화혈색소 수치는 4.5~5.5%이다. 적혈구의 수명이 120일 이하이기 때문에 당화혈색소는 최근 2~3개월 동안의 평균 혈당조절 상태를 알려준다.

그 외에도 진단적 검사가 사용되는데 pH, PCO₂, 혈청 아세톤, 나트륨, 칼륨, 백혈구 수치가 해당된다. 혈액의 칼륨수치가 낮으면 칼륨결핍 증상인 T파의 비정상을 확인하기 위해 심전도 검사를 한다. 당뇨병 환아의 백혈구 수치는 케톤산증에 대한 반응으로 감염이 없을지라도 증가되어 있다. 그러나 당뇨병성 위기가 갑작스럽게 올 수 있기 때문에 감염이 있는지 항상 주의 깊게 관찰해야 한다. 감염균 확인을 위해 비인후 배양검사를 수행할 수 있다.

3) 치료적 관리

(1) 인슐린 요법

당뇨병이 의심되는 아동은 진단 및 인슐린 양의 조절과 교육을 위해 수일 동안 병원에 입원하게 된다. 부모와 아동에게 집중관리 내용(인슐린 주사법, 식단과 운동조절)을 교육함으로써 망막과 심혈관질환과 같은 장기 합병증을 줄일 수 있다. 당뇨병은 만성질환으로 지속적인 주의와 관리가 필요하며 부모와 아동이 적응하는 데는 시간이 많이 걸리므로 건강관리자와 부모 그리고 아동 모두 인내심을 가지고 질병과 치료적 관리 방법을 익히고 실천하는데 협력해야 한다.

표 22-4 당뇨 환아의 인슐린 투여량	
인슐린 하루 필요량	**인슐린 투여량**
장기간 치료 받은 1형 당뇨병환자 사춘기 전 : 0.75~1.0U/kg 사춘기 : 1.0~1.2U/kg	하루 2회 아침 식전 : 하루 필요량의 2/3 초/속효성: 중간형 1/3:2/3 저녁 식전 : 하루 필요량의 1/3초/속효성: 중간형2) 1/3:2/3
새로 진단받은 1형 당뇨병환자 장기간 치료받는 환자의 하루 필요량의 60~70%	하루 4회 기저 인슐린 : 하루 필요량의 1/2 초지속형 인슐린, 자기 전 또는 아침에 주사 식전 인슐린 : 매 식전에 하루 필요량의 1/2을 3회 나누어서 초/속효성 인슐린

(2) 초기 치료단계(케톤산증 치료단계)

아동이 처음 당뇨병 진단을 받았을 때, 일반적으로 고혈당증과 케톤산증이 있을 수 있다. 심한 인슐린 부족에 의한 탈수, 전해질 결핍과 대사 장애를 교정하기 위해 수액요법과 인슐린 치료를 한다. 초기 단계에서는 환아의 증상과 검사결과를 관찰하면서 혈당, 탈수, 산증을 서서히 교정하는 것이 중요하다.

(3) 케톤산증의 진단

당뇨병의 임상증상과 함께 혈당이 200㎎/dL 이상이며, 케톤혈증(ketonemia), 산증(pH 7.3 미만, HCO₃⁺가 15mEq/L 미만), 당뇨와 케톤뇨가 있을 경우 케톤산증으로 진단한다.

(4) 탈수 및 전해질 교정

아동의 경우 탈수 및 전해질 교정은 성인에 비해 주의 깊게 수행되어야 한다. 수액 치료는 인슐린 치료 전에 시작하며, 초기 수액처치는 말초혈액 순환을 회복하기 위해서 필요한 경우에 0.9% 생리식염수로 시행한다. 초기 수액 처치 후 4~6시간 동안은 0.9% 생리식염수나 Ringer's acetate 수액을 투여한다. 칼륨은 치료 초기부터 혈청 농도에 관계없이 K-acetate (또는 KCl)와 K-phosphate를 섞어서 40mEq/L를 투여한다. 혈청인과 칼슘 농도를 적절히 관찰하면서 인산염을 투여한다.

(5) 인슐린 치료

인슐린 치료는 혈당을 정상화하고 지방분해 및 케톤 생성을 억제하기 위해 필수적이다. 첫 1~2시간 동안의 초기 수액 주입이 끝나면 속효성 인슐린(RI) 0.1U/kg/hr을 정맥 주입한다. 혈당은 시간 당 50~90㎎/dL씩 감소하는 것이 바람직하다. 산증이 교정되고 경구 섭취가 가능하면 수분과 음식을 섭취하도록 하며 경구 섭취량만큼 수액량을 줄인다. 경구 섭취가 잘 진행되면 인슐린을 피하로 바꾼다.

(6) 산증 이후 치료단계

적절히 치료하면 산증은 보통 36~48시간 내에 회복된다. 이 단계의 치료목적은 인슐린 주사량의 조절하고 적절한 영양을 공급하며, 환아와 부모에게 당뇨병의 치료적 관리 방법과 자가 간호 내용을 교육하는 것이다. 음식을 먹을 수 있고 케톤산증이 회복되면 혈당 검사를 하루 4번 시행하며 속효성과 중간형 인슐린을 혼합해서 필요한 인슐린 양을 하루에 2~4회 나누어 주사한다[표 22-4]. 처음으로 당뇨병이 진단된 환아에서는 인슐린 양을 정하는데, 3~5일 정도 걸리며, 새로 진단된 환아와 가족은 5~10일 정도의 당뇨병 관리에 대한 교육이 필요하다.

(7) 안정기에서의 치료

이 시기의 치료 목적은 정상 혈당범위 유지, 적절한 영양 상태 유지, 신체적·심리적 적응 및 합병증 예방이다.

(8) 인슐린 치료

인슐린은 피하주사 후 나타나는 작용시간에 따라 초속효성, 속효성, 중간형, 지속형, 초지속형이 있으며 100U/mL의 농도로 포장되어 있다. 인슐린의 종류에 따른 작용 시간과 최대효과 및 지속시간은 [표 22-5]와 같다.

필요한 인슐린 양은 아동의 활동 수준과 소비하는 식사량 그리고 주사시간에 따라서 달라진다. 인슐린 주사와 식사시간 사이의 간격을 "lag time"이라고 한다. 만일 아동의

표 22-5 인슐린 유형에 따른 작용기간

종류	작용시작 시간	최대효과/작용시간	효과 지속시간
초속효성 인슐린(Lispro, Aspart)	5~15분	1~2시간	4~5시간
속효성 인슐린(regular)	30분~1시간	2~4시간	6~8시간
중간형 인슐린(NPH, lente)	1.5~2시간	6~10시간	12~20시간
지속형 인슐린(ultralente)	4~6시간	10~30시간	36~40시간
초지속형 인슐린(Glargine, Detimer)			24시

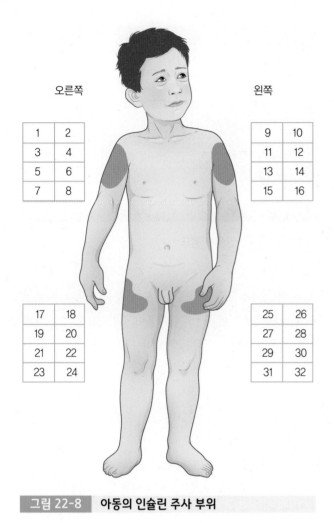

오른쪽　　　왼쪽

1	2
3	4
5	6
7	8

9	10
11	12
13	14
15	16

17	18
19	20
21	22
23	24

25	26
27	28
29	30
31	32

그림 22-8　아동의 인슐린 주사 부위

고 한다. 적극적 치료는 고식적 방법에 비해 혈당조절이 잘 되고 합병증도 적게 발병되지만 저혈당증의 위험이 많다. 고식적 치료군에 비해 적극적 치료군에서 당화 혈색소 농도 가 낮다는 최근 보고에 따라 고식적 치료방법보다는 적극적 인슐린 치료방법이 권고되고 있다.

정상인에서 인슐린의 혈중 농도는 식사 후에 높고 공복 시에는 낮다. 그러므로 당뇨병에서도 이와 같은 생체 리듬 을 맞추기 위해 하루 1~2회 인슐린을 주사하기 보다는 하 루 3~4회 이상 또는 펌프를 통해 지속적으로 주사하는 것 이 바람직하다. 그러나 실제적으로 당뇨병 환아들이 가능한 한 주사를 자주 맞지 않으려고 하기 때문에 일반적으로 하 루에 2회 주사하는 방법이 많이 사용되고 있다.

인슐린은 속효성(regular)과 중간형(NPH, lente) 인슐린 을 혼합하여 하루에 두 번(아침과 저녁 식사 전에 매일 2회) 피하주사 한다. 투여량은 아동마다 다를 수 있지만, 보통 중간형 인슐린 2/3, 속효성 인슐린 1/3의 비율로 섞은 혼합 인슐린을 같은 주사기로 투여한다. 아침 투여량은 하루 총 투여량의 2/3이며, 저녁 투여량은 1/3이다. 혼합된 인슐린 은 5분 이내에 주사하도록 한다. 일반적인 인슐린 투여용량 은 사춘기 전 아동의 경우 0.75~1.0U/kg/일, 사춘기 청소 년은 1.0~1.2U/kg/일이다. 일반적으로 인슐린의 작용발현 시간은 복부가 가장 빠르고 팔, 다리, 둔부의 순서이며, 지 속시간은 복부가 제일 짧고 팔, 다리, 둔부의 순서이다. 이 중 아동에게 가장 적합한 주사 부위는 상박 외측과 대퇴 외 측 부위이다. 성인의 경우 흡수율이 높은 복부를 가장 많이

식사 전 혈당 수치가 기대되는 범위를 초과하였다면, 부모 에게 lag time을 증가하는 것이 고혈당증을 예방하는데 도 움이 된다고 교육한다. 만일 혈당이 식전 검사 시에 낮다면 lag time을 감소하는 것이 저혈당증을 예방하는데 도움이 된다. 또한 아동이 보통과 다르게 많은 양의 식사(생일파티 등)를 할 것이라면, 식전 regular insulin 주사량을 증가시키 도록 한다. 또는 아동이 오후에 심한 운동을 할 예정이라면 regular insulin 주사량을 감소할 수 있다.

(9) 인슐린 주사방법

인슐린 주사는 하루에 1번 주사하는 방법부터 2~4회 주 사하는 방법이 있으며, 펌프와 같이 지속적으로 주입하는 방법도 있다. 일반적으로 하루에 2회 주사하는 방법을 고식 적 방법이라고 하며, 혈당 범위를 정해 놓고 혈당 변화에 따 라 3회 이상, 또는 펌프를 사용하는 경우를 적극적 치료라

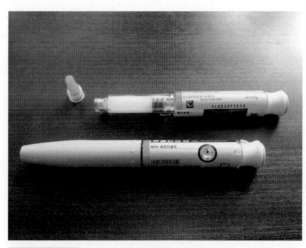

그림 22-9　자동 인슐린 주사기계

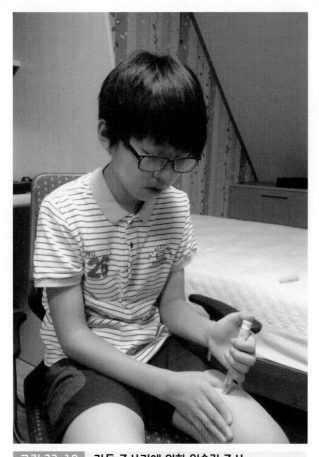

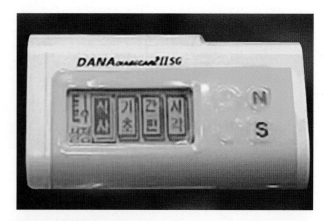

그림 22-11   인슐린 펌프

사 부위를 바꾸도록 격려 한다. 또한 인슐린 주사 후 바로 근육운동을 하면 인슐린의 흡수율이 증가하므로 주사 후에 바로 사용하지 않을 근육을 선택하도록 한다. 예를 들어 아동이 인슐린 주사 후 바로 달리기를 해야 한다면 허벅지 근육(운동되어질 근육)은 주사 부위로 사용하지 않는 것이다. 혹은 아동이 테니스를 한다면 주사 부위로 팔을 사용하지 않아야 하는 것이다.

인슐린 주입용 주사기는 바늘이 매우 짧으므로(약 1.3cm) 주사 부위의 피부를 90°로 집어 올려서 인슐린을 주사하도록 교육한다. 피하로 45°로 주입하는 것보다는 90°로 주사하는 것이 아동에게 더 편하기 때문에 아동은 배우기가 쉽다.

자동주사기계[그림 22-9]는 아동이 사용하기가 편하며 좀 더 어린 아동도 스스로 주사할 수 있는 장점이 있다[그림 22-10]. 자동 주사기계 앞쪽의 주입용 바늘은 작은 캡으로 덮여 있으며 캡을 덮은 채로 교환할 수 있음을 교육하여 주

그림 22-10   자동 주사기에 의한 인슐린 주사

인슐린 양과 질에 따라 인슐린 주입양을 조절하여 주입할 수 있다.

사용하고 있지만 아동은 복부 근육의 발달이 미숙하기 때문에 복부는 주사 부위로 적합하지 않다[그림 22-8].

신체 부위마다 흡수율이 다르므로 흡수율을 동일하게 하여 혈당 농도를 일정하게 유지하기 위해서는 한 부위에 2.5 cm 정도 간격을 두고 계속하여 4~6번 투여 후에 다른 부위로 이동한다. 한 영역의 부위에는 적어도 1주일 정도 주사하며, 그 후 4~6주 동안은 주사하지 않도록 한다.

간호사는 병동의 모든 간호사가 어떤 부위가 다음 주사 부위에 사용되는지 알 수 있도록 주사 부위의 변경계획표를 작성해야 한다. 같은 주사 부위가 반복해서 사용되지 않도록 하기 위하여 차트 및 간호계획에 기록해야 한다. 만일 같은 부위에 지속적으로 주사하면, 주사 부위 피하조직이 심하게 위축되어 지방비 대증(lipohypertrophy)이 발생되고 인슐린이 흡수되지 못하는 합병증이 유발될 수 있으므로 주의하도록 한다. 아동에게 주사 부위 변경 계획에 근거하여 주

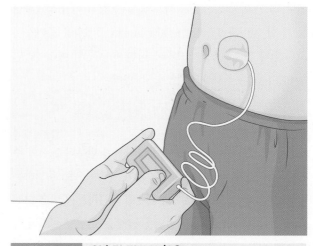

그림 22-12   인슐린 펌프의 착용

사 시 바늘의 오염을 예방해야 한다. 투여 후 남은 인슐린은 냉장고에 보관하도록 하고 다시 투여할 때는 실온과 같은 온도로 투여해야 한다. 왜냐하면 피하조직의 위축을 줄이고 흡수율을 높이기 위해서이다. 이를 위해 냉장고에서 꺼낸 자동주사기계를 5~10분 정도 손에 쥐고 있도록 교육한다.

(10) 인슐린 펌프

인슐린 펌프는[그림 22-11] 기존의 인슐린 주입 요법의 단점을 보완한 치료 방법으로 일상생활을 하는 동안 계획되지 않은 일이 발생했을 때(갑자기 식사량이 늘어났거나 혹은 식사를 하지 못했거나 또는 과도하게 운동했을 경우) 인슐린의 양을 세밀하게 조절함으로써 저혈당 혹은 고혈당이 되는 것을 막는 방법이다. 기계 내부에 인슐린을 담은 주사기가 내장되어 있고, 기계와 연결된 pvc관 끝의 주사바늘을 복부에 피하주사 형태로 3~4일 정도마다 주사 부위를 변경하게 된다[그림 22-12]. 반드시 의사의 처방과 교육이 필요하며 최근에는 펌프를 착용한 상태로 목욕이나 수영도 가능하다.

(11) 영양

Ⅰ형 당뇨병 환아는 연령에 따라서 탄수화물 50%, 단백질 20%, 지방 30% 비율로 적절한 식이를 섭취할 필요가 있다. 하루 총칼로리 섭취 중 아침 식사에 20%, 점심 식사에 20%, 저녁 식사에 30%를 섭취하게 하며, 나머지 30%는 10%씩 아침과 점심 사이, 점심과 저녁 사이, 저녁과 잠자기 전에 간식으로 섭취하게 한다. 아동의 영양공급을 위한 가족교육 내용은 가족지지란에 제시되어 있다.

(12) 운동

주기적인 활동과 운동은 인슐린 수용체를 증가시킴으로 혈당 조절이 잘되게 하므로 당뇨병 관리에 중요한 부분이다. 하루에 30~40분 정도의 운동을 일주일에 4회 이상 하도록 격려한다. Ⅰ형 당뇨병 아동에게 운동이 제한되는 경우는 거의 없지만 활동 증가에 대한 대비가 혈당 조절을 위해 필요하다. 심한 운동으로 인해 발생하는 문제는 주사 부위에서 인슐린 흡수의 증가로 인한 저혈당증이다. 이를 최소화시키는 방법은 운동 시 최소로 사용되는 부위를 주사 부위로 선택하는 것이다. 다른 방법은 추가로 탄수화물 제제를 먹거나 운동 전에 설정된 계획에 따라서 regular 인슐린 주사량을 감소시키는 것이다.

아동은 매일의 운동프로그램이 일정하게 유지되도록 계획해야 한다. 아동의 운동프로그램이 계획되면, 매일 이 유형의 운동을 계속하도록 해야 한다는 점을 주의시킨다.

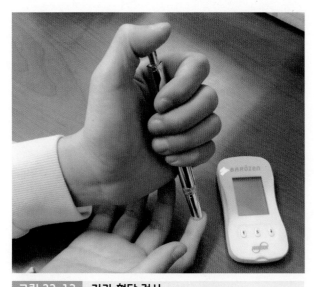

그림 22-13 **자가 혈당 검사**
손개구부가 달린 폐쇄식 보육기

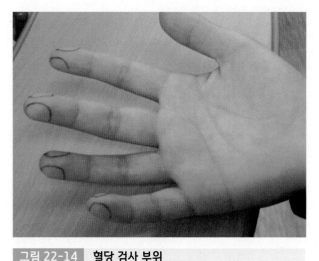

그림 22-14 **혈당 검사 부위**
혈당 측정 시 통증을 줄이기 위해 손가락 가장 자리를 사용한다.

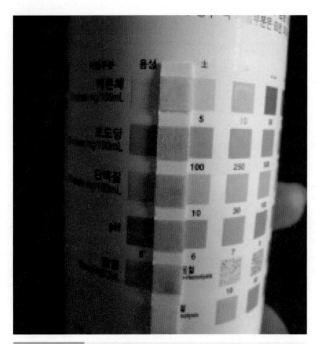

그림 22-15 소변스틱을 이용한 당뇨 및 케톤뇨 검사

손개구부가 달린 폐쇄식 보육기

가족지지 / 영양지침

- 균형 있고 바람직한 식단을 계획하도록 하며 총 칼로리는 나이에 따라 결정한다.
- 하루 세 번의 식사와 간식을 제공한다. 하루 총 칼로리 섭취량은 아침에 20%, 점심 20% 저녁 30%, 그리고 오전, 오후, 저녁 간식에 각각 10%로 한다. 칼로리의 분포는 탄수화물 50%, 지방 30% 그리고 단백질 20%이다.
- 아동이 식사를 거르지 않도록 하며 아동이 좋아하는 음식으로 식단을 바꾸어서 식사를 하도록 격려한다.
- 캔디와 같은 농축된 탄수화물 음식은 피하도록 한다.
- 적절한 섬유소가 아동의 식단에 포함되어야 한다. 이 섬유소는 고혈당증을 예방하도록 돕는다.
- 탄수화물 에너지원을 공급하기 위하여 수영, 야구 게임 등 운동 전에 먹을 수 있는 복합 탄수화물을 몸에 지니게 한다.
- 아동에게 가정 이외에 학교와 친구 집 등에서 현명하게 선택하여 먹도록 하기 위하여 허용되는 음식에 대해 교육한다. 이것은 아동의 독립적인 자가간호 능력을 증진시킨다.

(13) 혈당검사

Glucometer와 같은 자동판독장치[그림 22-13]는 검사 절차가 단순하며 이 혈당검사 결과에 따라 인슐린 용량과 식사량을 조절하게 된다. 매일 한 번 혹은 여러 번 채혈할 수 있으므로 아동의 통증을 줄여주기 위한 노력이 필요한데 손가락 가장자리를 사용하면 통증을 줄일 수 있다[그림 22-14]. 혈액이 이 모니터에 의해서 분석될 때 혈청 포도당 수

치가 아니라 전체 혈액 수치가 측정된다. 이 결과는 혈청 측정치보다 약 15% 높게 나온다는 것을 의미한다. 즉, 전체 혈액에서 나온 결과인 115mg/dL와 혈청 분석결과인 100mg/dL가 같다는 것을 뜻한다. 주기적인 혈당검사를 통해 적절한 혈당치(80~120mg/dL)가 유지될 수 있도록 해야 한다.

혈당 측정 시 통증을 줄이기 위해 손가락 가장자리를 사용한다.

(14) 소변검사

소변검사는 혈당검사 만큼 정확하지 않다는 단점이 있으나, 케톤뇨증을 검사하기 위해서 또는 야간 저혈당증을 검사하기 위해서 시행한다. 소변에 Acetone이 나온다는 것은 지방이 에너지로 사용되었다는 징후이며, 감염이 있거나 충분한 양의 음식이 섭취되지 못했을 때 일어날 수 있다[그림 22-15].

(15) 밀월기간

아동이 당뇨병 진단이 확정되어 인슐린 주사를 시작한 후 75% 환아에서는 저혈당증이 반복해서 나타나므로 인슐린 주사량을 계속해서 줄이게 된다. 이 기간을 밀월기간이라고 한다. 이 밀월기간은 수주에서 수개월, 때로는 1~2년까지 지속되는 경우도 있는데, 이 기간 동안은 외부에서 투입된 인슐린이 췌장의 섬세포를 자극하여 천연 인슐린을 생성하도록 자극한다. 밀월기 동안은 하루 인슐린 용량을 0.1U/kg 소량으로 계속 치료하기를 권장한다.

밀월기가 지난 후에는 다시 췌장의 섬세포 기능이 떨어지기 시작하여 당뇨병 증상이 재발한다. 이것은 부모에게 불안을 줄 수 있다. 왜냐하면 아동의 증상이 이 기간 동안 호전되었으므로 부모들은 잘못 진단받았거나 아동이 치료

표 22-6	당뇨의 합병증	
합병증	급성	케톤산증
		저혈당증
		Somogyi 현상
		새벽 현상
	만성	미세혈관합병증
		대혈관 합병증
		안구렌즈 변화

되었다고 믿기 때문이다. 이때 부모와 아동에게 증상이 다시 발현될 것임을 설명해야 한다. 실제적으로 이 기간 동안 최소한의 인슐린 양으로 조절되기 때문에 치료되었다는 비현실적인 기대를 갖기도 한다.

4) 합병증

당뇨병 환아에게 발생하는 급성 합병증은 케톤산증과 저혈당증이 있으며, 만성 합병증은 미세혈관 합병증(망막병변, 신장병변, 신경 병변)과 대혈관 합병증(동맥 경화증)이 있다[표 22-6].

(1) 케톤산증

케톤산증은 초기 치료 단계인 케톤산증 치료 단계에서 설명하였다.

(2) 저혈당

저혈당증은 당뇨 환아들이 흔히 경험하는 증상으로 가능한 한 저혈당이 초래되지 않도록 하는 것이 당뇨병 치료의 중요한 목표이다. 고식적 인슐린 치료 방법에서는 저혈당증의 빈도가 약 10% 정도이나, 적극적 치료 방법에서는 25%로 상당히 높다. 저혈당 증상으로 카테콜라민이 많이 분비되어 나타나는 자율신경계 증상으로는 식은땀, 손떨림, 불안, 빈맥 등이 있고, 뇌의 에너지 공급원인 포도당 결핍으로 인한 뇌기능 증상으로는 배고픔, 졸림, 짜증과 화냄, 의식 혼탁, 경련, 혼수상태 등이 있다. 치료 방법은 의식이 있으면 탄수화물 5~10g을 주며, 의식이 없는 경우에는 글루카곤을 체중 20kg 미만에서는 0.5mg, 20kg 이상에서는 1.0mg을 근육 주사한다. 15분 후 혈당을 다시 측정하여 계속 저혈당이 있으면 반복 투여한다. 지속적으로 같은 시간대에 저혈당이 발생하는 경우에는 그 시간대에 작용하는 인슐린 주사량을 10~20% 감량한다.

(3) Somogyi 현상

Somogyi 현상은 새벽 2~4시 야간에 저혈당이 발생하고, 이로 인해 길항 호르몬(counter regulatory hormone)이 많이 분비되어 결국 고혈당이 발생하는 경우이다. 식은땀, 악몽, 두통 등 저혈당 증상이 있다가 3~6시간 후에 고혈당 당뇨와 케톤뇨가 발생한다. 지속적인 Somogyi 현상은 저녁 전 중간형 인슐린을 자기 전에 주사하거나, 저녁 또는 취침 전 중간형 인슐린 양을 10~50% 정도 줄여주는 것으로 조절할 수 있다.

(4) 새벽현상

저혈당 없이 새벽 2~6시에 고혈당이 초래되는 것으로 정상아동의 경우 새벽에 성장호르몬이 분비됨에 따라 인슐린 분비도 증가되어 혈당의 변화가 없으나, 당뇨 환아에서는 인슐린 분비가 증가되지 않아 고혈당이 초래된다. 치료는 중간형 인슐린 주사를 밤 9시 이후에 주사하거나, 잠자기 전 간식을 줄인다. Somogyi 현상과 새벽현상의 구별은 새벽 2~4시 사이에 혈당검사 결과 저혈당을 보이면 Somogyi 현상으로 진단한다.

(5) 만성 합병증

장기적인 신체의 변화가 만성 고혈당증으로 인해 일어난다. 이러한 변화 중 하나는 동맥경화증인데, 전신 순환에 장애를 가져오며 아동기에서는 대혈관 합병증이 거의 나타나지 않지만 성인에서는 심각한 문제가 된다. 당뇨병이 있는 여성은 성인기에 어느 정도 동맥경화가 진행되기 때문에 35세 이후에 임신을 하지 않도록 한다. 피임약에 있는 에스트로겐은 혈당 조절을 방해하는 경향이 있으므로 당뇨병이 있는 여성에게는 다른 피임법을 사용하도록 권장한다. I형 당뇨병에서는 발병 15년 후에 20~40%에서 말기 신질환이 합병된다. 그리고 망막의 모세혈관이 두꺼워지는 증식성 망막병변이 당뇨병이 지속될수록 진행되어 그 결과 실명이 초래될 수 있으며[그림 22-16], 안구렌즈 변화로 인해 백내장 등이 생긴다. 전형적인 말초신경 병변은 주로 발에서 나타난다. 심한 통증이 주로 밤에 심해지며 감각이상 및 소실, 발의 궤양과 감염이 나타난다.

5) 췌장 이식

신장 또는 망막에 심한 합병증이 초래된 당뇨병 환아는 췌장 이식이 고려된다. 다른 기관이식과 달리 아동의 췌장은 완전히 제거되지 않는다. 소화기계 효소를 분비하는 부분은 아직 기능하기 때문에 1/2 가량은 남겨둔다. 새로운

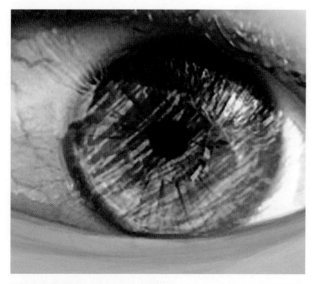

그림 22-16　당뇨성 망막병증

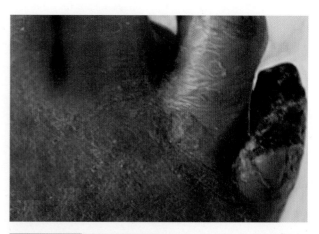

그림 22-17　당뇨성 족부 괴저

췌장은 장골(iliac) 동맥과 정맥에 이식되는데, 이는 인슐린이 새 장기에서 체내 순환으로 들어가도록 하기 위해서이다. 새 췌장에서 분비되는 불필요한 소화효소들은 장 또는 방광으로 우회시켜 배설되게 할 수도 있고 또는 췌장관을 경화시켜 이식된 새 췌장 밖으로 분비되지 못하게 한다.

　면역반응을 줄이고 이식 거부반응으로부터 보호하기 위하여 아동은 수술 후에 Antilymphocyte globulin, Cyclosporine, Prednisone 또는 Azathioprine (Imuran)과 같은 약물을 주입한다. 만일 거부 반응이 일어나기 시작한다면 monoclonal T-cell 항체를 투여한다. 췌장이식은 당뇨병 환아를 위한 마지막 방법이다. 왜냐하면 결과는 양호하지 않기 때문이며(약 50%에서 이식 거부반응이 일어난다), 평생 계속적인 면역억제제를 사용해야 하고 그로 인해 감염에 취약하다는 단점이 있다.

6) 간호

(1) 인슐린 자가-주입

　약 9세경부터 아동은 자신의 인슐린을 주입하는 것을 배울 수 있다. 더 어린 아동들은 주사기를 올바로 조절할 수 없으며 멸균법과 적절한 용량의 중요성을 이해하지 못하고, 피곤하거나 바쁘면 인슐린 주사를 잊기 쉽기 때문이다.

　아동 스스로 주사하는 것을 배우는 것은 쉬운 일이 아니다. 인슐린을 투여하는 데에는 약물을 뽑고 주사하는 것의

2단계만 있다고 생각할 수 있지만 실제적으로는 25단계 이상이 포함되기 때문이다. 게다가 인슐린을 섞어서 사용해야 한다면 그 단계가 더 늘어난다. 아동은 스스로 주사해야 한다는 불안감을 느낄 수 있으며, 아동이 주사에 익숙해지는 것은 어려운 일이다. 아동이 처음부터 자가 주입이 가능하더라도 가족 중 한 사람은 함께 주사방법을 배워야 한다. 아동이 스스로 인슐린을 주입하는 것을 꺼려하는 날이 있을 수 있기 때문이다. 때로 부모 중에는 자녀에게 통증이 있는 행위를 해야 하는 것에 대해 힘들어할 수 있지만 이 주사행위가 아동의 증상을 경감시키기 위해 반드시 필요한 행위로 인지할 수 있도록 격려한다.

간호진단 및 목표

간호진단 : 인슐린 자가주입, 운동 그리고 위생과 관련된 건강추구 행위

간호목표 : 아동은 인슐린을 자가 주입할 수 있을 것이다. 3일 이내에 운동과 위생프로그램에 관심을 보일 것이다.

예상되는 결과 : 아동은 간호사에게 인슐린 주사기법시범을 보인다. 정확한 절차를 설명한다. 아동은 운동과 위생프로그램을 위한 계획을 토의한다.

(2) 위생

　피부 관리 특히 발 관리는 당뇨병 환자에게 매우 중요하다. 왜냐하면 동맥경화증으로 인해서 발로 가는 혈액순환의 양이 줄어들고 감소된 혈액순환은 치유능력을 저하시켜 당뇨성 족부 괴저[그림 22-17] 등을 유발할 수 있기 때문이다. 아동은 성인에 비해 심각한 사항은 아니지만, 발톱이 살로 파고들지 않도록 항상 발톱 끝을 일자로 잘라주어야 한다.

상처가 나면 바로 치유하며 발에 꼭 끼는 신발은 피해야 한다. 여아에게는 질 감염을 예방하기 위하여 회음부 간호를 청결하게 하도록 주의시킨다.

(3) 표현의 격려

부모는 다른 가족구성원에게서 발생하는 질병에 대해 알고 있었을지라도 바로 자신의 자녀에게서 이러한 질병이 발생한 것에 대해서 매우 당혹스러워 한다. 부모와 아동 모두 당뇨병에 대한 그들의 생각을 표현할 수 있는 시간이 필요하다. 아동과 부모는 주변의 다른 사람들로부터 이 질병에 대한 많은 잘못된 이야기를 들을지도 모른다. 이러한 오해는 아동이 자신의 진단을 받아들이기 전에 교정되어야 할 필요가 있다.

처음 당뇨병 진단을 받은 아동의 부모에게는 많은 책임이 부과된다. 그들은 진단 후 처음 며칠 동안 가정간호에 필요한 점에 대해 상담하기 위하여 건강관리시설, 의료요원 또는 가정관리 요원의 연락처를 알아 둘 필요가 있다. 이 기간 동안 대부분의 부모들은 그들이 인슐린을 주사하기 전에 정확한 양을 투여하고 있다는 확신을 가질 수 있고, 상담할 수 있는 조력자를 알고 있다는 것에 대해서 매우 고마워한다.

간호진단 및 목표

간호진단 : 새로 당뇨병 진단을 받은 아동과 관련된 부모의 불안
간호목표 : 부모는 이 질병과정과 아동간호에 대한 그들의 역할에 대해서 완전한 이해를 나타낼 것이다. 부모는 한 달 이내에 새로이 부과된 그들의 책임을 다룰 수 있는 능력을 보일 것이다.
예상되는 결과 : 부모는 정확하게 아동의 질병과 치료 및 질병이 아동의 생활 양상에 미치는 점에 대해서 기술한다. 부모는 매일 규칙적으로 아동을 돌보기 위한 구체적인 계획을 말하며 이 계획표의 잠재적인 문제와 이것을 조절하기 위한 방법을 확인한다.

(4) 질병과 돌봄의 원칙에 대한 교육

교육은 새로 당뇨병 진단을 받은 아동을 위한 중요한 중재방법 중 하나이다. 인슐린 주사법, 식이조절, 운동 등은 혈당을 감소시킬 것이며, 음식물 섭취의 증가는 혈당을 상승시킨다는 사실과 같은 일반적인 관리 원칙을 설명한다. 또한 감염과 정서적인 분노는 인슐린 요구량을 증가시키게 됨을 설명한다. 만일 이러한 일반적인 과정이 설명되지 않는다면 운동이 실제적으로 건강에 도움이 된다는 사실을 모른 채 부모들은 아동을 비교적 조용하고 편안히 지내게 하려고 할 것이다.

저혈당증은 매우 심각한 상태이며 반드시 예방되어야 한다는 점을 교육한다. 그렇지 않으면 부모는 계속적인 저혈당을 신체 내의 포도당을 고갈시키는 위험한 잠재적 증상으로 보기보다는 긍정적인 증상으로 볼 수 있다. 만일 조기에 증상이 발견되어 치료되지 않는다면 아동은 혼수상태나 경련에 이르게 됨을 설명한다. 심각한 포도당 고갈은 정신 및 운동 손상과 더불어 영구적인 뇌손상을 가져올 수 있는데 뇌세포 대사에 포도당이 필요하기 때문이다.

부모는 의료진의 감독 하에 인슐린 주사법과 혈당 자가 검사 방법을 수행할 수 있는 기회를 가져야 한다. 이를 통해 부모는 이 절차와 수반되는 문제에 대해 친숙해질 수 있다. 아동이 자신을 위해 수행한 것에 대해서 긍정적인 칭찬을 아끼지 말아야 한다. 처음에는 하루에 한 번 정도로 아동이 스스로 혈당 자가 검사를 하고 인슐린을 주사하도록 제한하는 것이 바람직하다. 이것은 부모가 자녀에게 너무 많은 것을 기대하지 않도록 도울 것이며, 아동이 부모의 기대에 충족되지 못할 때 오는 좌절감을 안고 성장하지 않도록 한다. 자신의 당뇨병을 성공적으로 관리하는 것이 보상과 칭찬이 되는 경험이 되어야 한다.

부모에게 아동이 사용할 인슐린에 대해서 교육하며, 너무 많은 종류의 인슐린 유형에 대해 소개하는 것은 혼란을 줄 수 있다. 인슐린 유형이 바뀌지면 새 유형에 대해서 그 때 자세한 설명을 하도록 한다. 또한 부모나 아동은 경과기록지에 혈당 자가 검사결과를 기록하고 보관하도록 한다. 이것은 주기적인 확인평가 때 비정상적인 상태가 있는지 평가하기 위함이다.

(5) 감독과 지지방법

당뇨병 환아는 자주 건강관리자의 감독을 받을 필요가 있다. 처음에 진단을 잘 받아들이는 것처럼 보이는 아동은 그들의 질병에 대한 실제적인 경험을 하면서 나중에 어려움을 겪을 수 있다. 민감한 시기에 있는 청소년은 혈당 자가 검사와 인슐린 주입을 거부할 수 있다.

청소년에게 있어서 당뇨병환자가 되기란 쉬운 일이 아니

다. 건강관리요원들에게 이러한 사실에 대한 이해와 인식이 필요하다. 부모의 적극적인 지지자가 되는 것은 중요한 간호사의 역할이다. 부모는 인슐린 주입법과 혈당 자가 검사를 배우는 것에 대해서만 관심을 두고 매일의 생활에서 미래에 일어날 수 있는 문제는 가볍게 생각하는 경향이 있다. 문제가 있거나 의문이 생길 때 바로 연락할 수 있는 지지그룹이 있다는 점을 부모에게 상기시킨다.

> **간호진단 및 목표**
>
> 간호진단 : 감소된 인슐린 수치와 관련된 영양부족 위험성
> 간호목표 : 아동은 한 달 이내에 정상적인 혈청 포도당 수치를 회복할 수 있도록 영양계획을 할 수 있음을 보일 것이다.
> 예상되는 결과 : 아동의 성장은 성장곡선의 평균 성장 수치를 따라간다. 혈청 포도당은 70~130mg/dL 사이에 있다. 아동은 영양과 운동프로그램을 수행하고 있음을 말한다.

(6) 영양 프로그램의 계획

예전에는 당뇨병 환아에게 구체적으로 각 음식의 무게와 칼로리를 측정하는 엄격한 식단이 처방되었다. 최근에는 자유로운 식사가 허용되면서 당뇨를 인슐린 양을 증가시킴으로써 조절하기도 한다. 그러나 다시 신중한 식이 조절과 식단의 변경이 필요하다는 의견이 다시 받아들여지고 있다. 왜냐하면 만성적인 고혈당증은 혈관 질환을 유발할 수 있기 때문이다.

(7) 저혈당관리의 교육

저혈당 증상은 혈당수치가 60mg/dL로 떨어질 때 일어난다. 이때는 당뇨 증상이 없을 것이다. 아동은 저혈당의 원인을 알고 있어야 하며 그들에게 이러한 증상이 발생했을 때 행해야 하는 응급조치에 대해서도 알아야 한다. 저혈당은 너무 많은 인슐린을 주입하거나 과격한 운동(운동은 포도당 소비를 증가시킨다) 또는 충분한 음식을 먹지 않았을 때 일어난다. 특징적으로 초기에 불안, 허약, 어지러움증, 발한, 떨림이 있다. 또는 분노발작, 고집부림, 신경질 등 평상시와 다르게 행동하는 것으로 나타난다. 소수 아동은 저혈당증을 인식하지 못해 저혈당이 발생했음에도 불구하고 무감각한 증상을 보이는데 이와 같은 아동들은 다른 아동들보다 더욱 세심한 혈당 관리 계획이 필요하다.

저혈당증의 증상이 인식될 때 아동은 즉각적으로 설탕을 먹는 것이 필요하다. 5개의 각설탕 또는 설탕을 탄 오렌지주스 반 컵이 좋다. 아동이 필요할 때 먹을 수 있도록 항상 설탕을 몸에 지니게 한다. 만일 설탕을 먹은 후 15분 후에 증상이 호전되지 않는다면 설탕과 오렌지주스를 더 주어야 한다. 부모들은 이 상황을 건강관리요원에게 보고한다. 처음 발견되었을 때 혼수상태에 있거나 구강으로 설탕을 섭취하는 것을 싫어하는 아동을 위해서는 Glucagon hydro-Chlride를 일정량 주사한다. 이것은 간에 저장된 glycogen을 포도당으로 전환시킨다. 일반적으로 이 약물 주사 후 충분한 glycogen이 포도당으로 전환되어 아동을 혼수상태에서 벗어나게 한다. 그러나 만일 아동에게서 glycogen 공급이 고갈되는 경우 이 약물은 효과가 없다. 만일 부모가 아동에게 주사나 구강으로 설탕을 줄 수 없다면 꿀, 옥수수 시럽 또는 포도당을 잇몸 또는 뺨 안쪽으로 넣어서 문질러준다(물론 부모는 이때 흡인으로 인한 질식을 예방하는 법을 교육받아야 한다). 다른 방법은 옥수수 시럽 관장이다. 이 방법은 포도당을 제공할 수 있다. 빈 관장 용기에 진한 Karo 시럽 28.4g과 물 약 56.8g을 채운다. 주입 후 시럽 안의 설탕이 계속 장 점막을 통해 흡수된다. 어린 당뇨병 아동의 경우, 특히 즉각적인 설탕 공급원으로 이 방법이 도움이 된다. 부모는 관장용기를 준비한 후 시럽을 용기에 채운 다음 냉장고에 보관한다. 사용 직전 시럽을 따뜻하게 하고 희석하기 위해서 물 56.8g을 추가한다. 아동이 혼수상태에서 깨어나서 다시 저혈당증이 발생되는 것을 예방하기 위해서 구강으로 설탕을 섭취하게 한다. 일차 건강관리자에게 이 사건을 보고하도록 한다. 왜냐하면 저혈당증이 발생한 원인을 확인하고 다시 이러한 일이 발생되는 일을 예방할 수 있는 방법을 찾기 위함이다.

부모에게 저혈당증이 잘 일어나는 시간을 교육함으로써 신속히 예방방법을 취하도록 한다. 저혈당증은 투여된 인슐린의 최대효과 시간(점심 전과 저녁 전)에 가장 잘 일어난다. 학령기 아동은 첫 점심시간에 바로 이 부분을 계획해야 할 필요가 있다. 또는 점심 전에 각 설탕 한 개를 간식으로 줄 수도 있다. 그리고 점심은 정해진 시간에 먹어야 하며 저녁이 늦어질 경우에 저혈당증을 예방하기 위해서 간식을 먹도록 한다. 만일 아동이 수영, 테니스 또는 야구와 같은 활

동적인 스포츠를 하려고 한다면 운동하기 전에 설탕을 섭취하도록 한다. 특히 수영하기 전에 이 점을 주의시키는 것은 매우 중요한데, 아동이 수영장 한 가운데서 갑자기 저혈당이 발생될 수 있기 때문이다. 때때로 인슐린을 과량 투여하여 지속적인 저혈당증이 일어난 경우는 스트레스 호르몬(cortisol 또는 epinephrine)으로 인한 반동성(rebound) 고혈당 반응의 원인이 되며, 이를 Somogyi 현상이라고 한다. 이 현상이 있을 경우, 이른 새벽(새벽 2시 또는 3시) 저혈당증과 아침식사 전 공복에 고혈당증이 나타난다. 이러한 아동은 문제를 해결하기 위해서 인슐린을 증가시키기 보다는 인슐린 양을 줄일 필요가 있다.

또한 아동이 부모나 담임교사 등 도움을 줄 수 있는 사람이 옆에 없는 상황에서 저혈당으로 인한 어려움을 당할 경우 주위 사람들로부터 신속한 도움을 받을 수 있도록 하기 위해 당뇨 인식표[그림 22-18]를 달아주는 것이 좋다. 당뇨 인식표에는 아동의 인적사항과 질병에 대한 설명과 보호자나 주로 방문하는 의료기관의 전화번호를 기록하도록 한다.

(8) 케톤산증에 대한 부모 교육

고혈당증(혈류 내에 있는 포도당 수치에 비해 인슐린의 양이 너무 적을 때 일어남)과 저혈당증(인슐린이 너무 많이 있을 때 일어남)을 구분하는 것은 비교적 어렵다. 고혈당증은 케톤산증을 유발하며, 구토, 복통 그리고 저혈당증에서 보이는 행동변화가 일어난다. 차이점은 아동이 소변을 자주 보기 원하며 소변에서 포도당이 검출되는 것이다. 저혈당증

그림 22-18 당뇨 인식표

에서 포도당 수치는 "0"이 되고, 인슐린이 거의 없음으로 인해서 발생하는 케톤산증의 경우에서는 당뇨가 심하다. 그러나 아동이 소변을 볼 수 없을 때는 그 원인을 정확히 파악해야 한다. 이 경우에서는 부모가 문제의 원인을 알지 못할 때 저혈당증에서와 같이 아동에게 설탕을 주어야만 한다. 추가된 탄수화물은 만일 문제가 이미 고혈당증이 있는 경우라면 해가 되지 않는다. 반면, 투여된 인슐린은 원인이 저혈당증이라면 해가 될 수 있다. 아동이 소변을 볼 수 없다는 점은 이 문제가 저혈당증이라는 사실을 확인하는데 도움이 된다. 고혈당증이 있는 경우는 소변양이 매우 많다. 이것은 당뇨병의 초기 증상 중 하나이다. 혈청 포도당 수치를 손가락 천자법으로 사정하는 것은 증상이 고혈당증과 관련된 것인지 또는 저혈당증에 관련된 문제인지를 판단하게 해준다.

케톤산증이 심할 때 아동의 호흡은 깊고 빨라진다(Kussmaul 호흡). 이는 이산화탄소를 배출하여 산성 상태를 감소시키기 위해서이다. 호흡 시 케톤체의 존재로 인해

표 22-7	저혈당증과 고혈당증의 비교	
비교 내용	저혈당증	고혈당증
원인	과다한 인슐린 주사, 과다한 운동, 제한된 음식 섭취	부적절한 인슐린 주사, 과다한 음식물 섭취, 감염, 수술과 같은 스트레스
증상	배고픔, 기면, 감각의 변화, 창백	당뇨와 케톤뇨증, 다뇨, 다갈, Kussmaul 호흡
	발한, 경련, 홍조, 혼수	아세톤 냄새가 나는 호흡, 감소된 이산화탄소 결합력, 탈수, 나트륨, 칼륨, 중탄산염, 염화물, 인 수치의 감소, 구토, 복통, 혼수
위험	뇌세포는 기능과 세포의 생명유지에 포도당이 필요함	지방산이 사용되어 산증이 발생
주요 간호중재	구강, 직장 또는 정맥 내로 포도당 주입, 재발 방지를 위한 교육	전해질 균형과 수화(hydration)의 회복, 재발 방지를 위한 교육

간호사례 / 1형 당뇨병 아동

9세 된 남아는 3개월 전 제1형 당뇨병을 진단받은 후 추후 관리를 받기 위해 일차건강관리자를 만나러 왔다. 9세된 남아는 키와 몸무게가 연령에 적합하다. 남아는 하루에 4회 혈당수치를 finger stick으로 확인하며, 혈당수치는 100~120mg/dl 범위에 있다. 인슐린 투약은 아침 식사 전 short-acting과 intermediate-acting 인슐린을 저녁식사 전 intermediate-acting 인슐린을 투여받고 있다. 식이력은 하루에 세 번 식사를 하며 오후와 자기 전 간식을 먹는다. 아이는 활동적이며 방과 후 줄넘기와 자전거 타기를 한다. 당뇨병 관리지침에 따르면 활동량이 증가 되어진 것으로 확인되었다. 주말에는 2번의 축구경기가 계획되어져 있다. 지난 2주간 남아의 혈당수치를 목표치보다 이하로 떨어지면서 저혈당증상이 나타났다. 남아는 운동 후 이러한 증상이 확인되어 혈당이 떨어지는 것이 두려워 간식을 섭취하고 있다.

사   정 : 지난 2주간 남아의 혈당수치를 목표치보다 이하로 떨어지면서 저혈당증상이 나타났다 – 남아는 운동 후 이러한 증상이 확인되어 혈당이 떨어지는 것이 두려워 간식을 섭취하고 있다.

간호진단 : 제1형 당뇨병에 대한 지식부족과 관련된 비효율적인 치료요법 관리

간호목표 : 아동과 보호자는 효율적인 건강관리를 이행한다.

평   가 : 아동과 보호자는 제1형 당뇨병의 치료요법에 대해 정확히 이행하고 있을 것이다.

계획 및 중재

1. 인슐린과 활동, 탄수화물 섭취간의 관계에 관련된 아동과 보호자의 현재 지식수준을 사정한다.
2. 제1형 당뇨병에 관한 아동과 보호자의 이해를 사정한다.
3. 당뇨병 자가관리와 관련된 정보와 교육을 제공한다.
4. 저혈당을 방지하기 위해 적절히 인슐린을 조절한다.

사   정 : 아이는 활동적이며 방과 후 줄넘기와 자전거 타기를 한다. 당뇨병 관리지침에 따르면 활동량이 증가 되어진 것으로 확인되었다. – 지난 2주간 남아의 혈당수치를 목표치보다 이하로 떨어지면서 저혈당 증상이 나타났다.

간호진단 : 저혈당과 관련된 신체손상의 위험성

간호목표 : 아동은 저혈당과 관련된 신체손상을 경험하지 않을 것이다

평   가 : 아동은 정상 혈당 수치를 나타낼 것이며, 저혈당 시 대처할 수 있는 식품 및 약물을 항상 지니게 될 것이다.

계획 및 중재

1. 아동은 언제나 자신의 혈당을 확인할 수 있을 것이다.
2. 아동은 처방된 인슐린을 투여할 것이다
3. 아동은 의료 인식표를 지니게 될 것이다.
4. 저혈당이 나타날 때 아동은 즉각적인 처치를 받을 수 있을 것이다.
5. 당뇨관리 계획을 저혈당의 위험을 낮추는 방향으로 조정 할 것이다.

서 단 케톤냄새가 나고 맥박은 빨라진다. 아동은 탈수 증상을 보일 수 있는데 건조한 점막과 피부, 움푹 꺼진 눈, 눈물이 없는 것이다. 이것은 당뇨병 아동이 처음 진단받았을 때의 모습이다.

또한 당뇨병 아동에게서 위장염이 자주 발병되는 것을 볼 수 있는데, 이 때 아동이 잘 먹지 않아 인슐린이 과량 투여된 상황이 발생될 수 있고, 혹은 식사량이 감소했다고 생각하여 인슐린 투여를 생략하게 되어 고혈당 상태가 될 수도 있다.

감염은 인슐린 소모를 증진시키므로 인슐린 주입 양을 조절할 필요가 있다. 그러므로 당뇨병 환아가 일반적인 감기나 위장염 등의 소화기계 장애가 발생했을 때는 반드시 병원을 방문하도록 격려한다. 저혈당증과 고혈당증을 [표 22-7]에 비교, 제시하였다.

확인문제

3. 아동기에 흔하게 발생하는 당뇨병 유형은?

4. 저혈당증의 전형적인 증상은 무엇인가?

간호진단 및 목표

간호진단 : 저혈당과 관련된 신체손상의 위험성
간호목표 : 아동은 저혈당과 관련된 신체손상을 경험하지 않을
것이다.
예상되는 결과 : 아동은 정상 혈당 수치를 나타낼 것이며, 저혈당 시
대처할 수 있는 식품 및 약물을 항상 지니게 될 것이다.

요 점

※ 성장호르몬 결핍, 뇌하수체 질환은 아동에게 성징저
하를 가져온다. 아동의 치료는 성장호르몬을 주사하
는 것이다. 아동에게 중요한 주변 사람들로부터 적절
한 정서적 지지가 주어지지 않으면 자아존중감의 장
애를 경험한다.

※ 선천성 갑상선기능저하증은 갑상선기능부전으로 인해
초래된다. 출생 시 혈액검사를 통해서 발견된다. 치료
는 구강으로 합성 갑상선호르몬을 투여하는 것이다.

※ 아동기에 흔하게 발생하는 췌장질환은 제1형 당뇨병
이다. 이것은 인슐린을 생성하는 췌장의 섬세포 파괴
를 가져 오는 자가면역 과정에 의한 것이다. 치료는
인슐린 투여, 식이조절, 운동요법의 복합처방이 요구
된다.

확인문제 정답

1. 호르몬
2. 가장 심각한 주요 증상은 인지손상이다.
3. 1형 당뇨병
4. 불안, 허약감, 발한, 떨림

감염병 아동의 간호

주요용어

돌발피진(장미진, exanthem subitum)
디프테리아(diphtheria)
백일해(pertussis)
볼거리(mumps)
성홍열(scarlet fever)
수두(chicken pox)
손발입병(수족구병, hand-foot-and-mouth disease)
일본뇌염(Japanese encephalitis)
장 바이러스(enteroviruses)
파상풍(tetanus)
풍진(rubella)
홍역(measles, rubeola)

학습목표

01 수두 아동에게 간호과정을 적용한다.
02 풍진 아동에게 간호과정을 적용한다.
03 홍역 아동에게 간호과정을 적용한다.
04 볼거리 아동에게 간호과정을 적용한다.
05 일본뇌염 아동에게 간호과정을 적용한다.
06 돌발피진(장미진) 아동에게 간호과정을 적용한다.
07 손발입병(수족구병) 아동에게 간호과정을 적용한다.
08 성홍열 아동에게 간호과정을 적용한다.
09 파상풍 아동에게 간호과정을 적용한다.
10 디프테리아 아동에게 간호과정을 적용한다.

I 감염의 특성 및 확산 예방

병원감염이나 접촉에 의한 감염은 입원하고 있는 아동을 위협할 수 있다. 그러나 이는 간호사가 예방할 수 있다.

간호사들과 건강기관 종사자들은 그들을 보호하여 질병이 전염되는 것을 미연에 예방해야 한다. 질병 조절 기관에 의해서 요구되어진 표준 예방법을 [표 23-1]에 요약하였다. 병원에서 감염된 경우를 보면 2세 이하의 아동에게 0.2%에서 7%까지 감염되었다. 이런 아동은 영양부족 상태, 면역억제제를 받는 아동, 혈관에 라인이나 카테터를 꽂은 아동 또는 광범위 항생제 치료를 받는 아동, 병원감염에 걸리기 쉬운 매우 위험한 시간인 72시간 이상 병원에 남아 있는 아동이었다. 간호사들은 자주 손을 닦아 엄격한 무균 상태를 유지하도록 한다. 이러한 예방 조치를 함으로서 최소한의 전염을 막을 수 있다[표 23-2].

II 감염성 질환의 사정

감염성 질병의 관리 시 감염되기 쉬운 사람에게 노출되는 것을 방지하고 감염원을 규명하는 것이 중요하며, 다음의 물음에 대한 사정이 필요하다.

- 최근에 감염원에 노출 여부
- 발열이나 발진 같은 전구증상의 여부
- 예방접종의 여부
- 병력에 대한 사정
- 발진 출현 시기, 부위, 분포양상, 모양, 동반되는 증상 여부

간호진단 및 목표

간호진단 : 피부 부위의 소양증과 관련된 통증
간호목표 : 병이 진행되는 동안 통증을 참을 수 있다.
예상되는 결과 : 아동이 좀 더 편안해졌다. 가려움증이 줄어들었고 마구 긁는 것도 보이지 않았다. 과도하게 긁는 것과 피가 묻어 있는 것이 보이지 않는다.

피부 병변의 소양증을 편안하게 해주는 것은 많은 아

표 23-1	전염과 표준 예방조치

표준적인 예방조치로 병원균이 있는 체액과 혈액의 전염 위험이 줄어든다. 이는 모든 환아의 간호를 하는 동안 적용된다.

전염의 예방조치

전염의 기초 예방조치는 부가적인 예방조치가 필요한 전염될 수 있는 병원체에 감염이 되었는지 고려되어야 한다. 예방조치는 공기, 작은 물방울, 접촉의 3가지 종류가 있다. 그 3가지 요인들이 질병과 결합하여 다양한 방법으로 전염이 된다.

1) 공기의 예방조치

공기의 예방조치는 극소량의 유기체가 공기를 통하여 전염이 되는 위험을 줄여준다. 극소유기체는 이 방법으로 광범위하게 옮겨진다. 예를 들면 홍역, 결핵과 수두같은 질병이 해당된다.

2) 작은 비말의 예방조치

비말의 예방조치는 다량의 작은 비말과 접촉하여 병원균이 퍼지는 위험을 줄여준다. 기침과 같은 행동이나 재채기와 대화 시에 침이 튀기는 것들로 인한 행동들이다. 그들은 흡입할 때나 기관지경을 볼 때 또한 퍼질 수 있다. 다량의 비말들이 가까운 거리에서 공기 중에 떠다니지 않게 하기 위해 접촉을 막도록 한다. 예를 들면 디프테리아나 이하선염, 파상풍 같은 질병이 이와 같은 방법으로 퍼진다.

3) 접촉의 예방조치

접촉의 예방조치로 인하여 직접 또는 간접으로 병원균에 전염되는 위험을 줄여준다. 직접적인 접촉은 악수 같은 방법으로 피부와 피부끼리 접촉하게 되는 것이다. 간접접촉의 전염은 빗이나 오염된 옷과 같은 숙주에 의해서 감염이 되는 것들이다. 농가진 같은 피부감염은 접촉의 방법으로 질병이 퍼지는 좋은 예이다.

동기 감염에서 중요하다. 다행히도 치료 중의 하나로 불편을 감소시킬 수 있는 것이 있다. 소양증은 진통제(Acetaminophen, Tylenol)가 통증을 최소화 시켜 주기 때문이다. Benadryl과 같은 항히스타민제는 많은 도움을 준다. 칼라민 로션은 가려움증을 줄여줄 수 있는 시원하고도 부드러운 무처방 로션이다. 목욕요법은 2가지 목적이 있는데, 평온하게 해주고 이완시켜 주는 것이다. 특히 취학 전 아동들은 발진의 불편함이 없으려면 15~20분 정도 목욕통에서 몸을 담그고 있어야 한다.

만약에 발진이 겉으로 드러나지 않으면 아동의 심장이나 뇌에 어떤 영향을 미칠 수 있다. 실제로 몸을 감싸는 것은 발진을 더 불편하게 느끼게 되며, 열이 날 수 있으므로 면으로 된 가벼운 옷을 입혀야 한다. 모포로 된 담요를 침대에서 치우고, 아동의 손톱도 짧게 잘라서 긁어도 상처가 나지 않도록 한다. 특히 밤에는 더 심해지므로, 발진을 줄여줄 수

표 23-2	감염 예방을 위한 주의 지침
대상	과정
손	손은 항상 환자와 접촉하기 전에 닦는다. 장갑을 착용했을 때는 즉각적으로 장갑을 벗고 닦는다. 만약 혈액이나 체액, 분비물, 배설물, 오염원에 손이 접촉되었다면 반드시 즉각적으로 비누와 물로 닦아야 한다. 환자의 교차감염을 막기 위해 손을 닦는 것은 반드시 필요하다.
장갑	혈액이나 체액, 분비물, 배설물 또는 오염원이라고 예상될 때 장갑을 착용해야 한다.
가운	가운이나 플라스틱 앞치마는 혈액이 튈 것 같을 때 사용한다.
마스크, 장갑, 얼굴보호막	치과나 외과에서 상처를 세척하고 부검을 하거나 기관지경을 할 때 분무되거나 튀기 때문에 착용한다.
날카로운 물질	날카로운 물질은 찔리거나 잘리는 사고를 예방할 수 있게 잘 다루어야 한다. 바늘은 구부리거나 부러뜨리지 말고 즉시 폐기물통에 버린다. 불필요한 것이나 1회용 바늘은 쓰고 나서 즉각적으로 폐기하여야 한다. 모든 바늘의 사고와 점액이 튀기거나 혈액과 체액이 나오는 개방된 상처의 오염원은 즉각적으로 기관의 관리자에게 보고해야 한다.
혈액의 흘림	혈액을 흘렸으면 5.25% sodium hypochloride와 물을 1:10으로 희석한 소독용액으로 즉석에서 닦아야 한다.
혈액 견본	혈액 견본은 생물학적인 위험성을 고려하여 표시를 한다.
소생술	응급소생술인 구강대 구강 호흡과 입마개 및 소생술에 필요한 엠부백 등 기구들의 필요성을 최소화하고, 소생술의 필요가 예측되는 곳에서는 이런 기구들을 전략적으로 잘 사용할 수 있도록 두어야 한다.

있는 방법을 가족들이 알고 있어야 한다. 휴식을 취할 수 있는 편안한 환경을 제공해야 한다.

감염을 예방해야 하기 때문에 다른 사람과 격리된 아동은 사회적 욕구와 자극이 없는 한 외로움과 우울함을 느끼게 된다. 그 시간에 책을 보고, 카드놀이를 하거나 다른 사람으로부터 격리된 느낌에 대하여 이야기를 하게 한다.

아동이 병원에 있을 때 부모는 감염에 대하여 예방조치를 취할 수 있어야 한다. 많은 부모들은 가운을 입는 것과 씻는 것에 관하여 심각하게 생각할 수 있다. 아동이 병원에 입원하게 될 때, 부모들은 질병에 이환되어 있는 상태 때문에 화가 나있어 설명에 대하여 귀를 기울이지 않을 수 있다.

몇몇 병원균은 햇빛에 의해 파괴되지 않고 어떤 것은 가스 소독으로도 안 될 때가 있다.

아동의 장난감도 체크해야 한다. 전환된 행동이 부족한 것은 제한된 단조로움과 관련이 있다. 이것은 감염 예방조치의 또 다른 간호진단이 된다.

Ⅲ 바이러스성 감염

01 / 수두

1) 원인 및 특징

수두(varicella, chickenpox)는 수두 대상포진 바이러스(varicellazoster virus)에 의해 감염되며, 인간이 유일한 병원소이다. 전파경로는 비말을 통한 공기매개이며 병변과의 직접적인 접촉이나 분무 형태로 흡입되면 전파된다. 잠복기는 평균 14~16일(가능 범위 10일~21일)이며, 발진 발생 1~2일 전부터 발진 발생 후 4~5일에 전파되고 겨울에서 초봄에 호발한다.

2) 임상양상 및 진단

수두의 임상양상은 전염력이 매우 강한 감염병으로서 수포가 초기 병변일수록 전염력이 강하고, 딱지가 생기면 전염되지 않는다. 수두의 전구기는 1~2일간의 발열과 권태감이며, 아동의 경우 발진이 첫 번째 증후로 나타나는 경우가 많다. 반점에서 구진이나 수포의 순서로 머리에서 처음으로 나타나 몸통, 사지로 퍼져 나가는데 주로 몸통 부위에 병변이 나타나고 소양감을 동반한다. 수포는 기저부에 맑은 액체를 함유하고 있고 가피가 형성되기 전에 터지거나 농포가 형성된다. 연속적인 피부 병변의 진행은 수일에 걸쳐 나타나며 동시에 여러 단계가 공존하는 특징이 있다. 건강한 아동은 대부분 경증으로 2~3일 간의 권태감, 소양감의 증상이 있으며, 39℃까지의 발열이 있다.

첫 수두 감염으로부터 회복되면 보통 평생 면역을 얻게 된다. 1차 감염은 수두로 나타나며 이후 감각 신경절에 잠복해 있던 바이러스가 재활성화 되면서 대상포진 형태로 나타날 수 있다.

수두는 임상적 진단과 역학적 요소로 진단하며, 다핵거대세포가 검출되거나 전자현미경으로 바이러스가 관찰되면 진단할 수 있다. 세포배양으로 바이러스를 분리하거나, 직접 바이러스 항원이나 유전자를 검출 및 급성기와 회복기에 항체를 측정함으로써 진단할 수 있다.

3) 합병증

특히 1세 미만과 16세 이상에서 합병증 위험이 증가할 수 있다. 2차 피부 감염, 2차 세균성 폐렴, 소뇌 실조나 뇌염과 같은 신경계 합병증, 라이증후군(Reye syndrome), 무균성 수막염, 급성횡단척수염(acute transversemyelitis, ATM), 길랑-바레증후군(Guillain-Barre syndrome), 혈소판 감소증, 출혈성 수두, 전격자색반(purpura fulminans), 신염, 심근염, 관절염, 고환염, 포도막염, 홍채염, 간염의 합병증이 발생할 수 있다.

4) 치료 및 간호

수두의 치료는 대증요법을 시행하며, 소양증에는 항히스타민제를 경구투여하거나 칼라민 로션을 피부에 직접 도포하기도 하며 목욕물에 오트밀을 넣어 목욕시킨다. 해열제는 Acetaminophen을 적용하며, Acyclovir, Foscarnet의 항바이러스 제제를 이용할 수 있다. 또한, 피부 병변이 가피로 덮일 때까지 대상자를 격리하며, 세균감염을 줄이기 위해 목욕을 자주 시키고, 손톱을 깎아주거나 긁지 않도록 장갑을 끼워 준다. 나이든 아동에게는 긁으면 반흔이 생길 수 있음을 설명한다.

02 / 풍진

1) 원인 및 특징

풍진(german measles, rubella)의 원인 병원체는 풍진 바이러스(rubella virus)이며, 이 바이러스는 지질 용매, trypsin, formalin, 자외선, 산(acid), 열, amantadine 등에 의해 불활성화 된다. 풍진의 병원소는 인간이며 전파경로는 공개매개로 감염된 사람의 호흡기 분비물로부터 배출된 비말, 불현성 혹은 무증상 감염자를 통해 감염된다. 잠복기는 대개 16~18일(14~23일)이고 전파기간은 발진이 처음 나타날 때 가장 강하며, 발진이 생기기 7일 전부터 5일에서 7일 후까지 바이러스가 배출되는 때이다. 호발계절은 늦겨울에서 이른 봄이다.

2) 임상양상 및 진단

임신 초기의 임신부가 풍진에 감염될 경우 태아에게 선천성 기형을 유발할 수 있으며, 감염자의 50% 정도는 불현성이다. 풍진의 전구증상은 발진 발현 전 1~5일간 미열, 권태감, 림프절 종창, 상기도 증상이 있으며, 상기도 증상은 소아에서는 전구 증상이 나타나는 경우는 드물고, 대개 발진이 첫 증상이다. 노출 후 14~17일에 홍반성 구진이 발생하는데 발진이 얼굴에서부터 시작하여 24시간 내 전신으로 급속히 퍼진다. 발진 지속 기간은 3일 정도로 간혹 소양감을 동반하고, 서로 융합하지 않고 색소 침착도 남기지 않으며, 뜨거운 물로 목욕 후 더 두드러지는 특징이 있다. 림프절 종창은 발진 발현 1주 전 시작되어 몇 주간 지속되고, 주로 귓바퀴 뒤와 목 뒤, 후두부의 림프절이 침범된다[그림 23-1].

임상적 특징과 환자 접촉력의 여부를 확인하여 진단하며, 홍역과 감별이 필요하다. 바이러스 배양의 양성, 중합효소연쇄반응법(PCR)에 의한 바이러스 검출, 풍진 특이 IgM 항체가 검출되거나, 급성기 및 회복기에 IgG 항체의 증가의 확인을 통해 진단할 수 있다.

3) 합병증

위장관 출혈, 뇌출혈, 신장 내 출혈 등의 출혈의 합병증과 혈소판 감소성 자반증(thrombocytopenic purpura), 고환

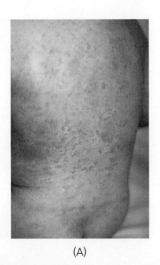
(A)

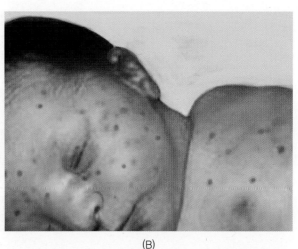
(B)

그림 23-1 풍진의 증상

(A) 풍진의 발진　(B) 선천성 풍진 증후군

염, 신경염, 진행성 범뇌염(progressive panencephalitis)의 합병증이 발생할 수 있다.

4) 치료 및 간호

자연 치유되므로 해열제, 진통제 사용 등의 보존적 치료를 시행하며, 발진 후 7일까지 표준 격리 및 비말 격리하며 환자나 환자의 혈액 혹은 체액 접촉 시 장갑, 가운, 마스크, 보안경, 안면보호기 등을 착용한다. 1인실을 사용하고, 1m 이내의 긴밀한 접촉 시 마스크를 사용한다. 환자의 타액이나 호흡기 분비물 등으로 오염된 물품은 소독하며, 임신부와 접촉을 피하도록 주의한다.

03 / 홍역

1) 원인 및 특징

홍역(measles, rubeola)은 홍역 바이러스(measles virus)를 통해 이환된다. 인간이 유일한 병원소이며, 환자와 직접접촉하거나 호흡기 분비물 등의 비말(droplet) 감염과 오염된 물건이나 태반을 통한 선천성 감염으로 전파된다. 잠복기는 10~12일이며, 감수성 있는 사람이 노출되었을 때 90% 이상 감염될 정도로 전염력이 강하며, 발진 발생 4일 전부터 발진 발생 4일 후까지, 즉 전구기에서 발진 발생 후 5일까지 전염력이 높다. 홍역은 주로 늦겨울에서 봄까지 호발한다.

2) 임상양상 및 진단

바이러스에 노출된 후 평균 14일간 발진이 발생하며, 전구기는 2~4일(1~7일)간 지속된다. 발열, 기침, 콧물과 결막염 등의 증상이 나타나며, 첫 번째 하구치 맞은 편 구강점막에 충혈된 작은 점막으로 둘러싸여 있는 회백색의 모래알 크기의 작은 특징적인 Koplik 반점이 생긴다. 발진기는 5~6일 동안 지속되며, Koplik 반점이 나타나고 1~2일되면 홍반성 구진상 발진이 귀 뒤에서부터 첫 24시간 내에 얼굴, 목, 팔, 몸통 상부, 2일째에 대퇴부, 3일째에 발까지 퍼진 후 발진이 나타났던 순서대로 소실된다. 식욕부진, 설사 등의 위장관 증상이 나타나며, 전신성 림프절 병증이 나타날 수 있다. 회복기에는 발진이 소실되면서 색소 침착을 남기고 작은 겨 껍질 모양으로 벗겨지면서 7~10일 내 소실된다. 그러나 손과 발은 벗겨지지 않으며 합병증이 잘 발생한다[그림 23-2].

홍역은 임상증상과 혈청학적 진단을 통해 진단한다. 특이 IgM 항체 검사 후 판정이 어려울 때는 IgG 항체가 비교 검사를 시행한다. 바이러스를 분리하거나 유전자 진단을 통해 진단하기도 한다.

3) 합병증

설사나 중이염, 폐렴의 합병증이 나타날 수 있으며, 급성 뇌염, 아급성 경화성 전뇌염(subacute sclerosing panencephalitis)의 신경계 합병증이 나타날 수 있다.

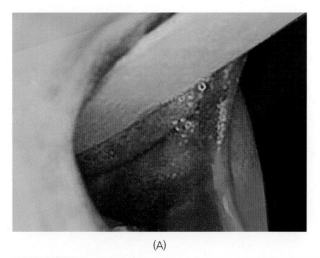

(A)

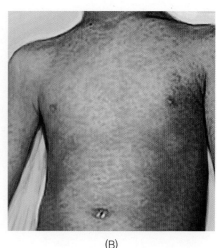

(B)

그림 23-2　홍역의 증상

(A)koplik 반점　(B) 발진이 나타난 모습

4) 치료 및 간호

홍역에 이환되었을 때는 비타민 A를 투여하고 발열기 동안 안정시키고 해열제를 사용한다. 2차 세균 감염을 예방하기 위해 항생제를 사용한다. 발진이 나타나고 5일까지는 호흡기 격리가 필요하며, 면역저하자는 질병 발생기간 동안 계속 격리한다. 전구기 동안 안정시키고 조용한 활동을 권장한다. 발열로 인한 경련이 있을 수 있으므로 부모에게 주의하게 한다. 수명(photophobia)이 있으면 조명을 약하게 하고 따뜻한 생리식염수로 눈을 씻고 눈을 비비지 않도록 보호한다. 콧물이나 기침이 있을 경우 찬습기를 공급한다. 코 주변의 피부보호를 위해 Petrolatum을 발라주고 충분한 수분을 섭취한다.

04 / 유행성이하선염(볼거리)

1) 원인 및 특징

볼거리(유행성이하선염, mumps, epidemic parotitis)은 유행성이하선염 바이러스(mumps virus)를 통해 이환되며, 열, formalin, ether, chloroform, 자외선 등에 비활성화 된다. 인간이 유일한 병원소이며 공기를 통해 감염되고, 감염된 무증상 감염자 혹은 비전형적인 감염자나 감염된 환자의 타액, 뇌척수액, 소변, 혈액, 모유, 감염된 조직 등에서 바이러스가 검출되어 전파된다. 잠복기는 보통 14~18일(최장 25일)이며, 증상 발현 3일 전부터 발현 4일까지 바이러스가

검출되는 발생 7일 전부터 발생 9일까지 전파되는데, 침샘 비대(종창)가 시작된 전후가 전염성이 가장 높은 시기이다. 호발계절은 늦겨울에서 봄이다.

2) 임상양상 및 진단

유행성이하선염의 전구기에는 근육통, 식욕부진, 권태감, 두통, 미열 등 비특이적인 증상이 나타나며, 전구기가 지난 후에는 환자의 30~40%, 이통과 아래턱의 각진 부분(angle)의 압통으로 알게 되는 이하선염이 나타난다. 환자의 20%는 무증상이며, 환자의 40~50%는 비특이적 증상이나 호흡기 증상이 나타난다.

확진을 위한 임상증상으로는 급성으로 발생한 일측성 혹은 양측성의 압통이 있는 이하선염이나 다른 침샘의 염증, 적어도 2일 간 지속된 후 자연 치유되며 다른 원인이 없는 유행성이하선염 등이 있으며, 효소면역반응검사(EIA), IgM, IgG의 항체를 통한 혈청학적 검사를 통해 진단할 수 있다.

3) 합병증

바이러스가 중추신경계에 침범할 경우 뇌척수액 내에 염증세포가 있는 무균성 수막염의 합병증이 발생할 수 있으며, 수막염의 특징적 증상을 동반하는 수막염과 뇌염도 발생할 수 있다. 그 외에 고환염, 난소염, 췌장염, 난청, 심근염에 합당한 심전도 이상, 관절통, 관절염, 신장염 등의 합

병증이 발생할 수 있다.

4) 치료 및 간호

유행성이하선염은 자연 치유되므로 해열제, 진통제, 수액요법 등의 대증요법을 실시하며, 전염기 동안 아동을 격리한다. 종창이 가라앉을 때까지 안정시키며, 진통제를 주고 액체 상태나 유동식을 권장하고 씹는 음식을 삼가도록 한다. 온습포나 냉습포를 해주고 고환염으로 인한 부종과 통증을 감소시키기 위해 밀착 팬티를 입힌다.

05 / 일본뇌염

1) 원인 및 특징

일본뇌염(Japanese encephalitis)은 사육돼지나 수생조류와 같은 일본뇌염 바이러스(Japanese encephalitis virus) 보유동물로부터 바이러스를 획득한 모기에 물리면 전파되며, 병원소는 인간이다. 50~10분간 가열하거나 2,000배 희석한 포르말린으로 처리하면 5일 후에 생존율은 0.1% 이하로 떨어진다. 잠복기는 7~14일이며 사람 간 전파는 없고, 호발 계절은 7월 중순부터 10월 초순이다.

2) 임상양상 및 진단

일본뇌염이 이환되는 환자의 약 50%는 4세 미만의 아동이며, 대부분 10세 미만의 아동에서 발생한다. 약 250명의 감염자 중 1명만이 뇌염 증상을 보인다. 일부는 열이 나거나 바이러스성 수막염 등의 가벼운 증상이나 주요한 증상은 갑작스런 고열, 두통, 의식장애, 경련, 의식 소실 등이 나타날 수 있다. 성격변화와 신경증상이 나타난 후 오한과 두통이 심해지면서 고열과 함께 경련 및 의식 소실과 혼수상태로 진행하는 것이 전형적인 임상양상이다. 침범 부위와 정도에 따라 다양한 증상이 나타난다.

임상 형태로는 감기, 몸살 정도의 미약한 증상의 부전형, 수막 자극증세와 함께 뇌막염을 동반하는 수막형, 폴리오와 유사한 증상을 나타내는 척수형, 가장 위중한 형태로 연수, 뇌교, 시신경, 안면신경, 미주신경 등 뇌신경을 침범하고 호흡중추가 마비되어 사망할 수 있는 연수형, 흔히 말하는 뇌염으로 초기에 두통과 몸살을 호소하다가 발열과 위장관 증세가 나타나는 뇌염형이 있다.

일본뇌염의 진단은 일본뇌염이 유행하는 지역, 발생계절과 연령, 고열 및 의식 장애 등의 임상증상에 의해 진단하며, 척수액 검사 소견과 virus-specific IgM 항체를 검사하여 급성기와 회복기 혈청에서 IgG 항체가가 4배 이상 증가하는 것으로 진단할 수 있다. 또한, 뇌 조직에서 바이러스를 추출하거나, 형광 항체 염색을 통한 항원검출, DNA hybridization에 의한 viral RNA의 검출, 중합효소연쇄반응(PCR)로 바이러스 검출을 통하여 진단할 수 있다.

3) 합병증

일본뇌염의 합병증은 연축성 마비, 중추신경계 이상, 기면, 진전 등이 있다. 뇌염으로 진행된 경우 50~70%의 높은 사망률을 보이고 장애율은 75%이다.

4) 치료 및 간호

일본뇌염에 대한 특이적인 치료법은 없고 호흡장애, 순환장애, 세균감염 등에 대해서는 보존적인 치료가 필요하며 고열에 대한 치료와 수분 및 전해질 요법이 중요하다. 사망률을 줄이기 위한 보조치료로써 뇌압을 감소시키기 위하여 Mannitol을 투여하거나 급성추체외로(extrapyramidal) 증상을 치료하기 위하여 Trihexyphenidyl hydrochloride와 같은 Dopamine 촉진제를 사용하기도 한다. Murine monoclonal 항체나 Ribavirin을 포함한 항바이러스제제 등이 실험실에서 연구 중이나 아직 임상적인 사용은 불가능하다. 간호는 사람 간 전파는 없으므로 환자 및 접촉자를 격리시킬 필요가 없고 모기 박멸이 중요하다.

06 / 돌발피진(장미진)

1) 원인 및 특징

돌발피진(장미진)(exanthem subitum, roseola infantum)의 원인 병원체는 human herpes virus type 6 (HHV-6)이며, 인간이 유일한 병원소이다. 정상인의 침으로 바이러스가 분비되어 전파되는 것으로 알려져 있으며, 대부분의 환자가 발병 전 다른 환자와의 접촉 사실이 없으며 또한 집단적으로 발생하는 경우도 드물다.

2) 임상양상 및 진단

3세 미만에 발생하는 경우가 95% 이상이며, 특히 6~15 개월에 많이 발생하는 것으로 보아 어머니로부터 전해 받은 항체에 의해 6개월까지는 면역력을 가지고 있는 것으로 보여진다. 질병의 경과는 매우 특징적인데, 돌발진과 관련된 직접적인 증상이 나타나기 전에는 콧물 등의 경미한 감기 증상이나 결막 충혈 등 외에는 거의 무증상에 가깝다. 갑자기 열이 나고 설명할 수 있는 이학적 소견이 없는 고열이 39~41℃까지 올라 5~10% 정도의 환자에서 열성경련을 일으킬 수도 있다. 콧물, 목통증, 복통, 구토, 설사 등이 동반되기도 한다. 고열에 비해 아파보이지 않고 드물게 보채거나 식욕이 감소하는 경우가 있다. 발열이 3~5일 지속되다가 대부분 갑자기 없어지며, 발열이 없어진 후 12~24시간 이내에 특징적인 피부 발진이 발생하게 된다. 장밋빛의 발진이 몸통에서 시작하여 목, 얼굴, 팔다리로 진행하여 발생하며, 가렵거나 물집이나 농을 형성하지는 않는다. 발진은 대개 1~3일 후 사라진다. 후두, 경부 및 귀 뒤쪽 임파절이 커져 있는 경우가 많다.

진단은 임상증상을 통해 진단하며, 홍역, 풍진, 성홍열 등과 감별진단이 필요하다. 추가적으로 혈청학적 검사나 바이러스 배양, 항원 검출, 중합효소연쇄반응(PCR) 검사 등을 통해서도 진단할 수 있다.

3) 합병증

영아돌발진, 소아장미진(exanthem subitum, roseola infantum)은 열성경련, 뇌염, 간염, 뇌막염의 합병증이 발생할 수 있다.

4) 치료 및 간호

돌발진의 치료는 증상에 따른 대증 요법 외에는 특별한 것이 없다. 발진이 발생하기 전인 발열기에는 특별한 문제가 없으면 적절한 수분 공급을 하며 관찰해도 되지만, 열성경련의 병력이 있는 경우라면 해열제를 투여한다. 고열로 인한 경련 시 부모에게 교육이 필요하다.

07 / 손발입병(수족구)

1) 원인 및 특징

손발입병(hand, foot, & mouth disease)의 원인 병원체는 콕사키 바이러스(coxsackievirus), 에코바이러스(echovirus), 엔테로바이러스 71(enterovirus 71)이며, 감염된 사람의 대변, 호흡기분비물, 물집의 진물에 접촉될 때 감염된다. 잠복기는 3일에서 5일이며, 발병 1주일간이 가장 전염력이 강하다. 호발계절은 여름과 가을철이다.

2) 임상양상 및 진단

영유아와 아동에게 흔한 질병으로 발열, 인후통, 식욕부진 등으로 시작, 발열 후 1~2일째에 수포성 구진이 손바닥, 손가락, 발바닥에 생긴다. 또한, 구강 내 통증이 있는 작은 수포가 발생하는데 작고 붉은 반점으로 시작하여 물집이 되고 종종 궤양으로 발전하기도 하며 구내병변은 볼의 점막, 잇몸이나 혀에 나타난다.

때로는 둔부에도 나타나지만, 수포가 아닌 발진만 나타나는 경우도 많다. 감기증상이 대부분이지만, 면역체계가 완전하지 않은 생후 2주 이내의 신생아가 감염될 경우에는 드물게 사망하는 예도 있다[그림 23-3].

손발입병의 진단은 대개 임상 증상을 보고 진단하며 인두 분비물, 대변, 뇌척수액 등에서 원인 바이러스를 검출할 수 있으며, 신경계 증상이 있는 경우 뇌척수액에서 바이러스 배양을 실시한다.

3) 합병증

콕사키 바이러스 A16 감염의 경우 드물게 발열, 두통, 경추 경직, 요통과 함께 수일간의 입원을 요하는 무균성(바이러스성) 뇌수막염을 일으킬 수도 있으며, 손발입병의 또 다른 원인인 엔테로바이러스 71에 의해서도 바이러스성 뇌수막염이 발생하며 이 경우 뇌염, 소아마비와 유사한 마비와 같은 보다 심각한 질환을 일으킬 수 있다.

4) 치료 및 간호

대부분은 의학적 치료 없이도 7~10일 안에 회복되며, 현재까지 백신이나 치료제가 개발되지 않아 감염을 예방하

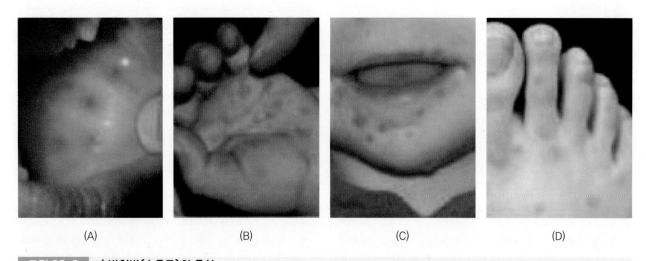

| (A) | (B) | (C) | (D) |

그림 23-3　손발입병(수족구)의 증상
(A) 구강 내 발진　(B) 손바닥의 발진　(C) 입주위의 발진　(D) 발과 발가락의 발진

는 것이 최선의 방법이다. 대상자를 위한 간호는 수포 발생 후 6일간 또는 딱지가 앉을 때까지 가정에서 안정을 취하도록 한다. 특히 출산 직후의 산모와 신생아실, 산후조리원 등의 근무자들이 감염에 주의하여야 하며, 바이러스 묻은 옷 등은 철저히 소독한다. 손발입병 예방을 위해서는 손 씻기, 기침예절을 준수하도록 한다. 특히, 기저귀를 갈고 난 후, 오염된 표면 또는 오염된 물질을 세척한 후에는 반드시 손을 씻으며, 감염된 어린이와의 입맞춤, 안아주기, 생활용품 함께 쓰기 등을 제한한다. 음용수는 끓인 물을 마신다. 또한 감염된 사람의 대변, 침, 호흡기 분비물을 통한 전염력이 높으므로 어린이집 같은 기관의 등원을 삼가하고 집안에서 안정을 취하도록 한다.

08 / 장 바이러스

장 바이러스(enteroviruses)는 에코바이러스(33가지로 세분됨), 콕사키바이러스 A(24가지로 세분됨)와 콕사키바이러스 B(5가지로 세분됨), 폴리오바이러스(3가지로 세분됨)의 형태로 나뉜다.

1) 에코바이러스 감염

에코바이러스 감염(echovirus infection)은 어린 시기 질병(무균성 뇌수막염, 설사, 급성 호흡기 부전, 반점상구진)의 원인이다. 이러한 감염은 대개 양성이며 스스로 제한된

다. 치료의 목표는 대증요법(supportive measures)으로 볼 수 있다. 만약에 아동이 병원에 있다면, 질병을 치료하는 동안 접촉에 주의를 요한다.

2) 콕사키바이러스

콕사키바이러스 감염(coxsackievirus infection)군의 반응은 에코바이러스군 같이 다양하게 나타난다. 콕사키바이러스의 A형에 의해 아동에게 흔히 발견되는 질환 중에 하나는 헤르팡지나(herpangina)이다. 이는 1일에서 4일까지 체온이 갑자기 상승한다(40.0~40.6℃). 식욕감퇴, 연하곤란, 인후염, 구토, 두통 및 복통이 나타난다. 작은 병변이 일반적으로 구분된 회색의 소낭포들이 편도선이나 연구개 또는 목젖에 나타난다. 입안이나 인후의 다른 장소에서도 나타난다. 이 병변은 붉은 소공으로 둘러싸여 약한 궤양으로 차츰 바뀐다. 체온이 정상으로 돌아오면 수일 내에 없어지며, 일반적으로 합병증은 없다.

입과 인후가 염증이 있는 동안에 부드럽고 묽은 음식을 제공하고 해열제를 주어야 한다. 궤양이 있는 부분에는 부분적인 통증을 경감시켜 준다. 면봉으로 국부마취제(Xylocailne viscous)를 발라준다. 마취액은 삼키지 못하게 해야 한다. 만약에 삼켰다면 인후는 감각이 없어지게 되므로 곧 흡인해 내야 한다. 그러므로 이 방법은 6세 이전의 아동에게는 사용하면 안 된다.

3) 폴리오바이러스 감염: 회백수염(소아마비)

(1) 폴리오바이러스

폴리오바이러스(poliovirus)의 원인은 장 바이러스(enterovirus)로 3가지 혈청형(1형, 2형, 3형)이 있으며 1형이 마비 경향이 가장 높고, 3형은 중간, 2형은 마비가 드물다. 폴리오바이러스의 숙주는 오직 인간이며 일반 환경에서 열, 광선, 포름알데히드, 염소 등에 의해 빠르게 불활성화된다. 전파양식은 인간에게서 인간으로의 직접감염, 특히 분변-경구 경로로 감염된다. 환경위생이 잘 정비된 지역에서는 인두, 후두 감염물로 감염된다. 바이러스에 노출된 후 36시간이면 인두, 72시간에는 분변에서 바이러스가 검출되며, 각각 약 1주일, 3~6주일간 지속된다. 특징적인 계절 유행 양상을 보이지는 않는다.

(2) 임상양상

아동에게 하지마비를 일으키는 가장 무서운 질병으로 알려져 있으며, 폴리오는 임상적으로 감염되었지만 병이 발생하지 않는 불현성 감염(asymptomatic)이 90~95%이며, 약 4~8%는 비특이적 부전형(minor non-CNS illness) 회백수염, 약 1~2%는 비마비성 무균성 뇌막염(aseptic meningitis)의 형태를 보이고, 1% 미만에서 마비성(paralytic) 회백수염의 형태로 발병한다[그림 23-4]. 회백수염에서 감각장애는 오지 않는다.

(3) 분류

부전형 회백수염은 식욕부진, 구역, 구토, 두통, 인후통, 변비, 복통을 수반하는 단기간의 열성 질환으로 인후통을 호소하나 시진에서 인두에는 거의 이상이 없다.

비마비성 무균성 뇌막염은 부전형 회백수염의 증상을 보이나 두통, 구역, 구토가 더욱 심하고, 경부 강직, 사지의 통증과 강직, 방광마비 및 변비가 올 수 있다. 약 1/3에서 이상성(biphasic) 경과를 보여 제2기에 경부 및 척추 강직을 보인다. 신경반사는 초기에는 정상이나, 표재성 반사의 항진이나 강하가 먼저 일어나고 8~24시간 후에 심부반사의 변화가 일어난다. 이 경우 사지에 부전마비가 올 가능성이 매우 높다.

마비성 회백수염은 비마비성 회백수염에서 보는 증상 외에 골격근이나 두개근의 허약이 보이며, 수일간의 무증상 기간이 지나면 마비 상태로 악화된다. 이완성 마비(flaccid paralysis)가 신경 손상을 시사하는 가장 명백한 임상증상이다.

(4) 진단

유행지역에서는 임상적인 진단만으로도 충분하다. 비유행 지역에서는 대변, 인후도말, 뇌척수액 등에서 바이러스를 분리 배양한다. 혈청학적 검사로 급성기와 회복기의 혈청에서 특이항체가 4배 이상 상승 시 임상증상과 함께 진단에 도움이 된다.

폴리오는 길랑-바레증후군, enterovirus(특히 70형이나 71형), echovirus, coxsackievirus에 의한 신경근마비, 급성운동신경축색신경증, 급성이완성마비를 초래하는 수막염, 뇌염 등과 감별해야 하고 발병 당시의 고열, 빠른 마비의 진행, 비대칭적 마비, 하향적 마비의 증상을 나타낸 경우 폴리오를 의심할 수 있다.

(5) 치료

특별한 치료법은 없으며 이환된 신경의 급성 증상에 대해서는 보존치료를 시행하고, 증상이 호전된 후에는 치유되지 않는 마비에 대한 재활치료를 한다.

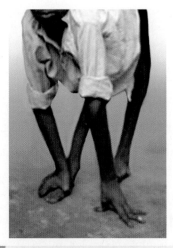

그림 23-4　**폴리오 바이러스 감염 이동**
폴리오 바이러스 감염 아동의 마비 증상

(6) 환자 및 접촉자관리

유행지역에서 환자가 발생하면 즉각 주위의 아동을 대상으로 백신을 투여하며, 진단이 확정되고 유행의 발생이 인정되면 집단 백신 접종을 즉각 시행한다. 최근 경구용 약독화 생백신 접종에 따른 마비 환자 발생으로 우리나라를 포함하여 미국을 비롯한 선진국에서는 주사용 불활성화 백신 사용이 증가하고 있다.

환자는 격리하고 장배설물을 분리 처리하며 환자의 구강 분비물, 대변과 이에 오염된 물품을 소독한다.

확인문제

1. 홍역에서 유일하게 발견되는 증상은?

2. 전형적인 볼거리(유행성이하선염)의 부종은 어느 부위에 나타나는가?

3. 풍진에 걸린 아동에서 부모가 맨 처음으로 알아내야 할 징후는 무엇인가?

4. 수두 병변의 4가지 단계는 무엇인가?

5. 돌발피진(장미진)의 발진과 열 사이에서 어떠한 관련이 있는가?

Ⅳ 세균성 감염

세균(bacteria)은 단세포로 이루어진 이분법에 의해서 번식을 하는 생물을 말한다. 세균은 구상(cocci), 간균(막대기 모양; bacilli), 나선형(spirochetes), 방선균의 네 가지로 구분된다. 세균은 독립적으로 살아있는 조직이다.

세균은 염색약에 의해 가열된 슬라이드에 고정한 후에 현미경으로 가장 잘 볼 수 있다. 보라색 얼룩이 있으면 그람양성이고, 붉은 얼룩이 남아 있으면 그람음성인 조직체이다.

세균은 다양한 물질을 분해하고 생산하는 생리적 특성을 지니고 있어 우리에게 이익을 주는 것도 있고 해를 주는 것도 있다.

세균이 사람을 비롯한 동식물에 병을 일으키는 것은 세균이 숙주에 해를 끼치는 독소(toxin)를 생산하거나, 숙주조직에서 증식하는 능력이나 호흡기·위장관·비뇨생식기 등의 피부나 점막 같은 표면에서 증식할 수 있는 능력을 가지고 있기 때문이다.

질병과 관련된 세균으로는 파상풍균, 콜레라균 등이 있다. 이러한 균들은 체내에 감염되면 빠른 속도로 퍼지며, 공기나 물, 음식 등으로 전염될 가능성이 높기 때문에 위험하다. 세균에 따라서는 인간의 신체 중에 어느 부위에 존재하느냐에 따라 병원균이 되기도 하고 병원균이 아닐 수도 있다. 예를 들면 피부, 구강, 대장, 질 등에 존재하는 균들은 인간과 공생하면서 병을 일으키지 않는다.

01 / 성홍열

1) 원인 및 특징

성홍열(scarlet fever)의 원인 병원체는 A군 β-용혈성연쇄상구균(group A β-hemolytic streptococci)이며 전파경로는 호흡기 분비물 비말감염, 직접 혹은 간접적 환자나 보균자와 접촉 감염, 손이나 물건을 통한 간접 접촉, 균에 오염된 우유, 아이스크림, 기타 음식물로 전파된다. 성홍열의 잠복기는 1~3일이며, 늦겨울에서 초봄에 자주 발생한다.

2) 임상양상 및 진단

성홍열은 갑자기 시작되는 발열, 두통, 구토, 복통, 오한 및 인후염이 특징이며, 발열은 39~40℃에 이르며 치료하지 않으면 5~7일간 지속된다.

인후는 심하게 충혈되어 진한 붉은 고기색깔을 띠는 수가 많으며, 연구개와 목젖 위에 출혈 반점, 편도선이나 인두 후부에 점액 농성 삼출액이 덮여 있는 수도 있으며, 림프절이 부어 있을 수 있다. 혀는 처음에는 회백색으로 덮이고 유두(papillae)가 현저하게 두드러지며(white strawberry tongue), 며칠 후에는 혀에 덮인 것이 벗겨져 붉은 고기 색깔을 띠고 유두가 부어 붉은 딸기 모양이 된다(red strawberry tongue 또는 raspberry tongue).

잠복기 후 12~48시간 후에 전형적인 발진이 나타난다. 발진은 미만성(diffuse)으로 선홍색의 작은 구진이 나타나고, 햇빛에 탄 피부에 소름이 끼친 것 같이 보이기도 하고 발진을 손가락으로 누르면 퇴색하였다가 손가락을 떼면 다시 나타난다. 발진은 발열, 인후통, 구토의 세 가지 주요증상(triad)이 있은 후 12~48시간 뒤에 미만성의 선홍색 작은 구진이 목, 겨드랑이, 사타구니에서 생겨 몸통이나 사지로 퍼져 나가며, 이마와 뺨은 홍조를 띠고 입 주위가 창백해 보인다(circumoral pallor). 발진은 사타구니, 겨드랑이 및 압박을 받는 부위에 현저하며 점상출혈이 있을 수 있다. 손가락으로 눌러도 없어지지 않는 주름 잡힌 부위의 횡선이 생기기도 한다. 발진은 3~7일 내에 사라지는데 발진 후에는 피부 박리가 얼굴에서 몸통에 이어 손, 발로 진행된다.

성홍열을 진단하는 방법은 성홍열 환자와 노출된 병력을 확인하거나 성홍열의 전형적인 임상 증상을 나타나거나 인후 배양검사를 시행하거나 항체가의 상승으로 진단할 수 있다.

3) 합병증

성홍열의 합병증은 화농성과 비화농성으로 나눌 수 있다. 화농성 합병증은 중이염, 경부 림프절염, 부비동염, 기관지 폐렴 등의 증상이 있으며, 비화농성 합병증은 급성 사구체 신염, 류마티스열 등이 있다.

4) 치료 및 간호

치료는 경구용 아목시실린(Amoxicillin)이나 주사용 페니실린(Penicillin)을 흔히 사용하며, 페니실린을 사용할 수 없는 환자(과민반응)에서는 2차 선택제인 Erythromycin을 30~40mg/kg/일 2~4회 투여한다. 성홍열 환자는 치료를 시작하고 하루가 지날 때까지 격리하며, 화농성 분비물과 오염된 물건을 소독하고, 환자와 접촉한 가족을 검사한다. 또한 열성기 동안에는 침상안정을 권하고 회복기에는 약간의 활동을 권장한다.

02 / 파상풍

1) 원인 및 특징

파상풍(tetanus)의 원인은 파상풍균(clostridium tetani)의 tetanolysin과 tetanospasmin이라는 독소에 의해 유발되고 토양, 소, 말, 개, 고양이, 설치류 등의 동물뿐 아니라 사람의 장관에도 생성된다. 오염된 상처, 수술, 화상, 중이염, 치주감염, 동물의 교상, 유산이나 임신 후, 제대감염을 통해 전파된다. 파상풍의 잠복기는 3~21일(1일~수개월)이며, 중추신경계에서 먼 경우 잠복기는 길어지고 두경부와 체부일 경우 짧아지고 상처가 심할수록 잠복기가 짧아지는 특징이 있다.

2) 임상양상 및 진단

파상풍의 임상양상은 국소형, 두부형, 전신형의 3가지 형으로 나눌 수 있다. 국소형(local tetanus)은 상처 인접부의 근육경련, 통증을 동반하며 수주에서 수개월까지 지속되고 매우 드물다. 두부형(cephalic tetanus)은 안면신경과 안와에 국한된 증상으로 매우 드물고, 잠복기가 1~2일로 짧다. 만성중이염, 두피 손상과 연관성, 3, 4, 7, 9, 10, 12번 뇌신경의 마비가 유발될 수 있으며, 전신형으로 진행될 수 있는 가능성이 있다. 전신형(generalized tetanus)은 파상풍의 80%를 차지하며 증상의 진행이 상부에서 하부로 진행된다. 최초 증상으로는 저작근 수축으로 인한 아관긴급(trismus, lockjaw)으로서 특징적인 표정(경련미소, risus sardonicus)을 유발하고, 경부, 체부, 사지의 근육을 침범하여 전신에 과반사 현상이 나타난다. 배부근육의 지속적인 수축으로 인해 활모양 강직(후궁반장, opisthotonus)이 발생하며, 만약 후두부의 경련 증상이 있을 경우 기도협착을 일으켜 대상자에게 치명적이다.

진단은 임상적인 판단과 흙 등에 의해 상처가 오염된 적이 있는지 여부를 확인하며, 국소 피부감염 여부의 역학적 판단을 통해 진단하며 항독소 항체를 검출할 수도 있다.

3) 합병증

파상풍의 합병증은 고혈압, 저혈압, 안면홍조, 빈맥, 부정맥 등의 자율신경계 증상, 경련에 의한 골절, 배뇨장애, 연하장애, 폐색전, 욕창, 폐렴, 근육피로, 골관절염, 구음장애, 기억력 저하 등이 있다. 파상풍의 사망률은 25~70%이며, 신생아나 노인의 경우는 거의 100%의 사망률을 보인다.

4) 치료 및 간호

환자에게 증상이 발현된 시점에는 파상풍 독소가 신경계에 이미 침범된 상태이므로 대증치료를 시행하며, 더 이상 독소가 중추신경계에 침범하는 것을 방지하고 균주를 제거해 독소 생성을 차단한다. Diazepam, Midazolam의 Propofol의 Benzodiazepine계 약물을 사용하거나, 신경근차단술, 파상풍 인간면역글로불린(Human Tetanus Immunoglobulin, TIG), Metronidazole 항생제를 이용하여 치료하며, 상처부위의 배농이나 절제를 시행할 수도 있는데 상처를 소독한 후에는 상처를 닫지 않고 열어둔다. 파상풍에 이환된 환자는 조용하고 조명이 밝지 않으며 가능한 외부자극을 피할 수 있는 환경에서 치료하고, 단기간 동안 기계호흡을 적용한다. 파상풍에 이환된 후에도 면역이 획득되지 않기 때문에 회복기에 접어들면 반드시 파상풍 백신 접종이 필요하다.

03 / 디프테리아

1) 원인 및 특징

디프테리아(diphtheria)는 그람양성균인 디프테리아균(Corynebacterium diphtheriae)의 독소(toxin)가 호흡기를 통해 감염되며, 잠복기는 2~5일이다.

2) 임상양상 및 진단

디프테리아는 인체 모든 부위의 점막에 발생할 수 있으나 가장 흔한 발생부위는 인후와 편도부위이다[그림 23-5]. 초기증상은 피로, 인후통, 식욕감퇴, 미열 등이며, 2~3일 후 푸르스름한 흰색 빛의 막이 편도에 생기기 시작하여 연구개까지 뒤덮는다.

막은 조직에 붙어 있으므로 억지로 제거하면 출혈이 생길 수 있고 막이 넓게 퍼져서 호흡기 폐색이 발생할 가능성이 있다. 독소가 전신에 흡수된 경우에 허탈, 창백, 빈맥, 혼수 등의 증세를 나타낸다. 디프테리아에 감염된 후 6~10

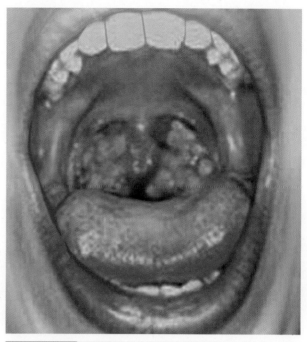

그림 23-5 **디프테리아에 감염된 환아**
디프테리아에 감염된 환아의 인두부를 덮고 있는 막

일 내에 사망할 수 있으며 대개 고열은 없고 중증인 경우에는 턱밑이 부어오르고, 전경부의 임파선 종대로 인해 특징적인 "bull neck (황소처럼 목덜미가 굵은 모습)" 양상을 보인다. 후두부위 발열이나, 쉰 소리, 개 짖는 소리 등이 나타날 수 있으며 막이 기도를 막아 혼수상태에 빠지거나 사망할 수 있다. 비강은 다른 상기도 감염과 비슷한 증상을 나타내며, 화농성 분비물이나 혈성 분비물이 나올 수 있다. 그 외에 피부, 결막, 외음부, 질, 외이도 등의 점막에서도 발생할 가능성이 있다.

디프테리아는 막성 인후염의 증상이 보이고, 세균배양검사에서 디프테리아가 검출되면 독소검사를 시행하여 진단한다.

3) 합병증

디프테리아는 심근염, 심부전, 운동신경의 신경염, 발병 3주경 연구개의 마비, 중이염, 호흡기 폐색으로 인한 호흡부전 등이 합병증으로 발생할 수 있으며, 치료하지 않을 경우 사망에 이를 수 있다. 디프테리아의 전체 사망률은 5~10%이며, 특히 5세 이하 아동과 40세 이상 성인의 경우 더 높다.

4) 치료 및 간호

감염된 후에는 디프테리아 항독소나 Erythromycin의 항생제 치료를 시행한다. 항생제 치료는 14일간 경구 혹은 정맥주사로 투여하며, 페니실린(penicillin)G를 14일간 근육주사로 투여한다. 항생제 투여 후 48시간이 지나면 대개 전염력이 소실되며 치료 후 두 번 연속 배양검사에서 균이 자라지 않는 것을 확인해야 한다.

04 / 백일해

1) 원인 및 특징

백일해(whooping cough, pertussis)는 Bordetella pertussis에 의한 호흡기 감염질환이며, 잠복기는 7~10일(4~21일)이다.

2) 임상양상 및 진단

백일해의 임상양상은 콧물, 재채기, 미열, 경미한 기침 등의 감기와 비슷한 증상이 발생하는 카타르기(catarrgal stage)에서 기침이 점진적으로 심해져 1~2주 경과 후 경해기(paroxysmal stage)로 진행된다. 경해기에는 매우 심한 빠르고 잦은 기침이 기관에 꽉 찬 점액질의 배출을 어렵게 하여 심한 기침 발작 후 좁아진 성대를 통해 강하게 숨을 들이쉴 때 특징적인 높은 톤의 "읍(whoop)" 소리가 발생하며 발작동안 청색증과 구토가 발생될 수 있다. 음식을 먹거나 울고, 웃는 등의 일상적인 행동에 의해서도 유발될 수 있고 특히 야간에 더 악화된다. 첫 1~2주 동안 발작의 빈도가 점차 증가 한 이후 2~3주간 더 지속된다. 회복기(convalescent stage)에는 회복이 천천히 진행하여 2~3주 후 기침은 소실된다. 비발작성 기침은 수주간 지속될 수 있다. 수개월 경과 후에도 호흡기 감염으로 인해 기침 발작이 재발될 수 있으며 전체 질병경과 중 발열은 심하지 않다[그림 23-6].

백일해는 특징적인 임상병력과 진찰소견, 중합효소연쇄반응법(PCR 법), 세균 배양 및 응집법(agglutination test), 독소 중화법(toxin neutralization), ELISA (enzyme linked immunosorbent immunoassay) 등의 혈청학적 검사를 통해 진단한다.

3) 합병증

그림 23-6 **백일해 환아**

백일해 환아의 특징적인 기침(whooping cough)으로 호흡

발작동안 결막하 출혈, 비출혈, 경막하 출혈이 발생할 수 있으며, 안면부종, 혀 궤양, 중이염 등의 합병증 발생할 수 있다.

또한, 무기폐, 기관지 폐렴 등의 호흡기계 합병증과 급성뇌증(acute encephalopathy)으로 인한 경련, 의식 변화 등의 신경계 증상, 발작동안 반복되는 구토에 의한 영양 부족, 탈수, 심한 기침에 동반되어 발생하는 기흉, 비출혈, 경막하 출혈, 탈장, 항문 탈출(anal prolapse) 등의 합병증이 발생할 수 있다.

4) 치료 및 간호

임상적으로 백일해가 의심되면 Erythromycin 최소 14일간 복용하고, 증상에 따른 대증적 치료를 한다. 기관지 확장제, 기침억제제, 항히스테민제 등은 특별한 효과가 없으며, 아주 심한 경우 스테로이드의 사용을 고려한다. 가습으로 따뜻하고 충분한 습기를 제공하며 환아는 격리가 필요하므로 즉시 격리실로 배정한다.

※ 아동기의 바이러스 감염은 돌발피진(장미진), 풍진, 홍역, 수두, 유행성 이하선염, 손발입병, 일본뇌염이 있다.

※ 연쇄상구균성 질병에는 성홍열과 농가진이 해당된다. 디프테리아와 백일해와 파상풍은 세균성 감염으로 발생된다.

※ 부모와 아동에게 감염 관리방법과 면역법에 대해 교육하는 것은 감염을 예방하고, 감염의 위험성을 줄이는데 필수적이다.

확인문제 정답

1. Koplik 반점은 홍역에서만 발견된다.
2. 볼거리(유행성이하선염)에서의 부종은 귀의 앞쪽에 있는 이하선에 전형적으로 나타난다.
3. 산발적이며 붉은 반점상구진은 부모들이 맨 처음 주목하게 되고, 풍진의 징후이다.
4. 수두병변의 4가지 단계는 i) 반점(macula), ii) 구진(papule), iii) 수포(vesicle), iv) 가피(crust)이다.
5. 돌발피진(장미진)은 열이 급격히 떨어진 후에 발진이 즉각적으로 나타난다.

종양 아동과 호스피스 완화 간호

주요용어

골수생검(bone marrow biopsy)
골수이식(bone marrow transplantation)
골육종(osteosarcoma)
뇌종양(brain tumor)
림프종(lymphoma)
방사선 치료(radiation therapy)
백혈병(leukemia)
빌름스 종양(Wilms' tumor)
신경모세포종(neuroblastoma)
악성 종양(malignant tumor)
전이(metastasis)
조혈모세포이식(hematopoietic stem cell transplantation)
항암화학요법(chemotherapy)

학습목표

01 아동청소년기 종양의 특성을 설명한다.
02 방사선 치료를 받고 있는 아동청소년에게 간호과정을 적용한다.
03 항암화학요법을 받고 있는 아동청소년에게 간호과정을 적용한다.
04 조혈모세포이식/골수이식 아동청소년에게 간호과정을 적용한다.
05 골수생검 아동청소년에게 간호과정을 적용한다.
06 백혈병 아동청소년에게 간호과정을 적용한다.
07 뇌종양 아동청소년에게 간호과정을 적용한다.
08 신경모세포종 아동청소년에게 간호과정을 적용한다.
09 빌름스 종양(Wilms' tumor) 아동청소년에게 간호과정을 적용한다.
10 골육종 아동청소년에게 간호과정을 적용한다.
11 아동청소년과 가족에게 호스피스 완화간호를 수행한다.

세포증식은 세포가 분열되고 재생성되는 과정인데, 악성 종양(malignant tumor)인 암(cancer)은 무질서한 세포의 성장과 증식의 한 형태이다. 매우 다양한 형태의 암이 있으며 성인암은 비정상적으로 성장한 고형 종양이 대부분이나 소아암은 미성숙한 혈액세포의 과잉성장으로 나타나는 백혈병이 가장 흔하다. 최근 암 치료의 큰 발전으로 암환아의 예후는 점점 좋아지고 있다. 소아암은 어린 시기에 발병하므로 단기 치료 및 관리뿐 아니라 장기적인 추적 관리가 지속적으로 필요하다.

I 아동기 종양

정상적으로 세포는 세포주기 [표 24-1]에 따라 성장을 계속하고 오래된 세포를 교체하기 위해 증식한다. 정상 조직에서 세포 증식은 활발히 분열되는 세포의 수가 죽은 세포의 수와 동일하게 유지되도록 조절된다. 종양은 이런 균형을 유지할 수 없어 불규칙적으로 증식한다. 또한 모든 신체조직은 그 조직의 유형별로 구별된 성장을 한다. 그러나 종양 세포는 조직의 유형과 상관없는 증식을 계속하면서 다른 조직도 침범하게 된다. 비정상 세포의 증식과 성장은 조직에 비정상 덩어리(mass)로 나타나며 이것이 종양(neoplasm)이다. 종양은 다시 양성(benign)과 악성(malignant)으로 분류되며 모든 악성 종양(malignant tumor)이 암(cancer)이다. 양성종양은 한 덩어리 안에 잘 분화된 세포가 함께 집락되어 있다. 반면 악성종양은 덜 분화된 세포가 증식하여 다른 부위를 침범하기도 하고 이는 생명까지도 위협할 수 있다.

소아 종양은 비록 드물지만 0~14세 아동의 주요 사망원인이다. 성인암이 대부분 상피세포에서 기원하는 반면 소아암은 태아와 배아의 발달조직 전구세포에서 기원하여 발생한다. 발생빈도는 백혈병이 가장 높고 뇌 및 중추신경계 암과 비호지킨 림프종이 뒤를 잇는다. 국내 소아암의 5년 생존율은 1993년~1995년에는 56.2%에서 2007년~2011년에는 78.2%로 꾸준히 향상되고 있다.

표 24-1　세포주기

단계	활동
G₀	휴식기 세포는 주변세포의 파괴나 활동기에 접어들게 되는 어떤 자극이 있을 때까지 이 상태로 남아 있음
G₁	DNA 합성준비기 RNA와 단백질 합성이 활발히 일어남
S₀	DNA 합성기 DNA가 2배로 증가(DNA복제)됨
G₂	유사분열 준비기 세포의 크기가 2배가 됨
M	유사분열기 DNA가 2개의 딸세포로 나뉘어지는 기간

01 / 원인

소아암의 정확한 원인은 알려져 있지 않으며 성인암과는 다른 원인에 의해 발생한다. 성인암은 주로 환경적 자극에 의해 유발되지만 소아는 환경에의 노출 경험이 제한되어 있기 때문에 환경적 요인의 영향이 비교적 크지 않은 것으로 알려져 있다. 그러나 태내에서 고용량의 방사선 노출은 백혈병의 원인이 되며 갑상샘암도 일으킬 수 있다. 또한 고용량의 항암화학요법이나 방사선 치료에 의한 암치료 경험은 아동의 정상세포의 면역체계를 변화시켜 암이 재발될 위험이 높다.

유전적 요인은 소아암 발생의 위험을 높이는 것으로 밝혀지고 있다. 인간의 세포에 정상적으로 존재하는 전암유전자(proto-oncogene)는 비활성화 상태로 존재하다가 염색체 전좌(translocation), 유전자 증폭(amplification), 점 돌연변이(point mutation)에 의해 암유전자(oncogene)로 활성화되어 암세포로 변형되게 되는데, 백혈병, 빌름스 종양 등이 암유전자의 활성에 의해 유발되는 것으로 알려져 있다.

종양억제유전자(tumor-suppressor gene)는 세포의 성장을 억제하거나 세포자멸사(apoptosis)를 유발하여 정상세포의 암세포로의 변형을 막는데, 이 유전자의 기능 상실은 암 발생과 관련이 있다. Knudson의 "two hit" 가설에 의하면 종양억제유전자는 두 개의 염색체가 모두 변형되어야만 기능이 상실되기 때문에 망막아세포종의 경우 가족력이 있는 아동은 한 개의 염색체가 이미 비활성화가 되어 있기 때문에 가족력이 없는 아동보다 발생 위험이 높다고 보고되고 있다. 또한 다운증후군과 같은 염색체 질환이 있는 아동은 소아암에 이환되기 쉬워 백혈병이나 망막아세포종의 위험이 높다.

특정 바이러스는 세포의 DNA나 RNA의 구조를 변화시켜 암세포를 증식시킨다. 그 예로 Epstein-Barr 바이러스(EBV)와 human immunodeficiency 바이러스(HIV)는 호지킨병과 비호지킨 림프종의 발생 위험을 증가시킨다.

02 / 종양의 병기

종양의 병기는 악성종양의 범위와 진행 정도를 구분한다. 정확한 종양의 병기 사정은 아동의 치료방향과 예후 결정에 있어 매우 중요하다. 이는 아동의 병력조사, 신체검진, 임상검사를 통해 이루어지게 된다. 악성종양의 병기 분류는 대부분이 TNM 체계에 의해 이루어진다. T는 종양의 크기를, N은 림프절과의 관련 여부를, M은 다른 조직으로의 전이 여부를 말한다. 그러나 이는 성인에게 흔한 암종에 적합하며 많은 소아암들이 종류에 따라 다른 분류체계를 가지고 있다.

03 / 증상 및 병력

소아암은 조기발견이 어렵기 때문에 성장기 동안 정기적인 건강 검진이 필요하며 환아의 증상 및 병력, 신체검진과 임상검사를 통해 진단을 내리게 된다[그림 24-1].

악성 종양 세포의 비정상적인 증식으로 인해 덩어리(mass)가 만져진다. 또한 덩어리와 직접 관련되는 증상 및 비특이적인 증상들이 나타난다. 따라서 아동에게 덩어리가 촉진되면 악성종양의 가능성을 고려해 생검(biopsy)을 해야 한다. 소아암은 초기에 원인을 알 수 없는 열, 두통, 피로, 창백 등의 비특이적인 증상들이 나타나기 때문에 조기진단이 어렵다. 이 외에도 아동의 과거력과 가족력은 아직 임상적으로 발현되지 않은 종양을 찾아내는데 도움을 준다.

04 / 신체검진

체중과 신장의 측정은 아동의 건강평가를 위해 필수적이

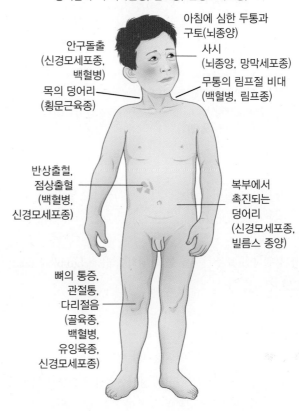

창백함과 피로(백혈병, 림프종, 신경모세포종)

아침에 심한 두통과 구토(뇌종양)

안구돌출 (신경모세포종, 백혈병)

사시 (뇌종양, 망막세포종)

무통의 림프절 비대 (백혈병, 림프종)

목의 덩어리 (횡문근육종)

반상출혈, 점상출혈 (백혈병, 신경모세포종)

복부에서 촉진되는 덩어리 (신경모세포종, 빌름스 종양)

뼈의 통증, 관절통, 다리절음 (골육종, 백혈병, 유잉육종, 신경모세포종)

그림 24-1 종양 아동의 사정

며 이는 소아암 아동의 사정에 있어서도 중요하다. 또한 소아암 아동에서 나타날 수 있는 증상들은 신체검진을 통해 확인할 수 있다[표 24-2].

05 / 임상검사

1) 혈액검사

혈액검사는 2가지 목적으로 이루어진다. 첫째는 진단을 내리기 위함이고, 둘째는 치료시작 전 골수의 기능을 평가하기 위함이다. 전혈구 검사(CBC)를 통해 적혈구, 백혈구, 혈소판의 증가 혹은 감소 여부를 확인한다. 말초혈액도말검사를 통해서 혈액 내 백혈병 세포의 존재여부를 확인한다.

혈액화학검사에는 신장 기능과 간 기능 검사가 포함되며 종양용해증후군이 오기 쉬운 질환에서는 요산, 전해질 검사를 시행하여야 한다.

백혈병과 림프종일 경우 뇌신경계로 전이 여부를 확인

표 24-2	소아암의 주요 증상

· 열
· 지속적 두통, 종종 구토 동반
· 피로
· 체중 감소와 식욕부진
· 통증(특히 뼈와 관절에 국소적 통증)
· 비정상적 덩어리
· 멍(점상출혈, 반상출혈)
· 창백(빈혈)
· 혈뇨
· 식은땀
· 절름발이 걸음
· 범혈구감소증

하기 위하여 요추천자를 통해 뇌척수액(cerebrospinal fluid, CSF)검사를 한다.

2) 특수검사

영상검사가 많이 발전되었지만 단순방사선검사는 여전히 암을 진단하는데 유용하다. 방사선검사는 흉부와 복부의 덩어리를 확인할 수 있으며 종양의 흉부로의 전이 여부와 복부의 덩어리로 인한 변비, 장폐색, 장의 가스 등을 확인하는데 매우 효과적이다. 초음파검사는 종양의 감별진단에 매우 유용하며 림프절 및 혈관침윤 여부를 확인할 수 있다.

자기공명영상(magnetic resonance imaging, MRI)은 주로 뇌종양이나 골종양 진단에 이용된다. 뼈와 신경계에서 발생하는 악성종양의 진단을 위해서는 주로 뼈 스캔(bone scan)검사가 시행된다. 양자 방출 단층촬영(positron emission tomography, PET) 스캔검사는 악성종양의 진단을 위한 전신 검사에 이용되며 림프종, 뇌신경계 종양의 진단에 유용하다.

06 / 합병증

소아암 환아에서 생명을 위협하는 응급상황은 악성 종양 자체의 사멸이나 집중적인 치료과정에 의해 나타날 수 있다.

1) 종양용해증후군

종양용해증후군은 종양세포의 파괴로 인해 세포 내 대사물질이 급속히 방출되어 발생한다. 고요산혈증(hyperuricemia), 저칼슘혈증(hypocalcemia), 고칼륨혈증(hyperkalemia), 고인산혈증(hyperphosphatemia), 요독증 등의 대사이상이 나타난다. 급속히 증식하고 항암화학요법제에 감수성이 높은 악성 종양인 버킷림프종, T세포 림프종과 급성 백혈병 등에서 흔하게 유발된다. 이는 종양세포의 자연 사멸에 의해 발생하거나 치료 시작 초기(1~5일)에 발생하며, 아동에게 요통, 무기력, 오심과 구토, 핍뇨, 소양증, 테타니와 의식수준의 변화가 나타날 수 있고 요산이나 인산화칼슘의 침착에 의한 신부전이 일어날 수 있다. 소변량이 유지되도록 수액공급을 하고, 소변을 알칼리화 시켜 요산의 용해도를 높이고, Allopurinol을 투여하여 요산을 낮춘다.

2) 상대정맥증후군

상대정맥증후군은 호지킨병과 비호지킨 림프종 등과 같은 흉곽 내 악성 종양이 상대정맥을 압박하여 유발되는 것이다. 초기에 기도 압박에 의한 호흡곤란이 가장 흔한 증상이며, 얼굴, 목, 상부 흉부의 청색증, 상지와 경정맥의 팽창, 얼굴 부종 등이 나타난다. 증상은 앙와위에서 심해지고, 며칠 만에 급속히 진행되어 불안, 혼란, 졸림, 두통, 시야장애, 실신 등의 심각한 증상을 나타낸다.

3) 백혈구증가증

백혈구증가증은 말초혈액에서 백혈구 수가 $100,000/\mu L$ 이상일 때를 말하며, 혈액 점도 증가에 의해 모세혈관 폐쇄, 미세경색, 장기의 기능장애를 일으킬 수 있다. 폐혈관 손상에 의한 호흡부전이 나타나 호흡곤란, 시야장애, 두통, 졸림, 혼란 등으로 이어질 수 있다. 중추신경계, 소화기계, 호흡기계, 심막에 출혈이 발생할 수 있으며, 충추신경계의 출혈은 사망률이 60%에 이를 정도로 심각하다. 적절한 수액공급, 소변의 알칼리화, Allopurinol 투약 등이 이루어지며 백혈구 수가 $300,000/\mu L$ 이상인 경우 백혈구 분반술 또는 교환수혈을 하여 백혈구 수를 낮춘다.

4) 척수압박

종양이 척수를 압박하면 신경학적 장애를 초래할 수 있는데, 이런 경우, 이를 빨리 알아내어 적절한 중재를 통해 영구적 신경학적 합병증을 예방하여야 한다. 대부분의 환아가 요통을 호소하며, 감각이상, 장과 방광 조절능력 상실 등이 나타난다. 항암화학요법이나 방사선 치료, 스테로이드를 투여하여 종양의 크기를 줄이는 것이 필요하다.

5) 위장관 합병증

위장관 출혈이 종양 내 출혈, 혈소판 감소증, 응고장애, 점막 궤양이나 비정상적 혈관 등에 의해 나타날 수 있다. 장의 폐쇄가 종양이나 농양에 의해 장관 내강이 눌리기나 약물에 의한 장의 마비로 인해 유발되어 장의 천공으로 이어질 수 있으며, 맹장염과 같은 위장관의 염증이 나타날 수 있다. 대부분의 환아에서 급성 복통이 나타나며, 원인 질환에 따른 치료가 필요하다.

확인문제

1. 백혈병의 진단 시 뇌척수액 검사를 하는 이유는?

2. TNM체계에 의한 악성 종양의 병기 분류 중 T가 의미하는 것은??

Ⅱ 방사선 치료

방사선 치료(radiation therapy)는 고에너지 방사선을 이용해 DNA 염색분체(DNA strands)를 파괴해 세포분열을 막음으로써 암세포를 죽인다. 따라서 종양의 제거나 크기 감소, 재발을 막기 위해 방사선 치료가 적용된다. 또한 임종 환아에서 치료목적 보다는 종양의 크기를 줄임으로써 이로 인한 고통과 증상을 완화시키기 위해 적용되기도 한다. 이는 신체 외부에서 치료기기로 방사선 조사를 하는 외부 방사선 치료(external-beam radiation therapy)와 신체 내부의 암세포에 직접 삽입하거나 인접하여 방사성 물질을 위치시켜 종양을 치료하는 근접방사선 치료(internal radiation therapy)가 있다. 방사선 치료를 받는 아동은 부작용을 경험하며 이는 치료 시 일시적으로 나타나는 초기(급성) 부작용과 치료 후 몇 개월 혹은 몇 년 후에 나타나는 후기(만성) 부작용이 있다. 부작용의 발생은 방사선 조사의 위치, 방사선 조사량, 종양의 심각성 정도에 따라 달라진다.

1) 초기 부작용

극도의 피로가 방사선 조사 부위에 관계없이 매우 흔하게 나타난다. 두부나 위(stomach)의 방사선 치료는 오심과 구토를 유발할 수 있으며, 이는 다른 부위의 치료 시에도 나타날 수 있다. 치료 전 오심과 구토를 예방하기 위해 항구토제를 준다. 방사선 치료를 받으면 혈구 수, 특히 백혈구와 혈소판 수가 감소할 수 있다. 따라서 방사선 치료를 받는 아동의 감염 예방에 유의해야 한다. 피부건조, 가려움, 피부박리나 수포형성 등 치료받은 부위의 피부변화도 나타날 수 있다. 따라서 치료 후 피부를 손으로 문지르는 등의 자극적 행위는 삼가해야 하며 피부보호크림을 처방 받아 적용할 수도 있다.

2) 후기 부작용

방사선 치료를 받은 아동의 생존율이 높아지면서 방사선 치료의 후기 부작용이 더욱 분명해지고 있다. 방사선 치료로 인해 암세포뿐 아니라 정상세포도 파괴됨에 따라 여러 부작용이 발생하게 된다.

(1) 성장문제

뼈는 출생 후 1년이나 성장이 빠른 기간에 가장 취약하다. 이때 아동이 방사선 치료를 받게 되면 치료를 받은 뼈가 받지 않은 뼈보다 짧아져 비대칭적인 뼈의 성장을 보이며 골절이 나타날 수 있다. 척추에 방사선 치료를 받는 경우 척추측만증, 척추후만증, 또는 척추단축이 나타나 신장에 영향을 줄 수 있다. 또한 방사선 치료를 받은 근육의 위축이 나타날 수 있다. 두부의 방사선 요법은 갑상선, 시상하부, 뇌하수체의 기능 이상을 가져온다. 이것은 성장호르몬의 결핍을 초래한다. 따라서 아동의 성장과 갑상선의 기능 평가가 치료 후 매 6개월마다, 3년 동안 필요하다. 갑상선이나 뇌하수체의 기능이 저하되어 있으면 호르몬 대체요법이 시행된다.

(2) 생식기능의 변화

난소나 고환의 방사선 치료는 불임을 유발한다. 이에 방사선 조사 시 난소의 위치를 방사선 조사부위 밖으로 옮기거나 조사 전 난소 위치를 표시하여 난소에 방사선 조사가 되지 않도록 한다. 고환의 기능 또한 방사선량에 의존적이므로 고환에 방사선 치료를 할 경우 정자은행을 활용한다. 여아에서 정상적인 에스트로겐 생성 감소 혹은 생성부전으로 2차 성징이 저해될 수 있다. 그러므로 사춘기 이후 생식샘자극호르몬과 성호르몬을 주기적으로 검사한다.

(3) 이차종양

이차종양(second cancer)은 방사선 조사에 의한 종양으로 2/3 이상이 방사선 조사부위에서 나타난다. 방사선 치료에 의한 이차종양의 발생위험도는 방사선 조사량이 높을수록, 치료 시 연령이 낮을수록, 유전적 소인이 있는 경우 높아진다.

(4) 폐섬유화

대부분의 경우 증상은 없으나 X선 사진에서 치료부위에 반흔과 확산능력 저하를 보인다.

(5) 기타 합병증

흉부방사선 치료로 인해 급성 심근경색, 급성 심막염, 협착성 심막염 등의 심장 합병증이 나타난다. 장의 손상으로 설사나 출혈이 나타날 수 있으며 만성 방광염도 드물게 발생할 수 있다. 또한 침샘에 인접한 두경부 방사선 치료 시 침샘 기능이 손상되어 구강건조증이 발생한다. 이외에도 인지기능 장애, 신경내분비장애 등도 포함된다.

치료 전 부모에게 방사선 치료의 단·장기 부작용을 설명하고 치료에 대한 동의를 얻는다. 그러나 진단 초기에 부모는 종양 치료의 단기적 목표에 몰두하여 장기적인 영향을 거의 고려하지 않는다.

간호진단 및 목표

간호진단 : 방사선 치료로 인한 피부통합성장애의 위험성
간호목표 : 방사선 치료 시 나타날 수 있는 피부변화를 최소화 할 수 있을 것이다.
예상되는 결과 : 아동은 방사선 치료과정 동안 피부변화를 경험하지 않는다.

방사선 치료로 인한 피부변화는 보통 치료 시작 후 2주 이내에 나타난다. 초기에 피부건조와 홍반이 흔히 나타나고 이후 피부박리까지 나타날 수 있다. 이러한 피부손상 예방 간호를 포함한 방사선 치료 아동의 간호는 가족지지에 요약되어 있다.

가족지지/방사선 치료 아동의 간호

방사선 치료를 받는 아동은 여러 가지 부작용을 경험할 수 있으며 이를 최소화하기 위한 간호가 요구된다.

피부통합성유지와 피부손상 예방

- 방사선 치료 부위를 공기 중에 노출시킬 수 는 있으나 햇빛에의 노출과 너무 뜨겁거나 차가운 공기는 피한다.
- 물속에서 너무 오래 있지 않는다.
- 순한 비누를 사용하여 몸을 닦는다.
- 피부를 세게 문지르거나 표면이 거친 수건은 피한다.
- 벨트나 목의 칼라(collar), 어깨끈 등이 피부를 너무 조이지 않도록 한다.
- 목욕 시 너무 뜨거운 물은 피한다.
- 피부건조나 소양증의 완화를 위해 피부보습에 유의하고 처방된 크림이나 로션을 사용한다.
- 구강점막의 보호를 위해 부드러운 칫솔을 사용한다.
- 방사선 치료에 의한 타액분비 저하로 구강건조가 나타날 수 있으므로 이를 예방하기 위해 입을 자주 물로 축여준다.

정서적 지지

- 탈모가 나타날 경우 가발이나 모자를 씌워준다. 이는 치료로 인한 일시적 현상으로 회복될 수 있으며 이러한 현상에도 불구하고 아동은 여전히 사랑스러운 존재임을 말해준다.
- 방사선 치료 전 치료에 대한 두려움, 불안감 등을 표현할 수 있도록 역할극을 하거나 치료 중 사용되는 도구들과 친숙해지도록 한다. 아동에게 궁금한 점들을 질문할 수 있는 충분한 시간을 준다.
- 방사선 치료 중에 아동이 지루해하거나 두려워할 수 있으므로 아동이 잘 수 있도록 진정제를 투여하기도 한다. 치료 전에 활발한 활동을 장려하고 치료가 임박해서는 조용한 활동을 장려해서 치료 시 자연스럽게 잠들게 하는 방법도 있다. 치료 중에 자신에 생일에 초대할 친구 10명을 나열하게 하거나 어른이 되면 하고 싶은 10가지를 말하게 하는 것과 같은 활동도 정서에 도움이 된다.

영양섭취 증진

- 오심과 구토로 인해 음식섭취를 잘 못할 경우 처방된 항구토제를 투여한다.
- 고칼로리 식이를 격려한다.
- 식사시간이 즐거운 시간이 될 수 있도록 유도하고 아동의 먹으려고 하는 노력에 대해 칭찬한다.
- 가능한 아동이 좋아하는 음식을 준다.

수분섭취 증진

- 설사로 인한 과도한 체액손실의 위험이 있기 때문에 수분상태를 감시하고 처방에 의한 수액요법을 한다.

- 설사가 지속될 경우 처방된 지사제를 투여한다.
- 설사를 할 경우 섬유소가 많은 과일이나 야채는 제한한다.

활동 격려
- 아동의 운동이나 활동을 격려하되, 육체적으로 너무 피곤하지 않도록 한다.
- 적절한 휴식 시간을 제공한다. 자야 할 밤 시간에 활동은 피한다.
- 뼈가 방사선 요법에 의해 약해져 골절이 일어나기 쉬우므로 뼈에 무리가 되지 않는 가벼운 운동을 격려한다.

Ⅲ 항암화학요법

항암화학요법(chemotherapy)은 빠르게 분열하는 악성 암세포에 다발성 손상을 일으켜 더 이상 복제되지 않도록 함으로써 암세포를 파괴하는 것이다. 아동에서 주로 구강, 혈관, 근육이나 피하, 경막 내(intrathecal)로 투여된다. 간호사는 항암화학요법제가 피부로 흡수될 수 있으므로 직접 피부에 닿지 않도록 주의하며 약물을 다룬 후에는 철저히 손을 씻는다. 또한 항암화학요법제를 혈관으로 투여하는 경우 약물의 혈관 외 유출로 인해 조직의 수포와 괴사 등 심각한 조직손상이 유발될 수 있으므로 약물투여 시 주의 깊은 관찰을 요한다.

01 / 항암화학요법제의 분류

항암화학요법제는 특정 세포주기, 특히 S기와 M기에 있는 세포의 증식과 발육을 억제하는 cell cycle specific agent와 세포주기에 관계없이 모든 단계의 세포에 독성을 일으키는 cell cycle non specific agent가 있다. 항암화학요법제에는 알킬화제(alkylating agents), 항대사제(antimetabolites), 빈카 알칼로이드(vincaalkaloids), 효소(enzymes), 스테로이드제(steroids), 항생제(antibiotics) 등이 포함된다.

1) 알킬화제

알킬화제(alkylating agents)는 DNA 복제를 억제하여 합성을 방해한다. 이것은 세포주기에 관계없이 작용하나 G0기의 세포를 파괴하는데 효과적이다. Cyclophosphamide, Cisplatin, Nitrogen mustard 등이 알킬화 제제에 속한다.

2) 항대사제

항대사제(antimetabolites)은 자연적으로 발생하는 세포 대사물질과 유사하다. 그러나 이는 자연적이 아니므로 효소생성을 억제하거나 비기능적 최종산물을 생성하여 세포의 단백질, DNA, RNA의 합성을 방해함으로써 세포 발육과 증식을 억제한다. 이는 S기 세포주기의 세포에 효과적이다. Methotrexate, 6-mercaptopurine, Cytarabine 등이 항대사물질에 속한다.

3) 빈카 알칼로이드

빈카 알칼로이드(vinca alkaloids)는 식물성 알킬화제로서 M기에서 방추사 형성을 저지함으로써 세포분열을 방해한다. 이는 Vincristine, Vinblastine 등의 약물이 포함된다.

4) 효소

체세포는 성장을 위해 asparagine(필수 아미노산)이 필요하다. 대표적 효소(enzymes)인 asparaginase는 asparagine을 비기능적 아스파트산(aspartic acid)과 암모니아(ammonia)로 전환시켜 세포의 주기에 관계없이 세포의 단백질 합성을 방해한다.

5) 스테로이드제

스테로이드제는 세포 내로 수동적으로 이동하여 DNA와 결합하여 RNA의 생성을 억제함으로써 새로운 암세포의 생성을 막는데, Prednisone과 Dexamethasone이 대표적이다.

6) 항생제

항생제(antibiotics)는 DNA와 결합 복합체를 형성하여 암세포의 DNA와 RNA의 합성을 방해하며, Doxorubin과 Daunomycin이 있다.

02 / 항암화학요법의 부작용

항암화학요법은 조혈계, 신경계, 위장계, 심장계, 면역계, 내분비계 등 전신에 걸쳐 영향을 준다. 따라서 항암화학요법의 독성과 부작용은 다양하며 치료 중에 탈모, 감염, 구내염 등의 증상이 일시적으로 나타나게 된다. 그러나 청

표 24-3 흔하게 사용되는 항암화학요법제

약물	분류	적응증	부작용	고려할 점 및 간호내용
Bleomycin(Bleocin)	항생제	호지킨병, 림프종	폐렴, 구내염, 폐섬유화, 피부염, Raynaud 현상	· 주입 20시간 후 발열과 오한 발생 가능
Carmustine(Nitrosourea)	기타(DNA 합성 억제)	중추신경계 종양, 림프종, 호지킨병	말초혈관 통한 주입 시 작열감, 지연된 골수 억제(4~6주), 폐섬유화, 구내염, 종양 유발	· 작열감과 저혈압 예방 위해 약물의 빠른 주입 금기 · 약물의 혈관 외 유출 금기
Cisplatin(platinol)	기타(DNA 합성 억제)	골육종, 신경모세포종, 중추신경계 종양	심각한 오심과 구토, 골수 억제, 신독성, 청력손실, 간독성, 신경독성, 이명(tinnitus), 아나필락시스, 테타니	· 약물투여 전 항구토제 투여 · 섭취량/배설량 확인 · 약품병은 반드시 성분 변성 막기 위해 알루미늄으로 감싸 빛 차단
Cyclophosphamide (Cytoxan)	알킬화제	급성 림프모구 백혈병, 육종	골수 억제, 출혈성 방광염, 폐 섬유화, SIADH, 방광암, 아나필락시스	· 출혈성 방광염의 예방 간호 수행 – 자각 증상(배뇨 시 작열감) 확인 – 소변검사(출혈 확인, 요비중 검사) 확인 – 수분 섭취 격려, 약물투여 중·후에 잦은 배뇨 격려, 비뇨기계 독성 억제 위한 멘사(mensa) 투여
Cytarabine(Ara–C)	항대사제	급성 림프모구 백혈병, 림프종	골수 억제, 결막염, 점막염, 중추신경계 기능부전	· 결막염 예방 위해 고용량의 코르티코스테로이드 점안액 투여
Dactinomycin	항생제	빌름스 종양, 횡문근육종, 유잉 육종	오심, 구토, 혈관 외 유출 시 조직 괴사, 골수 억제, 광선민감, 점막염	· 조직 괴사의 예방 위해 약물의 혈관 외 유출 금기 · 빛 차단
Daunorubicin(Cerubidine) 혹은 Doxorubin(Adriamycin)	항생제	급성 림프모구 백혈병, 급성 골수성 백혈병, 유잉 육종, 림프종, 신경모세포종	심근변증, 탈모증, 골수 억제, 혈관 외 유출 시 조직 괴사, 적색 소변, 결막염, 방사능 피부염, 부정맥	· 조직 괴사의 예방 위해 약물의 혈관 외 유출 금기 · 심기능 모니터
Etoposide(Vepesid)	기타(DNA 국소이성화효소 (topoisomerase) 억제)	급성 림프모구 백혈병, 림프종	아나필락시스, 골수 억제, 2차 백혈병	· 아나필락시스 확인 위해 약물 투여 후 1시간 동안은 15분마다 활력징후 측정 · 응급약물과 장비 준비
Ifosfamide(Holoxan)	알킬화제	림프종, 빌름스 종양, 육종	Cyclophosphamide와 유사, 중추신경 기능부전, 심독성	· Cyclophosphamide와 같이 출혈성 방광염의 예방 간호 수행
L-asparaginase	효소	급성 림프모구 백혈병	아나필락시스, 췌장염, 고혈당, 혈소판 기능이상, 응고장애, 뇌증	· 아나필락시스 확인 위해 약물 투여 후 1시간 동안은 15분마다 활력징후 측정 · 응급 약물과 장비 준비 · 혈액응고 검사 · L–asparaginase에 아나필락시스 있는 경우 PEG–asparaginase(Pegaspar) 사용 고려

표 24-3	흔하게 사용되는 항암화학요법제 (계속)			
약물	분류	적응증	부작용	고려할 점 및 간호내용
6-Mercaptopurine (Purinethol)	항대사제	급성 림프모구 백혈병	골수 억제, 간괴사, 점막염	• Allopurinol과 함께 투여 시 용량을 75%로 줄여 투여(allopurinol은 mercaptopurine의 변성을 지연시켜 독성을 증가시킴) • 우유와 자몽 주스와 함께 복용 시 흡수 방해
Methotrexate	항대사제	급성 림프모구 백혈병, 림프종, 골육종	골수 억제, 구내염, 점막염, 피부염, 간염, 광선과민증	• Salicylate와 함께 투여 시 약물 효과 감소 • 빛 차단 • 고용량 투여 시 leucovorin 함께 투여해 점막, 신장과 중추 신경계 독성 예방
Prednisone	스테로이드제	급성 림프모구 백혈병, 호지킨병, 림프종	쿠싱 증후군, 백내장, 당뇨병, 고혈압, 근병증, 골다공증, 감염, 소화 궤양	• 변화된 외모에 대한 지지
Vinblastine (Velban)	빈카 알칼로이드	호지킨병	골수 억제, 백혈구 감소, 국소 연조직염	• 조직 괴사 예방 위해 약물의 혈관 외 유출 금기
Vincristine (Oncovine)	빈카 알칼로이드	급성 림프모구 백혈병, 림프종, 신경모세포종, 빌름스 종양, 호지킨병	변비, 관절과 근육의 통증, 무감각, 저림, 허약감, 안검 하수	• 조직 괴사 예방 위해 약물의 혈관 외 유출 금기 • 족하수(foot drop) 사정 • 필요 시 대변완화제 투여

력손상 등의 비가역적이고 영구적인 부작용도 있다. 그러므로 아동간호사는 이러한 항암화학요법제의 위험성을 잘 알고 이에 대한 적절한 예방과 관리를 할 수 있어야 한다. 흔하게 사용되는 항암화학요법제와 부작용 및 간호는 [표 24-3]에서 제시하였다.

간호진단 및 목표

간호진단 : 항암화학요법으로 인한 오심, 구토와 관련된 영양 부족
간호목표 : 아동은 요구되는 적절한 칼로리를 섭취할 것이다.
예상되는 결과 : 아동은 연령에 적합한 칼로리를 섭취한다.

간호진단 : 항암화학요법으로 인한 오심과 구토와 관련된 체액 부족
간호목표 : 아동은 치료기간 동안 적절한 수분 및 체액 상태를 유지할 것이다.
예상되는 결과 : 아동의 수분 섭취량과 배설량은 적절하다. 피부의 탄력성이 좋다. 구강점막이 촉촉하다. 구토가 감소한다.

항암화학요법에 의한 오심과 구토는 암환아를 고통스럽게 하는 위장관계 주요 증상의 하나이다. 이는 항암화학요법제의 대사산물이나 급성 오심 증상의 부적절한 관리로 인해 유발된다. 구토는 항암화학요법 후 몇 분 지나지 않아 바로 나타날 수도 있고 약물의 종류와 적용 빈도에 따라 약 1주일까지 지속될 수도 있다. 암환아는 빠르게 성장하는 악성세포로 인한 많은 열량소모로 인해 영양이 부족하기 쉬운데 항암화학요법으로 인한 오심과 구토는 충분한 구강 섭취를 어렵게 하므로 영양불량의 위험을 더욱 높인다. 오심과 구토 외에도 항암화학요법제로 인한 구내염은 구강통증을 유발해 입으로 먹는 것을 더욱 어렵게 한다. 또한 소장의 세포파괴로 인한 궤양은 영양소의 흡수를 방해한다. 흔히 사용 되는 항암화학요법제인 Cyclophosphamide는 미각을 변화시켜 음식을 쓰게 느껴지게 만든다. 이런 미각의 변화는 예전에 좋아하던 음식이라도 잘 먹지 않게 되고 새로운 음식도 먹으려 하지 않아 구강 섭취량은 더욱 감소하게 된다.

오심과 구토 증상의 예방과 완화를 위해 처방된 항구토제를 투여한다. 이는 항암화학요법 전과 과정 중에 2, 4 혹은 6시간 간격을 두고 규칙적으로 투여한다. 세로토닌 길항제인 Ondansetron (Zofran)은 항암화학요법이나 방사선 치료로 유발된 오심과 구토에 효과적이며 강하게 구토유발을 일으키는 항암화학요법제가 투여되는 경우 Dexamethasone과 함께 투여한다. Penothiazine계 Promethazine (Phenergan), Prochlorperzine (Compazine)과 Dopamine antagonist인 Metoclopramide (Reglan)는 경증의 구토에 투여한다. 아동간호사는 항구토제의 효과를 자주 사정하여 오심과 구토가 좋아지지 않거나 심해질 경우 약물을 바꿀 필요에 대해 고려한다.

아동의 구강섭취를 향상시키기 위한 비약물적 간호중재를 계획한다. 항암화학요법제의 투약 전과 하루 중 비교적 오심이 덜한 아침시간에 많은 양의 식사를 제공한다. 식사시간을 즐겁게 만들고, 아동이 좋아하는 색, 온도, 모양을 고려하여 음식을 제공한다. 아동이 평소에 좋아하는 음식을 주고 가능하면 아동이 스스로 음식을 선택할 수 있도록 하여 구강섭취에 대한 흥미를 유발시킨다. 한 번에 너무 많은 음식보다는 아동이 다 먹을 수 있는 적은 양의 음식을 자주 제공하는 것이 아동에게 구강섭취에 대한 만족감을 줄 수 있다.

간호진단 및 목표

간호진단 : 항암화학요법으로 인한 외모변화와 관련된 신체상 장애
간호목표 : 아동은 항암화학요법의 부작용으로 인한 일시적 외모변화를 받아들일 수 있다.
예상되는 결과 : 아동은 간호사와 부모에게 자신의 외모변화에 대한 느낌을 말한다. 이러한 변화는 일시적이고 회복될 수 있음을 안다.

1) 탈모증

탈모증(alopecia)은 항암화학요법제의 세포파괴로 인해 발생하는 흔한 부작용 중 하나이다. 정도는 다양하지만 아동은 치료 시작 후 2~3일 내에 머리가 빠지게 되며, 미리 이에 대해 설명하였더라도 전체 머리카락이 한 번에 모두 빠지므로 아동과 가족은 많이 놀라게 된다. 그러므로 이 시기에 아동에게는 질병자체 보다 머리가 빠짐으로 인한 외모의 변화가 더 중요한 문제가 되기도 한다. 아동과 가족에게 탈모는 치료과정 중 흔하게 일어나는 일시적인 현상이고 머리카락의 색이 전보다 진하고 굵게 되거나 곱슬머리가 될 수 있지만 머리카락이 3~6개월에 다시 자라게 된다는 것을 교육한다. 아동에게 가발이나 스카프, 모자를 착용하도록 한다. 머리 없는 인형과 함께 놀게 하여 아동이 인형과 동일

간호사례 / 항암화학요법 중 호중구감소증이 나타난 아동

9세 여아가 급성 골수성 백혈병(AML)을 진단받고 중심정맥관(central venous catheter)을 통해 9일째 항암화학요법을 받던 중 활력징후는 체온 37.0℃, 혈압 80/40mmHg, 맥박 124회/분, 호흡 28회/분으로 정상 범위에 있었으나, 혈액검사에서 백혈구(WBC)가 2,000/mm³이었고 다핵구(segs)가 20%, 대상형(bands)이 2%로 호중구의 전체 퍼센트가 22%로 나타나 절대 호중구 수(ANC)가 500/mm³ 이하로 확인되었다.

사　　정 : WBC: 2,000/mm³

　　　　　 ANC: 500/mm³

간호진단 : 호중구감소증과 관련된 감염의 위험성

간호목표 : 아동은 치료기간 중 감염이 일어나지 않을 것이다.

평　　가 : 아동에게 고열이나 인후통과 같은 감염 증상이 나타나지 않는다.

계획 및 중재

1. 환아는 laminar airflow가 설치된 격리실에 있다. 방은 청결해야 하며 역격리가 유지되어야 한다. 환아와 가족에게 격리실에서의 감염관리 방법에 대해 교육한다. 그 예로 방문객은 마스크와 가운을 입어야 한다.

2. 호중구감소증 환아를 돌보는 간호사는 기관지염, 설사, 뇌막염 등 전염성 질환을 가진 환자를 돌보는 것을 피한다.

3. 환아를 간호하기 전과 후나 환아의 방에서 나갈 때는 손을 닦는다.

4. 전염성 질환(수두, 홍역, 발진 등)이 있는 방문객은 환아 방문을 제한한다. 수두와 같은 전염성 질환의 최근 예방 접종자도 방문을 제한한다.

5. 환아의 근접 환경에 식물, 생과일, 야채, 꽃, 열대어가 있지 않도록 하고 애완동물의 접근 또한 금한다.

6. 환아의 몸을 청결하게 한다. 구강위생 시 부드러운 칫솔을 이용한다. 피부에 자극적이지 않은 비누와 물을 이용하여 부드럽게 피부를 닦는다.

7. 입안 점막의 출혈이나 균열, 백색반점, 아구창 감염을 확인하기 위해 입안을 매일 시진한다. 입술에 젤 형의 보습성 보호제를 발라준다.

8. 체온, 맥박, 호흡수의 활력증후를 4시간 마다 측정하는데, 직장의 체온측정은 피한다. 고열이 있으면 처방된 Acetaminophen을 투여하고 Aspirin은 금한다.

9. 피부간호 시 피부에 자극적이지 않으면서도 보습효과가 있는 로션을 부드럽게 발라준다. 이때 팔꿈치나 발꿈치와 같이 뼈의 돌출부위, 정맥주사 및 근육주사 부위, 기저귀 적용 부위 등의 피부표면을 주의 깊게 관찰한다.

10. 중심정맥관 삽입 부위를 정기적으로 드레싱하거나 교환하여 오염되지 않도록 한다.

11. 장점막을 자극시키지 않도록 배변완화제를 제공한다.

12. 필요할 경우 고열량, 고단백식이와 음식보조식품을 제공한다.

13. 호흡기계 감염여부를 매 8시간 마다 사정한다. 흉부청진을 통해 호흡음이 깨끗한지 확인한다. 인후의 발적이나 비강분비물을 관찰한다. 환아가 자주 움직이고 운동하도록 교육한다. 심호흡을 격려한다.

14. 비뇨기계 감염여부를 사정한다. 소변의 색, 농도를 시진하고 빈뇨 여부를 확인한다. 도뇨관의삽입은 피한다. 충분한 수분섭취를 격려한다. 여아의 경우 배뇨나 배변 후에 앞에서 뒤로 닦도록 교육한다. 월경 중 tampon의 사용은 가능한 피한다.

15. 필요 시 처방된 과립성 백혈구를 수혈하고 환아 상태를 관찰한다.

16. 환아에게 생백신의 투여는 금한다.

시하는 과정은 아동이 갑작스러운 외모변화를 받아들이게 하는데 도움이 될 수 있다.

2) 쿠싱양 외모

쿠싱양 외모(cushingoid apprearence)는 장기간의 스테로이드제(Prednisone)투여 아동에서 전형적인 달모양의 얼굴(moon face), 붉은 빰, 체모의 증가가 나타나는 것이다. 달모양의 얼굴 등과 같은 외모 변화는 나이든 아동에서 심한 스트레스가 될 수 있는데, 투약을 중단하면 정상으로 되돌아온다는 것을 미리 교육하여 안심시킨다.

간호진단 및 목표

간호진단 : 항암화학요법으로 인한 구강점막의 변화와 관련된 감염, 통증

간호목표 : 아동은 항암화학요법의 적용 동안 구내염이나 궤양으로 인한 심각한 불편감을 경험하지 않을 것이다.

예상되는 결과 : 구내염이나 구강점막의 궤양이 없다. 아동이 구강 불편감을 호소하지 않는다.

점막의 염증은 항암화학요법의 흔한 독성반응이다. 특히 구내염(stomatitis)은 항암화학요법으로 인해 구강 내 정상 상피세포가 빠르게 파괴되고 재생은 늦어지면서 점막이 위축되고 궤양과 염증반응이 나타나는 것이다. 이로 인해

아동은 입술이 갈라지고 구강건조와 통증, 인후통, 쉰목소리, 입맛의 변화 등의 불편감을 경험하게 된다. 이는 치료 후 2~5일에 시작된다. 아동에게 부드러운 음식을 제공하고 한 번에 적은 양을 자주 먹이도록 한다. 삼키기 힘들어 하고 통증이 심해 구강섭취량이 너무 부족한 아동은 비경구적 영양이나 수액을 공급하도록 한다. 감염예방을 위해 구강청결이 중요하며, 이때 부드러운 칫솔이나 면봉으로 이를 닦거나 생리식염수로 자주 입안을 헹구어 내는 것이 도움이 된다. 국소마취제(Lidocaine)가 불편감 완화를 위해 처방될 수 있는데, Lidocaine을 삼키면 구역반사(gag reflex)를 마비시킬 수 있기 때문에 약물을 삼킬 수 있는 아동은 입안을 헹구지 않고 바르게 한다. 구내염이 있는 아동의 불편감을 완화시키는 방법이 가족지지에 요약되었다.

점막궤양은 위장점막에서도 나타나기 때문에 항암화학요법을 받는 아동은 직장점막의 손상을 막기 위해 직장체온의 측정을 금한다.

간호진단 및 목표

간호진단 : 항암화학요법으로 인한 설사와 관련된 탈수의 위험성
간호목표 : 아동은 치료기간 동안 설사나 탈수증상이 없을 것이다.
예상되는 결과 : 아동은 정상적인 배변횟수와 변 양상을 보이고 탈수증상이 나타나지 않는다.

설사는 항암화학요법 후 24시간 이내에 나타난다. 아동이 설사를 하게 되면 탈수와 전해질 불균형이 빠르게 나타난다. 탈수는 체중 감소, 피부탄력도의 감소, 점막의 건조, 저혈압 등의 증상들을 유발한다. 그러므로 간호사는 장음을 청진하여 장운동이 과다 항진되지 않았는지를 확인한다. 배변의 횟수, 색, 냄새, 묽기를 관찰한다. 아동의 체중을 매일 측정하여 체중 감소 여부를 확인하고 피부탄력성의 감소, 전해질 불균형 등의 탈수증상을 감시한다. 아동이 설사를 하는 경우 수분 손실량에 대한 수액공급을 하여 탈수를 예방한다. 잦은 산성변 배출에 의한 항문주위의 피부손상을 예방하기 위한 간호가 필요한데, 어린 아동의 경우 기저귀를 자주 갈아준다. 배변 후에는 엉덩이를 물로 닦아 주는 것이 좋으며 이때 무알콜 비누를 사용하고 닦아준 후에는 적절한 피부보호제를 적용한다. 아동은 자신의 의지로 조절할 수 없는 잦은 배변으로 인해 좌절감을 느낄 수 있으므로 이에 대한 지지가 필요하다.

간호진단 및 목표

간호진단 : 항암화학요법으로 인한 변비와 관련된 장폐색의 위험성
간호목표 : 아동은 치료기간 동안 변비가 없을 것이다.
예상되는 결과 : 아동은 치료 전의 정상적 배변패턴을 유지한다. 변 양상이 딱딱하지 않다.

항암화학요법제 중 특히 Vincristine 같은 약물은 신경독성에 의한 변비를 유발한다. 그러므로 아동의 배변 횟수, 양, 딱딱함의 정도를 관찰한다. 심한 변비에는 대변완화제(stool softener)나 하제(laxatives)를 사용하고 아동에게 수분섭취를 격려한다. 고섬유 식이는 대변이 용적만 증가시킬 뿐 장운동을 증가시키지는 않으므로 변비 완화에는 효과적이지 않으면서 복부팽만감이나 불편감만 증가시킬 수 있다. 가능하다면 아동에게 운동을 격려하고 활동량을 증가시키도록 한다. 딱딱한 변을 보게 되면 직장점막에 궤양을 유발할 수 있으므로 이에 대한 감시가 필요하다.

간호진단 및 목표

간호진단 : 항암화학요법으로 인한 신경병증(neuropathy)과 관련된 신체손상 위험성
간호목표 : 아동은 치료기간 동안 일상적 운동수준을 유지하고 어떠한 신체손상도 경험하지 않을 것이다.
예상되는 결과 : 아동이 신경병증과 관련된 신체손상을 경험하지 않는다.

Vinca alkyloid, Cisplatin (Platinol)등의 신경독성이 있는 항암화학요법제는 신경병증을 유발할 수 있다. 이는 치료 시 허약감, 저림, 사지의 무감각, 변비, 통증 등으로 나타난다. 이러한 부작용은 미끄러짐, 낙상, 족하수(foot drop)를 유발할 수 있고 손의 감각 및 운동 이상은 펜이나 연필을 잡거나 글씨 쓰기 등을 어렵게 한다. 이완요법이나 진통제 투여로 통증을 조절한다. 손의 감각 및 운동기능이 돌아올 때까지 가능한 게임이나 운동을 할 수 있도록 격려한다.

간호진단 및 목표

간호진단 : 항암화학요법으로 인한 골수기능부전과 관련된 감염 위험성
간호목표 : 아동은 치료기간 동안 감염되지 않을 것이다.
예상되는 결과 : 아동의 체온은 정상범위로 유지되며 고열이 나타나지 않는다.

항암화학요법을 받는 환아는 골수기능의 억제와 영양부족으로 인한 백혈구 수의 감소(leukopenia)로 탐식작용(phagocytosis) 등의 면역체계가 약해져 감염이 예견된다. 특히 호중구 감소증(neutropenia)은 호중구(neutrophil)의 감소를 의미하는데 호중구는 박테리아 감염을 방어하는 신체의 주요 세포이다. 따라서 환아의 감염 발생의 위험성의 사정을 위해 절대 호중구 수(absolute neutrophil count, ANC)의 평가는 필수적이다. ANC는 호중구 전체 퍼센트[다해구(segs)와 대상형(bands)의 퍼센트를 더한 값]에 ㎣당 백혈구수를 곱해 100으로 나눈 값을 말한다. ANC가 500/㎣ 이하이면 감염위험이 심각한 것을 의미하므로 철저한 감염관리가 요구된다. 항암화학요법으로 인한 혈관주사기의 빈번한 삽입과 점막의 궤양은 박테리아가 침입하는 통로가 된다.

박테리아 감염도 일반적인데 이는 Esherichia coli, Pseudomonas aeruginosa, Klebsiella pneumoniae와 같은 그람음성 박테리아와 Staphylococcus aureus, Streptococci와 같은 그람양성 박테리아가 일반적인 감염 유기체이다. 박테리아 감염으로 인한 항생제 투여로 진균감염이 유발될 수 있다. 칸디다증(Candidiasis)이나 아스페르길루스증(Aspergillosis)이 일반적인 진균감염이다.

암환아에서 감염이 발생하면 배양으로 병원균을 구별하여 그에 대한 항생제를 투여한다. 단, 병원균이 확인되기까지 시일이 걸리므로 광범위 항생제 치료를 먼저 시작할 수 있다.

면역이 저하된 상태에서 감염 예방을 위한 생백신 접종은 금기이며, 항암화학요법 중에는 항체 생성이 잘 되지 않아 일반적으로는 예방접종을 하지 않는다. 그러나 항암화학요법의 유지기간 중이거나 강도가 약한 치료를 받는 생후 6개월 이후 환아에서는 해마다 독감 사백신 접종을 할 수 있다. 수두 환아와 접촉한 경우에는 72시간 이내에 면역글로불린(varicella-zoster immune globulin, VZIG)을 투여해 수동면역을 시행하여 감염을 예방하며, 수두 발병 시에는 처방에 의해 Acyclovir를 투여한다. 수두백신은 약독화된 생백신으로서 관해 중에 1~2주간 항암화학요법을 중단하고 백신을 투여할 수 있으며, 투여 2주 후에 다시 항암화학요법을 시행한다.

Ⅳ 조혈모세포이식 / 골수이식

조혈모세포이식(hematopoietic stem cell transplantation)은 치료 초기에는 백혈병 등의 혈액질환에서 주로 적용되었으나, 현재는 림프종, 신경모세포종, 뇌종양 등과 같은 다양한 암의 치료를 위해 행해지고 있다. 조혈모세포이식은 이식편대숙주병(graft versus host disease, GVHD)을 예방하기 위해 조직적합항원(human leukocyte antigen, HLA)이 일치하는 조혈모세포를 이용하는 것이 가장 바람직하다. 이식편대숙주병은 조혈모세포이식 후 발생하는 가장 흔하고 심각한 합병증 중 하나로서, 공여자의 T세포가 환아 세포의 조직적합항원 또는 부조직적합항원을 자기 것이 아닌 것으로 인식해 일어나는 면역반응이다. 이식 후 100일을 기준으로 급성과 만성 이식편대숙주병으로 으로 나눌 수 있다. 급성 이식편대숙주병은 피부, 위장관, 간을 주로 침범하여 홍반성 발진, 구토와 설사, 지속적인 식욕부진, 간효소 수치의 증가를 유발하며, 만성 이식편대숙주병은 신체의 어떤 장기도 침범 가능하고, 피부, 간, 눈, 폐, 위장관 등에 증상이 발병하게 된다.

조혈모세포이식은 환자 자신의 조혈모세포가 사용되는 자가이식(autologous transpla), 일란성 쌍둥이에 의한 동종동계이식(syngeneic transplantation)과 일란성 쌍둥이가 아닌 동종에 의한 동종이계이식(syngeneic transplantation)이 있는데, 일반적으로 조직적합항원이 일치하는 형제가 공여자가 되며 부모도 포함될 수 있다. 그러나 형제나 부모 중에서 해당자가 없을 경우에는 혈연관계가 없는 사람 중에서 조직적합항원이 일치하거나, 혈연관계가 있는 사람 중에서 조직적합항원이 부분적으로 일치할 경우에도 공여자가 된다.

조혈모세포이식에 사용하는 조혈모세포원으로는 골수, 말초혈액, 제대혈이 있는데, 조혈모세포가 골수에 많이 포함되어 있어 골수가 흔히 사용되었으며, 이 때문에 조혈모세포이식이 골수이식이라는 용어로 흔히 쓰였다. 말초혈액은 백혈구 분반술에 의해 조혈모세포를 쉽게 얻을 수 있고, 제대혈은 상대적으로 세포의 면역능력이 떨어져 조직적합항원이 부분적으로 일치하더라도 성공할 수 있으며, 이식편대숙주병의 위험이 적은 장점이 있다.

이식 전 환아에게 항암화학요법제를 고용량으로 투여해 가능한 많은 조혈모세포를 파괴시켜 이식될 세포가 성장하고 자랄 수 있는 공간을 만든다. 또한 전신방사선 조사로 이식될 세포에 반응하는 면역반응을 억제시킨다. 이후 공여자의 골수, 제대혈이나 말초혈액에서 채취한 건강한 조혈모세포를 환아에게 정맥을 통해 이식한다. 새로운 골수는 이식 후 2~4주 후에 생착이 이루어진다. 생착 전 2~4주간 환아는 심한 백혈구 감소로 인해 감염에 매우 취약해지며 감염의 위험이 매우 높다. 그러므로 감염을 예방하기 위하여 이식 전부터 면역글로불린과 항생제를 투여한다. 또한 이식 후 환아와 접촉하는 모든 사람은 손을 잘 씻어야 하며 환아를 역격리 시킨다. 이식된 골수가 재기능을 하기 전까지는 각 혈액성분의 기능적 수준을 유지하기 위해 수혈이 필요하다. 특히 심한 혈소판 감소로 인해 출혈의 위험성이 높으므로 혈소판 수혈을 자주 하게 된다.

 ## V 골수생검

골수생검은 골수검사의 한 방법으로서 골수천자와 골수생검으로 이루어진다. 골수천자는 천자바늘을 찔러 골수를 흡인하는 것이고, 골수생검은 생검용 바늘을 이용해 골수조직을 떼어내어 검사를 시행하는 것이다.

골수검사 후 침습적 절차로 인해 출혈과 감염이 발생할 수 있으므로 활력징후를 측정하여야 한다. 검사부위에 무균 드레싱을 하고 모래주머니를 적용한 상태에서 1~3시간 동안 환아를 앙와위로 눕혀 검사 부위를 압박해 지혈되도록 한다.

확인문제

3. 철저한 감염관리가 요구되는 절대 호중구 수 (absolute neutrophil count, ANC)는?

4. Vincristine의 일반적인 2가지 부작용은 무엇인가?

 ## VI 백혈병

백혈병(leukemia)은 소아암 중 가장 많아 전체 소아암의 1/3에 달한다. 이는 조혈 조직의 암으로, 비정상적, 미성숙 혈액 세포의 과잉증식이 발생하는 것이다. 소아기 백혈병 중 대부분이 급성 백혈병인데 이는 급성 림프구성 백혈병(acute lymphoblastic leukemia, ALL)과 급성 골수성 백혈병(acute myelogenous leukemia, AML)으로 나뉜다. 백혈병세포의 형태에 따라 백혈병을 세분화하는 FAB (French-Amercan-British) 체계에 의하면, ALL은 L1, L2, L3의 3가지 형태로 구분할 수 있으며 이 중 L1유형이 ALL아동의 대부분에서 보이는 가장 일반적인 형태이고 예후도 가장 좋다. AML은 M0~M7의 8가지 형태로 분류된다.

01 / 급성 림프구성 백혈병

급성 림프구성 백혈병(acute lymphoblastic leukemia, ALL)은 림프계 전구세포(lymphoid progenitor)가 B와 T 림프구(lympohocyte)로 분화되는 과정에서 변종 백혈병 세포(leukemic cell)가 과잉 증식되는 병이다. 백혈병 세포의 빠른 증식과 함께 정상 조혈작용이 방해되어 백혈병 세포가 신체기관에 침윤되고 적혈구와 혈소판 생성이 감소된다.

ALL은 가장 흔한 소아암으로 4세 전후에서 가장 많이 발생한다. 만 1세부터 9세 사이에 진단받고 초기 검사 상 말초 백혈구 수가 과도하게 높지 않은 경우 항암화학요법만으로도 5년 생존율이 85~90%에 이를 정도로 예후가 좋다. 그러나 12개월 미만 혹은 10세 이상에서 발생하는 경우에는 예후가 좋지 않으며 성별도 남아가 여아보다 예후가 좋지 않다. 또한 진단 시 백혈구 수가 50,000/㎣ 이상으로 매우 높거나 간비대 또는 비장비대가 상당히 심한 경우에도 예후가 좋지 않다.

ALL의 발병은 방사선, 화학물질의 노출이나 유전적 요소가 영향을 주는 것으로 알려져 있으나 대부분의 경우 정확한 원인은 알 수 없다. 다운증후군 등의 유전질환이 있거나 자궁 내 혹은 생후 초기 방사선 노출 등의 경험이 있는 경우 ALL 발생 위험이 높다. 또한 여아보다 남아에서 더

ALL이 많으며 백인 아동에서 많이 발병된다.

1) 임상증상

백혈병 세포의 과잉생성으로 골수에서 적혈구, 과립구, 혈소판이 부족하게 되어 환아에게 여러 가지 증상들이 유발된다. 적혈구 부족으로 빈혈. 창백, 무기력, 식욕부진 등이 보인다. 백혈구 부족으로 호흡기 감염, 패혈증, 농양, 열 등이 발생한다. 혈소판 부족으로 점상출혈과 점막출혈 등 각종 출혈이 생기고 쉽게 멍이 든다. 백혈병 세포의 조직 침범으로 인해 비장과 간이 비대되면, 복통 및 구토와 식욕부진이 발생한다. 림프절 비대도 흔하게 나타나는데 종격동(mediastinum)의 림프절이 커지면 기관지나 혈관이 눌려 호흡곤란, 고혈압이 나타날 수 있다. 백혈병 세포가 골막을 침범하면서 심한 뼈와 관절 통증을 경험할 수 있으며, 드물게 중추신경계 침범에 의한 두통이나 구토, 시력장애, 뇌막염 증상이 나타난다. 신체 사정 시 통증 없는 전신적 림프절 비대가 확인된다.

2) 진단검사

ALL의 50%가 혈액검사에서 정상 백혈구 수치를 보인다. 그러나 약간 감소하거나 증가하기도 하여 다양한 백혈구 수치를 보일 수 있다. 보통 말초혈액검사에서 빈혈, 호중구 감소, 혈소판 감소가 나타나며, 미분화된 림프구인 림프모구(lymphoblast)가 발견된다. 골수천자는 백혈구의 형태나 종류를 구별하기 위해 시행되는데, 골수에서 림프모구가 20% 이상일 경우 백혈병 진단이 내려진다. X선 검사로 장골능이나 종격동(mediastimum)의 비정상 세포의 침입으로 인한 병변을 확인한다. 요추천자는 중추신경계의 침범여부를 확인하기 위해 시행되며 뇌척수액 내 림프모구의 존재여부를 확인한다.

02 / 급성 골수성 백혈병

급성 골수성 백혈병(acute myelogenous leukemia, AML)은 급성 백혈병이 림프구성이 아닌 비림프구성 백혈구에서 나타난 것이다. 골수 전구세포(myeloid progenitor)가 중성구(neutrophil), 단핵구(monocyte), 적혈구(erythrocyte), 혈소판(platelet)으로 분화되는 과정에서 백혈병 세포로 악성 변형이 일어난 것이다. 이로 인해 정상 조혈작용은 억제되게 된다. 소아백혈병의 15~20%가 이 유형으로, 발생 빈도는 출생부터 10세까지 비슷하나 청소년기에 상대적으로 증가한다. 원인은 아직 모르나 일란성 쌍생아, 다운증후군, Fanconi's anemia 등의 질환이 있거나 자궁 내 방사선 조사 경험 혹은 살충제 노출 등의 환경적 요인에 의해 많이 발생하다.

1) 임상증상

AML 아동은 ALL 아동과 비슷한 증상을 보인다. 골수의 백혈병 세포로 인해 정상 혈액세포(적혈구, 백혈구, 혈소판)가 감소되어 창백, 피로, 허약, 출혈, 열과 감염 등 관련 증상들이 나타난다. 백혈병 세포가 골수 외의 장기에도 침착되어 피하결절, 림프절 비대, 안와 녹색종(orbital chloroma), 잇몸 비대 등이 나타난다. 백혈구수가 100,000/mm^3 이상인 경우 백혈구에 의한 혈류정체로 인해 뇌와 폐의 경색 및 출혈이 발생할 수 있다.

03 / 치료적 관리

1) 치료목표

백혈병치료의 목표는 항암화학요법에 의한 완치이다. 항암화학요법의 1단계 목표는 관해도입치료(remission induction therapy)를 통해 완전한 관해와 정상 조혈작용의 재정립에 이르는 것이다. 2단계 목표는 강화요법(consolidation/intensification therapy)을 통해 관해를 강화하고 중추신경계에서의 백혈병 세포의 침입과 성장을 막는 것이다. 3단계 목표는 유지요법(maintenance therapy)을 통해 잔존 백혈병 세포를 파괴함으로써 관해를 유지하는 것이다.

(1) 관해도입치료

관해는 백혈병의 임상증상이 없고 골수에서 림프모구가 5% 이내로 감소되며 말초혈액의 수치도 거의 정상수준에 이르는 것을 의미한다.

ALL 아동의 도입단계에서 관해를 위해 사용되는 약물들은 Vincristine, Prednisone, L-asparaginase이다. ALL 환

아의 95% 이상이 경막 내 투약(intrathecal therapy)과 병행한 항암화학요법으로 4주 이내에 관해에 이른다. 항암화학요법으로 인해 많은 세포가 파괴되기 때문에 항암치료 동안 많은 양의 요산(uric acid)이 배설된다. 그리고 이것은 신장 사구체의 막힘과 신장 기능의 저하를 유발한다. 이를 예방하기 위해 요산 형성을 감소시키는 Allopurinol과 같은 약물이 항암치료와 함께 사용된다. 또한 수액공급이 요산 배설에 도움이 된다.

AML 아동의 도입단계에서 사용되는 약물은 주로 Doxorubicin과 Cytosine arabinoside가 사용되며, ALL처럼 관해율이 좋지 않아 완전한 관해에 이르기 위해서는 1~2개월이 소요된다. 관해도입치료는 ALL아동에 비해 AML 아동에서 더 어려우며 AML 아동은 관해되더라도 일시적인 경우가 많다. 따라서 AML 아동은 정상적인 과립구의 새로운 증식을 위해 첫 관해기에 조혈모세포이식이 시도될 수 있다.

(2) 강화요법

강화요법 단계의 항암화학요법의 강도는 환아의 중증도에 따라 다양하다. 이 단계에서 사용되는 약물들은 Cyclophosphamide, Cytarabine, Methotraxate, Asparaginase, Mercaptopurine, Thioguanine, Epipodophyllotoxin 등이다. 이 단계의 치료는 보통 5~7개월간 진행된다.

(3) 유지요법

항암치료를 유지하는 목적은 모든 잔존하는 백혈병 세포를 파괴하여 아동의 면역체계를 완전하게 하는 것이다. 기본적인 유지치료는 매일 구강으로 6-MP(Mercaptopurine)를 투여하고 매주 Methotrexate를 근육 주사하는 것이다. 이와 함께 Vincristine과 Prednisone을 병행 투여하면 재발위험을 낮출 수 있다. 유지기 동안 혈구 수를 매달 반드시 모니터하여 골수의 반응을 평가한다. 만약 심각한 골수기능저하(ANC 1000/mm³ 이하)가 있으면 약물의 용량을 감소시키거나 치료를 일시적으로 중지하고 필요하면 수혈을 한다. 유지요법 기간 동안 골수검사 결과에서 백혈병 세포가 다시 나타나면, 새로운 관해도입치료가 시작되며 2번째 관해 시에는 조혈모세포이식이 시도된다. 환아가 약 4년 동안 백혈병 징후가 나타나 않으면 이는 완치로

간주되어 도입 치료를 중단한다.

(4) 중추신경계 치료

백혈병 세포는 중추신경계를 침범할 수 있으므로 예방적 치료가 필요하다. 이를 위해 백혈병 치료 시 Methotrexate, Dexamethasone, Cytarabine의 경막 내 투약이 중추신경계의 백혈병 세포를 파괴시킬 목적으로 병행된다.

2) 합병증

백혈병 환아 간호 시 백혈병 세포가 신체조직을 침범함으로 인해 발생하는 건강문제들을 알고 있어야 한다. 이는 주로 중추신경계, 신장, 생식기계 문제들이다.

(1) 중추신경계

백혈병 세포가 중추신경계를 침범하면 시각장애, 수두증, 반복되는 경련 등 심각하고 위급한 문제들이 발생할 수 있다. 뇌막과 제 6, 7뇌신경은 가장 자주 영향 받는 곳으로 백혈병 세포의 뇌막 침범 시 목의 강직, 두통, 짜증, 구토, 유두부종이 나타난다. 진단을 위해 요추천자가 시행되며 이를 통해 뇌척수액 내 백혈병 세포 여부를 검사한다. 증상은 Methotrexate의 경막 내 주입으로 진정될 수 있으나, 이는 구강이나 정맥 내로 동시에 투여하여야 한다. 왜냐하면 Methotrexate의 경막 내 주입 시 소량만 전신으로 흡수되고 과량으로 투여하면 독성만 유발되기 때문이다. 두피(scalp) 아래에서 카테터를 뇌실로 삽입한 옴마야 리저버(ommaya reservoir)를 사용하면 요추천자 없이도 항암화학요법제를 주입할 수 있고 뇌척수액 검사물을 쉽게 채취할 수 있다[그림 24-2].

(2) 신장

백혈병 세포가 신장을 침범하면 신장이 커질뿐 아니라 기능도 손상되면서 심각한 문제들이 발생한다. 또한 항암화학요법제의 백혈병 세포 파괴로 인해 요산이 증가되어 요산 결정체가 세뇨관을 막게 되면 신부전증이 발생된다. 백혈병 세포나 항암화학요법으로 인해 신장기능이 손상되면 약물이 효율적으로 배설되지 못하므로 항암화학요법제의 사용이 제한된다.

(3) 생식기계

백혈병 세포의 생식샘의 침범이나 항암화학요법제와 방사선 치료로 인해 생식기능의 손상 및 불임이 유발될 수 있다. 특히 고환에 직접 또는 근처에 방사선 치료가 계획된 경우에는 정자 보관을 위해 정자은행의 이용을 권장한다.

간호진단 및 목표

간호진단 : 미성숙 백혈구와 항암화학요법으로 인한 면역기능의 감소와 관련된 감염 위험성
간호목표 : 환아는 치료과정 동안 감염이 발생하지 않을 것이다.
예상되는 결과 : 환아의 체온은 정상범위로 열이 나타나지 않는다.

백혈병의 질병과정과 항암화학요법으로 인한 성숙한 백혈구의 감소는 면역기능을 약화시켜 환아는 감염에 쉽게 노출된다. 이 때문에 백혈병 환아의 대부분 사망원인은 패혈증, 폐렴, 뇌막염 등이다. 그러므로 환아의 감염증상을 매우 주의 깊게 관찰하여야 한다. 집에서 치료를 받는 동안에는 부모가 환아를 유심히 관찰하여 발열이나 처짐 같은 평소와 다른 행동 등의 감염증상이 보이면 빨리 병원을 방문하여야 한다. 감염증상이 빨리 확인될수록 조기에 항생제 투여가 시작되므로 심각한 감염성 질환으로의 이환을 막을 수 있다.

백혈구의 수혈로 성숙한 백혈구 수를 증가시킴으로써 감염을 예방하기도 한다. 백혈구 수혈로 인한 열이나 오한 같은 증상은 적혈구 수혈 시보다 더 흔하며 나타날 수 있는 가능한 증상으로, 이 때문에 수혈을 중단하지는 않는다.

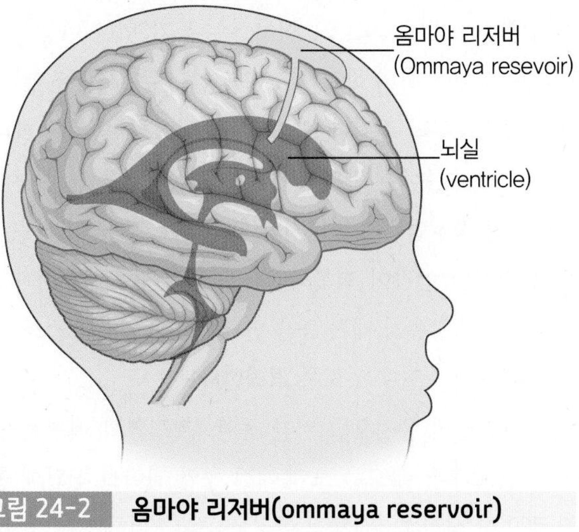

그림 24-2 **옴마야 리저버(ommaya reservoir)**
이 시술에 의해 뇌실을 통해 뇌척수액으로 약물이 주입된다.

아동의 기능적 백혈구 수가 증가될 때까지는 방문객, 특히 감염성 질환이 있는 사람의 방문을 제한한다.

간호진단 및 목표

간호진단 : 혈소판 생성 감소로 인한 출혈 위험성
간호목표 : 환아는 치료과정 동안 출혈을 경험하지 않을 것이다.
예상되는 결과 : 환아에게 비출혈, 혈뇨, 토혈 등의 출혈증상이 나타나지 않는다. 맥박과 혈압이 정상범위에 있다.

항암화학요법과 질병과정에 의한 혈소판 생성 감소로 인해 백혈병 환아는 출혈위험이 높다. 비출혈(epistaxis)은 가장 흔하게 나타나는 출혈증상이다. 아동의 코에서 피가 흐르면 앉아있거나 서있는 상태에서 고개를 앞으로 약간 숙이게 하고 연골로 이루어진 코 하부의 말랑말랑한 부분을 엄지와 검지로 압박하여 지혈한다. 출혈이 지속될 경우에는 바셀린 거즈 등을 넣어 비강패킹(postnasal packing)하는 것이 도움이 된다. 비강점막이 건조하면 비출혈의 가능성이 더 높으므로 실내습도를 항상 적절히 유지하며 바셀린 등의 연고를 비강점막에 바른다. 비뇨기계, 위장관계, 중추신경계 등에도 출혈이 발생할 수 있으므로 혈뇨, 혈변, 토혈, 반상출혈이 있는지를 관찰한다.

출혈량이 많으면 혈액소실량을 보충하기 위한 수혈이 필요하다. 혈소판 수가 $100,000/mm^3$ 이하일 때에는 외상이나 출혈이 일어나지 않도록 과격한 활동을 피하고, 혈소판 수가 $20,000/mm^3$ 이하일 때에는 손상 없이도 자연출혈에 의해 심한 내출혈이 일어날 수 있다. 그러므로 출혈성 경향의 완화를 위해 혈소판이 풍부한 혈청 또는 농축된 혈소판의 수혈도 필요하다.

출혈 예방을 위해 정맥천자의 수를 최소화하고 근육주사나 정맥주사바늘 제거 후 주사부위가 완전히 지혈될 때까지 압박한다.

간호진단 및 목표

간호진단 : 백혈병 세포의 침범과 관련된 뼈의 통증
간호목표 : 아동의 통증 정도는 견딜 수 있을 만한 수준으로 감소할 것이다.
예상되는 결과 : 어린 영아의 경우 통증으로 인해 울지 않으며 나이든 아동은 통증정도를 견딜만한 수준으로 보고한다.

급성 백혈병 환아는 다량의 백혈병 세포가 골막을 침범하기 때문에 뼈의 통증이나 관절통을 경험하게 된다. 이 때

간호사례 / 급성 림프구성 백혈병을 진단 받은 아동

8세 남아가 최근 며칠 간 평소에 비해 활동량이 떨어지고 엄마에게 피곤함과 때때로 속이 매스꺼움을 호소하였다. 어머니가 체온을 측정했을 때 37.8℃의 미열이 있어 병원을 방문하여 신체 검진한 결과 아동이 창백해 보이고 약간의 임파선염이 있어 항생제를 처방 받아 10일간 복용하였다. 하지만 미열이 계속 지속되고 피부에 점상출혈이 보여 시행한 혈액검사에서 약간의 빈혈(hemoglobin: 9.8gm/dl)과 백혈구 감소증(WBC: 4,000/mm³)이 나타나 백혈병으로 진단받아 입원하였다. 입원 시 환아는 창백해 보였고 매우 피곤해 하였으며 침대에 누워 일어나려 하지 않았다

사 정 : SD – "피곤해요"
OD – 창백해 보임
Hemoglobin: 9.8gm/dl
매우 피곤해 보이고 침대에 누워서 일어나려 하지 않음

간호진단 : 빈혈에 의한 산소 공급과 요구 간의 불균형과 관련된 활동의 지속성 장애

간호목표 : 환아의 활동의 지속성 장애가 호전될 것이다.

평 가 : 아동이 피곤함을 호소하지 않는다; 활동 시 생리적 징후(맥박, 호흡, 혈압)가 정상 범위에 있다; 가능한 일상적인 활동을 한다.

간호 및 중재

1. 환아의 피곤함의 정도를 기록하고 평가한다.
2. 매일의 일상생활활동과 그에 따른 피로 정도에 대해 일기를 쓰도록 한다.
3. 조용한 환경을 조성해주고 휴식 시간을 방해하지 않는다. 식사 전에 쉬는 시간을 갖도록 한다.
4. 일상생활에서 에너지를 보존하도록 한다(서기보다 앉기, 목욕 의자 사용, 가벼운 옷 입기 등). 환아가 보행이나 다른 활동들을 할 때 필요하다면 옆에서 돕는다.
5. 처방된 항구토제를 투여하고 식사 전에 구강 간호를 한다.
6. 적은 양의 영양가가 높은 고단백 식이를 제공한다.
7. 보충적 산소를 공급한다.
8. 증가된 활동에 대한 생리적 반응(맥박, 호흡, 혈압)을 모니터 한다.

문에 환아는 만지는 것을 싫어하며 고통스러워하므로 통증을 최소화하기 위해 부드럽게 다룬다. 통증으로 인해 환아는 잘 움직이지 않으려하므로 자주 체위변경을 하여 피부통합성 문제가 발생하지 않도록 한다. 항상 같은 자세를 유지하려는 환아의 피부손상을 예방하기 위해 양털을 바닥에 깔아주는 것이 도움이 될 수 있다. 표준화된 통증척도를 이용하여 환아의 통증 정도를 사정하고 필요시 처방에 의한 진통제를 투여한다.

간호진단 및 목표

간호진단 : 장기간의 유지요법과 관련된 건강유지 능력변화의 위험성

간호목표 : 아동과 부모는 퇴원 후 필요한 장기적인 건강유지활동에 대해 스스로 계획한다.

예상되는 결과 : 아동과 부모는 필요한 건강유지활동을 스스로 계획할 수 있으며 퇴원 후 규칙적인 병원방문의 중요성을 이해한다.

유지요법 중인 아동은 집에서 거주하면서 일상생활이 가능하고, 학교도 다닐 수 있다. 그러나 여전히 감염의 위험이 높으므로 부모는 아동의 감염 징후를 잘 관찰하여 징후가 있을 경우 빨리 병원에 방문하여 항생제 치료가 일찍 시작될 수 있도록 한다. 특히 수두감염은 면역기능이 억제된 환아에게는 치명적이므로 환아는 수두가 있는 아동으로부터 격리되어야 하며 학교에도 이를 알려주어 수두감염이 있는 아동으로부터 적절한 보호가 이루어질 수 있도록 한다.

유지요법 중에는 반드시 정기적으로 병원을 방문하여 혈구수치가 정상범위에 있는지를 확인해야 한다. 이때에는 아동이 자신의 건강이 회복되었다고 생각하는지를 평가하고 앞으로의 건강유지 계획 등을 면담하여 아동이 스스로 꾸준히 건강관리를 할수 있도록 격려한다.

2~3년간의 유지요법 기간 동안 부모 역시 계속적인 지지가 필요하다. 부모는 오랜 기간 동안 환아를 전담해 돌봄으로 인한 심리적·신체적 어려움들을 경험하게 된다. 또한 관해상태가 영원히 유지되기를 바라면서 하루하루를 살기

때문에 재발 시에는 더 많은 지지가 필요하다.

Ⅶ 뇌종양

뇌종양(brain tumor)은 백혈병에 이어 두 번째로 흔한 소아암이며 가장 흔한 고형종양이다. 5~10세에 가장 높은 빈도를 보인다. 종양발생부위에 따라 천막(tentorium) 상부 종양과 천막 하부 종양으로 나뉘는데, 이는 아동에서 비슷한 빈도로 나타난다. 소아 뇌종양의 해부학적 위치에 따른 종류와 빈도는 [그림 24-3]에 제시되었다. 대부분 소아 뇌종양의 원인은 잘 알려져 있지 않다.

01 / 사정

1) 임상증상

뇌종양의 증상은 종양의 해부학적 위치, 형태 및 나이에 따라 다르게 나타난다. 천막상부 종양은 발작이 흔하게 나타나며 종양이 진행되면서 편마비나 시야상실, 감각마비 등의 국소 신경 증상이 발생한다. 천막하부의 후두개와에 발생하는 종양은 감각, 운동 장애와 함께 뇌척수액의 흐름을 막아 수두증과 두개내압 상승 증상이 나타난다. 뇌종양으로 두개내압이 상승하면 두통, 발작(seizure), 시력변화, 유두부종과 오심, 구토, 식욕부진 같은 위장계 증상이 나타난다. 영아의 경우 대천문이 융기되며 뇌척수액 압박으로 인한 머리둘레 증가가 보일 수 있다. 기면, 투사성 구토와 혼수가 두개내압 상승의 후기 징후들이다.

두개내압 상승에 의한 두통은 보통 아침에 일어날 때 발생한다. 이는 기침 혹은 몸에 힘을 주면 더 심해져 아동은 배변 시 힘주는 것을 꺼리게 된다. 특히 후두부위의 통증은 다른 원인에 의한 발생이 드물기 때문에 뇌종양의 진단 시 매우 중요한 단서가 된다.

뇌종양에 의한 구토는 보통 두통과 함께 발생하며 위장관 문제에 의한 구토와 달리 오심을 동반하지 않아 구토 후에도 곧바로 잘 먹을 수 있다. 구토는 오전이나 수면 후에 더 심한데, 이는 수면 시에 뇌혈관 확장으로 인한 뇌압상승이 더 심하기 때문이다.

뇌종양으로 인해 눈의 변화도 나타나는데 제6뇌신경 침범으로 인한 복시나 한쪽 눈의 압박에 의해 사시가 나타난다. 복시가 있는 환아는 하나의 숟가락을 보여줬을 때 두 개로 보인다고 말한다. 환아는 사시로 인한 양안고정 능력이 손상되면서 사물을 볼 때 머리를 옆으로 기울이거나 한쪽 눈을 감기도 한다. 흐릿한 시야나 안구진탕증, 안검하수가 나타나기도 한다. 안저검사에서 시신경의 부종인 유두부종이 관찰된다.

환아는 쉽게 피로해 하고 수면 시간이 길어지며 무관심해지고 위축되는 등의 성격의 변화가 나타난다. 근긴장 저하, 운동실조증 등의 운동능력 변화 및 지능저하와 불안정한 정서도 야기된다.

2) 진단검사

진단을 위해 임상증상을 포함한 자세한 건강력 조사와 신경학적 검사가 이루어진다. 뇌종양이 의심되는 환아의 평

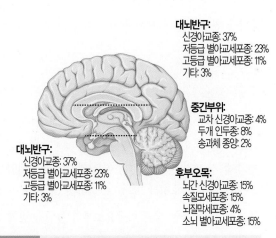

대뇌반구:
신경아교종: 37%
저등급 별아교세포종: 23%
고등급 별아교세포종: 11%
기타: 3%

중간부위:
교차 신경아교종: 4%
두개 인두종: 8%
송과체 종양: 2%

대뇌반구:
신경아교종: 37%
저등급 별아교세포종: 23%
고등급 별아교세포종: 11%
기타: 3%

후부오목:
뇌간 신경아교종: 15%
속질모세포종: 15%
뇌질막세포종: 4%
소뇌 별아교세포종: 15%

그림 24-3 소아 뇌종양의 종류와 빈도

가는 항상 심각하고 위험한 상황을 의미한다. 그러므로 환아를 철저히 관찰하며 두개뇌압 상승이나 국소적 증상 및 징후 여부를 확인하여 기록한다. 맥박, 혈압, 호흡수를 정확하게 사정하고 기록해서 활력징후의 미묘한 변화를 확인한다.

신경학적 검사는 MRI가 진단을 위해 일차적으로 시행하며 CT가 보완적으로 사용될 수 있다. 영아의 경우 대천문을 통해 초음파로 진단할 수 있다. 이 외에도 뇌파검사, 두개골 촬영, 뼈 스캔, 뇌혈관 조영술이 필요에 따라 시행된다. 뇌척수액 검사는 두개내압이 상승된 경우 뇌척수액의 유출로 인해 뇌간이 척수로 탈출되어 호흡과 심장기능을 방해할 수 있으므로 금기이다.

02 / 치료적 관리

뇌종양의 치료는 종양의 위치와 범위에 따라 수술, 방사선 치료, 항암화학요법을 병행한다. 대부분의 경우 종양의 완전한 제거가 어려워 방사선요법과 항암화학요법이 더욱 중요하다. 방사선 요법은 암세포를 파괴하여 종양을 치료하고 수술 전 종양의 크기를 감소시키기 위해 시행된다. 항암화학요법은 많은 화학치료제가 혈액뇌장벽(blood brain-barrier)을 통과하지 못하므로 제한적이며 주로 사용되는 약물은 Lomustine (CCNU)과 Vincristine, Cisplatin, Methotrexate 등이다. 약물의 투여효과를 증가시키기 위해 옴마야 리저버(ommaya reservoir)로 뇌실에 직접 투약한다.

뇌종양 환아의 일차적 치료는 외과적 수술을 통한 종양의 제거이다. 수술의 목표는 신경학적 손상의 합병증 없이 종양을 완전히 제거하는 것이다. 다음은 수술 시 요구되는 간호이다.

1) 수술 전 간호

장의 긴장은 두개내압을 상승시키므로 이를 예방하기 위해 수술 전 환아에게 대변완화제를 준다. 뇌종양 환아에게 수술 전 관장은 금기인데, 이는 관장이 두개내압을 상승시킬 수 있기 때문이다. 수술 전 환아의 머리카락을 면도한다. 면도하는 동안 다른 아동으로부터 놀림을 받지 않도록 사생활 보호에 유의하며 면도 후에는 모자를 씌워준다. 그

리고 머리카락은 빠르게 다시 자라게 될 것임을 아동에게 강조하여 신체상 변화로 인한 정서적 문제가 발생하지 않도록 한다.

환아는 수술 후 중환자실에 있게 되므로 수술 전 환아와 부모에게 중환자실에 대한 설명과 중환자실의 의료진을 만나게 해주는 것이 필요하다.

수술 후 환아는 며칠 동안 뇌부종으로 인해 혼수상태 혹은 극단적인 기면상태에 있게 된다. 간호사는 이것이 수술한 환아의 일반적인 회복과정임을 수술 전 미리 알려주어 부모가 놀라지 않도록 한다.

2) 수술 후 간호

수술 후 자세는 종양의 위치와 수술의 범위에 따라 다르다. 그러나 수술부위 쪽으로 환아를 눕히면 뇌가 갑자기 수술부위의 빈 공간으로 이동하여 뇌혈관 및 뇌의 손상을 유발할 수 있으므로 일반적으로 수술부위 반대쪽으로 자세를 취한다. 두개내압의 상승을 예방하기 위해 침상을 편평하게 하거나 침상 머리를 약간 올려준다. 후두엽 하부를 수술한 경우 수술 부위의 과도한 움직임 막기 위해 머리와 목이 하나의 신체부위처럼 움직이도록 한다. 이를 위해 목보조기(neck brace) 혹은 석고붕대가 사용된다. 수술 후 트렌델렌버그 자세는 두개내압의 상승과 출혈의 위험을 증가시키므로 금기이며, 쇼크 상태가 의심되면 우선 머리를 낮추고 의사에게 즉시 보고한다.

많은 환아가 수술 후 안면 부종이 심해 눈꺼풀이 완전히 감겨지지 않을 수 있다. 이때에는 각막건조나 궤양의 예방을 위해 안구에 식염수 세척이나 약물 점적을 하고 안구드레싱으로 눈이 꼭 감겨지도록 한다. 안면 부종의 완화를 위해 냉찜질을 적용한다.

활력징후는 안정될 때까지 그리고 두개내압의 상승 증상이 없을 때까지 매 15~30분마다 자주 측정한다. 수술 후 체온은 시상하부의 부종이나 제거, 전신마취로 인해 약간 상승할 수 있다. 이때에는 처방에 의한 해열제 투여, 냉각 담요 적용, 스펀지 목욕 등을 통하여 열을 낮춘다. 그러나 이로 인해 갑작스러운 저체온이 발생할 수 있으므로 체온을 자주 측정한다. 또한 동공의 크기와 빛에 대한 반응, 근육강도(아동에게 손을 꼭 쥐어보라고 함), 의식수준(아동의 이

름을 묻거나 혹은 간단한 지시를 따라하도록 함)을 신중하게 사정한다.

환아의 의식이 회복되면, 수술부위 드레싱이나 환아에게 적용한 기구를 만지지 않도록 하기 위한 억제대가 필요하다. 그러나 환아가 억제대에 저항하여 힘을 가하면 두개내압이 상승하므로 가능한 한 억제대는 최소한으로 적용한다.

수술 후 뇌부종과 두개내압 상승의 위험이 있기 때문에 수액 주입속도는 신중하게 조절하여야 한다. 이때 뇌부종의 예방을 위해 처방 된 뇌압강하제(Mannitol)나 고장성 포도당 용액을 투여할 수 있다. 뇌부종으로 인해 수술 후 두통이 심각하게 나타날 수 있다. 조용하고 어두운 환경의 조성, 방문객의 제한, 뇌의 갑작스러운 흔들림이나 뇌압 상승을 예방하는 것은 두통을 완화하는데 도움이 된다. 적절한 체위유지와 기침, 구토, 배변 시 긴장을 피함으로써 뇌압상승에 의한 두통을 예방한다. 배변 완화제를 투여하여 배변이 순조롭도록 할 수 있으며 Acetaminophen이나 Codeine은 두통 완화에 효과적이다. 천막하 수술을 받은 환아는 구개 및 연하반사가 감소되므로 적어도 수술 후 24시간 동안은 아무 것도 섭취해서는 안 되며 천막상 수술을 한 경우에는 환아의 의식이 회복되면 24시간 이내에 소량의 액체를 구강으로 제공하기 시작한다. 이때 환아에게 오심이나 구토가 있다면 구토는 흡인의 위험뿐 아니라 두개내압을 상승시키므로 구강으로의 섭취를 중단한다.

수술 부위의 드레싱을 관찰하여 배액량, 출혈여부 등의 배액상태를 확인한다. 분비물의 배액량을 관찰하고, 젖은 드레싱은 병원균 증식에 의한 뇌막염을 유발할 수 있으므로 멸균압박 드레싱을 적용한다. 드레싱 부위의 불쾌한 냄새는 감염을 의미하므로 그런 경우 세균배양 검사를 실시한다.

3) 일상생활로의 회복 증진 간호

일반적으로 뇌수술 후 의식을 회복하는 과정에서 환아는 시간과 장소를 혼동할 수 있다. 수술 전에는 쉬웠던 단순한 일도 수술 후에는 어려워진다. 그러므로 환아의 일상 활동이나 자가 간호 시 점진적으로 독립심을 갖도록 도와준다.

퇴원 후 환아는 가능한 한 일상 활동을 하도록 한다. 헬멧은 두개골이 제거된 경우나 수술부위가 아직 견고하지 않을 때 머리를 보호하기 위해 필요하다. 머리의 대부분을 덮

고 있는 드레싱 제거 시 처음으로 환아는 대머리를 보게 된다. 이러한 신체상 변화는 환아가 학교로 복귀하는 것을 어렵게 하는 심리적 요인이 되며 이때에는 환아에게 더 많은 지지를 해주어야 한다. 부모는 환아가 학교생활로의 적응을 돕기 위해 환아의 건강상태와 학교에서 가능한 활동을 보건교사나 담임교사와 상담한다. 또한 환아와 학교친구들과의 관계에 대한 부분도 상담이 필요하다.

간호진단 및 목표

간호진단 : 뇌종양의 진단 및 치료과정과 관련된 두려움
간호목표 : 부모와 환아는 뇌종양으로 인한 두려움에 적절히 대응할 수 있을 것이다.
예상되는 결과 : 부모는 환아가 뇌종양인 것에 대해 받아들일 수 있다. 뇌종양의 특징과 치료과정에 대해 알고 이에 대한 감정을 표현할 수 있다.

일반적으로 부모에게 자녀의 뇌종양 진단은 갑작스러우며 받아들일 준비가 되어 있지 않은 상태에서 진단을 받게 된다. 단순히 구토나 두통 혹은 사시 때문에 병원으로 아동을 데리고 왔다가 이것이 심각한 질병의 징후라는 것을 알고 매우 놀란다. 진단 초기의 부모는 너무 당황한 나머지 어떠한 질문도 하지 못하다가 진단 후 어느 정도의 시간이 흘러서야 많은 질문들을 하게 된다. 그러므로 부모에게 이들의 감정을 표현할 수 있도록 돕고 뇌종양 자녀가 있는 다른 부모를 만나게 해주어 치료 경험을 공유하면서 부모의 불안감을 감소시킬 수 있도록 한다.

또한 진단 초기에 부모는 환아가 사망할지도 모른다는 불안감에 매우 불안정한 모습을 보이며 심지어 환아와 손을 잡고, 책을 읽고, 이야기하는 것 등의 환아와 기본적인 상호작용조차 불가능할 수도 있다. 이러한 부모의 행동변화로 인해 환아는 부모와의 관계에서 어려움을 겪게 된다. 그러므로 환아의 진단 부터 수술 시까지, 퇴원과 재입원, 그리고 환아가 사망하게 된다면 환아의 사망 시까지 부모에게 많은 지지가 필요하다.

부모는 환아의 예후에 대해 명확한 대답을 듣고 싶어 하지만 뇌종양의 정확한 위치와 범위는 수술 전까지는 정확하지 않다. 따라서 의료진은 수술의 범위, 신경학적 기능 손실의 정도, 치료과정에 대해 명확한 대답을 할 수 없다. 이는 부모로 하여금 의료진이 무능하거나 환아에게 관심이 없

다고 생각하게 하기도 한다.

뇌조직의 기능적 중요성 때문에 뇌수술은 결코 작은 수술이 아니라는 것을 수술 전 부모에게 설명한다. 또한 수술 후 환아가 어떤 모습을 보일 지에 대해 설명하여 수술 후 환아를 보고 부모가 놀라지 않도록 한다. 머리 전체를 덮고 있는 드레싱, 기면이나 혼수상태로 인한 환아의 무반응, 안면부종 등을 보일 수 있음을 수술 후 환아를 만나기 전에 부모에게 다시 한 번 알려준다. 종양 전체를 제거하지 못했을 경우, 부모는 수술 후 매우 큰 슬픔을 보이게 되므로 지지가 필요하다.

5세 정도의 환아는 머리가 중요한 부분이라는 것을 안다. 아동에게 치료과정에 대해 솔직하게 이야기하고 진단적 검사나 수술, 방사선 요법 등 치료방법에 대해 두려워하지 않도록 인형이나 병원 기구를 이용한 놀이를 통해 침습적인 시술에 관한 그들의 느낌을 표현할 수 있도록 한다. 비록 환아가 수술 후 의식이 없더라도 청각은 가장 나중에 소실되는 감각이므로 환아에게 하는 말을 들을 수 있음을 알려준다.

확인문제

7. 두개내압 상승에 의한 두통은 보통 언제 발생하는가?

8. 뇌종양의 수술 전에 대변완화제가 처방되는 이유는 무엇인가?

 VIII 신경모세포종

신경모세포종(neuroblastoma)은 아동에서 네 번째로 흔한 암으로써, 신경관(neural crest)에서 유래되어 교감신경절을 따라서 혹은 부신수질에서 발생한다. 흔한 전이부위는 뼈, 두개골, 골수, 척추, 간, 림프절 및 피부이다.

신경모세포종은 아동기에 가장 흔한 복부 종양으로, 0~3세의 영·유아에서 많이 나타나며 여아보다는 남아에서 약간 더 많다.

01 / 사정

1) 임상증상

신경모세포종은 보통 복부에서 많이 발생하는데, 단단하며 불규칙적인 덩어리가 복부촉진에 의해 발견된다. 복부 덩어리는 복부 중앙선을 넘어갈 수 있으며 체중 감소와 식욕부진의 일반적 증상도 나타난다. 원발병소의 위치와 전이부위에 따라 증상이 다양하게 나타난다. 암세포가 부신에 압력을 주어 과다한 발한, 홍조 띤 얼굴과 고혈압이 나타나며 복통과 변비가 나타나기도 한다. 척추신경의 압박이나 척추강으로의 침윤으로 하체 운동기능 상실이 야기된다. 원발병소가 가슴 상부라면 호흡곤란을 보이거나 음식을 삼키는 것이 힘들고, 대정맥의 압박으로 목과 얼굴에 부종이 생긴다. 뼈와 골수로 전이 시 창백증과 통증이 나타난다. 간 전이로 간비대가 유발되고 이는 호흡곤란 등 폐색증상을 유발한다. 안와로 전이 시 안구돌출, 안와 주위 반상출혈(raccoon eyes)이 나타나며 피부전이 시 팔과 다리에 푸른 또는 자주 빛의 피하결절이 보인다.

2) 진단검사

X선 검사, CT, MRI로 종양을 확인한다. 종양의 범위와 전이 상태를 확인하기 위해 흉부, 복부나 골반의 초음파 검사나 CT, gallium 스캔, 골수검사와 생검이 시행된다. 부신 종양이 생기면, 부신호르몬이나 카테콜아민 생성이 자극된다. 그러므로 카테콜아민, vanillyl-mandelic acid (VMA), homovanillic acid (HVA, 카테콜아민의 파괴산물)가 소변검사에서 증가한다. 혈청 ferritin과 neuron-specific enolase가 증가되어 있으면 예후가 좋지 않다.

02 / 치료적 관리

신경모세포종의 치료는 질병의 병기에 따라 달라지며 이는 [표 24-4]에 제시되어 있다. 1, 2기의 국소적 종양은 원발성 종양을 제거하는 수술을 한다. 3기에서는 수술과 항암화학요법을 하고 반응이 불완전한 경우 방사선 치료를 추가적으로 시행한다. 4기 종양의 치료는 복합적인 항암화학요법을 시행한 후 조혈모세포이식을 한다. 항암화학요법제는 Cyclophosphamide, Vincristine, Cisplatin, Doxorubicin과

Etoposide 등이 사용된다.

진단 시 종양의 병기와 환아의 연령은 예후와 관련이 있다. 1, 2기의 국소적 종양은 5년 생존율이 90% 이상으로 높은데 비해 4기는 약 20%로 낮다. 신경모세포종은 대부분의 환아가 전이된 후에 진단되므로 예후가 좋지 않다. 2살 이전 환아의 예후가 2살 이후의 환아 보다 좋다. 대부분의 환아가 치료의 초기 반응이 양호하더라도 보통 1년 이내에 재발한다.

Ⅸ 빌름스 종양

빌름스 종양(Wilms tumor, nephroblastoma)은 아동에서 발생하는 가장 흔한 악성 신장 종양이다. 생후 6개월에서 5세 사이의 아동에서 나타나며 2~3세에 가장 많이 발생한다. 빌름스 종양은 반신비대(hemihypertrophy), 무홍채증(aniridia), 비뇨생식기계 기형(genitourinary anomalies)과 동반하여 발생하므로 이러한 기형 발생 시 빌름스 종양의 발생을 추적 관찰한다.

종양은 혈행으로 전이되며 가장 흔한 전이 부위는 폐, 국소적 림프절, 간, 뼈이며 결국 뇌까지 침범한다.

01 / 사정

1) 임상증상

빌름스 종양의 가장 흔한 초기 증상은 무통성의 단단하고, 부드러운 복부 덩어리이다. 보통 환아를 목욕시키거나 옷을 입히다가 덩어리가 처음 발견되며, 덩어리는 복부의 한쪽 옆구리에 국한되어 발생하는 특징이 있다. 복부 덩어리의 촉진은 종양캡슐을 터트려 림프계와 혈류, 복부로의 암세포 전이를 유발할 위험이 있기 때문에 진단을 위해 필요한 경우 외에는 복부를 만지지 않는다. 또한 복부통증, 혈뇨, 오심, 구토, 식욕부진, 발열 등과 함께 종양에 의한 레닌(rennin) 분비의 증가나 신동맥의 압박으로 고혈압이 발생하기도 한다. 그리고 에리스로포이에틴(erythropoietin)의 생성부족으로 빈혈이 나타난다.

2) 진단검사

복부 덩어리가 발견되면 복부초음파가 일차적으로 시행

표 24-4	신경모세포종의 병기
병기	침범 범위
I	종양이 하나의 조직에 국한, 수술로 완전히 제거 가능
II	림프절 침범, 종양이 수술로 완전히 제거되지 않음
III	정중선 이상 전이, 양측의 림프절로 침범
IV	뼈, 골수, 간으로 전이, 멀리 있는 림프절로의 침범

된다. CT와 MRI는 종양을 더 징밀하게 확인하게 해준다. 빌름스 종양은 폐와 간으로 가장 많이 전이되므로 흉부 X선 검사와 CT로 전이를 확인하며 생검을 통해 확진한다. 뇌로의 전이도 흔하므로 CT나 MRI로 확인한다.

02 / 치료적 관리

빌름스 종양은 질병의 병기 [표 24-5]에 따라 수술, 항암화학요법 및 방사선 치료의 병행 여부를 결정하여 치료한다.

수술은 병변이 있는 신장을 완전히 제거하기 위해 시행된다. 이때 종양 파열에 의해 암세포가 복부, 림프와 혈류로 퍼지는 것을 막기 위해 피막에 싸인 종양을 터트리지 않고 완전히 제거하는 것이 중요하다. 또한 침범하지 않은 신장에도 질병이나 신기능 장애가 없는지 주의 깊게 조사되어야 한다. 수술은 종양의 크기가 너무 크거나 종양이 혈관을 침범하여 종양을 완전히 제거하기 어려운 경우에 생검와 종양의 병기를 확인하기 위해 시행하기도 한다.

수술 전에는 암세포가 전이될 위험이 있으므로 진단을 위한 복부사정 이후에는 복부촉진을 금해야 한다. 이를 위해 침대 머리맡에 '복부촉진 금지'와 같은 표시를 해둔다. 부모에게도 이를 알려 환아를 주의 깊게 다루도록 하며, 환아에게 복부에 부담을 줄 수 있는 복위와 슬흉위 보다는 반

표 24-5	빌름스 종양의 병기
병기	침범 범위
I	신장 내에 국한. 완전한 외과적 제거 가능
II	신장 외부 조직 침범, 완전한 외과적 제거 가능
III	복부에 국한됨, 완전한 외과적 제거 어려움
IV	폐, 간, 뇌나 뼈 원위 림프절로의 전이
V	양측 신장의 종양

좌위를 취하게 하여 덩어리에 의한 복부 불편감을 완화하도록 돕는다. 방사선 치료는 1기 환아와 조직학적으로 예후가 좋은 2기 환아를 제외한 모든 환아에게 시행한다. 항암화학요법은 모든 병기의 환아에게 Vincristine, Dactinomycin, Doxorubin, Cyclophosphamide 약물을 사용하여 시행한다.

양측성 종양일 때의 수술은 더 복잡하다. 양측의 신장 생검으로 각 신장의 질병의 병기를 확인한 후 항암화학요법과 방사선 치료로 종양의 크기를 줄인 후 수술이 시행된다. 이 때 수술의 목표는 암세포에 침범 받지 않은 정상 신장세포는 가능한 보존하여 신부전의 위험을 최소화하면서 모든 암 조직을 제거하는 것이다.

빌름스 종양의 예후는 질병의 병기, 환아의 연령, 종양의 크기와 관련이 있다. 진단 시 전이가 없는 초기 빌름스 종양 환아의 생존율은 약 90% 정도로 높다. 그러나 이렇게 생존한 환아의 약 15%는 5~25년 내에 연조직육종, 골종양이나 백혈병으로 진행될 수 있다.

확인문제

9. 빌름스 종양(Wilms tumor)으로 수술을 기다리는 아동을 위한 중요한 간호는 무엇인가?

 ## 골육종

01 / 골육종

골육종(osteosarcoma)은 뼈를 형성하는 중간엽에서 발생하는 장골의 악성종양이다. 이는 남아에서 더 많다. 대퇴골 원위부에서 40~50%가 발병하고, 그 다음은 대퇴골 근위부와 상완골 근위부의 순으로 발병한다.

뼈로의 풍부한 혈류공급으로 인해 전이가 비교적 조기에 발생하며 환아의 25% 정도에서 초기 진단 시 이미 전이되어 있다. 폐로의 전이가 가장 흔하며 뇌와 다른 뼈로도 흔하게 전이가 일어난다.

1) 사정

(1) 임상증상

골육종 환아는 빠른 골 성장으로 인해 종종 평균 같은 연령의 아동 보다 키가 더 크다. 종양부위의 통증과 부종을 가장 흔하게 호소한다. 골육종은 주로 활동적인 청소년기에 발생하므로 운동 중에 다치는 경우, 그로 인한 통증으로 잘못 생각하기 쉽다. 따라서 사지 특히 무릎주위의 통증과 부종이 있는 모든 청소년은 악성의 가능성을 고려한 철저한 평가와 진단이 필요하다. 또한 청소년과 부모 모두에게 골육종이 외상에 의한 것이 아님을 이해시킨다. 종양이 있는 부위에 혈액순환이 왕성해지면서 촉진 시 열감이 느껴진다. 종양으로 뼈가 약해지면서 병리적 골절이 나타나기도 한다.

(2) 진단검사

확진을 위해 의심되는 부위에 생검, CT, 뼈 스캔 등을 한다. 골육종 시 골세포의 빠른 성장에 의해 ALP(alkaline phosphatase)가 왕성하게 분비될 수 있으므로 ALP의 상승이 보이는지 혈청분석을 통해 확인한다. 전이는 혈액을 통한 폐로의 전이가 가장 흔하다. 그러므로 전이 상태를 확인하기 위해 흉부 X선 검사, 흉부 CT 등이 시행된다.

2) 치료적 관리

(1) 사지 구제술

이는 다리를 절단하지 않고 보존하기 위항 방법이다. 종양부위가 다리이며 진단 시 종양의 크기가 작고 환아가 어른의 키 정도일 때는 단일 뼈를 외과적으로 제거하고 인공 관절로 대체시킨다.

(2) 전고관절 절단술

종양의 범위가 넓다면 종양부위의 위 관절에서 다리를 절단한다. 폐로 전이가 있다면 보통 개흉술과 항암화학요법이 시행된다.

(3) 항암화학요법

수술 전에 종양의 크기를 줄이기 위하여 단독 또는 복

합적인 항암화학요법을 한다. 부모는 수술이 지연되는 것에 매우 관심을 갖게 되므로 이에 대한 필요성을 설명한다. 사용되는 항암화학요법제는 Methotrexate, Adriamycin, Bleomycin, Actinomycin, Cyclophosphamide, Cisplatin 등이다.

전이 되지 않은 골육종은 75%까지 치료된다. 골반의 골육종은 사지의 골육종에 비해 예후가 좋지 않다.

간호진단 및 목표

부모와 환아는 골육종 진단 시 많은 충격을 받는다. 증상이 매우 서서히 나타나기 때문에 조기 진단이 어렵고 부모나 환아는 진단을 믿기가 어렵다.
신체의 일부를 외과적으로 절단해야 하기 때문에 부모와 환아가 이를 잘 받아들일 수 있도록 하는 간호가 요구된다. 이는 생명의 보존을 위해 필수적 과정임을 강조한다.

간호진단 : 절단 수술 및 보철 적용과 관련된 신체손상 위험성
간호목표 : 수술 부위의 신경적, 순환적 기능이 적절할 것이다.
예상되는 결과 : 수술부위의 말단부위가 따뜻하게 촉진되며 이상 감각이나 무감각을 보이지 않는다. 모세혈관 충혈시간(capillary refill time)이 5초 이하로 정상이다.

골육종을 외과적으로 제거하고 보철로 대치하는 과정에서 가장 위험한 문제는 수술부위의 부종 및 신경기능과 순환기능의 장애이다. 그러므로 이를 예방하기 위한 자세유지가 필요하며 신경기능이나 순환기능의 사정을 자주한다. 사정 시 사지의 말단부위는 따뜻하고 분홍빛이며 모세혈관의 충혈 시간은 5초 이하이고 무감각이나 이상감각의 증상이 없어야 한다.

환아는 종양부위의 절단수술 후에도 여전히 절단 부위의 통증을 호소할 수 있는데 이를 환상통이라 한다. 이것은 매우 실제적인 통증으로 이를 조절하기 위해 진통제가 필요할 수도 있다.

절단 수술 후에는 보통 보행기능의 조기 회복과 심리적 적응을 돕기 위해 수술 후 즉시 일시적 보철장치를 적용하고 6~8주 이내에 영구적 보철 장치를 착용하도록 한다. 아동이 보철 장치에 잘 적응하고 잘 다룰 수 있도록 물리치료가 필요하다.

02 / 유잉육종

유잉육종(Ewing's sarcoma)은 뼈 조직보다는 뼈 골수 공간에서 발생하며 골육종의 흔한 발병부위인 팔과 다리의 장골과 함께 몸통의 척추, 견갑골, 늑골과 두개골 등에서 고르게 발생한다. 진단 시 유잉육종 환아의 30% 정도에서 전이가 확인 된다. 폐와 다른 뼈가 가장 일반적인 전이 부위이며 결국은 중추신경계와 림프절 부위까지도 전이된다.

유잉육종은 뼈가 빠르게 성장하는 청소년기와 나이든 학령기 아동에서 많이 발생하며 30세 이후에는 비교적 드물다. 여아보다 남아에서 약간 더 많이 발생하고 다른 인종보다 백인에서 발생빈도가 높다.

1) 사정

(1) 임상증상

유잉육종의 증상은 골육종과 비슷하여 종양부위의 통증과 부종이 가장 흔한 증상으로 나타난다. 통증은 초기에 간헐적으로 나타나기 때문에 보통 환아는 이를 어떠한 신체적 손상에 의한 것으로 여겨 진단이 늦어지게 된다. 병이 진행됨에 따라 통증이 점점 심해지고 심한 통증으로 인해 환아는 밤에 잠을 잘 수 없게 된다. 진단의 지연은 진단 시 다른 부위로의 전이의 원인이 된다.

(2) 진단검사

진단검사의 과정 중에 종양부위에 병리적 골절이 발생할 수 있기 때문에 이환된 사지에 체중부하가 되지 않도록 주의하면서 검사를 시행한다.

X선에서 골피질의 침식과 주변 연부조직으로의 침윤으로 인해 침범된 종양부위 주위에 특이한 양파껍질과 같은 선명한 선이 나타난다. 유잉육종의 확진을 위해 종양부위의 생검이 시행된다. 뼈 스캔, 골수흡인검사, 생검, 흉부 CT, 정맥 내 신우촬영술 등이 전이를 확인하기 위해 시행된다.

2) 치료적 관리

유잉육종의 치료는 외과적 수술, 방사선 치료, 항암화학요법을 병행한다. 복합화학요법에 의한 항암화학요법으로

종양의 크기를 줄여서 외과적 제거 수술을 시행한다. 항암
화학요법제는 Vincristine, Cyclophosphamide, Doxorubicin
이 주로 사용되며 Ifosfamide와 Etopside가 최근 추가적으로
사용되고 있다. 침범된 뼈, 종양부위 전체의 고용량의 방사
선 치료에도 잘 반응하나 2차 악성종양(특히 골육종), 성장
장애 등의 합병증 유발 위험을 고려하여 적용하여야 한다.

전이가 없었던 유잉육종의 경우 75%까지 완치된다. 진
단 시 나이가 많을수록 생존율이 높다. 광범위하게 방사선
치료를 받은 경우 뼈가 견고하지 않으므로 다리에 압박을
가하거나 무거운 것 들기 등은 피한다.

확인문제

10. 골육종에서 흔한 증상은 무엇인가?

11. 유잉육종(Ewing's sarcoma)의 가장 일반적인
전이부위는 어디인가?

XI 악성림프종

악성림프종(malignant lymphoma)는 림프계 악성종양
으로 소아에서 세 번째로 많은 종양이다. 이는 호지킨병
(Hodgkin's disease)과 비호지킨 림프종(non-Hodgkin's
lymphoma)으로 나뉜다.

01 / 호지킨병

호지킨병(Hodgkin's disease)은 T-림프구의 감소와
Reed-Sternberg 세포(세포 기능이 없는 큰 다핵형의 세포
의 증식으로 나타나는 림프종이다. 호지킨병은 [표 24-6]와
같이 림프절과 장기 침범 정도에 따라 1~4기로 분류된다.
또한 호지킨병은 조직학적으로 림프구 우위형(lymphocytic
predominance, LP), 결절성 경화성(nodular sclerosis,
NS), 혼합세포형(mixed cellularity, MC), 림프구 결핍성

표 24-6 호지킨병의 병기

병기	침범 범위
I	1개 국소의 림프절 또는 1개의 림프절 이외의 장기(IE)에 침범된 경우
II	2개 이상의 국소의 림프절 침습(II), 또는 림프절 이외 장기(IIE)의 국소적인 침습이 있으나, 횡격막을 중심으로 같은 쪽에 있을 때
III	횡격막을 넘어서 국소의 림프절 침습(III), 혹은 림프절 이외의 국소적인 장기 침습(IIIE)이 있을 때
IV	간, 폐, 골수, 뼈 등 실질 장기의 전반적인 침습 시

(Lymphocytic depletion, LD)으로 분류된다. 아동에서 가장
흔한 형태는 LP와 NS형으로, LP와 NS형이 MC와 LD형
보다 예후가 더 좋다.

모든 악성종양과 마찬가지로 호지킨병 역시 그 병인이
잘 알려져 있지 않으나 Epstein-Barr 바이러스 감염과 관련
이 있다고 알려져 있다.

보통 여아보다 남아가 많으며 5세 이전에는 매우 드물게
나타나고 10세 전후부터 청소년기까지 유병률이 증가한다.

1) 사정

(1) 임상증상

이동성이 있는 단단하고 통증 없는 림프결절이 서서히
커진다. 주로 경부 또는 쇄골상부에서 나타나며 흉부, 겨드
랑이 아래나 서혜부에서도 나타난다. 질병이 진행됨에 따라
폐, 간, 비장, 뼈, 골수도 침범하며 결국 중추신경계까지 침
범한다. 아동은 보통 식욕 감퇴, 전신쇠약, 식은땀을 보이
며 설명할 수 없는 체중 감소와 발열도 나타난다.

(2) 진단검사

병의 진행 시 혈액검사에서 빈혈과 백혈구 수치의 감소가
나타난다. 적혈구 침강속도(erythrocyte sedimentation rate),
serum copper와 ferritin 수치가 증가된다. 호지킨병은 흉부 X
선 검사와 림프절 생검을 통해 확진된다. 흉부 X선 검사에
서 확대된 중 격동과 폐문(hilar) 림프결절이 보인다. Reed-
Sternberg 세포는 다른 림프종에서는 발견되지 않아 호지킨병
진단에 유용하나 이는 감염성 단핵세포증을 의미할 수도 있
음에 유의한다. 그 외 CT는 종격동, 폐, 상복부의 비대된 림

프 결절 확인에 유용하며 림프관조영사진(lymphangiogram), 양자 방출 단층촬영(PET scan), MRI, gallium 스캔 등도 림프 결절의 존재와 정도를 확인하기 위해 시행된다.

2) 치료적 관리

이 질환은 진단 시 임상적 단계와 B증상(38℃ 이상의 고열, 6개월 동안 10% 이상의 체중 감소, 야간발한) 혹은 bulky disease(10cm 이상의 림프절 비대) 여부에 따라 치료와 예후가 결정된다.

호지킨병은 항암화학요법과 방사선 치료로 치료한다. 국소적인 범위의 호지킨병은 방사선 치료만이 단독으로 시행되나 대부분의 경우 항암화학요법과 방사선 치료가 병행된다. 1~2기의 아동은 병변부위에만 국한하여 방사선 조사를 시행한다(involved field radiation therapy). 3기 이상의 아동은 항암화학요법으로 1차적 치료가 이루어지고 림프절이 커진 부위에 국소적 방사선 치료를 시행한다. 항암화학요법은 Mechlorethamin(nitrogenmustard), Oncovin (vincristine), Procarbazin과 Prednisone의 MOPP요법이 효과적이다. 그러나 이는 불임과 재발의 위험이 있어 ABVD요법을 선택하기도 한다. 이는 Adriamycin(Doxorubicin), Bleomycin, Vinblastine, Dacarbazin의 복합화학요법이다.

호지킨병의 재발은 치료 후 보통 3년 이내에 발생하나 진단 후 10년까지도 재발의 위험이 있으므로 환아가 성인기에 이를 때까지 호지킨병 증상 재발에 대해 확인해야 한다. 재발 시 치료는 보통 첫 치료 시 사용했던 방법과는 다른 항암화학요법으로 시행된다.

1~2기의 환아는 5년 생존율이 90% 이상이다. 진단 시 B증상이 없었던 환아가 있었던 환아보다 예후가 좋다. 광범위한 부위의 방사선 치료는 골 성장의 지연, 척추측만증, 갑상선기능저하증, 신장염 등의 장기적인 부작용의 위험이 있다.

간호진단 및 목표

호지킨병 환아에게 가능한 간호진단은 면역기전의 손상과 관련된 감염위험성, 진단에 대한 두려움과 불안감과 신체상 장애의 위험성 등이다.

간호진단 : 질병의 장기적 재발위험성과 관련된 불안감
간호목표 : 환아는 질병의 장기적 재발의 위험성을 인식한다. 환아는 재발예방과 건강유지를 위해 자신 스스로와 의료진에 대한 긍정적인 태도를 유지할 것이다.
예상되는 결과 : 환아는 장기적 재발의 위험성에 대해 말할 수 있다. 자신의 건강과 의료진에 대해 긍정적으로 말한다.

환아에게 질병의 과정과 재발의 가능성에 대해 교육하고 궁금한 부분에 대해 표현하도록 하여 알고 싶어 하는 것을 알려준다. 환아와 부모 모두 오랜 질병의 과정 동안 의료진으로부터 지속적인 지지가 필요하고 이때에는 의료진과의 신뢰관계 형성이 중요하다.

02 / 비호지킨 림프종

비호지킨 림프종(non-Hodgkin's lymphoma)은 림프구의 악성질환으로 림프구는 T세포와 B세포로 구성되어 있다. 이 중 미성숙 T세포에 의한 림프종이 림프모구림프종(lymphoblastic lymphoma)이며, 이는 주로 종격동에서 발생한다. 미성숙 B세포는 Burkitt나 non-Burkitt 형태의 림프종을 유발하며 이는 주로 복부에서 발생한다.

비호지킨 림프종은 호지킨병과는 달리 병이 림프액의 흐름보다는 혈류를 통해 전파되므로 예측이 어렵고 진행되는 양상이 빠르다. 병의 초기부터 림프절 외의 부위에서 발병되는 경우가 많고 중추신경계로의 전이가 질병의 초기에 야기된다. 이는 여아보다는 남아에서 더 빈번하게 발생하며 7~11세의 아동에서 가장 많이 발생한다.

비호지킨 림프종의 원인은 많이 알려져 있지 않으며 Burkitt 림프종은 Epstein-Barr 바이러스와 관련이 있다. 감마글로브린 혈증, 후천성 면역결핍증이나 장기이식 같은 장기간의 면역억제 치료를 받는 아동은 발암성 바이러스나 악성암세포를 인지하고 파괴하는 능력이 감소되어 비호지킨 림프종의 위험이 더 높다.

1) 사정

(1) 임상증상

임상증상은 림프종이 림프절에서 발생하는 것보다 처음부터 실질 장기에서 발생하는 경우가 많아 복부, 두경부 림프절, 종격 등에서 증상이 흔하게 발생한다. 종격에서 발생 시 환아는 권태감(malaise), 기침, 협착음(stridor), 천명음(wheezing), 숨참(short of breath), 호흡곤란, 흉통을 호소한다. 림프절이 경부정맥 압박 시 목, 얼굴, 상지의 부종이 나타난다. 이는 고환이나 난소에도 침범하고 빠르게 골수나 중추신경계로 전이되어 백혈병의 전형적인 증상을 나타내기도 한다. 복부의 림프종 발생 시 심한 복부통증, 복부팽만과 덩어리, 장폐색증, 설사나 변비, 장출혈이 나타날 수 있다.

(2) 진단검사

진단을 위해 골수천자와 생검을 한다. 종종 비호지킨 림프종의 미성숙 림프구 세포와 급성 림프모구 백혈병을 구별하기가 어렵다. 이때에는 골수검사에서 25% 이상의 악성 세포가 보이면 급성 백혈병으로 진단된다. 병의 전이는 흉부 X선 검사, 뼈 스캔, 림프관조영술, gallium 스캔, CT나 MRI로 확인한다.

2) 치료적 관리

비호지킨 림프종은 체계적인 항암화학요법과 방사선 치료에 의해 치료한다. 항암화학요법은 백혈병 치료와 같이 초기단계는 도입단계로 이때에는 환아를 관해로 이끌고 다음에는 약 2년의 유지요법이 시행된다. 일반적으로 사용되는 항암화학요법제는 Cyclophosphamide, Oncovin(vincristine), Methotrexate와 Prednisone (COMP 치료)과 Cytosine arabinoside, Cyclophosphamide, Daunorubicin, Vincristine, Prednisone, BCNU, L-asparaginase, Thioguanine, Hydroxyurea, Methotrexate이다. 비호지킨 림프종이 중추신경계로 전이되는 경향 때문에 경막 내 항암화학요법이 치료에 포함된다.

치료 초기 항암화학요법에 의한 세포 파괴가 매우 빠르게 진행되므로 이로 인한 고칼륨혈증, 고인산혈증, 저칼슘혈증을 주의 깊게 사정한다. 적절한 수분공급과 Allopurinol

같은 약물을 동시에 투여하여 요산에 의해 신세뇨관이 막힘으로 인한 신부전의 발생을 예방하여야 한다. 방사선 치료는 주로 상대정맥 압박, 기도질환, 기관폐색이나 척수압박 등 응급상황에 적용된다.

비호지킨 림프종은 국소적으로 침범된 경우 항암화학요법으로 90% 이상이 치료되나 광범위하게 진행된 림프종의 경우 70% 정도만이 완치된다.

확인문제

12. 아동에서 호지킨병의 호발 연령은?

13. 비호지킨 림프종의 주요 발생 부위는 어디인가?

XII 호스피스 완화 간호

노년기의 죽음은 나이가 들어감에 따라 일어날 수 있는 자연스러운 현상으로 인식된다. 그러나 아동기는 생의주기 중 가장 왕성한 성장발달을 보이는 생의 시작기이므로 아동기의 죽음을 자연스러운 현상으로 받아들이기는 어렵다. 그러므로 가족은 매우 큰 충격을 받게 되며 간호사는 부모가 아동의 죽음을 받아들일 수 있도록 적절한 지지를 제공하여야 한다.

호스피스 완화간호는 말기 질환을 진단 받은 아동과 가족을 대상으로 체계적이고 지속적인 지지를 제공하는 것이다. 이는 아동의 말기 질환의 진단 시부터 시작되어 아동과 가족의 삶의 질 향상, 고통 경감, 최적의 기능 증진을 위해 제공되는 것이며 나아가 개인적, 영적 성장까지 도모하는 것이다. 완화 간호팀은 다학제적 접근을 통해 신체적, 정신적, 교육적, 사회적, 영적 목표를 이루고 질병 치유뿐 아니라 생의 말기의 아동과 가족을 위한 능숙한 간호를 수행할 수 있어야 한다.

01 / 임종 환아에 대한 가족의 슬픔 반응

가족은 임종 환아에 대하여 독특한 방식으로 반응하게

된다. 그러므로 간호사는 아동의 죽음을 받아들이는 가족의 반응 단계를 인식하여 어려운 시기에 있는 가족을 이해하고 돕는다.

1) 부정

아동의 생존에 치명적인 질환에 대한 부모의 일반적인 반응은 슬픔반응의 첫 단계인 부정이다. 비록 아동의 죽음이 이미 확정적이고 되돌릴 수 없는 사실일지라도 대부분의 부모는 "내 아이에게만은 그런 일이 일어나지 않을 거야"라고 믿는다. 즉, 이는 고통스러운 사실에 대해 받아들이거나 믿지 못해 나타나는 반응이라 할 수 있다. 특히 서서히 진행되는 뇌종양이나 백혈병 등의 질환을 가진 환아의 부모의 경우 더 두드러지게 나타난다.

의료진과의 신뢰관계 형성여부는 부모의 반응에 영향을 준다. 만약 신뢰관계가 형성되어 있다면 부모는 의료진의 진단에 대해 어떠한 의문 없이 받아들일 수 있다. 그러나 그렇지 않다면 다른 의료진으로부터 다시 진단받기를 원할 수 있다. 이는 많은 의료비용을 지출하게 만들지만 부모가 진단을 받아들이고 슬픔의 다음 단계 반응을 나타내기 위해서는 필요한 과정이다.

이 시기의 부모에게는 아동의 치명적 질환의 확진 근거와 이유에 대해 혈액검사나 생검의 결과와 같은 실제적 설명을 해주어 사실을 받아들일 수 있도록 도와준다. 또한 부모에게 자신의 감정에 대하여 솔직히 표현할 수 있도록 해준다. 이러한 과정을 통해 부모는 아동의 질환이 치명적이라는 사실을 받아들이기 시작한다.

간호사는 부정의 단계를 빨리 지나쳐야 하는 부정적인 과정으로서 생각하기 쉽다. 그러나 부정은 받아들이기 어려운 고통스러운 사실을 받아들여야 할 때 일시적으로 나타나는 고통완화제로서의 기능을 하며 사실을 수용하기 위해 필요한 단계이다.

2) 분노

분노는 부정단계 후에 나타나는 슬픔의 반응단계이다. 이 단계의 부모는 "내 아이에게만은 그런 일이 일어나지 않을거야"에서 "내 아이에게 이런 일이 생긴 것은 부당하다"로 생각이 바뀌게 된다. 부모가 아동의 진단에 대하여 화를 낼 때 이는 스스로 분노를 적절히 다룰 수 없음을 의미한다. 부모는 의사, 간호사, 방사선사, 임상병리사 등 모든 의료진에게 화를 낼 수 있다.

간호사는 이에 대해 분노로 반응하지 않도록 한다. 부모의 분노 반응에 대한 보다 치료적인 반응은 슬픔 반응의 한 단계로서 이를 수용하고 다음과 같이 반응하는 것이다. "제가 어머님의 콜 벨에 너무 늦게 대답한 것처럼 보였다면 죄송합니다. 그러나 저는 어머님이 이 일로 너무 심하게 화를 내는 것처럼 느껴집니다. 혹시 화를 내는 이유에 대하여 좀 더 자세히 이야기를 해주시면 도움이 될 것 같습니다."

또한 부모에게 병원 내의 같은 경험을 가진 다른 부모를 연결해 주어 적절한 지지를 받을 수 있도록 한다. 또한 이를 통해 부모는 아동의 죽음에 대한 효과적 대처를 위한 도움을 받을 수 있다.

3) 타협

슬픔반응의 중간 단계인 타협은 불가피한 사실을 자신이 더 좋은 사람이 됨으로써 바꿔보고자 하는 시기이다. 이 단계의 부모는 "내 아이에게 이런 일이 생긴 것은 부당하다"에서 "나는 내 아이에게 이런 일이 생기지 않도록 상황을 바꿀 수 있다"로 생각을 바꾼다. 부모는 아동의 죽음을 막기 위해 스스로 더 좋은 사람이 되겠다고 다짐한다. 그러나 이러한 타협이 아무 소용이 없다는 것을 깨달았을 때 부모는 매우 낙담하게 된다. 부모는 의료진뿐만 아니라 종교나 신과 같이 강력한 대상에게도 낙담하게 된다. 다른 어떤 단계에 있는 부모보다 타협단계에서 좌절을 경험한 부모에게는 더 많은 지지가 필요하다.

4) 우울

부모가 부정, 분노, 타협의 슬픔단계를 거쳐 자신에게 일어난 일에 대한 실상을 인식하게 되었을 때 느끼는 감정은 우울이다. 이 시기의 부모는 "나는 일어난 일을 바꿀 수 있다"에서 "이 일은 어쩔 수가 없다"로 생각이 바뀐다. 자주 눈물을 흘리는 것은 이 단계에서 보이는 가장 흔하게 나타나는 반응이다.

이 시기의 부모는 아동의 건강상태의 심각성을 처음으로 인식함으로 인해 그 전 단계에서 보다 더 아동의 치료 계획,

간호수행, 투약 등에 대하여 더 많은 질문을 할 수 있다. 그러므로 부모의 잦은 질문에 대해 비난하지 않도록 하여야 한다. 부모는 아동의 양육 계획, 학업 등에 대하여 이야기함으로써 임박한 죽음에 대한 준비를 하게 된다. 또한 갑자기 아동에게 비싼 장난감을 사주거나 면회시간이 끝난 후에도 아동의 병실을 떠나지 않으려 할 수 있다. 부모의 갑작스러운 이러한 행동변화는 다시 부정의 단계로 퇴행하는 것처럼 보일 수 있다. 그러나 부모가 우울의 단계에서 처음으로 아동의 질환과 그 의미를 알게 되었다는 것을 고려할 때 이는 당연한 행동반응일 수 있다.

아동의 형제 자매는 환아와 죽음에 대하여 죄책감을 느낄 수 있다. 이들은 부모의 사랑을 독차지 하고 싶거나 방을 혼자 쓰고 싶어서 형제자매가 죽기를 바라서 실제로 이런 일이 일어난 것이라고 믿는다. 그러므로 아동에게는 무언가를 소망하였다고 그것이 반드시 이루어지는 것은 아니며, 형제자매의 죽음은 아동의 바람과는 관계없이 일어났고 질병에 의한 어쩔 수 없는 일이었음을 확인시켜 주어야 한다.

5) 수용

슬픔의 최종 단계인 수용단계는 아동의 죽음을 받아들이는 단계이다. 부모 중 소수만이 이 단계에 도달한다.

02 / 부모의 대응전략

아픈 자녀가 있는 부모는 아동의 질환과 치료과정에 대하여 긍정적으로 대응하는 것을 배웠을 수는 있으나 자녀의 죽음이라는 사실은 또 다른 대응전략을 필요로 하게 된다. 그러므로 부모는 아동의 죽음에 대한 슬픔 과정을 통하여 자신을 되돌아보는 대응전략을 발전시키게 된다. 각 가족구성원들의 독특한 요구에 민감하면서도 긍정적인 대응전략을 개발하도록 도와주는 것은 간호사의 중요한 책임이다.

부모의 대응전략이 도움이 되는 상황과 그 반대의 상황임을 판단하는 것은 어렵다. 예를 들어 아동의 질환에 대한 정보를 찾아 아동을 효과적으로 간호하는 방법이나 그 경험을 나누는 것은 아픈 아동을 둔 부모에게는 매우 유용한 전략일 수 있다. 그리고 부모는 앞으로 일어날 질환의 과정을 미리 알게 됨으로써 불안이나 두려움을 감소시킬 수 있다.

그러나 어떤 부모는 아동의 악화된 질병상태에 직면하지 못하고 경미한 상태에 있는 아동에게 효과적이었던 정보를 계속해서 찾는다든지, 아동을 살릴 수 있는 방법을 찾을 수 있다고 믿고 이에 몰두한다든지 하여 아동의 죽음에 대한 슬픔에서 벗어나려고 노력한다.

부모가 아동의 죽음에 대하여 현실적으로 인식하고 있다면 가장 효과적인 대응전략은 문제해결이다. 아동의 간호과정에 가족을 포함시키고 아동의 간호에 타인(종교인 등)의 지원을 구하고 이를 활용하는 것은 또 다른 긍정적 전략이 될 수 있다. 부모는 타인의 도움을 받는 것에 거부감을 가질 수 있으므로 간호사는 이를 편안하게 받아들이도록 도울 수 있다. 부모는 아동의 죽음에 대한 철학적·종교적 의미를 탐색함으로써 효과적으로 대응할 수 있다. 아동의 장기 기증은 아동의 생명이 보존될 수 있는 의미 있는 한 방법으로 생각될 수 있다.

1) 부모의 예견된 슬픔 반응

대부분의 부모는 미리 예견된 아동의 죽음을 자신의 사고 안으로 통합시켜가는 과정인 예상 슬픔의 단계를 통해 받아들이게 된다. 그러나 아동이 갑작스럽게 사망하는 경우 부모의 슬픔반응은 실제 죽음과 함께 시작될 것이다. 즉, 교통사고나 영아돌연사증후군과 같이 아동을 갑자기 잃은 부모는 예측하지 못한 아동의 죽음으로 인해 참을 수 없는 슬픔반응을 보이게 된다. 예견된 아동의 죽음 또한 부모의 슬픔을 막지는 못하나 아동의 사망 전 슬픔의 단계는 부모를 준비시키며 아동의 죽음으로 인한 슬픔을 극복하는데 매우 유용한 경험이 될 수 있다.

예상되는 슬픔의 문제는 부모가 아동의 죽음을 너무 일찍 받아들이게 될 수 있다는 것이다. 이런 경우 부모는 아동이 이미 죽은 것처럼 생각하고 행동할 수 있다. 이들은 면회 횟수가 줄거나 거의 오지 않게 될 것이다. 면회를 오더라도 다른 건강한 아동을 보며 이야기를 나누거나 대기실에서 다른 보호자와 잡담을 하며 시간을 보낼 수도 있다. 그들이 아동과 함께 시간을 보내더라도 아동을 쓰다듬거나 안아주는 등의 아동에 대한 애정표현을 하지 않고 아동의 방에서 아동의 장난감 등 아동을 기억할 수 있는 물건을 치워버리는 등의 행동을 하게 될 수 있다. 이는 아동의 죽음이 몰고 올 고통으로부터 스스로를 보호하려는 것으로 이를 위해 부모는 점진적으로 아동과의 정서적 애착을 끊게 된다. 이때에는 부모의 감정을 이해해 주고 부모의 두려움을 표현하도록 하여 부모가 아동에게 적절한 반응을 할 수 있도록 지지하고 도와준다.

어떤 부모는 아동이 실제 사망하였을 때 퇴행반응을 보이게 되는 경우도 있다. 예견된 아동의 죽음이었음에도 부모는 아동이 사망하였을 때 이를 부정하려고 한다. 아동이 죽었음에도 불구하고 부모는 계속하여 아동이 원하는 것을 어떻게 해 주어야 할지를 고민할 수도 있다. 아동에게 마지막 인사를 하게 하거나 아동의 물건을 처분하는 것은 죽음을 사실로 받아들이도록 하는 마지막 단계이다.

확인문제

14. 아동의 건강상태의 심각성을 처음으로 인식함으로 인해 질문이 많아지는 시기는 슬픔의 단계 중 어느 단계인가?

15. 부모의 예견된 슬픔 반응 과정의 장점은 무엇인가?

03 / 발달단계에 따른 아동의 죽음에 대한 반응

죽음에 대한 아동의 반응은 이들의 발달단계와 인지능력에 의해 영향을 받는다. 그러므로 아동의 죽음에 대한 인지능력에 따라 죽음의 대처를 돕는 방법은 달라지는데 이는 '가족지지'에도 제시되어 있다.

1) 유아기

유아기 아동은 너무 어려서 이들의 인지능력은 죽음과 같은 추상적 개념을 이해하지 못한다. 이 시기의 아동은 죽음은 이해하지는 못하지만 만약 부모의 죽음으로 인해 주양육자와 헤어지게 된다면 아동에게 분리불안증이 나타난다. 이로 인해 아동은 매우 예민해지고 울음을 그치지 않으며 수면이나 식습관의 변화 등을 보일 수 있다.

2) 학령전기

학령전기 아동은 '영원히'라는 시간적 개념을 이해하지 못해 죽음을 일시적이고 가역적 현상으로 이해한다. 지금은 부모와 헤어지지만 다시 만날 수 있다고 믿는다. 그래서 이 시기의 아동은 죽음에 대해 슬퍼하지 않으며 냉담한 태도를 보일 수도 있다.

학령전기 아동은 격리를 매우 두려워하기 때문에 부모가 죽게 된다는 사실을 알면 자신이 홀로 남겨지게 된다는 것에 대해서 걱정할 수 있다. 이때에는 아동이 혼자 남겨지지 않도록 주변 친척 등과 항상 함께 있도록 하는 것이 도움이 된다.

3) 학령기 아동

학령기 아동은 죽음이 비가역적이며 생의 마지막이라는 것을 알기 시작한다. 그러나 이들은 죽음이 단지 어른들에게만 일어나는 본인과는 상관없는 일로 생각할 수 있다. 그러므로 간호사는 죽음을 경험해야 하는 아동에게 죽음에 대하여 사실적으로 알려주는 것이 필요하다.

이 시기 대부분의 아동은 죽음을 잠자는 것이라고 생각하여 옆에 아무도 없을 때 잠드는 것을 두려워할 수 있다. 그러므로 아동이 잠자리에 들 때 간호사나 부모가 옆에 있어 주도록 하며 아동의 두려움에 대해 표현할 수 있는 기회를 준다. 아동은 죽음을 암흑과 같은 것으로 생각하여 잠잘 때 침상전등을 켜놓기를 원할 수 있다. 임종 환아와 부모는 줄어든 처치나 방문객으로 인해 고립감을 느낄 수 있고 이는 죽음에 대한 효율적 대처를 더욱 어렵게 하므로 이들에게 끊임없는 상호작용과 지지를 제공하는 것이 필요하다.

4) 청소년기

청소년은 성인과 같은 수준의 죽음에 대한 개념을 갖고 있다. 그러나 이들 또한 죽음이 자신과는 아직 관계가 없는 일이라고 생각할 수 있다. 이러한 청소년기의 죽음에 대한 태도는 위험한 행동인 줄 알면서도 오토바이를 타고 질주한다든지 하는 무모한 행동을 하게 한다. 이들은 오랫동안 치명적 질환으로 인해 나타나는 증상들을 부정할 수 있는데 이는 이러한 질환이 자신에게 발생한 것을 믿을 수 없기 때문이다. 이들은 죽음을 바라보는 자신의 생각이나 비록 자신은 죽게 되었지만 자신이 가족에게 기여할 수 있는 방법에 대하여 논의할 시간을 원한다. 치료나 간호계획 등 자신과 관련된 일에 계속 참여하도록 하는 것은 이들에게 통제감을 갖도록 해준다.

04 / 임종 환경

아동의 임종 환경은 아동과 부모가 죽음을 수용하는데 영향을 주게 된다.

1) 병원

인공환기요법, 기관지 절개술 등 많은 의료적 처치가 필요한 환아는 병원에 입원하여 간호를 받는다. 병원에서는 임종 환아의 가족에게 면회시간을 충분히 주어 아동이 가족과 함께 있는 시간을 가질 수 있도록 배려한다. 환아에게 친구들과 만날 수 있는 기회도 제공해야 한다.

2) 가정

병원에서의 입원 치료가 더 이상 필요 없는 경우 대부분의 아동과 부모는 병원보다는 가족이 있는 친숙한 환경인 가정에서 임종하기를 원한다. 이때에는 다음의 사항들이 미리 준비되어 있어야 한다.

- 가정에서의 통증관리는 어떻게 할 것인가?
- 정기적인 검진과 약물 구입은 어떠한 방법으로 할 것인가?
- 응급상황이 발생하면 어느 병원으로, 어떤 방법으로 이동할 것인가?

아동 돌봄을 전담해야 하는 가족구성원은 가정에서 임종 아동을 돌봄으로 인해 신체적·정신적 어려움을 경험할 수 있다. 그러므로 가족이 아동간호와 자신의 휴식시간을 균형 있게 계획하는지도 평가하여야 한다. 아동을 간호하는 가족의 건강과 환아의 간호가 조화롭게 잘 이루어진다면 가정간호는 임종 환아와 가족 모두에게 매우 만족한 경험이 될 수 있다.

3) 호스피스 간호

호스피스의 기본 철학은 죽음을 삶과 분리된 사건이 아니라 삶의 하나의 과정 또는 삶의 연장으로 본다는 것이다. 따라서 환아가 죽음을 보다 자연스럽고 편안하게 맞이할 수 있도록 하기 위하여 영적, 심리적, 신체적, 사회적 요구에 대한 간호를 제공하는 것이 호스피스 간호이다.

호스피스 간호는 대부분 가정간호의 한 부분으로서 가족과 함께 가정에서 생활하면서 시행되나 병원에서 이루어지는 경우도 있다. 이에 호스피스 병원이 가정과 같은 편안한 환경에서 환자들이 임종을 맞도록 하기 위해 시작되어 최근에 많이 생기고 있으나 아동을 위한 호스피스 병원은 아직 흔하지 않다. 호스피스 병원에서 아동의 가족과 친구의 면회는 언제나 자유롭게 이루어지게 되며 아주 어린 아동과 애완동물도 아동을 만나기 위해 병원을 올 수 있다. 또한 환아는 자신이 좋아하는 장난감이나 아끼는 물건도 가져와 생활할 수 있어 가정과 같은 친숙한 환경에서 전문적인 호스피스 간호를 받을 수 있다. 그리고 환아의 통증 정도에 따라 진통제 투여 등의 적절한 통증간호를 받게 된다.

05 / 임종 시 간호

환아는 임종 단계에서 수일 이내에 사망할 수도 있지만 수개월 이상 살 수도 있다. 그러므로 임종단계에 있는 환아의 안정감과 자존감의 유지를 위해 세심한 신체적, 정서적, 영적 간호가 필수적이다. 이때에는 부모와 현실적인 대화를 자주 나누는 것이 중요한 간호의 한 부분이 된다. 부모뿐 아니라 환아도 죽음에 대한 두려움이나 느낌에 대해 이야기하도록 한다. 간호 수행 중 환아와의 대화시간은 신뢰관계 형성에 중요하며 이는 환아를 보다 편안하게 느끼도록 해 줄 것이다. 임종 환아와의 대화를 위한 지침이 [표 24-7]에 제시되었다.

1) 임종 환아 가족

임종 환아는 가정에 있으면서 정기적 외래 방문을 하거나 병원에 입원해 있으면서 간호를 받게 된다. 병원방문 시 부모는 신체적 문제의 해결을 위한 간호뿐만 아니라 임종 환아 간호에 대한 정신적, 심리적 부분에 대해 이야기하고

가족지지 / 발달연령에 따른 아동의 죽음의 대처를 돕는 방법

- 유아는 아직 죽음을 이해하지 못하며 죽음에 대해 알지 못한다. 이 시기 임종 환아를 간호하는 데 있어 가장 중요한 것은 환아에게 질환과 치료과정으로부터 편안한 환경을 제공해 주고 일관성 있는 간호를 하는 것이다.
- 학령전기 아동은 죽음을 매일 자는 깊은 잠과 같은 것으로 생각한다. 그러므로 이 시기의 아동은 깊은 잠보다는 부모와 떨어져 혼자 있게 되는 것을 더 두려워하므로 부모나 다른 형제자매와 많은 시간을 보내도록 격려하여 환아를 혼자 남겨두지 않도록 한다.
- 학령초기 아동은 아직 죽음을 일시적이고 가역적인 것으로 이해하나 학령후기 아동은 죽음은 다시 돌이킬 수 없는 삶의 마지막이라는 것을 안다. 그러므로 이 시기의 아동에게는 죽음에 대해 정직하게 말해주는 것이 필요하다. 그리고 아직은 죽음보다는 혼자 있는 것을 더 두려워하므로 부모나 다른 가족과 항상 함께 있도록 하여 불안감을 느끼지 않도록 한다.
- 청소년기의 죽음에 대한 이해는 성인의 이해수준과 같다. 그래서 이들은 자신이 죽게 된다는 사실을 부정하거나 분노하는 등의 방어기제를 보이게 된다. 또한 청소년들은 자신의 종교적 믿음과 관련되어 자신의 죄 때문에 죽고 난 이후에 벌을 받게 될까봐 걱정할 수 있다. 그러므로 이들에게는 죽음에 대하여 많은 이야기를 할 수 있는 기회가 필요하며 죽음에 대한 두려움이나 불안감 등에 대하여 표현할 수 있도록 한다. 그리고 자존감을 유지할 수 있도록 일상 활동들을 가능한 스스로 할 수 있도록 격려한다.

표 24-7 임종 환아와의 대화를 위한 지침

- 환아와 적극적인 대화를 지속하여 환아에게 적절한 자극을 준다.
- 면담 중 치료적 침묵을 허용한다. 대화 중 침묵은 자연스러운 과정이다.
- 면담 중 '죽음'이나 '임종'과 같은 단어를 적절하게 사용하여 환아가 자연스럽게 자신에게 일어날 일을 수용할 수 있도록 한다. 예를 들어 "꽃이 피었다가 지듯 나 또한 죽게 된다. 우리 한 번 마지막 순간에 대해서 이야기해 볼까?"와 같은 말을 할 수 있다.
- 임종 환아의 슬픔단계의 방어기전을 이해하고 수용한다. 만약 환아가 '부정' 단계에 있다면 환아가 질환이나 죽음에 대해 수용하도록 강요하지 않는다.
- 형식적 말이 아닌 환아의 감정을 읽어주는 지지적인 말과 태도를 보인다. "모든 사람들은 죽게 된다"와 같은 말은 틀린 것은 아니지만 환아의 심리적 어려움을 해결해 주지는 못할 것이다. "이 순간은 너에게 굉장히 힘든 시간임에 분명하다"와 같은 말이 환아에게 더 도움이 된다.
- 모든 사람의 종교적 믿음과 같은 개인적 신념이 같지 않다는 것을 인식한다. 예를 들어 "나는 신이 자신의 삶을 되돌아보고 삶에 감사하도록 때때로 우리에게 어려운 일을 주신다고 믿습니다"와 같은 말은 환아나 부모를 위로하기 보다는 거부감이나 분노를 유발할 수 있다.

지지 받기를 원한다. 환아의 부모는 삶의 마지막 단계에 있는 환아의 상태에 대해 환아에게 얘기하기를 꺼려하여 환아와 이야기 나누는 것을 힘들어 할 수 있다. 그러나 환아는 주변 사람들이 자신과 이야기하는 것을 피하고 뭔가를 감추고 있다는 것을 느낄 때 자신의 상태에 대해 오히려 더 불안해할 수 있다. 그러므로 부모에게 환아와의 대화시간을 많이 가지고 환아에게 앞으로 일어날 일들에 대해 정직하게 이야기하도록 격려한다.

환아의 질환이 이전보다 더 악화되면 부모는 다시 슬픔의 심리적 방어기제 과정(부정, 분노, 타협, 우울, 수용)을 밟게 될 수 있다. 즉 이는 환아의 질환 상태의 호전에 의해 과정 중 중단되기도 하고 상태가 다시 악화됨으로 인해 과정이 다시 시작될 수도 있다. 이 때문에 백혈병의 악화로 열 번째 입원한 환아의 부모라고 할지라도 처음 백혈병 진단을 받고 입원한 환아의 부모와 동일한 슬픔 과정에 있을 수 있다.

임종 환아의 형제자매는 보통 환아의 간호를 위해 부모와 떨어져 친척집 등에서 지내는 경우가 많다. 이에 부모는

병원 정기방문 시 환아의 형제자매는 어떻게 대하여야 할지에 대하여 질문을 할 수도 있다. 비록 임종 환아가 부모의 도움을 많이 필요로 하긴 하지만 부모는 다른 형제자매도 부모의 관심과 심리적 지지가 필요함을 기억해야 한다.

2) 임종 시 환아의 변화

임종이 다가오면서 환아에게 신체대사의 저하, 산소포화도의 감소 및 맥박의 감소와 같은 생리적 변화가 일어나게 된다. 심장의 혈액 박출량의 감소로 순환하는 혈액 또한 감소하게 된다. 이로 인해 환아의 피부 특히 말단부위의 피부의 온도가 떨어져 차갑게 느껴지는데 이는 신체의 말단 부위로의 혈액 순환이 원활하지 않기 때문이다. 혈액순환의 문제로 근육을 통한 약물 주입이 불가능하므로 응급약물은 정맥으로 주입한다.

말초 순환 장애로 인해 신체에서 열 손실이 감소하면서 일시적 체온상승이 나타난다. 이때에는 체온을 낮추기 위해 땀의 증발로 열을 발산시키는 발한현상이 나타나 환아의 피부가 차고 축축해진다. 그러므로 침대 시트 교환을 자주 해야 하며 말단의 혈액순환이 체위에 의해 방해가 되지 않도록 잦은 체위 변경이 요구된다.

근육량과 강도의 감소로 환아는 심한 무력감과 피로감을 느낀다. 인두의 이완으로 이물질의 기도흡인의 위험이 증가한다. 그러므로 경구영양 시 반드시 환아에게 구토반사가 있는지를 확인한다. 환아에게 구토반사가 없고 연하장애가 있다면 타액 배출을 용이하게 하고 기도흡인을 예방하기 위하여 환아의 체위를 측위로 하거나 고개를 옆으로 돌려준다. 같은 자세를 계속 유지함으로 인해 신체의 한 부분만 눌려 피부손상이 유발되지 않도록 적절히 베개를 대주거나 체위 변경을 한다. 변실금이나 요실금으로 인한 피부손상이 없도록 피부간호를 철저히 한다. 중추신경의 손상과 관련된 수의근 조절 장애로 환아는 무의미한 반복적인 손동작을 보일 수 있다.

호흡수의 감소로 인한 폐 분비물의 축적으로 청진 시 수포음이 들린다. 느린 호흡에 대한 보상반응으로 환아는 간간히 깊은 호흡을 하게 된다. 이때에는 폐의 확장을 증진시키기 위하여 환아의 흉부가 압박되지 않도록 하는 체위를 취해주도록 한다.

환아는 사망하기 직전까지도 명료한 의식 상태로 있을 수는 있으나 대부분은 사망시점이 가까워짐에 따라 의식의 저하를 나타내게 된다. 불명료한 의식 상태에 있는 환아의 감각은 자연히 떨어지게 된다. 그러나 촉각은 비교적 완벽하게 유지되어 환아의 몸을 부드럽게 만져주면 환아는 가만히 있거나 만져주는 사람의 손을 잡으려는 동작을 보이게 된다. 청각은 임종 시 가장 마지막까지 유지되는 감각이다. 그러므로 환아에게 의식이 없더라도 간호 절차에 대하여 설명해주고 환아 앞에서 말할 때 실수하지 않도록 주의한다. 이때에는 환아의 손을 잡아준다거나 머리카락을 쓰다듬어주는 등의 부드러운 신체 접촉과 따뜻한 말을 해주는 것이 중요하다.

소화기능도 떨어져 장내 가스의 축적으로 복부팽만이 나타난다. 장 근육의 강도와 연동 운동의 저하로 변비가 나타난다. 탈수나 점막의 건조가 나타날 수 있으므로 적절한 수액공급이 필요하다. 구강점막의 건조는 이차 감염이나 불편감을 유발할 수 있으므로 구강점막을 물로 적셔주고 바셀린 연고를 입술에 적용한다. 결막의 건조로 인해 안구건조증이 있다면 처방에 의한 안약을 투여한다. 환아의 안위를 위해 통증 정도를 사정하고 적절한 통증조절 간호를 한다.

3) 사망 선언

사망에 대한 정의는 아직 논쟁이 많이 되고 있다. 죽음은 공식적으로는 수용과 반응의 불능상태로 확인할 수 있다. 자발적인 근육 운동과 호흡이 없으며 자극에 대한 반사 및 반응도 없고 뇌파가 소실되어 뇌파 검사 시 일직선 상태를 보이게 된다. 아동의 사망 징후는 성인의 경우와 같으며 이는 다음에 제시된 바와 같이 요약될 수 있다.

- 호흡이 없음
- 맥박이 없음
- 혈압측정이 안됨
- 신체의 움직임이나 반사가 없음
- 동공의 확대와 고정

4) 장기 기증

의료진이나 이식코디네이터는 부모에게 환아의 사망 전에 장기기증에 대한 의사를 물어보게 된다. 만일 부모가 환아의 장기 기증에 동의하였다면 의료진은 이 사실에 대해 잘 알고 있어야 한다. 환아의 사망이 임박하게 되면 환아의 신체기능은 적절한 장기 수혜자가 나타날 때까지 인공호흡기 등에 의하여 적절하게 유지되어야 한다. 장기기증은 부모가 환아의 죽음을 더 쉽게 받아들일 수 있도록 도와주는데, 이는 부모가 자신의 아이를 통해 다른 사람의 생명을 구했다고 느끼기 때문이다.

5) 임종 후 간호

사망 후 사후간호의 절차를 밟기 전에 간호사는 가족들이 잠시 동안 환아와 함께 있기를 원하는지 또는 어떤 종교적 의식을 원하는지를 확인하여야 한다. 어떤 부모는 아동을 위해 기도하기를 원하거나 혹은 마지막으로 작별인사를 위한 시간을 가지기를 원할 수 있다. 이는 부모로 하여금 믿기 어려운 환아의 사망을 확실히 확인하기 위해서도 필요한 과정이다.

가족들이 사망한 환아를 만나기 위해 환아의 병실로 들어오기 전에 간호사는 환아와 침상을 깔끔하게 정리하여야 한다. 마지막 인공소생술 과정에서 피 묻은 솜이나 의료기구들이 환아 주변에 여기저기 있거나 환아의 몸에 피가 묻어있는 등 소생술의 흔적이 남아있는 것은 가족에 고통스러운 기억으로 남을 수 있기 때문이다.

간호사는 가족과 함께 병실에 머무르면서 가족과 환아의 작별과정을 도울 수 있다. 그러나 가족에게 방해가 되는 행동을 하지 않도록 주의한다. 부모로 하여금 환아를 안아주고 몸을 쓰다듬도록 격려하는 것은 부모와 환아 간 매우 강하고 친밀한 의사소통이 이루어지도록 하는 방법이 될 수 있다.

확인문제

16. 임종 시 가장 마지막까지 남아있는 감각은 무엇인가?

17. 임종단계의 환아에게 구토반사가 없고 연하장애가 있다면 어떻게 해야 하나?

6) 부검

타살이나 자살에 의한 죽음, 원인을 알 수 없는 죽음, 폭력에 의한 죽음이 의심되거나 의료진이 없는 가정 및 양육기관에서 사망한 경우에는 부검을 실시해야 한다. 부모는 이러한 사실에 대해 모를 수도 있다. 연구목적, 교육목적 등에 의한 부검은 선택사항이며 이를 위해서는 반드시 부모의 동의가 있어야 한다. 부모는 종교적 이유로 혹은 부검이 아동에게 또 다른 손상을 준다고 생각하여 부검을 거부할 수 있으며 이에 대한 결정 권한 또한 가지고 있다.

요점

※ 소아 종양은 0~14세 아동의 주요 사망원인으로서, 백혈병이 가장 흔하다.

※ 항암화학요법은 항암화학요법제를 투여해 암세포를 파괴하는 방법으로 항암화학요법제에는 알킬화제, 항대사제, 빈카 알칼로이드, 효소, 스테로이드제, 항생제 등이 있다.

※ 방사선 치료는 고에너지 방사선으로 암세포를 파괴하는 방법으로 치료에 대한 즉각적인 부작용은 식욕부진과 오심, 구토, 탈모이다. 장기적 부작용으로는 성장부진이나 학습장애가 있다.

※ 백혈병은 백혈병 세포의 과잉 증식으로 정상 조혈작용을 방해하고 백혈병 세포가 신체기관에 침윤되는 것으로 이는 소아암에서 가장 빈번하게 나타난다.

※ 림프계의 악성종양은 호지킨병과 비호지킨 림프종이 있다. 호지킨병은 청소년기에 가장 빈번히 발생한다. 초기증상은 무통성의 림프절 비대이다. 이는 항암화학요법과 방사선 치료로 치료한다.

※ 뇌종양은 아동기에 발생하는 가장 흔한 고형종양이다. 증상의 시작은 보통 두개내압의 상승과 관련된 증상이다. 치료는 방사선요법과 항암화학요법에 이어 수술을 병행한다.

※ 골육종은 뼈(장골)의 악성종양으로서, 뼈로의 풍부한 혈액공급으로 인해 급속히 자라는 경향이 있으며 진단 시 이미 전이되어 있는 경우가 많다. 흔한 전이부위는 폐이다. 치료는 방사선요법과 항암요법에 따른 수술이다.

※ 신경모세포종은 교감신경계세포에서 발생되는 종양이다. 이는 아동기의 가장 흔한 복부종양이다. 치료는 수술, 방사선요법과 항암화학요법이다.

※ 빌름스 종양은 아동기 가장 흔한 악성 신장 종양이다. 무통성의 단단하고 부드러운 복부덩어리가 흔한 초기증상이다. 치료는 방사선과 항암화학요법에 이은 수술이다.

※ 호스피스 완화 간호는 아동의 말기 질환의 진단 시부터 아동과 가족에게 체계적이고 지속적인 지지를 제공하는 것이다.

확인문제 정답

1. 뇌신경계로 전이 여부를 확인하기 위함
2. 종양의 크기를 의미
3. $500/mm^3$ 이하
4. 변비와 관절의 감각마비
5. 백혈병의 임상증상이 없고 골수에서 림프아구가 5% 이내로 감소되며 말초혈액의 수치도 거의 정상수준에 이르는 것
6. 경막 내로 투여
7. 아침에 많이 발생
8. 배변 시 긴장은 두개뇌압을 상승
9. 복부 촉진을 하지 않음
10. 통증과 부종
11. 폐
12. 10세 전후부터 청소년기의 유병률이 높음
13. 종격동
14. 우울 단계
15. 아동사망으로 인한 상처를 경감시킬 수 있음
16. 청각
17. 타액 배출을 용이하게 하고 기도 흡인을 예방하기 위하여 환아의 체위를 측위로 하거나 고개를 옆으로 돌려줌

만성질환 및 장애 아동의 간호

학습목표

01 만성질환 및 장애아동과 가족의 특성을 설명한다.
02 만성질환 아동에게 간호과정을 적용한다.
03 감각(시각 및 청각)장애 아동에게 간호과정을 적용한다.
04 지적장애 아동에게 간호과정을 적용한다.
05 지체장애 아동에게 간호과정을 적용한다.
06 발달장애 아동에게 간호과정을 적용한다.
07 만성질환 및 장애아동의 가족 간호를 수행한다.

I 만성질환 및 장애 아동과 가족의 특성

만성질환 및 장애아동의 반응에 영향을 미치는 요인에는 아동의 발달단계, 아동의 대처기전, 가족구성원이나 지지체계의 반응 및 질병이나 장애의 종류 등이 있다. 따라서 만성질환 및 장애 아동과 가족이 어려운 상황에 처한 경우 필요한 지지를 제공하기 위해서는 간호사는 사전지식과 정보에 대한 이해가 선행되어야 한다.

II 발달 단계별 만성질환

만성질환이나 장애는 성장발달이 진행중인 아동의 생활 전반에 영향을 미친다. 특히, 특수 아동은 각 발달단계에 따라 다양한 도전과 스트레스를 경험하며 정상 발달과제를 성취하는데 많은 제한이 따른다. 따라서 간호사는 이러한 영향이나 위험을 최소화하고, 특수 아동과 가족의 적응을 돕기 위해 각 발달 단계별 아동의 특수성과 반응 및 중재전략에 대한 이해가 필요하다.

01 / 영아기

영아는 부모와 지속적인 애정의 상호교류를 통해 최초의 발달과제인 신뢰감(trust)을 발달시켜 나아가고, 감각운동경험을 통해 자신과 환경과의 관련성을 이해하기 때문에 감각능력과 운동능력은 영아발달에 중추적 역할을 한다. 이 시기에 질병이나 장애가 발생하는 경우 초기 부모-자녀관계 형성과 아동의 인지, 운동발달에 부정적 영향을 미치게 된다. 즉, 영아기 질환이나 장애는 부모-자녀의 애착과 결속 형성을 방해하여 원만한 부모-자녀관계 및 신뢰감 형성에 부정적 영향을 미치며, 영아의 감각, 운동 능력을 제한함으로써 자신과 환경과의 관련성을 이해하는데 걸림돌이 될 수 있다. 따라서 간호사는 이와 같은 영아의 발달 특성과 질환이나 장애가 아동발달에 미치는 영향에 관한 사전교육과 지지를 통해 부모로 하여금 특수 아동의 요구를 잘 이해하고,

자녀를 잘 돌볼 수 있도록 격려함으로써 질환이나 장애가 아동발달에 미치는 영향을 최소화할 수 있다.

02 / 유아기

유아기는 신체 움직임과 이동능력이 현저하게 발달하는 시기이다. 이를 토대로 유아는 자신의 주변 환경을 적극적으로 탐색하면서 자신과 주변 환경과의 관계를 인식하려는 노력을 시작하는데, 이 과정에서 운동과 이동의 발달은 중추적 역학을 한다. 또한 유아는 어휘가 급증하며, 대소변 가리기 훈련과 버릇들이기(훈육)를 통해 스스로를 조절하는 방법을 터득하면서 자율감(autonomy)을 발달시켜 나아간다. 그러나 질병이나 장애는 이와 같은 유아의 노력을 방해하거나 제한하며, 특히 부모의 과잉보호 경향은 유아의 주변 환경 탐색이나 경험을 제한함으로써 유아의 자율감 성취에 부정적인 영향을 미치기도 한다. 따라서 간호사는 병원이나 가정에서 부모가 유아를 안전하게 양육할 수 있도록 돕고, 교육과 지지를 통해 장애나 질환의 한계 내에서 최대한 자율감을 성취할 수 있도록 격려해야 한다.

03 / 학령전기

학령전기는 솔선감(initiative)이 발달하는 시기이다. 아동은 가족이라는 울타리에서 벗어나 유치원, 어린이집 경험을 통해 좀 더 큰 사회집단과 상호작용 하면서 사회성을 발전시키고, 주변 환경에서 성 관련 활동을 모방함으로써 성 정체감을 형성해 나아간다. 특히 솔선감은 아동이 다양한 활동을 통해 성취감과 만족감을 경험할 때 발달하는데, 아동의 능력과 탐색의 한계를 벗어나면, 환경에 대한 탐색기능이 억제되거나 죄책감을 경험하기도 한다.

한편, 특수 아동은 질환과 장애로 인해 솔선감이나 사회성 및 성 정체감을 발달시키기 위한 활동에 참여할 수 있는 기회가 극히 제한되기 때문에 아동의 정상적 성장발달 및 발달과제 성취에 있어 저해요인이 되고 있다. 특히 학령전기 아동은 질병을 앓는 경우 평소에 자신이 나쁜 생각을 하거나, 잘못한 일 때문에 초래된 결과라고 상상하여 죄책감을 경험하는 경향이 크다. 이러한 죄책감은 일반 아동에서는 일시적이지만,

표 25-1	발달단계별 만성질환 및 장애로 인한 영향과 중재전략	
발달과제	만성질환 및 장애로 인한 영향	중재전략
영아기 신뢰감 발달	• 입원기간 동안 다양한 돌봄 제공자와의 잦은 분리를 통해 일관된 양육 제공의 어려움	• 일관된 간호제공자를 유지한다. • 영아의 입원기간동안 부모가 자주 면회를 하거나 병실에 영아와 함께 있도록 하고, 영아간호에 적극 참여하도록 격려한다.
부모와의 애착과 결속 형성	• 부모가 상상해 오던 정상적 영아의 상실로 인한 슬픔과, 영아의 결손이 가시적인 경우 그 상태에 대한 수용의 어려움으로 애착(결속)형성 지연	• 영아의 온전한 상태와 건강한 부분을 강조한다. • 부모가 영아의 특별한 욕구를 충족시킬 수 있는 방법을 교육하여 영아 양육에 대한 자신감을 갖도록 한다.
감각 운동 경험을 통한 경험의 확대	• 고통을 수반하는 경험에 점차 노출됨 • 감돈, 운동제한으로 환경과의 접촉이 제한됨	• 영아가 모든 감각(촉각, 청각, 시각, 미각, 운동)을 활용하여 감각운동 경험을 하도록 돕는다. • 영아가 연령에 맞는 발달기술(예: 우유병 잡기, 손가락 빨기, 기어 다니기)을 습득하도록 격려한다.
유아기 자율감 발달	• 부모에 의존성 증가 • 부모의 과잉보호	• 대소변 가리기, 옷 입기, 식사 등 다양한 영역에서 자가간호를 수행하도록 격려한다.
운동능력과 언어기술 습득	• 자신의 능력에 한계에 대한 시험의 기회 제한	• 대근육 운동 기술을 습득할 수 있는 기회를 제공한다. • 조절감 경험을 위해 선택의 기회를 제공한다.
감각운동경험을 통한 학습과 전조작적 사고의 시작	• 고통스러운 경험에의 노출 증가	• 연령에 맞는 규율과 한계를 설정한다. • 거부증과 의식주의가 정상이라는 것을 인정한다. • 감각 경험의 기회를 제공한다(예: 물놀이, 모래놀이, 손가락으로 그림 그리기 등)
학령전기 솔선감과 목적의식 발달 자가간호 기술 발달	• 단순한 과제의 성취 혹은 자가간호 기술 습득 기회의 제한	• 자조기술의 학습을 격려한다. • 과업을 쉽게 성취할 수 있도록 배려한다.
또래관계와의 발달	• 또래와의 사회화 기회 제한 • 가족의 과잉보호로 아동은 불안하거나 위축됨	• 또래들과의 상호작용 기회를 증진하여 사회화를 촉진한다. • 연령에 적절한 협동놀이의 기회를 마련한다.
신체상과 성정체감 발달	• 신체에 대한 지각이 고통, 불안, 실패에 초점을 맞출 수 있음 • 성역할 정체감은 부모의 아동을 돌보는 기술에 일차적 관심이 집중됨	• 아동의 능력을 강조; 바람직한 모습을 향상시키기 위하여 적절하게 옷을 입힌다. • 동성과 이성 또래와 성인과의 관계 격려 • 아동이 비판할 수 있도록 돕는다. • 과잉보호는 아동의 현실감 발달을 저해하는 요인임을 인식한다.
전조작적 사고를 통한 학습 (마술적 사고)	• 죄의식 경험(아동이 질병이나 장애를 유발하게 했다거나, 잘못에 대한 처벌이라는 생각)	• 아동에게 질병이나 장애는 아동의 잘못에 대한 처벌이 아님을 명확히 한다.
학령기 성취감 발달	• 성취와 경쟁의 기회 제한 (예: 잦은 학교결석과 활동 불참으로 인함) • 사회화 기회 제한 • 신체적 한계나 장애치료에 대한 이해 부족	• 학교출석을 격려한다. • 특수 아동의 상태, 능력, 특수 요구에 관해 교사와 같은 반 학생들에게 교육한다.
또래 관계 형성	• 사회화 기회 제한	• 스포츠 활동을 격려한다(예: 장애자 올림픽) • 집단 활동을 통한 사회화를 격려한다.
구체적 조작을 통한 학습	• 신체적 한계 혹은 장애 치료에 대한 이해부족	• 아동의 상태에 대한 지식을 제공한다. • 창조적 활동을 격려한다.

표 25-1	발달단계별 만성질환 및 장애로 인한 영향과 중재전략 (계속)	
발달과제	만성질환 및 장애로 인한 영향	중재전략
청소년기 인격과 성정체감 발달	• 동년배와의 차별성 증대 • 외모, 능력, 특별한 기술로 동년배와 경쟁할 수 없다는 느낌의 증가	• 10대가 경험하는 많은 차이점들은 청소년기 정상적인 발달과정의 일부분임을 이해한다(반항, 위험감수, 비협조적, 권위에 대한 적대감 등)
가족으로부터 독립	• 이성친구와의 우정교류의 기회 제한 • 동년배와 성적관심을 논의할 기회가 적음 • 가족에 대한 의존성 증가; 직업/경력의 기회 제한	• 대인관계 시 대처기술에 대해 교육한다. • 동료와의 사회화를 격려한다. 일반아동과 특수 아동을 모두 포함시킨다.
이성과의 관계형성	• 이성과의 우정을 교류할 수 있는 기회의 제한 • 동료와 성적 관심사에 대한 토의할 수 있는 기회의 상대적 제한	• 연령에 적절한 이성과의 접촉기회 제공 (예: 운동경기 참여, 운동, 운전하기 등)
추상적 사고를 통한 학습	• 아동이 장애를 갖게 된 이유, 결혼과 가정 꾸미는 것에 대한 관심 증가 • 인식의 초기 단계에서의 기회 감소가 추성적인 사고의 성취를 방해할 수도 있음	• 멋진 외모, 맵시있는 옷차림과 화장을 강조한다. • 특수요구가 있는 청소년 역시 다른 10대들과 동일한 성적욕구와 관심을 갖고 있음을 이해한다. • 미래에 대한 계획, 아동의 상황이 미래에 대한 선택에 미치는 영향에 대해 토의한다.

특수 아동의 경우 죄책감을 지속적으로 경험하기 때문에 아동의 자존감을 약화시키고 열등감을 조장하는 원인이 되기도 한다. 이를 극복하기 위해 학령전기 특수 아동에게 성취감을 경험할 수 있는 기회를 자주 제공해주는 것이 좋다.

04 / 학령기

학령기는 근면성(industry)이 발달하는 시기로 학령기 아동은 특정 평가기준에 도달하거나 성취감을 경험하기 위해 부단히 노력한다. 또한 학령기 아동은 학교라는 보다 큰 집단의 일원이 됨으로써, 또래들과의 상호작용과 경쟁을 통해 공동체 의식, 성취감, 사회성 등을 발전시켜 나아간다. 그런데 특수 아동은 또래들과의 다양한 활동에 참여할 수 있는 기회의 제한, 질환이나 장애로 인한 학교 결석의 반복, 부모의 과잉보호, 또래들과 다르다는 인식 등으로 정상 발달과제를 성취하는데 많은 제한이 있으며, 때로는 수치심과 열등감으로 위축되거나, 치료 거부, 혹은 부모에게 저항하는 행동반응을 나타내기도 한다. Gang집단에 가담하거나 따돌림을 당할 수도 있다. 아동이 입원해 있거나 집에서 요양 중이어도 전화나 e-mail 혹은 편지 쓰기 등으로 계속 친구들과 접촉할 수 있게 해야 하는데 이는 계속적인 발달과정에 중요한 것이다. 부모(혹은 학교친구)는 교과

내용을 가져와서 아동이 숙제를 할 수 있도록 도와주어 학교 공부도 계속할 수 있게 하고 자존심을 증진시킬 수 있게 한다.

부모는 산소를 지속적으로 투여해야 하는 아동이나 휠체어를 사용하는 아동이 정규 교실에 배치될 것인지, 아니면 매일 특수지도교사의 도움을 받아야 하는지를 보건교사와 담임교사, 학교위원회와 상의할 수 있다.

장애 아동도 다른 아동처럼 집안의 작은 일을 맡거나 성취감을 고취시킬 수 있는 보이스카우트나 걸스카우트 같은 단체 활동에 참여하는 것이 좋다. 이는 장애아동이나 만성질환을 가진 학령기 아동이 근면성이나 성취감을 발달시켜 가능한 독립적이 되도록 도와주는 데 중요하다.

학교식당이나 친구 집에서 식사할 경우 특별식(special diet)을 해야 하는 아동은 음식이 제공되는 곳에서 편안할 수 있도록 해주어야 한다. 예를 들면, 아동에게 적합한 간식을 먹게 하거나, 적합하지 않은 음식을 정중하게 거절할 수 있도록 도와준다.

05 / 청소년기

청소년기는 급속한 신체적, 성적, 인지적, 심리적 변화에 적응하고, 이를 자신의 감각 속에 통합시키며, 또래와의

사회적 상호작용과 역할에 대한 다양한 실험을 통해 앞으로 다가올 성인으로서의 역할을 규정하고 준비하는 시기로, 청소년들은 정상 발달과정에서 다양한 정서적 혼란과 갈등을 경험한다.

특수 요구가 있는 청소년은 청소년기 정상 발달상의 어려움에 더하여 자신의 질병이나 장애를 자아상에 통합시켜야 하는 과제가 추가되기 때문에 이 시기에 겪는 어려움과 스트레스는 일반 아동에 비해 매우 크다. 즉, 특수요구가 있는 청소년은 질병이나 장애로 독립성의 욕구가 좌절되기 때문에 갈등과 스트레스를 경험하며, 자신을 조절하고 통제하는 많은 어려움이 있다. 또한 동료집단의 인정과 수용에 외모나 기술 및 능력이 중요시되는 시기이기 때문에 장애나 질환이 외적으로 드러나는 경우 스트레스가 더욱 가중되며, 위험을 수반하는 행동에 가담하거나 반항적 행동을 표출하기도 한다.

아동의 발달단계별 만성질환이나 장애로 인한 영향과 중재전략은 [표 25-1]에 요약하였다.

Ⅲ 시각장애

아동은 자신의 감각을 활용하여 그들 주위 환경과 상호작용하며, 이를 통해 자신과 환경과의 관계를 이해하고, 성장 발달해 나아간다. 그러므로 시각(vision)은 아동의 정상적 성장과 발달에 필요한 매우 중요한 감각이다. 아동의 시력은 5~6세까지 지속적으로 발달하는데, 이 시기에 뇌의 시각중추에 선명한 상이 도달하지 못하면 시각중추에 구조적 변화를 초래하여 영구적인 시력손상을 야기할 수 있다. 따라서 아동의 최적 발달을 성취하기 위해 시각장애의 조기 발견과 중재는 아동의 발달에 결정적 영향요인이 된다.

01 / 정의

시각장애(vision impairment)는 아동기 만성적 건강문제의 약 11% 정도를 차지하는 매우 흔한 장애이다. 일반적으로 시각장애는 실명과 약시로 구분하는데, 실명(blindness)은 시력이 완전히 "0"인 상태를 의미하지만 국가마다 법적

표 25-2	시각장애의 위험 요인
선천적 요인	
• 태아알코올증후군 • 백내장, 녹내장 • 망막아종 • Tay Sachs 질환 • 산전감염(herpes, chlamydia, 임균, 풍진, 매독, toxoplasmosis)	
후천적 요인	
• 미숙아의 망막증 • 뇌성마비 • 눈과 머리의 외상 • 감염(홍역, 수두, 풍진) • 뇌종양	

으로 그 의미를 달리하고 있다. 즉, 미국의 경우 법적으로 교정시력이 20/200 이하로 정의하는데 즉 정상시력을 가진 사람이 60m에서 볼 수 있는 시표를 6m에서 본다는 것을 의미한다. 실명(blindness)은 시야가 20도 이하로 감소된 상태로 정의한다. 우리나라는 일반적으로 교정시력이 0.05 이하인 경우를 실명으로 정의하고 있다.

약시(poor vision)는 시력이 저하되어 기본적인 일상생활은 불편한대로 영위할 수 있으나 책에 있는 보통 크기의 활자를 읽을 수 없는 상태로 일반적으로 두 눈의 교정시력이 0.04~0.3인 경우를 의미한다. 미국의 경우 아동 10만 명당 약 30~64명 정도가 중증 시각장애나 시각상실을 가지고 있으며, 약 100명 정도는 경증 시력장애를 갖고 있는 것으로 보고되고 있다. 우리나라는 정확한 통계는 없으나 대략 전 인구의 0.2~0.5% 정도로 추정하고 있다.

02 / 원인

시각장애는 유전 또는 출생 전후의 여러 가지 요인에 의해서 발생된다. 시각장애 발생의 위험요인은 [표 25-2]에 제시하였다.

03 / 분류

시각장애는 굴절이상, 약시, 사시, 백내장, 녹내장으로 분류하며, 굴절이상은 아동에게 가장 흔한 유형의 시각장애

표 25-3		시각장애의 분류		
분류		정의	증상	치료
굴절이상	근시 (Myopia)	· 가까운 거리에 있는 물체는 선명하게 보이지만 먼 거리의 물체는 희미하게 보인다. · 안구의 전직경이 정상보다 길어서 망막 전방에 상이 맺힌다.	· 책에 눈을 가까이 대고 본다. · 물체가 있는 곳으로 걸어가는 것이 서투르다. · 정밀한 작업을 한 후에 눈을 평상 시 보다 더 깜박 거린다. · 눈을 자주 문지른다. · 머리를 기우리거나 앞으로 내민다. · 책을 읽거나 다른 정밀한 작업을 하는데 어려움이 있다 · 수학과 같은 설명을 필요로 하는 과목의 학습이 부진하다. · 정교한 작업 후에 현기증과 두통을 호소한다.	오목렌즈로 교정한다.
	원시 (Hyperopia)	· 안구의 전후직경이 정상보다 짧아서 망막의 뒤쪽에 상이 맺힌다. · 먼 거리에 있는 물체가 선명하게 보인다.	· 아동은 모든 범위에서 사물을 볼 수 있다. · 대부분 아동은 정상적으로 약 7세까지는 원시경향을 나타낸다.	볼록렌즈로 교정한다.
	난시 (Astigmatism)	· 각막이나 수정체가 불규칙하여 어느 방향에서도 물체의 상이 선명하지 못한다. · 굴절매체의 굴절력에 차이가 있다.	· 근시 증상과 같다. · 굴절력의 정도에 따라 증상이 다르다.	특수렌즈로 교정한다.
	굴절부동 (An-isome tropia)	· 조절이 약한 쪽을 사용하지 않아 약시가 유발될 수 있다. · 양쪽 눈에 굴절의 차이가 있다.	· 근시 증상과 같다. · 굴절력의 정도에 따라 증상이 다르다.	특수렌즈 착용(되도록 콘텍트 렌즈를 사용하여 교정할 것)
사시 (Strabismus)		· 근육의 불균형이나 마비, 시력저하 발생 · 시축이 평행되지 않아 뇌가 2개의 상을 받아들이고 후에 약시로 발전될 가능성이 있다. · 눈이 편위되어 있다(내사시는 안쪽으로 외사시는 바깥쪽으로 편위).	· 눈을 찌푸린다. · 한 곳에서 다른 곳으로 초점을 맞추기 어렵다. · 물체를 들어 올리는데 판단이 부정확하다. · 인쇄물이나 움직이는 물체를 정확하게 보기 어렵다. · 한쪽 눈이 보는데 어려움이 있다. · 머리를 기울인다. · 굴절이상 동반 시 굴절 이상 증상이 발현된다. · 복시, 수명(photophobia), 현기증, 두통 호소한다.	· 차폐법 적용(시력이 좋은 쪽 눈을 가리고 나쁜 쪽 눈에 시각 자극을 주는 방법) · 조기진단이 시력 상실을 예방하기 위해 필수적이다.
약시 (Amblyopia)		· 복시로 인해 각각의 망막에 서로 다른 상이 맺힌다. · 한쪽 눈이 적절한 시각자극을 받지 못하여 한쪽 눈의 시력이 감소된다. · 뇌가 정확한 상을 맺지 못한다. · 시각이 외피는 시력의 저하로 시각 자극에 반응하지 못한다.	손상된 쪽의 시력 저하가 있다.	굴절부등이나 사시와 같은 일차적인 시력장애가 있다면 6세 이전에 치료를 시작하여 약시 발생을 예방한다.

표 25-3	시각장애의 분류 (계속)		
분류	정의	증상	치료
백내장 (Cataract)	• 빛이 눈을 통과하고 굴절되어 망막에 상이 맺히는 것을 방해한다. • 사시, 불투명한 수정체 • 적색반사의 결여가 있다. • 수정체가 불투명하다	• 점차 물체를 선명하게 볼 수 없게 된다. • 주변 시력(peripheral vision)이 상실된다. • 시력상실과 함께 안구진탕증이 나타난다.	• 흐릿한 수정체 제거 및 대치 수술 • 시력상실을 예방하기 위해 조기에 치료한다.
녹내장 (Glaucoma)	• 선천성인 경우는 방수의 통로에 발달 결함이 있다. • 안압이 상승한다. • 압력 증가는 시신경의 위축과 실명을 초래한다.	• 눈앞에 안개가 낀 것 같아 물체 주변이 뿌옇게 보인다. • 경한 통증이나 불편감을 호소한다(갑작스럽게 안압상승 시 심한 통증과 구역, 구토 호소). • 많은 눈물(유루증), 수명, 발적 증상이 있다. • 눈을 깜박거린다(안검경련). • 각막이 흐릿하다. • 안구의 비대(우인)가 있다.	• 방수의 통로를 만들어 주기 위해 외과적 치료 실시(언전방우각절개술)한다. • 1회 이상의 수술이 필요할 수 있다.

표 25-4	아동들이 연령별 시력저하가 있음을 암시하는 증상과 행동반응
분류	설명
영아	• 동공반사가 나타나지 않는다. • 주변을 응시하거나 눈을 맞추지 않는다. • 눈앞에 움직이는 사물이 있을 때 이를 따라가지 않는다.
유아, 학령전기	• 눈을 자주 문지르고 눈물을 흘린다. • 보기 위해 눈을 가늘게 뜨거나 머리를 기울인다. • 곁눈질을 하거나 미간을 찌푸린다. • 사물에 자주 부딪힌다. • 움직임이 지연되고 가까운 벽 쪽으로 이동하는 경향이 있다. • 책이나 장난감을 얼굴 가까이 가져간다. • 두통, 어지러움, 구역, 구토, 증상을 호소한다.

이다. 기타 시각장애 유형에 대한 자세한 설명은 [표 25-3]에 제시하였다.

04 / 증상

시각장애 아동에서 나타나는 증상은 원인과 심각성 및 아동의 연령에 따라 다양하다. 그러나 어린 아동은 대부분 언어 표현 능력이 제한되어 있고, 정상 시력을 경험해 본적이 없어 자신의 시력에 문제가 있는 것조차 인지하지 못하기 때문에 시각장애를 조기에 발견하는데 많은 어려움이 있

다. 따라서 아동 양육자와 간호사는 시력에 장애가 있음을 암시하는 증상을 주의 깊게 관찰하고, 주기적인 시력선별검사를 실시해 조기진단과 조기치료가 이루어져야 한다. 아동의 연령별 시력저하가 있음을 암시하는 증상과 행동반응은 [표 25-4]에 제시하였다.

간호진단 및 목표

간호진단 : 사고로 인해 시력에 손상이 왔다는 죄책감과 관련된 부모역할갈등

간호목표 : 부모는 돌보는 그들의 능력에 자신감을 표현할 것이고 1시간 이내에 사고에 대한 죄책감을 표현할 것이다.

예상되는 결과 : 부모들은 아동의 치료적 계획과 기대된 결과에 대해서 정확하게 말한다. 아동과 부모는 사고 및 앞으로 사고를 예방하는 방법에 대해서 터놓고 말한다. 부모는 아동간호 및 추후 간호와 장기 간호에 대해서 의료진과 함께 의사결정에 적극적으로 참여한다.

05 / 간호

시각장애 아동의 간호의 일차적 목표는 아동의 모든 감각을 활용할 수 있도록 격려하고, 사회화를 증진시키며, 부모로 하여금 아동의 발달적, 교육적 요구를 수용하도록 하는데 있다. 또한 부모에게 정서적 지지를 제공하고, 가능한 빠른 시기에 아동의 진단에 따라 조기 중재 프로그램에 참

여할 수 있도록 격려하는 것이다. 시각장애 아동 간호 시 특히 유의할 것은 시각장애 아동도 일반 아동과 동일한 발달요구가 있음을 인식하는 것이다.

시각장애 아동의 일반적 간호는 특수 아동간호를 참고한다.

1) 아동의 다양한 감각활용 격려

아동의 시력을 대신할 수 있는 감각, 즉 촉각, 청각, 후각을 활용하여 자신과 주변과의 관계의 인식을 돕기 위한 추가적인 감각자극이 필요하다. 만약 부분적으로 시력이 남아있는 아동의 경우 가능한 잔존 시력을 사용하여 사물을 접할 수 있는 기회를 제공해 준다.

2) 발달 단계에 따른 간호

시각장애 아동의 간호는 아동의 모든 감각을 활용하여 아동의 사회적 상호작용과 사회화 경험은 아동의 발달 특성을 고려하여 가능한 정상 아동과 동일하게 이루어질 수 있도록 한다.

(1) 영아기

영아를 전후좌우로 천천히 흔들어 주기, 포옹, 대화나 노래해 주기 등 감각자극을 제공한다. 아동은 몸짓이나 목소리를 통해 자신의 감정을 표현하므로 간호사는 이를 부모가 이해하도록 격려해 준다. 얼굴표정은 많은 양의 정보를 표현할 수 있으나, 시각장애가 있는 어린 영유아는 이를 모방, 학습할 수 있는 기회가 결여되어 많은 제한이 있다. 이와 같은 경우에는 다른 감각을 통해 아동이 자신의 감정을 표현하고 의사소통할 수 있도록 도와줄 수 있다. 예를 들면 팔을 부드럽게 문지르면 웃는 얼굴표정, 세게 문지르면 화난 얼굴표정 등과 같은 방법을 이용하여 스킨십의 정도 차이에 따라 아동의 감정 상태를 표현할 수도 있다.

(2) 유아기, 학령전기

이 시기의 주요 발달과제인 자율감과 솔선감을 발전시키고, 한계를 설정하여 자기조절을 획득할 수 있도록 돕는다. 부모는 다른 형제들과 동일한 보상과 처벌이 제공되어야 하는 필요성을 강조하고, 아동의 연령에 적절한 발달과제를 성취할 수 있도록 지지해 준다.

표 25-5	아동들이 시각장애 아동의 발달증진을 위한 중재전략

- 영아에게 촉각을 사용하여 사람과 사물을 탐색할 수 있도록 하고 소리와 촉감을 이용한 장난감을 제공한다.
- 아동이 움직이기 시작하면 가구나 물건들은 항상 일정한 장소에 비치하여 아동이 스스로 움직이는데 불편함이 없는 환경을 조성한다.
- 시각장애 아동의 부상을 예방하기 위해 안전관리에 유의한다.
- 아동의 능력을 강조한다. 청소년들은 시각장애인 안내견이나 지팡이를 스스로 사용할 수 있도록 교육한다.
- 소리를 들을 수 있도록 아동을 매일 일상 환경에 노출시킨다.
- 시각장애 아동과 함께 걸어갈 때에는 아동이 함께 걸어가는 사람의 움직임을 인지할 수 있도록 아동보다 조금 앞서 걸어간다.
- 식사 시에는 아동이 하여금 음식의 종류를 확인하고 스스로 먹을 수 있도록 격려한다.
- 시각장애가 있는 영유아, 학령전기 아동은 밝은 조명에서 그림이나 사진을 보게 한다. 학령기 아동은 활자가 큰 책을 읽게 한다. 시각장애 아동용컴퓨터는 Optacon(시각장애 아동을 위해 글씨 크기를 키워주는 장치)과 View scan(글자를 확대하는)을 이용하여 아동의 읽기 능력을 향상시킬 수 있다.
- 놀이를 통해 지시적 개념을 교육할 수 있으며, 영아의 대화능력을 증진시키기 위해 발성을 격려한다.
- 병원이나 다른 어색한 환경에 있는 경우 아동에게 사물의 위치를 설명해 주고, 그 이후에는 사물의 위치를 옮기지 않도록 유의한다.
- 아동에게 정상 발달 범위 내에서 스스로 행동할 수 있도록 격려한다.
- 용변 보기, 옷 입기, 목욕하기, 그리고 안전을 위해 필요한 자가간호 기술을 아동에게 교육한다.
- 시각장애 아동에게 다가갈 때는 자신의 존재를 미리 아동에게 알린다.

(3) 학령기 이후

아동이 성장함에 따라 동료들과 접촉할 수 있는 기회를 증진시킨다. 비록 눈을 통해 볼 수는 없지만 상대의 얼굴을 바라보면서 대화하도록 교육하고, 각종 놀이나 운동 및 사회적 활동은 시력 장애가 없는 아동과 동일한 사회적 경험을 제공해 주기 위해 고안된 놀이와 운동에 참여할 수 있도록 격려한다.

시각장애 아동의 발달증진을 위한 중재전략은 [표 25-5]에 제시하였다.

3) 학습능력 증진과 교육

시각장애 아동의 학습 능력을 증진하기 위해 부모와 전

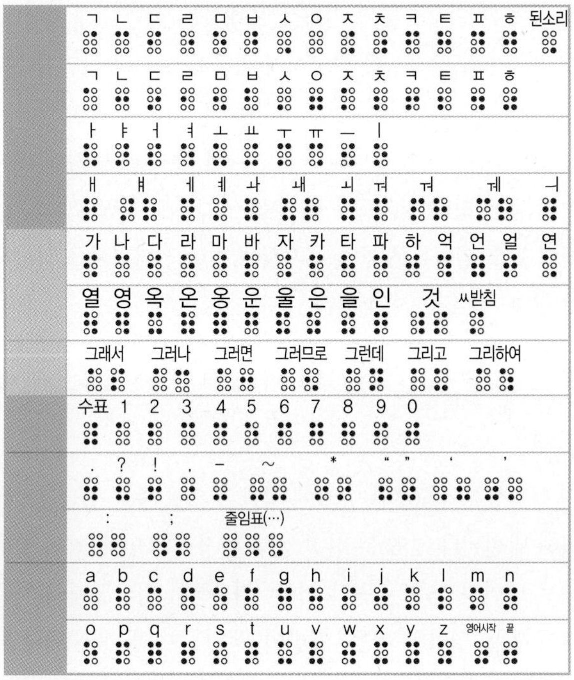

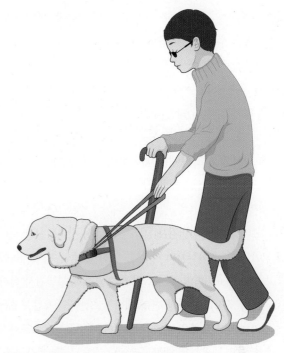

그림 25-1 **점자**

시각장애 아동은 손가락을 사용하여 점자를 읽으므로 정보를 공유한다.

그림 25-2 **시각장애인의 안내견**

훈련된 개는 시각장애인의 시력을 대신할 수 있다.

문 의료인들은 아동의 상황에 맞는 개별화된 교육프로그램을 개발해야 한다. 가능하다면 시각장애 아동이 정규 교육프로그램에 참여할 수 있도록 격려한다. 이를 위해 간호사는 아동이 입학하기 전에 교육기관에 관한 다양한 정보를 부모에게 제공함으로써 적절한 교육기관을 선택할 수 있도록 한다. 교육기관 선택 시 시각장애 아동이 또래 아동들과 함께 지낼 수 있고, 다양한 사회활동에 참여할 수 있는 곳을 선택하도록 돕는다.

시각장애 아동이 일반 교육기관에서 교육을 받는 경우 학교 기관이나 교사에게 아동의 장애나 능력에 대해 사전에 충분히 설명해 주도록 하고, 때로는 특수한 활동이나 학습 시 가정교사가 함께 할 수 있음을 알려 준다. 시각장애 아동의 학습 시 가장 어려운 점은 시각 이외의 감각에 전적으로 의존해야 하는 점이다. 아동은 언어적 강의를 통해서 학습할 수 있으나, 문자를 읽거나 쓰기 위해 특수 교육이 필요하다. 시력이 저하된 아동의 경우 활자가 큰 책, 특수 컴퓨터 등을 활용하여 글씨를 읽을 수 있다. 시각장애가 심한 아동은 손가락을 사용하여 점자를 읽거나, 점자를 사용하여 메시지를 교환할 수 있다[그림 25-1].

타인과의 의사소통을 위해 점자판과 철필, 혹은 소형녹음기를 하도록 한다. 녹음기는 사람에게 메시지를 전달하고 강의를 필기하는데 유용하며, 수학적 계산은 음성합성 장치가 부착된 휴대용 계산기가 유용하다.

최근에는 타자된 문자나 철자를 소리로 전환해 주는 음성 합성 장치가 내재된 가정용 컴퓨터는 시각장애 아동의 학습과 의사소통에 많은 도움을 주고 있다. 이 외에도 부분적 시력상실 아동은 확대해서 망막에 상을 맺게 해주는 시각보조 기구를 사용을 통해 도움을 받을 수 있으며, 한쪽 눈에만 시력이 있는 아동은 안경을 항상 착용하도록 격려 한다. 또한 훈련된 안내견에 의해 시각을 대신할 수 있다[그림 25-2].

(1) 가족의 정서적 지지

아동에게 실명의 가능성이나 부분적 시력상실이 있다는 것은 가족에게 커다란 충격과 슬픔이다. 이는 시력이 일상 생활을 하는데 필요한 필수적 감각으로 사람들은 앞을 볼 수 없다는 것은 아동의 미래에 대한 두려움 때문이다.

부모는 시각장애 아동의 능력과 장애를 이해하는 과정에

서 많은 도움을 필요로 한다. 간호사는 가족으로 하여금 아동의 상황을 수용하고 적응하며, 가능한 한 빨리 아동이 적절한 교육프로그램에 참여할 수 있도록 격려한다.

특히 후천적으로 실명이 된 아동과 가족은 아동의 장애에 적응하기 위해 더 많은 지지를 필요로 한다.

(2) 아동기 시각장애를 예방하기 위한 전략

아동기 시각장애를 예방하기 위한 전략은 다음과 같다.

- 고위험 임부 선별검사 : 산전 진찰 시 시력상실과 관련이 있는 유전질환의 가족력, 임신 중 풍진이나 매독에 감염된 고위험 임부의 조기 발견을 위해 선별검사 실시
- 눈의 조직적 손상과 변형 예방 : 조산아의 호흡보조를 위해 산소요법을 장기간 실시하는 경우 눈에 조직적 손상이나 변형 발생하므로 주기적으로 눈 검사를 실시하고 주의 깊게 관찰
- 시각장애의 조기발견 : 신생아부터 학령전기까지의 모든 아동에게 주기적인 시력선별검사 실시
- 모든 아동에게 풍진 예방접종 실시
- 안구 손상 예방을 위한 안전교육과 상담 : 안전한 환경 조성과 칼, 가위, 공 등을 다루는 방법을 알려주고, 공놀이를 할 때는 반드시 얼굴을 보호할 수 있는 헬멧을 착용하도록 격려

확인문제

1. 우리나라에서 '실명'으로 정의하는 시력은?

2. 시각장애 아동의 발달을 위한 중재전략은 어떤 것들이 있는가?

Ⅳ 청각장애

청각장애(hearing impairment)란 청각전달기관의 이상으로 인하여 소리를 듣지 못하거나, 들은 소리의 뜻을 이해하지 못하여 의사소통에 지장을 초래하는 상황을 총칭한다. 청각 장애의 심각성과 발견시기에 따라 아동의 발달장애는 경증에서 중증에 이르기까지 다양하다.

특히 아동기 언어 발달과 인간관계 및 주변 환경에 대한 이해 등은 청력 의존도가 매우 높기 때문에 청력 소실의 위험이 높은 영아는 생후 3~6개월에 청력 선별검사를 실시해야 한다.

01 / 원인

청력상실의 50%는 유전에 의한 것으로 주로 열성유전에 의해 발현된다. 25%는 산전 산후 환경적 요인에 의해 발생하고 나머지 25%는 원인 미상이다. 특히 청각장애의 가족력이 있는 영아와 아동, 재발이 잦은 중이염, 자궁내감염, 머리와 목의 기형 및 1,500mg 미만의 저체중아, 고빌리루빈혈증, 세균성 뇌막염, 분만 시 손상이나 질식, RH 부적합증, 방사선 조사, 신생물, 외상, 대사성 질환, 장기간의 기계적 환기 및 귀에 독성이 있는 약물을 투여 받은 경우 청력상실에 매우 취약하다.

이 외에도 환경적 소음이 청각장애를 유발할 수 있는 요인이 될 수 있다. 따라서 부모들은 가정과 학교에서 과도한 소음에 주의를 기울여야 하고, 특히 청소년들은 오랫동안 이어폰을 사용하여 음악을 들을 경우 청각장애가 유발될 위험이 매우 높다.

02 / 분류

청각장애는 청력수준과 결함부위에 따라 분류한다. 청력수준에 따른 청각장애의 분류는 [표 25-6]에 제시하였다.

결함부위에 의한 청각장애는 전도성, 감각신경성, 혼합성 및 중추성으로 분류한다.

- 전도성(conductive) : 가장 흔한 청각장애 유형으로, 외이와 중이의 염증, 폐쇄, 손상, 기형 등으로 소리가 이도를 통하여 중이로 전달되지 못하는 유형이다.
- 감각신경성(sensoryneural) : 청신경이 손상되어 소리를 감지하지 못하는 것으로, 내이의 구조적 결함, 핵

표 25-6	청력수준에 따른 청각장애의 분류	
분류	청각장애의 정도	언어 발달에 미치는 영향
매우 경한 난청 15~25dB	• 듣는데 지장 없다. • 먼 거리에서 하는 말을 알아듣기 어렵다.	말하는데 어려움이 없다.
경도 난청 20~40dB	• 청력 보조기구를 사용하면 어려움이 감소된다. • 작은 소리나 먼 곳에서 나는 소리를 듣는데 어려움이 있다. • 30dB인 경우 대화의 25~40%, 35~40dB인 경우 대화의 50%를 잘 듣지 못한다.	• 학습하는데 어려움이 없다. • 언어 발달지연을 초래할 수 있다.
중등도 난청 41~55dB	• 청력 보조기구를 필요로 한다. • 불완전한 대화가 이루어진다. • 1~1.5m 떨어진 거리에서 의사소통이 가능하나 말하는 사람의 얼굴이 마주 보지 않으면 이해하는데 어려움이 있다.	• 특수한 발음을 하는데 어려움이 있다. • 수업시간에 5% 정도의 소리를 듣지 못한다. • 언어습득이 지연되고 대화를 따라가기 어렵다.
중고도 난청 56~70dB	• 청력 보조기구를 필요로 한다. • 70dB 이상의 큰소리만 이해 가능하다. • 말하는데 특수훈련을 필요로 한다.	• 특수한 발음이 어렵다. • 학교생활의 어려움이 있다. • 언어를 해석하고 사용하는 데 어려움이 있다.
고도 난청 71~90dB	• 청력 보조기구를 필요로 한다. • 가까운 거리의 큰 소리는 들을 수 있다.	• 모음 구별가능 하나 자음은 거의 구별하지 못한다. • 언어훈련이 요구된다. • 발음 및 언어 발달 지연이 있다.
초고도 난청 > 91dB	들을 수 없다.	• 심각한 발음 및 언어 발달 지연이 있다. • 집중적 언어훈련 필요하다.

황달, 감염, 귀에 독성이 있는 약물의 투여, 과도한 소음에의 노출 등으로 인해 발생한다. 청력이 영구적으로 상실되며, 소리를 구분하고 해석하는데 어려움이 있는 유형이다.

• 혼합성(mixed) : 소리의 전달과 신경전도에 장애가 있는 경우로 전도성이 원인인 경우 회복이 가능하나 감각신경성 원인으로 인한 영향은 회복이 불가능한 유형이다.

• 중추성(central) : 대뇌 피질로 소리가 전달되지 않는 상태로, 소리구별이나 소리와 그 의미를 연결하지 못하므로 인지장애나 난청, 실어증, 표현능력 결여 등과 같은 증상이 나타나는 유형이다.

03 / 증상

언어 발달은 아동의 인지, 사회성 발달과 직접적인 관련이 있기 때문에 청력소실에 대한 조기 인식은 아동발달에 영향을 미친다는 점에서 그 의의가 크다. 청력은 3세까지 80% 정도가 완성되며, 출생 후 3년간 소리 자극이 청각신경에 제대로 전달되지 못하면 대뇌의 청각-언어영역이 발달되지 않아 언어 발달이 제대로 이루어 지지 않는다. 청각장애를 조기에 발견하기 위해 청각장애가 있음을 암시하는 증상에 대한 부모교육이 필요하다. 특히 청각장애를 유발할 수 있는 다양한 위험요인을 갖고 있는 영아와 아동의 경우 더욱 주의 깊은 관찰과 사정이 요구된다. 청각장애를 암시하는 아동의 연령별 행동 반응은 [표 25-7]에 요약하였으며, 이와 같은 행동반응이 나타나는 아동은 체계적인 신체사정과 청력검사를 실시하여 원인을 조기에 규명하고 조기중재를 제공함으로써 청각장애를 최소화할 수 있다.

04 / 진단과 치료

청력상실의 조기발견은 치료의 성공여부와 직결되기 때문에 영아기에 청력선별검사를 실시하는 것은 청각의 최적 발달을 유도하는데 결정적 영향을 미친다. 미국 소아과학회에서는 모든 신생아에게 생후 4주 이내에 청력 선별검사를 실시하고, 이에 통과하지 못한 경우 생후 2개월 이내에 재검사를 실시하며, 재검사 시에도 통과하지 못하면 청력 소실의 형태와 정도를 판단하기 위해 정밀 진단검사를 의뢰할

표 25-7	청각장애를 암시하는 아동의 발달단계별 행동반응
아동의 발달단계	**행동반응**
영아기	· 이름을 부를 때 반응하지 않는다. · 큰 소리에 무반응. 놀림반사가 나타나지 않는다. · 접촉 시에만 반응한다. · 옆, 뒤에서 소리가 날 때 소리가 나는 쪽으로 눈이나 머리를 돌리지 않는다. · 큰 소리에도 활동수준이 변화되지 않는다.
유아 및 학령전기	· 언어습득 속도가 매우 느리다. · 말보다는 얼굴표정에 더 집중한다. · 말보다 몸짓이나 얼굴표정으로 반응한다. · 사람보다는 사물에 관심이 더 많다. · 발달이 지연된다. · 몸동작을 통해 의사소통한다. · 초인종이나 전화소리에 반응하지 않는다. · 사회적 상호 작용을 회피하고 혼자 노는 것을 좋아한다.
학령기 및 청소년기	· TV를 보거나 라디오를 들을 때 가까이에 가서 듣거나 볼륨을 올린다. · 반복적인 진술을 요구한다. · 혼자 노는 것을 더 좋아한다. · 덤덤하거나 몽롱한 반응을 나타낸다. · 학업성취도가 저하된다. · 말하는 사람의 얼굴을 보지 않고 이야기하는 경우 질문에 대해 부적절한 답변을 한다. · 수줍고 은둔하며 위축되어 있다. · 단조로운 음과 이해할 수 없는 말을 하거나, 잘 웃지 않는다.

것을 권고한다. 특히 청력장애 혹은 난청의 위험이 높은 영아의 경우 주의 깊은 관찰과 주기적 청력선별검사 실시가 더욱 강조된다. 신생아 청력 선별검사에 흔히 사용되는 검사방법에는 유발 이음향방사 검사와 자동화 청력뇌간유발반응 검사가 있다.

아동의 연령에 관계없이 모든 평가에는 부모관찰 보고, 이경검사, 중이 기능검사이다.

> **간호진단 및 목표**
>
> 간호진단 : 청각장애와 관련된 의사소통장애
> 간호목표 : 아동의 효과적 의사소통 과정에 참여할 것이다.
> 예상되는 결과 : 수화(sign language)나 신호언어를 배우도록 격려한다. 독순술을 통한 이해를 증진할 수 있는 행동을 가르친다. 보청기의 올바른 사용에 대해 설명한다. 아동의 사회화에 참여할 수 있는 기회를 제공해준다.

1) 진단검사

(1) 자동화 청력뇌간 유발반응 검사

자동화 청력뇌간 유발반응 검사(AABR, automated auditiory brain stem response)는 소리에 대한 뇌간의 반응을 생리적으로 측정한다.

(2) 유발 이음향방사 검사

유발 이음향방사 검사(OAE, otoacousic emission)는 컴퓨터 시스템에 의해 비침습적으로 신속하게 달팽이관의 기능을 평가한다.

(3) 행동관찰 청력검사

6개월 된 유아의 청력손실을 발견하기 위해, 구조된 상황에서 소리 자극에 대한 유아의 반응을 주관적으로 관찰하는 검사이다.

(4) 시각 강화 청력검사

소리를 듣고 어린이가 직접 단추를 누르거나 마우스를 누르면 장난감이 움직이거나 컴퓨터를 조작할 수 있게 고안한 검사이다.

(5) 조건화 놀이 청력검사

조건화 놀이 청력검사는 주로 2세 이상 아동을 대상으로 아동은 이어폰을 차용한 상태에서 자극 음을 들을 때마다 놀이과제를 수행하는 검사이다.

(6) 순음 청력검사

순음 청력검사(pure-tone audiometry)는 방음실에서 청력 검사기(audiometry)로 시행하며, 각 검사 주파수에서 자극 음을 여러 차례 준 후 청력 손실자가 약 50% 정도 반응하는 가장 약한 소리의 강도(loudness) 즉 청력 역치를 찾아내어 결과를 청력도(audigram)에 기록하는 검사이다.

(7) 고실계측도나 청력측정기

고실계측도(tympanogram)는 소리를 받아들이는 고막의 능력을 평가하는 것으로 귀의 전도기관에 대한 검사로 고막

움직임을 평가하는 측정법이다.

최근 인공와우술이 감각신경성 청각상실 아동에게 시행되고 있다[그림 25-3]. 인공와우(cochlear implant)는 외부에서 들어온 음 자극을 전기신호로 부호화 하여 직접 청신경을 자극함으로써 소리를 감지하게 하기 위해 청신경을 직접 자극하기 위하여 말초 청각기관에 이식하는 시술로 감각신경성 청각상실 아동에게 희망을 주고 있다.

05 / 청각장애 아동 간호

청각장애 아동의 정상 발달과정을 최대한 격려하기 위해 간호사는 간호계획 시 아동의 의사소통과 사회화 증진을 간호목표로 청각장애 진단이 내려지면 가능한 빠른 시기에 조기 중재프로그램에 참여하여 장애를 최소화 하도록 하는 것에 목표를 둔다.

1) 아동과 가족의 지지

청각장애 아동의 부모는 처음 청각장애라는 진단을 접하게 되면, 특수 아동의 부모가 경험하는 충격, 부정, 거부, 슬픔의 과정을 경험한다. 자녀에게 기대했던 희망과 꿈을 상실하게 되고 미래에 대한 불안감에 힘들어 한다. 이 과정에서 간호사는 격려와 지지를 통해 부모가 상황에 긍정적으로 적응하고 아동이 조기 재활프로그램에 참여하여 장애를

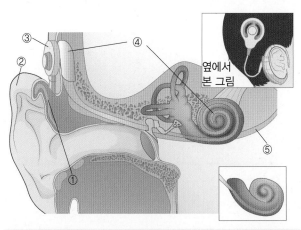

① 마이크로폰(microphone)이 외부의 소리를 모아 전기 신호로 변환
② 이 신호는 어음처리기로 이동하여 전기적 펄스 형태로 부호화(코딩)됨
③ 펄스는 코일로 전해져 피부를 통한 라디오파에 의해 체내에 수신 안테나로 전송됨
④ 수신안테나는 전기펄스를 와우 안에 있는 전극으로 보냄

그림 25-3 **와우장치의 구조와 자동 원리**
인공 와우장피를 통해 감각신경성 청각상실 아동이 소리를 감지하게 된다.

그림 25-4 **독순술**
아동이 말하는 사람의 입술모양을 읽음으로써 의사소통이 가능하다.

최소화할 수 있도록 언어와 언어적 의사소통 격려 및 청력 보조기구의 사용 등을 교육한다. 부모의 상담 및 교육은 유아, 소아의 재활에서 가장 중요한 역할을 한다.

2) 아동의 의사소통 능력 증진

초기 재활과정에서 아동의 의사소통 능력을 증진시키기 위한 간호사의 역할은 조기에 아동을 청각훈련 프로그램에 참여할 수 있도록 가족을 격려하는 데 있다. 재활훈련에는 독순술, 신호언어와 언어적 의사소통 격려 및 청력 보조기구의 사용 등이 포함된다.

(1) 독순술

독순술은 청각장애 아동의 의사소통을 위한 보조 수단으로 아동이 말하는 사람의 입술 모양을 읽음으로써 의사소통하는 방법이다[그림 25-4]. 따라서 아동이 시각적으로 주의집중을 할 수 있고 시력에 문제가 없는 경우 가능한 의사소통이다. 그러나 아동이 독순술을 모두 익힌 후에도 말한 단어의 40% 정도만 이해할 수 있기 때문에 완전한 의사소통을 하는데 한계가 있다. 독순술 시 아동의 이해증진을 돕기 위한 전략은 표에 제시하였다[표 25-8].

(2) 신호언어/수화

신호 언어(cued speech)는 특정한 단어에 일치하는 손 신호를 사용하여 시각과 몸짓으로 의사소통 하는 것으로 독순술을 잘하기 위한 보조수단으로 사용한다. 즉 입술모양이 비슷한 단어를 구별하기 위해 손을 사용하는 것으로, 신호언어는 독순술이나 대화에 비해 아동의 주의집중을 덜 요구하며, 청각장애 아동에게 다양한 학습의 기회를 제공해 주는 장점이 있다.

수화(sign language)는 손 신호를 이용하여 언어나 구체적 단어를 전달하는 시각적 몸동작 언어이다. 아동과 원활한 의사소통을 위해서는 수화를 배워야 한다[그림 25-5].

(3) 언어치료

청각장애 아동에게 제공되는 언어치료(speech therapy)는 시각, 촉각, 운동감각, 청각자극을 활용한 통합 감각을 통해 이루어진다. 청각장애 아동에게 말하는 것을 교육하는

표 25-8	독순술 시 아동의 이해와 증진을 돕기 위한 전략
• 아동 앞에 약 1m 정도의 거리를 두고 얼굴을 마주한다. 이때 아동의 눈은 대화자의 얼굴과 입술에 초점을 맞추도록 한다.
• 대화자는 대화가 진행되는 동안 되도록 움직이지 않는다.
• 아동과 눈 맞춤을 하고 아동에게 관심을 표현한다.
• 아동의 눈높이에서 대화한다.
• 말하기 전 아동의 주의집중을 유도하고 말하는 사람의 존재를 일 깨워 주기 위해 가벼운 신체접촉을 시도한다.
• 아동이 말한 것을 이해하지 못한 경우 간단 명료하게 다시 반복해 말한다.
• 천천히 적절한 속도로 정확하게 말한다.
• 입의 모양이나 언어의 형태를 방해할 수 있는 음식먹기, 껌 씹기 등은 하지 않는다.
• 대화자의 얼굴이 잘 드러날 수 있는 밝은 조명이 필요하다.
• 아동의 이해를 돕기 위해 얼굴표정을 사용한다.
• 아동이 이해할 수 있는 시간을 충분히 제공한다.

과정은 매우 힘든 과제이다. 간호사는 아동과 부모가 학습의 전 과정에 적극 참여할 수 있도록 격려해 주어야 한다.

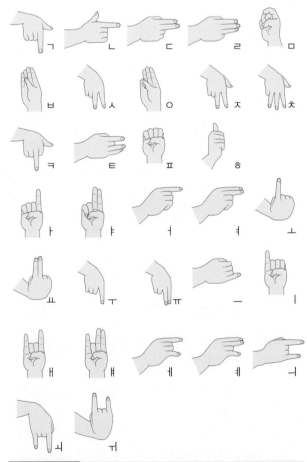

그림 25-5 수화

손 신호를 이용하여 원활한 의사소통이 이루어진다.

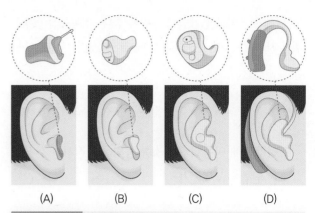

그림 25-6 **자막방송**

청각장애 아동에게 TV 자막방송은 학습에 도움이
된다.

그림 25-7 **보청기 착용 아동**

청각장애 아동은 보청기를 착용하여 의사소통을
한다.
(A) 고막형 (B) 귓속형 (C) 외이도형 (D) 귀걸이형

(4) 기타 보조기구의 활용

아동은 소리를 듣지 못하기 때문에 전화나 현관의 초인
종 소리 및 자명종소리 등에 반응하지 못한다. 아동의 연령
이 증가됨에 따라 청각장애 아동은 일상생활에서 활동하는
데 더욱 어려움이 가중된다. 따라서 이를 대체할 수 있는 다
양한 보조 기구를 활용하여 청각장애 아동이 주변 환경에
쉽게 적응하도록 도와줄 수 있다.

- 빛을 발하는 전화나 초인종
- 청각장애인을 위한 훈련된 안내견
- 캡션기능이 있는 TV[그림 25-6]
- 음성으로 전환되는 컴퓨터
- 보청기[그림 25-7]

(5) 아동의 사회화 격려

아동의 사회화는 아동발달에 중요한 역할을 하기 때문에
특수 아동에게 다양한 사회적 접촉기회를 제공해 주어야 한
다. 따라서 간호사는 특수 아동의 부모에게 사회적 접촉의
필요성에 대해 교육하고, 사회적 접촉의 기회를 제공할 수
있는 방법에 대해 아동의 부모와 함께 의논한다. 아동이 청
각장애 아동을 위한 특수학교에 입학한 경우에는 그곳에서
같은 장애 또래들과 쉽게 의사소통하기 때문에 가능한 이
들과의 관계를 증진시켜야 한다. 또한 청각장애 아동이 일
반 학급에서 학습하는 경우에는 학교나 교사의 특별한 도움
이 요구된다. 예를 들면 보청기를 착용하면 말소리뿐 아니
라 모든 소리가 다 크게 들리므로 교실 안팎의 소음을 최소

로 유지하고, 학생의 좌석을 되도록 소음으로부터 멀고, 교
사를 정면으로 바라볼 수 있는 자리에 배치하는 것이 바람
직하다. 또한 집단토의 시에는 원탁을 배치하여 아동이 다
른 구성원들을 정면으로 볼 수 있도록 한다. 매체 활용 시청
각매체보다는 시각매체가 효과적이다. 많은 청각장애 아동
들이 통합교육을 받을 수 있기 때문에 교사 역시 장애 아동
교육 방법을 연구하고 배려해 주어야 한다.

(6) 청력상실 예방을 위한 지지

간호사는 아동의 청력상실을 예방하고 장애를 최소화하

표 25-9 **청력상실 예방을 위한 사전지도**

- 만성 중이염이나 귀, 호흡기 감염의 병력이 잦은 아동은 주기적
  으로 청력검사를 받도록 교육한다.
- 청력상실의 위험요소가 있는 가족은 유전상담을 실시한다.
- 청력상실을 예방하기 위해 임신 1기 동안 매독, 풍진, 혈액부적
  합, 모체 당뇨병의 내과적 관리, 적절한 식이 섭취에 대해 산전
  상담을 실시한다.
- 과도한 소음공해는 지각신경성 청력상실을 유발시기 때문에 규
  칙적으로 소음 공해의 가능성을 사정하고, 잠재적인 위험에 대
  해 아동과 부모에게 예방교육을 실시한다.
- 강도가 높은 소음 환경에 있는 경우에는 귀마개 같은 보호 장비
  를 착용하도록 교육한다.
- 신생아 중환자실에서 치료를 받는 영아들을 소음으로부터 보호
  하기 위해 조용한 환경을 제공한다.
- 아동기 풍진, 이하선염, 홍역으로 인한 후천성 지각신경성 청력
  상실을 예방하기 위해 예방접종의 중요성을 강조한다.
- 청소년들에게 이어폰으로 큰 소리를 듣지 않도록 하고, 자동차
  의 스피커를 낮춤으로써 잠정적으로 발생할 수 있는 청력상실을
  방지하도록 예방교육을 실시한다.

기 위한 사전지도를 제공해 주어야 한다. 청력상실 예방을 위한 사전지도 내용은 [표 25-9]에 제시하였다.

확인문제

3. 청각장애 아동의 의사소통 능력을 증진시킬 수 있는 방법은 무엇인가?

4. 독순술이란?

5. 청각장애 아동의 보조기구는 어떤 것들이 있는가?

Ⅴ 지적장애 및 지체장애

01 / 지적장애 아동 간호

지적장애란 일반적으로 생의 초기부터 전체 발달 경과에 걸쳐 연령 대비 전반적인 지적 능력이 표준화된 지능 검사에서 IQ 70 이하로 유의하게 저조하며, 의사소통, 사회 활동 참여 및 가정 생활, 학교 장면, 직업 장면, 직업 사회 장면 등 일상생활에서 독립적이고 책임 있는 역할 수행이 어려운 등 적응상에 광범위하고 심한 수준의 제한이 초래되는 경우를 일컫는다.

DSM-Ⅳ-TR(American Psychiatric Association, 2000)과 ICD-10(World Health Organization, 1992)에서는 정신 지체(mental retardation)란 용어를 사용했지만, 이러한 용어가 장애인들에 대한 편견과 차별을 초래한다는 비판이 일면서, DSM-5(American Psychiatry Association, 2013)에서는 지적 장애(intellectual disability), ICD-11에서는 지적 발달 장애(intellectual developmental disorder)라는 용어로 수정했다.

1) 원인

지적장애의 원인은 생물학적 요인과 사회심리적 요인으로 구분할 수 있으며 특정 1가지 원인에 의해 발생하기보다

는 여러 요인이 복합적으로 작용하여 발생하는 다인자적 특성을 지닌다. 다인자적 특성으로 인하여 지적장애는 뇌성마비, 간질, 감각 기능장애와 같은 동반장애의 비율이 높은 편이다. 지적장애의 영향 요인은 다음과 같다.

(1) 생물학적 요인
- 약물 및 감염에 의한 임신 중 태아 이상
- 저산소증과 같은 임신 및 출산과정 이상
- 납중독과 같은 후천적 질환 및 손상
- 다른 정신질환 등

(2) 사회심리적 요인
- 낮은 사회경제적 수준
- 영양상태 불량
- 발달 자극 부재
- 부적절한 양육 등

2) 분류

(1) 경도의 지적장애
지적장애 아동 중 약 80~90%가 이 범주에 속하며 평균 지능지수는 55~69이다. 이들은 대개 학령전기까지 사회적응 능력이 약간 늦고 이해력이 떨어지는 정도로 지내다가 초등학교에 입학해서야 발견되는 경우가 많다. 이들은 '교육가능' 범주로 간주되는데 일반 교육 환경에서는 어려움을 겪지만 어느 정도의 사회기술과 의사소통 기술을 배울 수 있고 결과적으로 평균 지능의 아동과 크게 차이가 나지 않을 수도 있다. 특수 교육 후 이들은 최대 초등학교 6학년 수준의 학업 수행 능력을 보이고 성인 이후에는 적절한 사회적, 직업적 기술도 획득할 수도 있다. 대부분 결혼 생활도 유지가 가능하며 꾸준하게 독립적인 생활도 영위해갈 수 있다. 그러나 때때로 새로운 환경이나 예상 밖의 상황에 처했을 때 타인의 도움과 지도를 필요로 하게 된다.

(2) 중등도의 지적장애
중등도 지적장애는 사회적 인지수준이 지연되어 학령전기에도 문제가 발생하게 된다. 이들의 평균 지능은 40~54

이며 전체 지적장애 아동 중 약 10%를 차지하고 있다. 이들은 '훈련가능' 범주로 간주되며 훈련 후 최대 초등학교 2학년 수준의 학업 수행 능력을 보인다. 청소년기나 청년기에 단순한 직업적 기술을 배울 수 있으며 타인의 감독하에 자신을 돌볼 수 있다. 성인 이후에는 단순노동이나 비숙련직 직업을 가질 수 있으나 필요에 따라 타인의 도움과 지도가 필요하다.

(3) 중증의 지적장애

이들의 평균 지능은 25~39이며 지적장애 아동 중 약 4%가 이 범주에 속한다. 학령전기에 이들은 언어 및 운동발달 영역에서 발달지연으로 나타나 의사소통이 거의 불가능하고 식사하기, 옷 입기 등 기본적 자기관리가 되지 않는다. 지속적인 훈련을 통해 학령기에는 개인위생이나 옷 입는 것 정도는 가능해지고 성인이 되었을 때는 면밀한 감독하에 단순직에 종사할 수 있다. 이들은 안전을 위하여 지속적인 감독이 필요하다.

(4) 극심한 지적장애

이들의 평균 지능은 24 이하이며, 지적장애 아동 중 약 1% 이하가 이 범주에 속한다. 심한 지적장애를 보이는 이들은 정상적인 사회생활이나 성인기 동안 직업수행은 거의 불가능하다. 안전을 위하여 철저히 구조화된 환경에서 생활해야 하고 타인의 지속적인 도움과 지도가 필요하다. 이들 중 일부 아동은 이 닦기와 같은 최소한의 자기간호를 훈련시킬 수도 있으나 이들에게는 매우 제한적인 자기간호만이 가능하다.

3) 증상 및 진단

지적장애는 조기사정 및 진단이 매우 중요하다. 지적장애 아동의 진단을 위한 구체적 기준은 ① 표준화된 지능검사에 의한 지능지수 70 미만, ② 일상적인 적응능력(예를 들면, 의사소통, 개인위생 관리, 타인과의 관계 형성 및 유지 등) 저하이다. 단, 진단기준에 해당되는 증상 및 징후가 18세 이전에 나타나야 한다는 조건을 충족했을 때 임상적으로 지적장애 진단이 내려질 수 있다. 이는 대부분의 다른 발달장애가 그러하듯이 아동의 전반적인 발달은 18세 즈음에 완성되므로 지적장애 역시 18세 이전에 증상 및 징후가

나타나는 경우에 한해서 진단될 수 있다. 일단 지적장애 아동에 대한 임상적 진단이 내려지고 단기적, 장기적 치료계획이 세워지면 이후에는 지속적인 사정단계가 수반된다. 치료계획에 대한 평가와 예후에 관한 종합적인 판단을 위하여 아동의 발달 상태에 대한 사정은 지속적으로 그리고 통합적으로 이루어져야 한다. 사정내용에는 다음과 같은 영역이 포함되어야 한다.

- 건강요구 및 건강문제
- 일상생활 수행능력(식사, 옷 입기, 개인위생 등)
- 운동 및 신체활동
- 기동성
- 정신건강(스트레스, 불안, 우울증 등)
- 건강위험요인
- 경제적 부담감
- 사회적 지지
- 영적 건강
- 다른 영역의 발달 상태

특히 지적장애 아동에게는 다른 발달영역에서도 지연 혹은 문제가 나타날 수 있다. 이를테면 또래 비장애 아동과 비교했을 때 신체적, 정서적, 사회적 측면에서 낮은 수준의 발달 상태를 보인다. 그러므로 지적장애 아동의 건강증진을 위해서는 진단을 위한 사정 과정도 중요하지만 전반적인 발달적 문제가 있는지 파악하기 위해 다양한 발달평가가 필요하다. 발달장애 진단에 주로 사용되는 검사 도구들은 인지 및 지적 영역, 사회적 영역, 학습 영역, 문제행동 영역 등으로 구분되어 사용된다. 지적장애 진단 및 사정에는 한국 웩슬러 아동 지능검사(K-WISC-III)와 한국 스탠포드-비네지능검사(Stanford-Binet test)와 같이 표준화된 검사도구가 활용될 수 있다. 한국 웩슬러 아동 지능검사는 6세부터 16세까지 아동의 지능을 인지 및 지적능력을 측정할 수 있으며, 한국 스탠포드-비네지능 검사는 4세부터 14세까지의 아동의 정신연령과 지능지수를 측정할 수 있다.

지적장애 아동을 진단하기 위한 사정단계에서는 부모의 열린 마음이 중요하다. 다양한 치료나 조기교육에 대해서 부모가 알아야 하고 부모의 태도가 자녀에게 큰 영향을 미치게

되므로 지적장애 아동을 가진 부모들이 먼저 전문가를 찾아 부모교육을 받는 것이 중요하다. 또한 자녀의 치료과정에 함께 동참하여 특수교육에 대해서 부모가 알아야 하고, 또한 어떤 치료가 있으며, 지역사회에서 어떤 도움을 받을 수 있는지에 대해서 정확한 정보를 가지는 것이 중요하다.

4) 치료적 관리 및 간호중재

지적장애 아동을 위한 치료적 원칙은 신체적, 정신병리적, 사회심리적 측면을 통합적으로 사정하여 아동과 그들의 가족이 어려움을 극복할 수 있는 스스로의 강점을 키우고 적응을 위한 자원을 개발 및 활용하는데 중점을 둔다. 지적장애 아동을 위한 간호할 때 아동전문간호사 혹은 특수치료 전문가는 다음과 같은 내용에 초점을 둔 치료적 관리를 계획하여야 한다.

- 지적장애 아동을 한 개인으로써 존중한다.
- 치료 및 서비스 제공 전에 반드시 동의서를 받는다.
- 대상자와 관련된 모든 정보에 대해 비밀을 유지하고 보호한다.
- 치료 팀 내에서 다른 전문가와 협조한다.
- 지적장애에 대한 전문적 지식과 역량을 유지한다.
- 대상자—치료자 간 신뢰관계를 구축한다.
- 대상자가 가지는 잠재적 위험요소를 규명하고 최소화한다.

확인문제

6. 지적장애의 4가지 분류는 무엇인가?

7. 경도의 지적장애를 가진 아동의 지적수준은 어느 정도인가?

02 / 지체장애 아동 간호

지체장애는 가벼운 보행 곤란이나 말하기·먹기·걷기와 같은 운동 기능과 관련된 모든 영역에서 곤란을 갖는 중증장애가 있다. 「장애인 등에 대한 특수교육법」은 지체장애를 지닌 특수교육 대상자를 '기능·형태상 장애를 가지고 있거나 몸통을 지탱하거나 팔다리의 움직임 등에 어려움을 겪는 신체적 조건이나 상태로 인해 교육적 성취에 어려움이 있는 사람'으로 지체장애의 종류를 지체장애인과 뇌병변장애인으로 구분하고 있다.

1) 원인

지체장애의 원인은 선천적 원인과 후천적 원인으로 나뉜다. 선천적 원인으로는 원인을 알수 없는 경우가 많으며, 유전적 결함이나 출생 시 문제, 출생 전후의 감염 등으로 태아의 발달에 문제가 있으며 이는 유전이나 염색체 이상, 대사장애, 임신 중 약물복용, 방사선 노출, 풍진과 같은 감염, 혈액형 부적합 등이 주된 원인이다. 후천적 원인은 출생 이후 예기치 않은 질병이나 사고로 신체적인 결함을 갖게 되는 경우에 기인한다. 이는 각종 질환에 의한 신경계 손상, 교통사고로 인한 재해, 산업재해 등 외상에 의한 경우이거나 당뇨병, 혈액순환장애, 관절염 등 만성질환과 관련이 있다.

2) 증상, 징후

지체장애 환자가 겪는 증상이나 징후는 그 자체의 증상보다는 지체 장애를 유발하게 한 원인질환의 종류에 따라서 달라진다. 절단을 하였다면 절단을 해낸 부위 주변의 통증이나 부종, 각종 피부 질환 등이 발생할 수 있지만 이는 엄밀히 말하면 지체장애의 증상이 아니라 지체장애를 유발한 절단 때문에 발생하는 증상이나 징후라고 할 수 있다. 목발을 짚고 다니는 정도의 경한 지체장애에서부터 휠체어가 필요한 중한 지체장애까지 지체장애의 종류와 정도는 매우 다양하다.

3) 치료 및 간호

지체장애 자체를 치료하기 위한 특별한 방법은 없으나, 운동장애는 휠체어나 보조기, 목발, 교정기 등을 사용하여 증상이나 불편감을 경감시킬 수 있다. 신체적 능력에만 문제가 있는 지체장애 학생들의 경우에는 그들의 인지능력을 고려해서 적절한 교육 환경을 마련해주는 것이 필요하다.

Ⅵ 발달장애

인간은 출생부터 시작하여 발달의 각 단계마다 운동, 인지, 언어, 정서, 감각의 발달수준이 주어진 환경과 조화를 이루면서 정신건강의 초석을 다지게 된다. 인간의 발달은 나이가 증가함에 따라 단순한 세포 수의 증가 혹은 어떤 기관의 비대 및 성숙만을 의미하기보다는 출생 시 주어진 신체적, 생물학적 요인과 환경간의 상호작용으로 이루어지는 심리적·행동의 기능적 조직화라고 할 수 있다. 아동은 성인이 되기까지 이러한 기능적 조직화가 잘 이루어질 경우에 성공적으로 자신의 발달과제를 학습할 것이고, 성인을 신뢰할 수 있는 능력을 갖게 되며, 긍정적인 자기개념과 자신의 한계 내에서 스스로 만족할 수 있게 된다. 이러한 아동의 정신건강상태는 선천적 요인과 후천적 요인의 복합적 상호작용에 의해 획득 및 유지될 수 있다.

각 발달단계에 영향을 미치는 특정 정신병리적 요인들이 아동의 정신건강상태에 작용했을 때 다양한 아동기 정신건강장애가 발생하게 된다. 아동의 정신 병리에 영향을 미치는 각 발달단계별 요인은 [표 25-10]과 같다. 각 발달단계별 특정 요인이 정신 병리에 부정적 영향을 미치게 되어 아동기 동안 다양한 급성 혹은 만성 정신건강장애가 발생하게 된다[그림 25-8]. 조현병과 우울증과 같이 성인이 겪는 것과 유사하게 발생하는 아동기 장애도 있지만 자폐증과 주의력결핍 과잉행동 장애는 아동기나 청소년기에 국한되어 나타나기도 한다. 또한 어떤 장애는 정신적인 발달단계의 특성과 혼동되어 진단이 어려운 경우도 있다. 예를 들면 영아기의 분리불안은 어느 정도 범위 내에서 정상적인 특성으로 간주되지만 학령기 혹은 청소년기에 나타나는 분리불안은 병적인 것으로 진단되어야 한다.

아동의 경우 성인과 달리 지속적으로 변화하는 발달과정 중에 있다는 특성과 개인차가 워낙 크기 때문에 어느 범주까지를 평균으로 간주할 것인가에 대한 논쟁으로 인해 아동기 정신건강장애는 진단이 쉽지 않다. 즉, 아동기 정신건강장애를 규정함에 있어서 정상과 비정상을 구분하기 위해서는 증상의 강도, 빈도, 지속시간, 유형, 상황 적합성, 아동의 인지·감정·행동의 질적인 면을 고려해야 한다. 지적

표 25-10	각 발달단계별 정신 병리에 미치는 영향 요인

태아기
- 태반 및 태아 이상
- 임신 중 감염 및 질환
- 모체 질환, 염색체 이상
- 임신 중 영양결핍 및 약물남용

영아기
- 신경계, 근골격계, 감각계 질환
- 부모와의 애착문제
- 까다로운 기질
- 기본욕구(영양, 질병예방 등) 미충족
- 발달 자극 부족

유아기 및 학령전기
- 신경계, 근골격계, 감각계 질환
- 바람직한 훈육 부재
- 자기 통제 부족
- 분리-개별화 미성취
- 발달 자극 부족

학령기
- 신경계, 근골격계, 감각계 질환
- 자기 통제 부족
- 모범적 사회적 역할 부재
- 원만하지 않은 부부생활
- 사회적 역할 습득 기회(놀이경험) 부족
- 적절한 학습 부재

청소년기
- 신체적, 인지적, 사회심리적, 정서적 변화(사춘기)
- 신체상에 대한 왜곡된 자아개념
- 미래준비에 대한 교육 부족
- 발달상 부모로부터 독립과제 미성취
- 부족한 성인기 준비

장애와 비행행동은 정서적인 문제에 비해 장시간 지속하므로 심각하다고 할 수 있으나 손가락 빨기와 같은 문제는 비교적 흔하고 후유증을 남기지 않는 문제이므로 특별히 다른 문제행동을 동반하지 않는다면 비정상으로 간주하지 않는다. 분리불안의 경우에도 어느 시기에 나타나느냐에 따라서 정상과 비정상으로 구분될 수 있고, 주의력이 결핍하고 산만한 행동의 경우도 학교 등교를 회피하거나, 학업수행에 부정적인 영향을 주거나 부모와의 갈등이 심하면 비정상으로 구분하지만 그렇지 않다면 크게 문제가 되지 않는다.

그러므로 간호사는 아동의 모든 발달 영역에서 정상과 비정상을 정확하게 구분하여 그들의 정신 병리상태를 정확하게 평가할 수 있어야 한다. 또한 아동이 가지는 유전적 요인, 환

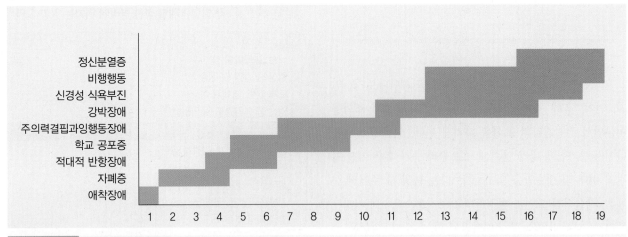

연령별 발달장애
아동기 발달장애는 발단간계에 따라 이상행동이 평가되어 진단되므로 성인과 달리 연령별로 분류될 수 있다.

경적 요인, 문화적 배경, 가정환경 및 지역사회의 자원 등 다양한 영향 요인을 규명하여야 하고 이상행동 발견 시 초기 단계에서 전문가의 진단과 치료를 받도록 해야 한다.

본 장에서는 아동의 정신건강장애를 발달장애로 정의하고 발달심리학적 관점에서 한 개인이 어떤 특정한 발달단계에 신체적, 정신적 손상을 받아 연령별 발달단계의 발달과제를 성취하지 못하여 특정 발달단계에 고착되거나 혹은 퇴행하여 나타난 문제로 설명하고자 한다.

01 / 자폐증

자폐증(autism)은 사회성의 결여, 언어적 또는 의사소통의 문제, 제한되고 반복적인 양상을 보이는 행동 등을 특징으로 하는 3가지 핵심적인 증상이 나타나는 발달장애이다. 여아보다 남아에서 더 호발하고(남:여=3~5:1) 가족력이 있다. 자폐증은 과거에는 조현병의 조기발견이라고 하였으나 1980년대 이후부터 선천적으로 혹은 아동기 발달과정 중 문제가 생겨서 여러 발달 영역이 제대로 발달되지 않는 전반적 발달장애(pervasive developmental disorder) 중 하나로 분류된다. 전반적 발달장애에는 자폐성 장애(autistic disorder), 레트 장애(Rett's disorder), 소아기 붕괴성 장애(childhood disintegrative disorder), 아스퍼거 장애(Asperger's disorder), 기타 전반적 발달장애(비전형적 자폐스펙트럼 장애 포함)가 포함된다. 자폐증을 자폐스펙트럼 장애로 달리 부르는 이유는 자폐증 환자의 증상이 경증에서부터 중증까지 그 범위가 넓기 때문에 증상 범주를 연속선으로 간주하고 다양한 증상들과 기능 수준을 보이는 자폐증 환자군으로 정의하기 때문이다.

1) 원인

자폐증의 원인은 아직까지 규명되어 있지 않다. 그러나 유전적 소인이 큰 것으로 밝혀져 있다. 유전적 영향 때문에 자폐증은 다른 유전적 질환과 관련성이 높다. 자폐증과 관련된 유전적 질환은 취약 X 증후군(fragile X syndrome), 페닐케톤뇨증(phenylke- tonuria), 다운증후군(down syndrome)등이 있다.

현재까지 규명된 자폐증과 관련된 원인적 요인은 다음과 같다.

(1) 유전적 요인
· 염색체 이상

(2) 정신 역동적 및 가족요인
· 권위적이고 강박적인 부모
· 지나친 양육 스트레스
· 고령의 부모
·

(3) 생물학적·신경학적·기질적 이상
· 출생 전후의 뇌손상 및 뇌염
· 뇌의 기질적 병변

(4) 생화학적 요인

- 혈중 세로토닌 상승
- 카테콜라민 작용 이상

2) 증상 및 진단

일반적으로 자폐증은 조기에 발생되고 관찰된다. 특히 영유아기에 다양한 증상을 보이는데 대개가 눈맞춤을 하지 않거나 주 양육자인 부모를 제외하고는 다른 사람들을 보면서 거의 미소를 짓지 않는 경우가 많다. 의사소통을 위하여 사용되는 다양한 비언어적 의사소통 기술, 즉 얼굴표정, 눈빛, 자세, 손짓 등이 매우 제한적이어서 모든 상황에서 한 가지 표정만을 자주 보이기도 한다. 7~9개월 이후에 옹알이가 없거나 자신의 요구를 표현하지 않거나, 12개월 이후에 타인에 반응을 전혀 하지 않거나, 3세 이후에 가상놀이 또는 역할놀이를 하지 않는 것도 자폐증을 의심할 수 있다.

자폐증은 전반적 발달장애이므로 어느 날 갑자기 증상이 발생하는 것이 아니라 지속적인 관찰에 의해 여러 가지 발달영역 에서의 발달속도가 일반 아동보다 느린 것에 초점을 두고 진단이 되어야 한다.

3) 치료적 관리 및 간호 중재

자폐증을 위한 치료적 관리는 근본적인 치료보다는 문제행동을 최소화하고 지연된 언어능력을 향상시키며 사회적 관계 형성을 좀 더 잘할 수 있게 도와주는데 있다. 자폐증은 3세 이전에 발생하여 평생 지속되므로 아동의 인지능력, 언어능력, 사회성을 촉진시키기 위해 장기적인 치료 및 관리가 필요하다. 자폐증 아동을 위한 치료적 관리에 약물치료, 인지-행동수정요법, 특수교육, 언어치료 등 여러 가지 발달자극 프로그램이 포함된다. 자폐증 아동을 위한 치료적 관리 목표는 다음과 같다.

- 언어, 인지, 운동, 사회성 영역의 정상발달을 증진시킨다.
- 학습특성에 맞는 과제를 제공한다.
- 이상행동이나 상동증적인 행동을 감소시킨다.
- 가족의 스트레스를 감소시킨다.

(1) 약물치료

자폐증 아동의 상동증적인 행동 및 이상행동을 감소시키기 위해 세로토닌계 약물과 도파민계 약물이 사용된다. 이러한 약물들은 일부 증상을 경감시키는 효과는 있지만 완치의 효과는 없다. 자폐증 아동 중 일부 이상행동으로 일상생활에 많은 어려움이 있는 경우 제한적으로 사용되며 부작용 발생이나 내성 문제 등으로 인해 장기간 사용에 주의를 요한다. 이 밖에도 아동의 증상에 따라 항우울제, 항경련제, 중추신경자극제, 인지기능촉진제, 안정제 등이 사용된다. 약물치료를 할 경우 효능과 부작용에 대한 관찰이 요구되고 전문가와 충분한 상의가 필요하다.

(2) 특수교육 프로그램

자폐증 아동의 특수교육은 치료에서 가장 중요한 영역이다. 가능한 조기에 사회생활에 적응하기 위한 훈련과 교육을 받아야 한다. 부모가 아닌 다른 사람과 사회적 관계를 맺는 법을 배워야 하고, 또래 아이들과 친해지는 방법을 습득해야 한다. 일상적인 활동기술, 즉, 길 건너기, 필요할 때 도움 요청하기, 간단한 물건 사기, 돈 다루기 등 나이에 맞는 독립적인 활동을 할 수 있어야 한다. 인지기능이 감소되어 있는 경우 교육이 어려울 수도 있지만 각 개인의 특성에 맞춰 개별화된 교육 프로그램을 통해 사회성을 길러주어야 한다. 자폐증 아동을 위한 교육 프로그램에는 언어적 자극, 모델링, 몸짓을 이용한 자극 등 특수 교수법도 포함되지만 요청하기, 도움 청하기, 항의하기, 선택하기 등과 같은 기능적 대화기술을 가르치는 대화전략도 포함되어야 한다. 자폐증 아동은 사회적 신호를 읽고, 이해하고, 반응하기 등을 어려워하기 때문에 사회적 관계형성이 쉽지 않다. 사회적 관습 및 의식 이해, 사회적 대화 나누기, 비언어적 의사소통 활용하기 등 사회적 기술도 꾸준한 교육을 통해 학습해야 한다.

확인문제

8. 아동기 동안 자폐증을 발견할 수 있는 초기 의심 행동은 무엇인가?

9. 자폐증 아동을 위한 치료의 목표는 무엇인가?

02 / 틱, 뚜렛 증후군

틱(tics)은 불수의적인, 갑작스런, 재빠른, 반복적인, 불규칙 한, 상동적인 신체움직임(운동) 또는 발성(음성)을 말한다. 심하지 않은 경우 자신이나 타인이 잘 알아차리지 못하는 경우도 있지만 심한 경우 일상생활에 지장을 주기도 한다. 대체로 아동기와 초기 청소년기에 발생하고 호발연령은 7세이다. 발생 후 대부분은 청소년기와 성인기를 지나면서 증상이 호전되거나 완전 소실되기도 하지만 일부는 평생 지속되기도 한다. 여아보다는 남아에게서 더 호발하고(남:여=3:1) 가족력이 있다. 흔히 잠을 잘 때와 1가지 일에 몰두할 때 증상이 없어지기도 한다.

증상의 형태에 따라서 운동 틱과 음성 틱으로 구분되며 이들의 증상이 한 가지에 국한되어 나타나는 경우를 단순형이라 하고 두 세가지 이상의 증상이 동시 혹은 연속적으로 나타나는 경우를 복합형이라 한다. 대부분은 스스로가 통제하기 어렵지만 잠시 동안 의식적으로 억제할 수도 있다.

틱 장애는 지속성 및 심각성 정도에 따라서도 세 형태로 분류 된다[표 25-11]. 대개 18세 이전에 증상이 나타난다. 이처럼 분류에 따라서 증상, 경과, 예후가 다양하나 공통적인 것은 증상으로 인하여 대인관계와 학교생활에 어려움을 호소하고 경우에 따라서 다른 발달 영역 또는 신체기능에 장애를 주기도 한다.

1) 원인

틱 장애의 정확한 원인은 밝혀져 있지 않고 여러 요인이 복합적으로 작용하여 발생한다. 가족 중 틱 장애나 강박장애를 가진 경우 발생빈도가 높고, 이란성 쌍둥이보다 일란성 쌍둥이에게서 발생률이 더 높게 나타나 유전적 영향이 있다고 볼 수 있다. 뇌의 구조적 혹은 기능적 이상, 특히 중추신경계 중 전두엽과 기저핵에 병변이 있는 경우에도 틱 장애가 발생한다. 전두엽은 전체적인 뇌기능 조율을 담당하는 부위이며, 기저핵은 운동기능을 조절하고 감각과 운동의 조화를 담당하는 부위이다. 주의력결핍 과잉행동 장애와 같이 도파민 대사의 이상이 있을 때도 틱 장애가 나타난다고 알려져 있다. 그 외에도 임신 및 출산과정에서의 뇌손상과 아동의 심리적 요인(특히 스트레스, 정서불안 등)이 영향을 주기도 한다.

2) 증상 및 진단

틱 장애의 증상은 분류에 따라서 매우 다양하다[표 25-12]. 발생 초기에는 대개 눈 깜박임으로 시작해서 머리 흔들기, 얼굴 찡그리기 등 전신증상 확대되고, 만성화된 형태인 뚜렛 장애의 경우 강박사고, 집중력 장애, 충동적 행동, 성격문제 등이 동반 된다.

정확한 진단을 위해 감별 진단은 필수적이다. 흔히 감별되어야 하는 다른 질환으로는 ① 헌팅톤 유전질환(무도병), 근경련, 뇌손상 후유증, 다발성 경화증과 같은 신경학적 질환, ② 항정신성 약물의 부작용으로 나타나는 불수의적 움직임, ③ 전반적 발달장애에서 나타나는 이상 행동이 있다. 진단은 증상에 대한 임상적 평가, 아동의 발달과정 및 일상생활 패턴에 대한 종합적인 분석, 표준화된 검사 도구에 의한 점수산출 등에 의해서 이루어진다.

3) 치료적 관리 및 간호 중재

틱 장애 아동을 위한 치료적 관리에서 부모와 간호사가 기억해야 하는 중요한 사실은 아동의 증상이 불수의적으로 나타나므로 아동을 야단치거나 강압적으로 못하게 해서는 오히려 심리적 위축을 가져와 증상이 악화되거나 강박 증상이 나타난다는 점이다. 부모에게 틱 장애와 관련된 요인을 설명해주고 아동과 함께 천천히 그리고 꾸준하게 치료 및 관리를 받도록 해야 한다. 진단 기준에 부합되지 않는 아주 사소한 틱이나 일시적 틱 장애는 즉각적인 치료를 필요로 하지 않는다. 치료가 필요한 경우 틱 장애 아동을 위한 치료에는 약물치료과 비약물치료가 포함된다.

약물치료는 일과성 틱 장애가 아닌 만성 틱 장애 또는 뚜렛 장애를 가진 아동에게 주로 적용한다. 가장 많이 사용되는 약물은 도파민 수용체 길항제인 할로페리돌(haloperidol)이다. 대개 4~8주 정도 투여하면 효과 여부를 알 수 있으며 전체 아동의 약 80%에서 효과가 나타난다. 도파민 수용체 길항제에 반응이 없는 경우에는 비교적 효과는 적지만 안전하게 사용할 수 있는 클로니딘(clonidine)을 처방하기도 한다. 그 밖에도 항우울제, 중추신경자극제가 사용되기도 한다.

비약물치료에는 인지-행동수정요법과 심리치료 등이 포함된다. 인지-행동수정요법에는 일부러 틱 증상을 반복하기(massed practice), 이완훈련(relaxation technique), 인식

표 25-11	틱 장애
일시적 틱 장애(transient tic disorder)	
적어도 2주 이상, 12개월 미만 하루에 몇 번씩, 거의 매일 일어나는 음성 또는 음성 틱	
만성 운동 또는 음성 틱 장애(chronic motor or vocal tic disorder)	
· 12개월 이상 지속되는 운동 혹은 음성 틱 · 운동 틱과 음석 틱이 같이 나타나는 경우는 드묾	
뚜렛 장애(tourette's disorder)	
· 12개월 이상 지속되는 운동 및 음성 틱 · 여러 종류의 운동 틱과 함께 적어도 한 가지 이상의 음성 틱이 동시에 나타남	

표 25-12	틱 장애 증상
단순 운동 틱	
눈 깜박임, 입 내밀기, 어깨 들썩이기, 얼굴 찡그리기, 목 젖히기 등	
복합 운동 틱	
얼굴 움직이기, 몸치장하기, 펄쩍뛰기, 발 구르기, 손 냄새 맡기 등	
단순 음성 틱	
헛기침, 툴툴거림, 킁킁거림, 콧바람내기, 기침하기 등	
복합 음성 틱	
· 욕설증, 동어반복증, 반향어증 등 · 사회적 상황과 관계없는 단어 말하기	

훈련(awareness training), 자기관찰(self-monitoring), 조건부 강화(contingent reinforcement) 등이 속한다. 자기관찰은 일부러 아동의 틱 증상을 매일 기록하게 하는 방법이고, 조건부 강화는 틱을 하지 않을 경우 보상해 주는 방법이다. 이러한 인지-행동수정요법을 적용하기 위해서는 부모와 교사간의 협조가 필요하고 아동을 포함한 모든 가족이 틱에 대해 정확하게 아는 것이 요구된다.

아동이 적극적으로 치료 및 관리에 참여할 수 있도록 주위 모든 사람들의 지지와 격려가 필요하다. 아동이 틱 증상을 일부러 혹은 고의로 증상을 만들어내는 것이 아니기 때문에 지적하거나 야단치지 않도록 한다. 가장 효과적인 대처는 증상을 무시하고 관심을 주지 않는 것이 좋다. 아동이 본인의 틱 증상에 의식하게 되면 강박적 사고 및 행동으로 이어질 수 있기 때문이다. 강박적 사고, 집중력 결핍 등과 같은 심리적 요인이 원인으로 작용하는 경우에는 심리치료를 적용해야 한다. 비슷한 증상을 가진 아동이나 청소년의 자조모임을 소개하는 것도 증상완화에 도움을 줄 수 있다.

확인문제

10. 틱과 뚜렛 장애의 차이점은 무엇인가?

11. 단순 운동 틱 증상은 어떤 것이 있는가?

03 / 기타 아동기 정신장애

1) 외상 후 스트레스 장애

외상 후 스트레스 장애(post-traumatic stress disorder, PTSD)는 심각한 외상이나 생명의 위협을 받은 사고에서 정신적으로 충격을 받은 뒤에 나타나는 장애이다. PTSD, 충격 후 스트레스 장애, 외상성 스트레스 장애, 외상 후 증후군, 외상 후 스트레스 증후군, 트라우마라고도 한다. 외상 후 스트레스 장애는 단순히 스트레스를 심하게 받은 정도가 아니라 외상으로 인해 생명을 위협할 정도로 분명한 신체적, 정신적 증상이 있는 장애로 간주하고 외상 후 스트레스 장애 아동에게는 즉각적이고, 지속적인 치료 및 관리를 제공하여야 한다.

(1) 원인

주된 원인은 심각한 정신적 스트레스를 유발한 사건 및 사고 그 자체이다. 외상 후 스트레스 장애를 유발하는 외상적 사건 및 사고는 3가지 범주로 나눌 수 있다. 첫째는 홍수, 지진, 폭풍, 화산폭발과 같은 자연재해이고, 둘째는 자동차·기차·비행기 사고, 화재, 폭발과 같은 사고이며, 셋째는 전쟁, 강간, 폭행, 학대 등과 같은 의도성 인재이다.

아동의 기질 및 성격도 부가적인 원인으로 작용한다. 해당 사건 및 사고에 대한 아동의 내적 반응과 의미부여에 따라서 스트레스로 받아들이는 정도가 달라진다. 성인과 달리 아동의 경우에는 극한 상황에 대한 대처능력이 부족하므로 외상 경험에 따른 신체적, 정신적, 사회심리적 부작용이 더 크게 나타난다. 그 밖에 정신질환에 대한 유전적 또는 생물학적 취약성을 가지고 있거나 부모의 도움과 같은 사회적 지지가 부족한 경우에 외상 후 스트레스 장애의 발생가능성은 더 높다.

(2) 증상 및 진단

외상 후 스트레스 장애 진단을 받은 아동은 이전 발달단계로의 퇴행행동(예, 대소변 못 가리기, 언어적 표현 감소, 분노발작 등)을 보이거나 일상적인 기능이 퇴화되는 증상(악몽으로 인한 수면장애, 음식거부, 학교등교 거부 등)을 보인다. 자신의 정서적 충격을 말로 표현하지 못하는 어린 아동의 경우에는 짜증을 내거나 공격적인 행동을 하거나 정서가 위축되는 등의 행동으로 나타난다.

(3) 치료적 관리

외상 후 스트레스 장애의 치료는 크게 약물 치료, 정신치료, 인지-행동수정요법, 노출치료로 나눌 수 있다. 외상 후 스트레스 장애 진단을 받은 일부 아동에서는 우울, 자살 관련 행동으로 악화될 수 있으므로 자기 파괴적인 행동 및 극단적인 행동에 대한 감시와 예방적 관리가 요구된다.

① 약물치료

외상 후 스트레스 장애 아동을 위한 약물치료는 근본적인 치료가 아니며 아직까지 다양한 연구가 진행되고 있는 상황이다. 약물치료는 증상이 심각하거나 기능장애가 심하고 다른 비약물적 치료의 효과를 극대화하기 위해 일부 아동에게 선택적으로 사용될 수 있다. 일차적인 약물로는 세로토닌 재흡수 차단제(fluoxetine, paroxetine)와 삼환계 항우울제(amitriptyline, imipramine, nortriptyline, desipramine)가 있다. 약물치료의 목표는 괴롭게 회상되는 증상을 감소시키고, 우울증과 무기력증을 완화시키며, 기타 정신병리적 증상을 조절하는 데 있다.

② 정신치료(상담치료)

정신치료를 통해 과거 사건경험을 단계적이고 점진적으로 표출시켜 아동이 기억을 회상하거나 재연하는 과정에서 나타난 부적절하거나 왜곡된 생각, 느낌을 정상화할 수 있다. 인지-행동수정요법, 미술치료, 음악치료, 놀이치료와 병행함으로써 손상된 정서 및 심리를 치료할 수 있다. 심층상담을 통해 과거 경험을 털어놓고 분노, 죄의식, 공포, 불안 등의 감정에 대한 대처 방법을 설명해 준다. 어린 아동의 경우 생각과 느낌을 정확하게 전달하지 못하므로 그림치료 및 놀이치료와 함께 실시한다. 의사소통에 문제가 없는 학령기 이후 아동은 비슷한 경험이 있는 다른 아동과 사건의 경험 및 현재의 증상에 대해 이야기할 수 있도록 기회를 제공한다. 회피증상이 심한 아동은 최면요법을 이용해서 상담치료를 하기도 한다.

③ 인지-행동수정요법

인지-행동수정요법은 과거 경험한 정신적 충격과 그로 인한 현재의 생각과 느낌을 변화시킬 수 있다. 즉, 인지-행동수정요법 을 통해 외상 사건 이후부터 현재까지의 인지적 왜곡을 바로 잡아줄 수 있다. 일부 학령전기 아동의 경우 과거 외상 사건이 본인의 잘못에 의한 것으로 잘못 인식하는 전환적 사고를 할 수 있다. 이처럼 죄책감이 심한 아동을 위해서는 사고의 발생이 자신의 잘못이 아니었다는 것을 재인식시켜야 하고 이로 인해 안전에 대해 심각하게 불안해하는 아동을 위해서는 긍정적인 이미지 상상, 이완법, 스트레스 관리 기술을 적용한다.

④ 노출치료

노출치료는 정신과적 치료형태인 탈감작 요법과 비슷하다. 과거의 외상을 떠오르게 하는 생각, 느낌, 상황에 대해 더 이상 두려워하지 않도록 조금씩 그 당시의 경험에 노출시켜 주는 방법이다. 사고에 대해 반복적으로 이야기를 나누고, 사고에 대한 부정적 느낌과 생각을 스스로 통제할 수 있도록 돕는다. 처음에는 사고에 대해 이야기하는 것 자체가 힘들고 꺼려질 수 있다. 특히, 극심한 정신적 충격으로 사고를 잊어버리게 되는 억압 또는 억제 방어기제가 작동한 경우라면 연령에 맞는 놀이치료를 병행하여 자연스런 노출을 유도해야 한다. 노출치료의 원칙은 비교적 덜 불안해하는 부분을 먼저 노출한 다음 조금씩 더 심각한 내용으로 진행하는 것이 좋으며 대부분 고통스러운 기억이 떠오르면서 감정적으로 격해질 수 있으므로 이완훈련, 분노조절법 등과 함께 시행하는 것이 좋다.

확인문제

12. 외상 후 스트레스 장애를 가진 아동의 증상 경감을 위해 쓰일 수 있는 약물은 무엇인가?

13. 외상 후 스트레스 장애를 가진 아동에게 적용할 수 있는 노출치료는 무엇인가?

2) 아동기 우울증

아동기 우울증(childhood depression)은 성인의 우울증과 유사하나 아동과 부모가 증상으로 인식하지 못하거나 비전형적 증상으로 인해 진단이 어려워 간과되어 왔던 아동기 정신장애이다. 기분장애는 양극성 장애(조증과 우울증 교대)와 우울장애 2가지 유형으로 나뉜다. 우울장애의 2가지 유형은 주요우울장애(major depressive disorder, MDD)와 기분부전장애(dysthymic disorder, DD)를 말한다. 기분부전장애는 우울증이 경한 단계를 일컬으며 발생빈도는 주요우울장애와 비슷하다. 아동기 우울증은 사춘기 이전에는 남녀 비슷한 발생비율을 보이지만 사춘기 이후에는 여아에서 더 많이 발생한다(남:여 = 1:2).

아동기 우울증의 발생원인은 유전적, 생물학적, 사회심리적 원인으로 구분할 수 있다. 부모가 우울증을 가진 경우 아동은 유전적 요인이 작용하여 우울증을 가질 가능성이 높고, 생물학적 요인에서는 세로토닌의 불균형, 내분비계 이상, 수면문제 등이 우울증 발생 원인으로 작용한다고 보고되고 있다. 사회심리적 요인에는 가족기능 부전, 우울 관련 기질 및 성격(낮은 자존감 및 자기효능감, 불안감), 부정적인 생활사건 경험, 아동학대, 부모와의 애착문제, 불건강한 양육환경 등이 포함된다.

아동기 우울증의 증상에는 가장 기본적인 증상으로 우울한 기분이 있고, 그 밖에 슬프고 울적하고 비관적인 생각이 포함된다. 불쾌한 기분과 예민하고 짜증스런 기분도 우울증의 증상이 될 수 있고 정상적으로 즐거워야 할 때 즐거움을 못 느끼는 것도 해당된다. 아동기 우울증의 진단 기준(MDD)은 다음과 같다. 주요우울장애는 9개의 증상 중 5개 이상이 나타나야 하고[표 25-13], 이러한 진단 기준 이외에 도 비전형적인 증상 즉, 짜증, 불안, 특정 공포증(예, 학교 공포증), 복통 및 두통이 나타나기도 한다.

치료는 증상에 따라 약물치료와 정신치료를 실시한다. 정신치료에는 놀이치료, 미술치료, 상담치료, 인지-행동수정요법 등이 포함되고, 약물치료를 위해서는 항우울제를 사용할 수 있다. 약물치료를 위해 전통적으로 사용되던 삼환계 항우울제는 그 효용성에 문제가 제기되어 일부 아동에게만 적용되고, 최근 선택적 세로토닌 재흡수 차단제(selective serotonin reuptake inhibitors; SSRIs)에 속하는 항우울제가 개발되어 최소한의 부작용과 우수한 효능으로 임상에서 주로 사용되고 있다.

아동기 우울증을 위한 정신치료는 약물치료의 단점을 보완하면서도 실제로 그 효과가 큰 것으로 확인되고 있다. 정신치료 중 인지-행동수정요법의 목적은 자신과 세계에 대한 부정적이고 소극적인 태도를 버리고 긍정적, 적극적 태도를 갖게 하는 것으로 역기능적인 사고를 변화시켜 문제행동을 수정하는 데 있다. 나이가 좀 더 어린 아동에게는 놀이치료, 미술치료가 추천된다. 연령과 개인적 기질에 따라서 모든 치료는 개별치료 또는 집단치료 중 선택하게 되고 또래관계를 중요시하는 학령기 이후에는 상호작용을 극대화할 수 있는 집단치료가 좀 더 효과적이다. 집단 환경에서의 역할놀이와 사회적 상호작용 기술습득을 통해 상황별 적절한 행동이 부적절한 행동을 대체하도록 한다.

다음과 같은 상황은 입원이 필요한 경우이므로 부모와 간호사의 주의 깊은 관찰이 요구된다. 입원치료는 안전하고 통제된 환경을 제공하고, 아동이 자살 관련 행동을 하지 못하도록 예방하는데 목적을 둔다.

표 25-13 아동기 주요 우울장애 진단 기준
1. 우울하거나 불안정한 기분
2. 흥미가 현저히 줄어들거나 전에 즐기던 활동에 대한 즐거움이 줄어듦
3. 식습관의 변화로 체중감소나 증가를 나타냄
4. 정신운동 흥분이나 지연
5. 무가치함을 느끼거나 불필요한 죄책감
6. 생각하거나 집중하는 능력이 떨어짐
7. 피로나 에너지 상실
8. 불면증이나 수면과다증
9. 지속적으로 죽음을 생각하고 자살을 상상함

- 자살을 시도했거나, 자살의 위험성이 높을 때
- 신체적 합병증이 있거나 신체적으로 심각하게 허약해졌을 때
- 정신치료를 거부하거나 비협조적일 때
- 학교생활과 같은 일상적인 기능을 상실할 때
- 생명을 위협할 수 있는 증상이 있을 때(예: 불면증, 식사거부, 망상 또는 환각 등

3) 아동기 조현병

아동기 조현병(childhood schizophrenia)은 정신 기능의 점진적 황폐화를 특징적으로 보이는 사고과정의 장애이다. 주로 청년기에 발병하여 만성화되는 정신질환이다. 아동기에 증상이 나타나는 아동기 조현병의 경우 성인의 조현병과 달리 증상이 미분화되어 뚜렷하지 않다는 특징을 가진다. 조현병 아동의 약 50%는 증상이 개선되나 1/3 정도는 심각한 장애가 지속되기도 한다.

아동기 조현병의 증상에는 망상, 환각, 사고 붕괴, 무감동, 위축 등이 있으며 더불어 대인관계 회피, 과제 수행능력 저하, 사회로부터 고립의 특징이 나타난다. 아동기 조현병 관련 발달단계 특징을 살펴보면, 옹알이 및 소리모방이 없었거나 주로 혼자 놀았거나 또래집단 내에서 과잉행동을 보였던 과거력이 있다.

아동기 조현병의 원인은 아직까지 정확하게 밝혀지지 않았다. 유전적, 생물학적, 사회심리적 요인이 복합적으로 작용한 것으로 추정하며 최근에는 뇌영상화 기술의 발달, 다양한 항정신병 약물의 개발 등을 통해 원인 및 발생기전에 관한 연구가 진행 중에 있다.

조현병의 진단은 부모에게 큰 충격이 된다. 장기간의 치료 동안 부모와 주위 사람들의 지지가 절대적으로 필요하며 지속적인 치료가 요구된다. 치료로는 약물치료, 심리치료, 인지-행동치료, 사회적 기술 훈련, 특수교육 등이 있다. 약물치료는 망상, 환청, 불안, 긴장, 부적절하거나 공격적인 행동을 감소시키는데 목적을 둔다. 주로 할로페리돌, 클로르프로마진, 트리민이 사용되며 이들은 도파민이라는 신경전달물질에 작용하여 환청, 망상 증상을 감소시키는데 효과가 있으며 흥분, 격정 등의 행동 또한 감소시킬 수 있다. 증상이 심할 경우에는 입원치료도 필요하다. 특히 아동이 자해를 하거나 타인에 대해 난폭한 행동을 하는 경우에는 입원치료를 통해 지속적으로 약물치료를 제공하면서 적절한 비약물치료를 병행하는 것이 중요하다. 또한 아동기 조현병은 아동의 장애로 인해 가족 내 심각한 문제가 동반되므로 가족치료가 요구되기도 한다.

4) 학습장애

학습장애(learning disorder)는 여러 가지 학습 기술, 즉 읽기, 계산, 쓰기의 습득에 장애를 초래하는 경우로 흔히 다른 정신장애와 동반되어 나타나는 경우가 많다. 비교적 흔하게 나타나 학령기 아동의 약 10~15%에 달하고 남자에게서 흔하게 나타난다(남:여=3:1).

여러 가지 원인이 작용하나 크게는 대뇌 영역의 지연, 기능이상, 손상 등 생물학적 원인과 자신감 부족, 수동적 태도, 학습기회 부족 등의 사회심리적 요인 및 환경적 요인으로 구분된다.

단순한 학습부진과는 개념적으로 차이가 있으므로 교육 및 학습의 기회가 없었는지, 시각과 청각에 기능적 문제가 있는지, 뇌성마비와 같은 실질적인 뇌손상은 없는지, 지능지수가 확실히 떨어져 있는지를 구분하여 감별 진단하여야 한다.

지능수준에 비해 학습 성취도가 매우 떨어지는 것이 대표적인 증상이다. 난독증이 있는 경우에는 읽기를 잘 하고 종종 철자, 쓰기, 말하기의 지연 등을 동반하기도 한다. 뿐만 아니라 정보 처리 과정에서도 장애를 보이므로 정보를 조직하고 분석하고 판단하여 결론 내리기 등과 같은 과정에서도 어려움을 나타낸다. 언어적 표현이 부족하고 어려운 과제를 이해하거나 수행하는데 필요한 기본적인 학습 능력에 결함을 보인다.

치료는 아동의 집중력이나 과제 수행에 대한 동기를 촉진시키는데 초점을 두고 기본적으로 아동에게는 특별학습 및 개별학습을 적용하고, 동반된 정서 및 행동 문제에 대해서는 별도의 치료를 적용해야 한다.

Ⅶ 만성질환 및 장애 아동의 가족

01 / 만성질환 및 장애 아동과 부모

만성질환이나 장애를 가진 특수 아동의 부모는 아동에게 만성적 건강문제가 있음을 알게 된 순간부터 수일 혹은 수개월에 걸쳐 쇼크, 불신, 부정 등과 같은 반응을 나타낸다. 이 과정에서 부모는 정상적인 아동의 상실에 대한 슬픔과 더불어 죄의식과 자책감을 갖기도 한다. 아울러 가족은 아동의 진단이 잘못되었거나 상태가 심각하지 않음을 확인하기 위한 시도로 다른 전문가의 진단을 받기 위해 여러 의료기관을 방문하거나(hospital shopping), 때로는 아동의 상태에 대해 얘기하는 것조차 거부한다. 이와 같은 가족의 초기반응은 특수 아동에게 필요한 적절한 치료방법의 모색과 치료시기를 지연시키는 원인이 된다.

그러나 시간이 경과됨에 따라 특수 아동의 가족은 아동의 상황을 받아들이게 되고, 만성적인 슬픔의 단계로 접어든다. 이 과정에서 부모는 아동의 관리와 일상에서 접하는 다양한 도전에 직면하는데, 다양한 지지체계를 갖고 있는 경우 이와 같은 도전에 더 쉽게 적응할 수 있다.

특수 아동의 부모는 아동의 치료와 관리에 많은 비용이 소요되기 때문에 금전적인 어려움을 경험하는데, 특히 부모의 직업이 불안정한 경우 경제적 어려움은 더욱 가중된다. 또한 부모들은 아동의 지속적 처치나 투약, 아동 돌보기, 아동과 함께 특수 치료기관 방문하기, 아동을 돌볼 수 있는 인력의 부족 등으로 여가 및 사회활동에 많은 제약을 받으며, 그 결과 사회적으로 소외되거나 격리된다.

특수 아동이 성장함에 따라 아동의 교육문제는 양육자의 가장 큰 관심사이다. 부모들은 아동이 이용할 수 있는 교육기관에 관한 정보, 조기학습의 기회, 교육기관에의 접근 가능성, 학교 관계자 및 동료들의 수용 여부, 일반학교 혹은 특수학교의 선택, 가정학습의 질적 수준 정도, 교사와 학교 당국의 융통성 여부 등에 대해 관심을 갖는다. 실제 아동이 학교에 가 있는 동안 적절한 처치를 제공해 줄 수 있는 교육기관도 극소수여서 아동의 교육에 많은 어려움을 겪게 된다. 따라서 특수 아동의 부모는 정상화 및 가능한 다른 일반

아동들과 동일한 교육경험을 제공하기 위해 아동의 적극적인 옹호자로서의 역할을 담당해야 한다.

특수 아동의 상태는 부부관계에도 많은 영향을 미친다. 아동의 치료와 관리 및 돌보기 과정에서 파생되는 스트레스와 피로로 인해 배우자에게 할애할 수 있는 에너지와 시간이 상대적으로 적고, 아동의 문제를 배우자의 탓으로 돌리려는 경향이 많아 이러한 감정적 스트레스가 지속적으로 누적되면 후에 부부갈등을 유발하는 원인이 되기도 한다.

아동간호사는 이와 같은 특수 아동 부모의 특성을 고려하여 매 단계마다 이들의 문제와 요구에 민감하게 대처해야 한다.

02 / 만성질환 및 장애 아동과 형제

형제간 경쟁(sibling rivalry)은 정상 아동의 형제관계에서도 흔히 볼 수 있는 현상인데, 만성질환이나 장애를 갖고 있는 특수 아동의 형제자매들에서는 매우 심각한 양상을 보인다. 이는 양육자의 시간과 관심, 비용 등이 대부분 특수 아동의 관리에 집중되기 때문에 건강한 형제들은 이에 대해 분노와 적대감 및 질투를 경험한다. 특히 성장발달과정에서 부모가 훈육이나 한계를 설정하는 경우 특수 아동과 형제들에게 다른 기준이 적용되기 때문에 형제들의 분노와 적개심이 더욱 가중된다. 아울러 부모는 특수 아동의 요구를 지나치게 강조한 나머지 형제들이 아동에 대해 갖는 죄책감을 간과하기도 한다.

형제들은 특수 아동이 자신들의 형제라는 것에 대해 치욕감을 경험하기도 하며 특수 아동에 대해 다른 사람들에게 얘기하는 것을 꺼리기도 한다. 특히 특수 아동이 자신들의 형제라는 것에 대해 치욕감을 경험하기도 하며 특수 아동에 대해 다른 사람들에게 얘기하는 것을 꺼리기도 한다. 특히 특수 아동의 신체적, 인지적 문제가 외부로 드러나는 경우 이와 같은 현상이 더 심하다. 형제들이 좀 더 나이가 들면 특수 아동의 상황을 이해하게 되기 때문에 이와 같은 반응은 감소한다.

특수 아동의 형제가 나타내는 행동반응은 [표 25-14]에 요약하였다.

특수 아동 형제들의 적응을 돕기 위해 가족은 형제들이

표 25-14	특수 아동의 형제가 나타내는 행동반응	
긍정적 반응		**부정적 반응**
• 특수 아동에 대한 관심과 돌봄 제공 • 양육자에게 협조적 • 타인의 부정적 반응으로부터 특수 아동 보호 • 또래들과의 활동에 특수 아동을 포함시킴		• 특수 아동에 대한 분노와 적대감 증가 • 관심을 끌기 위한 경쟁심 증가 • 사회적 위축 • 학업 성취도 저하

건강한 아동과 다양한 활동을 할 수 있도록 격려하고, 특수 아동의 상황을 설명해주며, 형제들의 발달 수준에 근거하여 특수 아동의 간호에 참여할 수 있도록 배려하고, 한계 설정이나 훈육은 모든 아동에게 적용하는 것을 포함해야 한다.

03 / 만성질환 및 장애 아동과 가족 간호

특수 아동의 간호목표는 특수 아동이 최적의 성장발달 수준을 획득하고, 자가간호에 적극 참여하며, 불안 경감과 더불어 아동이 더 많은 사회활동에 참여할 수 있도록 격려

하는 데 있다. 아울러 특수 아동 가족에게는 그들의 사회적 상호작용 기회 확대, 슬픔이나 불안, 분노 반응 경감, 특수 아동과 함께 지낼 수 있는 적응력 강화 및 특수 아동을 가정에서 관리하는 방법에 대해 교육하고 지지하는 것 등을 포함한다. 특수 아동과 가족의 간호진단과 간호계획은 [표 25-15]에 요약하였다.

표 25-15	특수 아동과 가족의 간호
간호진단 : 발달과제 성취 장애 및 부모의 특수 아동에 대한 반응과 관련된 성장발달 지연	
간호목표 : 아동은 주어진 상황 범위 내에서 최적 수준의 성장 발달을 할 것이다. 간호계획 및 수행 • 양육자에게 아동의 성장발달에 대해 현실적인 목표를 설정하도록 돕는다. • 아동에게 일관된 양육과 간호를 제공함으로써 아동의 발달수준과 상황에 적절한 발달과제 및 자기조절을 성취할 수 있도록 돕는다. • 부모의 과잉보호가 아동에게 미치는 영향에 대해 부모와 토의한다. • 특수 아동의 연령에 적절한 한계설정과 훈육을 제공한다. • 특수 아동에게 일상복을 입혀 본인이 가치 있는 사람임을 인식시켜 준다. • 유사한 건강문제를 갖고 있는 자조집단에 아동을 참여시킨다. • 청소년의 경우 외모를 향상시키고, 신체적 장애의 정도를 감소시킬 수 있는 의상이나 화장 등을 보조해준다. • 연령에 적절한 활동에 참여할 수 있도록 격려하고, 사회적 상호작용의 기회를 제공한다.	
간호진단 : 발달과제 성취 장애 및 부모의 특수 아동에 대한 반응과 관련된 성장발달 지연	
간호목표 : 아동은 주어진 상황 범위 내에서 최적 수준의 성장 발달을 할 것이다. 간호계획 및 수행 • 양육자에게 아동의 성장발달에 대해 현실적인 목표를 설정하도록 돕는다. • 아동에게 일관된 양육과 간호를 제공함으로써 아동의 발달수준과 상황에 적절한 발달과제 및 자기조절을 성취할 수 있도록 돕는다. • 부모의 과잉보호가 아동에게 미치는 영향에 대해 부모와 토의한다. • 특수 아동의 연령에 적절한 한계설정과 훈육을 제공한다. • 특수 아동에게 일상복을 입혀 본인이 가치 있는 사람임을 인식시켜 준다. • 유사한 건강문제를 갖고 있는 자조집단에 아동을 참여시킨다. • 청소년의 경우 외모를 향상시키고, 신체적 장애의 정도를 감소시킬 수 있는 의상이나 화장 등을 보조해준다. • 연령에 적절한 활동에 참여할 수 있도록 격려하고, 사회적 상호작용의 기회를 제공한다.	

간호진단 : 질병이나 장애로 인한 자가간호 결핍

간호목표 : 아동은 주어진 상황 범위 내에서 적절한 자가간호 수행에 참여할 것이다.

간호계획 및 수행

- 아동의 능력 범위 내에서 적절한 자가간호를 수행하도록 격려하거나 보조해준다.
- 과제 수행 시 에너지가 필요한 경우 사전에 충분히 휴식을 취하도록 한다.
- 과제를 완전히 달성하지 못한 경우에도 아동을 격려하고 칭찬과 보상을 제공한다.
- 아동의 능력을 초과하는 과제 수행을 강요하지 않는다.

간호진단 : 치료과정, 검사 및 입원과 관련된 불안

간호목표 : 아동은 치료과정, 검사 및 입원 시 불안이 감소될 것이다.

간호계획 및 수행

- 아동에게 치료나 검사과정에 대해 설명해주고, 의문이 있는 경우 질문하도록 격려한다.
- 통증이 수반되는 치료와 검사 방법 및 대처방법에 대해 아동에게 설명한다.
- 특수 아동의 가족에게 치료나 입원 전 아동을 준비시킬 수 있음을 교육하고 지지한다.

간호진단 : 아동의 상황과 관련된 아동과 가족의 사회적 격리

간호목표 : 아동과 가족은 타인들과의 사회적 상호작용에 적극적으로 참여 할 것이다.

간호계획 및 수행

- 아동의 상황이 허락하면 아동의 학교 출석을 격려한다.
- 동료와의 접촉을 격려한다.
- 양육자에게 휴식할 수 있는 시간을 주기 위해 사회사업 기관에 의뢰하여 필요한 도움을 제공 받는다.
- 양육자가 타인에게 특수 아동을 맡기는 것에 대한 불안이나 두려움에 대해 표현하도록 격려한다.

간호진단 : 아동의 상황과 관련된 가족의 예상된 슬픔

간호목표 : 가족은 분노, 불안, 죄책감 및 상실감을 표현하고, 이에 대해 긍정적으로 대처할 것이다.

간호계획 및 수행

- 슬픔의 단계별 가족의 반응을 수용한다.
- 적극적 경청을 통해 양육자의 감정을 표현하도록 돕는다.
- 아동의 상황에 대한 구체적인 정보를 제공하여 아동의 상황을 왜곡하지 않도록 한다.
- 특수 아동가족의 자조모임에 참여하도록 격려한다.
- 가족을 지지하고 격려한다.

간호진단 : 아동의 상황 및 적응과 관련된 가족과정 장애

간호목표 : 가족은 특수 아동의 요구를 수용하고 관리하며, 아동관리에 필요한 적절한 자원이나 지지를 적극적으로 추구학도 수용할 것이다.

간호계획 및 수행

- 가족이 아동의 질환이나 장애를 받아들일 수 있도록 격려한다.
- 가족의 감정을 표현할 수 있도록 한다.
- 특수 아동 관리와 관련하여 적절한 역할모델을 제시해준다.
- 적절한 자원이나 지지체계와 관련된 정보를 제공해준다.
- 건강한 형제들의 요구에 대해 부모와 토의한다.
- 특수 아동에 대해 가족이 합리적인 기대를 할 수 있도록 돕는다.

간호진단 : 특수 아동의 가정간호와 관련된 건강추구행위 결여

간호목표 : 가족은 가정에서의 특수 아동 관리에 적극적으로 참여할 것이다.

간호계획 및 수행

- 아동이 특수 기계나 장비를 사용하는 경우 보모에게 사용법을 교육하고 시범을 보인다.
- 특수 아동의 집의 구조를 사정하고 아동을 위한 집의 구조를 안내한다.
- 특수 치료기관이나 단체에 대한 정보를 부모에게 제공한다.
- 아동의 성장발달에 대한 정보를 제공하고, 특수 아동에게 현실적인 목표를 설정할 수 있도록 돕는다.
- 응급상황에서 연락할 수 있는 의료기관의 연락처 목록을 부모에게 제공한다.

※ 특수 아동의 간호목표는 특수 아동이 최적의 성장발달 수준 획득, 자가간호에 적극 참여, 불안 경감, 사회활동에 참여할 수 있도록 격려하는 것이다. 또한 특수 아동 가족에게는 아동과 함께 지낼 수 있는 적응력 강화 및 특수 아동을 가정에서 관리하는 방법에 대해 교육하고 지지하는 것이다.

※ 청각장애란 청각기관의 이상으로 인하여 소리를 듣지 못하거나, 들은 소리의 뜻을 정확하게 이해하지 못하여 의사소통에 지장을 초래하는 장애이다.

※ 독순술은 아동이 말하는 사람의 입술 모양을 읽음으로써 의사소통하는 방법이다.

※ 수화는 손 신호를 이용하여 언어나 구체적 단어를 전달하는 시각적 몸동작언어이다.

※ 실명은 우리나라는 일반적으로 교정시력이 0.05 이하인 경우로 정의하고 있다.

※ 약시는 두 눈의 교정시력이 0.04~0.3인 경우를 의미한다.

※ 의사소통장애란 유전적, 생리적, 심리적 또는 환경적 원인에 의해 자신의 생각이나 감정을 상대방에게 효율적으로 전달할 수 없는 상태를 말한다.

※ 유창성 장애란 말의 속도와 리듬이 부적절한 것으로, 말이 너무 빠르거나, 문장의 잘못된 곳에서 쉬거나, 강세를 부적절하게 사용하거나, 흐름이 부드럽지 못하여 음절이나 단어를 자주 반복하며, 주로 말더듬의 형태로 나타난다.

※ 아동기 발달장애는 각 발달단계에 영향을 미치는 특정 정신병리적 요인들이 아동의 정신건강상태에 작용했을 때 다양한 형태로 나타난다.

※ 각 발달단계별 정신병리에 미치는 영향 요인은 연령별로 약간씩 다르나, 염색체 이상, 신경계 및 근골격계 질환유무, 선천적 기질, 바람직한 훈육부재, 자기통제 부족, 사회적 경험 부족 등이 아동기 발달장애와 관련이 있다.

※ 발달장애를 가진 아동에게 적용할 수 있는 치료의 원칙은 정기적인 상담과 건강진단을 통한 발달평가를 토대로 인지치료, 놀이치료, 언어치료, 물리치료, 작업치료, 특수치료 등을 병행한다.

※ 정신지체(mental retardation)는 인지장애로 70 이하의 지적수준을 충족하고 그 외에도 의사소통, 자기관리, 사회적 기술, 자제력, 학업수행능력, 업무, 여가활동, 개인생활 및 안전 등의 영역에서 능력제한이 동반되는 경우 진단될 수 있다.

※ 자폐증(autism)은 사회성의 결여, 언어적 또는 의사소통의 문제, 제한되고 반복적인 양상을 보이는 행동 등을 특징으로 하는 세 가지 핵심적인 증상이 나타나는 발달장애로 약물치료와 특수교육프로그램을 통해 증상을 호전시킬 수 있다.

※ 틱/뚜렛 증후군(Tic/Tourett's syndrome)은 불수의적인, 갑작스런, 재빠른, 반복적인, 불규칙한, 상동적인 신체움직임(운동) 또는 발성(음성)이 나타나는 장애로 형태에 따라 치료적 접근을 시도하며 치료는 크게 약물치료와 비약물치료(인지행동수정요법과 심리치료)로 구분된다.

※ 외상 후 스트레스 장애(post-traumatic disorder, PTSD)는 정신적 충격을 받은 뒤 퇴행행동을 보이거나 일상적인 기능이 퇴화하는 증상이 나타나는 장애로 약물치료, 정신치료, 인지행동수정요법, 노출치료 등으로 호전될 수 있다.

※ 기타 아동기 정신장애로 아동기 우울증, 아동기 조현병, 학교 공포증, 학습장애가 발생할 수 있다.

1. 교정시력이 0.05 이하

2. 촉각을 사용하게 한다. 일상용품은 일정한 장소에 비치한다. 안내견이나 지팡이를 사용하게 한다. 안전관리에 유의한다.

3. 독순술, 신호언어/수화, 언어치료, 기타 보조 기구의 활용

4. 아동이 말하는 사람의 입술모양을 읽음으로써 의사소통하는 방법이다.

5. 빛을 발하는 전화나 초인종, 청각장애인을 위한 훈련된 안내견, 캡션 기능이 있는 TV, 음성으로 전환되는 컴퓨터·보청기

6. 정신지체는 지능지수에 따라서 경도의 정신지체(IQ 55~69), 중등도의 정신지체(IQ 40~54), 중증의 정신지체(IQ 25~39), 극심한 정신지체(IQ 24 이하)로 분류된다.

7. 경도의 정신지체를 가진 아동은 초기에 사회기술과 의사 소통기술을 배우면 평균 지능의 아동과 크게 차이가 나지 않을 수도 있다. 6학년 수준의 학문적 기술을 배울 수 있고, 성인이 되어서 직업적 기술도 배울 수 있다.

8. 영아기에 표정이 없거나 옹알이를 하지 않거나 유아기에 타인에 반응이 없거나, 역할 놀이 및 가상놀이를 하지 않는 행동

9. 언어, 인지, 운동, 사회성 발달을 증진시키고, 상동행동 및 이상행동을 감소시키며 연령에 맞는 학습과제를 성취하도록 하는 것

10. 틱은 12개월 미만의 운동 틱 또는 음성 틱이거나, 12개월 이상 지속되는 운동 틱 또는 음성 틱을 말한다. 반면 뚜렛 장애는 12개월 이상 지속되는 운동 틱과 음성 틱의 복합 증상을 말한다.

11. 눈 깜박임, 혀 내밀기, 어깨 들썩이기, 얼굴 찡그리기, 목 젖히기 등

12. 세로토닌(serotonin) 재흡수 차단제, 삼환계 항우울증

13. 과거의 외상을 떠오르게 하는 생각, 느낌, 상황에 대해 더 이상 두려워하지 않도록 조금씩 그 당시의 경험에 노출시켜 주는 것

참고문헌

참고문헌

American academy of child & adolescent psychiatry. (1998). Your child. Harprer–Collins Publishers.

American association on mental retardation. (2002). Mental retardation: definition, classification, and systems of support. 10th ed. American association on mental retardation.

American psychiatric association. (2000). Diagnostic and statistical manual of mental disorders, 4th edition(DSM–IV). American psychiatric association.

Appiah–Kubi, A. Lipton, J. M. (2012). The long road to the cure of sickle cell anemia. Pediatric blood and cancer, 58(4).

B. J. Ackley, G. B. Ladwig, M. B. F. Makic. (2017). Nursing diagnosis handbook. 11th ed. Elsevier.

Bowden, V. R., Greenberg, C. S. (2002). Peidatric nursing procedures, Lippincott.

Chemick, V., Boat, T. F., Wilmott, R. W., Bush, A. (2006). Kemdig's disorders of the tract in children(7th ed.). Saunders

Coarctation of the aorta: https://en.wikipedia.org/wiki/Coarctation_of_the_aorta.

David Wilson & Marilyn J. Hockenberry. (2012). Wong's clinical manual of pediatric nursing. 8th. Elsevier.

Donovan, C., Blewitt, J. (2009). An overview of meningitis and meningococcal septicaemia. Emergency nurse, 17(7).

Ellise D. Adams & Mary Ann Towle. (2009). Pediatric nursing care. Upper Saddle River, NJ.

Garton, H. J., Piatt, J. H. (2004). Hydrocephalus. Pediatric clinics of North America, 51(2).

Gosalskkal, J. A., Kamoji, V. (2008). Reye syndrome and Reye like syndrome. Pediatric Neurology, 36(6).

Hezinski MF. (1992). Nursing care of the critically ill child 2nd. Mosby.

Hockenberry, M. J. (2003). Nursing care of infants and children. Mosby.

http://www.hhs.gow.

Jane W. Ball, Ruth C. Bindler. (2006). Clinical handbook for pediatric nursing. Pearson education, Inc.

Kelly, N. (2012). Thalassemia. Pediatrics in review, 33(9).

Kronenberger WG, Meyer RG. (2001). The child clinician's handbook. Allyn and Bacon.

Marieb, Elaine N. (2006). Essentials of human anatomy & physiology. Pearson Benjamin Cummings.

Marilyn J. Hockenberry, David Wilson, Cheryl C Rodgers. (2016). Wong's essentials of pediatric nursing (10th ed). Elsevier Health Sciences.

Marlow, D. R., Redding, B. A. (1968). Textbook of pediatric nursing. Lippincott.

Medical Dictionary. (2012). Pacific Books.

Nowinske, D. (2013). Cleft lip and palate Epidemiology, Aetiology and treatment. Acta pediatrica.

Pena, C. G. (2003). Emergerncy; Seizure. The american journal of nursing, 103(11).

Pillitteri, A. (1999). Child health nursing: Care of the child and family. Lippincott.

Potts, N. L. Mandelco, Barbara, L. (2002). Pediatric nursing: caring for children and their families. DELMA.

Roshotte, J., King, J., Thomas, M., Cragg, B. (2011). Nure's moral experience of adiministering PRN antiseizure medication in padiatric palliative care. Canadian journal of nursing research, 43(3).

Samuel, M., Boddy, S. A. (2004). Is spina Bifida Occulta associated with lower urinary tract dysfunction in children?. The journal of Urology, 171(2).

Schneider, J. M., Fujii, M. L., Lamp. C. L. (2005). Anemia, iron deficiency, and iron deficiency anemia in 12-36-mo-old children from low income famillies. The american journal of clinical nutrition, 82(6).

Total Anomalous Pulmonary Venous Connection: http://emedicine.medscape.com/article/899491-overview.

Tricuspid atresia https://www.cincinnatichildrens.org/health/t/tricuspid.

Truncus Arteriosus: http://emedicine.medscape.com/article/892489-overview.

WHO. Health People 2020.

Wong, D. (2003). Wong's nursing care of infants and children, 7th ed. Mosby.

Wong, D. L. (1997). Essentials of pediatric nursing. Mosby.

강경아 외(2016). 인간 성장과 발달-생애주기별 접근. JMK.

강연숙 외(2011). 근거기반 기본간호학2. 수문사.

강영숙 외(2005). 필수 병태생리학. 군자출판사.

강인언 외(2009). 최신 아동발달. 학지사.

강현숙 외(2011). 근거기반 기본간호학2. 수문사.

공영숙(2012). 유아의 기질과 어머니의 양육태도가 유아의 문제 및 친 사회적 행동에 미치는 영향.

공은숙 외(1998). 건강사정. 정문각.

국가건강정보포털. 심폐소생술.

국가통계포털. 인구동향조사 : 인구동태건수 및 동태률 추이→조출생률.

권순달(2004). 사랑의 이론과 측정도구의 생태학적 평가. 교육문제연구, 21, 165-184.

권순학(2006). 정신지체 및 기타 정신발달장애. 대한소아과학회지, 49(10), 1026-1030.

기본간호학회(2013). 기본간호학 이론구축 전략 및 임상시나리오 개발. 현문사.

김경중 외(2005). 아동발달심리. 학지사.

김금순 외(2017). 성인간호학Ⅱ. 수문사.

김미예 외(2009). 아동의 건강 문제와 간호. 수문사.

김미예 외(2009). 주의력 결핍 과잉 행동 장애 매뉴얼. 수문사.

김미예 외(2010). 최신 아동건강간호학 총론. 수문사.

김미예 외(2011). 아동건강간호학총서 Ⅲ. 신생아간호. 군자출판사.

김미예 외(2011). 아동건강간호학총서 Ⅳ. 아동의 건강문제와 간호. 군자출판사.

김미예 외(2015). 최신 아동건강 간호학. 수문사.

김석덕 외(2006). 소아호흡관리(2판). 군자출판사.

참고문헌

김성우 외(2009). 소아의 육아지도: 부모의 호소에 따른 올바른 발달지도. 대한의사협회지. 52(3), 244-261.

김수진(2012). 청각장애 아동교육. 학지사.

김영혜 외(2009). 아동간호학. 현문사.

김주현 외(2010). 건강사정. 정담미디어.

김주현 외(2012). 필수 기본간호학 실습 체크리스트. 현문사.

김혜원 외(2016). 생애주기 인간발달. 현문사.

김호성(2008). 성조숙증의 진단과 최신 치료 경향. 대한내분비학회지, 23(3), 165-172.

김희숙 외(2007). 아동간호학 실습지침서. 신광출판사.

김희숙 외(2012). 아동건강간호학. 군자출판사.

김희숙 외(2013). 아동청소년 간호학2, 군자출판사.

김희숙 외(2018). 아동청소년 건강문제 관리. 수문사.

김희순 외(2017). 아동청소년간호학 Ⅰ, Ⅱ. 수문사.

김희순 외(2018). 아동청소년간호학. 수문사.

대한민국의약정보센터(2011). KIMS 4th. 2011sus 4gh. www.kimsonline.co.kr.

대한비만학회(2014). 2014 비만치료지침 .

대한소아과학홈페이지 http://pediatrics.or.kr.

대한소아신경학회(2013). 소아신경학(2nd eds.). 군자출판사.

도복늠 외(2010). 인간관계와 커뮤니케이션. 정담미디어.

문진수(2010). 청소년 영양 실태와 개선 방안. 대한소아소화기영양학회지, 13(1), 10-14.

민성길(1995). 최신정신의학.

박상희(2006). 청소년의 영양과 성장. 소아청소년학회, 49(12), 1266-1363.

박상희(2009). 청소년 진료의 접근 방법과 문제점. 대한의사협회지, 52(8), 737-744.

박성연(2006). 아동발달. 교문사.

박순희(2005). 시각장애 아동의 이해와 교육. 학지사.

박은숙 외(2014). 근거기반실무 중심의 아동간호학. 현문사.

박은영 외(2017). 간호진단, 중재 및 결과가이드. 현문사.

박인숙(2008). 선천성 심장병. 고려의학.

박충선 외(2017). 건강증진을 위한 아동건강 간호학. 퍼시픽북스.

배종우(2012). 한국 신생아 역학. 신흥메드싸이언스.

보건복지가족부&한국청소년정책연구원. 2010년 청소년 가치관 국제비교 조사.

보건복지부. 2010 입양현황.

"참고문헌"

보건복지부. 2010년 전국아동학대현황보고서.

보건복지부. 2016년 전국아동학대현황보고서.

보건복지부. 2017보건복지통계연보.

보건복지부. OECD 통계로 보는 한국의 보건의료- OECD, 「보건통계 2018」 결과 발표 - http://www.mohw.go.kr.

서대현(2010). 여드름의 약물요법. 대한의사협회지. 53(7), 623-627.

서울대학교병원편(2008). 간호진단과 계획. 서울대학교 출판부.

서울시 소방방재청.

서울아산병원 건강정보 질환백과.

세계보건기구 신체활동 권장지침. 건강증진총서 3호.

송경애 외(2009). 기본간호학2. 수문사.

송지호 외(2008). 아동간호학. 현문사.

신경림 외(2010). 성인간호학1, 2. 현문사.

신은수 외(2001). 놀이와 육아교육. 학지사.

신희선 외(2002). 한국형 Denver II 검사지침서. 현문사.

심성경 외(2010). 놀이지도. 공동체.

심현섭 외(2005). 의사소통 장애의 이해. 학지사.

안동현(2009). 청소년 정신건강장애. 대한의사협회지. 52(8), 745-757.

안효섭, 신희영(2016). 홍창의 소아과학 (11판). 미래엔.

원종순 외(2015). 간호과정과 비판적 사고. 현문사.

유은정 외(2010). 청각장애아동의 이해와 교과교육. 학지사.

이강이 외(2009). 인체생리학 개정 4판. 현문사.

이강이 외(2014). 건강사정. 현문사.

이경상 외(2006). 청소년의 선호직업 및 직업가치 특성에 관한 연구. 한국 청소년패널조사 데이터분석 보고서. 한국 청소년개발원.

이노우에 도모코, 사토 치후미(2014). 근거 중심 질환별 간호 과정. ㈜한언.

이소희(2005). 아동발달척도 핸드북. 대왕사.

이자형 외(2009). 아동청소년간호학. 신광출판사.

이종국(2008). 한국 소아청소년의 성장발육 변천. 대한의사협회지, 51(12), 1068-1070.

이중석 외(2006). 청소년 발달권의 현황과 지표개발. 연구보고서 06-R05-3. 한국청소년개발원.

인체생리학 연구회(2016). 핵심인체생리학. 은학사.

전북대학교 의학전문대학원 학술편찬위원회(2017). Power소아청소년과. 9th ed. 군자출판사.

정미라 외(2002). 유아건강교육. 양서원.

정미라 외(2006). 한국의 현대적 아동관에 대한 탐색. 창지사.

정옥분 외(2012). 아동복지론. 학지사.

정옥분(2005). 영유아발달의 이해. 학지사.

조갑출(2015). 아동간호의 본질적 토대와 사명에 관한 논고. Child Health Nurs Res, Vol.21, No.4, October 2015: 311-319.

조결자 외(2005). 가족중심의 아동간호학(제3판). 현문사.

조수철, 김재원(2008). 청소년기의 정신질환. 대한의사협회지, 51(2), 176-186.

중앙다문화교육센터.

진선애(2005). 학령전기자녀와 어머니의 효과적인 의사소통 증진을 위한 프로그램 개발과 효과검증; 적용을 중심으로. 석사학위논문. 한남대학교.

질병관리본부(2018). 예방접종도우미. https://nip.cdc.go.kr/irgd/index.html.

최경숙, 박영아(2003). 아동발달. 창지사.

최명애, 정인숙(2000). 운동과 아동건강. 현문사.

최인재(2011). 한국 청소년 건강실태 조사. 한국청소년정책연구원.

최정신 외(1997). 신체검진. 현문사.

통계청 e-나라지표. 합계출산율 http://www.index.go.kr/potal/main/EachDtlPageDetail.do?idx_cd=1428.

통계청 보도자료(2017.11.20). 생애주기별 주요 특성 분석-출산, 아동보육, 청년층, 경력단절.

통계청 인구동향조사 보도자료(2018.03.21). 2017년 혼인 이혼 통계.

통계청 인구동향조사 보도자료(2018.08.22). 2018년 6월 인구 동향.

통계청, 여성가족부(2018). 2018 청소년 통계.

통계청. 2016년 사망원인통계.

퍼시픽출판사 학술편찬국(2006). 아동간호학. 퍼시픽출판사.

하영수 외(2017). 아동청소년간호학 I. 신광출판사.

한국해부생리학 교수회의회. (2008). 인체해부학 3판. 현문사.

한헌석(2002). Regulation of hypothalamo-pituitary-gonadal axis. 대한소아내분비학회지, 7(1), 10-20.

허진국, 송동호(2011). 소아 만성복통의 정신사회적 요인과 정신질환. 대한소아소화기영양학회지, 14(1), S25-S33.

현정환(2005). 아동발달의 이해. 창지사.

홍강의(1993). 자폐장애-자폐장애의 본질과 개념변천에 관한 고찰. 소아청소년 정신의학, 4(1), 3-26.

홍경자 외(2016). 아동건강간호학 I, II 수문사.

찾아보기

ㄹ

ㅁ

ㅂ

기타